中國國家圖書館編

國家圖書館藏敦煌遺書

第三十二册　北敦〇二二五五號——北敦〇二三一〇號

北京圖書館出版社

圖書在版編目(CIP)數據

國家圖書館藏敦煌遺書·第三十二册/中國國家圖書館編;任繼愈主編.—北京:北京圖書館出版社,2006.6

ISBN 7-5013-2974-5

Ⅰ.國…　Ⅱ.①中…②任…　Ⅲ.敦煌學—文獻　Ⅳ.K870.6

中國版本圖書館 CIP 數據核字(2006)第 027551 號

ISBN 7-5013-2974-5

9 787501 329748 >

書　名　國家圖書館藏敦煌遺書·第三十二册
著　者　中國國家圖書館編　任繼愈主編
責任編輯　徐　蜀　孫　彦
封面設計　李　璀

出　版　北京圖書館出版社　(100034　北京西城區文津街 7 號)
發　行　010-66139745　66151313　66175620　66126153
66174391(傳真)　66126156(門市部)
E-mail　cbs@nlc.gov.cn(投稿)　btsfxb@nlc.gov.cn(郵購)
Website　www.nlcpress.com
經　銷　新華書店
印　刷　北京文津閣印務有限責任公司

開　本　八開
印　張　55.75
版　次　2006 年 8 月第 1 版第 1 次印刷
印　數　1-250 册(套)

書　號　ISBN 7-5013-2974-5/K·1257
定　價　990.00 圓

目錄

佛說觀佛三昧海經本行品第八
佛如來頂上肉髻團圓勇起猶如合拳其
上平僾猶如天蓋三念阿彌陀佛
佛如來頭上有八万四千髮一一髮長一丈三
尺五寸猶如黑絲分齊分明四𢺶分明毛皆
兩靡右旋而生如紺琉璃色右旋婉轉卷成
蠡文在佛頭上一一毛孔旋生五光入諸光
中三念佛　佛如來頭皮黃金色亦生衆光
入腦光十四色中三念佛　佛如來頭頂骨其
色正白如頗梨雪山不得爲比三念佛
佛如來腦紅頗梨色有十四脉衆畫具足
一一畫有十四光分明了了於腦脉中旋生諸
光上衝頭骨乃至髮際光有十四色圍繞
衆髮三念佛　佛如來髮際如赤真珠色婉轉
下垂有五千光間錯分明皆向上靡圍繞
衆髮從頂上出生諸化佛三念佛
佛如來額廣平正額上諸毛毛皆上靡其
毛根下梵摩尼色毛端流光如融紫金光
相上靡入於髮際宛轉下垂至耳輪邊然

BD02255號　相好經　　（3-1）

衆髮從頂上出生諸化佛[illegible]
佛如來額廣平正額上諸毛毛皆上靡其
毛根下梵摩尼色毛端流光如融紫金光
相上靡入於髮際婉轉下垂至耳輪邊然
後布散入諸髮間圍繞蠡文數百千匝從
枕骨出如金蓮華日照開敷遍衆生意三念
佛如來白毫相長一丈六尺十楞分明如白
琉璃筒中外俱空右旋婉轉在佛眉間圍
如三寸如日頗梨珠十方光現瞻覩衆日如
億万日不可具見於毛端頭出五色光明
還入毛孔三念佛　佛如來左右二眉形如初
月繞生諸毛稀稠得所眉光兩眉散入諸
髮其色艷紫紺琉璃豐翠孔雀色无異
類猶如聚墨比琉璃光眉下三畫及眼睫
中旋生四光青黃赤白上向焰出入眉骨中
出眉毛端三念佛　佛如來眼睫上下各生五
白毛柔軟可愛如優曇鉢華鬚三念佛
佛如來眼如四大海水青白分明白者白於
白寶青者勝青蓮華上下俱瞬如牛王
目目雙齊頭旋生二光如青蓮花三念佛
佛如來耳普垂埵相兩耳孔中旋生七毛輪
郭衆相如寶蓮花懸處日光兩耳內外
出生蓮華及耳孔七毛流出諸光光有
五百支支有五百色三念佛
佛如來方頰車相頰上六畫中左右正等
有妙光色輝艷倍常如淨金色譬如和合
[illegible]

BD02255號　相好經　　（3-2）

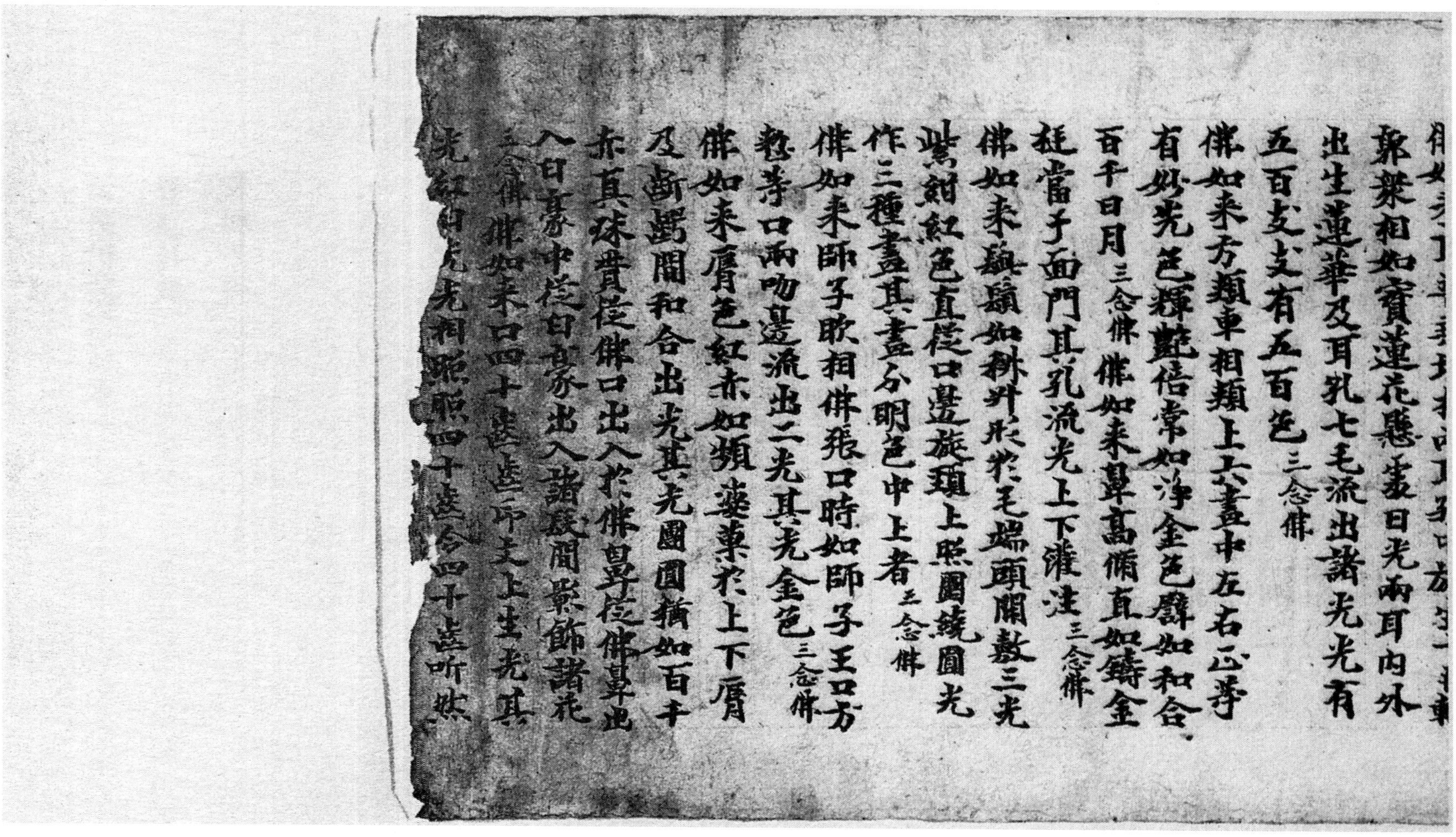

[illegible]
身衆相如寶蓮花懸處日光兩耳內外
出生蓮華及耳孔七毛流出諸光光有
五百支支有五百色 三念佛
佛如來方頰車相頰上大畫中左右正等
有妙光色輝艷倍常如淨金色譬如和合
百千日月 三念佛 佛如來鼻高脩直如鑄金
挺當于面門其孔流光上下灌注 三念佛
佛如來顙顯如秋丹形於毛端頭開敷三光
照紺紅色直從口邊旋頸上照圓鏡圓光
作三種畫其畫分明色中上者 三念佛
佛如來師子臆相佛張口時如師子王口方
整等口兩吻邊流出二光其光金色 三念佛
佛如來脣色紅赤如頻婆菓於上下脣
及齗齶間和合出光其光圓圓猶如百千
赤真珠貫從佛口出入於佛鼻從佛鼻出
入白毫中從白毫出入諸髮間景飾諸花
三念佛 佛如來口四十齒齒[illegible]上生光其
光紅白光光相照照四十齒合四十齒所然

BD02255號　相好經　　（3–3）

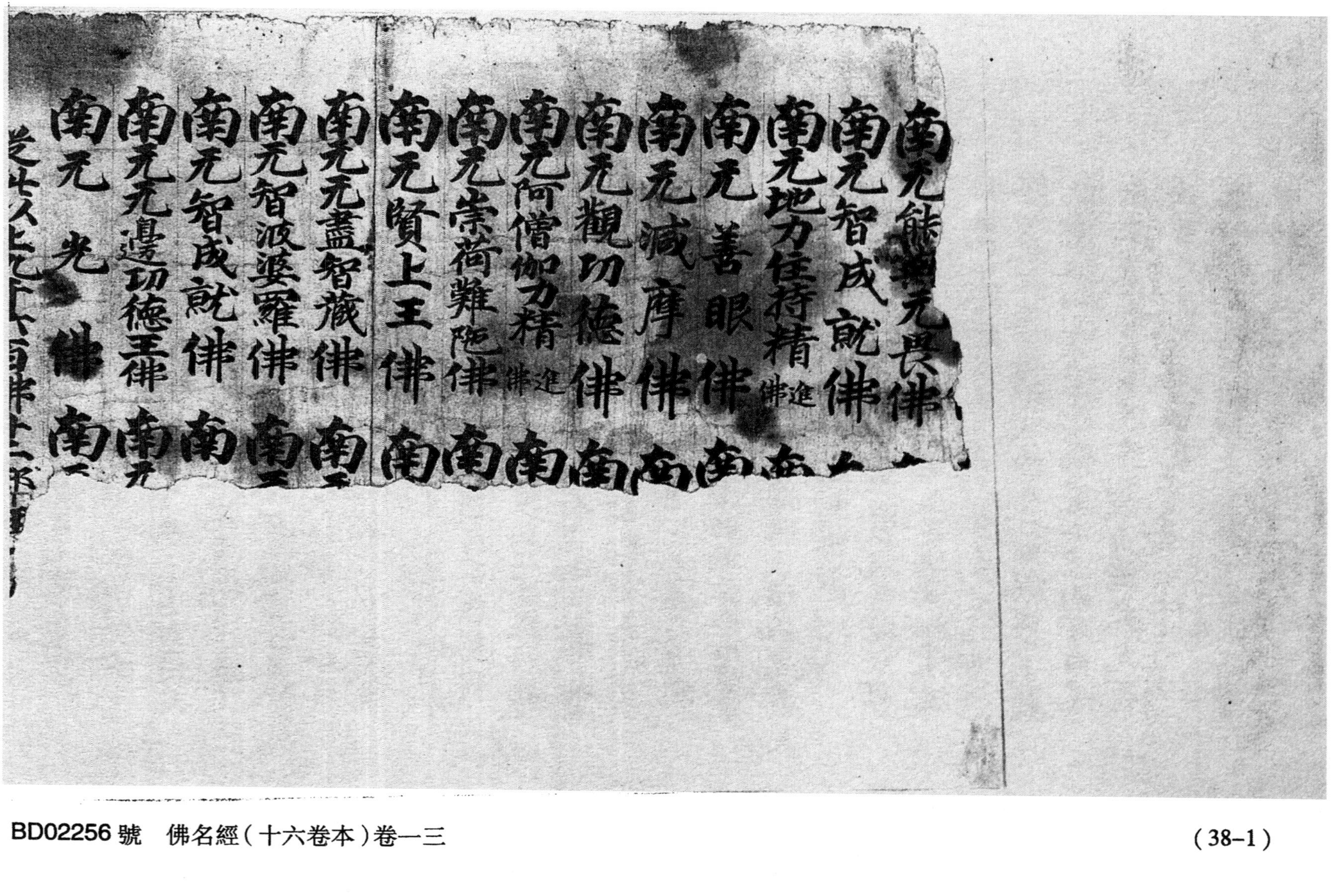

南无能[illegible]无畏佛
南无智成就佛
南无地力住持精進佛
南无善眼佛
南无滅摩佛
南无觀功德佛
南无阿僧伽力精進佛
南无崇荷難陀佛
南无賢上王佛
南无无盡智藏佛
南无智波婆羅佛
南无智成就佛
南无无邊功德王佛
南无光佛

BD02256號　佛名經（十六卷本）卷一三　　（38–1）

南无智成就佛　南
南无无邊功德王佛　南无
南无光佛　南
從此以上九千六百佛十二部經一切賢
南无轉法輪勝王佛　南无无垢目佛
南无住持大般若佛　南无不住力精進王佛
南无自在識佛　南无現念佛
南无福德力精進佛　南无智聚淡王佛
南无智自在佛　南无安隱衆生无障佛
南无智集佛　南无摩訶弥留力藏佛
南无虛空光明佛　南无離癡功德聲王佛
南无阿伽樓功德精進佛
南无法施莊嚴佛　南无聲自在王佛
南无讃門佛　南无自在力精進王佛
南无寶光明勝王佛　南无勝一切須弥山王佛
南无羅多那弥留佛　南无不可得動法佛
南无陁羅尼自在王佛
南无普切德王佛　南无法涉羅王弥留佛
南无智集切德聚佛　南无智炎華樹王佛
南无一切世間自在佛　南无善華王佛
南无金手遮那王佛　南无法幢奮迅王佛

南无智集切德聚佛　南无智炎華樹王佛
南无一切世間自在佛　南无善華王佛
南无金手遮那王佛　南无法幢奮迅王佛
南无栴檀波婆羅園遠佛
南无住法分稱佛　南无堅心意精進佛
南无照一切世間燈佛　南无隨衆生心奮迅佛
南无无邊稱涉羅幢佛
南无過去稱法雨佛　南无切德炎華佛
南无智行佛　南无樂威德燈佛
南无離諸障无畏佛　南无智照聲佛
南无一藏成就佛　南无集妙行佛
南无樂莊嚴王佛　南无阿僧祇莊嚴王佛
南无師子坐善住佛　南无放栴檀華王佛
舍利弗我於此坐以清淨无障导過人
天眼見東方多百佛多千佛多百千
多百千万佛多百千億佛多百千万億那
由他佛无量阿僧祇佛不可思議佛不
可量佛種種名種種姓種種世界種種
國土種種比丘比丘尼優婆塞優婆夷圍
遶種種天龍夜叉乾闥婆阿脩羅迦樓羅

可量佛種種名種種姓種種世界種種佛
國土種種比丘比丘尼優婆塞優婆夷圍
遶種種天龍夜叉乾闥婆阿脩羅迦樓羅
緊那羅摩睺羅伽人非人等圍遶供養
我悉現見如觀掌中菴摩勒菓舍利
弗若有善男子善女人比丘比丘尼優婆
塞優婆夷信我語受持讀誦是諸佛名
當洗浴著新淨衣於晝日初分時中分
時後分時夜前分時中分時後分時從坐
起偏袒右肩右膝著地一心稱是佛名
供養禮拜作如是言如來所知十方諸佛
我敬禮舍利弗是善男子善女人比丘比
丘尼優婆塞優婆夷如是供養禮拜得
无量福　　舍利弗若欲得聲聞地
欲得辟支佛地欲得阿耨多羅三藐三
菩提者當禮十方諸佛一切皆得復作
是言是諸福德聚諸佛如來所知我悉
迴向阿耨多羅三藐三菩提
舍利弗應當歸命東方一切諸佛
南无師子奮迅王佛　南无力士自在王佛
南无法自在奮迅佛　南无脩行堅固自在佛

舍利弗應當歸命東方一切諸佛
南无師子奮迅王佛　南无力士自在王佛
南无法自在奮迅佛　南无脩行堅固自在佛
南无法山勝佛　南无寶山佛
南无自在陁羅集佛　南无樹提藏佛
南无量宿稱佛　南无功德力堅固王佛
南无人聲自在增長佛　南无勝一切世間佛
南无三世法界佛　南无妙聲吼佛
南无寶地龍王佛　南无法疾吼聲佛
南无香波頭摩擇自在寶城佛
南无光輪佛　南无寶蓮佛
南无功德華佛　南无多供養佛
南无无邊德王佛　南无增長喜佛
南无師子龍奮迅佛　南无莎羅藏師子步王佛
南无觀諸法佛　南无法華智佛
南无時法清淨佛　南无堅固精進言語佛
南无聲精進佛　南无炎摩尼佛
南无山光明佛　南无清淨无垢藏佛
南无无垢月佛　南无清淨根佛
南无多智佛　南无[illegible]生智佛

南无山光明佛　南无清淨无垢藏佛
南无无垢月佛　南无清淨根佛
南无多智佛　南无能作智佛
南无廣智佛　南无力意佛
南无勝意佛　南无法堅固歡喜佛
南无堅固行自在佛　南无等須弥面佛
南无觀成就佛　南无清淨藏佛
南无烏自在佛　南无現摩業淨業佛
南无智自在佛　南无精進奮迅佛
南无无畏精進佛　南无世間自在佛
南无法行廣意佛　南无福德成就佛
南无不怯弱成就佛　南无勝成就佛
南无龍觀佛　南无須栴檀佛
南无作戒王佛　南无聚集寶佛
南无龍王聲佛　南无大智精進佛
南无无孤獨精進佛
從此以上九千七百佛十二部經一切賢聖
南无不滅莊嚴佛　南无不動尼他佛
南无百功德莊嚴佛　南无自在諸相好稱佛
南无自在因陀羅月佛　南无法華山佛

BD02256號　佛名經（十六卷本）卷一三　（38–6）

南无百功德莊嚴佛　南无自在諸相好稱佛
南无自在因陀羅月佛　南无法華山佛
南无法界莊嚴佛　南无滿足頂佛
南无大師莊嚴佛　南无師子平等精進佛
南无脩行自在堅固佛　南无樂法脩行佛
南无勝慧佛　南无海步佛
南无大如脩行佛　南无高光明佛
南无諍智佛　南无師子聲佛
南无善報佛　南无善住佛
南无日光佛　南无甘露增上佛
南无道上首佛　南无勝自在親佛
南无善見佛　南无无濁義佛
南无勝意佛　南无人月佛
南无威德光佛　南无普明佛
南无大莊嚴佛　南无師子奮迅去佛
南无摩樓多愛佛　南无寂心佛
南无大步佛　南无可聞聲佛
南无積功德佛　南无摩尼向佛
南无愛照佛　南无名稱佛
南无信功德佛　南无清淨智佛

BD02256號　佛名經（十六卷本）卷一三　（38–7）

南无愛照佛　南无名稱佛
南无信功德佛　南无清淨智佛
南无寶功德佛　南无妙信香佛
南无熱園佛　南无勝仙佛
南无寶智佛　南无甘露威德佛
南无藏信佛　南无月上勝佛
南无龍步佛　南无信點慧佛
南无愛寶語佛　南无優波羅香佛
南无栴檀自在佛　南无敵勝佛
南无普行佛　南无功德勝佛
南无大威德佛　南无種種色日佛
南无過諸過佛　南无无量眼佛
南无慚愧智佛　南无功德供養佛
南无種種聲佛　南无功德可樂佛
南无住清淨佛　南无妙香佛
南无月光佛　南无戒分佛
南无華智佛　南无優多摩意佛
南无不闇意佛　南无山自在積佛
南无寂王佛　南无解脫王佛
南无阿跋弥留王佛　南无如意力釋去佛
南[illegible]佛　南[illegible]

BD02256號　佛名經（十六卷本）卷一三　（38-8）

南无寂王佛　南无解脫王佛
南无阿跋弥留王佛　南无如意力釋去佛
南无娃阿提遮佛　南无不讚歎世間勝佛
南无法染佛　南无寶星宿解脫王佛
南无白寶勝佛　南无法行自在佛
南无陁羅尼自在佛　南无阿難陁聲佛
從此以上九千八百佛十二部經一切賢聖
南无智步王佛　南无弥留平等奮迅王佛
南无智奮迅佛　南无法華通樹提佛
南无多波尼體佛　南无阿尼伽陁路摩勝佛
南无優多羅勝法佛　南无大智念縛佛
南无闍伽提自在一切世間擔佛
南无見无畏佛　南无自在畏住佛
南无自在量佛
舍利弗我見南方如是等无量佛種
種名種種姓種種佛國土汝等應當至
心歸命舍利弗應當歸命西方无量佛
南无阿婆羅炎婆羅華佛
南无摩嵬沙口聲去佛
南无智勝增長稱佛　南无游濕多波尸佛
南[illegible]

BD02256號　佛名經（十六卷本）卷一三　（38-9）

南无摩㝹沙口聲去佛
南无智勝增長稱佛　南无薩婆多波尸佛
南无歌羅毗羅炎華光佛
南无法行燈佛　南无无等勝佛
南无智奮迅名稱王佛
南无梵聲奮迅妙鼓聲佛
南无波頭摩尸利藏眼佛
南无阿僧伽意炎佛　南无千月光明藏佛
南无樂法行佛　南无摩尼婆他光佛
南无師子廣眼佛　南无十力生勝佛
南无智作佛　南无无邊精進降佛
南无一切諸態佛　南无大勝趣法佛
南无阿无荷見佛　南无无邊命佛
南无不利他意佛　南无觀法智佛
南无无量精進日善思惟奮迅王佛
南无无見佛　南无智見法佛
南无一切善根種子佛
南无憂多智勝發行功德佛
南无智香勝佛　南无智上尸棄王佛
南无福德勝智去佛　南无不思議法華吼王佛

BD02256號　佛名經（十六卷本）卷一三

（38–10）

南无智香勝佛　南无智上尸棄王佛
南无福德勝智去佛　南无不思議法華吼王佛
南无法清淨勝佛
南无不可思議彌留勝佛
南无能開法門佛
南无毗盧遮那法海香王佛
南无力王善住法王佛
南无勝力散一切惡王佛
南无見无邊樂佛
南无善化功德炎華王佛
南无見彼岸佛　南无善化莊嚴佛
南无見樂處佛　南无尼拘律王勝佛
南无妙勝佛
南无大力智慧奮迅王佛
南无法樹提佛　南无堅固蓋成就佛
南无一切種智資生勝佛
南无入勝智自在山佛
南无一切世間得自在有犍翠勝佛
南无蓋合勝佛　南无清淨戒功德王佛
南无波頭摩嚴淨勝知多莊嚴佛

BD02256號　佛名經（十六卷本）卷一三

（38–11）

南无入勝智自在山佛
南无一切世間得自在有檮栔勝佛
南无盡合勝佛　南无清淨戒功德王佛
南无波頭摩散湧楞知多莊嚴佛
南无一王佛　南无大多人安隱佛
南无二勝聲功德佛　南无固堅佛
南无力士佛　南无寶來摩尼大佛
南无大海弥留佛　南无勝王佛
南无不住佛　南无不空功德佛
南无初遠離不濁垂佛　南无虛空行佛
南无无号稱佛　南无聲山佛
南无不可思議起三昧稱佛
南无諸天梵王雞兜佛
南无亦无義王佛　南无讙垢王佛
南无照功德佛　南无自在眼佛
南无智窮成就性佛　南无无障智成就佛
南无說決定義佛　南无莊嚴法燈妙稱佛
南无二寶法燈佛　南无大炎藏佛
南无自師子上身莊嚴佛
南无智寶因緣莊嚴佛
南无眼者眼清淨眼佛

BD02256號　佛名經（十六卷本）卷一三

（38–12）

南无二寶法燈佛　南无大炎藏佛
南无自師子上身莊嚴佛
南无智寶因緣莊嚴佛
南无眼諸根清淨眼佛
南无善香隨香波頭摩佛
南无法佛　南无廣佛
從此以上九千九百佛十二部經一切賢聖
南无眾功德佛　南无常鏡佛
南无隨順稱佛　南无法自在佛
南无如意莊嚴佛　南无藏佛
南无情貪佛　南无思妙義堅固願佛
南无一切德輪光佛
南无法吼智明佛　南无甘露光佛
南无无邊莊嚴佛　南无勝福田佛
南无善決定諸佛法莊嚴佛
舍利弗西方如是等无量无邊佛汝當
至心歸命
次礼十二部尊經大藏法輪
南无治身經　南无菩首章經
南无眾祐經　南无流方等經
南无獨居思惟自念經

BD02256號　佛名經（十六卷本）卷一三

（38–13）

南无衆祐經　南无法方等經
南无獨居思惟自念經
南无長者須達經
南无獨思惟意中念生經
南无无本經
南无檀若經　南无月明立子經
南无无憂施經　南无无思議孩童經
南无隋藍經　南无法律三昧經
南无給孤獨四生家門受施經
南无禪行法相經
南无法受塵經　南无頞多和多經
南无羅云母經　南无嚴調經
南无七處三觀經　南无貧女經
次礼十方諸大菩薩
南无金剛色世界法首菩薩
南无頗梨色世界智首菩薩
南无如寶色世界賢首菩薩
南无因陁羅世界法慧菩薩
南无蓮華世界一切慧菩薩
南无衆寶世界勝慧菩薩

BD02256號　佛名經（十六卷本）卷一三　（38–14）

南无因陁羅世界法慧菩[薩]
南无蓮華世界一切慧菩薩
南无衆寶世界勝慧菩薩
南无憂鉢羅世界功德慧菩薩
南无妙行世界精進慧菩薩
南无善行世界善慧菩薩
南无歡喜世界智慧菩薩
南无星宿世界真寶菩薩
南无无猒慈世界无上慧菩薩
南无虛空世界堅固慧菩薩
南无衆寶金剛藏世界觀勝法妙
清淨王菩薩
南无无量慧世界功德菩薩
南无幢慧世界慧林菩薩
南无地慧世界勝林菩薩
南无勝慧世界无界菩薩
南无燈慧世界慙愧林菩薩
南无金剛慧世界精進菩薩
南无安樂慧世界力成就林菩薩
南无日慧世界堅固林菩薩
南无青淨慧世界如來林菩薩

BD02256號　佛名經（十六卷本）卷一三　（38–15）

南无安樂慧世界力成就林菩薩
南无日慧世界堅固林菩薩
南无清淨慧世界如來林菩薩
南无梵慧世界智菩薩
次礼聲聞緣覺一切賢聖
南无善吉辟支佛　南无不可思辟支佛
南无善住辟支佛　南无无比辟支佛
南无憍愓辟支佛　南无劬多辟支佛
南无斷愛辟支佛　南无耳辟支佛
南无心得解脫辟支佛　南无優波耳辟支佛
南无吉辟支佛　南无差摩辟支佛
歸命如是等无量无邊辟支佛
礼三寶已次復懺悔
已懺地獄報竟今當復次懺悔三惡
道報經中佛說多欲之人多求利故苦
惱亦多知足之人雖卧地上猶以為樂不
知足者雖處天堂猶不稱意但世間
人忽有急難便能捨財不計多少而
不知此身臨於三塗深坑之上一息不
還便應墮落忽有知識營功福德

不知此身臨於三塗深坑之上一息不
還便應墮落忽有知識營功福德
令脩未來善法資粮執此慳心无肯
作理夫如此者極為愚惑何以故今
經中佛說生時不賚一文而來死亦不
持一文而去苦身積聚為之憂惱於
己无益徒為他有无善可恃无德可
怙致使命終墮諸惡道是故弟子等
今日稽顙懇到歸依佛
南无東方大光明曜佛
南无南方虛空住佛
南无西方金剛步佛　南无北方无邊力佛
南无東南方无邊王佛
南无西南方壞諸怨賊佛
南无西北方離垢光佛
南无東北方金色光音佛
南无下方師子遊戲佛
南无上方月幢王佛
如是十方盡虛空界一切三寶
弟子今日次復懺悔畜生道中无所

如是十方盡虛空界一切三寶
弟子今日次復懺悔畜生道中无所
識知罪報懺悔畜生道中負重牽
犁償他宿債罪報懺悔畜生道中
不得自在為他斫刺屠割罪報懺悔
畜生无足二足四足多足罪報懺悔畜
生道中身諸毛羽鱗甲之內為諸小
虫之所唼食罪報如是畜生道中有
无量罪報今日至誠皆悉懺悔至心歸
命常住三寶　次復懺悔餓鬼道
中長飢罪報懺悔餓鬼百千万歲初
不曾聞漿水之名罪報懺悔餓鬼食噉
膿血糞穢罪報懺悔餓鬼動身之時
一切枝節火然罪報懺悔餓鬼腹大咽
小罪報如是餓鬼道中无量苦報今日
稽顙皆悉懺悔至心頂礼常住三寶
次復懺悔一切鬼神脩羅道中諛諂
詐稱罪報懺悔鬼神道中擔沙負石
填河塞海罪報懺悔鬼神羅剎鳩槃
荼諸惡鬼神生噉肉血受此醜陋罪報

BD02256號　佛名經（十六卷本）卷一三　（38–18）

詐稱罪報懺悔鬼神道中擔沙負石
填河塞海罪報懺悔鬼神羅剎鳩槃
荼諸惡鬼神生噉肉血受此醜陋罪報
如是鬼神道中无量无邊一切罪報今
日稽顙向十方佛大地菩薩求哀懺悔
悉令消滅至心頂礼常住三寶
願弟子等承是懺悔畜生等報所生
功德生生世世滅愚癡垢自識業緣智
慧明照斷惡道身願以懺悔餓鬼等
報所生功德生生世世永離慳貪飢渴
之苦常食甘露解脫之味願以懺悔鬼
神脩羅等報所生功德生生世世質直
无諂離邪命因除醜陋果福利人天願
弟子等從今以去乃至道場決定不受
四惡道報唯除大悲為衆生故以誓願
力處之无猒至心頂礼常住三寶
舍利弗汝當至心歸命北方佛
南无勝藏佛　南无自在藏佛
南无无邊華龍一俱蘇摩生佛
南无降伏諸摩勇猛佛

BD02256號　佛名經（十六卷本）卷一三　（38–19）

南无勝藏佛　南无自在藏佛
南无无邊華龍一俱蘓摩生佛
南无降伏諸摩勇猛佛
南无定諸魔佛　南无法像佛
南无功德勝佛　南无山降光佛
南无法王佛　南无普恭敬燈佛
從此以上二万佛十二部經一切賢聖
南无地勝佛　南无成就如来家佛
南无一切寶成就佛
南无陁羅尼文句決定義佛
南无忍自在王佛　南无成就一切稱佛
南无三世智自在佛　南无勝歸依德善住佛
南无種種摩尼光佛　南无勝功德佛
南无佛功德勝佛　南无无餘證佛
南无得佛眼佛　南无隨過去佛佛
南无大慈成就悲勝佛
南无住持師子智佛
南无无衆生住實際王佛
南无自家法得成就佛
南无大智莊嚴身佛　南无智稱佛
南无非法首佛　南无一切衆生德佛

BD02256號　佛名經（十六卷本）卷一三　（38–20）

南无自家法得成就佛
南无大智莊嚴身佛　南无智稱佛
南无佛法首佛　南无一切衆生德佛
南无過一切法聞佛　南无自在曰陁羅佛
南无滿足意佛　南无大瑠璃佛
南无菩提光明佛
南无不可思議法智光明佛
南无真檀不空王佛　南无不滐波頭摩幢佛
南无法財聲王佛　南无釋法善知稱佛
南无智驗劫佛
南无佛眼清淨分陁利佛
南无智自在稱佛　南无斷无邊疑佛
南无衆生方便自在王佛
南无无邊覺奮迅无畏思惟佛
南无法行地善住佛　南无普衆生男廣佛
南无降伏諸魔力堅意佛
南无天王自在寶合王佛
南无如寶脩行藏佛
南无能生一切歡喜月見佛
南无大迅覺迅佛

BD02256號　佛名經（十六卷本）卷一三　（38–21）

南无[illegible]佛　[illegible]佛
南无能生一切歡喜月見佛
南无大迅覺迅佛
南无種種摩尼聲吼王佛
南无无歡王佛　南无不退了勇猛佛
南无佛土莊嚴身佛　南无智根本華幢佛
南无化身无导稱佛　南无一切龍摩尼藏佛
南无法聲自在佛
南无法甘露莎梨羅佛
南无无邊寶福德藏佛
南无清淨華行佛
南无大法王華勝佛　南无一切盡无盡藏佛
南无花山藏佛　南无智靈空山佛
南无智力不可破壞佛
南无无导堅固隨順智佛
南无无邊大海藏佛　南无智王无盡稱佛
南无奮迅心意王佛　南无自清淨智佛
南无智自在法王佛　南无勝行佛
南无金剛見佛　南无法滿足隨香見佛
南无龍月佛　南无日陁羅園佛
南无无导王佛　南无寶日陁羅輪王佛

BD02256號　佛名經（十六卷本）卷一三　（38–22）

南无龍月佛　南无日陁羅園佛
南无无导王佛　南无寶日陁羅輪王佛
南无能生一切衆生敬稱佛
南无火威德光明輪王佛
南无无障导波羅佛　南无无垢髻佛
南无放光明佛　南无山力月藏佛
南无心自在王佛　南无堅固无畏上首佛
南无堅固勇猛寶佛
南无堅固心善住王佛
南无能破闇曀王佛
南无勝丈夫分陁利佛
南无百聖藏佛　南无妙蓮華藏佛
南无見平等法身佛　南无衆生月佛
南无師子去佛　南无大威德佛
南无妙聲佛　南无无邊光佛
南无見愛佛　南无大首佛
南无勝首佛　南无樂聲佛
南无見寶佛　南无清稱佛
從此以上一万一百佛十二部經一切賢聖
南无師子慧佛　南无德聲佛

BD02256號　佛名經（十六卷本）卷一三　（38–23）

從此以上二万一百佛十二部經一切賢聖

南无師子慧佛　南无德聲佛
南无脩援毗香佛　南无電燈佛
南无波頭摩光佛　南无大光佛
南无梵聲佛　南无无垢佛
南无无邊勢力佛　南无月面佛
南无无邊光佛　南无愛威德佛
南无散垢佛　南无功德燈佛
南无不藏威德佛　南无无邊藏佛
南无光明奮迅王佛　南无廣稱佛
南无遠離幢佛　南无增長聖佛
南无普見佛　南无不可勝佛
南无威德聚佛　南无堅固步佛
南无摩尼縣稱佛　南无无邊色佛
南无大光明佛　南无妙聲佛
南无不動步佛　南无无邊莊嚴佛
南无大清淨佛　南无威德聚光明佛
南无任智佛　南无堅佛
南无愛解脫佛　南无愛无畏佛
南无甘露藏佛　南无普觀察佛

BD02256號　佛名經（十六卷本）卷一三　（38-24）

南无大清淨佛　南无威德聚光明佛
南无任智佛　南无堅佛
南无愛解脫佛　南无愛无畏佛
南无甘露藏佛　南无普觀察佛
南无大脩行佛　南无細威德佛
南无十方恭敬佛　南无光明勝佛
南无重說佛　南无光明莊嚴佛
南无師子奮迅佛　南无善見佛
南无甘露步佛　南无月光明佛
南无功德稱佛　南无去根佛
南无清淨聲佛　南无无号輪佛
南无甘露聲佛　南无衆生可敬佛
南无如意威德佛　南无无邊色佛
南无大力佛　南无決莊嚴佛
南无普照觀佛　南无奮迅德佛
南无妙色佛　南无稱意佛
南无寶莊嚴佛　南无高光明佛
南无解脫步佛　南无功德莊嚴佛
南无畢竟智佛　南无生難勝佛
南无不動智佛　南无行竟佛
南无妙[illegible]佛　南无[illegible]佛

BD02256號　佛名經（十六卷本）卷一三　（38-25）

南无畢竟智佛　南无生難兜佛
南无不動智佛　南无行竟佛
南无妙色佛　南无寶色佛
南无火聲佛　南无善思惟佛
南无功德華佛　南无思惟世間佛
南无大高光佛　南无无譬喻聲迟佛
南无清淨覺佛　南无无月重佛
南无日燈佛　南无无邊光佛
南无種種日佛　南无天城佛
南无心清淨佛　南无波頭摩藏佛
南无常釋智佛　南无師子聲佛
南无无邊光佛　南无勝聲佛
南无可樂意智光佛　南无功德光佛
南无自在光佛　南无淨嚴身佛
南无无濁義佛　南无應威息佛
南无成就義智佛　南无得大聲佛
南无婆藪陁聲佛　南无儞哆光佛
從此以上万二百佛十二部經一切賢聖
南无決定思惟佛　南无薩遮婆劣佛
南无鳴闍光明佛　南无毗耶波威德佛
南无憂多羅魔吒佛　南无夜舍雞兜佛

BD02256號　佛名經（十六卷本）卷一三　（38–26）

南无決定思惟佛　南无薩遮婆劣佛
南无鳴闍光明佛　南无毗耶波威德佛
南无憂多羅魔吒佛　南无夜舍雞兜佛
南无功德清淨佛　南无法燈佛
南无勝功德佛　南无仙荷波提愛面佛
南无心荷步去佛　南无思惟衆生佛
南无莎伽羅智佛　南无波頭摩藏佛
南无蓋仙佛　南无莎羅王佛
南无脩利耶光佛　南无菩提味佛
南无寂諸根佛　南无婆劣光佛
南无荼陁利光佛　南无弥留光佛
南无栴陁面佛　南无莎利荼去佛
南无諸方眼佛　南无法光明佛
南无尸羅波般那佛　南无阿難陁智佛
南无阿難陁色佛　南无地荼毗梨耶佛
南无提婆弥多佛　南无莎湯多智佛
南无寂静光佛　南无摩劣舍威德佛
南无善分若提陁佛　南无稱聖佛
南无稱幢佛　南无輪面佛
南无[illegible]青淨佛　南无[illegible]可是闍佛

BD02256號　佛名經（十六卷本）卷一三　（38–27）

南无稱幢佛　南无輪面佛
南无普清淨佛　南无摩訶提闍佛
南无阿羅訶應佛　南无優多那勝佛
南无悉達他思惟佛　南无愛供養佛
南无三濕多讓佛　南无尼彌佛
南无信菩提佛　南无破意佛
南无出智佛　南无勝聲佛
南无質多羅婆光佛　南无彌荷聲佛
南无大炎驚陀佛　南无勝拘吒佛
南无阿舒伽愛佛　南无天國土佛
南无師子難提拘沙佛
南无阿難陀波頗佛
南无愛見佛　南无波提波王佛
南无勝雞兜佛　南无方聞聲佛
南无愛眼佛　南无栴陀雞兜佛
南无阿婆夜達多佛　南无那刹多王佛
南无賴摩提婆佛　南无日光明佛
南无大稱佛　南无真聲佛
南无說愛佛　南无稱憂多羅佛
南无摩頭羅光明佛　南无脩佉聲佛

BD02256號　佛名經（十六卷本）卷一三　（38–28）

南无說愛佛　南无稱憂多羅佛
南无摩頭羅光明佛　南无脩佉聲佛
南无質多意佛　南无婆藪陀清淨佛
南无𠾱嗔佛　南无破意佛
南无宿王佛　南无毗伽陀畏佛
南无勝憂多摩佛　南无波薩那智佛
南无慈勝種光佛　南无普見佛
南无見月佛
南无降伏諸魔威德佛
南无摩訶羅他佛　南无心荷步去佛
南无樂光佛　南无普讓佛
南无清淨意佛　南无成就義佛
南无香山佛　南无摩尼清淨佛
南无功德光佛　南无日光佛
南无成就光佛　南无見愛佛
南无善思惟佛　南无婆濕多見佛
從此以上一万三百佛十二部經一切賢聖
南无師子幢佛　南无普行佛
南无大步佛
南无[illegible]

BD02256號　佛名經（十六卷本）卷一三　（38–29）

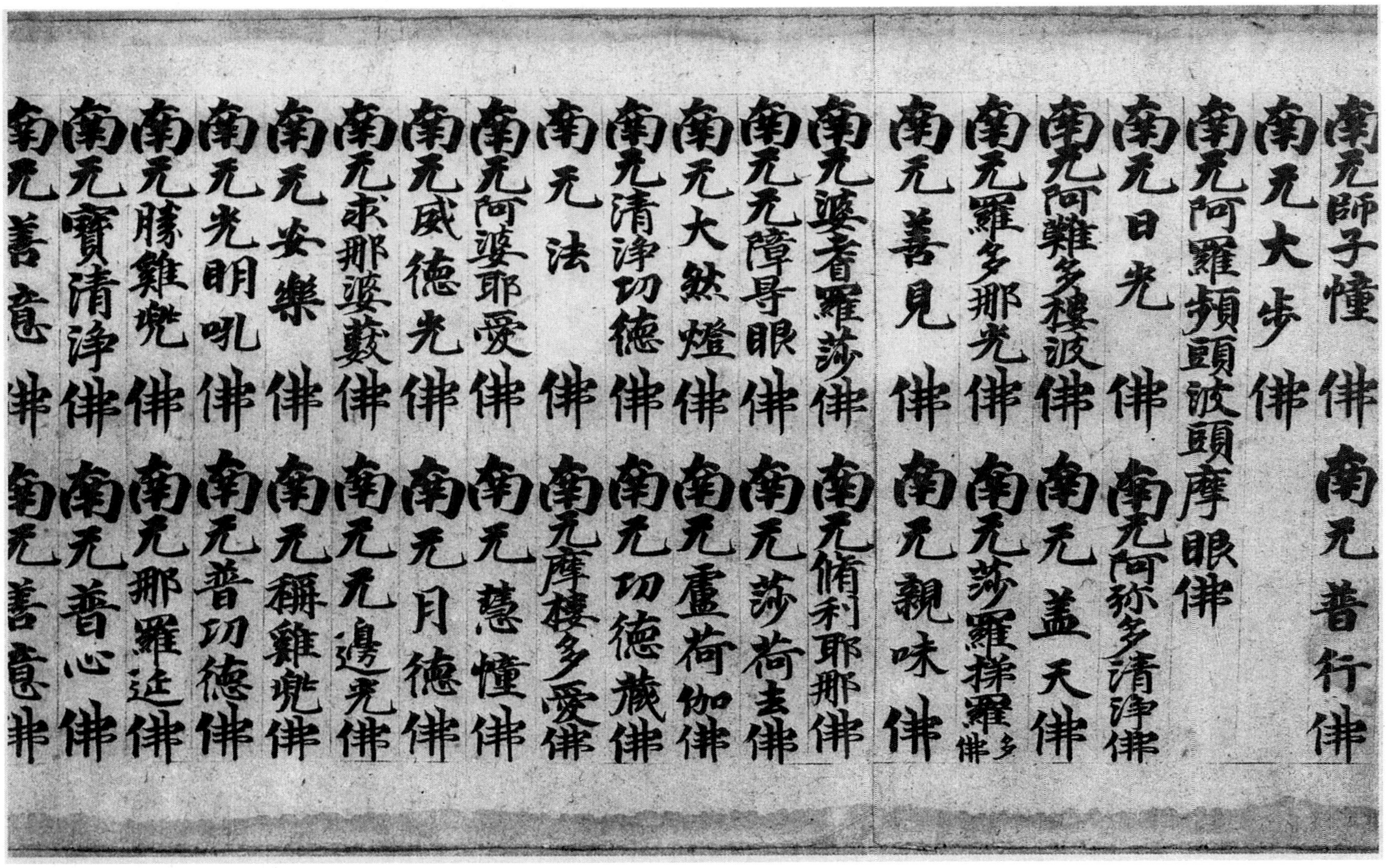

南无師子幢佛　南无普行佛
南无大步佛
南无阿羅頻頭波頭摩眼佛
南无日光佛　南无阿彌多清淨佛
南无阿難多樓波佛　南无蓋天佛
南无羅多那光佛　南无莎羅梯羅多佛
南无善見佛　南无親味佛
南无婆耆羅莎佛　南无脩利耶那佛
南无无障㝵眼佛　南无莎荷去佛
南无大然燈佛　南无盧荷伽佛
南无清淨功德佛　南无功德藏佛
南无法佛　南无摩樓多愛佛
南无阿婆耶愛佛　南无慧幢佛
南无威德光佛　南无月德佛
南无求那婆藪佛　南无无邊光佛
南无安樂佛　南无稱雞兜佛
南无光明吼佛　南无普功德佛
南无勝雞兜佛　南无那羅延佛
南无寶清淨佛　南无普心佛
南无善意佛　南无善意佛

BD02256 號　佛名經（十六卷本）卷一三　（38–30）

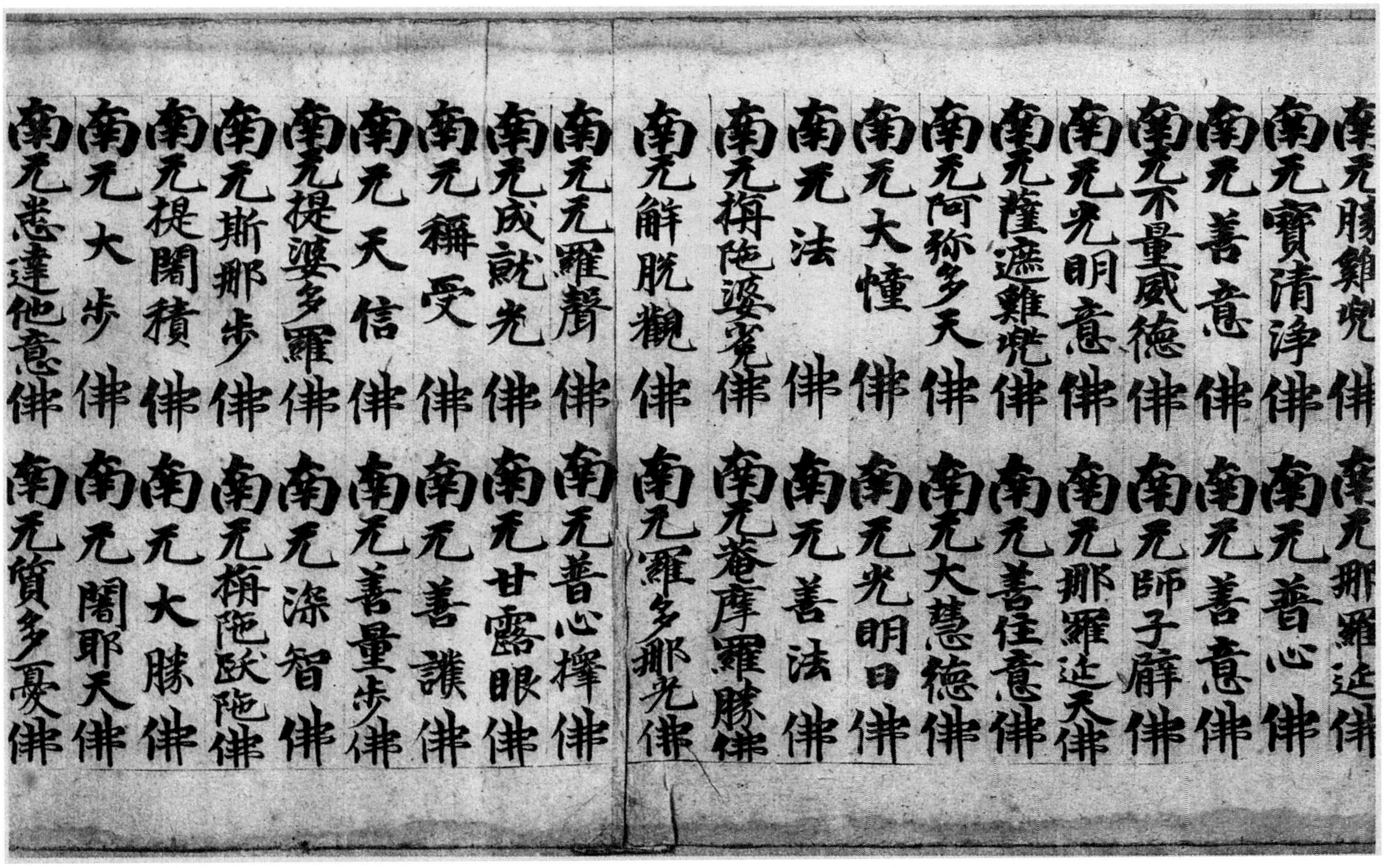

南无勝雞兜佛　南无那羅延佛
南无寶清淨佛　南无普心佛
南无善意佛　南无善意佛
南无不量威德佛　南无師子廗佛
南无光明意佛　南无那羅延天佛
南无薩遮難兜佛　南无善住意佛
南无阿彌多天佛　南无大慧德佛
南无大幢佛　南无光明日佛
南无法佛　南无善法佛
南无栴陁婆光佛　南无菴摩羅勝佛
南无觧脱觀佛　南无羅多那光佛
南无羅聲佛　南无普心擇佛
南无成就光佛　南无甘露眼佛
南无稱受佛　南无善讃佛
南无天信佛　南无善量步佛
南无提婆多羅佛　南无淼智佛
南无斯那步佛　南无栴陁跃陁佛
南无提闍積佛　南无大勝佛
南无大步佛　南无闍耶天佛
南无悉達他意佛　南无質多憂佛

BD02256 號　佛名經（十六卷本）卷一三　（38–31）

南无大步佛　南无闍耶天佛
南无悉達他意佛　南无質多憂佛
南无師子聲佛　南无信提舍那佛
南无智光佛　南无拘蘇摩提闍佛
南无提闍羅尸佛　南无如意光佛
南无无邊威德佛　南无无邊光佛
南无勝藏佛　南无盧遮那稱佛
南无寶難勝佛　南无郁伽提闍佛
南无日難勝佛　南无摩訶弥留佛
南无摩訶馥椅佛　南无世間得名佛
南无郁伽德佛　南无憂多摩稱佛
南无成就義步佛　南无提婆摩醯多佛
次礼十二部尊經大藏法輪
南无決揔持經　南无七智經
南无所祇經　南无七車經
南无耆闍掘山解經　南无留多經
南无未生王經　南无三乘經
從此以上一万四百佛十二部經一切賢聖
南无便賢者栴經　南无颰陁悔過經
南无三轉月明經　南无聽施經

BD02256號　佛名經（十六卷本）卷一三　（38–32）

從此以上一万四百佛十二部經一切賢聖
南无便賢者栴經　南无颰陁悔過經
南无三轉月明經　南无聽施經
南无是時自梵自守經　南无三品脩行經
南无句義經　南无鴈王經
南无須摩經　南无弘道三昧經
南无義決律經　南无須耶越國貧人經
南无齊經　南无等入法嚴經
次礼十方諸大菩薩
南无堅固寶世界金剛幢菩薩
南无堅固寶王世界猛幢菩薩
南无堅固樂世界堅固幢菩薩
南无堅固金世界夜光幢菩薩
南无堅固摩世界智幢菩薩
南无堅固金剛世界寶幢菩薩
南无堅固蓮華世界精進幢菩薩
南无堅固青蓮華世界離垢幢菩薩
南无堅固栴檀世界宜寶幢菩薩
南无堅固香世界法幢菩薩
南无南方善思議菩薩

BD02256號　佛名經（十六卷本）卷一三　（38–33）

南无堅固香世界法憧菩薩
南无南方善思議菩薩
現在西方菩薩名
南无善吉世界成一切利菩薩
南无善吉世界金光齊菩薩
南无寶樹世界精進首菩薩
南无寶楊世界明首菩薩
南无善觀照世界思於大哀菩薩
南无无優世界普曜菩薩
南无香勝離垢光明世界普智光明
慧燈菩薩
南无金剛慧世界淨光菩薩
南无善行世界无勝意菩薩
南无善吉世界明星菩薩
南无寶樹世界无言菩薩
南无歡喜世界蓮華菩薩
南无歡喜世界山王菩薩
次礼聲聞緣覺一切辟支佛
南无十同名婆羅辟支佛
南无火身辟支佛

BD02256號　佛名經（十六卷本）卷一三　（38-34）

次礼聲聞緣覺一切辟支佛
南无十同名婆羅辟支佛
南无火身辟支佛
南无同菩提辟支佛　南无摩訶男辟支佛
南无心上辟支佛　南无跋淨辟支佛
南无善快辟支佛　南无闍陁辟支佛
南无吉沙辟支佛　南无優婆吉沙辟支佛
南无斷有辟支佛　南无優波羅辟支佛
南无斷愛辟支佛　南无施婆羅辟支佛
礼三寶已次復懺悔
已懺三塗等報今當復次稽顙懺悔
人天餘報相與禀此閻浮壽命雖曰百
年滿者无幾於其中間盛年枉夭其
數无量但有衆苦煎迫形心愁憂恐
怯未曾蹔離如此皆是善根微弱惡
業滋多致使現在心有所為皆不稱
意當知悉是過去已來惡業餘報
是故弟子今日至誠歸依佛
南无東方蓮華上佛　南无南方調伏佛
南无西方无量明佛　南无北方勝諸根佛

BD02256號　佛名經（十六卷本）卷一三　（38-35）

是故弟子今日至誠歸依佛
南无東方蓮華上佛　南无南方調伏佛
南无西方无量明佛　南无西北方勝諸根佛
南无東南方蓮華尊佛
南无西南方无量華佛
南无西北方自在智佛
南无東北方赤蓮華花德佛
南无下方分別佛　南无上方伏態智佛
如是十方盡虛空界一切三寶至心歸
命常住三寶弟子等无始以來至於
今日所有現在及以未來人天之中无
量餘報流殃宿對癰殘百疾六根不
具罪報懺悔人間邊地邪見三惡八
難罪報懺悔人間多病消瘦促命
夭枉罪報懺悔人間六親眷屬不能
得常相保守罪報懺悔人間親舊
彫喪愛別離苦罪報懺悔人間怨家
聚會愁憂怖畏罪報懺悔人間水
火盜賊刀兵危嶮驚恐怯弱罪報懺
悔人間孤獨困苦流離波迸亡失國土

BD02256號　佛名經（十六卷本）卷一三　（38–36）

火盜賊刀兵危嶮驚恐怯弱罪報懺
悔人間孤獨困苦流離波迸亡失國土
罪報懺悔人間牢獄繫閉幽執側立
鞭撻考楚罪報懺悔人間公私口舌
便相羅染更相誣謗罪報懺悔人間
惡病連年累月不差枕卧床席不
能起居罪報懺悔人間冬溫夏疫毒
厲傷寒罪報懺悔人間賊風腫滿否
塞罪報懺悔人間為諸惡神伺求其
便欲作禍祟罪報懺悔人間有鳥鳴
百恠飛屍邪鬼為作妖異罪報懺
悔人間為虎豹犲狼水陸一切諸惡禽
獸所傷罪報懺悔人間自經自刺自
煞罪報懺悔人間投坑赴水自沉自
墜罪報懺悔人間无有威德名聞罪
報懺悔人間衣服資生不稱心罪報
懺悔人間行來出入有所云為值惡
知識為作留難罪報如是現在未來
人天之中无量禍橫災疫厄難衰惱
罪報弟子今日向十方佛尊法聖僧求

BD02256號　佛名經（十六卷本）卷一三　（38–37）

懺悔人間行来出入有所云爲值惡
知識爲作留難罪報如是現在未来
人天之中无量禍横灾疫厄難衰惱
罪報弟子今日向十方佛尊法聖僧求
哀懺悔至心頂礼常住三寶

佛名經卷第十三

BD02256 號　佛名經（十六卷本）卷一三　（38–38）

夫欲礼懺必須先敬三寶所以然者三寶即是一切衆
生良友福田若能歸向者則滅无量罪長无量福
能令行者離生死苦得解脫樂是故弟子某甲等歸
依十方盡虛空界一切尊法歸依十方盡虛空界一切賢
聖 弟子今日所以懺悔者從无始以来在凡夫地莫問
貴賤罪自无量或因三業而生或從六根所作或以内心
自邪思惟或藉外境起於染著如是五逆乃至十惡增長
八万四千諸塵勞門然其罪相雖復无量而爲意業不
出在三何等爲三一者煩惱二者是業三者是果報此三
種法能鄣聖道及以人天勝妙好是是故經中目爲三
鄣所以諸佛菩薩教作方便懺悔除滅此三種鄣
則六根十惡乃至八万四千諸塵勞門皆悉清淨是故
弟子今日運此增上勝心懺悔三鄣欲滅此三罪者當
用何等心可令此罪滅先當興七種心以爲方便然後此
罪乃可得滅何等爲七一者慚愧二者恐怖三者猒離

BD02257 號　佛名經禮懺文　（18–1）

弟子今日運此增上勝心懺悔三鄣欲滅此三罪者當
用何等心可令此罪滅除先當興七種心以為方便然後此
罪乃可得滅何等為七一者慙愧二者恐怖三者厭離
四者發菩提心五者怨親平等六者念報佛恩七者觀罪
性空第一慙愧者自惟我與釋迦如來同為凡夫而今世
尊成道以來已經尒所塵沙劫數而我等相与耽染六
塵流浪生死永无出期此實可慙可愧可羞可恥
第二恐怖者既是凡夫身口意業常與罪相應以是因緣命終
之後應墮地獄畜生餓鬼受无量苦如此實為可
驚可恐可怖可懼第三厭離者相與當觀生死之中
唯有无常苦空无我不淨虛假如水上泡速起速滅往
来流轉猶若車輪生死病死八苦交煎无時暫息衆
等相與但觀自身從頭至足其中但有卅六物髮毛
抓齒膿血涕唾生熟二藏大腸小腸脾腎心肺肝膽
膽膪肪高腦膜筋脈骨髓大小便利九孔常流是故
經言此身苦所集一切皆不淨何有智慧者而當樂此身
生死既有如此種種惡法甚可患厭
第四發菩提心者經言當佛身佛身者即法身也從无量
功德智慧生從六波羅蜜生從慈悲喜捨生從卅七
助菩提法生從如是等種種功德智慧生如来身欲得
此身者當發菩提心求一切種智常樂我淨薩婆若
果淨佛國土成就衆生於身命財无所悋惜
第五怨親平等者於一切衆生起慈悲心无有彼我相何

BD02257 號　佛名經禮懺文

（18–2）

此身者當發菩提心求一切種智常樂我淨薩婆若
果淨佛國土成就衆生於身命財无所悋惜
第五怨親平等者於一切衆生起慈悲心无有彼我相何
以故若見怨親即是分別以分別故起諸執著因緣生
諸煩惱煩惱因緣造作惡業惡業因緣故得苦果
第六念報佛恩者如来往昔無量劫中捨頭目髓腦支節手
足國城妻子象馬七珍為我等故修諸苦行此恩此
德實難酬報是故經言若以頂戴兩肩荷負於恒
沙劫亦不能報我等欲報如来恩者當於此世勇猛精
進捍勞忍苦不惜身命建立三寶弘通大乘廣化
衆生同入正道第七觀罪性空者无有實相從因緣生
顛倒而有既從因緣而生則可從因緣而滅從因緣而生者
親近惡友造作無端從因緣滅者即是今日洗心懺悔
是故經言此罪相不在内不在外不在中間故知此罪
從本是空生如是等七種心已緣想十方諸佛菩薩
恭敬合掌无量慙愧洗蕩身心如此懺悔云何罪
而不滅云何鄣而不消若復不尒悠悠緩縱情慮徒
自勞形於事何益且復人命無常喻如轉燭一息不
還便同灰壤三塗苦報即身應受不可以錢財寶貨
遮託求脫窈窈冥冥無赦无期獨嬰此苦无代受者
莫言我今生中无有此罪所以不能懇重懺悔經中道言
凡夫之人舉足動步无非是罪又復過去生中皆悉成就
无量惡業追逐行者如影隨形若不懺悔罪惡日深
[illegible]命苦悔[illegible]由[illegible]是故弟子等今日發露懺悔

BD02257 號　佛名經禮懺文

（18–3）

莫言我今生中无有此罪所以不能懇重懺悔經中道言
凡夫〻〻人舉足動步无非是罪又復過去生中皆悉成就
无量悪業追逐行者如影隨形若不懺悔罪悪日深
論者海寔由隱覆是故弟子等今日發露懺悔
不敢覆藏所言三鄣者一曰煩惱二為業三是果報此三
種法更相由藉因煩惱故以起悪業以因緣故得苦悪
報是故弟子今日至心弟一先應懺悔煩惱鄣又此煩惱
諸佛菩薩入理聖人種種呵責由此煩惱以為怨家何以
故能斷衆生慧命根故由此煩惱以之為賊能劫衆生
諸善法故由此煩惱以為瀑河能漂衆生入於生死苦
海由此煩惱以為羈鏁能繫衆生於生死獄不得出故
所經六道流轉四生不絶悪業無窮苦果不息當知皆是
煩惱過患是故弟子等今日運此增上善心歸依十方諸佛
如是十方盡虚空界一切三寶弟子等從无始以来至于
今日或在人天六道受報有此心識常懷愚惑繁滿胷
衿或因三毒造一切罪或因三漏造一切罪或因三覺造一
切罪或因三受造一切罪或因三苦造一切罪或緣三假造一
切罪或貪三有造一切罪如是等罪无量无邊惱乱一切
六道衆生今日慚愧皆悉懺悔
又復弟子等无始以来至于今日或因四識住造一切罪或因
四流造一切罪或因四趣造一切罪或因四執造一切罪或因
四緣造一切罪或因四大造一切罪或因四縛造一切罪或因四食
造一切罪或四生造一切罪如是等罪无量无邊惱乱六道一
切衆生今日慚愧皆悉懺悔

BD02257 號　佛名經禮懺文　（18–4）

四流造一切罪或因四趣造一切罪或因四執造一切罪或因
四緣造一切罪或因四大造一切罪或因四縛造一切罪或因四食
造一切罪或四生造一切罪如是等罪无量无邊惱乱六道一
切衆生今日慚愧皆悉懺悔
弟子等无始以来至于今日或因五住地煩惱造一切罪或因五
受根造一切罪或因五蓋造一切罪或因五慳造一切罪或因五見
造一切罪或因五心造一切罪如是等煩惱无量无邊惱乱
六道一切衆生今日發露皆悉懺悔
弟子等无始以来至于今日或因六情造一切罪或因六識
造一切罪或因六想造一切罪或因六受造一切罪或因六行
造一切罪或因六塵造一切罪如是等
煩惱无量无邊惱乱六道一切四生今日慚愧發露皆悉
懺悔　弟子等无始以来至于今日或因七漏造一切罪或
因七使造一切罪或因八倒造一切罪或因八垢造一切罪或
因八苦造一切罪惱乱六道一切四生今日發露皆悉懺悔
弟子等无始以来至于今日或因九惱造一切罪或因九結
造一切罪或因九上緣造一切罪或因十煩惱造一切罪或因十纏
造一切罪或因十一遍使造一切罪或因十二入造一切罪或因十六知
見造一切罪或因十八界造一切罪或因二十五有造一切罪或
因六十二見造一切罪或因見諦思惟九十八使百八煩惱晝
夜熾然開諸漏門造一切罪惱乱賢聖及以四生遍
滿三界弥恒六道无處可避今日誠心向十方佛諸尊
法聖衆慚愧發露皆悉懺悔
願弟子等承是懺悔三毒一切煩惱所生功德生生世世三慧

BD02257 號　佛名經禮懺文　（18–5）

諸三界殊惰六道无惡可避今日誠心向十方佛諸尊
法聖衆慚愧發露皆悉懺悔
願弟子等承是懺悔三毒一切煩惱所生功德生生世世三慧
明三達朗三苦滅三願滿願弟子等承是懺悔四識等一
切煩惱所生功德生生世世廣四等心立四信業四惡趣滅
得四无畏願弟子等承是懺悔五蓋等諸煩惱所生功德
度五道樹五根淨五眼成五分願令弟子承是懺悔六
愛等諸煩惱所生功德願生生世世具足六神通滿足六
度業不為六塵惑常行六妙行
弟子等承是懺悔七漏八垢九結十纏等一切煩惱所生功德
生生世世坐七淨華洗塵八水具九斷智成十地行願以懺
悔十一遍使及十二入十八界等一切煩惱所生功德願十一空解
常用栖心自在能轉十二行輪具足十八不共之法无量功
德一切願滿　夫論懺悔者本是改往修來滅惡興善人生
居世誰能无過學人失念尚起煩惱羅漢結習動身口業
豈況凡夫而當无過但智者先覺便能改悔愚者覆藏
遂使滋蔓所以積集長夜曉悟无有慚愧發露懺
悔豈唯止是滅罪而已亦復增長无量功德樹立如來
涅槃妙果若欲行此法者先當外肅形儀瞻奉尊像內起
敬意緣於想法懇切至重生二種心何等為二一者自念
我此形命難可常保一朝散壞不知此身何時可復若復不
值諸佛賢聖遭遇惡友造衆罪業復應墮落深坑
險趣二者自念我此生中雖得值遇如來正法為佛弟子〻法
紹繼聖種淨身口意善法自居而今我等公自作惡而復
[illegible]

BD02257號　佛名經禮懺文

（18–6）

值諸佛賢聖遭遇惡友造衆罪業復應墮落深坑
險趣二者自念我此生中雖得值遇如來正法為佛弟子〻法
紹繼聖種淨身口意善法自居而今我等公自作惡而復
覆藏言他不知謂彼不見隱匿在心傲无慚愧實凡夫愚
惑之甚即今現有十方諸佛諸大地菩薩諸天神仙何故不
以清淨天眼見於我等所作罪惡又復幽顯靈祇注記
罪福纖毫无差夫論作罪之人命欲終時牛頭獄卒錄其
精神在閻羅王所辯覈是非當爾之時一切怨對皆來證
據各言汝先屠裂我身炮煮蒸炙或言汝先剝
奪於我一切財寶離我眷屬我於今者始得汝便於時
現前證據何得敢諱唯應甘心分受宿殃如經所明地
獄之中不枉治人若其平素所作衆罪心自忘失是其生
時造惡之處一切諸相皆現在前各言汝昔在於我
邊作如是罪今何得諱是為作罪无藏隱處於是閻
魔羅王切齒呵責將付地獄歷劫窮年求出莫由此事
不遠不關他人正是我身自作自受雖父子至親一旦對至无
代受者衆等今日及其形休體无衆疾各自努力與性
命競見大怖至時悔无所是故弟子至心歸依
如是十方盡虛空界一切三寶　弟子等從无始以來至于
今日積聚无明鄣閉心目隨煩惱性造三世罪或耽染
愛著起於貪欲煩惱或瞋恚忿怒懷恨煩惱或惛懵
瞪瞢不了煩惱或我慢自高輕傲煩惱或疑惑正道猜
豫煩惱謗无因果邪見煩惱不識緣假著我煩惱迷於
三世[illegible]

BD02257號　佛名經禮懺文

（18–7）

明闇不了煩惱我慢自高輕傲煩惱疑惑正道猜
豫煩惱謗无因果邪見煩惱不識緣假著我煩惱迷於
三世執斷常煩惱朋狎惡法起見取煩惱僻稟邪師造
私取煩惱乃至一切四執横計煩惱今日至誠皆悉懺悔
又復无始以來至于今日守惜堅著起慳悋煩惱不
攝六情奢誕煩惱心行弊惡不忍煩惱怠墯
緩縱不勤煩惱情慮躁動覺觀煩惱觸境迷
惑无知解煩惱隨世八風生彼我煩惱諂曲面
譽不直心煩惱横彊難觸不調知煩惱易忿難
悅多含恨煩惱嫉妬擊剋很戾煩惱凶險暴害諂毒
煩惱乖背二諦執相煩惱於苦集滅道生顛倒煩
惱隨從生死十二因緣流轉煩惱乃至无始无明住地
恒沙煩惱起四住地構於三界苦果煩惱如是諸煩
惱无量无邊惱亂賢聖六道四生今日發露皆悉懺
悔　願弟子等承是懺悔貪瞋癡等一切煩惱生生
世世折憍慢幢竭愛欲水滅瞋恚火破愚癡闇
拔斷疑根裂諸見網深識三界猶如牢獄四大毒
虵五陰怨賊六入空聚愛詐親善修八聖道斷
无明源正向涅槃不休不息三十七品心心相應
十波羅蜜常現在前至心歸命常住三寶
卷第三　弟子等今日者即我心身寂靜无諂无鄣
正是生善滅惡之時復應各起四種觀行以為滅罪作
前方便何等為四一者觀於因緣二者觀於果報三者
觀我身心四者觀如來身第一觀因緣者知我此罪藉
以无明不善思惟无正觀力不識其過遠離善友諸

BD02257號　佛名經禮懺文　（18–8）

前方便何等為四一者觀於因緣二者觀於果報三者
觀我身心四者觀如來身第一觀因緣者知我此罪藉
以无明不善思惟无正觀力不識其過遠離善友諸
佛菩薩隨逐魔道行邪險徑如魚吞鉤不知其患如
蠶作繭自縈自縛如蛾赴火自燒自爛以是因緣不能
自出第二觀於果報者所有諸惡不善之業三世流
轉苦果无窮沉溺无邊長夜大海為諸煩惱羅刹所食
未來生死冥然无崖設使報德轉輪聖王王四天下飛
行自在寶具足命終之後不免惡趣四空果報三界尊極
福盡還作牛領中虫况復其餘无福德者而復懈怠不
懃懺悔此亦譬如抱石沉淵求出良難第三觀我自身
雖有正因靈覺之性而為煩惱黑暗叢林之所覆蔽
无了因力不能得顯我今應當發起勝心破裂无明顛
倒重鄣斷滅生死虛偽苦因顯發如來大明覺慧建
立无上涅槃妙果第四觀如來身无為寂照離四句絕百
非眾德具足湛然常住雖復方便入於滅度慈悲救
接未曾暫捨生如是心可謂滅罪之良津除鄣之
要行是故弟子等今日至心歸依十方諸佛
如是十方盡虛空界一切三寶　弟子等无始以來至於今
日長養煩惱日深日厚日滋日茂覆蓋慧眼令无所見
斷除眾善不得相續起鄣不得見佛不聞正法不值
聖僧煩惱起鄣不見過去未來一切善惡業行是煩
惱鄣受人天尊貴是煩惱鄣生色无色界禪定福樂
是煩惱鄣不得自在神通飛騰隱顯遍至十方諸
佛淨土聽法是煩惱鄣學安那般那數息不淨觀
諸煩惱鄣學慈悲喜捨因緣是煩惱鄣學七方便
三觀義是煩惱鄣學四念處煖頂忍是煩惱鄣學

BD02257號　佛名經禮懺文　（18–9）

諸煩惱鄣學慈悲喜捨因緣是煩惱鄣學七方便
三觀義是煩惱鄣學四念處煖頂忍是煩惱鄣學
閑思脩苐一法是煩惱鄣學空平等中道解是煩惱
鄣學八聖道亦但是煩惱鄣學七覺分不示相是煩惱
鄣學於道品因緣觀是煩惱鄣學八解脫九空是煩
惱鄣學於十智三昧是煩惱鄣學三明六通四无碍是煩
惱鄣學六度四等是煩惱鄣學四攝法廣化是煩
惱鄣學大乘心四弘誓願是煩惱鄣學十明十行是
煩惱鄣學十迴向十願是煩惱鄣初地二地三地四地明解是
煩惱鄣五地六地七地諸見是煩惱鄣學八地九地十地
雙照是煩惱鄣如是乃至鄣學佛果百万阿僧祇諸行
上煩惱如是行鄣无量无邊弟子今日殷心歸依十方佛
尊法聖衆慚愧懺悔願皆消滅願藉此懺悔鄣
於諸行一切煩惱願弟子等在在處處自在受生不為
法業之所迴轉以如是意通於一念頃遍至十方淨之
佛土攝化衆生於之禪定甚深境界及諸知見通達无
㝵心能普同一切諸法樂說无窮而不染著得心自在
得法自在智慧自在方便自在令此煩惱及知法習畢
竟永斷不復相續无漏聖道朗然如日 第四卷
弟子等略懺煩惱鄣竟今當懺悔業鄣夫業能莊飾
世趣在在處處是以思惟求離世解脫所以六道果報
種種不同形類各異當知皆是業力所以佛十力中業
力甚深凡夫之人多於此中皆生疑惑何以故現見世間行
善之者觸向轗軻為惡之者是事諧偶謂言天下善
惡无少此計者皆是不能深達業理何以故[illegible]

BD02257 號　佛名經禮懺文　（18–10）

所以佛十力中業
力甚深凡夫之人多於此中皆生疑惑何以故現見世間行
善之者觸向轗軻為惡之者是事諧偶謂言天下善
惡无少此計者皆是不能深達業理何以故尒經中說
言有三種業何等為三一者現報二者生報三者後報
此作善作惡來生受報後業者或是過去无量
生中作惡或於此生中受或在未來无量生中方
受其向者行惡之人現在見好此是過去生報後報
善業熟故所以現在有此樂果豈關現在作諸
惡業而得好報行善之人現在見苦者是昔者
是過去生中生報後報惡業熟故現在善根力弱不
能排遣是故得此苦報豈關現在作善而招惡報何
以知然現見世間為善之者為人所讃歎人所尊重故
未必招樂果過去既有如此惡業所以諸佛菩薩教
令利 是故弟子等今日至誠歸依於佛 如是十方
盡虛空界一切三寶 弟子等无始以來至今日積
惡如恒沙造罪滿天天地捨身與受身不覺亦不知或
作五逆深厚濁纏无間罪業或造一闡提斷善根業不信
罪福起十惡業真返正癡或之業不孝二親反戾之
業輕慢師長无礼敬業用友不信不義之業或作
四重六重八重障聖道業毀犯五戒破八齋業篇聚多
缺犯業優婆塞戒輕重垢業或菩薩戒不能清淨如
說行業前後方便汙梵行業月无六齋懈怠之業
年三長齋不常脩三千威儀不知法業八万律儀微細
罪業不脩身戒心慧之業春秋八王造衆罪業行十六
重惡律儀業於苦衆无慈傷業不矜不念无務慈業

BD02257 號　佛名經禮懺文　（18–11）

年三長齋不常脩三千威儀不知法業八万律儀微細
罪業不脩身戒心慧之業春秋八王造衆罪業行十六
重惡律儀業於苦衆生无慈傷業不矜不念无矜愍業
不救不濟无救護業心懷嫉妬无度彼業於怨親境不平
等業躭荒五欲不厭離或因衣食園林池沼生蕩逸
業或以盛年放恣情欲造衆罪業或善有漏向三有障
出世業如是等業无量无邊今日發露向十方佛尊
法聖衆皆悉懺悔　願弟子等承是懺悔无問等罪
諸業所生福善願生生世世滅五逆罪除一闡提惑如是輕
重諸罪從今已去乃至道場誓不更犯恒習出世清淨善
法精持律行守護威儀如度海者愛惜浮囊六度四等
常標行首戒定慧品轉得增明速成如來卅二相八十
種好十力无畏大悲三念常樂妙智八自在我礼佛一拜
弟三卷　弟子今以惣相懺悔一切諸業今當次弟
更復三別相懺悔若惣若別若麁若細若輕若
重若說若不說品類相從願皆消滅別相懺者先懺
身三次懺口四其餘諸障次弟稽顙身三業者第一
煞害如經所明恕己可為喻勿煞勿行杖雖復禽獸
之殊保命畏死其事是一若尋此衆生无始以來或
是我父母兄弟六親眷屬以業因緣輪迴六道出生入
死改形易報不復相識而今興害食噉其肉傷之慈甚
是故佛言設得餘食當如飢世食子肉想何況食噉此魚
肉耶又言為利煞衆生以錢納衆生肉二俱是惡業死墮
叫呼地獄故知煞害及以食噉罪深河海過重山岳然弟
子等无始以來不遇善友皆為此業是故經言煞害之

BD02257號　佛名經禮懺文　（18–12）

肉耶又言為利煞衆生以錢納衆生肉二俱是惡業死墮
叫呼地獄故知煞害及以食噉罪深河海過重山岳然弟
子等无始以來不遇善友皆為此業是故經言煞害之
罪能令衆生墮於地獄餓鬼受苦若在畜生則受虎豹
豺狼鷹鷂等身或受毒蛇蝮蝎等身常懷惡心或受麞
鹿熊羆等身常懷恐怖若生人中得二種果報一者多
病二者短命煞害食噉既有如是无量種種諸惡果
報是故弟子至到稽顙歸命三寶　如是十方盡虛空界
一切三寶弟子自從无始以來至於今日有此心識常
懷殘毒无慈愍心或因貪起煞因瞋因癡及以慢
煞或興惡方便誓煞願煞及以呪煞或破決湖池焚
燒山野田獵魚捕或因風放火飛鷹放犬惱害一切如是
罪今悉懺悔
或以檻穽抗撥扠戟弓弩彈射飛鳥走獸之類或
以網罟罾釣撩漉水性魚鼈黿鼉蝦蟇螺蚌濕居之屬
使水陸空行藏竄无地或畜養雞猪牛羊犬豕鵝鴨之屬
自供庖廚或貨他宰煞使其哀聲未盡毛羽脫落鱗甲傷毀
身首分離骨肉銷碎剝裂屠割炮燒煮炙楚毒酸切橫加无
辜但取一時之快口得味甚寡不過三寸舌根而已然其罪
報殃累永劫如是等罪今日至誠皆悉懺悔
又復无始以來至於今日或復興師相伐疆埸交諍兩陣相
向更相煞害或自煞教煞聞煞歡喜或習屠膾傭賃為刑
戮烹宰他命行於不忍或自恣忿怒揮戈舞刃或斬或刺
或推著坑塹或以水沉溺或塞穴壞巢土石塡砌或以車馬雷
轢踐蹋一切衆生如是等罪无量无邊今日發露皆悉懺悔

BD02257號　佛名經禮懺文　（18–13）

或烹宰他命行於不忍或自忿怒揮戈舞刃或斬或刺
或推著坑塹或以水沉溺或塞穴壞巢土石磓砷或以車馬雷
轢踐一切眾生如是等罪无量无邊今日發露皆悉懺悔
又復无始以来或墮胎破卵毒藥蠱道傷煞眾生墾土地
種植田園養畜蠶虫傷煞滋甚或打撲蚊蚋搯齧蚤虱或
燒除糞掃開決溝渠枉害一切或噉菓實或用穀米或水
或菓横煞眾生或燃燎薪或露燈燭燒諸虫類或食醬酢不
著搖動或瀉湯水澆煞虫蟻如是乃至行住坐卧四威儀
中恒常傷煞飛空著地微細眾生弟子以凡夫識暗不覺不
知今日發露皆悉懺悔
又復弟子无始以来至于今日或以鞭杖枷鏁桁械膝立拷棟打
擲手脚蹴蹹拘縛籠繫斷絕水穀如是種種諸惡方便苦惱
眾生今日至誠向十方佛尊法聖眾皆悉懺悔
願弟子等承是懺悔煞害等罪所生功德生生世世得金剛身
壽命无窮永離怨憎无煞害想於諸眾生得一子地若見危
難危厄之者不惜身命方便救解令得解脫然後為說微
妙正法使諸眾生覩形見影皆蒙安樂聞名聽聲恐怖悉除
作禮拜
次懺劫盜之業經中說言若物屬他他所守護於此物中一草
一葉不與不取何況盜竊但自眾生唯見現在利故以種種不
道而取致使未来受此殃累是故經言劫盜之罪能令眾生
墮於地獄餓鬼受苦若在畜生則受牛馬驢騾駱駞等形
以其所有身力血肉償他宿債若生人中為他奴婢衣不蔽
形食不充命貧寒困苦人理殆盡劫盜既有如是苦報是
故弟子今日至到稽首歸依於佛 南無十方盡虛空界一切三寶
弟子自從无始以来至于今日或盜他財寶興刃強奪或自怙恃
身逼迫而取或恃公王或假他勢力高桁大械枉壓良善吞納

故弟子今日至到稽首歸依於佛 南無十方盡虛空界一切三寶
弟子自從无始以来至于今日或盜他財寶興刃強奪或自怙恃
身逼迫而取或恃公王或假他勢力高桁大械枉壓良善吞納
姧貨抂直為曲為此因緣身羅憲網或任邪治領他財物侵公益
私損彼利此損此利彼割他自饒口與心悋或竊沒租佔偷度關
稅匿公課輸藏隱使役如是等罪今悉懺悔
或是佛法僧物不與而取或經像物或治塔寺物不與而取或經像
物或治塔寺物或供養常住僧物或擬招提僧物或盜取悞用恃
勢不還或自借或貸人或復換借漏忘或三寶物混乱新用
或以眾物穀米薪藁鹽豉醬酢菜茹菓實錢帛竹木繒綵
幡蓋香花油燭隨情逐意或自用或與人或摘佛花菓用僧鬘
物因三寶財私自利己如是等罪无量无邊今日慚愧皆悉懺悔
又復无始以来至於今日或作周旋朋友師僧同學父母兄弟六
親眷屬共住同止百一所須更相欺罔或於鄉隣比近移籬拓
墟侵他店宅改標易相虞畧田園因公託私奪集人邸店及以七
野如是等罪今悉懺悔
又復无始以来或攻城破邑燒村壞柵偷賣良民誘他奴婢或
復枉壓罪使其形嬰血刃身被徒鏁家業破散骨肉生離
分張異城生死隔絕如是等罪无量无邊今悉至到皆悉
懺悔 又復无始以来至於今日或高佀博貨邸店市易
輕秤小斗減割尺寸盜竊分銖欺罔圭合以麁易好以短換長
巧欺百端希望毫利如是等罪今悉懺悔
又復无始以来至于今日穿窬墻壁斷道抄掠抵債負主
負情違要面欺心口或非道陵奪集鬼神禽獸四主之物或
假託卜相取人財寶如是乃至以利求利惡求多求无猒无足
如是等罪无量无邊不可說盡今日至到向十方佛尊法聖眾

[illegible]
假託卜相取人財寶如是乃至以利求利惡求多求無厭無足
如是等罪無量無邊不可說盡今日至到向十方佛尊法聖衆
皆悉懺悔　願弟子等承是懺悔劫盜等罪所生功德生生
世世得如意寶常滿七珍上妙衣服百味甘露種種湯藥隨意
所須應念即至一切衆生無偷奪相一切皆能少欲知足不耽不染
常樂惠施行悲濟道頭目髓腦捨身如棄涕唾迴向滿足
檀波羅蜜　礼佛一拜　第三卷了　第四卷次復懺悔貪愛之
罪經中說言但為貪欲閉在牢獄沒生死河莫之能出衆生
為是愛欲因緣從昔以來流轉生死一衆生一劫之中所積
身骨如王舍城毗富羅山所飲母乳如四海水身所出血復
於此父母兄弟六親眷屬命終哭泣所出目淚如四海水是故
說言有愛則生愛盡則滅故知生死貪愛為本所以經言婬
欲之罪能令衆生墮於地獄餓鬼受苦在畜生則受鴿雀
鴛鴦等身若生人中妻不貞良得不隨意眷屬婬欲
既有如是惡果是故弟子今日至到稽顙歸依佛
如是十方盡虛空界一切三寶弟子等自從無始以來至於今日
或逼人妻妾侵他婦女侵陵貞潔汙比丘尼破他梵行逼迫
不道濁心邪視言語嘲調或復恥他門戶汙賢善名或於男子
五種人所起不淨行如是等罪今悉懺悔　又復無始以來
至於今日或眼為色或愛染青黃紅綠朱紫珍玩寶飾或取男
女長短黑白姿態之相起非法想耳貪好聲宮商絃管妓樂歌
唱或取男女音聲語言啼哭之相起非法想或鼻著名香沉
麝鬱金蘇合起非法相或舌貪好味鮮美甘肥衆生
肉血資養四大更增苦本起非相或身樂著綺錦繡繒纊一切
細滑七珍簾帳起非法相或意多亂想觸事向乖法有此六想
造罪無甚如是等罪無量無邊今日至到向十方佛尊法聖衆

BD02257號　佛名經禮懺文　（18–16）

[illegible]
肉血資養四大更增苦本起非相或身樂著綺錦繡繒纊一切
細滑七珍簾帳起非法相或意多亂想觸事向乖法有此六想
造罪無甚如是等罪無量無邊今日至到向十方佛尊法聖衆
皆悉懺悔　願弟子承是懺悔婬欲等罪所生功德願生
世世自然化生不由胞胎清淨皎潔相好光嚴六情開朗聰利明
了達恩愛猶如桎梏觀此六塵如幻如化於五欲境決定厭離乃至
夢中不起邪想內外因緣永不能動願以懺悔眼根功德願令此眼徹見
十方諸佛菩薩清淨法身不以二相願以懺悔耳根功德願令此耳
常聞十方諸佛賢聖所說正法如教奉行願以懺悔鼻根功德願
令此鼻常聞香積得入法位捨離生死不淨臭穢願以懺悔舌根
功德願令此舌常餐法喜禪悅之食不貪衆生血肉之味願以懺悔
身根功德願令此身披如來衣著忍辱鎧臥無畏床坐四禪坐願
令懺悔意根功德願令此意成就十想洞達五明深觀諦空平等
理從方便慧起十妙行入法流永念念增明顯發如來大無生忍　作礼一拜
次共懺悔身三業竟今當次第懺悔口四惡業經法說言口業
之罪能令衆生墮於地獄餓鬼受苦若在畜生則受鵂鶹鴟
鴟鳥聞其聲者無不憎惡若生人中口氣臭所有言說人不信
受眷屬不和常好鬥諍口業既有如是惡果是故弟子今日
至誠歸依佛　如是十方盡虛空界一切三寶弟子等自從無始
以來至於今日妄言兩舌惡口綺語傳虛說有說有言空不見言
見見言不見不聞言聞聞言不聞不知言知知言不知欺賢罔聖
言行相乖自稱讚譽得過人法我得四禪四無色定阿那波那
十六行觀得須陀洹至阿羅漢得辟支佛不退菩薩天來龍
來鬼來神來旋風土鬼皆至我所彼問我答顯異惑衆要世名
利如是等罪今悉懺悔　又復無始以來至於今日誑言鬪亂
交扇彼我鬪構兩舌向彼說此向此道彼離他眷屬

BD02257號　佛名經禮懺文　（18–17）

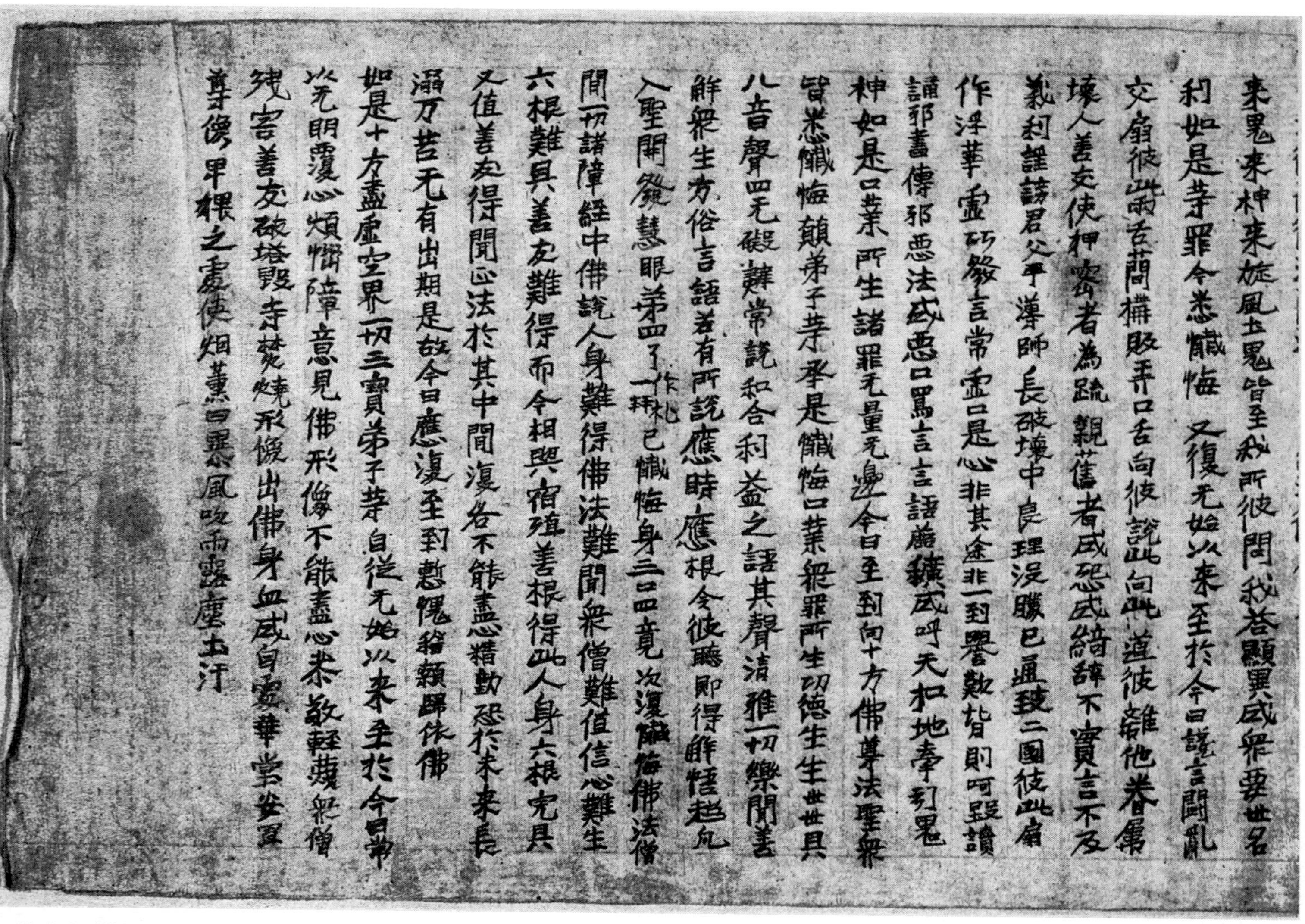

來鬼來神來旋風土鬼皆至我所彼問我答顯異惑衆要世名
利如是等罪今悉懺悔　又復无始以來至於今日讒言鬭亂
交扇彼此兩舌鬭構敗弄口舌向彼說此向此道彼離他眷屬
壞人善友使神容者為疏親舊者咸怨惑綺辭不實言不及
義利譏謗君父平導師長破壞中良理沒勝已遍致二國彼此扇
作浮華虛巧綺言常虛口是心非其途非一到譽歎皆則呵毀讚
諸邪書傳邪惡法咸惡口罵言言語麁獷咸呼天扣地牽引鬼
神如是口業所生諸罪无量无邊今日至到向十方佛尊法聖衆
皆悉懺悔願弟子等承是懺悔口業衆罪所生功德生生世世具
八音聲四无礙辯常說和合利益之語其聲清雅一切樂聞善
解衆生方俗言語若有所說應時應根令彼聽聞即得解悟超凡
入聖開發慧眼第四了（一作一拜礼）已懺悔身三口四竟　次復懺悔佛法僧
間一切諸障經中佛說人身難得佛法難聞衆僧難值信心難生
六根難具善友難得而今相與宿殖善根得此人身六根完具
又值善友得聞正法於其中間復各不能盡心精勤恐於未來長
溺万苦无有出期是故今日應復至到慚愧稽顙歸依佛
如是十方盡虛空界一切三寶弟子等自從无始以來至於今日常
以无明覆心煩惱障意見佛形像不能盡心恭敬輕蔑衆僧
殘害善友破塔毀寺焚燒形像出佛身血咸自處華堂安置
尊像卑猥之處使烟薰日曝風吹雨露塵土汙

BD02257號　佛名經禮懺文　（18–18）

BD02257號背　雜寫　（3–1）

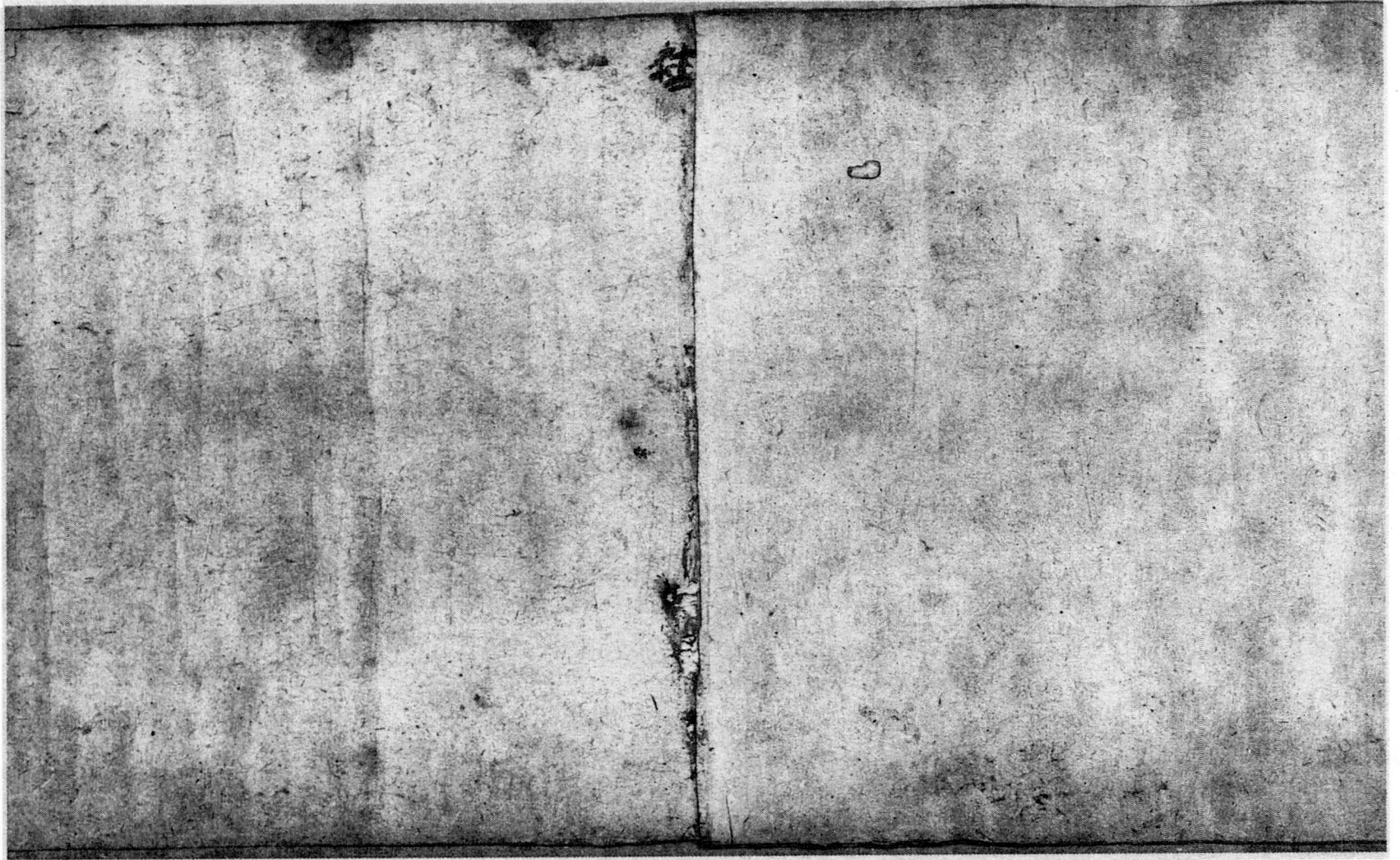

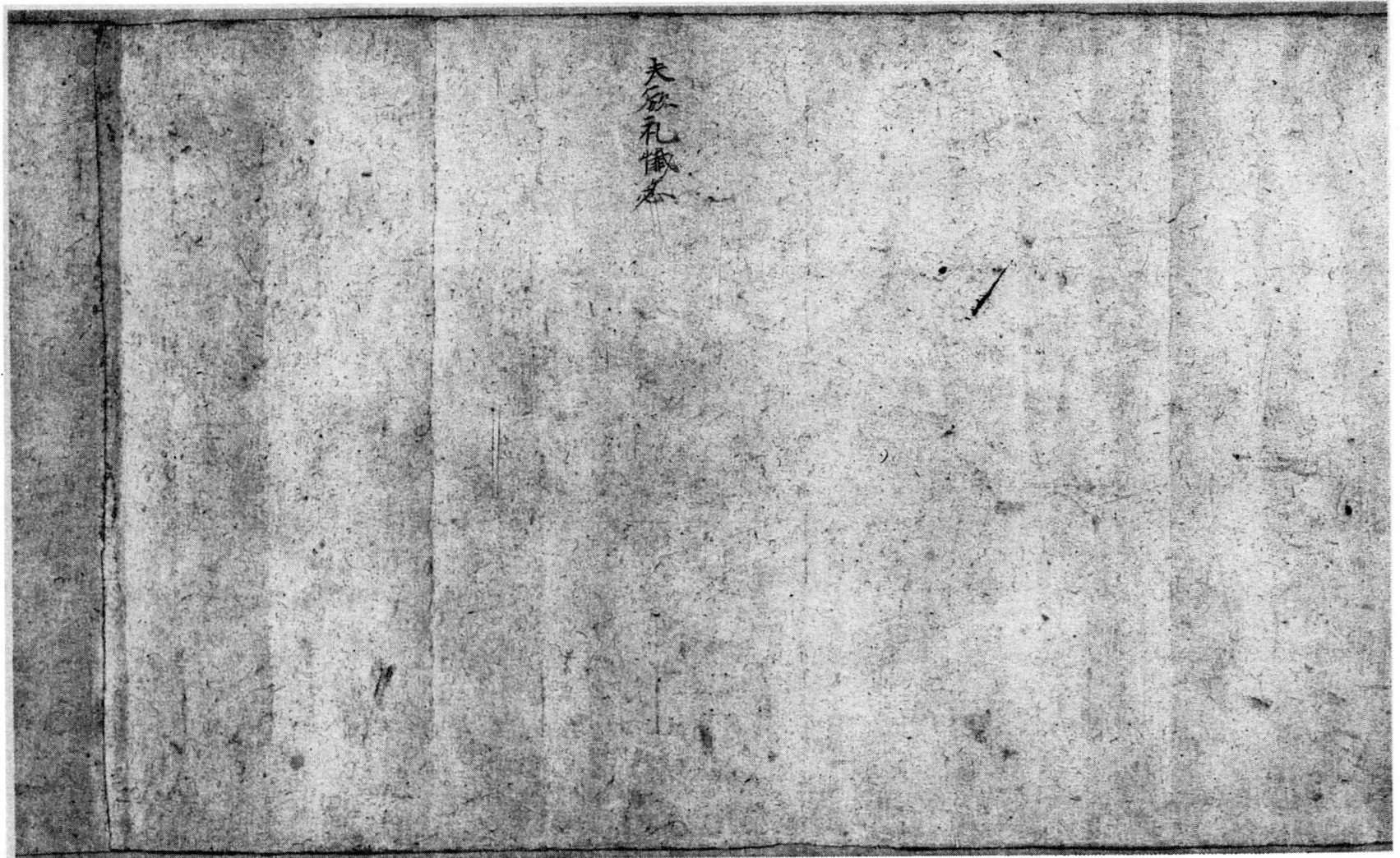

BD02257 號背　雜寫　　（3–2）

BD02257 號背　雜寫　　（3–3）

瞋不解者是菩薩波羅夷罪
若佛子自謗三寶教人謗三寶謗因謗緣謗法
謗業而菩薩見外道及以惡人一言謗佛音聲如
三百鉾刺心況口自謗不生信心孝順心而反更助惡
人邪見人謗者是菩薩波羅夷罪
善學諸人者是菩薩十波羅提木叉應當於中
不應一一犯如微塵許何況具足犯十戒若有犯
不得現身發菩提心亦失國王位轉輪王位亦失
丘比丘尼位失十發趣十長養十金剛十地佛性常住妙果一
一切皆失墮三惡道中二劫三劫不聞父母三寶名
字以是不應一一犯汝等一切諸菩薩今學當學已
學是十戒應當學敬心奉持八万威儀品當廣明
佛告諸菩薩言已說十波羅提木叉竟四十八輕今
當說
若佛子欲受國王位時受轉輪王位時百官受位時
應先受菩薩戒一切鬼神救護王身百官之身諸佛
歡喜既得戒已生孝順心恭敬心見上座和上阿闍梨
大同學同見同行者應承迎禮拜問訊而菩薩反

BD02258號　梵網經盧舍那佛說菩薩心地戒品第十卷下　（16–1）

應先受菩薩戒一切鬼神救護王身百官之身諸佛
歡喜既得戒已生孝順心恭敬心見上座和上阿闍梨
大同學同見同行者應承迎禮拜問訊而菩薩反
生憍心慢心癡心不起承迎禮拜一一不如法供養以自
賣身國城男女七寶百物而供給之若不介者犯輕垢
罪
若佛子故飲酒而生酒過失无量若自身手過酒器
與人飲酒者五百世无手何況自飲不得教一切人飲
及一切衆生飲酒況自飲若故自飲教人飲者犯輕
垢罪
若佛子故食肉一切肉不得食斷大慈悲性種子一
切衆生見而捨去故一切菩薩不得食一切衆生肉
食肉得无量罪若故食者犯輕垢罪
若佛子不得食五辛大蒜革葱慈葱蘭葱興蕖
是五種一切食中不得食若故食者犯輕垢罪
若佛子一切衆生犯八戒五戒十戒毀禁七逆八難一
切犯戒罪應教懺悔而菩薩不教懺悔共住同僧
利養而共布薩一衆說戒而不舉其罪教懺悔
過者犯輕垢罪
若佛子見大乘法師大乘同見同行者來入僧房
舍宅城邑若百里千里來者即起迎來送去禮拜
供養日日三時供養日食三兩金百味飲食床
座供事法師一切所須盡給與之常請法師三時
說法日日三時禮拜不生瞋心患惱之心為法滅
身請法若不介者犯輕垢罪
若佛子一切處有講法毗尼經律大宅舍中有講
法之處是新學菩薩應持經律卷至法師所諮

BD02258號　梵網經盧舍那佛說菩薩心地戒品第十卷下　（16–2）

身請法若不尒者犯輕垢罪
若佛子一切處有講法毗尼經律大宅舍中有講
法之處是新學菩薩應持經律卷至法師所諮
受聽問若山林樹下僧地房中一切說法處悉至
聽受若不至彼聽者犯輕垢罪
若佛子心背大乘常住經律言非佛說而受持二
乘聲聞外道惡見一切禁戒邪見經律者犯輕垢罪
若佛子一切疾病人供養如佛无異八福田中看病
福田第一福田若父母師僧弟子病諸根不具
種病苦皆養令差而菩薩以瞋心恨心不至僧房
中城邑曠野山林道路中見病不救濟者犯輕垢罪
若佛子不得畜一切刀仗弓箭鉾斧鬪戰之具及
惡網羅殺生之器一切不得畜而菩薩乃至殺父母
尚不加報況殺一切衆生故畜刀仗者犯輕垢罪
如是十戒應當學敬心奉持下六品中廣開
佛言佛子為利養惡心故通國使命軍陣合會
興師相殺无量衆生而菩薩不得入軍陣往來況
故作國賊若故作者犯輕垢罪
若佛子故販賣良人奴婢六畜市易官材板木盛
死之具尚不應自作況教人作若故作者犯輕垢罪
若佛子以惡心故无事謗他良人善人師僧國王
貴人言犯七逆十重於父母兄弟六親中應生孝順心
慈悲心而反更加於逆害墮不如意處犯輕垢罪
若佛子以惡心故放大火燒山林曠野四月乃至
九月放火若燒他人屋家宅城邑僧房田木及鬼
神官物一切有主物不得故燒若故燒者犯輕垢罪

BD02258 號　梵網經盧舍那佛說菩薩心地戒品第十卷下　（16–3）

九月放火若燒他人屋家宅城邑僧房田木及鬼
神官物一切有主物不得故燒若故燒者犯輕垢罪
若佛子自佛弟子及外道人六親一切善知識應
一一教受持大乘經律教解義理使發菩提心發
十趣心長養心十金剛心一一解其次第法用而菩薩
以惡心瞋心橫教他二乘聲聞經律外道邪見論
者犯輕垢罪
若佛子應好心先學大乘威儀經律廣開解義
味見後新學菩薩有百里千里來求者應以大乘
經律應如法為說一切苦行若燒身燒臂燒指若
不燒身臂指供養諸佛非出家菩薩乃至餓虎
狼師子口中一切餓鬼悉應捨身肉手足而供養之
然後一一次第為說正法使開意解而菩薩為利
養故應荅不荅倒說經律文字无前无後謗三
寶說者犯輕垢罪
若佛子自為飲食錢物利養名譽故親近國王王
子大臣百官恃作形勢乞索打拍牽挽橫取錢物一
切求利名為惡求多求教他人求都无慈心无孝順
者犯輕垢罪
若佛子學誦戒者日日六時持菩薩戒解其義理
佛性之性而菩薩不解一句一偈戒律因緣詐言能
解即為自欺誑亦欺他人一一不解一切法而為他作
師受戒者犯輕垢罪
若佛子以惡心故見持戒比丘手捉香爐行菩薩行
而鬪遘兩頭謗欺賢人无惡不造若故作者犯輕垢罪

BD02258 號　梵網經盧舍那佛說菩薩心地戒品第十卷下　（16–4）

師受戒者犯輕垢罪
若佛子以惡心故見持戒比丘手捉香鑪行菩薩行
而鬪遘兩頭謗欺賢人无惡不造若故作者犯輕垢罪
若佛子以慈心故行放生業一切男子是我父一切女
人是我母我生生无不從之受生故六道衆生皆是我
父母而殺而食者即殺我父母亦殺我故身一切地水
是我先身一切火風是我本體故常行放生業生生受
生若見世人殺畜生時應方便救護解其苦難常教
化講說菩薩戒救度衆生若父母兄弟死亡之日應
請法師講菩薩戒福資亡者得見諸佛生人天上若
不介者犯輕垢罪
如是十戒應當學敬心奉持如滅罪品中已明一一戒
佛言佛子以瞋報瞋以打報打若殺父母兄弟六親不
得加報若國主為他人殺者亦不得加報殺生報生
不順孝道尚不畜奴婢打拍罵辱日日起三業口罪无
量況故作七逆之罪而出家菩薩无慈報酬乃至六
親若故作者犯輕垢罪
若佛子始出家未有所解而自恃聰明有智或高
貴年宿或恃大姓高門大解大富饒財七寶以此憍
慢而不諮受先學法師經律其法師者或小姓年
少卑門貧窮諸根不具而實有德一切經律盡
解而新學菩薩不得觀法師種姓而不來諮受
法師第一義諦者犯輕垢罪
若佛子佛滅度後欲以好心受菩薩戒時於佛菩
薩形像前自誓受戒當七日佛前懺悔得見好
相便得受戒若不得好相應以二七三七乃至一

若佛子佛滅度後欲以好心受菩薩戒時於佛菩
薩形像前自誓受戒當七日佛前懺悔得見好
相便得受戒若不得好相應以二七三七乃至一
年要得好相得好相已便得佛菩薩形像前受戒
若不得好相雖佛像前受戒不名得戒若先
受菩薩戒法師前受戒時不須要見好相何以故
是法師師師相受不須好相是以法師前受戒即得戒
以生志重心故便得戒若千里內无能受戒師得佛
菩薩形像前受得戒而要見好相若法師自倚
解經律大乘學戒與國王太子百官以為善友而
新學菩薩來問若經義律義輕心惡心慢心不一一
好答問者犯輕垢罪
若佛子有佛經律大乘法正見正性正法而身不能
勤學修習而捨七寶反學邪見二乘外道俗典阿毗
曇雜論書記是斷佛性障道因緣非行菩薩
道者若故作者犯輕垢罪
若佛子佛滅度後為說法主為僧房主教化主坐
禪主行來主應生慈心善和鬪諍善守三寶物莫
无度用如自己有而反乱衆鬪諍恣心用三寶物
者犯輕垢罪
若佛子先住僧房中後見客菩薩比丘來入僧房
舍宅城邑國王宅舍中乃至夏坐安居處及大會中
先住僧應迎來送去飲食供養房舍卧具繩床
事事給與若无物應自賣身及男女身供給所須
悉以與之若有檀越來請衆僧客僧有利養分僧
房主應次第差客僧受請而先住僧獨受請而不

事事給與若无物應自賣身及男女身供給所須
悉以與之若有檀越來請衆僧客僧有利養分僧
房主應次第差客僧受請而先住僧獨受請而不
差客僧受請者僧房主得无量罪畜生无異非
沙門非釋種姓若故作者犯輕垢罪
若佛子一切不得受別請利養入已而此利養屬
十方僧而別受請即取十方僧物入已及八福田諸
佛聖人一一師僧父母病人物自已用故犯輕垢罪
若佛子有出家菩薩在家菩薩及一切檀越請僧
福田求願之時應入僧中問知事人今欲次第請者
即得十方賢聖僧而世人別請五百羅漢菩薩僧
不如僧次一凡夫僧若別請者是外道法七佛无別
請法不順孝道若故別請僧者犯輕垢罪
若佛子以惡心故為利養販賣男女色自手作食
自磨自舂占相男女解夢吉凶是男是女呪術
工巧調鷹方法和合百種毒藥千種毒藥蛇
毒金銀蠱毒都无慈心若故作者犯輕垢罪
若佛子以惡心故自身謗三寶詐現親附口便說
空行在有中為白衣通致男女交會婬色作諸縛
着於六齋日年三長齋月作殺生劫盜破齋犯
戒者犯輕垢罪
如是十戒應當學敬心奉持制戒品中廣解
佛言佛子佛滅度後於惡世中若見外道一切惡
人劫賊賣佛菩薩父母形像販賣經律販賣比
丘比丘尼亦賣發心菩薩學道人或為官使與
一切人作奴婢者而菩薩見是事已應生慈心方

BD02258號　梵網經盧舍那佛說菩薩心地戒品第十卷下　（16–7）

佛言佛子佛滅度後於惡世中若見外道一切惡
人劫賊賣佛菩薩父母形像販賣經律販賣比
丘比丘尼亦賣發心菩薩學道人或為官使與
一切人作奴婢者而菩薩見是事已應生慈心方
便救護處處教化取物贖佛菩薩形像及比
丘比丘尼一切經律若不贖者犯輕垢罪
若佛子不得畜刀杖弓箭販賣輕秤小斗因官
形勢取人財物害心繫縛破壞成功長養猫狸
猪狗若故養者犯輕垢罪
若佛子以惡心故觀一切男女等鬪軍陣兵將
劫賊等鬪亦不得聽吹貝鼓角琴瑟箏笛箜篌
歌叫伎樂之聲不得摴蒱圍碁波羅塞戲彈
碁六博拍毱擲石投壺八道行成爪鏡芝草楊
枝鉢盂髑髏而作卜筮不得作盜賊使命一一不
得作若故作者犯輕垢罪
若佛子護持禁戒行住坐臥日夜六時讀誦是戒
猶如金剛如帶浮囊欲度大海如草繫比丘常生
大乘信自知我是未成之佛諸佛是已成之佛發
菩提心念念不去心若起一念二乘外道心者犯輕垢
罪
若佛子常應發一切願孝順父母師僧三寶常願
得好師同學善友知識常教我大乘經律十發
趣十長養十金剛十地使我開解如法脩行堅持
佛戒寧捨身命念念不去心若一切菩薩不發是
願者犯輕垢罪
若佛子發十大願已持佛禁戒作是願言寧以此

BD02258號　梵網經盧舍那佛說菩薩心地戒品第十卷下　（16–8）

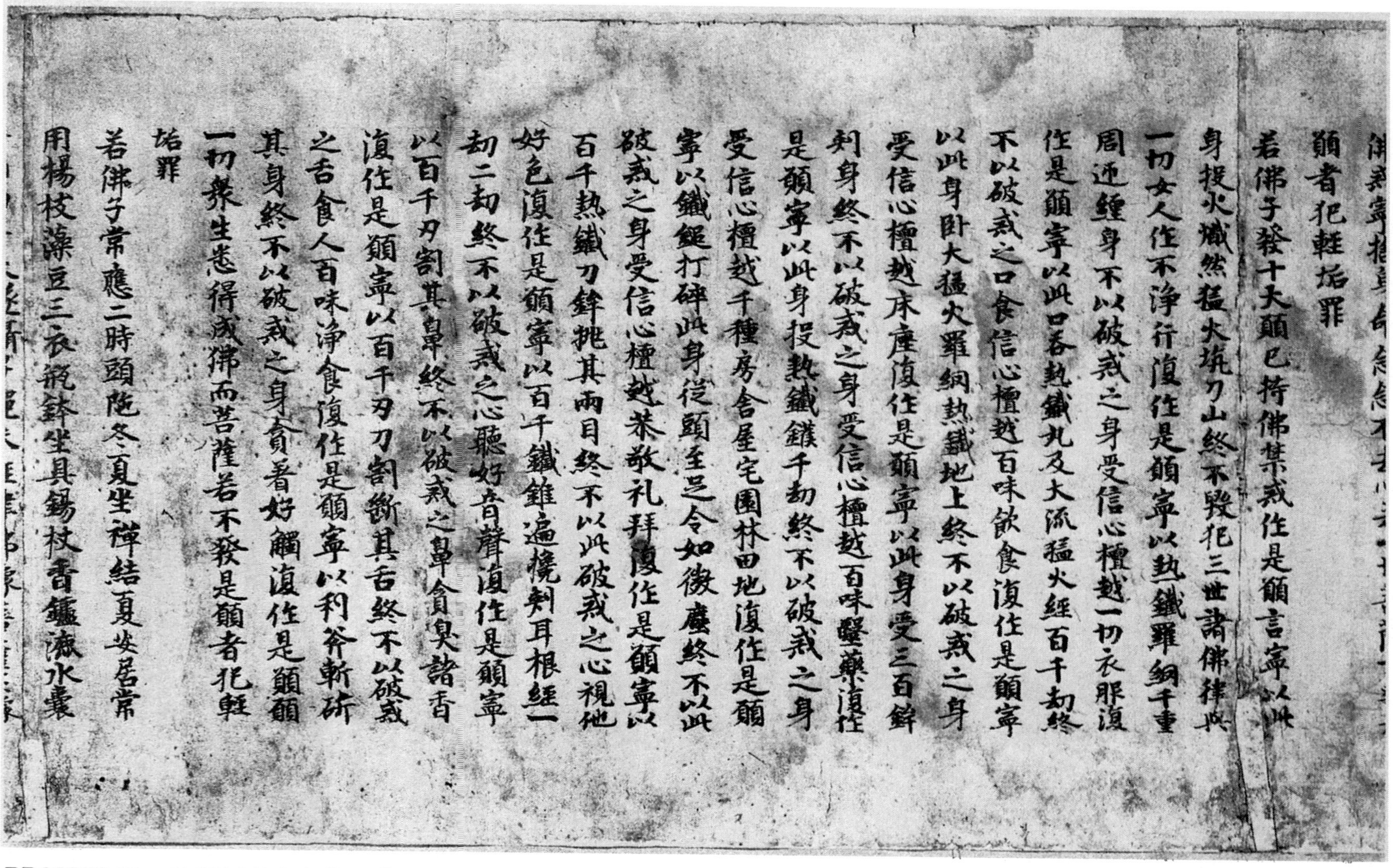

佛戒寧捨身命念念不
願者犯輕垢罪
若佛子發十大願已持佛禁戒作是願言寧以此
身投火熾然猛大坑刀山終不毀犯三世諸佛律與
一切女人作不淨行復作是願寧以熱鐵羅網千重
周迊纏身不以破戒之身受信心檀越一切衣服復
作是願寧以此口吞熱鐵丸及大流猛火經百千劫終
不以破戒之口食信心檀越百味飲食復作是願寧
以此身卧大猛火羅網熱鐵地上終不以破戒之身
受信心檀越床座復作是願寧以此身受三百鉾
刺身終不以破戒之身受信心檀越百味醫藥復作
是願寧以此身投熱鐵鑊千劫終不以破戒之身
受信心檀越千種房舍屋宅園林田地復作是願
寧以鐵鎚打碎此身從頭至足令如微塵終不以此
破戒之身受信心檀越恭敬礼拜復作是願寧以
百千熱鐵刀鉾挑其兩目終不以此破戒之心視他
好色復作是願寧以百千鐵錐遍攙刺耳根經一
劫二劫終不以破戒之心聽好音聲復作是願寧
以百千刃刀割其鼻終不以破戒之鼻貪臭諸香
復作是願寧以百千刃刀割斷其舌終不以破戒
之舌食人百味淨食復作是願寧以利斧斬斫
其身終不以破戒之身貪著好觸復作是願願
一切衆生悉得成佛而菩薩若不發是願者犯輕
垢罪
若佛子常應二時頭陀冬夏坐禪結夏安居常
用楊枝澡豆三衣瓶鉢坐具錫杖香鑪漉水囊

BD02258號　梵網經盧舍那佛說菩薩心地戒品第十卷下　（16–9）

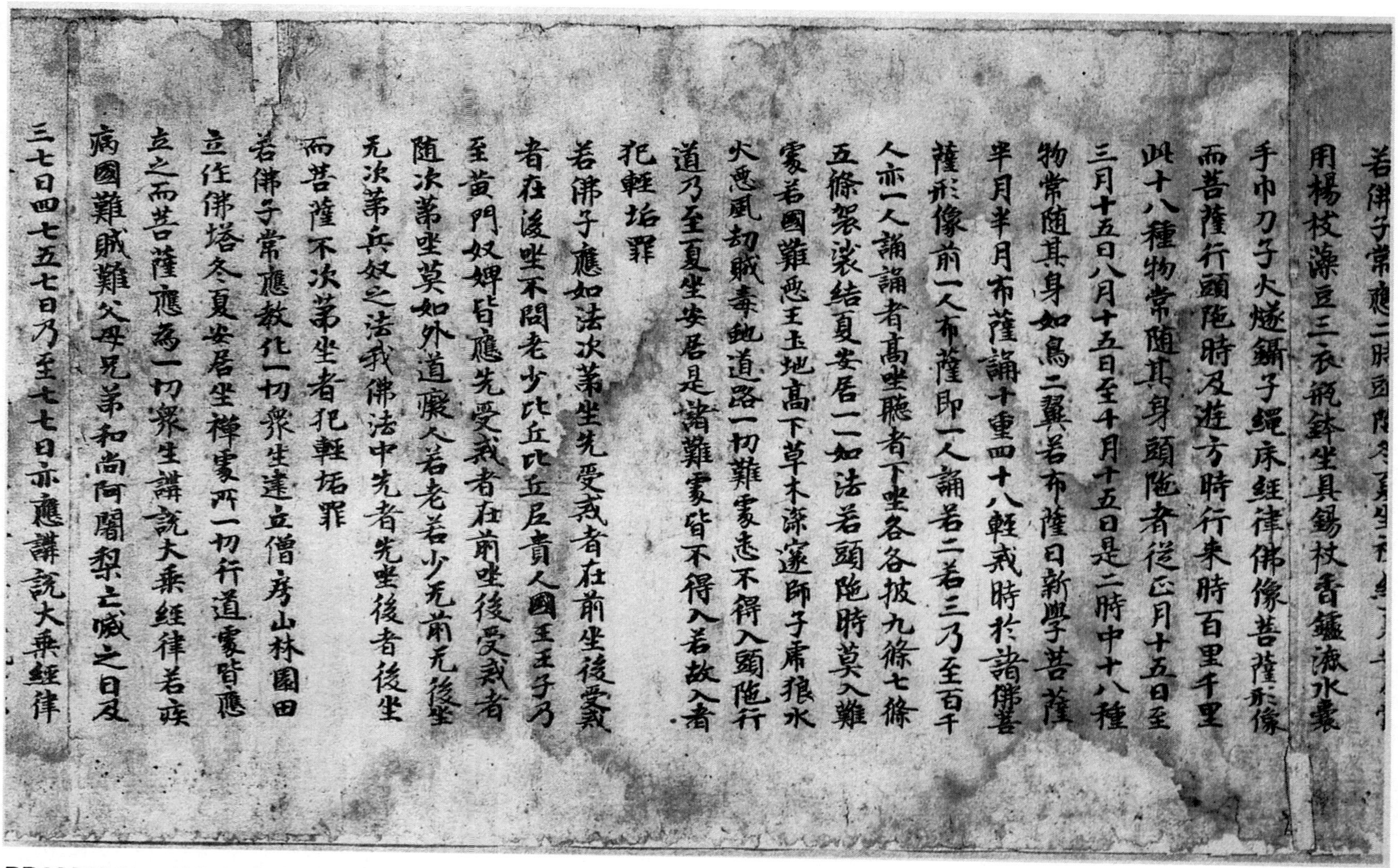

若佛子常應二時頭陀冬夏坐禪
用楊枝澡豆三衣瓶鉢坐具錫杖香鑪漉水囊
手巾刀子火燧鑷子繩床經律佛像菩薩形像
而菩薩行頭陀時及遊方時行來時百里千里
此十八種物常隨其身頭陀者從正月十五日至
三月十五日八月十五日至十月十五日是二時中十八種
物常隨其身如鳥二翼若布薩日新學菩薩
半月半月布薩誦十重四十八輕戒時於諸佛菩
薩形像前一人布薩即一人誦若二若三乃至百千
人亦一人誦誦者高坐聽者下坐各各披九條七條
五條袈裟結夏安居一一如法若頭陀時莫入難
處若國難惡王土地高下草木深邃師子虎狼水
火惡風劫賊毒蛇道路一切難處悉不得入頭陀行
道乃至夏坐安居是諸難處皆不得入若故入者
犯輕垢罪
若佛子應如法次第坐先受戒者在前坐後受戒
者在後坐不問老少比丘比丘尼貴人國王王子乃
至黃門奴婢皆應先受戒者在前坐後受戒者
隨次第坐莫如外道癡人若老若少無前無後坐
無次第兵奴之法我佛法中先者先坐後者後坐
而菩薩不次第坐者犯輕垢罪
若佛子常應教化一切衆生建立僧房山林園田
立作佛塔冬夏安居坐禪處所一切行道處皆應
立之而菩薩應為一切衆生講說大乘經律若疾
病國難賊難父母兄弟和尚阿闍梨亡滅之日及
三七日四七日五七日乃至七七日亦應講說大乘經律

BD02258號　梵網經盧舍那佛說菩薩心地戒品第十卷下　（16–10）

病國難賊難父母兄弟和尚阿闍梨亡喊之日及
三七日四七日五七日乃至七七日亦應講說大乘經律
齋會求福行來治生大火所燒大水所漂黑風所吹
船舫江河大海羅剎之難乃至一切罪報三報七逆
八難杻械枷鎖繫縛其身多婬多瞋多愚癡
多疾病皆應讀誦講說大乘經律而新學菩
薩若不介者犯輕垢罪
是九戒應當學敬心奉持如梵壇品中廣說
佛言佛子與人受戒時不得簡擇一切國王王子
大臣百官比丘比丘尼信男信女婬男婬女十八梵
六欲天无根二根黃門奴婢一切鬼神盡得受戒應
教身所著袈裟皆使壞色與道相應皆染使
青黃赤黑紫色一切染衣乃至臥具盡以壞色身所著
衣一切染色若一切國土中人所著衣服比丘比丘尼皆
應與其俗服有異若欲受戒時師應問言汝現身
不作七逆罪耶菩薩法師不得與七逆人現身受戒
七逆者出佛身血殺父母和尚阿闍梨破羯磨轉法
輪僧殺聖人若具七遮即不得戒餘一切人得受戒
出家人法不向國王禮拜不向父母禮拜六親不敬鬼
神不禮拜但解法師語有百里千里來求戒者而
菩薩法師以惡心瞋心而不即與授一切衆生戒者
犯輕垢罪
若佛子教化人起信心時菩薩與他人作教戒法師
者見欲受戒人應教請二師和尚阿闍梨二師應
問言汝有七遮罪不若現身有七遮師不應與
受无七遮者得受若有犯十戒者應教懺悔在

BD02258號　梵網經盧舍那佛說菩薩心地戒品第十卷下　（16–11）

問言汝有七遮罪不若現身有七遮師不應與
受无七遮者得受若有犯十戒者應教懺悔在
佛菩薩形像前日日六時誦十重四十八輕戒若
到礼三世千佛須見好相若一七日二三七日乃至
一年要見好相好相者佛來摩頂見光花種種
異相便得滅罪若无好相雖懺无益是現身不
得戒而得增益受戒若犯四十八輕戒者對手懺
滅不同七遮而教戒於是法中一一好解若不解
大乘經律若輕若重是非之相不解第一義
諦習種性長養性不可壞性道性正法性其中
多少觀行出入禪枝一切行法一一不得此法中意
而菩薩為利養故為名聞故惡求多求貪利弟
子而詐現解一切經律為供養故是自欺詐他人
與人受戒者犯輕垢罪
若佛子不得為利養於未受菩薩戒者前外道惡
人前說此千佛大戒邪見人前亦不得說除國王餘
一切人前亦不得說是惡人輩不受佛戒名為畜
生生不見三寶如木石无心名為外道邪見人輩
木頭无異而菩薩於是惡人前說七佛教戒者
犯輕垢罪
若佛子信心出家受佛正戒故起心毀犯聖戒
者不得受一切檀越供養亦不得國王地上行不
得飲國王水五千大鬼常遮其前言大賊入房
舍城邑宅中鬼復常掃其腳跡一切世人罵言佛
法中賊一切衆生眼不欲見犯戒之人畜生无異木
頭无異若毀正戒者犯輕垢罪

BD02258號　梵網經盧舍那佛說菩薩心地戒品第十卷下　（16–12）

得飲國王水五千大鬼常遮其前言大賊入房
舍城邑宅中鬼復常掃其脚跡一切世人罵言佛
法中賊一切衆生眼不欲見犯戒之人畜生无異木
頭无異若毀正戒者犯輕垢罪
若佛子常應一心受持讀誦剥皮為紙刺血為
墨以髓為水折骨為筆書寫佛戒木皮角紙絹
亦應悉書常以七寶无價香花一切雜寶為箱
盛經律卷若不如法供養者犯輕垢罪
若佛子常起大悲心若入一切城邑舍宅見一切衆
生唱言汝等衆生盡應受三歸十戒若見牛馬猪羊
一切畜生應心念口言汝是畜生發菩提心是菩薩若
不教化衆生者犯輕垢罪
若佛子常行教化起大悲心入檀越貴人家一切
得立為白衣說法應白衣衆前高座上坐法師比
丘不得地上立為四衆白衣說法時法師高坐香花
供養四衆聽者下坐如孝順父母敬順師教如事火婆
羅門其說法者若不如說者犯輕垢罪
若佛子皆以信心受戒者若國王太子百官四部弟子
自恃高貴破滅佛法戒律明作制法制我四部弟子
不聽出家行道亦不復不聽造立形像佛塔經律破
三寶之罪
若佛子以好心出家而為名聞利養於國王百官前說
七佛戒横與比丘比丘尼菩薩戒弟子繫縛如師子身
中虫自食師子肉非外道天魔破若受佛戒者應護
佛戒如念一子如事父母而聞外道惡人以惡言謗佛
戒時如三百矛刺心千刀万杖打拍其身等无

BD02258號　梵網經盧舍那佛說菩薩心地戒品第十卷下　（16–13）

佛戒如念一子如事父母而聞外道惡人以惡言謗佛
戒時如三百矛刺心千刀万杖打拍其身等无
有異寧自入地獄百劫而不聞惡言破戒之
聲而况自破佛戒教人破法因緣无孝順心若
故作者犯輕垢罪
如是九戒應當學敬心奉持
諸佛子是四十八輕戒汝等受持過去諸佛
菩薩已誦現在諸佛菩薩今誦未來諸菩
薩當誦
佛子聽十重四十八輕戒三世諸佛已誦當誦今
誦我今亦如是誦汝等一切大衆若國王王子百
官比丘比丘尼信男信女受持菩薩戒者應受
持讀誦解說書寫佛性常住戒卷流通三世
一切衆生化化不絕得見千佛佛佛授手世世不
墮惡道八難生天上人中我今在此樹下略開七
佛法戒汝等當一心學波羅提木叉歡喜奉行
如无相天王品勸學中一一廣明三千學者時座
聽者聞佛自誦心心頂戴喜踊受持
尒時釋迦牟尼佛說上蓮華臺藏世界盧舍
那佛心地法門品中十无盡戒法品竟千百億釋
迦亦如是說從摩醯首羅天王宮至此樹下住處
說法品為一切菩薩不可說大衆受持讀誦解
說其義亦如是千百億世界
蓮華藏世界微塵世界一切佛心藏地戒藏无
量行願藏因果佛性常住藏如如一切佛說无
量一切法門藏竟千百億世界中一切法門藏竟

BD02258號　梵網經盧舍那佛說菩薩心地戒品第十卷下　（16–14）

蓮華藏世界微塵世界一切佛心藏地戒藏无
量行願藏因果佛性常住藏如如一切佛說无
量一切法門藏竟千百億世界中一切法門藏竟
千百億世界中一切衆生受持歡喜奉行
若廣開心地相相如佛華光王品中說 七佛偈
第一維衛佛說教戒
忍辱第一道 涅槃佛稱最 菩薩惱他人 不名爲菩薩
第二式佛說教戒
譬如明眼人 能離險惡道 世有聰明人 能遠離諸惡
第三隨葉佛說教戒
不惱不說過 如戒所說行 飲食知節量 常樂在閑處
心常樂精進 是名諸佛教
第四拘樓秦佛說教戒
譬如蜂採花 不壞色與香 但取其味去 菩薩入聚落
不破壞他事 不觀作不作 但自觀身行 諦視善不善
第五拘那含牟尼佛說教戒
欲得好心莫放逸 聖人善法當勤學
若有智寂一心人 乃能无復憂悲患
第六迦葉佛說教戒
一切惡莫作 當具足善法 自淨其志意 是名諸佛教
第七釋迦牟尼佛說教戒
護身爲善哉 能護口亦善 護意爲善哉 護一切亦善
菩薩護一切 便得救衆苦 菩薩守口意 身不犯衆惡
是三業道淨 得聖所行道 若人揭罵不還報 於嫌恨人心不恨
於瞋人中常淨 見人爲惡不自作
七佛爲世尊 得救護世間 是佛說戒經 我以廣說竟

BD02258 號 梵網經盧舍那佛說菩薩心地戒品第十卷下 （16–15）

是三業道淨 得聖所行道 若人揭罵不還報 於嫌恨人心不恨
於瞋人中常淨 見人爲惡不自作
七佛爲世尊 得救護世間 是佛說戒經 我以廣說竟
諸佛及弟子 恭敬是戒經 恭敬戒經已 各各相恭敬
慚愧得具足 能得无爲道 已說戒經竟 一心得布薩
明人忍慧强 能持如是法 未成佛道間 安獲五種利
一者十方佛 慈念常守護 二者命終時 正見心歡喜
三者生生處 爲請菩薩友 四者功德聚 戒度悉成就
五者今後世 生戒福慧滿 此是諸佛子 智慧善思量
計我著相者 不能生是法 滅受取證者 亦非下種處
欲長菩提苗 光明照世間 應當盡觀察 諸法真實相
不生亦不滅 不常復不斷 不一又不異 不來亦不去
如是一心中 方便勤莊嚴 菩薩亦應作 應當次第學
於學於无學 勿生分別相 是名第一道 亦名摩訶衍
一切戲論惡 悉由是處滅 諸法菩薩若 悉由是處出
是故諸佛子 宜發大勇猛 護持如明珠 過去諸菩薩
應亦是學中 未來者中學 現在者今學 此是佛行處
聖主所稱歎 我亦隨順說 福德无量聚 迴以施衆生
共向一切智 願聞是法者 疾得成佛道

梵網經一卷

BD02258 號 梵網經盧舍那佛說菩薩心地戒品第十卷下 （16–16）

BD02258 號背 1　華嚴經護首經名簽（擬）　　（4–1）

BD02258 號背 1　華嚴經護首經名簽（擬）　　（4–2）

BD02258 號背 2　梵網經盧舍那佛説菩薩心地戒品第十卷下　（4–3）
BD02258 號背 3　建隆元年哀子某延僧爲母追念疏（擬）

BD02258 號背 1　華嚴經護首經名簽（擬）　（4–4）
BD02258 號背 4　為慈妣轉經疏（擬）

念今二大士文殊師利
摩詰共談必說妙法即時八千菩薩五百聲
聞百千天人皆欲隨從於是文殊師利與諸
菩薩大弟子眾及諸天人恭敬圍繞入毗耶
離大城
尒時長者維摩詰心念今文殊師利與大眾
俱來即以神力空其室內除去所有及諸侍者
唯置一牀以疾而臥文殊師利既入其舍見其
室空无諸所有獨寢一牀時維摩詰言善
來文殊師利不來相而來不見相而見文
殊師利言如是居士若來已更不來若去已
更不去所以者何來者无所從來去者无所至
所可見者更不可見且置是事居士是疾寧
可忍不療治有損不至增乎世尊殷勤致問
无量居士是疾何所因起其生久如當云何
滅維摩詰言從癡有愛則我病生以一切
眾生病是故我病若一切眾生得不病者
則我病滅所以者何菩薩為眾生故入生死有
生死則有病若眾生得離病者則菩薩无復
病譬如長者唯有一子其子得病父母亦病若
子病愈父母亦愈菩薩如是於諸眾生愛

BD02259 號　維摩詰所說經卷中

（28-1）

眾生病是故我病若一切眾生得不病者
則我病滅所以者何菩薩為眾生故入生死有
生死則有病若眾生得離病者則菩薩无復
病譬如長者唯有一子其子得病父母亦病若
子病愈父母亦愈菩薩如是於諸眾生愛
之若子眾生病則菩薩病眾生病愈菩薩
亦愈又言是病何所因起菩薩病者以大悲
起文殊師利言居士此室何以空无侍者維
摩詰言諸佛國土亦復皆空又問以何為空答
曰以空空又問空何用空答曰以无分別空故空
又問空可分別耶答曰分別亦空又問空當
於何求答曰當於六十二見中求又問六十
二見當於何求答曰當於諸佛解脫中
求又問諸佛解脫當於何求答曰當於一切
眾生心行中求又仁所問何无侍者一切眾
魔及諸外道皆吾侍也所以者何眾魔者樂
生死菩薩於生死而不捨外道者樂諸見菩
薩於諸見而不動文殊師利言居士所疾為何等
相維摩詰言我病无形不可見又問此病
身合耶心合耶答曰非身合身相離故亦
非心合心如幻故又問地大水大火大風大於此
四大何大之病答曰是病非地大亦不離地
大水火風大亦復如是而眾生病從四大起
以其有病是故我病
尒時文殊師利問維摩詰言菩薩應云何

BD02259 號　維摩詰所說經卷中

（28-2）

四大何大之病答曰是病非地大亦不離地
大水大風大亦復如是而衆生病從四大起
以其有病是故我病
尒時文殊師利問維摩詰言菩薩應云何
慰喻有疾菩薩維摩詰言說身无常不說
猒離於身說身有苦不說樂於涅槃說身
无我而說教導衆生說身空寂不說畢竟寂滅
說悔先罪而不說入於過去以己之疾愍於彼
疾當識宿世无數劫苦當念饒益一切衆生憶
所脩福念於淨命勿生憂惱常起精進當作
醫王療治衆病菩薩應如是慰喻有疾菩
薩令其歡喜
文殊師利言居士有疾菩薩云何調伏其心
維摩詰言有疾菩薩應作是念今我此病
皆從前世妄想顛倒諸煩惱生无有實法誰
受病者所以者何四大合故假名爲身四大无
主身亦无我又此病起皆由著我是故於我
不應生著既知病本即除我想及衆生想
當起法想應作是念但以衆法合成此身
起唯法起滅唯法滅又此法者各不相知起
時不言我起滅時不言我滅彼有疾菩薩爲
滅法想當作是念此法想者亦是顛倒者即
大患我應離之云何爲離離我我所云何離
我我所謂離二法云何離二法謂不念内外
諸法行於平等云何平等謂我等涅槃等

BD02259號　維摩詰所說經卷中　　（28–3）

滅法想當作是念此法想者亦是顛倒者即
大患我應離之云何爲離離我我所云何離
我我所謂離二法云何離二法謂不念内外
諸法行於平等云何平等謂我等涅槃等
所以者何我及涅槃此二皆空以何爲空但
以名字故空如此二法无決定性得是平等无
有餘病唯有空病空病亦空是有疾菩薩
以无所受而受諸受未具佛法亦不滅受而
取證也設身有苦念惡趣衆生起大悲心
我既調伏亦當調伏一切衆生但除其病而
不除法爲斷病本而教導之何謂病本謂有
攀緣從有攀緣則爲病本何所攀緣謂之三
界云何斷攀緣以无所得若无所得則无攀
緣何謂无所得謂離二見何謂二見謂內見外
見是无所得文殊師利是爲有疾菩薩調伏
其心爲斷老病死苦是菩薩菩提若不如是
已所脩治爲无慧利譬如勝怨乃可爲勇如
是兼除老病死者菩薩之謂也彼有疾菩薩
應作是念如我此病非真非有衆生病亦
非真非有作是觀時於諸衆生若起愛見大
悲即應捨離所以者何菩薩斷除客塵煩惱
而起大悲愛見悲者則於生死有疲猒心若
能離此无有疲猒在在所生不爲愛見之所
覆也所生无縛能爲衆生說法解縛如佛所說若
自有縛能解彼縛无有是處若自无縛能解

BD02259號　維摩詰所說經卷中　　（28–4）

能離此无有疲厭在在所生不為愛見之所
覆也所生无縛能為衆生說法解縛如佛所說若
自有縛能解彼縛无有是處若自无縛能解
彼縛斯有是處是故菩薩不應起縛何謂縛
何謂解貪著禪味是菩薩縛以方便生是
菩薩解又无方便慧縛有方便慧解无慧方
便縛有慧方便解何謂无方便慧縛謂菩薩
以愛見心莊嚴佛土成就衆生於空无明无作
法中而自調伏是名无方便慧縛何謂有方便
慧解謂不以愛見心莊嚴佛土成就衆生於
空无相无作法中以自調伏而不疲厭是名
有方便慧解何謂无慧方便縛謂菩薩住
貪欲瞋恚耶見等諸煩惱而殖衆德本是
名无慧方便縛何謂有慧方便解謂離諸貪
欲瞋恚耶見等諸煩惱而殖衆德本迴向阿耨
多羅三藐三菩提是名有慧方便解
文殊師利彼有疾菩薩應如是觀諸法又復
觀身无常苦空非我是名為慧雖身有疾
常在生死饒益一切而不厭惓是名方便又復觀
身身不離病病不離身是病是身非新非故
是名為慧設身有疾而不永滅是名方便文
殊師利有疾菩薩應如是調伏其心不住其
中亦復不住不調伏心所以者何若住不調伏
心是愚人法若住調伏心是聲聞法是故菩

BD02259 號　維摩詰所說經卷中

(28–5)

中亦復不住不調伏心所以者何若住不調伏
心是愚人法若住調伏心是聲聞法是故菩
薩不當住於調伏不調伏心離此二法是菩
薩行在於生死不為汙行住於涅槃不永滅
度是菩薩行非凡夫行非賢聖行是菩薩
行非垢行非淨行是菩薩行雖過魔行而
現降衆魔是菩薩行求一切智无非時求
是菩薩行雖觀諸法不生而不入正位是菩
薩行雖觀十二緣起而入諸耶見是菩薩行
雖攝一切衆生而不愛著是菩薩行雖樂遠離
而不依身心盡是菩薩行雖行三界而不壞
法性是菩薩行雖行於空而殖衆德本是
菩薩行雖行无相而度衆生是菩薩行雖
行无作而現受身是菩薩行雖行无起而起一
切善行是菩薩行雖行六波羅蜜而遍知衆
生心心數法是菩薩行雖行六通而不盡漏是
菩薩行雖行四无量心而不貪著生於梵世是
菩薩行雖行禪定解脫三昧而不隨禪生是
菩薩行雖行四念處而不永離身受心法是
菩薩行雖行四正勤而不捨身心精進是菩
薩行雖行四如意足而得自在神通是菩薩
行雖行五根而分別衆生諸根利鈍是菩薩
行雖行五力而樂求佛十力是菩薩行雖行
七覺分而分別佛之智慧是菩薩行雖行

BD02259 號　維摩詰所說經卷中

(28–6)

行雖行五力而樂求佛十力是菩薩行雖行
七覺分而分別佛之智慧是菩薩行雖行
八正道而樂行无量佛法是菩薩行雖行止
觀助道之法而不畢竟墮於寂滅是菩薩行
雖行諸法不生不滅而以相好莊嚴其身是菩
薩行雖現聲聞辟支佛威儀而不捨佛法
是菩薩行雖隨諸法究竟淨相而隨所應
為現其身是菩薩行雖觀諸佛國土永寂如
空而現種種清淨佛土是菩薩行雖得佛道
轉于法輪入於涅槃而不捨於菩薩之道是
菩薩行說是語時文殊師利所將大眾其中八
千天子皆發阿耨多羅三藐三菩提心

不思議品第六

尒時舍利弗見此室中无有牀座作是念斯
諸菩薩大弟子眾當於何坐長者維摩詰
知其意語舍利弗言云何仁者為法來耶
求牀坐耶舍利弗言我為法來非為牀坐
維摩詰言唯舍利弗夫求法者不貪軀命
何況牀坐夫求法者非有色受想行識之求
非有界入之求非有欲色无色之求唯舍利弗夫
求法者不著佛求不著法求不著眾求夫求法
者无見苦求无斷集求无造盡證脩道之求所
以者何法无戲論若言我當見苦斷集證滅
脩道是則戲論非求法也唯舍利弗法名寂

者无見苦求无斷集求无造盡證脩道之求所
以者何法无戲論若言我當見苦斷集證滅
脩道是則戲論非求法也唯舍利弗法名寂
滅若行生滅是求生滅非求法也法名无染若
染於法乃至涅槃是則染著非求法也法无
行處若行於法是則行處非求法也法无取
捨若取捨法是則取捨非求法也法无處所
若著處所是則著處非求法也法名无相若
隨相識是則求相非求法也法不可住若住
於法是則住法非求法也法不可見聞覺知
若行見聞覺知是則見聞覺知非求法也法
名无為若行有為是求有為非求法也是故
舍利弗若求法者於一切法應无所求說是
語時五百天子於諸法中得法眼淨
尒時長者維摩詰問文殊師利仁者遊於无
量千万億阿僧祇國何等佛土有好上妙功
德成就師子之座文殊師利言居士東方度
卅六恒河沙國有世界名須弥相其佛号須弥
燈王今現在彼佛身長八万四千由旬其師
子座高八万四千由旬嚴飾第一於是長者
維摩詰現神通力即時彼佛遣三万二千師
子座高廣嚴淨來入維摩詰室諸菩薩大
弟子釋梵四天王等昔所未見其室廣博悉苞
容三万二千師子座无所妨礙於毗耶離城及
閻浮提四天下亦不迫迮悉見如故尒時維摩

容三万二千師子座无所妨礙於毗耶離城及
閻浮提四天下亦不迫迮悉見如故尒時維摩
詰語文殊師利就師子座與諸菩薩上人俱
坐當自立身如彼坐像其得神通菩薩即
自變形為四万二千由旬坐師子座諸新發
意菩薩及大弟子皆不能昇尒時維摩詰
語舍利弗就師子座舍利弗言居士此座高
廣吾不能昇維摩詰言唯舍利弗為須弥
燈王如來作礼乃可得坐於是新發意菩
薩及大弟子即為須弥燈王如來作礼便得
坐師子座舍利弗言居士未曾有也如是小室
乃容受此高廣之座於毗耶離城无所妨礙又於
閻浮提聚落城邑及四天下諸天龍王鬼神
宮殿亦不迫迮維摩詰言唯舍利弗諸佛
菩薩有解脫名不可思議若菩薩住是解
脫者以須弥之高廣內芥子中无所增減須
弥山王本相如故而四天王忉利諸天不覺不
知己之所入唯應度者乃見須弥入芥子中是
名不可思議解脫法門又以四大海水入一毛
孔不嬈魚鼈黿鼉水性之屬而彼大海本相
如故諸龍鬼神阿脩羅等不覺不知己之所
入於此衆生亦无所嬈又舍利弗住不可思
議解脫菩薩斷取三千大千世界如陶家
輪著右掌中擲過恒河沙世界之外其中

BD02259 號　維摩詰所說經卷中　（28–9）

議解脫菩薩斷取三千大千世界如陶家
輪著右掌中擲過恒河沙世界之外其中
衆生不覺不知己之所往又復還置本處都
不使人有往來想而此世界本相如故又舍利
弗或有衆生樂久住世而可度者菩薩即
演七日以為一劫令彼衆生謂之一劫或有
衆生不樂久住而可度者菩薩即促一劫以
為七日令彼衆生謂之七日又舍利弗住不
可思議解脫菩薩以一切佛土嚴飾之事集
在一國示於衆生又菩薩以一佛土衆生
置之右掌飛到十方遍示一切而不動本處
又舍利弗十方衆生供養諸佛之具菩薩於
一毛孔皆令得見又十方國土所有日月星
宿於一毛孔普使見之又舍利弗十方世界所
有諸風菩薩悉能吸著口中而身无損外諸
樹木亦不摧折又十方世界劫盡燒時以一切火
內於腹中火事如故而不為害又於下方過
恒河沙等諸佛世界取一佛土舉著上方過
恒河沙无數世界如持針鋒舉一棗葉而
无所嬈又舍利弗住不可思議解脫菩薩
能以神通現作佛身或現辟支佛身或現聲
聞身或現帝釋身或現梵王身或現世主
身或現轉輪王身又十方世界所有衆聲
上中下音皆能變之令作佛聲出无常苦

BD02259 號　維摩詰所說經卷中　（28–10）

聞身或現帝釋身或現梵王身或現世主
身或現轉輪王身又十方世界所有衆聲
上中下音皆能變之令作佛聲出无常苦
空无我之音及十方諸佛所說種種之法皆於
其中普令得聞舍利弗我今略說菩薩不可
思議解脫之力若廣說者窮劫不盡是時大
迦葉聞說菩薩不可思議解脫法門歎未曾
有謂舍利弗譬如有人於盲者前現衆色
像非彼所見一切聲聞聞是不可思議解脫法
門不能解了為若此也智者聞是其誰不發
阿耨多羅三藐三菩提心我等何為永絕其根
於此大乘已如敗種一切聲聞聞是不可思議
解脫法門皆應號泣聲震三千大千世界一切
菩薩應大欣慶頂受此法若有菩薩信解
不可思議解脫門者一切魔衆无如之何大
迦葉說是語時三万二千天子皆發阿耨多
羅三藐三菩提心
尒時維摩詰語大迦葉仁者十方无量阿
僧祇世界中作魔王者多是住不可思議解
脫菩薩以方便力教化衆生現作魔王又迦葉
十方无量菩薩或有人從乞手足耳鼻頭目
髓惱血肉皮骨聚落城邑妻子奴婢象馬車
乘金銀瑠璃車璖馬瑙珊瑚虎珀真珠珂貝
衣服飲食如此乞者多是住不可思議解脫

髓惱血肉皮骨聚落城邑妻子奴婢象馬車
乘金銀瑠璃車璖馬瑙珊瑚虎珀真珠珂貝
衣服飲食如此乞者多是住不可思議解脫
菩薩以方便力而往試之令其堅固所以者
何住不可思議解脫菩薩有威德力故行逼
迫示諸衆生如是難事凡夫下劣无有力勢
不能如是逼迫菩薩譬如龍象蹴踏非驢所
堪是名住不可思議解脫菩薩智慧方便之
門

觀衆生品第七

尒時文殊師利問維摩詰言菩薩云何觀於
衆生維摩詰言譬如幻師見所幻人菩薩觀
衆生為若此如智者見水中月如鏡中見其
面像如熱時焰如呼聲響如空中雲如水聚
沫如水上泡如芭蕉堅如電久住如第五大如
第六陰如第七情如十三入如十九界菩薩觀
衆生為若此如无色界色如燋穀牙如須陀
洹身見如阿那含入胎如阿羅漢三毒如得
忍菩薩貪恚毀禁如佛煩惱習如盲者見
色如入滅盡定出入息如空中鳥跡如石女
兒如化人煩惱如夢所見已寤如滅度者受身
如无烟之火菩薩觀衆生為若此
文殊師利言若菩薩作是觀者云何行慈維
摩詰言菩薩作是觀已自念我當為衆生
說如斯法是即真實慈也行寂滅慈无所生

文殊師利言菩薩作是觀者云何行慈維
摩詰言菩薩作是觀已自念我當爲衆生
說如斯法是即真實慈也行寂滅慈无所生
故行不熱慈无煩惱故行等之慈等三世故行
无諍慈无所起故行不二慈内外不合故行不
壞慈畢竟盡故行堅固慈心无毀故行清淨
慈諸法性淨故行无邊慈如虛空故行阿
羅漢慈破結賊故行菩薩慈安衆生故行如
来慈得如相故行佛之慈覺衆生故行自然
慈无因得故行菩提慈等一味故行无比慈
斷諸愛故行大悲慈導以大乘故行无厭慈
觀空无我故行法施慈无遺惜故行持戒
慈化毀禁故行忍辱慈護彼我故行精進慈荷
負衆生故行禪定慈不受味故行智慧慈无
不知時故行方便慈一切示現故行无隱慈直
心清淨故行深心慈无雜行故行无誑慈不
虛假故行安樂慈令得佛樂故菩薩之慈
爲若此也
文殊師利又問何謂爲悲答曰菩薩所作功
德皆與一切衆生共之何謂爲喜答曰有所
饒益歡喜无悔何謂爲捨答曰所作福祐无
所希望文殊師利又問生死有畏菩薩當
何所依維摩詰言菩薩於生死畏中當依如
来功德之力文殊師利又問菩薩欲依如来功

BD02259號　維摩詰所說經卷中　（28–13）

何所依維摩詰言菩薩於生死畏中當依如
来功德之力文殊師利又問菩薩欲依如来功
德力者當依度脫一切衆生又問欲度衆生
當何所除答曰欲度衆生除其煩惱又問欲除煩
惱當何所行答曰當行正念又問云何行於
正念答曰當行不生不滅又問何法不生何
法不滅答曰不善不生善法不滅又問善不善
孰爲本答曰身爲本又問身孰爲本答曰
欲貪爲本又問欲貪孰爲本答曰虛妄分
別爲本又問虛妄分別孰爲本答曰顛倒想
爲本又問顛倒想孰爲本答曰无住爲本又
問无住孰爲本答曰无住則无本文殊師利
從无住本立一切法
時維摩詰室有一天女見諸大人聞所說法
便現其身即以天華散諸菩薩大弟子上華
至諸菩薩即皆墮落至大弟子便著不墮一
切弟子神力去華不能令去尒時天問舍利
弗何故去華答曰此華不如法是以去之天曰勿
謂此華爲不如法所以者何是華无所分別
仁者自生分別想耳若於佛法出家有所
分別爲不如法若无所分別是則如法觀諸菩
薩華不著者以斷一切分別想故譬如人畏
時非人得其便如是弟子畏生死故色聲香
味觸得其便已離畏者一切五欲无能爲也

BD02259號　維摩詰所說經卷中　（28–14）

薩華不著者以斷一切分別想故譬如人畏
時非人得其便如是弟子畏生死故色聲香
味觸得其便已離畏者一切五欲无能為也
結習未盡華著身耳結習盡者華不著也舍
利弗言天止此室其已久如荅曰我止此室
如耆年解脫舍利弗言止此久耶天曰耆年
解脫亦何如久舍利弗默然不荅天曰如何耆
舊大智而默荅曰解脫者无所言說故吾於是
不知所云天曰言說文字皆解脫相所以者
何解脫者不內不外不在兩間文字亦不內
不外不在兩間是故舍利弗无離文字說
解脫也所以者何一切諸法是解脫相舍利
弗言不復以離婬怒癡為解脫乎天曰佛
為增上慢人說離婬怒癡為解脫耳若
无增上慢者佛說婬怒癡性即是解脫舍
利弗言善哉善哉天女汝可所得以何為證辯
乃如是天曰我无得无證故辯如是所以者何
若有得有證者則於佛法為增上慢
舍利弗問天汝於三乘為何志求天曰以聲
聞法化衆生故我為聲聞以因緣法化衆生
故我為辟支佛以大悲化衆生故我為大乘
舍利弗如人入瞻蔔林唯嗅瞻蔔不嗅餘香
如是若入此室但聞佛功德之香不樂聲聞
辟支佛功德香也舍利弗其有釋梵四天
王諸天龍鬼神等入此室者聞斯上人講說

BD02259號　維摩詰所說經卷中　（28–15）

舍利弗如人入瞻蔔林唯嗅瞻蔔不嗅餘香
如是若入此室但聞佛功德之香不樂聲聞
辟支佛功德香也舍利弗其有釋梵四天
王諸天龍鬼神等入此室者聞斯上人講說
正法皆樂佛功德之香發心而出舍利弗吾止
此室十有二年初不聞說聲聞辟支佛法但
聞菩薩大慈大悲不可思議諸佛之法舍利
弗此室常現八未曾有難得之法何等為八
此室常以金色光照晝夜无異不以日月所照為
明是為一未曾有難得之法此室入者不為
諸垢之所惱也是為二未曾有難得之法此
室常有釋梵四天王他方菩薩來會不絕
是為三未曾有難得之法此室常說六波羅
蜜不退轉法是為四未曾有難得之法此室
常作天人第一之樂絃出无量法化之聲是
為五未曾有難得之法此室有四大藏衆寶
積滿周窮濟乏求得无盡是為六未曾有
難得之法此室釋迦牟尼佛阿弥陁佛阿
閦佛寶德寶炎寶月寶嚴難勝師子響一
切利成如是等十方无量諸佛是上人念時
即皆為來廣說諸佛秘要法藏說已還去是為
七未曾有難得之法此室一切諸天嚴飾宮
殿諸佛淨土皆於中現是為八未曾有難
得之法舍利弗此室常現八未曾有難得之
法誰有見斯不思議事而復樂於聲聞法乎

BD02259號　維摩詰所說經卷中　（28–16）

此室一切諸天嚴飾宮
殿諸佛淨土皆於中現是為八未曾有難
得之法舍利弗此室常現八未曾有難得之
法誰有見斯不思議事而復樂於聲聞法乎
舍利弗言汝何以不轉女身天曰我從十二
年來求女人相了不可得當何所轉譬如幻
師化作幻女若有人問何以不轉女身是人為
正問不舍利弗言不也幻无定相當何所轉天
曰一切諸法亦復如是无有定相云何乃問不
轉女身即時天女以神通力變舍利弗令如
天女天自化身如舍利弗而問言何以不轉女
女身舍利弗以天女像而答言我今不知何
轉而變為女身天曰舍利弗若能轉此女
身則一切女人亦當能轉如舍利弗非女而
現女身一切女人亦復如是雖現女身而非女
也是故佛說一切諸法非男非女即時天女還
攝神力舍利弗身還復如故天問舍利弗
女身色相今何所在舍利弗言女身色相
无在无不在天曰一切諸法亦復如是无在
无不在夫无在无不在者佛所說也舍利
弗問天汝於此沒當生何所天曰佛化所生吾
如彼生曰佛化所生非沒生也天曰眾生猶然
无沒生也舍利弗問天汝久如當得阿耨多
羅三藐三菩提天曰如舍利弗還為凡夫
我乃當成阿耨多羅三藐三菩提舍利

如彼生曰佛化所生非沒生也天曰眾生猶然
无沒生也舍利弗問天汝久如當得阿耨多
羅三藐三菩提天曰如舍利弗還為凡夫
我乃當成阿耨多羅三藐三菩提舍利弗
言我作凡夫无有是處天曰我得阿耨多羅
三藐三菩提亦无是處所以者何菩提无住
處是故无有得者舍利弗言今諸佛得阿耨
多羅三藐三菩提已得當得今得如恒河沙
皆謂何乎天曰皆以世俗文字數故說有三世
非謂菩提有去來今天曰舍利弗汝得阿羅
漢道耶曰无所得故而得天曰諸佛菩薩亦
復如是无所得故而得尒時維摩詰語舍利
弗是天女曾已供養九十二億佛已能遊戲
菩薩神通所願具足得无生忍住不退轉以
本願故隨意能現教化眾生

佛道品苐八

尒時文殊師利問維摩詰言菩薩云何通達
佛道維摩詰言若菩薩行於非道是為通
達佛道又問云何菩薩行於非道答曰若菩
薩行五无間而无惱恚至于地獄无諸罪垢至
于畜生无有无明憍慢等過至于餓鬼而
具足功德行色无色界道不以為勝示行貪欲
離諸染著示行瞋恚於諸眾生无有恚礙示
行愚癡而以智慧調伏其心示行慳貪而捨
內外所有不惜身命示行毀禁而安住淨戒乃

離諸染著示行瞋恚於諸衆生无有恚礙示
行愚癡而以智慧調伏其心示行慳貪而捨
內外所有不惜身命示行毀禁而安住淨戒乃
至小罪猶懷大懼示行瞋恚而常慈忍示行
懈怠而懃修功德示行亂意而常念定示行
愚癡而通達世間出世間慧示行諂偽而善方
便隨諸經義示行憍慢而於衆生猶如橋梁
示行諸煩惱而心常清淨示入於魔而順佛
智慧不隨他教示入聲聞而為衆生說未聞
法示入辟支佛而成就大悲教化衆生示入貧
窮而有寶手功德无盡示入形殘而具諸相
好以自莊嚴示入下賤而生佛種姓中具諸
功德示入羸劣醜陋而得那羅延身一切衆
生之所樂見示入老病而永斷病根超越死
畏示有資生而恒觀无常實无所貪示有
妻妾婇女而常遠離五欲淤泥現於訥鈍而
成就辯才揔持无失示入邪濟而以正濟度諸
衆生現遍入諸道而斷其因緣現於涅槃而
不斷生死文殊師利菩薩能如是行於非道
是為通達佛道
於是維摩詰問文殊師利何等為如來種文
殊師利言有身為種无明有愛為種貪恚
癡為種四顛倒為種五蓋為種六入為種七識
處為種八邪法為種九惱處為種十不善道

BD02259號　維摩詰所說經卷中　（28–19）

殊師利言有身為種无明有愛為種貪恚
癡為種四顛倒為種五蓋為種六入為種七識
處為種八邪法為種九惱處為種十不善道
為種以要言之六十二見及一切煩惱皆是
佛種曰何謂也荅曰若見无為入正位者不能
復發阿耨多羅三藐三菩提心譬如高原陸
地不生蓮華卑濕淤泥乃生此華如是見无為
法入正位者終不復能生於佛法煩惱泥中乃
有衆生起佛法耳又如殖種於空終不得生
糞壤之地乃能滋茂如是入无為正位者
不生佛法起於我見如須弥山猶能發于
阿耨多羅三藐三菩提心生佛法矣是故當
知一切煩惱為如來種譬如不入巨海不能得
无價寶珠如是不入煩惱大海則不能生
一切智寶
尒時大迦葉歎言善哉善哉文殊師利快說
此語誠如所言塵勞之儔為如來種我等今
者不復堪任發阿耨多羅三藐三菩提心乃
至五无間罪猶能發意生於佛法而今我等永
不能發譬如根敗之士其於五欲不能復利
如是聲聞諸結斷者於佛法中无所復益永
不志願是故文殊師利凡夫於佛法有反復
而聲聞无也所以者何凡夫聞佛法能起无
上道心不斷三寶正使聲聞終身聞佛法

BD02259號　維摩詰所說經卷中　（28–20）

不忘餌是故文殊師利凡夫於佛法有反復
而聲聞无也所以者何凡夫聞佛法能起无
上道心不斷三寶正使聲聞終身聞佛法
力无畏等永不能發无上道意尒時會中
有菩薩名普現色身問維摩詰言居士父
母妻子親戚眷屬吏民知識悉為是誰奴
婢僮僕象馬車乘皆何所在於是維摩詰
以偈答曰
智度菩薩母　方便以為父　一切衆導師　无不由是生
法喜以為妻　慈悲心為女　善心誠實男　畢竟空寂舍
弟子衆塵勞　隨意之所轉　道品善知識　由是成正覺
諸度法等侶　四攝衆妓女　歌詠誦法言　以此為音樂
總持之園苑　无漏法林樹　覺意淨妙華　解脫智慧果
八解之浴池　定水湛然滿　布以七淨華　浴此无垢人
象馬五通馳　大乘以為車　調御以一心　遊於八正路
相好以嚴容　衆好飾其姿　慚愧之上服　深心為華鬘
富有七財寶　教授以滋息　如所說修行　迴向為大利
四禪為牀座　從於淨命生　多聞增智慧　以為自覺音
甘露法之食　解脫味為漿　淨心以澡浴　戒品為塗香
摧滅煩惱賊　勇健无能踰　降伏四種魔　勝幡建道場
雖知无起滅　示彼故有生　悉現諸國土　如日无不見
供養於十方　无量億如來　諸佛及己身　无有分別想
雖知諸佛國　及與衆生空　而常脩淨土　教化於群生
諸有衆生類　形聲及威儀　无畏力菩薩　一時能盡現
覺知衆魔事　而示隨其行　以善方便智　隨意皆能現

BD02259 號　維摩詰所說經卷中　（28–21）

雖知諸佛國　及與衆生空　而常脩淨土　教化於群生
諸有衆生類　形聲及威儀　无畏力菩薩　一時能盡現
覺知衆魔事　而示隨其行　以善方便智　隨意皆能現
或示老病死　成就諸群生　了知如幻化　通達无有礙
或現劫盡燒　天地皆洞然　衆人有常想　照令知无常
无數億衆生　俱來請菩薩　一時到其舍　化令向佛道
經書禁呪術　工巧諸伎藝　盡現行此事　饒益諸群生
世間衆道法　悉於中出家　因以解人惑　而不墮耶見
或作日月天　梵王世界主　或時作地水　而復作風火
劫中有疾疫　現作諸藥草　若有服之者　除病消衆毒
劫中有飢饉　現身作飲食　先救彼飢渴　却以法語人
劫中有刀兵　為之起慈悲　化彼諸衆生　令住无諍地
若有大戰陣　立之以等力　菩薩現威勢　降伏使和安
一切國土中　諸有地獄處　輒往到于彼　勉濟其苦惱
一切國土中　畜生相食噉　皆現生於彼　為之作利益
示受於五欲　亦復現行禪　令魔心憒亂　不能得其便
火中生蓮華　是可謂希有　在欲而行禪　希有亦如是
或現作婬女　引諸好色者　先以欲鉤牽　後令入佛智
或為邑中主　或作商人導　國師及大臣　以祐利衆生
諸有貧窮者　現作无盡藏　因以勸導之　令發菩提心
我心憍慢者　為現大力士　消伏諸貢高　令住佛上道
其有恐懼衆　居前而慰安　先施以无畏　後令發道心
或現離婬欲　為五通仙人　開導諸群生　令住戒忍慈
見須供事者　現為作僮僕　既悅可其意　乃發以道心

BD02259 號　維摩詰所說經卷中　（28–22）

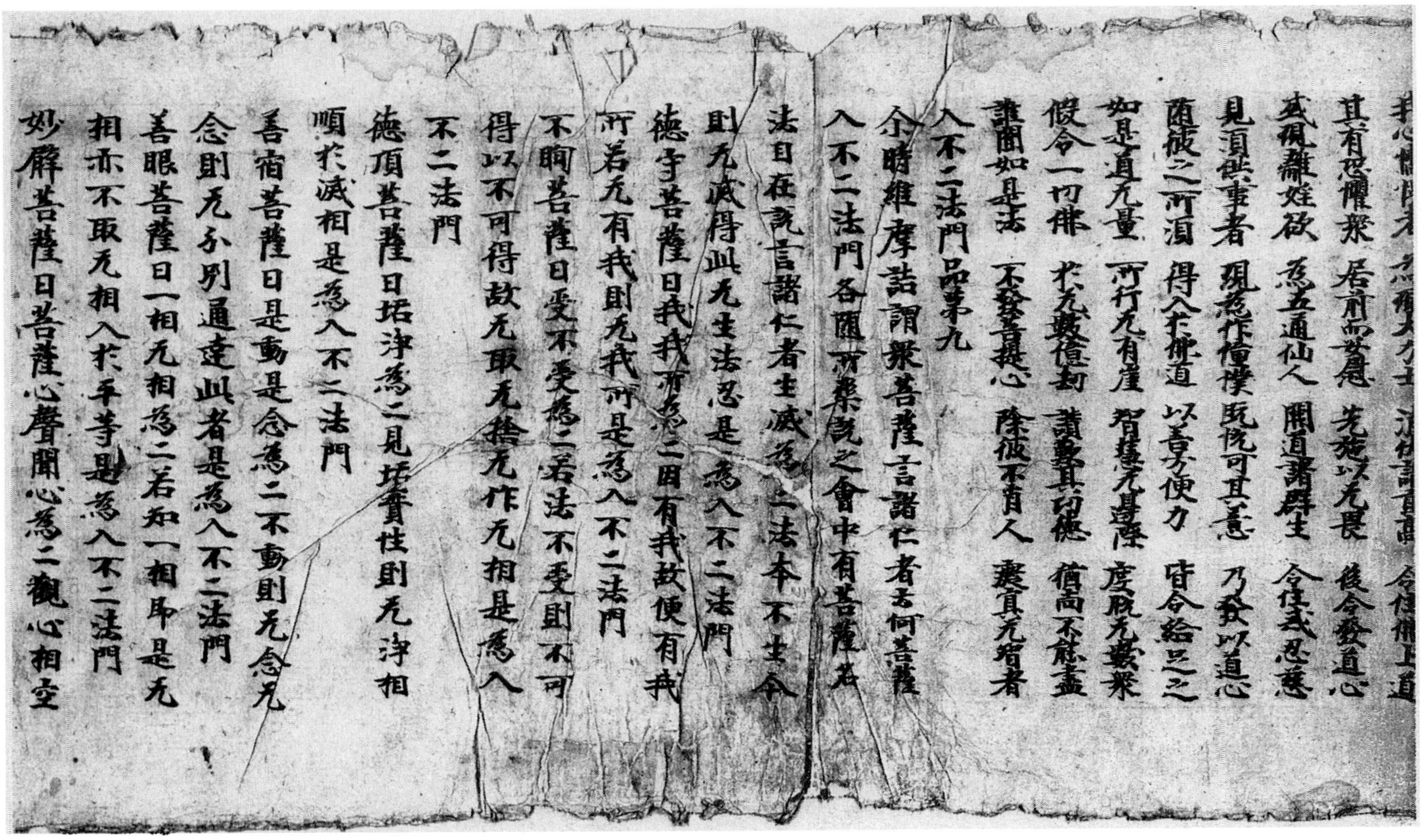
我心憍慢者　為現大力士　消伏諸貢高　令住無上道
其有恐懼眾　居前而慰安　先施以无畏　後令發道心
或現離婬欲　為五通仙人　開導諸群生　令住戒忍慈
見須供事者　現為作僮僕　既悅可其意　乃發以道心
隨彼之所須　得入於佛道　以善方便力　皆能給足之
如是道无量　所行无有崖　智慧无邊際　度脫无數眾
假令一切佛　於无數億劫　讚歎其功德　猶尚不能盡
誰聞如是法　不發菩提心　除彼不肖人　癡冥无智者
入不二法門品第九
尒時維摩詰謂眾菩薩言諸仁者云何菩薩
入不二法門各隨所樂說之會中有菩薩名
法自在說言諸仁者生滅為二法本不生今
則无滅得此无生法忍是為入不二法門
德守菩薩曰我我所為二因有我故便有我
所若无有我則无我所是為入不二法門
不眴菩薩曰受不受為二若法不受則不可
得以不可得故无取无捨无作无行是為入
不二法門
德頂菩薩曰垢淨為二見垢實性則无淨相
順於滅相是為入不二法門
善宿菩薩曰是動是念為二不動則无念无
念則无分別通達此者是為入不二法門
善眼菩薩曰一相无相為二若知一相即是无
相亦不取无相入於平等是為入不二法門
妙臂菩薩曰菩薩心聲聞心為二觀心相空

BD02259 號　維摩詰所說經卷中　（28–23）

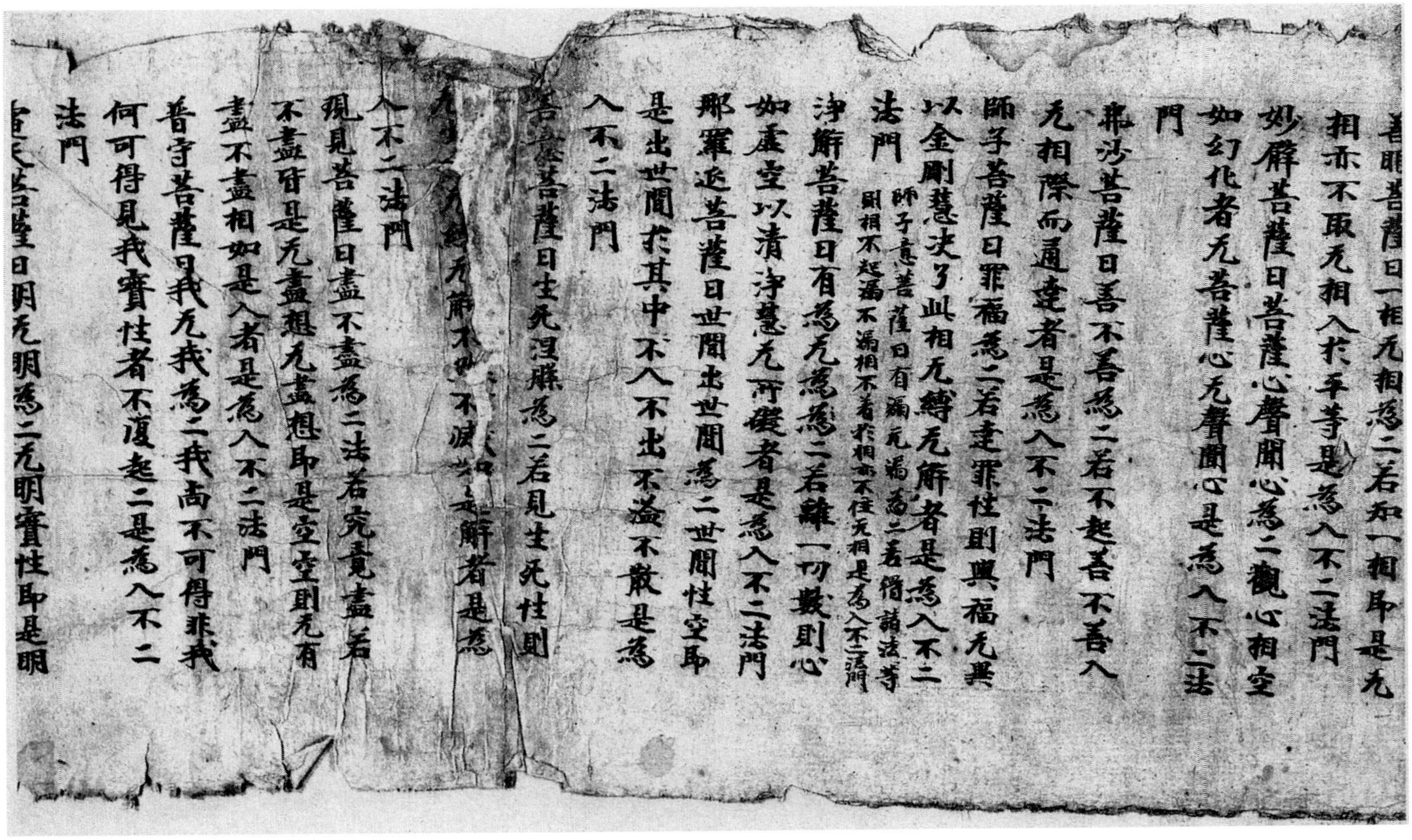
善眼菩薩曰一相无相為二若知一相即是无
相亦不取无相入於平等是為入不二法門
妙臂菩薩曰菩薩心聲聞心為二觀心相空
如幻化者无菩薩心无聲聞心是為入不二法
門
弗沙菩薩曰善不善為二若不起善不善入
无相際而通達者是為入不二法門
師子菩薩曰罪福為二若達罪性則與福无異
以金剛慧決了此相无縛无解者是為入不二
法門　師子意菩薩曰有漏无漏為二若得諸法等則不起漏不漏相不著於相亦不住无相是為入不二法門
淨解菩薩曰有為无為為二若離一切數則心
如虛空以清淨慧无所礙者是為入不二法門
那羅延菩薩曰世間出世間為二世間性空即
是出世間於其中不入不出不溢不散是為
入不二法門
善意菩薩曰生死涅槃為二若見生死性則
无生死无縛无解不然不滅如是解者是為
入不二法門
現見菩薩曰盡不盡為二法若究竟盡若
不盡皆是无盡相无盡相即是空空則无有
盡不盡相如是入者是為入不二法門
普守菩薩曰我无我為二我尚不可得非我
何可得見我實性者不復起二是為入不二
法門
電天菩薩曰明无明為二无明實性即是明

BD02259 號　維摩詰所說經卷中　（28–24）

普守菩薩曰我无我為二我尚不可得非我
何可得見我實性者不復起二是為入不二
法門
雷天菩薩曰明无明為二无明實性即是明
明亦不可取離一切數於其中平等无二者
是為入不二法門
喜見菩薩曰色色空為二色即是空非色滅
空色性自空如是受想行識識空為二識即
是空非識滅空識性自空於其中而通達
者是為入不二法門
明相菩薩曰四種異空種異為二四種性即
是空種性如前際後際空故中際亦空若
能如是知諸種性者是為入不二法門
妙意菩薩曰眼色為二若知眼性於色不貪
不恚不癡是名寂滅如是耳聲鼻香舌味
身觸意法為二若知意性於法不貪不恚
不癡是名寂滅安住其中是為入不二法門
无盡意菩薩曰布施迴向一切智為二布施性
即是迴向一切智性如是持戒忍辱精進禪
定智慧迴向一切智為二智慧性即是迴向一
切智性於其中入一相者是為入不二法門
深慧菩薩曰是空是无相是无作為二空
即无相无相即无作若空无相无作則无心
意識於一解脫門即是三解脫門者是為入
不二法門

BD02259號　維摩詰所說經卷中　（28–25）

即无相无相即无作若空无相无作則无心
意識於一解脫門即是三解脫門者是為入
不二法門
寂根菩薩曰佛法眾為二佛即是法法即是
眾是三寶皆无為相與虛空等一切亦尒
能隨此行者是為入不二法門
心无礙菩薩曰身身滅為二身即是身滅
所以者何見身實相者不起見身及以滅
身身與滅身无二无分別於其中不驚不
懼者是為入不二法門
上善菩薩曰身口意善為二是三業皆无作
相身无作相即口无作相口无作相即意无
作相是三業无作相即一切法无作相能如
是隨无作慧者是為入不二法門
福田菩薩曰福行罪行不動行為二三行
實性即是空空則无福行无罪行无不動
行於此三行而不起者是為入不二法門
華嚴菩薩曰從我起二為二見我實相者不
起二法若不住二法則无有識无所識者是
為入不二法門
德藏菩薩曰有所得相為二若无所得則
无取捨无取捨者是為入不二法門
月上菩薩曰闇與明為二无闇无明則无
有二所以者何如入滅受想定无闇无明一切
法相亦復如是於其中平等入[illegible]

BD02259號　維摩詰所說經卷中　（28–26）

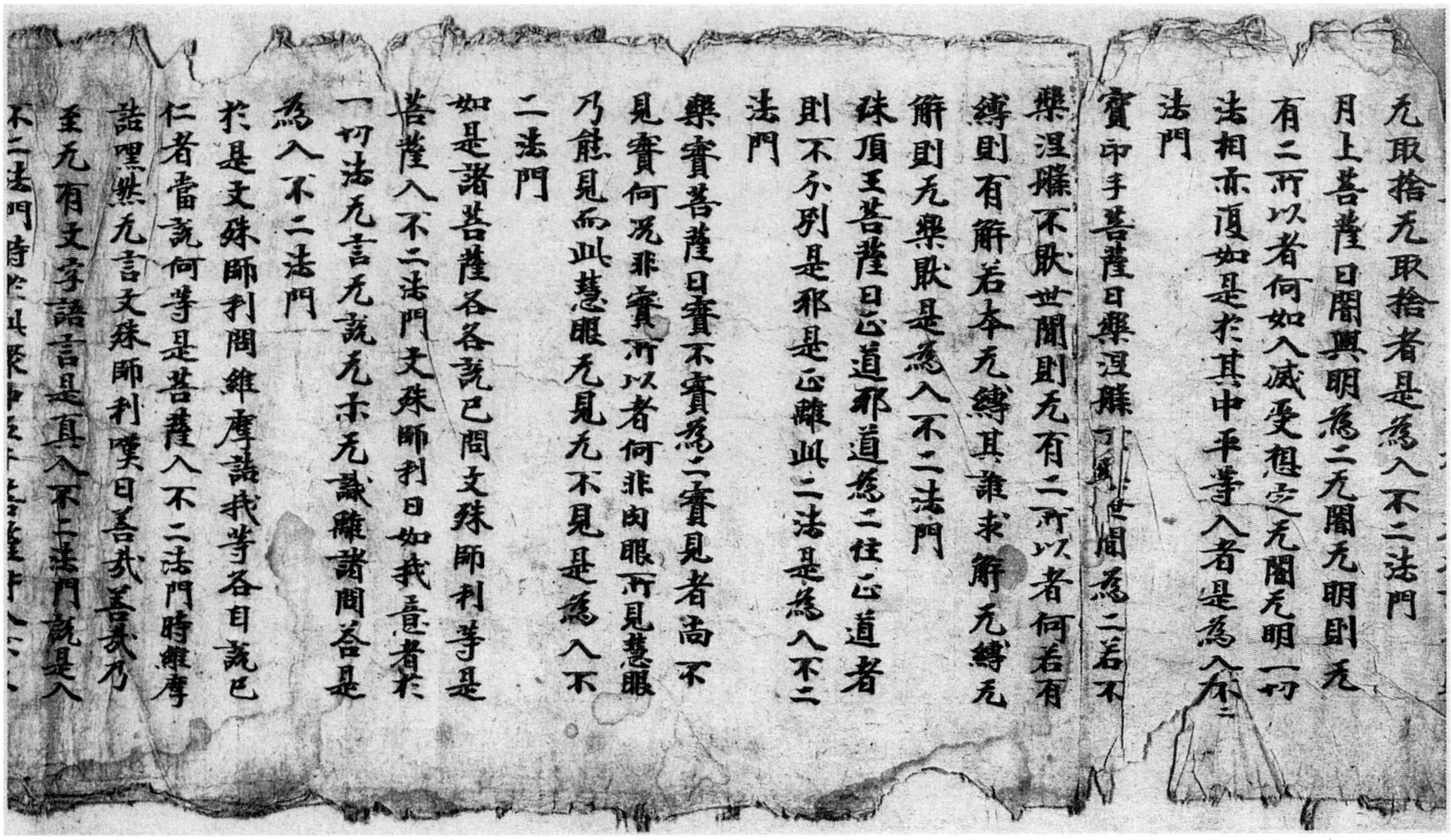

无取捨无取捨者是爲入不二法門
月上菩薩曰闇與明爲二无闇无明則无
有二所以者何如入滅受想定无闇无明一切
法相亦復如是於其中平等入者是爲入不二
法門
寶印手菩薩曰樂涅槃不樂世間爲二若不
樂涅槃不厭世間則无有二所以者何若有
縛則有解若本无縛其誰求解无縛无
解則无樂厭是爲入不二法門
珠頂王菩薩曰正道邪道爲二住正道者
則不分別是邪是正離此二法是爲入不二
法門
樂實菩薩曰實不實爲二實見者尚不
見實何況非實所以者何非肉眼所見慧眼
乃能見而此慧眼无見无不見是爲入不
二法門
如是諸菩薩各各說已問文殊師利等是
菩薩入不二法門文殊師利曰如我意者於
一切法无言无說无示无識離諸問答是
爲入不二法門
於是文殊師利問維摩詰我等各自說已
仁者當說何等是菩薩入不二法門時維摩
詰嘿然无言文殊師利歎曰善哉善哉乃
至无有文字語言是真入不二法門說是入
不二法門時於此衆中五千菩薩皆入不二

BD02259號　維摩詰所說經卷中　（28–27）

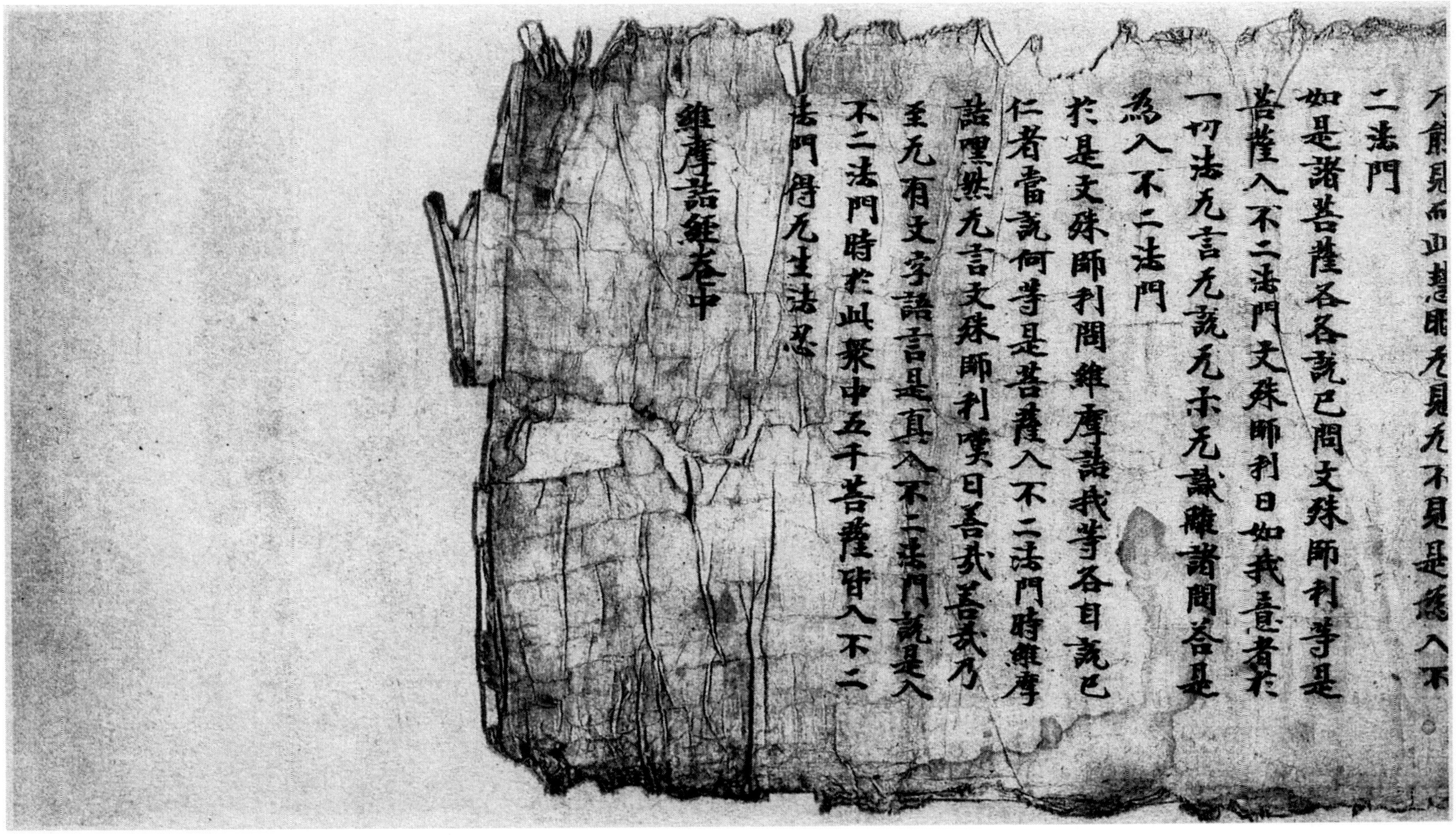

乃能見而此慧眼无見无不見是爲入不
二法門
如是諸菩薩各各說已問文殊師利等是
菩薩入不二法門文殊師利曰如我意者於
一切法无言无說无示无識離諸問答是
爲入不二法門
於是文殊師利問維摩詰我等各自說已
仁者當說何等是菩薩入不二法門時維摩
詰嘿然无言文殊師利歎曰善哉善哉乃
至无有文字語言是真入不二法門說是入
不二法門時於此衆中五千菩薩皆入不二
法門得无生法忍

維摩詰經卷中

BD02259號　維摩詰所說經卷中　（28–28）

[illegible]一切諸法之所歸趣亦
心所行通達无㝵又於諸法
衆生一切智慧迦葉譬如三
川谿谷土地所生卉木叢林
若干名色各異密雲弥布遍
界一時等澍其澤普洽卉木
小根小莖小枝小葉中根中
根大莖大枝大葉諸樹大小
所受一雲所雨稱其種性而
實雖一地所生一雨所潤而諸草
別迦葉當知如來亦復如是出現於
雲起以大音聲普遍世界天人阿脩羅如彼
大雲遍覆三千大千國土於大衆中而唱是
言我是如來應供正遍知明行足善逝世間
解无上士調御丈夫天人師佛世尊未度者
令度未解者令解未安者令安未涅槃者令
得涅槃今世後世如實知之我是一切知者
一切見者知道者開道者說道者汝等天人

BD02260號　妙法蓮華經卷三　（26–1）

令度未解者令解未安者令安未涅槃者令
得涅槃今世後世如實知之我是一切知者
一切見者知道者開道者說道者汝等天人
阿脩羅衆皆應到此為聽法故尒時无數千
萬億種衆生來至佛所而聽法如來于時觀
是衆生諸根利鈍精進懈怠隨其所堪而為
說法種種无量皆令歡喜快得善利是諸衆
生聞是法已現世安隱後生善處以道受樂
亦得聞法既聞法已離諸障㝵於諸法中任
力所能漸得入道如彼大雲雨於一切卉木
叢林及諸藥草如其種性具足蒙潤各得生
長如來說法一相一味所謂解脫相離相滅
相究竟至於一切種智其有衆生聞如來法
若持讀誦如說脩行所得功德不自覺知所
以者何唯有如來知此衆生種相體性念何
事思何事脩何事云何念云何思云何脩以
何法念以何法思以何法脩以何法得何法
衆生住於種種之地唯有如來如實見之明
了无㝵如彼卉木叢林諸藥草等而不自知
上中下性如來知是一相一味之法所謂解
脫相離相滅相究竟涅槃常寂滅相終歸於
空佛知是已觀衆生心欲而將護之是故不
即為說一切種智汝等迦葉甚為希有能知
如來隨宜說法能信能受所以者何諸佛世
尊隨宜說法難解難知

BD02260號　妙法蓮華經卷三　（26–2）

即爲說一切種智汝等迦葉甚爲希有能知
如來隨宜說法能信能受所以者何諸佛世
尊隨宜說法難解難知尒時世尊欲重宣此
義而說偈言
破有法王 出現世間 隨衆生欲 種種說法
如來尊重 智慧深遠 久默斯要 不務速說
有智若聞 則能信解 无智疑悔 則爲永失
是故迦葉 隨力爲說 以種種緣 令得正見
迦葉當知 譬如大雲 起於世間 遍覆一切
慧雲含潤 電光晃曜 雷聲遠震 令衆悅豫
日光掩蔽 地上清涼 靉靆垂布 如可承攬
其雨普等 四方俱下 流澍无量 率土充洽
山川嶮谷 幽邃所生 卉木藥草 大小諸樹
百穀苗稼 甘蔗蒲桃 雨之所潤 无不豐足
乾地普洽 藥木並茂 其雲所出 一味之水
草木叢林 隨分受潤 一切諸樹 上中下等
稱其大小 各得生長 根莖枝葉 華果光色
一雨所及 皆得鮮澤 如其體相 性分大小
所潤是一 而各滋茂 佛亦如是 出現於世
譬如大雲 普覆一切 既出于世 爲諸衆生
分別演說 諸法之實 大聖世尊 於諸天人
一切衆中 而宣是言 我爲如來 兩足之尊
出于世間 猶如大雲 充潤一切 枯槁衆生
皆令離苦 得安隱樂 世間之樂 及涅槃樂
諸天人衆 一心善聽 皆應到此 覲无上尊

BD02260號　妙法蓮華經卷三　（26–3）

出于世間 猶如大雲 充潤一切 枯槁衆生
皆令離苦 得安隱樂 世間之樂 及涅槃樂
諸天人衆 一心善聽 皆應到此 覲无上尊
我爲世尊 无能及者 安隱衆生 故現於世
爲大衆說 甘露淨法 其法一味 解脫涅槃
以一妙音 演暢斯義 常爲大乘 而作因緣
我觀一切 普皆平等 无有彼此 愛憎之心
我無貪著 亦無限礙 恒爲一切 平等說法
如爲一人 衆多亦然 常演說法 曾无他事
去來坐立 終不疲猒 充足世間 如雨普潤
貴賤上下 持戒毀戒 威儀具足 及不具足
正見邪見 利根鈍根 等雨法雨 而无懈惓
一切衆生 聞我法者 隨力所受 住於諸地
或處人天 轉輪聖王 釋梵諸王 是小藥草
知无漏法 能得涅槃 起六神通 及得三明
獨處山林 常行禪定 得緣覺證 是中藥草
求世尊處 我當作佛 行精進定 是上藥草
又諸佛子 專心佛道 常行慈悲 自知作佛
決定无疑 是名小樹 安住神通 轉不退輪
度无量億 百千衆生 如是菩薩 名爲大樹
佛平等說 如一味雨 隨衆生性 所受不同
如彼草木 所稟各異 佛以此喻 方便開示
種種言詞 演說一法 於佛智慧 如海一渧
我雨法雨 充滿世間 一味之法 隨力脩行
如彼叢林 藥草諸樹 隨其大小 漸增茂好
[illegible]

BD02260號　妙法蓮華經卷三　（26–4）

如彼草木　所稟各異　佛以此喻　方便開示
種種言辭　演說一法　於佛智慧　如海一渧
我雨法雨　充滿世間　一味之法　隨力脩行
如彼叢林　藥草諸樹　隨其大小　漸增茂好
諸佛之法　常以一味　令諸世間　普得具足
漸次脩行　皆得道果　聲聞緣覺　處於山林
住冣後身　聞法得果　是名藥草　各得增長
若諸菩薩　智慧堅固　了達三界　求冣上乘
是名小樹　而得增長　復有住禪　得神通力
聞諸法空　心大歡喜　放无數光　度諸衆生
是名大樹　而得增長　如是迦葉　佛所說法
譬如大雲　以一味雨　潤於人華　各得成實
迦葉當知　以諸因緣　種種譬喻　開示佛道
是我方便　諸佛亦然　今為汝等　說冣實事
諸聲聞衆　皆非滅度　汝等所行　是菩薩道
漸漸脩學　悉當成佛

妙法蓮華經授記品第六

尒時世尊說是偈已告諸大衆唱如是言我
此弟子摩訶迦葉於未來世當得奉覲三百
萬億諸佛世尊供養恭敬尊重讚歎廣宣諸
佛无量大法於冣後身得成為佛名曰光明
如來應供正遍知明行足善逝世間解无上
士調御丈夫天人師佛世尊國名光德劫名
大莊嚴佛壽十二小劫正法住世二十小劫
像法亦住二十小劫國界嚴飾无諸穢惡瓦

BD02260號　妙法蓮華經卷三　（26–5）

士調御丈夫天人師佛世尊國名光德劫名
大莊嚴佛壽十二小劫正法住世二十小劫
像法亦住二十小劫國界嚴飾无諸穢惡瓦
礫荊棘便利不淨其土平正无有高下坑坎
堆阜瑠璃為地寶樹行列黃金為繩以界道
側散諸寶華周遍清淨其國菩薩无量千億
諸聲聞衆亦復无數无有魔事雖有魔及魔
民皆護佛法尒時世尊欲重宣此義而說偈
言

告諸比丘　我以佛眼　見是迦葉　於未來世
過无數劫　當得作佛　而於來世　供養奉覲
三百萬億　諸佛世尊　為佛智慧　淨脩梵行
供養冣上　二足尊已　脩習一切　无上之慧
於冣後身　得成為佛　其土清淨　瑠璃為地
多諸寶樹　行列道側　金繩界道　見者歡喜
常出好香　散衆名華　種種奇妙　以為莊嚴
其地平正　无有丘坑　諸菩薩衆　不可稱計
其心調柔　逮大神通　奉持諸佛　大乘經典
諸聲聞衆　无漏後身　法王之子　亦不可計
乃以天眼　不能數知　其佛當壽　十二小劫
正法住世　二十小劫　像法亦住　二十小劫
光明世尊　其事如是

尒時大目揵連須菩提摩訶迦旃延等皆悉
悚慄一心合掌瞻仰世尊目不暫捨即共同
聲而說偈言

BD02260號　妙法蓮華經卷三　（26–6）

尒時大目揵連須菩提摩訶迦旃延等皆悉
悚慄一心合掌瞻仰世尊目不暫捨 即共同
聲而說偈言
大雄猛世尊 諸釋之法王 哀愍我等故 而賜佛音聲
若知我深心 見為授記者 如以甘露灑 除熱得清涼
如從飢國來 忽遇大王饍 心猶懷疑懼 未敢即便食
若復得王教 然後乃敢食 我等亦如是 每惟小乘過
不知當云何 得佛无上慧 雖聞佛音聲 言我等作佛
心尚懷憂懼 如未敢便食 若蒙佛授記 尒乃快安樂
大雄猛世尊 常欲安世間 願賜我等記 如飢須教食
尒時世尊知諸大弟子心之所念 告諸比丘
是須菩提於當來世奉覲三百萬億那由他
佛供養恭敬尊重讚歎常脩梵行具菩薩道
於最後身得成為佛 号曰名相如來應供正
遍知明行足善逝世間解无上士調御丈夫
天人師佛世尊 劫名有寶 國名寶生 其土平
正頗梨為地 寶樹莊嚴 无諸丘坑沙礫荊棘
便利之穢 寶華覆地 周遍清淨 其土人民皆
處寶臺珍妙樓閣 聲聞弟子无量无邊 筭數
譬喻所不能知 諸菩薩眾无數千萬億那由
他 佛壽十二小劫 正法住世二十小劫 像法亦
住二十小劫 其佛常處虛空為眾說法 度脫
无量菩薩及聲聞眾 尒時世尊欲重宣此義
而說偈言
諸比丘眾 今告汝等 皆當一心 聽我所說

BD02260號　妙法蓮華經卷三　（26–7）

无量菩薩及聲聞眾 尒時世尊欲重宣此義
而說偈言
諸比丘眾 今告汝等 皆當一心 聽我所說
我大弟子 須菩提者 當得作佛 号曰名相
當供无數 萬億諸佛 隨佛所行 漸具大道
最後身得 三十二相 端正姝妙 猶如寶山
其佛國土 嚴淨第一 眾生見者 无不愛樂
佛於其中 度无量眾 其佛法中 多諸菩薩
皆悉利根 轉不退轉 彼國常以 菩薩莊嚴
諸聲聞眾 不可稱數 皆得三明 具六神通
住八解脫 有大威德 其佛說法 現於无量
神通變化 不可思議 諸天人民 數如恒沙
皆共合掌 聽受佛語 其佛當壽 十二小劫
正法住世 二十小劫 像法亦住 二十小劫
尒時世尊復告諸比丘眾 我今語汝 是大迦
旃延於當來世 以諸供具供養奉事八千億
佛 恭敬尊重 諸佛滅後 各起塔廟 高千由旬
縱廣正等五百由旬 皆以金銀琉璃車𤦲馬
瑙真珠玫瑰七寶合成 眾華瓔珞塗香末香
燒香繒蓋幢幡供養塔廟 過是已後 當復供
養二萬億佛 亦復如是 供養是諸佛已 具菩
薩道 當得作佛 号曰閻浮那提金光如來應
供正遍知明行足善逝世間解无上士調御
丈夫天人師佛世尊 其土平正 頗梨為地 寶
樹莊嚴 黃金為繩 以界道側 妙華覆地 周遍

BD02260號　妙法蓮華經卷三　（26–8）

供正遍知明行足善逝世間解无上士調御
丈夫天人師佛世尊其土平正頗梨爲地寶
樹莊嚴黃金爲繩以界道側妙華覆地周遍
清淨見者歡喜无四惡道地獄餓鬼畜生阿
脩羅道多有天人諸聲聞衆及諸菩薩无量
萬億莊嚴其國佛壽十二小劫正法住世二
十小劫像法亦住二十小劫尒時世尊欲重
宣此義而說偈言
諸比丘衆　皆一心聽　如我所說　真實无異
是迦旃延　當以種種　妙好供具　供養諸佛
諸佛滅後　起七寶塔　亦以華香　供養舍利
其冣後身　得佛智慧　成等正覺　國土清淨
度脫无量　萬億衆生　皆爲十方　之所供養
佛之光明　无能勝者　其佛號曰　閻浮金光
菩薩聲聞　斷一切有　无量无數　莊嚴其國
尒時世尊復告大衆我今語汝是大目揵連
當以種種供具供養八千諸佛恭敬尊重諸
佛滅後各起塔廟高千由旬縱廣正等五百
由旬以金銀瑠璃車𤦲馬瑙真珠玫瑰七寶
合成衆華瓔珞塗香末香燒香繒蓋幢幡以
用供養過是已後當復供養二百萬億諸佛
亦復如是當得成佛號曰多摩羅跋旃檀香
如來應供正遍知明行足善逝世間解无上
士調御丈夫天人師佛世尊劫名喜滿國名
意樂其土平正頗梨爲地寶樹莊嚴散真珠

BD02260號　妙法蓮華經卷三

（26–9）

如來應供正遍知明行足善逝世間解无上
士調御丈夫天人師佛世尊劫名喜滿國名
意樂其土平正頗梨爲地寶樹莊嚴散真珠
華周遍清淨見者歡喜多諸天人菩薩聲聞
其數无量佛壽二十四小劫正法住世四十
小劫像法亦住四十小劫尒時世尊欲重宣
此義而說偈言
我此弟子　大目揵連　捨是身已　得見八千
二百萬億　諸佛世尊　爲佛道故　供養恭敬
於諸佛所　常脩梵行　於无量劫　奉持佛法
諸佛滅後　起七寶塔　長表金刹　華香伎樂
而以供養　諸佛塔廟　漸漸具足　菩薩道已
於意樂國　而得作佛　號多摩羅　旃檀之香
其佛壽命　二十四劫　常爲天人　演說佛道
聲聞无量　如恒河沙　三明六通　有大威德
菩薩无數　志固精進　於佛智慧　皆不退轉
佛滅度後　正法當住　四十小劫　像法亦尒
我諸弟子　威德具足　其數五百　皆當授記
於未來世　咸得成佛　我及汝等　宿世因緣
吾今當說　汝等善聽
妙法蓮華經化城喻品第七
佛告諸比丘乃往過去无量无邊不可思議
阿僧祇劫尒時有佛名大通智勝如來應供
正遍知明行足善逝世間解无上士調御丈
夫天人師佛世尊其國名好成劫名大相諸

BD02260號　妙法蓮華經卷三

（26–10）

阿僧祇劫尒時有佛名大通智勝如來應供
正遍知明行足善逝世間解无上士調御丈
夫天人師佛世尊其國名好成劫名大相諸
比丘彼佛滅度已來甚大久遠譬如三千大
千世界所有地種假使有人磨以為墨過於
東方千國土乃下一點大如微塵又過千國
土復下一點如是展轉盡地種墨於汝等意
云何是諸國土若筭師若筭師弟子能得邊
際知其數不不也世尊諸比丘是人所經國
土若點不點盡末為塵一塵一劫彼佛滅度
已來復過是數无量无邊百千萬億阿僧祇
劫我以如來知見力故觀彼久遠猶若今日
尒時世尊欲重宣此義而說偈言
我念過去世　无量无邊劫　有佛兩足尊　名大通智勝
如人以力磨　三千大千土　盡此諸地種　皆悉以為墨
過於千國土　乃下一塵點　如是展轉點　盡此諸塵墨
如是諸國土　點與不點等　復盡末為塵　一塵為一劫
此諸微塵數　其劫復過是　彼佛滅度來　如是无量劫
如來无礙智　知彼佛滅度　及聲聞菩薩　如見今滅度
諸比丘當知　佛智淨微妙　无漏无所礙　通達无量劫
佛告諸比丘大通智勝佛壽五百四十萬億
那由他劫其佛本坐道場破魔軍已垂得阿
耨多羅三藐三菩提而諸佛法不現在前如
是一小劫乃至十小劫結跏趺坐身心不動

那由他劫其佛本坐道場破魔軍已垂得阿
耨多羅三藐三菩提而諸佛法不現在前如
是一小劫乃至十小劫結跏趺坐身心不動
而諸佛法猶不在前尒時忉利諸天先為彼
佛於菩提樹下敷師子座高一由旬佛於此
座當得阿耨多羅三藐三菩提適坐此座時
諸梵天王雨衆天華面百由旬香風時來吹
去萎華更雨新者如是不絕滿十小劫供養
於佛乃至滅度常雨此華四王諸天為供養
佛常擊天鼓其餘諸天作天伎樂滿十小劫
至于滅度亦復如是諸比丘大通智勝佛過
十小劫諸佛之法乃現在前成阿耨多羅三
藐三菩提其佛未出家時有十六子其第一
者名曰智積諸子各有種種珍異玩好之具
聞父得成阿耨多羅三藐三菩提皆捨所珍
往詣佛所諸母涕泣而隨送之其祖轉輪聖
王與一百大臣及餘百千萬億人民皆共圍
繞隨至道場咸欲親近大通智勝如來供養
恭敬尊重讚歎到已頭面禮足繞佛畢已一
心合掌瞻仰世尊以偈頌曰
大威德世尊　為度衆生故　於无量億歲　尒乃得成佛
諸願已具足　善哉吉無上　世尊甚希有　一坐十小劫
身體及手足　靜然安不動　其心常惔怕　未曾有散亂
究竟永寂滅　安住无漏法　今者見世尊　安隱成佛道
我等得善利　稱慶大歡喜　衆生常苦惱　盲瞑无導師

究竟永寂滅 安住无漏法 今者見世尊 安隱成佛道
我等得善利 稱慶大歡喜 衆生常苦惱 盲瞑无導師
不識苦盡道 不知求解脫 長夜增惡趣 減損諸天衆
從瞑入於瞑 永不聞佛名 今佛得最上 安隱无漏法
我等及天人 為得最大利 是故咸稽首 歸命无上尊
尒時十六王子偈讚佛已勸請世尊轉於法輪
咸作是言世尊說法多所安隱憐愍饒益
諸天人民重說偈言
世雄无等倫 百福自莊嚴 得无上智慧 願為世間說
度脫於我等 及諸衆生類 為分別顯示 令得是智慧
若我等得佛 衆生亦復然 世尊知衆生 深心之所念
亦知所行道 又知智慧力 欲樂及脩福 宿命所行業
世尊悉知已 當轉无上輪
佛告諸比丘大通智勝佛得阿耨多羅三藐
三菩提時十方各五百萬億諸佛世界六種
震動其國中間幽冥之處日月威光所不能
照而皆大明其中衆生各得相見咸作是言
此中云何忽生衆生又其國界諸天宮殿乃
至梵宮六種震動大光普照遍滿世界勝諸
天光尒時東方五百萬億諸國土中梵天宮
殿光明照曜倍於常明諸梵天王各作是念
今者宮殿光明昔所未有以何因緣而現此
相是時諸梵天王即各相詣共議此事時彼
衆中有一大梵天王名救一切為諸梵天衆
而說偈言

相是時諸梵天王即各相詣共議此事時彼
衆中有一大梵天王名救一切為諸梵天衆
而說偈言
我等諸宮殿 光明昔未有 此是何因緣 宜各共求之
為大德天生 為佛出世間 而此大光明 遍照於十方
尒時五百萬億國土諸梵天王與宮殿俱各
以衣裓盛諸天華共詣西方推尋是相見大
通智勝如來處于道場菩提樹下坐師子座
諸天龍王乾闥婆緊那羅摩睺羅伽人非人
等恭敬圍繞及見十六王子請佛轉法輪即
時諸梵天王頭面禮佛繞百千帀即以天華
而散佛上其所散華如須弥山并以供養佛
菩提樹其菩提樹高十由旬華供養已各以
宮殿奉上彼佛而作是言唯見哀愍饒益我
等所獻宮殿願垂納處時諸梵天王即於佛
前一心同聲以偈頌曰
世尊甚希有 難可得值遇 具无量功德 能救護一切
天人之大師 哀愍於世間 十方諸衆生 普皆蒙饒益
我等所從來 五百萬億國 捨深禪定樂 為供養佛故
我等先世福 宮殿甚嚴飾 今以奉世尊 唯願哀納受
尒時諸梵天王偈讚佛已各作是言唯願世
尊轉於法輪度脫衆生開涅槃道時諸梵天
王一心同聲而說偈言
世雄兩足尊 唯願演說法 以大慈悲力 度苦惱衆生
尒時大通智勝如來嘿然許之又諸比丘東

世雄兩足尊　唯願演說法　以大慈悲力　度苦惱衆生
尒時大通智勝如來默然許之又諸比丘東
南方五百萬億國土諸大梵王各自見宮殿
光明照曜昔所未有歡喜踊躍生希有心即
各相詣共議此事而彼衆中有一大梵天王
名曰大悲為諸梵衆而說偈言
是事何因緣　而現如此相　我等諸宮殿　光明昔未有
為大德天生　為佛出世間　未曾見此相　當共一心求
過千萬億土　尋光共推之　多是佛出世　度脫苦衆生
尒時五百萬億諸梵天王與宮殿俱各以衣
裓盛諸天華共詣西北方推尋是相見大通
智勝如來處于道場菩提樹下坐師子座諸
天龍王乾闥婆緊那羅摩睺羅伽人非人等
恭敬圍繞及見十六王子請佛轉法輪時諸
梵天王頭面礼佛繞百千帀即以天華而散
佛上所散之華如須彌山并以供養佛菩提
樹華供養已各以宮殿奉上彼佛而作是言
唯見哀愍饒益我等所獻宮殿願垂納處尒
時諸梵天王即於佛前一心同聲以偈頌曰
聖主天中天　迦陵頻伽聲　哀愍衆生者　我等今敬礼
世尊甚希有　久遠乃一現　一百八十劫　空過無有佛
三惡道充滿　諸天衆減少　今佛出於世　為衆生作眼
世間所歸趣　救護於一切　為衆生之父　哀愍饒益者
我等宿福慶　今得值世尊
尒時諸梵天王偈讚佛已各作是言唯願世

BD02260號　妙法蓮華經卷三　（26–15）

我等宿福慶　今得值世尊
尒時諸梵天王偈讚佛已各作是言唯願世
尊哀愍一切轉於法輪度脫衆生時諸梵天
王一心同聲而說偈言
大聖轉法輪　顯示諸法相　度苦惱衆生　令得大歡喜
衆生聞此法　得道若生天　諸惡道減少　忍善者增益
尒時大通智勝如來默然許之又諸比丘南
方五百萬億國土諸大梵王各自見宮殿光
明照曜昔所未有歡喜踊躍生希有心即各
相詣共議此事以何因緣我等宮殿有此光
曜而彼衆中有一大梵天王名曰妙法為諸
梵衆而說偈言
我等諸宮殿　光明甚威曜　此非無因緣　是相宜求之
過於百千劫　未曾見是相　為大德天生　為佛出世間
尒時五百萬億諸梵天王與宮殿俱各以衣
裓盛諸天華共詣北方推尋是相見大通智
勝如來處于道場菩提樹下坐師子座諸天
龍王乾闥婆緊那羅摩睺羅伽人非人等恭
敬圍繞及見十六王子請佛轉法輪時諸梵
天王頭面礼佛繞百千帀即以天華而散佛
上所散之華如須彌山并以供養佛菩提樹
華供養已各以宮殿奉上彼佛而作是言唯
見哀愍饒益我等所獻宮殿願垂納處尒時
諸梵天王即於佛前一心同聲以偈頌曰
世尊甚難見　破諸煩惱者　過百三十劫　今乃得一見

BD02260號　妙法蓮華經卷三　（26–16）

諸梵天王即於佛前一心同聲以偈頌曰
世尊甚難見 破諸煩惱者 過百三十劫 今乃得一見
諸飢渴衆生 以法雨充滿 昔所未曾覩 无量智慧者
如優曇波羅 今日乃值遇 我等諸宮殿 蒙光故嚴飾
世尊大慈愍 唯願垂納受
尒時諸梵天王偈讚佛已各作是言唯願世
尊轉於法輪令一切世間諸天魔梵沙門婆
羅門皆獲安隱而得度脫時諸梵天王一心
同聲以偈頌曰
唯願天人尊 轉无上法輪 擊于大法鼓 而吹大法螺
普雨大法雨 度无量衆生 我等咸歸請 當演深遠音
尒時大通智勝如來黙然許之西南方乃至
下方亦復如是尒時上方五百萬億國土諸
大梵王皆悉自覩所止宮殿光明威曜昔所
未有歡喜踊躍生希有心即各相詣共議此
事以何因緣我等宮殿有斯光明時彼衆中
有一大梵天王名曰尸棄為諸梵衆而說偈
言
今以何因緣 我等諸宮殿 威德光明曜 嚴飾未曾有
如是之妙相 昔所未聞見 為大德天生 為佛出世間
尒時五百萬億諸梵天王與宮殿俱各以衣
祴盛諸天華共詣下方推尋是相見大通智
勝如來處于道場菩提樹下坐師子座諸天
龍王乾闥婆緊那羅摩睺羅伽人非人等恭
敬圍繞及見十六王子請佛轉法輪時諸梵

BD02260號　妙法蓮華經卷三

(26-17)

勝如來處于道場菩提樹下坐師子座諸天
龍王乾闥婆緊那羅摩睺羅伽人非人等恭
敬圍繞及見十六王子請佛轉法輪時諸梵
天王頭面礼佛繞百千帀即以天華而散佛
上所散之華如須弥山并以供養佛菩提樹
華供養已各以宮殿奉上彼佛而作是言唯
見哀愍饒益我等所獻宮殿願垂納受尒時
諸梵天王即於佛前一心同聲以偈頌曰
善哉見諸佛 救世之聖尊 能於三界獄 勉出諸衆生
普智天人尊 哀愍群萌類 能開甘露門 廣度於一切
於昔无量劫 空過无有佛 世尊未出時 十方常闇瞑
三惡道增長 阿脩羅亦盛 諸天衆轉減 死多墮惡道
不從佛聞法 常行不善事 色力及智慧 斯等皆減少
罪業因緣故 失樂及樂想 住於邪見法 不識善儀則
不蒙佛所化 常墮於惡道 佛為世間眼 久遠時乃出
哀愍諸衆生 故現於世間 超出成正覺 我等甚欣慶
及餘一切衆 喜歎未曾有 我等諸宮殿 蒙光故嚴飾
今以奉世尊 唯垂哀納受 願以此功德 普及於一切
我等與衆生 皆共成佛道
尒時五百萬億諸梵天王偈讚佛已各白佛
言唯願世尊轉於法輪多所安隱多所度脫
時諸梵天王而說偈言
世尊轉法輪 擊甘露法鼓 度苦惱衆生 開示涅槃道
唯願受我請 以大微妙音 哀愍而敷演 无量劫習法
尒時大通智勝如來受十方諸梵天王及十

BD02260號　妙法蓮華經卷三

(26-18)

世尊轉法輪　擊甘露法鼓　度苦惱衆生　開示涅槃道
唯願受我請　以大微妙音　哀愍而敷演　无量劫習法
尒時大通智勝如来受十方諸梵天王及十
六王子請即時三轉十二行法輪若沙門婆
羅門若天魔梵及餘世間所不能轉謂是苦
是苦集是苦滅是苦滅道及廣說十二因緣
法无明緣行行緣識識緣名色名色緣六入
六入緣觸觸緣受受緣愛愛緣取取緣有有
緣生生緣老死憂悲苦惱无明滅則行滅行
滅則識滅識滅則名色滅名色滅則六入滅
六入滅則觸滅觸滅則受滅受滅則愛滅愛
滅則取滅取滅則有滅有滅則生滅生滅則
老死憂悲苦惱滅佛於天人大衆之中說是
法時六百萬億那由他人以不受一切法故
而於諸漏心得解脫皆得深妙禪定三明六
通具八解脫第二第三第四說法時千萬億
恒河沙那由他等衆生亦以不受一切法故
而於諸漏心得解脫從是已後諸聲聞衆無
量无邊不可稱數尒時十六王子皆以童子
出家而為沙弥諸根通利智慧明了已曾供
養百千萬億諸佛淨脩梵行求阿耨多羅三
藐三菩提俱白佛言世尊是諸无量千万億
大德聲聞皆已成就世尊亦當為我等說阿
耨多羅三藐三菩提法我等聞已皆共脩學
世尊我等志願如来知見深心所念佛自證

BD02260 號　妙法蓮華經卷三　（26–19）

大德聲聞皆已成就世尊亦當為我等說阿
耨多羅三藐三菩提法我等聞已皆共脩學
世尊我等志願如来知見深心所念佛自證
知尒時轉輪聖王所將衆中八萬億人見十
六王子出家亦求出家王即聽許尒時彼佛
受沙弥請過二萬劫已乃於四衆之中說是
大乘經名妙法蓮華教菩薩法佛所護念說
是經已十六沙弥為阿耨多羅三藐三菩提
故皆共受持諷誦通利說是經時十六菩薩
沙弥皆悉信受聲聞衆中亦有信解其餘衆
生千萬億種皆生疑惑佛說是經於八千劫
未曾休廢說此經已即入靜室住於禪定八
萬四千劫是時十六菩薩沙弥知佛入室寂
然禪定各昇法座亦於八萬四千劫為四部
衆廣說分別妙法華經一一皆度六百萬億
那由他恒河沙等衆生示教利喜令發阿耨
多羅三藐三菩提心大通智勝佛過八萬四
千劫已從三昧起往詣法座安詳而坐普告
大衆是十六菩薩沙弥甚為希有諸根通利
智慧明了已曾供養無量千萬億數諸佛於
諸佛所常脩梵行受持佛智開示衆生令入
其中汝等皆當數數親近而供養之所以者
何若聲聞辟支佛及諸菩薩能信是十六菩
薩所說經法受持不毀者是人皆當得阿耨
多羅三藐三菩提如来之慧佛告諸比丘是

BD02260 號　妙法蓮華經卷三　（26–20）

何若聲聞辟支佛及諸菩薩能信是十六菩
薩所說經法受持不毀者是人皆當得阿耨
多羅三藐三菩提如來之慧佛告諸比丘是
十六菩薩常樂說是妙法蓮華經一一菩薩
所化六百萬億那由他恒河沙等衆生世世
所生與菩薩俱從其聞法悉皆信解以此因
緣得值四萬億諸佛世尊于今不盡諸比丘
我今語汝彼佛弟子十六沙弥今皆得阿耨
多羅三藐三菩提於十方國土現在說法有
無量百千萬億菩薩聲聞以為眷屬其二沙
弥東方作佛一名阿閦在歡喜國二名須弥
頂東南方二佛一名師子音二名師子相南
方二佛一名虛空住二名常滅西南方二佛
一名帝相二名梵相西方二佛一名阿弥陀
二名度一切世間苦惱西北方二佛一名多
摩羅跋旃檀香神通二名須弥相北方二佛
一名雲自在二名雲自在王東北方佛名壞
一切世間怖畏第十六我釋迦牟尼佛於娑
婆國土成阿耨多羅三藐三菩提諸比丘我
等為沙弥時各各教化無量百千萬億恒河
沙等衆生從我聞法為阿耨多羅三藐三菩
提此諸衆生于今有住聲聞地者我常教化
阿耨多羅三藐三菩提是諸人等應以是法
漸入佛道所以者何如來智慧難信難解尒
時所化無量恒河沙等衆生者汝等諸比丘

阿耨多羅三藐三菩提是諸人等應以是法
漸入佛道所以者何如來智慧難信難解尒
時所化無量恒河沙等衆生者汝等諸比丘
及我滅度後未來世中聲聞弟子是也我滅
度後復有弟子不聞是經不知不覺菩薩所
行自於所得功德生滅度想當入涅槃我於
餘國作佛更有異名是人雖生滅度之想入
於涅槃而於彼土求佛智慧得聞是經唯以
佛乘而得滅度更無餘乘除諸如來方便說
法諸比丘若如來自知涅槃時到衆又清淨
信解堅固了達空法深入禪定便集諸菩薩
及聲聞衆為說是經世間无有二乘而得滅
度唯一佛乘得滅度耳比丘當知如來方便
深入衆生之性知其志樂小法深著五欲為
是等故說於涅槃是人若聞則便信受譬如
五百由旬險難惡道曠絕無人怖畏之處若
有多衆欲過此道至珍寶處有一導師聡慧
明達善知險道通塞之相將導衆人欲過此
難所將人衆中路懈退白導師言我等疲極
而復怖畏不能復進前路猶遠今欲退還導
師多諸方便而作是念此等可愍云何捨大
珍寶而欲退還作是念已以方便力於險道
中過三百由旬化作一城告衆人言汝等勿
怖莫得退還今此大城可於中止隨意所作
若入是城快得安隱若能前至寶所亦可得

珎寶而欲退還作是念已以方便力於險道
中過三百由旬化作一城告衆人言汝等勿
怖莫得退還今此大城可於中止隨意所作
若入是城快得安隱若能前至寶所亦可得
去是時疲極之衆心大歡喜歎未曾有我等
今者免斯惡道快得安隱於是衆人前入化
城生已度想生安隱想尒時導師知此人衆
既得止息無復疲惓即滅化城語衆人言汝
等去來寶處在近向者大城我所化作為止
息耳諸比丘如來亦復如是今為汝等作大
導師知諸生死煩惱惡道險難長遠應去應
度若衆生但聞一佛乘者則不欲見佛不欲
親近便作是念佛道長遠久受勤苦乃可得
成佛知是心怯弱下劣以方便力而於中道
為止息故說二涅槃若衆生住於二地如來
尒時即便為說汝等所作未辦汝所住地近
於佛慧當觀察籌量所得涅槃非真實也但
是如來方便之力於一佛乘分別說三如彼
導師為止息故化作大城既知息已而告之
言寶處在近此城非實我化作耳尒時世尊
欲重宣此義而說偈言
大通智勝佛　十劫坐道場　佛法不現前　不得成佛道
諸天龍神王　阿脩羅衆等　常雨於天華　以供養彼佛
諸天擊天鼓　并作衆伎樂　香風吹萎華　更雨新好者
過十小劫已　乃得成佛道　諸天及世人　心皆懷踊躍

BD02260號　妙法蓮華經卷三　（26–23）

諸天龍神王　阿脩羅衆等　常雨於天華　以供養彼佛
諸天擊天鼓　并作衆伎樂　香風吹萎華　更雨新好者
過十小劫已　乃得成佛道　諸天及世人　心皆懷踊躍
彼佛十六子　皆與其眷屬　千萬億圍遶　俱行至佛所
頭面礼佛足　而請轉法輪　聖師子法雨　充我及一切
世尊甚難值　久遠時一現　為覺悟群生　震動於一切
東方諸世界　五百萬億國　梵宮殿光曜　昔所未曾有
諸梵見此相　尋來至佛所　散華以供養　并奉上宮殿
請佛轉法輪　以偈而讚歎　佛知時未至　受請嘿然坐
三方及四維　上下亦復尒　散華奉宮殿　請佛轉法輪
世尊甚難值　願以大慈悲　廣開甘露門　轉無上法輪
無量慧世尊　受彼衆人請　為宣種種法　四諦十二緣
无明至老死　皆從生緣有　如是衆過患　汝等應當知
宣暢是法時　六百萬億姟　得盡諸苦際　皆成阿羅漢
第二說法時　千萬恒沙衆　於諸法不受　亦得阿羅漢
從是後得道　其數无有量　萬億劫筭數　不能得其邊
時十六王子　出家作沙弥　皆共請彼佛　演說大乘法
我等及營從　皆當成佛道　願得如世尊　慧眼第一淨
佛知童子心　宿世之所行　以无量因緣　種種諸譬喻
說六波羅蜜　及諸神通事　分別真實法　菩薩所行道
說是法華經　如恒河沙偈　彼佛說經已　靜室入禪定
一心一處坐　八萬四千劫　是諸沙弥等　知佛禪未出
為无量億衆　說佛无上慧　各各坐法座　說是大乘經
於佛宴寂後　宣揚助法化　一一沙弥等　所度諸衆生
有六百萬億　恒河沙等衆　彼佛滅度後　是諸聞法者

BD02260號　妙法蓮華經卷三　（26–24）

一心一處坐　八萬四千劫　是諸沙彌等　知佛禪未出
為无量億眾　說佛无上慧　各各坐法座　說是大乘經
於佛宴寂後　宣揚助法化　一一沙彌等　所度諸眾生
有六百萬億　恒河沙等眾　彼佛滅度後　是諸聞法者
在在諸佛土　常與師俱生　是十六沙彌　具足行佛道
今現在十方　各得成正覺　爾時聞法者　各在諸佛所
其有住聲聞　漸教以佛道　我在十六數　曾亦為汝說
是故以方便　引汝趣佛慧　以是本因緣　今說法華經
令汝入佛道　慎勿懷驚懼　譬如險惡道　迥絕多毒獸
又復无水草　人所怖畏處　无數千萬眾　欲過此險道
其路甚曠遠　經五百由旬　時有一導師　強識有智慧
明了心決定　在險濟眾難　眾人皆疲惓　而白導師言
我等今頓乏　於此欲退還　導師作是念　此輩甚可愍
如何欲退還　而失大珍寶　尋時思方便　當設神通力
化作大城郭　莊嚴諸舍宅　周帀有園林　渠流及浴池
重門高樓閣　男女皆充滿　即作是化已　慰眾言勿懼
汝等入此城　各可隨所樂　諸人既入城　心皆大歡喜
皆生安隱想　自謂已得度　導師知息已　集眾而告言
汝等當前進　此是化城耳　我見汝疲極　中路欲退還
故以方便力　權化作此城　汝今勤精進　當共至寶所
我亦復如是　為一切導師　見諸求道者　中路而懈廢
不能度生死　煩惱諸險道　故以方便力　為息說涅槃
言汝等苦滅　所作皆已辦　既知到涅槃　皆得阿羅漢
爾乃集大眾　為說真實法　諸佛方便力　分別說三乘
唯有一佛乘　息處故說二　今為汝說實　汝所得非滅
為佛一切智　當發大精進　汝證一切智　十力等佛法

BD02260號　妙法蓮華經卷三　（26–25）

爾乃集大眾　為說真實法　諸佛方便力　分別說三乘
唯有一佛乘　息處故說二　今為汝說實　汝所得非滅
為佛一切智　當發大精進　汝證一切智　十力等佛法
具三十二相　乃是真實滅　諸佛之導師　為息說涅槃
既知是息已　引入於佛慧

妙法蓮華經卷第三

BD02260號　妙法蓮華經卷三　（26–26）

大般若波羅蜜多經卷第三百十七
初分趣智品第卅六之二　三藏法師玄奘奉　詔譯
善現是菩薩摩訶薩所攝甲胄不屬布施波
羅蜜多何以故布施波羅蜜多畢竟無所有
非菩薩非甲胄故説彼甲胄不屬布施波羅
蜜多是菩薩摩訶薩所攝甲胄不屬淨戒安
忍精進静慮般若波羅蜜多何以故淨戒乃
至般若波羅蜜多畢竟無所有非菩薩非甲
胄故説彼甲胄不屬淨戒乃至般若波羅蜜
多善現是菩薩摩訶薩所攝甲胄不屬内空
何以故内空畢竟無所有非菩薩非甲胄故
説彼甲胄不屬内空是菩薩摩訶薩所攝
甲胄不屬外空内外空空空大勝義空有為
空無為空畢竟空無際空散空無變異空本
性空自相空共相空一切法空不可得空無
性空自性空無性自性空何以故外空乃至
無性自性空畢竟無所有非菩薩非甲胄故
説彼甲胄不屬外空乃至無性自性空善現
是菩薩摩訶薩所攝甲胄不屬真如何以故

BD02261 號　大般若波羅蜜多經卷三一七　（20–1）

性空自性空無性自性空何以故外空乃至
無性自性空畢竟無所有非菩薩非甲胄故
説彼甲胄不屬外空乃至無性自性空善現
是菩薩摩訶薩所攝甲胄不屬真如何以故
真如畢竟無所有非菩薩非甲胄故説彼甲
胄不屬真如是菩薩摩訶薩所攝甲胄不屬
法界法性不虚妄性不變異性平等性離生
性法定法住實際虚空界不思議界何以故
法界乃至不思議界畢竟無所有非菩薩非
甲胄故説彼甲胄不屬法界乃至不思議界
善現是菩薩摩訶薩所攝甲胄不屬四念住
何以故四念住畢竟無所有非菩薩非甲胄
故説彼甲胄不屬四念住是菩薩摩訶薩所
攝甲胄不屬四正斷四神足五根五力七等
覺支八聖道支何以故四正斷乃至八聖道
支畢竟無所有非菩薩非甲胄故説彼甲胄
不屬四正斷乃至八聖道支善現是菩薩摩
訶薩所攝甲胄不屬苦聖諦何以故苦聖諦
畢竟無所有非菩薩非甲胄故説彼甲胄不
屬苦聖諦是菩薩摩訶薩所攝甲胄不屬集
滅道聖諦何以故集滅道聖諦畢竟無所有
非菩薩非甲胄故説彼甲胄不屬集滅道聖
諦善現是菩薩摩訶薩所攝甲胄不屬四静
慮何以故四静慮畢竟無所有非菩薩非甲
胄故説彼甲胄不屬四静慮善現是菩薩摩
訶薩所攝甲胄不屬四無量何以故四無量
畢竟無所有非菩薩非甲胄故説彼甲胄不

BD02261 號　大般若波羅蜜多經卷三一七　（20–2）

冑故說彼甲冑不屬四靜慮善現是菩薩摩
訶薩所攝甲冑不屬四無量何以故四無量
畢竟無所有非菩薩非甲冑故說彼甲冑不
屬四無量善現是菩薩摩訶薩所攝甲冑不
屬四無色定何以故四無色定畢竟無所有
非菩薩非甲冑故說彼甲冑不屬四無色定
善現是菩薩摩訶薩所攝甲冑不屬八解脫
何以故八解脫畢竟無所有非菩薩非甲冑
故說彼甲冑不屬八解脫善現是菩薩摩訶
薩所攝甲冑不屬八勝處何以故八勝處畢
竟無所有非菩薩非甲冑故說彼甲冑不屬
八勝處善現是菩薩摩訶薩所攝甲冑不屬
九次第定何以故九次第定畢竟無所有非
菩薩非甲冑故說彼甲冑不屬九次第定善
現是菩薩摩訶薩所攝甲冑不屬十遍處何
以故十遍處畢竟無所有非菩薩非甲冑故
說彼甲冑不屬十遍處善現是菩薩摩訶薩
所攝甲冑不屬空解脫門何以故空解脫門
畢竟無所有非菩薩非甲冑故說彼甲冑不
屬空解脫門善現是菩薩摩訶薩所攝甲冑不
屬無相無願解脫門何以故無相無願解脫門
畢竟無所有非菩薩非甲冑故說彼甲冑不
屬無相無願解脫門善現是菩薩摩訶薩所
攝甲冑不屬五眼何以故五眼畢竟無所有
非菩薩非甲冑故說彼甲冑不屬五眼善現
是菩薩摩訶薩所攝甲冑不屬六神通何以
故六神通畢竟無所有非菩薩非甲冑發

BD02261 號　大般若波羅蜜多經卷三一七

（20–3）

是菩薩摩訶薩所攝甲冑不屬六神通何以
故六神通畢竟無所有非菩薩非甲冑發
彼甲冑不屬六神通善現是菩薩摩訶薩
攝甲冑不屬三摩地門何以故三摩地門畢
竟無所有非菩薩非甲冑故說彼甲冑不屬
三摩地門善現是菩薩摩訶薩所攝甲冑不
屬陀羅尼門何以故陀羅尼門畢竟無所有
非菩薩非甲冑故說彼甲冑不屬陀羅尼門
善現是菩薩摩訶薩所攝甲冑不屬佛十力
何以故佛十力畢竟無所有非菩薩非甲冑
故說彼甲冑不屬佛十力是菩薩摩訶薩所
攝甲冑不屬四無所畏四無礙解大慈大悲
大喜大捨十八佛不共法何以故四無所畏
乃至十八佛不共法畢竟無所有非菩薩非
甲冑故說彼甲冑不屬四無所畏乃至十八
佛不共法善現是菩薩摩訶薩所攝甲冑不
屬預流果何以故預流果畢竟無所有非菩
薩非甲冑故說彼甲冑不屬預流果是薩菩
摩訶薩所攝甲冑不屬一來不還阿羅漢果
何以故一來不還阿羅漢果畢竟無所有非
菩薩非甲冑故說彼甲冑不屬一來不還阿
羅漢果善現是菩薩摩訶薩所攝甲冑不
屬獨覺菩提何以故獨覺菩提畢竟無所有非
菩薩非甲冑故說彼甲冑不屬獨覺菩提善
現是菩薩摩訶薩所攝甲冑不屬一切智何
以故一切智畢竟無所有非菩薩非甲冑故
說彼甲冑不屬一切智是菩薩摩訶薩所攝

BD02261 號　大般若波羅蜜多經卷三一七

（20–4）

現是菩薩摩訶薩所擐甲冑不屬一切智何
以故一切智畢竟無所有非菩薩非甲冑故
說彼甲冑不屬一切智是菩薩摩訶薩所擐
甲冑不屬道相智一切相智何以故道相智
一切相智畢竟無所有非菩薩非甲冑故說
彼甲冑不屬道相智一切相智善現是菩薩
摩訶薩所擐甲冑不屬一切法何以故一切
法畢竟無所有菩薩非甲冑故說彼甲冑
不屬一切法善現是菩薩摩訶薩行深般若
波羅蜜多能擐如是堅固甲冑謂我當度一
切有情皆令證得究竟涅槃具壽善現白佛
言世尊若菩薩摩訶薩能擐如是堅固甲冑
謂我當度一切有情皆令證得般涅槃者不
墮聲聞獨覺二地世尊若菩薩摩訶薩能擐
如是堅固甲冑謂我當度一切有情皆令證
得般涅槃者是菩薩摩訶薩無處無容當墮
二地謂聲聞地及獨覺地所以者何世尊是
菩薩摩訶薩不於有情安立分限而擐如是
堅固甲冑佛言善現汝觀何義而作是說若
菩薩摩訶薩能擐如是堅固冑行深般若
波羅蜜多不墮聲聞獨覺二地善現答言世
尊由是菩薩摩訶薩非為度脫少分有情而
擐甲冑亦非為求少分智故而擐甲冑所以
者何世尊是菩薩摩訶薩普為救拔一切有
情令般涅槃而擐甲冑是菩薩摩訶薩但為
求得一切智智而擐甲冑由此因緣不墮聲
聞及獨覺地佛言善現如是如是如汝所說

情令般涅槃而擐甲冑是菩薩摩訶薩但為
求得一切智智而擐甲冑由此因緣不墮聲
聞及獨覺地佛言善現如是如是如汝所說
是菩薩摩訶薩非為度脫少分有情而擐甲
冑亦非為求少分智故而擐甲冑是菩薩摩
訶薩然為救拔一切有情令般涅槃而擐甲
冑是菩薩摩訶薩但為求得一切智智而擐
甲冑由此因緣是菩薩摩訶薩不墮聲聞及
獨覺地
尒時具壽善現白佛言世尊如是般若波羅
蜜多最為甚深無能脩者無所脩法亦無脩
處亦無由此而得脩習所以者何世尊非此
般若波羅蜜多甚深義中而有少分實法可
得名能脩者及所脩法若脩習處若由此脩
世尊若脩虛空是脩般若波羅蜜多世尊若
脩一切法是脩般若波羅蜜多世尊若脩不
實法是脩般若波羅蜜多世尊若脩無所有
是脩般若波羅蜜多世尊若脩無攝受是脩
般若波羅蜜多世尊若脩除遣是脩般若波
羅蜜多佛言善現脩何除遣為脩般若波羅
蜜多善現答言世尊脩除遣色是脩般若波
羅蜜多脩除遣受想行識是脩般若波羅蜜
多世尊脩除遣眼處是脩般若波羅蜜多脩
除遣耳鼻舌身意處是脩般若波羅蜜多世
尊脩除遣色處是脩般若波羅蜜多脩除遣
聲香味觸法處是脩般若波羅蜜多世尊脩
除遣眼界是脩般若波羅蜜多脩除遣耳鼻

尊脩除遣色處是脩般若波羅蜜多除遣
聲香味觸法處是脩般若波羅蜜多世尊脩
除遣眼界是脩般若波羅蜜多脩除遣耳鼻
舌身意界是脩般若波羅蜜多世尊脩除遣
色界是脩般若波羅蜜多脩除遣聲香味觸
法界是脩般若波羅蜜多世尊脩除遣眼識
界是脩般若波羅蜜多脩除遣耳鼻舌身意
識界是脩般若波羅蜜多世尊脩除遣眼觸
是脩般若波羅蜜多脩除遣耳鼻舌身意觸
是脩般若波羅蜜多世尊脩除遣眼觸為緣
所生諸受是脩般若波羅蜜多脩除遣耳鼻
舌身意觸為緣所生諸受是脩般若波羅蜜
多世尊脩除遣地界是脩般若波羅蜜多脩
除遣水火風空識界是脩般若波羅蜜多世
尊脩除遣無明是脩般若波羅蜜多脩除遣
行識名色六處觸受愛取有生老死是脩般
若波羅蜜多世尊脩除遣我是脩般若波羅
蜜多脩除遣有情命者生者養者士夫補特
伽羅意生儒童作者受者知者見者是脩
般若波羅蜜多世尊脩除遣布施波羅蜜多
是脩般若波羅蜜多脩除遣淨戒安忍精進
靜慮般若波羅蜜多是脩般若波羅蜜多世尊
脩除遣內空是脩般若波羅蜜多脩除遣外
空內外空空空大空勝義空有為空無為空
畢竟空無際空散空無變異空本性空自相
空共相空一切法空不可得空無性空自性
空無性自性空是脩般若波羅蜜多世尊脩
除遣真如是脩般若波羅蜜多脩除遣法界

BD02261號　大般若波羅蜜多經卷三一七　（20–7）

空共相空一切法空不可得空無性空自性
空無性自性空是脩般若波羅蜜多世尊脩
除遣真如是脩般若波羅蜜多脩除遣法界
法性不虛妄性不變異性平等性離生性法
定法住實際虛空界不思議界是脩般若
波羅蜜多世尊脩除遣四念住是脩般若波
羅蜜多脩除遣四正斷四神足五根五力七
等覺支八聖道支是脩般若波羅蜜多世尊
脩除遣苦聖諦是脩般若波羅蜜多脩除遣
集滅道聖諦是脩般若波羅蜜多世尊脩除
遣四靜慮是脩般若波羅蜜多世尊脩除遣
四無量是脩般若波羅蜜多世尊脩除遣四
無色定是脩般若波羅蜜多世尊脩除遣八
解脫是脩般若波羅蜜多世尊脩除遣八勝
處是脩般若波羅蜜多世尊脩除遣九次第
定是脩般若波羅蜜多世尊脩除遣十遍處
是脩般若波羅蜜多世尊脩除遣空解脫門
是脩般若波羅蜜多脩除遣無相無願解脫
門是脩般若波羅蜜多世尊脩除遣五眼是
脩般若波羅蜜多世尊脩除遣六神通是脩
般若波羅蜜多世尊脩除遣三摩地門是脩
般若波羅蜜多世尊脩除遣陀羅尼門是脩
般若波羅蜜多世尊脩除遣佛十力是脩般
若波羅蜜多脩除遣四無所畏四無礙解大
慈大悲大喜大捨十八佛不共法是脩般若波
羅蜜多世尊脩除遣預流果是脩般若波
羅蜜多脩除遣一來還阿羅漢果是脩般
若波羅蜜多世尊脩除遣獨覺菩提是脩般

BD02261號　大般若波羅蜜多經卷三一七　（20–8）

慈大悲大喜大捨十八佛不共法是脩般若波
羅蜜多世尊脩除遣預流果是脩般若波
羅蜜多脩除遣一來不還阿羅漢果是脩般
若波羅蜜多世尊脩除遣獨覺菩提是脩般
若波羅蜜多世尊脩除遣一切智是脩般若
波羅蜜多脩除遣道相智一切相智是脩般
若波羅蜜多
佛言善現如是如是如汝所說善現脩除遣
色是脩般若波羅蜜多脩除遣受想行識是
脩般若波羅蜜多善現脩除遣眼處是脩般
若波羅蜜多脩除遣耳鼻舌身意處是脩般
若波羅蜜多善現脩除遣色處是脩般若波
羅蜜多脩除遣聲香味觸法處是脩般若波
羅蜜多善現脩除遣眼界是脩般若波羅蜜
多脩除遣耳鼻舌身意界是脩般若波羅蜜
多善現脩除遣色界是脩般若波羅蜜多脩
除遣聲香味觸法界是脩般若波羅蜜多善
現脩除遣眼識界是脩般若波羅蜜多脩除
遣耳鼻舌身意識界是脩般若波羅蜜多善
現脩除遣眼觸是脩般若波羅蜜多脩除遣
耳鼻舌身意觸是脩般若波羅蜜多善現脩
除遣眼觸為緣所生諸受是脩般若波羅蜜
多脩除遣耳鼻舌身意觸為緣所生諸受是
脩般若波羅蜜多善現脩除遣地界是脩般
若波羅蜜多脩除遣水火風空識界是脩般
若波羅蜜多善現脩除遣無明是脩般若波
羅蜜多脩除遣行識名色六處觸受愛取有

BD02261 號　大般若波羅蜜多經卷三一七　（20–9）

若波羅蜜多脩除遣水火風空識界是脩般
若波羅蜜多善現脩除遣無明是脩般若波
羅蜜多脩除遣行識名色六處觸受愛取有
生老死是脩般若波羅蜜多善現脩除遣我
是脩般若波羅蜜多脩除遣有情命者生者
養者士夫補特伽羅意生儒童作者受者知
者見者是脩般若波羅蜜多善現脩除遣布
施波羅蜜多是脩般若波羅蜜多脩除遣淨
戒安忍精進靜慮般若波羅蜜多是脩般若
波羅蜜多善現脩除遣內空是脩般若波羅
蜜多脩除遣外空內外空空空大空勝義空
有為空無為空畢竟空無際空散空無變異
空本性空自相空共相空一切法空不可得
空無性空自性空無性自性空是脩般若波
羅蜜多善現脩除遣真如脩般若波羅蜜
多脩除遣法界法性不虛妄性不變異性平
等性離生性法定法住實際虛空界不思議
界是脩般若波羅蜜多善現脩除遣四念住
是脩般若波羅蜜多脩除遣四正斷四神足
五根五力七等覺支八聖道支是脩般若波
羅蜜多善現脩除遣苦聖諦是脩般若波羅
蜜多脩除遣集滅道聖諦是脩般若波羅蜜
多善現脩除遣四靜慮是脩般若波羅蜜多
善現脩除遣四無量是脩般若波羅蜜多善
現脩除遣四無色定是脩般若波羅蜜多善
現脩除遣八解脫是脩般若波羅蜜多善現
脩除遣八勝處是脩般若波羅蜜多善現脩

BD02261 號　大般若波羅蜜多經卷三一七　（20–10）

現脩除遣四無色定是脩般若波羅蜜多善
現脩除遣八解脫是脩般若波羅蜜多善現
脩除遣八勝處是脩般若波羅蜜多善現脩
除遣九次第定是脩般若波羅蜜多善現脩
除遣十遍處是脩般若波羅蜜多善現脩除
遣空解脫門是脩般若波羅蜜多善現脩除
遣無相無願解脫門是脩般若波羅蜜多善
現脩除遣五眼是脩般若波羅蜜多善現脩
除遣六神通是脩般若波羅蜜多善現脩除
遣三摩地門是脩般若波羅蜜多善現脩除
遣陁羅尼門是脩般若波羅蜜多善現脩除
遣佛十力是脩般若波羅蜜多脩除遣四無
所畏四無礙解大慈大悲大喜大捨十八佛
不共法是脩般若波羅蜜多善現脩除遣預
流果是脩般若波羅蜜多脩除遣一來不還
阿羅漢果是脩般若波羅蜜多善現脩除遣
獨覺菩提是脩般若波羅蜜多善現脩除遣
一切智是脩般若波羅蜜多脩除遣道相智
一切相智是脩般若波羅蜜多
尒時佛告具壽善現言善現應依甚深般若
波羅蜜多驗知不退轉菩薩摩訶薩若菩薩
摩訶薩於深般若波羅蜜多不生執著當知
是為不退轉菩薩摩訶薩善現應依甚深靜
慮波羅蜜多驗知不退轉菩薩摩訶薩若菩
薩摩訶薩於深靜慮波羅蜜多不生執著當
知是為不退轉菩薩摩訶薩善現應依甚深
精進波羅蜜多驗知不退轉菩薩摩訶薩若
菩薩摩訶薩於深精進波羅蜜多不生執著

BD02261 號　大般若波羅蜜多經卷三一七　（20–11）

薩摩訶薩於深靜慮波羅蜜多不生執著當
知是為不退轉菩薩摩訶薩善現應依甚深
精進波羅蜜多驗知不退轉菩薩摩訶薩若
菩薩摩訶薩於深精進波羅蜜多不生執著
當知是為不退轉菩薩摩訶薩善現應依甚
深安忍波羅蜜多驗知不退轉菩薩摩訶薩
若菩薩摩訶薩於深安忍波羅蜜多不生執
著當知是為不退轉菩薩摩訶薩善現應依
甚深淨戒波羅蜜多驗知不退轉菩薩摩訶
薩若菩薩摩訶薩於深淨戒波羅蜜多不生
執著當知是為不退轉菩薩摩訶薩善現應
依甚深布施波羅蜜多驗知不退轉菩薩摩
訶薩若菩薩摩訶薩於深布施波羅蜜多
不生執著當知是為不退轉菩薩摩訶薩善現
應依內空驗知不退轉菩薩摩訶薩若菩薩
摩訶薩於內空不生執著當知是為不退轉
菩薩摩訶薩應依外空內外空空空大空勝
義空有為空無為空畢竟空無際空散空無
變異空本性空自相空共相空一切法空不
可得空無性空自性空無性自性空驗知不
退轉菩薩摩訶薩若菩薩摩訶薩於外空乃
至無性自性空不生執著當知是為不退轉
菩薩摩訶薩善現應依真如驗知不退轉菩
薩摩訶薩若菩薩摩訶薩於真如不生執著
當知是為不退轉菩薩摩訶薩應依法界法
性不虛妄性不變異性平等性離生性法定
法住實際虛空界不思議界驗知不退轉菩
薩摩訶薩若菩薩摩訶薩於法界乃至不思

BD02261 號　大般若波羅蜜多經卷三一七　（20–12）

當知是為不退轉菩薩摩訶薩應依法界法
性不虛妄性不變異性平等性離生性法定
法住實際虛空界不思議界驗知不退轉菩
薩摩訶薩若菩薩摩訶薩於法界乃至不思
議界不生執著當知是為不退轉菩薩摩訶
薩善現應依四念住驗知不退轉菩薩摩訶
薩若菩薩摩訶薩於四念住不生執著當知
是為不退轉菩薩摩訶薩應依四正斷四神
足五根五力七等覺支八聖道支驗知不退
轉菩薩摩訶薩若菩薩摩訶薩於四正斷乃
至八聖道支不生執著當知是為不退轉菩
薩摩訶薩善現應依苦聖諦驗知不退轉菩
薩摩訶薩若菩薩摩訶薩於苦聖諦不生執
著當知是為不退轉菩薩摩訶薩應依集滅
道聖諦驗知不退轉菩薩摩訶薩若菩薩摩
訶薩於集滅道聖諦不生執著當知是為不
退轉菩薩摩訶薩善現應依四靜慮驗知不
退轉菩薩摩訶薩若菩薩摩訶薩於四靜慮
不生執著當知是為不退轉菩薩摩訶薩善
現應依四無量驗知不退轉菩薩摩訶薩若
菩薩摩訶薩於四無量不生執著當知是為
不退轉菩薩摩訶薩善現應依四無色定驗
知不退轉菩薩摩訶薩若菩薩摩訶薩於四
無色定不生執著當知是為不退轉菩薩摩
訶薩善現應依八解脫驗知不退轉菩薩摩
訶薩若菩薩摩訶薩於八解脫不生執著當
知是為不退轉菩薩摩訶薩善現應依八勝
處驗知不退轉菩薩摩訶薩若菩薩摩訶薩

BD02261號　大般若波羅蜜多經卷三一七　（20–13）

訶薩若菩薩摩訶薩於八解脫不生執著當
知是為不退轉菩薩摩訶薩善現應依八勝
處驗知不退轉菩薩摩訶薩若菩薩摩訶薩
於八勝處不生執著當知是為不退轉菩薩
摩訶薩善現應依九次第定驗知不退轉菩
薩摩訶薩若菩薩摩訶薩於九次第定不生
執著當知是為不退轉菩薩摩訶薩善現應
依十遍處驗知不退轉菩薩摩訶薩若菩薩
摩訶薩於十遍處不生執著當知是為不退
轉菩薩摩訶薩善現應依空解脫門驗知不
退轉菩薩摩訶薩若菩薩摩訶薩於空解脫
門不生執著當知是為不退轉菩薩摩訶薩
應依無相無願解脫門驗知不退轉菩薩摩
訶薩若菩薩摩訶薩於無相無願解脫門不
生執著當知是為不退轉菩薩摩訶薩善現
應依五眼驗知不退轉菩薩摩訶薩若菩薩
摩訶薩於五眼不生執著當知是為不退轉
菩薩摩訶薩善現應依六神通驗知不退轉
菩薩摩訶薩若菩薩摩訶薩於六神通不生
執著當知是為不退轉菩薩摩訶薩善現應
依三摩地門驗知不退轉菩薩摩訶薩若菩薩
摩訶薩於三摩地門不生執著當知是為
不退轉菩薩摩訶薩善現應依陀羅尼門驗
知不退轉菩薩摩訶薩若菩薩摩訶薩於陀
羅尼門不生執著當知是為不退轉菩薩摩
訶薩善現應依佛十力驗知不退轉菩薩摩
訶薩若菩薩摩訶薩於佛十力不生執著當
知是為不退轉菩薩摩訶薩應依四無所畏

BD02261號　大般若波羅蜜多經卷三一七　（20–14）

訶薩善現應依佛十力驗知不退轉菩薩摩
訶薩若菩薩摩訶薩於佛十力不生執著當
知是為不退轉菩薩摩訶薩應依四無所畏
四無礙解大慈大悲大喜大捨十八佛不
共法驗知不退轉菩薩摩訶薩若菩薩摩訶
薩於四無所畏乃至十八佛不共法不生執著
當知是為不退轉菩薩摩訶薩善現應依一
切智驗知不退轉菩薩摩訶薩若菩薩摩訶
薩於一切智不生執著當知是為不退轉菩
薩摩訶薩應依道相智一切相智驗知不退
轉菩薩摩訶薩若菩薩摩訶薩於道相智一
切相智不生執著當知是為不退轉菩薩摩
訶薩
善現諸有不退轉菩薩摩訶薩行深般若波
羅蜜多不觀他語及他教勅以為真要善現
諸有不退轉菩薩摩訶薩行深般若波羅蜜
多非但信他而有所作善現諸有不退轉菩
薩摩訶薩行深般若波羅蜜多不為貪心之
所牽引不為瞋心之所牽引不為癡心之所牽
引不為慢心之所牽引不為種種餘雜染心
之所牽引善現諸有不退轉菩薩摩訶薩行
深般若波羅蜜多不離布施波羅蜜多不
離淨戒安忍波羅蜜多不離
精進波羅蜜多不離靜慮般
若波羅蜜多善現諸有不退轉菩薩摩訶薩
聞說如是甚深般若波羅蜜多其心不驚不
恐不怖不沉不沒亦不退捨於深般若波羅
蜜多歡喜樂聞受持讀誦究竟通利繫念

BD02261號　大般若波羅蜜多經卷三一七　（20–15）

若波羅蜜多善現諸有不退轉菩薩摩訶薩
聞說如是甚深般若波羅蜜多其心不驚不
恐不怖不沉不沒亦不退捨於深般若波羅
蜜多歡喜樂聞受持讀誦究竟通利繫念
思惟如說脩行曾無厭倦善現當知如是不退
轉菩薩摩訶薩先世已聞甚深般若波羅蜜
多所有義趣受持讀誦如理思惟何以故善
現由此不退轉菩薩摩訶薩聞說如是甚深
般若波羅蜜多其心不驚不恐不怖不沉不
沒亦不退捨於深般若波羅蜜多歡喜樂聞受
持讀誦究竟通利繫念思惟如說脩行無
厭倦故
具壽善現白佛言世尊若菩薩摩訶薩聞說
如是甚深般若波羅蜜多其心不驚不恐不
怖不沉不沒亦不退捨是菩薩摩訶薩云何
脩行甚深般若波羅蜜多佛言善現是菩薩
摩訶薩相續隨順趣向臨入一切智智應作
如是行深般若波羅蜜多世尊是菩薩摩訶
薩云何相續隨順趣向臨入一切智智行深般
若波羅蜜多善現若菩薩摩訶薩相續隨
順趣向臨入空行深般若波羅蜜多是為菩
薩摩訶薩相續隨順趣向臨入一切智智行
深般若波羅蜜多善現若菩薩摩訶薩相續
隨順趣向臨入無相行深般若波羅蜜多是
為菩薩摩訶薩相續隨順趣向臨入一切智
智行深般若波羅蜜多善現若菩薩摩訶薩
相續隨順趣向臨入無願行深般若波羅蜜
多是為菩薩摩訶薩相續隨順趣向臨入一

BD02261號　大般若波羅蜜多經卷三一七　（20–16）

智行深般若波羅蜜多善現若菩薩摩訶薩
相續隨順趣向臨入無顛行深般若波羅蜜
多是為菩薩摩訶薩相續隨順趣向臨入一
切智智行深般若波羅蜜多善現若菩薩摩
訶薩相續隨順趣向臨入虛空行深般若波
羅蜜多是為菩薩摩訶薩相續隨順趣向臨
入一切智智行深般若波羅蜜多善現若菩
薩摩訶薩相續隨順趣向臨入無所有行深
般若波羅蜜多是為菩薩摩訶薩相續隨順
趣向臨入一切智智行深般若波羅蜜多善現
若菩薩摩訶薩相續隨順趣向臨入無生無
滅行深般若波羅蜜多是為菩薩摩訶薩
相續隨順趣向臨入一切智智行深般若波
羅蜜多善現若菩薩摩訶薩相續隨順趣向
臨入無染無淨行深般若波羅蜜多是為菩
薩摩訶薩相續隨順趣向臨入一切智智行
深般若波羅蜜多善現若菩薩摩訶薩相續
隨順趣向臨入真如行深般若波羅蜜多是
為菩薩摩訶薩相續隨順趣向臨入一切智
智行深般若波羅蜜多善現若菩薩摩訶薩
相續隨順趣向臨入法界行深般若波羅蜜
多是為菩薩摩訶薩相續隨順趣向臨入一
切智智行深般若波羅蜜多善現若菩薩摩
訶薩相續隨順趣向臨入法性行深般若波
羅蜜多是為菩薩摩訶薩相續隨順趣向臨
入一切智智行深般若波羅蜜多善現若菩
薩摩訶薩相續隨順趣向臨入不虛妄性行

BD02261號　大般若波羅蜜多經卷三一七　（20–17）

羅蜜多是為菩薩摩訶薩相續隨順趣向臨
入一切智智行深般若波羅蜜多善現若菩
薩摩訶薩相續隨順趣向臨入不虛妄性行
深般若波羅蜜多是為菩薩摩訶薩相續隨
順趣向臨入一切智智行深般若波羅蜜多善
現若菩薩摩訶薩相續隨順趣向臨入不變
異性行深般若波羅蜜多是為菩薩摩訶薩
相續隨順趣向臨入一切智智行深般若波羅
蜜多善現若菩薩摩訶薩相續隨順趣向臨
入平等性行深般若波羅蜜多是為菩薩摩
訶薩相續隨順趣向臨入一切智智行深般若波
羅蜜多善現若菩薩摩訶薩相續隨順趣向臨入
離生性行深般若波羅蜜多是為菩薩摩訶薩
相續隨順趣向臨入一切智智行深般若波羅
蜜多善現若菩薩摩訶薩相續隨順趣向臨
入法定行深般若波羅蜜多是為菩薩摩訶
薩相續隨順趣向臨入一切智智行深般若
波羅蜜多善現若菩薩摩訶薩相續隨順趣
向臨入法住行深般若波羅蜜多是為菩薩
摩訶薩相續隨順趣向臨入一切智智行深
般若波羅蜜多善現若菩薩摩訶薩相續隨
順趣向臨入實際行深般若波羅蜜多是為
菩薩摩訶薩相續隨順趣向臨入一切智智
行深般若波羅蜜多善現若菩薩摩訶薩相
續隨順趣向臨入虛空界行深般若波羅蜜
多是為菩薩摩訶薩相續隨順趣向臨入一
切智智行深般若波羅蜜多善現若菩薩摩

BD02261號　大般若波羅蜜多經卷三一七　（20–18）

續隨順趣向臨入虛空界行深般若波羅蜜
多是為菩薩摩訶薩相續隨順趣向臨入一
切智智行深般若波羅蜜多善現若菩薩摩
訶薩相續隨順趣向臨入不思議界行深般
若波羅蜜多是為菩薩摩訶薩相續隨順趣
向臨入一切智智行深般若波羅蜜多善現
若菩薩摩訶薩相續隨順趣向臨入無造作
行深般若波羅蜜多是為菩薩摩訶薩相續
隨順趣向臨入一切智智行深般若波羅蜜
多善現若菩薩摩訶薩相續隨順趣向臨入
幻行深般若波羅蜜多是為菩薩摩訶薩相
續隨順趣向臨入一切智智行深般若波羅
蜜多善現若菩薩摩訶薩相續隨順趣向臨
入夢行深般若波羅蜜多是為菩薩摩訶薩
相續隨順趣向臨入一切智智行深般若波
羅蜜多善現若菩薩摩訶薩相續隨順趣向
臨入響行深般若波羅蜜多是為菩薩摩訶
薩相續隨順趣向臨入一切智智行深般若
波羅蜜多善現若菩薩摩訶薩相續隨順趣
向臨入像行深般若波羅蜜多是為菩薩摩
訶薩相續隨順趣向臨入一切智智行深般
若波羅蜜多善現若菩薩摩訶薩相續隨順
趣向臨入光影行深般若波羅蜜多是為菩
薩摩訶薩相續隨順趣向臨入一切智智行
深般若波羅蜜多善現若菩薩摩訶薩相續
隨順趣向臨入陽焰行深般若波羅蜜多是為
菩薩摩訶薩相續隨順趣向臨入一切智智
行深般若波羅蜜多善現若菩薩摩訶薩相

BD02261 號　大般若波羅蜜多經卷三一七

(20–19)

薩相續隨順趣向臨入一切智智行深般若
波羅蜜多善現若菩薩摩訶薩相續隨順趣
向臨入像行深般若波羅蜜多是為菩薩摩
訶薩相續隨順趣向臨入一切智智行深般
若波羅蜜多善現若菩薩摩訶薩相續隨順
趣向臨入光影行深般若波羅蜜多是為菩
薩摩訶薩相續隨順趣向臨入一切智智行
深般若波羅蜜多善現若菩薩摩訶薩相續
隨順趣向臨入陽焰行深般若波羅蜜多是為
菩薩摩訶薩相續隨順趣向臨入一切智智
行深般若波羅蜜多善現若菩薩摩訶薩相
續隨順趣向臨入變化事行深般若波羅蜜
多是為菩薩摩訶薩相續隨順趣向臨入
一切智智行深般若波羅蜜多善現若菩薩
摩訶薩相續隨順趣向臨入尋香城行深般
若波羅蜜多是為菩薩摩訶薩相續隨順趣
向臨入一切智智行深般若波羅蜜多

大般若波羅蜜多經卷第三百一十七

BD02261 號　大般若波羅蜜多經卷三一七

(20–20)

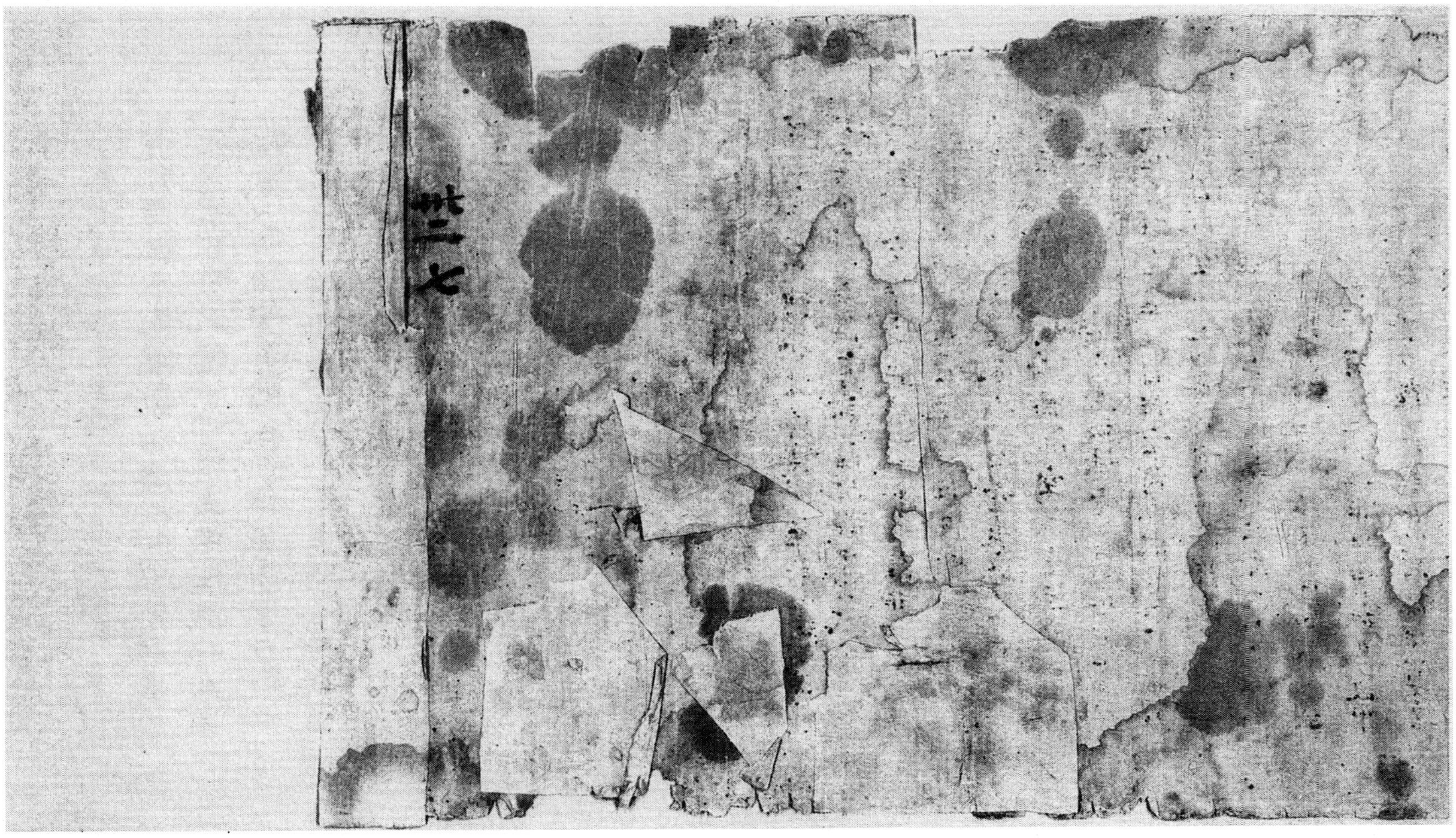
卌二七

BD02261 號背　勘記　　（1–1）

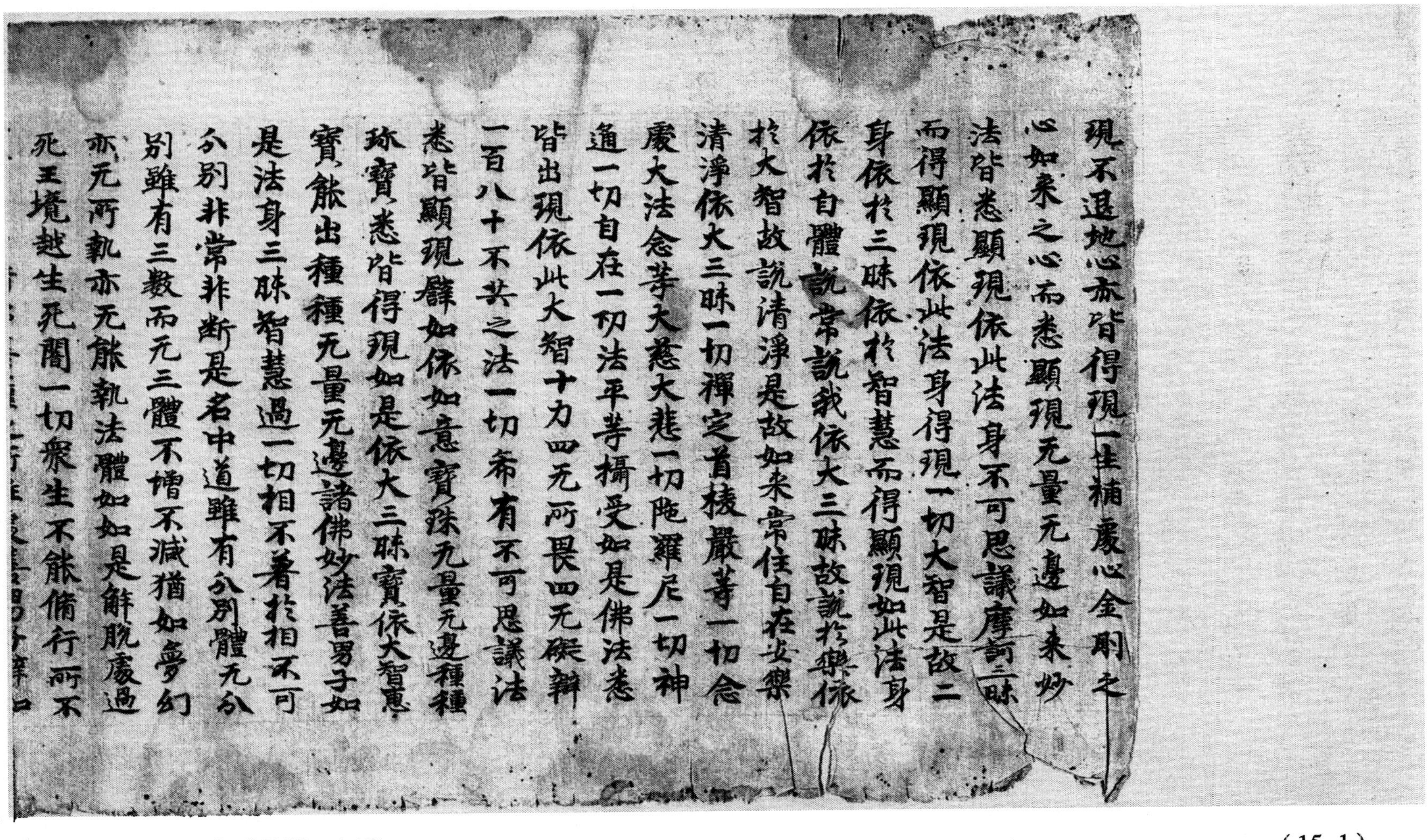
現不退地心亦皆得現一生補處心金剛之
心如来之心而悉顯現无量无邊如来妙
法皆悉顯現依此法身不可思議摩訶三昧
而得顯現依此法身得現一切大智是故二
身依於三昧依於智慧而得顯現如此法身
依於自體說常說我依大三昧故說於樂依
於大智故說清淨是故如来常住自在安樂
清淨依大三昧一切禪定首楞嚴等一切念
處大法念等大慈大悲一切陁羅尼一切神
通一切自在一切法平等攝受如是佛法悉
皆出現依此大智十力四无所畏四无礙辯
一百八十不共之法一切希有不可思議法
悉皆顯現譬如依如意寶珠无量无邊種種
珎寶悉皆得現如是依大三昧寶依大智慧
寶能出種種无量无邊諸佛妙法善男子如
是法身三昧智慧過一切相不著於相不可
分別非常非斷是名中道雖有分別體无分
別雖有三數而无三體不增不減猶如夢幻
亦无所執亦无能執法體如如是解脫處過
死王境越生死闇一切衆生不能脩行所不

BD02262 號　金光明最勝王經卷二　　（15–1）

分别非常非断是名中道雖有分别體无分
别雖有三數而无三體不增不減猶如夢幻
亦无所執亦无能執法體如如是解脫處過
死王境越生死闇一切衆生不能脩行所不
能至一切諸佛菩薩之所住處善男子譬如
有人願欲得金處處求覓遂得金礦既得
礦已即便碎之擇取精者爐中銷鍊得清淨金
隨意迴轉作諸鐶釧種種嚴具雖有諸用
金性不改
復次善男子若善男子善女人求勝解脫脩
行世善得見如來及弟子衆得親近已白佛
言世尊何者為善何者不善何者正脩得清
淨行諸佛如來及弟子衆見彼問時如是思
惟是善男子善女人欲求清淨欲聽正法即
便為說令其開悟彼既聞已正念憶持發心
脩行得精進力除嬾惰障滅一切罪於諸學
處離不尊重息掉悔心入於初地依初地心
除利有情障得入二地於此地中除不逼惱障
入於三地於此地中除心軟淨障入於四
地於此地中除善方便障入於五地於此地中
除見真俗障入於六地於此地中除見行相
障入於七地於此地中除不見滅相障入
於八地於此地中除業見生相障入於九地
於此地中除六通障入於十地於此地中除
所知障除根本心入如來地如來地者由三

BD02262號　金光明最勝王經卷二

（15–2）

於八地於此地中業見生相障入於九地
於此地中除六通障入於十地於此地中除
所知障除根本心入如來地如來地者由三
淨故名極清淨云何為三一者煩惱淨二者
業淨三者相淨譬如真金鎔銷治鍊既燒打
已无復塵垢為顯金性本清淨故金體清
淨非謂无金譬如濁水澄渟清淨无復滓穢
為顯水性本清淨故非謂无水如是法身與
煩惱雜苦集除已无復餘習為顯佛性本清淨
故非謂无體譬如虛空烟雲塵霧之所障蔽
若除屏已是空界淨非謂无空如是法身一
切衆苦悉皆盡故說為清淨非謂无體譬如
有人於睡夢中見大河水漂泛其身運手動
足截流而渡得至彼岸由彼身心不懈退故
從夢覺已不見有水彼此岸別非謂无心生
死妄想既滅盡已是覺清淨非謂无覺如是
法界一切妄想不復生故說為清淨非是諸
佛无其實體
復次善男子是法身者惑障清淨能現應身
業障清淨能現化身智障清淨能現法身譬
如依空出電依電出光如是依法身故能現
應身依應身故能現化身由性淨故能現法
身智慧清淨能現應身三昧清淨能現化身
此三清淨是法如如不異如如一味如如解脫
如如究竟如如是故諸佛體无有異善男

BD02262號　金光明最勝王經卷二

（15–3）

身智慧清淨能現應身三昧清淨能現化身
此三清淨是法如如不異如如一味如如解脫
如如究竟如如是故諸佛體无有異善男
子若有善男子善女人說於如來是我大師
若作如是決定信者此人即應深心解了如
來之身无有別異善男子以是義故於諸境
界不正思惟悉皆除斷即知彼法无有二相
亦无分別聖所脩行如如於彼无有二相正
脩行故如是如是一切諸障悉皆除滅如如
一切障滅如是如是法如如如智得最清
淨如如法界正智清淨如是如是一切自在
具足攝受皆得成就一切諸障悉皆除滅一
切諸障得清淨故是名真如正智真實之相
如是見者是名聖見是則名為真實見佛何
以故如實得見法真如故是故諸佛悉能普
見一切如來何以故聲聞獨覺已出三界求
真實境不能知見如是聖人所不知見一切
凡夫皆生疑惑顛倒分別不能得度如兔浮
海必不能過所以者何力微劣故凡夫之人
亦復如是不能通達法如如故然諸如來无
分別心於一切法得大自在具足清淨深智
慧故是自境界不共他故是故諸佛如來於
无量无邊阿僧祇劫不惜身命難行苦行方
得此身最上无比不可思議過言說境是妙
寂靜離諸怖畏

BD02262號　金光明最勝王經卷二　（15–4）

得此身最上无比不可思議過言說境是妙
寂靜離諸怖畏
善男子如是知見法真如者无生老死壽命
无限无有睡眠亦无飢渴心常在定无有散
動若於如來起諍論心是則不能見於如來
諸佛所說皆能利益有聽聞者无不解脫諸
惡禽獸惡人惡鬼不相逢值由聞法故果報
无盡然諸如來无記事一切境界无欲知
心生死涅槃无有異想如來所記无不決定
諸佛如來四威儀中无非智攝一切諸法无
有不為慈悲所攝无有不為利益安樂諸眾
生者善男子若有善男子善女人於此金光
明經聽聞信解不墮地獄餓鬼傍生阿蘇羅
道常處人天不生下賤恒得親近諸佛如來
聽受正法常生諸佛清淨國土所以者何由
得聞此甚深法故是善男子善女人則為如
來已知已記當得不退阿耨多羅三藐三菩
提若善男子善女人於此甚深微妙之法一
經耳者當知是人不謗如來不毀正法不輕
聖眾一切眾生未種善根令得種故已種善
根令增長成熟故一切世界所有眾生皆勸
脩行六波羅蜜多
爾時虛空藏菩薩梵釋四王諸天眾等即從
座起偏袒右肩合掌恭敬頂禮佛足白佛言
世尊若所在處講說如是金光明王微妙經

BD02262號　金光明最勝王經卷二　（15–5）

尒時虛空藏菩薩梵釋四王諸天衆等即從
座起偏袒右肩合掌恭敬頂礼佛足白佛言
世尊若所在處講說如是金光明王微妙經
典於其國土有四種利益何者為四一者國
王軍衆強盛无諸怨敵離於疾病壽命延長
吉祥安樂正法興顯二者中宮妃后王子諸
臣和悅无諍離於諂佞王所愛重三者沙門
婆羅門及諸國人脩行正法无病安樂无枉
死者於諸福田悉皆脩立四者於三時中四
大調適常為諸天增加守護慈悲平等无傷
害心令諸衆生歸敬三寶皆願脩習菩提之
行是為四種利益之事世尊我等亦常為弘
經故隨逐如是持經之人所在住處為作利
益佛言善哉善哉善男子如如是如是等應
當勤心流布此妙經王則令正法久住於世
金光明最勝王經夢見懺悔品第四
尒時妙幢菩薩親於佛前聞妙法已歡喜踊
躍一心思惟還至本處於夜夢中見大金鼓
光明晃耀猶如日輪於此光中得見十方无
量諸佛於寶樹下坐瑠璃座无量百千大衆
圍繞而為說法見一婆羅門桴擊金鼓出大
音聲聲中演說微妙伽他明懺悔法妙幢聞
已皆悉憶持繫念而住至天曉已與无量百
千大衆圍繞持諸供具出王舍城詣鷲峯山
至世尊所礼佛足已布設香華右繞三帀退

BD02262號　金光明最勝王經卷二

(15-6)

已皆悉憶持繫念而住至天曉已與无量百
千大衆圍繞持諸供具出王舍城詣鷲峯山
至世尊所礼佛足已布設香華右繞三帀退
坐一面合掌恭敬瞻仰尊顏白佛言世尊我
於夢中見婆羅門以手執桴擊妙金鼓出大
音聲聲中演說微妙伽他明懺悔法我皆憶
持唯願世尊降大慈悲聽我所說即於佛前
而說頌曰
我於昨夜中　夢見大金鼓　其形極姝妙　周遍有金光
猶如盛日輪　光明皆普耀　充滿十方界　咸見於諸佛
在於寶樹下　各處瑠璃座　无量百千衆　恭敬而圍繞
有一婆羅門　以杖擊金鼓　於其鼓聲內　說此妙伽他
金光明鼓出妙聲　遍至三千大千界
能滅三塗極重罪　及以人中諸苦厄
由此金鼓聲威力　永滅一切煩惱障
斷除怖畏令安隱　譬如自在牟尼尊
佛於生死大海中　積行脩成一切智
能令衆生覺品具　究竟咸歸功德海
由此金鼓出妙聲　普令聞者獲梵響
證得无上菩提果　常轉清淨妙法輪
住壽不可思議劫　隨機說法利群生
能斷煩惱衆苦流　貪瞋癡等皆除滅
若有衆生處惡趣　大火猛焰周遍身
若得聞是妙鼓音　即能離苦歸依佛
皆得成就宿命智　能憶過去百千生

BD02262號　金光明最勝王經卷二

(15-7)

[illegible]
若有眾生處惡趣　大火猛焰周遍身
若得聞是妙鼓音　即能離苦歸依佛
皆得成就宿命智　能憶過去百千生
悉皆正念牟尼尊　得聞如來甚深教
由聞金鼓勝妙音　常得親近於諸佛
悉能捨離諸惡業　純脩清淨諸善品
一切天人有情類　殷重至誠祈願者
得聞金鼓妙音聲　能令所求皆滿足
眾生墮在无間獄　猛火炎熾苦焚身
无有救護處輪迴　聞者能令苦除滅
人天餓鬼傍生中　所有現受諸苦難
得聞金鼓發妙響　皆蒙離苦得解脫
現在十方界　常住兩足尊　願以大悲心　哀愍憶念我
眾生无歸依　亦无有救護　為如是等類　能作大歸依
我先所作罪　極重諸惡業　今對十力前　至心皆懺悔
我不信諸佛　亦不敬尊親　不務脩眾善　常造諸惡業
或自恃尊高　種姓及財位　盛年行放逸　常造諸惡業
心恒起邪念　口陳於惡言　不見於過罪　常造諸惡業
恒作愚夫行　无明闇覆心　隨順不善友　常造諸惡業
或因諸戲樂　或復懷憂惱　為貪瞋所纏　故我造諸惡
親近不善人　及由慳嫉意　貧窮行諂誑　故我造諸惡
雖不樂眾過　由有怖畏故　及不得自在　故我造諸惡
或為躁動心　或因瞋恚故　及以飢渴惱　故我造諸惡
由飲食衣服　及貪愛女人　煩惱火所燒　故我造諸惡
於佛法僧眾　不生恭敬心　作如是眾罪　我今悉懺悔

親近不善人　及由慳嫉意　貧窮行諂誑　故我造諸惡
雖不樂眾過　由有怖畏故　及不得自在　故我造諸惡
或為躁動心　或因瞋恚故　及以飢渴惱　故我造諸惡
由飲食衣服　及貪愛女人　煩惱火所燒　故我造諸惡
於佛法僧眾　不生恭敬心　作如是眾罪　我今悉懺悔
於獨覺菩薩　亦无恭敬心　作如是眾罪　我今悉懺悔
无知謗正法　不孝於父母　作如是眾罪　我今悉懺悔
由愚癡憍慢　及以貪瞋力　作如是眾罪　我今悉懺悔
我於十方界　供養无數佛　當願拔眾生　令離諸苦難
願一切有情　皆令住十地　福智圓滿已　成佛導群迷
我為諸眾生　苦行百千劫　以大智慧力　皆令出苦海
我為諸含識　演說甚深經　最勝金光明　能除諸惡業
若人百千劫　造諸極重罪　暫時能發露　眾惡盡消除
依此金光明　作如是懺悔　由斯能速盡　一切諸苦業
勝定百千種　不思議總持　根力覺道支　脩習常无倦
我當至十地　具足珍寶處　圓滿佛功德　濟度生死流
我於諸佛海　甚深功德藏　妙智難思議　皆令得具足
唯願十方佛　觀察護念我　皆以大悲心　哀受我懺悔
我於多劫中　所造諸惡業　由斯生苦惱　哀愍願消除
我造諸惡業　常生憂怖心　於四威儀中　曾无歡樂想
諸佛具大悲　能除眾生怖　願受我懺悔　令得離憂苦
我有煩惱障　及以諸報業　願以大悲水　洗濯令清淨
我先作諸罪　及現造惡業　至心皆發露　咸願得蠲除
未來諸惡業　防護令不起　設令有違者　終不敢覆藏
身三語四種　意業復有三　繫縛諸有情　无始恒相續
由斯三種行　造作十惡業　如是眾多罪　我今皆懺悔

我先作諸罪 及現造惡業 至心皆發露 咸願得蠲除
未來諸惡業 防護令不起 設令有違者 終不敢覆藏
身三語四種 意業復有三 繫縛諸有情 无始恒相續
由斯三種行 造作十惡業 如是衆多罪 我今皆懺悔
我造諸惡業 苦報當自受 今於諸佛前 至誠皆懺悔
於此贍部洲 及他方世界 所有諸善業 今我皆隨喜
願離十惡業 修行十善道 安住十地中 常見十方佛
我以身語意 所修福智業 願以此善根 速成无上慧
我今親對十力前 發露衆多苦難事
凡愚迷惑三有難 恒造極重惡業難
我所積集欲邪難 常起貪愛流轉難
於此世間耽著難 一切愚夫煩惱難
狂心散動顛倒難 及以親近惡友難
於生死中貪染難 瞋癡闇鈍造罪難
生八无暇惡處難 未曾積集功德難
我今皆於最勝前 懺悔无邊罪惡業
我今歸依諸善逝 我礼德海无上尊
如大金山照十方 惟願慈悲哀攝受
身色金光淨无垢 目如清淨紺瑠璃
吉祥威德名稱尊 大悲慧日除衆闇
佛日光明常普遍 善淨无垢離諸塵
牟尼月照極清涼 能除衆生煩惱熱
三十二相遍莊嚴 八十隨好皆圓滿
福德難思无與等 如日流光照世間
色如瑠璃淨无垢 猶如滿月處虛空
妙頗梨網映金軀 種種光明以嚴飾

BD02262號　金光明最勝王經卷二

（15–10）

福德難思无與等 如日流光照世間
色如瑠璃淨无垢 猶如滿月處虛空
妙頗梨網映金軀 種種光明以嚴飾
於生死苦暴流內 老病憂愁水所漂
如是苦海難堪忍 佛日舒光令永竭
我今稽首一切智 三千世界希有尊
光明晃耀紫金身 種種妙好皆嚴飾
如大海水量難知 大地微塵不可數
如妙高山叵稱量 亦[illegible]无有際
諸佛功德亦如是
於无量劫諦思惟
盡此大地諸山岳
毛端渧海尚可量
一切有情皆共讚
清淨相好妙莊嚴
我之所有衆善業
廣說正法利群生
降伏大力魔軍衆
久住劫數難思議
猶如過去諸最勝 六波羅蜜
滅諸貪欲及瞋癡 降伏煩惱除衆苦
願我常得宿命智 能憶過去百千生
亦常憶念牟尼尊 得聞諸佛甚深法
願我以斯諸善業 奉事无邊最勝尊
遠離一切不善因 恒得修行真妙法

BD02262號　金光明最勝王經卷二

（15–11）

願我常得宿命智　能憶過去百千生
亦常憶念牟尼尊　得聞諸佛甚深法
願我以斯諸善業　奉事无邊最勝尊
遠離一切不善因　恒得脩行真妙法
一切世界諸衆生　悉皆離苦得安樂
所有諸根不具足　令彼身相皆圓滿
若有衆生遭病苦　身形羸瘦无所依
咸令病苦得銷除　諸根色力皆充滿
若犯王法當刑戮　衆苦逼迫生憂惱
彼受如斯極苦時　无有歸依能救護
若受鞭杖枷鎖繫　種種苦具切其身
无量百千憂惱時　逼迫身心无蹔樂
皆令得免於繫縛　及以鞭杖苦楚事
將臨刑者得命全　衆苦皆令永除盡
若有衆生飢渴逼　令得種種殊勝味
盲者得視聾者聞　跛者能行瘂能語
貧窮衆生獲寶藏　倉庫盈溢无所乏
皆令得受上妙樂　无一衆生受苦惱
一切人天皆樂見　容儀溫雅甚端嚴
悉皆現受无量樂　受用豐饒福德具
隨彼衆生念伎樂　衆妙音聲皆現前
念水即現清涼池　金色蓮華泛其上
隨彼衆生心所念　飲食衣服及床敷
金銀珎寶妙瑠璃　瓔珞莊嚴皆具足
勿令衆生聞惡響　亦復不見有相違
所受容貌悉端嚴　各各慈心相愛樂

隨彼衆生心所念　飲食衣服及床敷
金銀珎寶妙瑠璃　瓔珞莊嚴皆具足
勿令衆生聞惡響　亦復不見有相違
所受容貌悉端嚴　各各慈心相愛樂
世間資生諸樂具　隨心念時皆滿足
所得珎財无悋惜　分布施與諸衆生
燒香末香及塗香　衆妙雜華非一色
每日三時從樹墮　隨心受用生歡喜
普願衆生咸供養　十方一切最勝尊
三乘清淨妙法門　菩薩獨覺聲聞衆
常願勿處於卑賤　不墮无暇八難中
生在有暇人中尊　恒得親承十方佛
願得常生富貴家　財寶倉庫皆盈滿
顏貌名稱无與等　壽命延長經劫數
悉願女人變為男　勇健聰明多智慧
一切常行菩薩道　勤脩六度到彼岸
常見十方无量佛　寶王樹下而安處
處妙瑠璃師子座　恒得親承轉法輪
若於過去及現在　輪迴三有造諸業
能招可猒不善趣　願得消滅永无餘
一切衆生於有海　生死羂網堅牢縛
願以智劍為斷除　離苦速證菩提處
衆生於此贍部內　或於他方世界中
所作種種勝福田　我今皆悉生隨喜
以此隨喜福德事　及身語意造衆善
願此勝業常增長　速證无上大菩提

所作種種勝福田　我今皆悉生隨喜
以此隨喜福德事　及身語意造眾善
願此勝業常增長　速證无上大菩提
所有礼讚佛功德　深心清淨无瑕穢
迴向發願福无邊　當超惡趣六十劫
若有男子及女人　婆羅門等諸勝族
合掌一心讚歎佛　生生常憶宿世事
諸根清淨身圓滿　殊勝功德皆成就
願於未來所生處　常得生天共瞻仰
非於一佛十佛所　脩諸善根今得聞
百千佛所種善根　方得聞斯懺悔法
尒時世尊聞此說已讚妙幢菩薩言善哉
善哉善男子如汝所夢金鼓出聲讚歎如來
真實功德并懺悔法若有聞者獲福甚多廣利
有情滅除罪障汝今應知此之勝業皆是過
去讚歎發願宿習因緣及由諸佛威力加護
此之因緣當為汝說時諸大眾聞是法已咸
皆歡喜信受奉行

金光明最勝王經卷第二

礦古猛　鍊連見　鎔欲鍾　渟大丁　桴霞于　鎖蘇果　縎古緣

BD02262號　金光明最勝王經卷二　（15-14）

此之因緣當為汝說時諸大眾聞是法已咸
皆歡喜信受奉行

金光明最勝王經卷第二

礦古猛　鍊連見　鎔欲鍾　渟大丁　桴霞于　鎖蘇果　縎古緣

BD02262號　金光明最勝王經卷二　（15-15）

BD02262號背　背面裱補紙及雜寫　　（1–1）

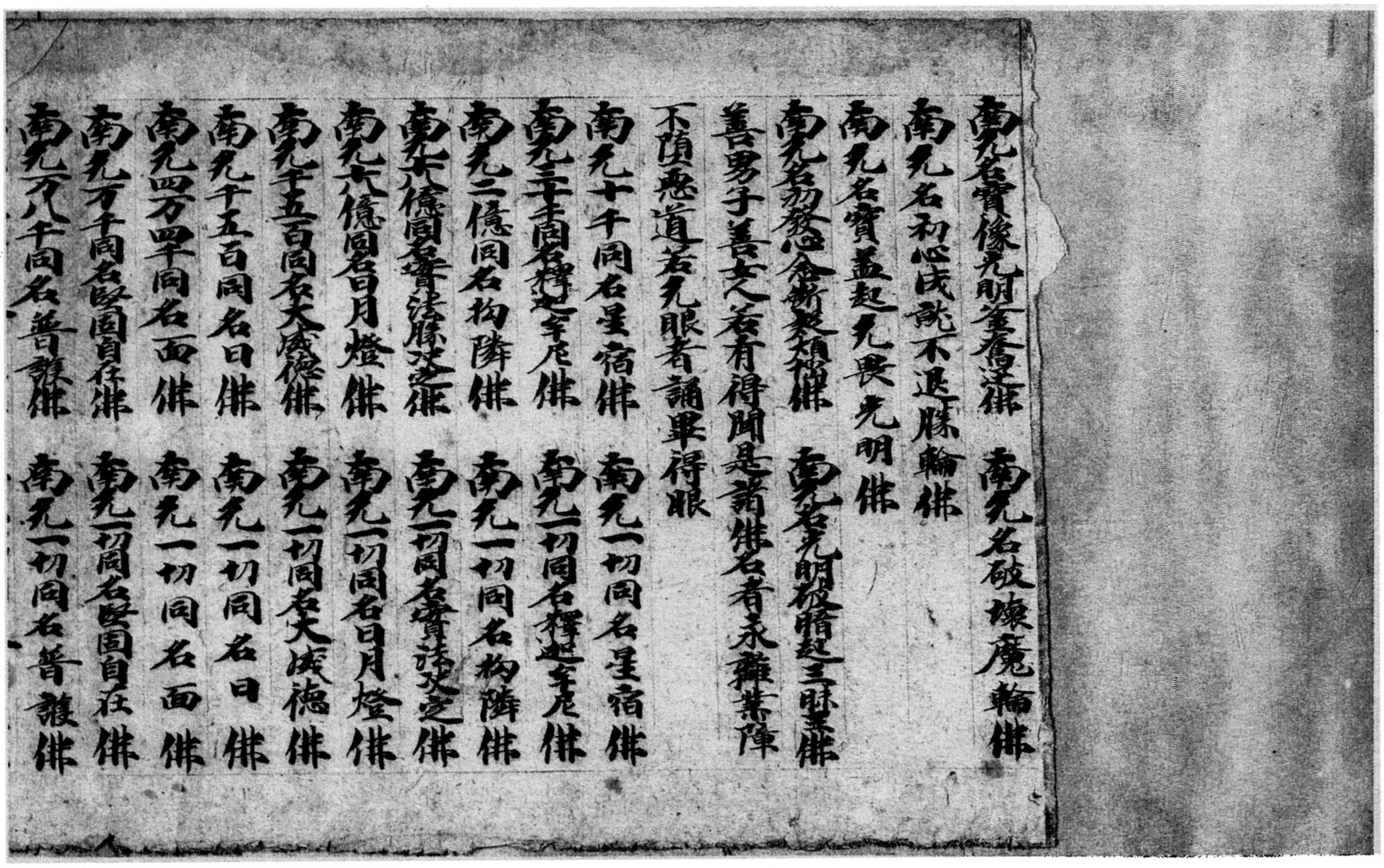

南无名寶像光明奮迅佛　南无名破壞魔輪佛
南无名初心成就不退勝輪佛
南无名寶蓋起无畏光明佛
南无名初發心念斷疑煩惱佛　南无名光明破暗起三昧王佛
善男子善女人若有得聞是諸佛名者永離業障
不墮惡道若无眼者誦畢得眼
南无十千同名星宿佛　南无一切同名星宿佛
南无三千同名釋迦牟尼佛　南无一切同名釋迦牟尼佛
南无二億同名拘隣佛　南无一切同名拘隣佛
南无八億同名寶法勝決定佛　南无一切同名寶法決定佛
南无六億同名日月燈佛　南无一切同名日月燈佛
南无千五百同名大威德佛　南无一切同名大威德佛
南无千五百同名日佛　南无一切同名日佛
南无四万四千同名面佛　南无一切同名面佛
南无万千同名堅固自在佛　南无一切同名堅固自在佛
南无万八千同名普護佛　南无一切同名普護佛

BD02263號　佛名經（十六卷本）卷二　　（14–1）

南无四万四千同名面佛　南无一切同名面佛
南无万千同名堅固自在佛　南无一切同名堅固自在佛
南无万八千同名普護佛　南无一切同名普護佛
南无千八百同名舍摩他佛　南无一切同名舍摩他佛
劫名善眼彼劫中有七十二那由他如來成佛
我悉歸命彼諸如來
劫名善見彼劫中有七十二億如來成佛
我悉歸命彼諸如來
劫名淨讚嘆彼劫中有一万八千如來成佛
我悉歸命彼諸如來
劫名善行彼劫中有三万二千如來成佛
我悉歸命彼諸如來
劫名莊嚴彼劫中有八万四千如來成佛
我悉歸命彼諸如來
南无現在住十方世界不捨命說諸法佛所謂
南无安樂世界中阿弥陀佛為上首
南无妙樂世界中阿閦如來為上首
南无迦裟幢世界中碎金剛堅佛為上首
南无不退輪吼世界中清淨光波頭摩花身如來為
上首
南无无垢世界中法幢如來為上首

BD02263號　佛名經（十六卷本）卷二　（14–2）

上首
南无无垢世界中法幢如來為上首
南无善燈世界中師子如來為上首
南无善住世界中盧舍那藏如來為上首
南无難過世界中功德華身如來為上首
南无莊嚴慧世界中一切通光明如來為上首
南无鏡輪光明世界中月智慧佛為上首
南无華勝世界中賢勝如來為上首
南无波頭摩勝世界中波頭摩勝如來為上首
南无不瞬世界中普賢如來為上首
南无普賢世界中自在王如來為上首
南无不可勝世界中成就一切義如來為上首
南无娑婆世界中釋迦牟尼佛為上首
南无善說為上首　南无自在幢王佛
南无作火光佛　南无无畏觀佛
如來等上首諸佛我以身口意業遍滿十方一時礼
拜讚歎供養彼諸如來所
滌境界不可量境界不可思議境界无量境界等
我悉以身口意業遍滿十方礼拜讚歎供養彼佛
世界中不退菩薩僧不退聲聞僧我悉以身口意業
遍滿十方頭面礼足讚歎供養

BD02263號　佛名經（十六卷本）卷二　（14–3）

我悉以身口意業遍滿十方礼拜讚歎供養彼佛
世界中不退菩薩僧不退聲聞僧我悉以身口意業
遍滿十方頭面礼足讚歎供養
南无降伏魔人自在佛　南无名降伏貪自在佛
南无名降伏瞋自在佛　南无名降伏癡自在佛
南无名降伏怒自在佛　南无名降伏見自在佛
南无名降伏諸獸自在佛　南无名了達法自在佛
南无名得神通自在稱佛　南无名得勝業自在稱佛
南无名起施自在稱佛　南无名起清淨聚自在稱佛
南无名起忍辱人自在稱佛　南无名起精進人自在稱佛
從此以上一千六百佛十二部經一切賢聖
南无名起禪那人自在稱佛　南无名福德清淨光明自在佛
南无名起陁羅尼自在稱佛　南无高勝佛
南无光明勝佛　南无大勝佛
南无散香上佛　南无多寶勝佛
南无月上勝佛　南无賢上勝佛
南无波頭摩上勝佛　南无无量上勝佛
南无波頭摩上勝佛　南无三昧手上勝佛
南无善說名稱佛　南无大海深勝佛
南无阿僧精進住勝佛　南无雙說一切法莊嚴勝佛
南无寶輪威德上勝佛　南无日輪上光明勝佛

BD02263號　佛名經（十六卷本）卷二　（14–4）

南无善說名稱佛　南无大海深勝佛
南无阿僧精進住勝佛　南无雙說一切法莊嚴勝佛
南无寶輪威德上勝佛　南无日輪上光明勝佛
南无无量慚愧金色上勝佛
南无功德海流金山金色光明勝佛
南无寶華普照勝佛　南无起无邊功德佛
南无起多羅王勝佛　南无樹王吼勝佛
南无法海潮勝佛　南无智清淨功德勝佛
南无樂劫火勝佛　南无不可思議光明勝佛
南无寶月光明勝佛　南无寶堅幢勝佛
南无成就義勝佛　南无寶成就勝佛
南无寶集勝佛　南无奮迅勝佛
南无不空勝佛　南无聞勝佛
南无海勝佛　南无住持勝佛
南无善行勝佛　南无龍勝佛
南无波頭摩勝佛　南无福德勝佛
南无智勝佛　南无妙勝佛
南无賢勝佛　南无勝賢勝佛
南无旃檀勝佛　南无勝旃檀勝佛
南无无量光明佛　南无幢勝佛
南无勝幢勝佛　南无无憂勝佛
南无離一切憂勝佛　南无寶丈如來

BD02263號　佛名經（十六卷本）卷二　（14–5）

南无无量光明佛　南无[illegible]佛
南无勝幢勝佛　南无无憂勝佛
南无離一切憂勝佛　南无寶杖如來
南无善寶杖佛　南无拘蘇摩勝佛
南无華勝佛　南无三昧奮迅勝佛
南无樹提勝佛　南无火勝佛
南无廣功德勝佛　南无衆勝佛
南无清淨光世界有佛積清淨增長勝上王佛
南无普光世界普花无畏王如來
南无普蓋世界名均寶莊嚴如來彼如來授羅
網光菩薩阿耨多羅三藐三菩提記
南无一寶蓋世界名无量寶境界如來彼如來授不
空奮迅境界菩薩阿耨多羅三藐三菩提記
南无相威德王世界名无量聲如來彼如來授即發
心轉法輪菩薩阿耨多羅三藐三菩提記
南无名稱世界須弥留聚集如來彼如來授光明
輪勝威德菩薩阿耨多羅三藐三菩提記
南无善住世界名虛空寂如來彼如來授月光明
菩薩阿耨多羅三藐三菩提記
南无地輪世界名稱力王如來彼如來授智稱菩薩
阿耨多羅三藐三菩提記
南无放月光世界放光明如來彼如來授光明輪

BD02263 號　佛名經（十六卷本）卷二　（14–6）

菩薩阿耨多羅三藐三菩提記
南无地輪世界名稱力王如來彼如來授智稱菩薩
阿耨多羅三藐三菩提記
南无放月光世界放光明如來彼如來授光明輪
菩薩阿耨多羅三藐三菩提記
南无袈裟幢世界名離袈裟如來彼如來授无量
寶發起菩薩阿耨多羅三藐三菩提記
南无波頭摩華世界種種花勝成就如來彼如來
授名无量精進菩薩阿耨多羅三藐三菩提記
南无一蓋世界名遠離諸怖毛竪如來彼如來授名
羅网光明菩薩阿耨多羅三藐三菩提記
南无種種幢世界名須弥留聚如來彼如來授大勝
菩薩阿耨多羅三藐三菩提記
南无普光世界名无障礙眼如來彼如來授名智
勝菩薩阿耨多羅三藐三菩提記
南无賢世界名栴檀屋如來授名智功德幢菩薩阿
耨多羅三藐三菩提記
南无賢慧世界名合聚如來彼如來授名妙智菩
薩阿耨多羅三藐三菩提記
南无寶首世界名羅网光明如來彼如來授名智功
德菩薩阿耨多羅三藐三菩提
南无安樂首世界名寶蓮華勝如來彼如來授

BD02263 號　佛名經（十六卷本）卷二　（14–7）

南无寶首世界名羅网光明如來彼如來授名焰功
德菩薩阿耨多羅三藐三菩提
南无安樂首世界名寶蓮華勝如來彼如來授
名波頭摩勝功德菩薩阿耨多羅三藐三菩提
南无稱世界名花寶光明勝如來彼如來授莱一莊
嚴菩薩阿耨多羅三藐三菩提記
南无賢辟世界名起賢光明如來彼如來授名寶光
明菩薩阿耨多羅三藐三菩提記
南无无畏世界名滅散一切怖畏如來彼如來授名
无畏菩薩阿耨多羅三藐三菩提記
南无弥留幢世界名弥留岸如來彼如來授名合聚
菩薩阿耨多羅三藐三菩提記
南无遠離一切憂惱障礙世界名无畏王如來彼如來
授名多贊贊菩薩阿耨多羅三藐三菩提記
南无法世界名作法如來彼如來授名智作菩薩
阿耨多羅三藐三菩提記
南无善住世界名百一十光明如來彼如來授名勝光
明菩薩阿耨多羅三藐三菩提記
南无普光明世界名千上光明如來彼如來授名普
光明菩薩阿耨多羅三藐三菩提記
南无多伽羅世界名智光明如來彼如來授名善眼
菩薩阿耨多羅三藐三菩提記

BD02263號　佛名經（十六卷本）卷二　（14–8）

明菩薩阿耨多羅三藐三菩提記
南无普光明世界名千上光明如來彼如來授名普
光明菩薩阿耨多羅三藐三菩提記
南无多伽羅世界名智光明如來彼如來授名善眼
菩薩阿耨多羅三藐三菩提記
南无香世界名寶勝光明如來彼如來授名无量光
明菩薩阿耨多羅三藐三菩提記
次礼十二部尊經大藏法輪
南无首楞嚴經　南无菩薩夢經
南无菩薩神通變化經　南无法界體性經
南无密藏經　南无般舟經
從此以上一千七百佛十二部經一切賢聖
南无起日月經　南无中本起經
南无无量壽經　南无百論經
南无寶梁經　南无善王皇帝經
南无發菩提心經　南无決罪福經
南无大乘方便經　南无法句經
南无蜜蜂王經　南无虛空藏經
南无辟支佛緣經　南无淨業障經
南无溫室洗浴經　南无太子讚經
南无眹經　南无光瑞經

BD02263號　佛名經（十六卷本）卷二　（14–9）

南无温室洗浴經　南无太子讃經
南无眹經　南无光瑞經
南无法句譬喻經　南无衆要阿毗曇經
南无三受經　南无三乘无當經
次礼十方諸大菩薩
南无妙光菩薩　南无无邊光菩薩
南无无量明菩薩　南无勇旋菩薩
南无普賢菩薩　南无勇智菩薩
南无度難菩薩　南无濟神菩薩
南无開化菩薩　南无淨智菩薩
南无安神菩薩　南无專通菩薩
南无无邊光菩薩　南无金剛慧菩薩
南无寶首菩薩　南无調慧菩薩
南无法藏菩薩　南无龍樹菩薩
南无淨藏菩薩　南无淨眼菩薩
南无大勢至菩薩　南无重真菩薩
南无成道菩薩　南无度難菩薩
南无弥陁羅菩薩
一　復次應稱辟支佛名
南无見人飛騰辟支佛　南无可波羅辟支佛
南无奈摩利辟支佛　南无月淨辟支佛

BD02263 號　佛名經（十六卷本）卷二　（14–10）

一　復次應稱辟支佛名
南无見人飛騰辟支佛　南无可波羅辟支佛
南无奈摩利辟支佛　南无月淨辟支佛
南无善智辟支佛　南无脩陁羅辟支佛
南无善法辟支佛　南无應求辟支佛
南无懸求辟支佛　南无大勢辟支佛
南无脩不著辟支佛　南无難捨辟支佛
歸命如是等无量无邊辟支佛
礼三寶已次復懺悔
弟子等略懺煩惱障竟今當次第懺悔業障夫
業能莊飾世趣在在處處是以思惟求離世解脫
所以六道果報種種不同形類各異當知皆是業力
所作所以佛十力中業力甚深凡夫之人多於中起疑
或何以故尒現見世間行善之人觸向轗軻為惡之者是
事諧偶謂言天下善惡无分如此計者皆是不能
深達業理何以故尒經中說言有三種業何等為三
一者現報二者生報三者後報現報業者現在作
善作惡現身受報生報業者此生作善作惡來
生受報後報業者或是過去无量生中作善作惡
或於此生中受或在未來无量生中方受其報向者行
惡之人現見好此是過去生報後報善業熟故所以現

BD02263 號　佛名經（十六卷本）卷二　（14–11）

或於此生中受或在未來无量生中方受其報向者行
惡之人現見好此是過去生報後報善業熟故所以現
在有此樂果豈關現在作諸惡業而得好報行善
之人現在見苦者是過去生中生報後報惡業熟故
現在善根力弱不能排遣是故得此苦報豈關現
在作善而招惡報何以知然現見世間爲善之者爲人
所讚歎人所尊重故知未來必招樂果過去既有如
此惡業所以諸佛菩薩教令親近善行共行行懺悔
善知識者於得道中則爲令利是故弟子等今日至
誠歸依佛
南无東方无量離垢佛　南无南方樹根華王佛
南无西方蓮華自在佛　南无北方金剛能破佛
南无東南方慧檀義勝佛　南无西南方金海自在王佛
南无西北方无邊法自在佛　南无東北方无㝵香象王佛
南无下方无㝵慧幢佛　南无上方甘露上王佛
如是十方盡虛空界一切三寶
弟子等无始以來至於今日積惡如恒沙造罪滿
天地捨身與受身不覺亦不知或作五逆深厚濁
纏无間罪業或造一闡提斷善根業輕誣佛語
謗方等業破滅三寶毀正法業不信罪福起十
惡業迷真返正癡或之業不孝二親反戾之業

BD02263號　佛名經（十六卷本）卷二　（14–12）

纏无間罪業或造一闡提斷善根業輕誣佛語
謗方等業破滅三寶毀正法業不信罪福起十
惡業迷真返正癡或之業不孝二親反戾之業
輕慢師長无礼敬業朋友不信不義之業或作
四重六重八重障聖道業毀犯五戒破八齋業五
篇七聚多缺犯業優婆塞戒輕重垢業或菩薩
戒不能清淨如說行業前後方便汙梵行業月
无六齋懈怠之業年三長齋不常脩業三千威
儀不如法業八万律儀微細罪業不脩身戒心慧之
業春秋八王造衆罪業行十六種惡律儀業於苦
衆生无慈傷業不矜不念无矜愍業不救不濟无
救護業心懷嫉忌无度彼業於怨親境不平等業耽
荒五欲不厭離業或因衣食園林池沼生蕩逸業或
以盛年放恣情欲造衆罪業或善有漏迴向三有
障出世業如是等業无量无邊今日發露向十方
佛尊法聖衆皆悉懺悔
願弟子等承是懺悔无間等罪諸業所生福善願
生生世世滅五逆罪除一闡提惑有如是輕重諸罪從
今以去乃至道場誓不更犯恒習出世清淨善法
精持律行守護威儀如度海者

BD02263號　佛名經（十六卷本）卷二　（14–13）

精持律行守護威儀如度海者
佛說佛名經卷第二

BD02263 號　佛名經（十六卷本）卷二　（14–14）

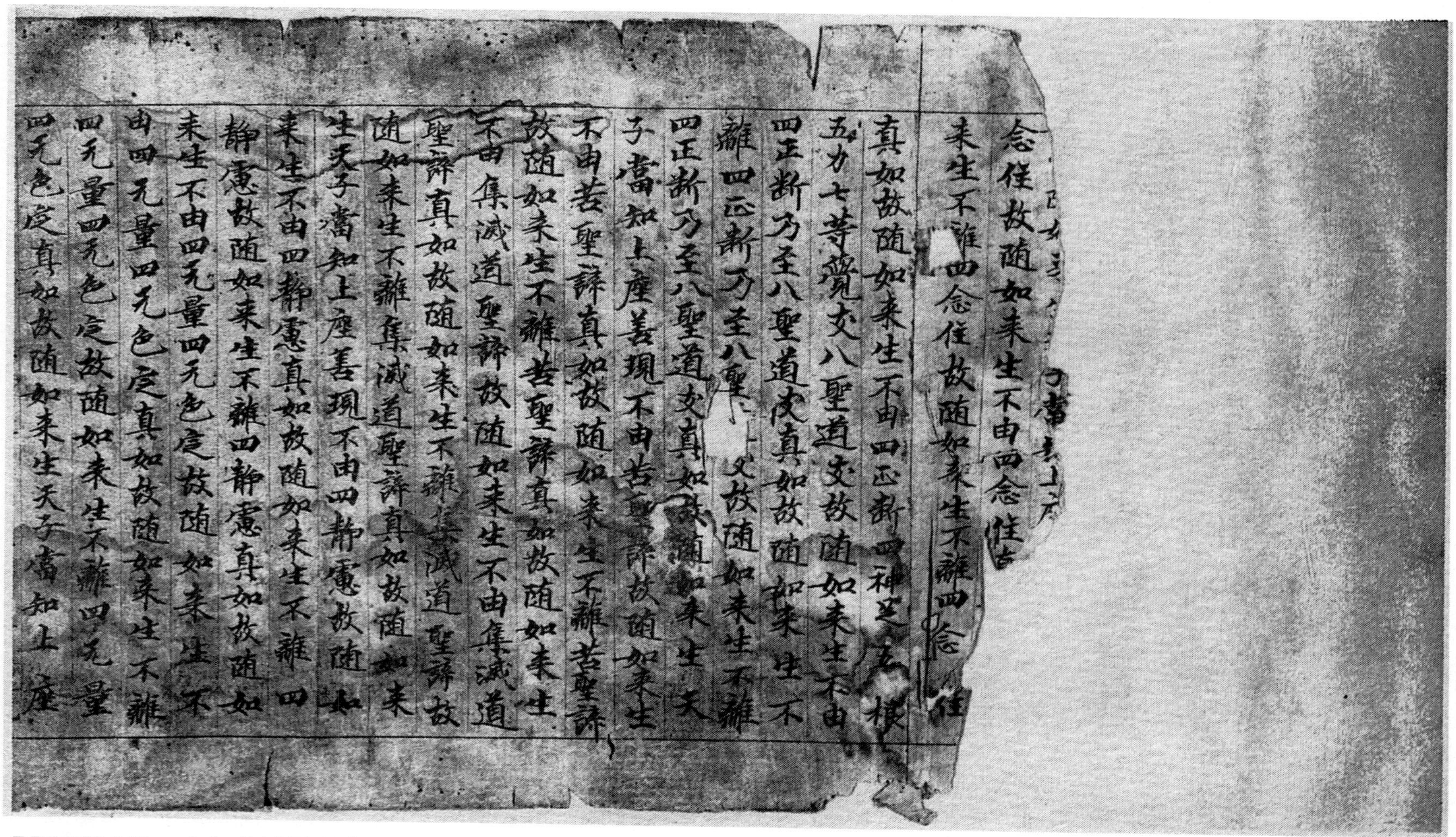
念住故随如来生不由四念住
来生不離四念住故随如来生不離四念住
真如故随如来生不由四正断四神足五根
五力七等覺支八聖道支故随如来生不由
四正断乃至八聖道支真如故随如来生不
離四正断乃至八聖道支故随如来生不離
四正断乃至八聖道支真如故随如来生天
子當知上座善現不由苦聖諦故随如来生
不由苦聖諦真如故随如来生不離苦聖諦
故随如来生不離苦聖諦真如故随如来生
不由集滅道聖諦故随如来生不由集滅道
聖諦真如故随如来生不離集滅道聖諦故
随如来生不離集滅道聖諦真如故随如来
生天子當知上座善現不由四静慮故随如
来生不由四静慮真如故随如来生不離四
静慮故随如来生不離四静慮真如故随如
来生不由四无量四无色定故随如来生不
由四无量四无色定真如故随如来生不離
四无量四无色定故随如来生不離四无量
四无色定真如故随如来生天子當知上座

BD02264 號　大般若波羅蜜多經卷三二二　（15–1）

靜慮故隨如來生不離四靜慮真如故隨如
來生不由四无量四无色定故隨如來生不
由四无量四无色定真如故隨如來生不離
四无量四无色定故隨如來生不離四无量
四无色定真如故隨如來生天子當知上座
善現不由八解脫故隨如來生不由八解脫
真如故隨如來生不離八解脫故隨如來生
不離八解脫真如故隨如來生不由八勝處
九次第定十遍處故隨如來生不由八勝處
九次第定十遍處真如故隨如來生不離八
勝處九次第定十遍處故隨如來生不離八
勝處九次第定十遍處真如故隨如來生天
子當知上座善現不由空解脫門故隨如來
生不由空解脫門真如故隨如來生不離空
解脫門故隨如來生不離空解脫門真如故
隨如來生不由无相无願解脫門故隨如來
生不由无相无願解脫門真如故隨如來生
不離无相无願解脫門故隨如來生不離无
相无願解脫門真如故隨如來生
天子當知上座善現不由五眼故隨如來生
不由五眼真如故隨如來生不離五眼故隨
如來生不離五眼真如故隨如來生不由六
神通故隨如來生不由六神通真如故隨如
來生不離六神通故隨如來生不離六神通
真如故隨如來生天子當知上座善現不由
三摩地門故隨如來生不由三摩地門真如
故隨如來生不離三摩地門故隨如來生不
離三摩地門真如故隨如來生不由陀羅尼
門故隨如來生不由陀羅尼門真如故隨如

BD02264號　大般若波羅蜜多經卷三二二　（15–2）

來生不離六神通故隨如來生不離六神通
真如故隨如來生天子當知上座善現不由
三摩地門故隨如來生不由三摩地門真如
故隨如來生不離三摩地門故隨如來生不
離三摩地門真如故隨如來生不由陀羅尼
門故隨如來生不由陀羅尼門真如故隨如
來生不離陀羅尼門故隨如來生不離陀羅
尼門真如故隨如來生天子當知上座善現
不由佛十力故隨如來生不由佛十力真如
故隨如來生不離佛十力故隨如來生不離
佛十力真如故隨如來生不由四无所畏四无
礙解大慈大悲大喜大捨十八佛不共法
故隨如來生不由四无所畏乃至十八佛不
共法真如故隨如來生不離四无所畏乃至
十八佛不共法故隨如來生不離四无所畏乃
至十八佛不共法真如故隨如來生天子當
知上座善現不由預流果故隨如來生不
由預流果真如故隨如來生不離預流果故
隨如來生不離預流果真如故隨如來生不
由一來不還阿羅漢果故隨如來生不由一
來不還阿羅漢果真如故隨如來生不離一
來不還阿羅漢果故隨如來生不離一來不
還阿羅漢果真如故隨如來生天子當知上
座善現不由獨覺菩提故隨如來生不由獨
覺菩提真如故隨如來生不離獨覺菩提故
隨如來生不離獨覺菩提真如故隨如來生
天子當知上座善現不由一切智故隨如來
生不由一切智真如故隨如來生不離一切
智故隨如來生不離一切智真如故隨如來

BD02264號　大般若波羅蜜多經卷三二二　（15–3）

覺菩提真如故隨如来生不離獨覺菩提故
隨如来生不離獨覺菩提真如故隨如来生
天子當知上座善現不由一切智故隨如来
生不由一切智真如故隨如来生不離一
智故隨如来生不離一切智真如故隨如来
生不由道相智一切相智故隨如来生不由
道相智一切相智真如故隨如来生不離道
相智一切相智故隨如来生不離道相智一
切相智真如故隨如来生天子當知上座善
現不由有為故隨如来生不由有為真如故
隨如来生不離有為故隨如来生不離有為
真如故隨如来生天子當知上座善現不由
无為故隨如来生不由无為真如故隨如来
生不離无為故隨如来生不離无為真如故
隨如来生何以故諸天子是一切法都无所
有諸隨生者若所隨生由此隨生及隨生處
皆不可得
尒時具壽舍利子白佛言世尊諸法真如法
界法性不虛妄性不變異性平等性離生性
法定法住實際虛空界不思議界皆冣甚深
世尊此中色不可得色真如亦不可得何以
故此中色尚不可得况有色真如可得此中
受想行識不可得受想行識真如亦不可
得何以故此中受想行識尚不可得况有受想
行識真如可得世尊此中眼處不可得眼處
真如亦不可得何以故此中眼處尚不可得
况有眼處真如可得此中耳鼻舌身意處不
可得耳鼻舌身意處真如亦不可得何以故

BD02264號　大般若波羅蜜多經卷三二二

（15–4）

行識真如可得世尊此中眼處不可得眼處
真如亦不可得何以故此中眼處尚不可得
况有眼處真如可得此中耳鼻舌身意處不
可得耳鼻舌身意處真如亦不可得何以故
此中耳鼻舌身意處尚不可得况有耳鼻舌
身意處真如可得世尊此中色處不可得色
處真如亦不可得何以故此中色處尚不可
得况有色處真如可得此中聲香味觸法處
不可得聲香味觸法處真如亦不可得何以
故此中聲香味觸法處尚不可得况有聲香
味觸法處真如可得世尊此中眼界不可得
眼界真如亦不可得何以故此中眼界尚不
可得况有眼界真如可得此中耳鼻舌身意
界不可得耳鼻舌身意界真如亦不可得何
以故此中耳鼻舌身意界尚不可得况有耳
鼻舌身意界真如可得世尊此中色界不可
得色界真如亦不可得何以故此中色界尚
不可得况有色界真如可得此中聲香味觸
法界不可得聲香味觸法界真如亦不可得
何以故此中聲香味觸法界尚不可得况有
聲香味觸法界真如可得世尊此中眼識界
不可得眼識界真如亦不可得何以故此中
眼識界尚不可得况有眼識界真如可得此
中耳鼻舌身意識界不可得耳鼻舌身意識
界真如亦不可得何以故此中耳鼻舌身意
識界尚不可得况有耳鼻舌身意識界真如
可得世尊此中眼觸不可得眼觸真如亦不
可得何以故此中眼觸尚不可得况有眼觸

BD02264號　大般若波羅蜜多經卷三二二

（15–5）

可得世尊此中眼觸不可得眼觸真如亦不
可得何以故此中眼觸尚不可得況有眼觸
真如可得世尊此中耳鼻舌身意觸不可得耳鼻
舌身意觸真如亦不可得何以故此中耳鼻
舌身意觸尚不可得況有耳鼻舌身意觸真
如可得世尊此中眼觸為緣所生諸受不可
得眼觸為緣所生諸受真如亦不可得何以
故此中眼觸為緣所生諸受尚不可得況有
眼觸為緣所生諸受真如可得此中耳鼻舌
身意觸為緣所生諸受不可得耳鼻舌身意
觸為緣所生諸受真如亦不可得何以故此
中耳鼻舌身意觸為緣所生諸受尚不可得
況有耳鼻舌身意觸為緣所生諸受真如可
得世尊此中地界不可得地界真如亦不可
得何以故此中地界尚不可得況有地界真
如可得此中水火風空識界不可得水火風
空識界真如亦不可得何以故此中水火風
空識界尚不可得況有水火風空識界真如
可得世尊此中无明不可得无明真如亦不
可得何以故此中无明尚不可得況有无明
真如可得此中行識名色六處觸受愛取有
生老死不可得行乃至老死真如亦不可得
何以故此中行乃至老死尚不可得況有行
乃至老死真如可得
世尊此中布施波羅蜜多不可得布施波羅
蜜多真如亦不可得何以故此中布施波羅
蜜多尚不可得況布施波羅蜜多真如可
得此中淨戒安忍精進靜慮般若波羅蜜多

BD02264號　大般若波羅蜜多經卷三二二　（15–6）

乃至老死真如可得
世尊此中布施波羅蜜多不可得布施波羅
蜜多真如亦不可得何以故此中布施波羅
蜜多尚不可得況布施波羅蜜多真如可
得此中淨戒安忍精進靜慮般若波羅蜜多
不可得淨戒乃至般若波羅蜜多真如亦不
可得何以故此中淨戒乃至般若波羅蜜多
尚不可得況有淨戒乃至般若波羅蜜多真
如可得世尊此中內空不可得內空真如亦
不可得何以故此中內空尚不可得況有內
空真如可得此中外空內外空空空大空勝
義空有為空无為空畢竟空无際空散空
无變異空本性空自相空共相空一切法空不
可得空无性空自性空无性自性空不可得
外空乃至无性自性空真如亦不可得何以
故此中外空乃至无性自性空尚不可得況
有外空乃至无性自性空真如可得世尊此
中真如不可得真如真如亦不可得何以故
此中真如尚不可得況有真如真如可得此
中法界法性不虛妄性不變異性平等性離
生性法定法住實際虛空界不思議界不可
得法界乃至不思議界真如亦不可得何以
故此中法界乃至不思議界尚不可得況有
法界乃至不思議界真如可得世尊此中四
念住不可得四念住真如亦不可得何以故
此中四念住尚不可得況有四念住真如可
得此中四正斷四神足五根五力七等覺支
八聖道支不可得四正斷乃至八聖道支真
如亦不可得何以故此中四正斷乃至八

BD02264號　大般若波羅蜜多經卷三二二　（15–7）

此中四念住尚不可得况有四念住真如可
得此中四正斷四神足五根五力七等覺支
八聖道支不可得四正斷乃至八聖道支真
如亦不可得何以故此中四正斷乃至八聖
道支尚不可得况有四正斷乃至八聖道支
真如可得世尊此中苦聖諦不可得苦聖諦
真如亦不可得何以故此中苦聖諦尚不可
得况有苦聖諦真如可得此中集滅道聖諦
不可得集滅道聖諦真如亦不可得何以故
此中集滅道聖諦尚不可得况有集滅道聖
諦真如可得世尊此中四靜慮不可得四靜
慮真如亦不可得何以故此中四靜慮尚不
可得况有四靜慮真如可得此中四无量四
无色定不可得四无量四无色定真如亦不
可得何以故此中四无量四无色定尚不可
得况有四无量四无色定真如可得
世尊此中八解脫不可得八解脫真如亦不
可得何以故此中八解脫尚不可得况有八
解脫真如可得此中八勝處九次第定十遍
處不可得八勝處九次第定十遍處真如亦
不可得何以故此中八勝處九次第定十遍
處尚不可得况有八勝處九次第定十遍處
真如可得世尊此中空解脫門不可得空解
脫門真如亦不可得何以故此中空解脫門
尚不可得况有空解脫門真如可得此中无
相无願解脫門不可得无相无願解脫門真
如亦不可得何以故此中无相无願解脫門
尚不可得况真无相无願解脫門真如可得

BD02264 號　大般若波羅蜜多經卷三二二

（15–8）

相无願解脫門不可得无相无願解脫門真
如亦不可得何以故此中无相无願解脫門
尚不可得况真无相无願解脫門真如可得
世尊此中五眼不可得五眼真如亦不可得
何以故此中五眼尚不可得况有五眼真如
可得此中六神通不可得六神通真如亦不
可得何以故此中六神通尚不可得况有六
神通真如可得世尊此中三摩地門不可得
三摩地門真如亦不可得何以故此中三摩
地門尚不可得况有三摩地門真如可得此
中陁羅尼門不可得陁羅尼門真如亦不可
得何以故此中陁羅尼門尚不可得况有陁
羅尼門真如可得世尊此中佛十力不可得
佛十力真如亦不可得何以故此中佛十力
尚不可得况有佛十力真如可得此中四无
所畏四无礙解大慈大悲大捨十八佛
不共法不可得四无所畏乃至十八佛不共
法真如亦不可得何以故此中四无所畏乃
至十八佛不共法尚不可得况有四无所畏
乃至十八佛不共法真如可得世尊此中預
流果不可得預流果真如亦不可得何以故
此中預流果尚不可得况有預流果真如可
得此中一來不還阿羅漢果不可得一來不
還阿羅漢果真如亦不可得何以故此中一
來不還阿羅漢果尚不可得况有一來不還
阿羅漢果真如可得世尊此中獨覺菩提不
可得獨覺菩提真如亦不可得何以故此中
獨覺菩提尚不可得况有獨覺菩提真如可
得世尊此中一切智不可得一切智真如亦

BD02264 號　大般若波羅蜜多經卷三二二

（15–9）

來不還阿羅漢果尚不可得况有一來不還
阿羅漢果真如可得世尊此中獨覺菩提不
可得獨覺菩提真如亦不可得何以故此中
獨覺菩提尚不可得况有獨覺菩提真如可
得世尊此中一切智不可得一切智真如亦
不可得何以故此中一切智尚不可得况有
一切智真如可得此中道相智一切相智不
可得道相智一切相智真如亦不可得何以
故此中道相智一切相智尚不可得况有道
相智一切相智真如可得
佛言舍利子如是如是如汝所說諸法真如
法界法性不虛妄性不變異性平等性離生
性法定法住實際虛空界不思議界皆甚
深舍利子此中色不可得色真如亦不可得
何以故此中色尚不可得况有色真如可得
此中受想行識不可得受想行識真如亦不
可得何以故此中受想行識尚不可得况有
受想行識真如可得舍利子此中眼處不可
得眼處真如亦不可得何以故此中眼處尚
不可得况有眼處真如可得此中耳鼻舌身
意處不可得耳鼻舌身意處真如亦不可得
何以故此中耳鼻舌身意處尚不可得况有
耳鼻舌身意處真如可得舍利子此中色處
不可得色處真如亦不可得何以故此中色
處尚不可得况有色處真如可得此中聲香
味觸法處不可得聲香味觸法處真如亦不
可得何以故此中聲香味觸法處尚不可得
况有聲香味觸法處真如可得舍利子此中

BD02264號　大般若波羅蜜多經卷三二二　（15–10）

味觸法處不可得聲香味觸法處真如亦不
可得何以故此中聲香味觸法處尚不可得
况有聲香味觸法處真如可得舍利子此中
眼界不可得眼界真如亦不可得何以故此
中眼界尚不可得况有眼界真如可得此中
耳鼻舌身意界不可得耳鼻舌身意界真如
亦不可得何以故此中耳鼻舌身意界尚不
可得况有耳鼻舌身意界真如可得舍利子
此中色界不可得色界真如亦不可得何以
故此中色界尚不可得况有色界真如可得此
中聲香味觸法界不可得聲香味觸法界真
如亦不可得何以故此中聲香味觸法界尚
不可得况有聲香味觸法界真如可得舍利
子此中眼識界不可得眼識界真如亦不可
得何以故此中眼識界尚不可得况有眼識
界真如可得此中耳鼻舌身意識界不可得耳
鼻舌身意識界真如亦不可得何以故此中耳
鼻舌身意識界尚不可得况有耳鼻舌身意識
界真如可得舍利子此中眼觸不可得眼觸真
如亦不可得何以故此中眼觸尚不可得况有
眼觸真如可得此中耳鼻舌身意觸不可得
耳鼻舌身意觸真如亦不可得何以故此
中耳鼻舌身意觸尚不可得况有耳鼻舌身
意觸真如可得舍利子此中眼觸為緣所生諸
受不可得眼觸為緣所生諸受真如亦不
可得何以故此中眼觸為緣所生諸受尚不
可得况有眼觸為緣所生諸受真如可得此
中耳鼻舌身意觸為緣所生諸受不可得耳

BD02264號　大般若波羅蜜多經卷三二二　（15–11）

受不可得眼觸為緣所生諸受真如亦不
可得何以故此中眼觸為緣所生諸受尚不
可得況有眼觸為緣所生諸受真如可得此
中耳鼻舌身意觸為緣所生諸受不可得耳
鼻舌身意觸為緣所生諸受真如亦不可得
何以故此中耳鼻舌身意觸為緣所生諸受
尚不可得況有耳鼻舌身意觸為緣所生諸
受真如可得舍利子此中地界不可得地界真
如亦不可得何以故此中地界尚不可得
況有地界真如可得此中水火風空識界不
可得水火風空識界真如亦不可得何以故
此中水火風空識界尚不可得況有水火風空
識界真如可得舍利子此中无明不可得
无明真如亦不可得何以故此中无明尚不
可得況有无明真如可得此中行識名色六
處觸受愛取有生老死不可得行乃至老死
真如亦不可得何以故此中行乃至老死尚
不可得況有行乃至老死真如可得
舍利子此中布施波羅蜜多不可得布施波
羅蜜多真如亦不可得何以故此中布施波
羅蜜多尚不可得況有布施波羅蜜多真如
可得此中淨戒安忍精進靜慮般若波羅蜜
多不可得淨戒乃至般若波羅蜜多真如亦
不可得何以故此中淨戒乃至般若波羅蜜
多尚不可得況有淨戒乃至般若波羅蜜多
真如可得舍利子此中內空不可得內空真
如亦不可得何以故此中內空尚不可得況
有內空真如可得此中外空內外空空空大

多尚不可得況有淨戒乃至般若波羅蜜多
真如可得舍利子此中內空不可得內空真
如亦不可得何以故此中內空尚不可得況
有內空真如可得此中外空內外空空空大
空勝義空有為空無為空畢竟空无際空
散空无變異空本性空自相空共相空一切法
空不可得空无性空自性空无性自性空不
可得外空乃至无性自性空真如亦不可得
何以故此中外空乃至无性自性空尚不可
得況有外空乃至无性自性空真如可得舍
利子此中真如不可得真如真如亦不可得
何以故此中真如尚不可得況有真如真如
可得此中法界法性不虛妄性不變異性平
等性離生性法定法住實際虛空界不思議
界不可得法界乃至不思議界真如亦不可
得何以故此中法界乃至不思議界尚不可
得況有法界乃至不思議界真如可得舍利
子此中四念住不可得四念住真如亦不可
得何以故此中四念住尚不可得況有四念
住真如可得此中四正斷四神足五根五力
七等覺支八聖道支不可得四正斷乃至八
聖道支真如亦不可得何以故此中四正斷
乃至八聖道支尚不可得況有四正斷乃至
八聖道支真如可得舍利子此中苦聖諦不
可得苦聖諦真如亦不可得何以故此中苦
聖諦尚不可得況有苦聖諦真如可得此中
集滅道聖諦不可得集滅道聖諦真如亦不
可得何以故此中集滅道聖諦尚不可得況
有集滅道聖諦真如可得舍利子此中四靜

集滅道聖諦不可得集滅道聖諦真如亦不
可得何以故此中集滅道聖諦尚不可得況
有集滅道聖諦真如可得舍利子此中四靜
慮不可得四靜慮真如亦不可得何以故此
中四靜慮尚不可得況有四靜慮真如可得
中四无量四无色定不可得四无量四无
色定真如亦不可得何以故此中四无量四
无色定尚不可得況有四无量四无色定真
如可得舍利子此中八解脫不可得八解脫
真如亦不可得何以故此中八解脫尚不可
得況有八解脫真如可得此中八勝處九次
第定十遍處不可得八勝處九次第定十遍
處真如亦不可得何以故此中八勝處九次
第定十遍處尚不可得況有八勝處九次第
定十遍處真如可得舍利子此中空解脫門
不可得空解脫門真如亦不可得何以故此
中空解脫門尚不可得況有空解脫門真如
可得此中无相无願解脫門不可得无相无
願解脫門真如亦不可得何以故此中无相
无願解脫門尚不可得況有无相无願解脫
門真如可得
舍利子此中五眼不可得五眼真如亦不可
得何以故此中五眼尚不可得況有五眼真
如可得此中六神通不可得六神通真如亦
不可得何以故此中六神通尚不可得況有
六神通真如可得舍利子此中三摩地門不
可得三摩地門真如亦不可得何以故此中
三摩地門尚不可得況有三摩地門真如可

不可得空解脫門真如亦不可得何以故此
中空解脫門尚不可得況有空解脫門真如
可得此中无相无願解脫門不可得无相无
願解脫門真如亦不可得何以故此中无相
无願解脫門尚不可得況有无相无願解脫
門真如可得
舍利子此中五眼不可得五眼真如亦不可
得何以故此中五眼尚不可得況有五眼真
如可得此中六神通不可得六神通真如亦
不可得何以故此中六神通尚不可得況有
六神通真如可得舍利子此中三摩地門不
可得三摩地門真如亦不可得何以故此中
三摩地門尚不可得況有三摩地門真如可
得此中陀羅尼門不可得陀羅尼門真如亦
不可得何以故此中陀羅尼門尚不可得況
有陀羅尼門真如可得舍利子此中佛十力
不可得佛十力真如亦不可得何以故此中
可得況有佛十力真可得此
解大慈大悲大喜大捨

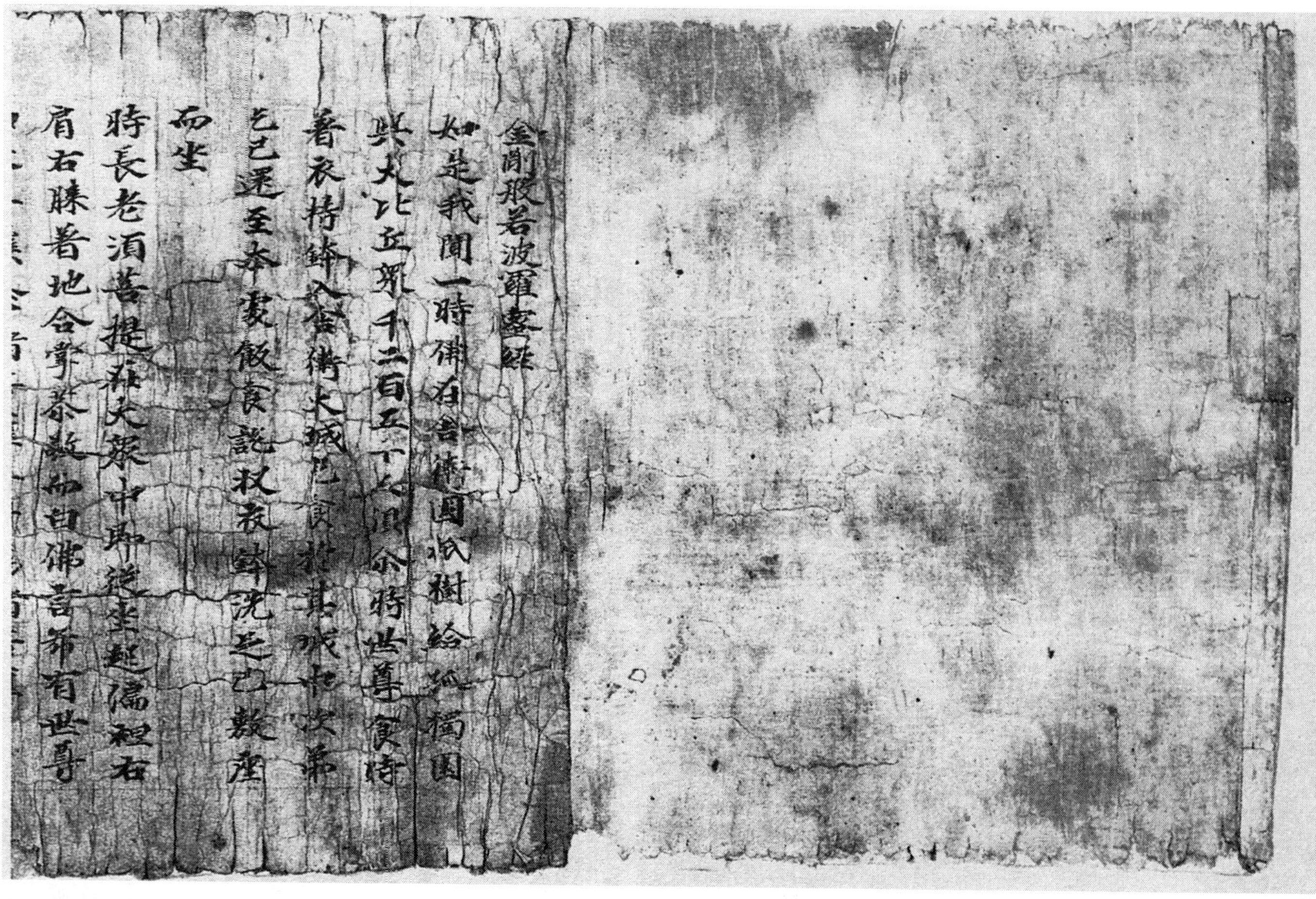

金剛般若波羅蜜經
如是我聞一時佛在舍衛國祇樹給孤獨園
與大比丘眾千二百五十人俱尒時世尊食時
著衣持鉢入舍衛大城乞食於其城中次第
乞已還至本處飯食訖收衣鉢洗足已敷座
而坐
時長老須菩提在大眾中即從座起偏袒右
肩右膝著地合掌恭敬而白佛言希有世尊

BD02265號　金剛般若波羅蜜經　（16–1）

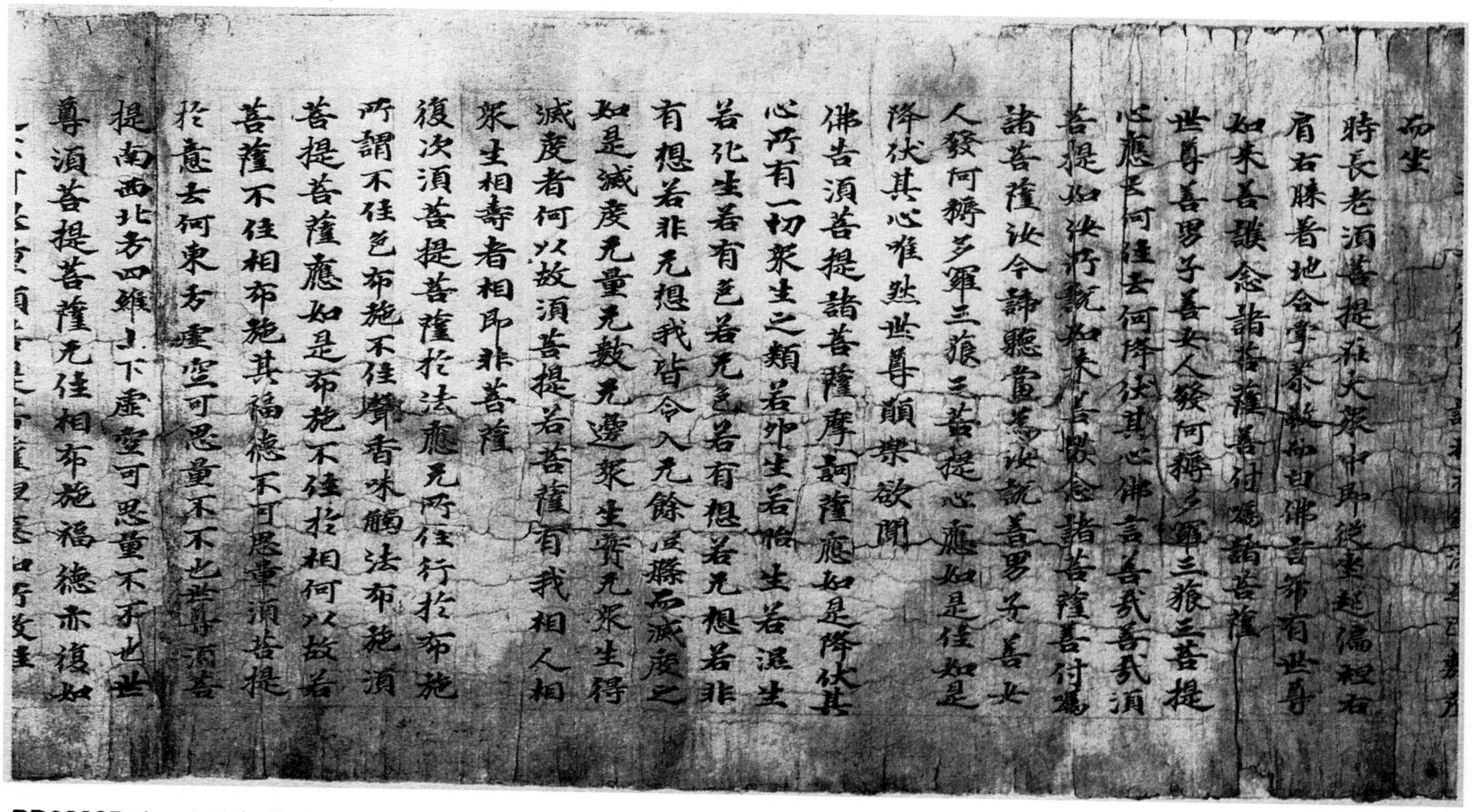

而坐
時長老須菩提在大眾中即從座起偏袒右
肩右膝著地合掌恭敬而白佛言希有世尊
如來善護念諸菩薩善付囑諸菩薩
世尊善男子善女人發阿耨多羅三藐三菩提
心應云何住云何降伏其心佛言善哉善哉須
菩提如汝所說如來善護念諸菩薩善付囑
諸菩薩汝今諦聽當為汝說善男子善女
人發阿耨多羅三藐三菩提心應如是住如是
降伏其心唯然世尊願樂欲聞
佛告須菩提諸菩薩摩訶薩應如是降伏其
心所有一切眾生之類若卵生若胎生若濕生
若化生若有色若无色若有想若无想若非
有想若非无想我皆令入无餘涅槃而滅度之
如是滅度无量无數无邊眾生實无眾生得
滅度者何以故須菩提若菩薩有我相人相
眾生相壽者相即非菩薩
復次須菩提菩薩於法應无所住行於布施
所謂不住色布施不住聲香味觸法布施須
菩提菩薩應如是布施不住於相何以故若
菩薩不住相布施其福德不可思量須菩提
於意云何東方虛空可思量不不也世尊須菩
提南西北方四維上下虛空可思量不不也世
尊須菩提菩薩无住相布施福德亦復如

BD02265號　金剛般若波羅蜜經　（16–2）

於意云何東方虛空可思量不不也世尊須菩
提南西北方四維上下虛空可思量不不也世
尊須菩提菩薩无住相布施福德亦復如
是不可思量須菩提菩薩但應如所教住
須菩提於意云何可以身相見如來不不也世
尊不可以身相得見如來何以故如來所說身
相即非身相佛告須菩提凡所有相皆是虛
妄若見諸相非相則見如來
須菩提白佛言世尊頗有眾生得聞如是
言說章句生實信不佛告須菩提莫作是
說如來滅後後五百歲有持戒脩福者於此
章句能生信心以此為實當知是人不於一佛二
佛三四五佛而種善根已於无量千万佛所種
諸善根聞是章句乃至一念生淨信者須
菩提如來悉知悉見是諸眾生得如是无量
福德何以故是諸眾生无復我相人相眾生
相壽者相无法相亦无非法相何以故是
諸眾生若心取相則為著我人眾生壽者若
取法相即著我人眾生壽者何以故若取非法
相即著我人眾生壽者是故不應取法不應取
非法以是義故如來常說汝等比丘知我說法
如筏喻者法尚應捨何況非法
須菩提於意云何如來得阿耨多羅三藐三菩
提耶如來有所說法耶須菩提言如我解佛
所說義无有定法名阿耨多羅三藐三菩提

BD02265號　金剛般若波羅蜜經　（16–3）

如筏喻者法尚應捨何況非法
須菩提於意云何如來得阿耨多羅三藐三菩
提耶如來有所說法耶須菩提言如我解佛
所說義无有定法名阿耨多羅三藐三菩提
亦无有定法如來可說何以故如來所說法
皆不可取不可說非法非非法所以者何一切
賢聖皆以无為法而有差別
須菩提於意云何若人滿三千大千世界七寶
以用布施是人所得福德寧為多不須菩提
言甚多世尊何以故是福德即非福德性是
故如來說福德多若復有人於此經中受持
乃至四句偈等為他人說其福勝彼何以故須
菩提一切諸佛及諸佛阿耨多羅三藐三菩
提法皆從此經出須菩提所謂佛法者即
非佛法
須菩提於意云何須陁洹能作是念我得須
陁洹果不須菩提言不也世尊何以故須陁洹
名為入流而无所入不入色聲香味觸法是名
須陁洹須菩提於意云何斯陁含能作是
念我得斯陁含果不須菩提言不也世尊何
以故斯陁含名一往來而實无往來是名斯陁
含須菩提於意云何阿那含能作是念我得
阿那含果不須菩提言不也世尊何以故阿那
含名為不來而實无來是故名阿那含須菩
提於意云何阿羅漢能作是念我得阿羅

BD02265號　金剛般若波羅蜜經　（16–4）

阿那含果不須菩提言不也世尊何以故阿那
含名為不來而實无來是故名阿那含須菩
提於意云何阿羅漢能作是念我得阿羅
漢道不須菩提言不也世尊何以故實无有
法名阿羅漢世尊若阿羅漢作是念我得
阿羅漢道即為著我人衆生壽者世尊佛
說我得无諍三昧人中最為第一是第一離
欲阿羅漢我不作是念我是離欲阿羅漢
世尊我若作是念我得阿羅漢道世尊則
不說須菩提是樂阿蘭那行者以須菩提
實无所行而名須菩提是樂阿蘭那行
佛告須菩提於意云何如來昔在然燈佛所於
法有所得不世尊如來在然燈佛所於法實
无所得須菩提於意云何菩薩莊嚴佛土不
不也世尊何以故莊嚴佛土者則非莊嚴是名
莊嚴是故須菩提諸菩薩摩訶薩應如是
生清淨心不應住色生心不應住聲香味
觸法生心應无所住而生其心
須菩提譬如有人身如須弥山王於意云何是
身為大不須菩提言甚大世尊何以故佛說
非身是名大身
須菩提如恒河中所有沙數如是沙等恒河於
意云何是諸恒河沙寧為多不須菩提言甚
多世尊但諸恒河尚多无數何況其沙須 菩

BD02265 號　金剛般若波羅蜜經

（16–5）

意云何是諸恒河沙寧為多不須菩提言甚
多世尊但諸恒河尚多无數何況其沙須 菩
提我今實言告汝若有善男子善女人以七
寶滿尒所恒河沙數三千大千世界以用布施
得福多不須菩提言甚多世尊佛告須菩
提若善男子善女人於此經中乃 至受持
四句偈等為他人說而此福德勝前福德復
次須菩提隨說是經乃至四句偈等當知此
處一切世間天人阿脩羅皆應供養如佛塔廟
何況有人盡能受持讀誦須菩提當知是人
成就最上第一希有之法若是經典所在之處
則為有佛若尊重弟子
尒時須菩提白佛言世尊當何名此經我等云
何奉持佛告須菩提是經名為金剛般若波
羅蜜以是名字汝當奉持所以者何須菩提
佛說般若波羅蜜則非般若波羅蜜須菩
提於意云何如來有所說法不須 菩提白
佛言世尊如來无所說須菩提於意云何三
千大千世界所有微塵是為多不須菩提言
甚多世尊須菩提諸微塵如來說非微塵是名
微塵如來說世界非世界是名世界
須菩提於意云何可以三十二相見如來不不
也世尊不可以三十二相得見如來何以故如來
說三十二相即是非相是名三十二相須菩提若

BD02265 號　金剛般若波羅蜜經

（16–6）

也世尊不可以三十二相得見如來何以故如來
說三十二相即是非相是名三十二相須菩提若
有善男子善女人以恒河沙等身命布施若
復有人於此經中乃至受持四句偈等為他
人說其福甚多
尒時須菩提聞說是經深解義趣涕淚悲
泣而白佛言希有世尊佛說如是甚深經典
我從昔來所得慧眼未曾得聞如是之經世
尊若復有人得聞是經信心清淨則生實
相當知是人成就第一希有功德世尊是實
相者則是非相是故如來說名實相世尊我
今得聞如是經典信解受持不足為難若當
來世後五百歲其有眾生得聞是經信解
受持是人則為第一希有何以故此人无我相
人相眾生相壽者相所以者何我相即是非
相人相眾生相壽者相即是非相何以故離
一切諸相則名諸佛
佛告須菩提如是如是若復有人得聞是經
不驚不怖不畏當知是人甚為希有何以故須
菩提如來說第一波羅蜜非第一波羅蜜是
名第一波羅蜜須菩提忍辱波羅蜜如來說
非忍辱波羅蜜何以故須菩提如我昔為歌
利王割截身體我於尒時无我相无人相无眾
生相无壽者相何以故我於往昔節節支解

BD02265號　金剛般若波羅蜜經　（16–7）

利王割截身體我於尒時无我相无人相无眾
生相无壽者相何以故我於往昔節節支解
時若有我相人相眾生相壽者相應生瞋恨
須菩提又念過去於五百世作忍辱仙人於尒
所世无我相无人相无眾生相无壽者相是故
須菩提菩薩應離一切相發阿耨多羅三藐
三菩提心不應住色生心不應住聲香味觸
法生心應生无所住心若心有住則為非住是
故佛說菩薩心不應住色布施須菩提菩
薩為利益一切眾生應如是布施如來說一
切諸相即是非相又說一切眾生則非眾生
須菩提如來是真語者實語者如語者不
誑語者不異語者須菩提如來所得法此法
无實无虛
須菩提若菩薩心住於法而行布施如人入
闇則无所見若菩薩心不住法而行布施如人
有目日光明照見種種色須菩提當來之世
若有善男子善女人能於此經受持讀誦則
為如來以佛智慧悉知是人悉見是人皆得
成就无量无邊功德
須菩提若有善男子善女人初日分以恒河
沙等身布施中日分復以恒河沙等身布施
後日分亦以恒河沙等身布施如是无量百千
万億劫以身布施若復有人聞此經典信心不

BD02265號　金剛般若波羅蜜經　（16–8）

沙等身布施中日分復以恒河沙等身布施
後日分亦以恒河沙等身布施如是无量百千
万億劫以身布施若復有人聞此經典信心不
逆其福勝彼何況書寫受持讀誦為人解說
須菩提以要言之是經有不可思議不可稱量
无邊功德如來為發大乘者說為發最上乘
者說若有人能受持讀誦廣為人說如來
悉知是人悉見是人皆得成就不可量不可
稱无有邊不可思議功德如是人等則為
荷擔如來阿耨多羅三藐三菩提何以故須
菩提若樂小法者著我見人見衆生見壽者
見則於此經不能聽受讀誦為人解說須
菩提在在處處若有此經一切世間天人阿
修羅所應供養當知此處則為是塔皆應
恭敬作禮圍遶以諸華香而散其處
復次須菩提善男子善女人受持讀誦此經
若為人輕賤是人先世罪業應墮惡道以今世
人輕賤故先世罪業則為消滅當得阿耨
多羅三藐三菩提
須菩提我念過去无量阿僧祇劫於然燈佛
前得值八百四千万億那由他諸佛悉皆供
養承事无空過者若復有人於後末世能受
持讀誦此經所得功德於我所供養諸佛
功德百分不及一千万億分乃至算數譬喻所

BD02265 號　金剛般若波羅蜜經

（16–9）

養承事无空過者若復有人於後末世能受
持讀誦此經所得功德於我所供養諸佛
功德百分不及一千万億分乃至算數譬喻所
不能及須菩提若善男子善女人於後末世
有受持讀誦此經所得功德我若具說者
或有人聞心則狂亂狐疑不信須菩提當知
是經義不可思議果報亦不可思議
尒時須菩提白佛言世尊善男子善女人發
阿耨多羅三藐三菩提心云何應住云何降
伏其心佛告須菩提善男子善女人發阿耨
多羅三藐三菩提者當生如是心我應滅度
一切衆生滅度一切衆生已而无有一衆生實
滅度者何以故若菩薩有我相人相衆生相
壽者相則非菩薩所以者何須菩提實无有
法發阿耨多羅三藐三菩提心者須菩提於
意云何如來於然燈佛所有法得阿耨多
羅三藐三菩提不不也世尊如我解佛所說
義佛於然燈佛所无有法得阿耨多羅三
藐三菩提佛言如是如是須菩提實无有法
如來得阿耨多羅三藐三菩提須菩提若有
法如來得阿耨多羅三藐三菩提者然燈
佛則不與我受記汝於來世當得作佛号
釋迦牟尼以實无有法得阿耨多羅三藐三
菩提是故然燈佛與我受記作是言汝於

BD02265 號　金剛般若波羅蜜經

（16–10）

釋迦牟尼以實无有法得阿耨多羅三藐三
菩提是故然燈佛與我受記作是言汝於
來世當得作佛号釋迦牟尼何以故如來
者即諸法如義若有人言如來得阿耨多
羅三藐三菩提須菩提實无有法佛得阿
耨多羅三藐三菩提須菩提如來所得阿耨
多羅三藐三菩提於是中无實无虛是故如
來說一切法皆是佛法須菩提所言一切法
者即非一切法是故名一切法
須菩提譬如人身長大須菩提言世尊如來
說人身長大則為非大身是名大身須菩
提菩薩亦如是若作是言我當滅度无量
眾生則不名菩薩何以故須菩提實无有法
名為菩薩是故佛說一切法无我无人无眾生
无壽者須菩提若菩薩作是言我當莊嚴
佛土是不名菩薩何以故如來說莊嚴佛土
者即非莊嚴是名莊嚴須菩提若菩薩通
達无我法者如來說名真是菩薩
須菩提於意云何如來有肉眼不如是世尊
如來有肉眼須菩提於意云何如來有天眼
不如是世尊如來有天眼須菩提於意云何
如來有慧眼不如是世尊如來有慧眼須菩
提於意云何如來有法眼不如是世尊如來
有法眼須菩提於意云何如來有佛眼不

BD02265號　金剛般若波羅蜜經　（16–11）

提於意云何如來有法眼不如是世尊如來
有法眼須菩提於意云何如來有佛眼不
如是世尊如來有佛眼
須菩提於意云何如恒河中所有沙佛說
是沙不如是世尊如來說是沙須菩提於意
云何如一恒河中所有沙有如是等恒河是諸
恒河所有沙數佛世界如是寧為多不甚多
世尊佛告須菩提尒所國土中所有眾生若
干種心如來悉知何以故如來說諸心皆為
非心是名為心所以者何須菩提過去心不可
得現在心不可得未來心不可得須菩提於
意云何若有人滿三千大千世界七寶以用
布施是人以是因緣得福多不如是世尊此
人以是因緣得福甚多須菩提若福德有
實如來不說得福德多以福德无故如來
說得福德多
須菩提於意云何佛可以具足色身見不
不也世尊如來不應以具足色身見何以故
如來說具足色身即非具足色身是名具
足色身須菩提於意云何如來可以具足諸
相見不不也世尊如來不應以具足諸相見何
以故如來說諸相具足即非具足是名諸相具足
須菩提汝勿謂如來作是念我當有所說法
莫作是念何以故若人言如來有所說法即

BD02265號　金剛般若波羅蜜經　（16–12）

相見不不也世尊如來不應以具足諸相見何
以故如來說諸相具足即非具足是名諸相具足
須菩提汝勿謂如來作是念我當有所說法
莫作是念何以故若人言如來有所說法即
為謗佛不能解我所說故須菩提說法者
无法可說是名說法
須菩提白佛言世尊佛得阿耨多羅三藐
三菩提為无所得耶如是如是須菩提我於
阿耨多羅三藐三菩提乃至无有少法可得
是名阿耨多羅三藐三菩提
復次須菩提是法平等无有高下是名阿耨
多羅三藐三菩提以无我无人无衆生无壽者
脩一切善法則得阿耨多羅三藐三菩提須
菩提所言善法者如來說非善法是名善法
須菩提若三千大千世界中所有諸須弥山
王如是等七寶聚有人持用布施若人以此般
若波羅蜜經乃至四句偈等受持讀誦為
他人說於前福德百分不及一百千万億分
乃至筭數譬喻所不能及
須菩提於意云何汝等勿謂如來作是念
我當度衆生須菩提莫作是念何以故實
无有衆生如來度者若有衆生如來度者
如來則有我人衆生壽者須菩提如來說
有我者則非有我而凡夫之人以為有我須

BD02265號　金剛般若波羅蜜經

（16–13）

如來則有我人衆生壽者須菩提如來說
有我者則非有我而凡夫之人以為有我須
菩提凡夫者如來說則非凡夫
須菩提於意云何可以三十二相觀如來不須
菩提言如是如是以三十二相觀如來佛言
須菩提若以三十二相觀如來者轉輪聖王
則是如來須菩提白佛言世尊如我解佛
所說義不應以三十二相觀如來尒時世尊
而說偈言
若以色見我　以音聲求我　是人行邪道　不能見如來
須菩提汝若作是念如來不以具足相故得
阿耨多羅三藐三菩提須菩提莫作是念如
來不以具足相故得阿耨多羅三藐三菩提須
菩提汝若作是念發阿耨多羅三藐三菩提
者說諸法斷滅相莫作是念何以故發阿耨
多羅三藐三菩提者於法不說斷滅相
須菩提若菩薩以滿恒河沙等世界七寶布
施若復有人知一切法无我得成於忍此菩薩
勝前菩薩所得功德須菩提以諸菩薩不
受福德故須菩提白佛言世尊云何菩薩
不受福德須菩提菩薩所作福德不應貪
著是故說不受福德須菩提若有人言如
來若來若去若坐若臥是人不解我所說義何
以故如來者无所從來亦无所去故名如來

BD02265號　金剛般若波羅蜜經

（16–14）

着是故說不受福德須菩提若有人言如
来若来若去若坐若卧是人不解我所說義何
以故如来者无所從来亦无所去故名如来
須菩提若善男子善女人以三千大千世界碎
為微塵於意云何是微塵衆寧為多不
甚多世尊何以故若是微塵衆實有者佛
則不說是微塵衆所以者何佛說微塵衆
則非微塵衆是名微塵衆世尊如来所說
三千大千世界則非世界是名世界何以故若
世界實有者則是一合相如来說一合相則非
一合相是名一合相須菩提一合相者則是不可
說但凡夫之人貪着其事須菩提若人言佛
說我見人見衆生見壽者見須菩提於意
云何是人解我所說義不世尊是人不解如
来所說義何以故世尊說我見人見衆生
見壽者見即非我見人見衆生見壽者見
是名我見人見衆生見壽者見
須菩提發阿耨多羅三藐三菩提心者於一
切法應如是知如是見如是信解不生法相
須菩提所言法相者如来說即非法相是名
法相須菩提若有人以滿无量阿僧祇世界
七寶持用布施若有善男子善女人發菩薩
心者持於此經乃至四句偈等受持讀誦為
人演說其福勝彼云何為人演說不取於相
如如不動何以故

BD02265號　金剛般若波羅蜜經　（16–15）

是名我見人見衆生見壽者見
須菩提發阿耨多羅三藐三菩提心者於一
切法應如是知如是見如是信解不生法相
須菩提所言法相者如来說即非法相是名
法相須菩提若有人以滿无量阿僧祇世界
七寶持用布施若有善男子善女人發菩薩
心者持於此經乃至四句偈等受持讀誦為
人演說其福勝彼云何為人演說不取於相
如如不動何以故
一切有為法　如夢幻泡影　如露亦如電　應作如是觀
佛說是經已長老須菩提及諸比丘比丘尼
優婆塞優婆夷一切世間天人阿脩羅聞佛
所說皆大歡喜信受奉持
金剛般若波羅蜜經

BD02265號　金剛般若波羅蜜經　（16–16）

米
汜住盈
張夫會
孔僧奴

BD02265 號背　雜寫

（1–1）

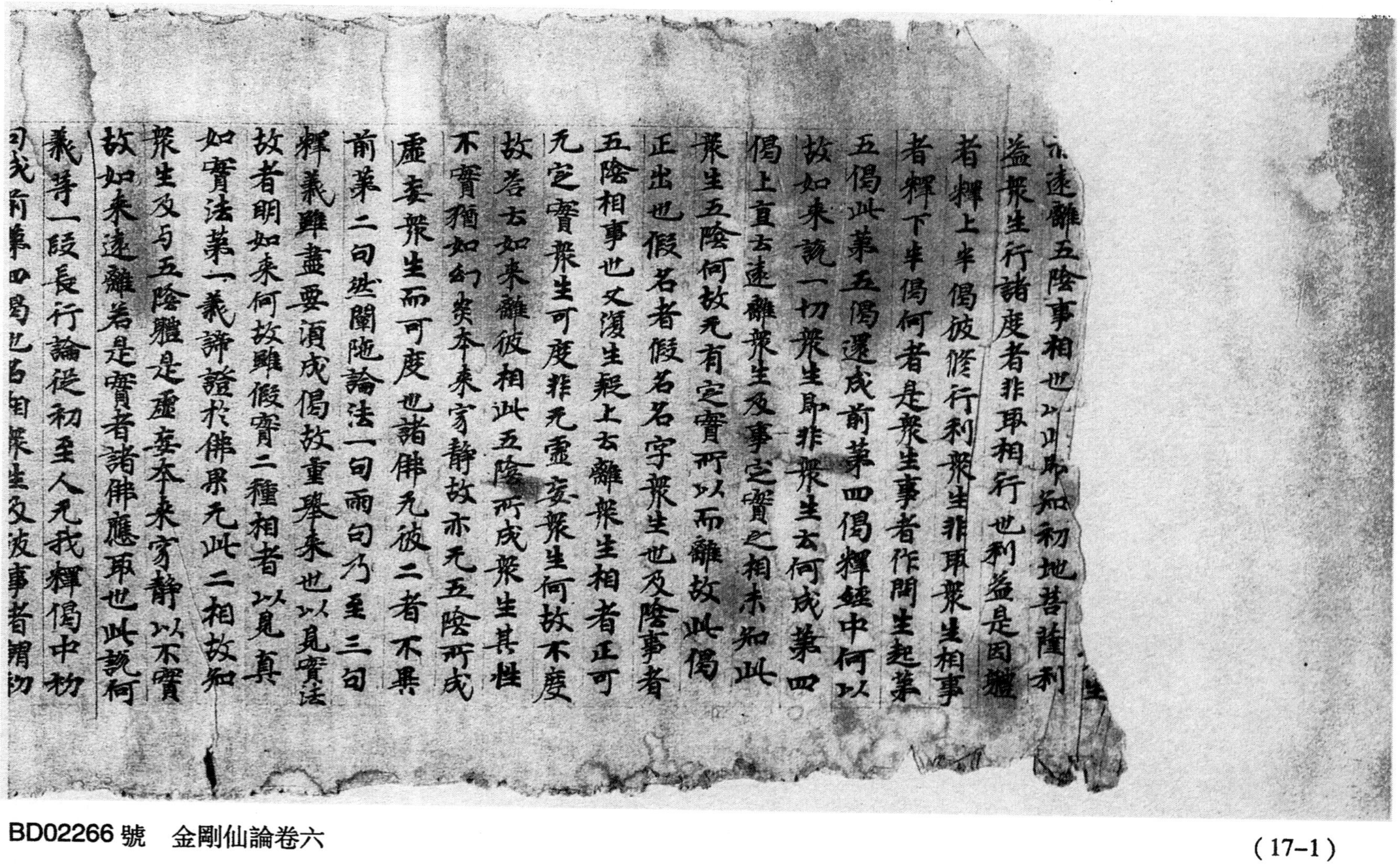
亦遠離五陰事相世以此即知初地菩薩利
益衆生行諸度者非取相行世利益是因攝
者釋上半偈彼修行利衆生非取衆生相事
者釋下半偈何者是衆生事者作問生起第
五偈此第五偈還成前第四偈釋疑中何以
故如來說一切衆生即非衆生云何成第四
偈上直云遠離衆生及事定實之相未知此
衆生五陰何故无有定實所以而離故此偈
正出世假名者假名名字衆生世及陰事者
五陰相事世文復生疑上云離衆生相者正可
无定實衆生可度非无虛妄衆生何故不度
故論云如來離彼相此五陰所成衆生其性
不實猶如幻夢本來寂靜故亦无五陰所成
虛妄衆生而可度也諸佛无彼二者不異
前第二句然闡陁論法一句兩句乃至三句
釋義雖盡要須成偈故重舉來也以見實法
故者明如來何故雖假實二種相者以見真
如實法第一義諦證於佛界无此二相故知
衆生及與五陰體是虛妄本來寂靜以不實
故如來遠離若是實者諸佛應取世此說何
義等一段長行論從初至人无我釋偈中物
何我前第四偈也為由衆生及彼事者謂物

BD02266 號　金剛仙論卷六

（17–1）

[illegible]
衆生及与五陰體是虛妄本來穷靜以不實
故如來遠離若是實者諸佛應取也此說何
義等一段長行論從初至人无我釋偈中初
句成前第四偈也名相衆生及彼事者謂初
句中假名五陰事也云何彼修行離衆生事
相者問前第四偈中言菩薩修行利益衆生
時云遠離衆生相及五陰事相久義竟云何
世故釋云即彼名相想非相明假名衆生即
體虛妄故云非相也以无彼實體故者此假
名衆生所以空者明假名法中求實衆生體
不可得也以是義故衆生即非衆生者舉經
來結也以何等法者以何等法來成此衆生
而言衆生體空也即若謂五陰法名衆生明
以五陰和合即此法上假得衆生名也若五
陰和合得衆生名者便有衆生何故言空也
釋云彼五陰无衆生體明此衆生雖為五陰
所成而此五陰中從本以來无實衆生可得也
自前論釋人无我空也以无實故者明因緣
法无我也所以五陰中无衆生體者以此五
陰如幻如化即體自空此明能成五陰體空
故所成衆生亦不實也如是明法无我人无
我者結二无我名也何以故者何以得知此
衆生五陰體空不實也釋云一切諸佛離一
切相等明諸佛離故證衆生五陰體空也
此句明彼二相不實者此句謂向謂佛所離
二句明以二相不實故如來離也即以偈中
下三句結成也此說何義者問此偈下三句

BD02266 號　金剛仙論卷六　（17–2）

切相等明諸佛離故證衆生五陰體空也
此句明彼二相不實者此句謂向謂佛所離
二句明以二相不實故如來離也即以偈中
下三句結成也此說何義者問此偈下三句
說何等義也即釋云若彼二實有者諸佛如
來應有彼二相明若彼衆生五陰實有不空者
即是第一義諦諸佛如來應有此二相而諸
佛離故明知此二不實也復釋何以故若此
二是實便如來万德中應有以諸佛如來是
見真如實諦之人而不見此二又復離之故
證衆生五陰假實俱空也
須菩提如來是真語者等此一段經是校量
分中第九經文此所以來者猶遠釋第六段
雖人无為法得名是法不可取說者受持此
經言教則无福德中疑也然校量分初以來
已廣釋云假令三千恒沙七寶及捨身命施
人福德雖多猶不如受持此經一偈之福雖
復如是校量如是廣釋大衆生疑心猶故未
盡復因前捨恒沙身命不如受一四句偈更
復生疑如來上雖廣解所證法身之體絶
於名相言詮所不及又云十二部經言教法
中无所詮證法若然此能詮之教猶与所證
法身條然有別而此言教則還為非法何得
受持一偈言教能得法身勝於捨无量身命
之福直今生疑不信也既有此疑如來亦應
更引喻校量而所以不更校量者曰此言上
恐復生疑疑終不盡然假使如來无量劫住
廣引捨內外身財校量亦復不及持一偈之

BD02266 號　金剛仙論卷六　（17–3）

更引喻挍量而所以不更挍量者因此言上
恐復生疑疑終不盡然假使如来无量劫住
廣引捻內外身財挍量亦復不及持一偈之
福故如来冒𠫭直勸其言但信我語勿須生
疑我是一切智人終不誑汝故經着云如來
是真語者乃至不異語者明詼如来說四法
等皆悉不虛勸人信我誠言故次明也
須菩提如来是真語者明如来是一切智人
證得果頭十力无畏諸功德等如已所證還
為人說如實不虛故云真語者也如來為小
乘人說四諦法此聲聞人觀四諦理斷三界
結得小乘果證然雖非究竟之實當其分有
觀境除得不謬故云實語也如語者明如来
為諸菩薩說真如佛性是其大乘自證而說
如理不謬故名如語也不異語者明如來記
三世之事雖法靈實終无差錯故云不異記
也
須菩提如来所得法所說法者如來自說我
亦因受持此經言教法故證果頭无為法身
既證還為人說終不虛妄汝等應當生信勿
復疑也所得法者謂證法也所說法者謂言
教法也既聞此說復乘生疑難若如來言我
證得此法還為人說勸我生信者此所證法
即是可取可說同於名相若介還復同我前
疑上言證法无名相不可取說者此言則壞
也有如此疑難故答言无實明今言所得所
說者依世諦名相道中言有得有說非真如

BD02266號　金剛仙論卷六

（17–4）

疑上言證法无名相不可取說者此言則壞
也有如此疑難故答言无實明今言所得所
說者依世諦名相道中言有得有說非真如
理中有名相故可說也然真如之理從本以
來言語道斷心行處滅故无得无說也何得
聞言有得有說便使證法同於名相可取說
也證法既非名相若謂證法同於名相可得
可說者此則不實也覆生疑難若證法一向
无名相何故如來前言我是真語實語者等
勸使受持能詮經教今復言所說无實此二
言相違若介還同前第二疑條然離於證法
有能詮言教此言教則是非法設受持讀誦
无所利益上云言教是法有其因義此語則
壞也故云无妄語明如來實證真如還說真
如法此言教從證法中來是彼一分故不云
一向非法而此言教既說真如故受持此經
教還能證真如有此大利益事故不妄語也
論曰此中有疑等論主將作偈釋經先略序
生疑之意復舉經略申斷疑之義也凡有三
行偈釋此一段經初偈作問答意釋疑摠
舉四語以勸信上二句釋前疑問下二句
釋舉四語來勸信之意也果雖不住道而
道能為因者果謂證法果道者言教道也此
一句應云言教之道不住證法果中也而此
教道還能与證法作因言教顯出證果故為
因也上難云證法无名相言教是名相此名
相法云何能与无名相法作因耶故答以諸
佛實語此明諸佛是一切智人具種四實語

BD02266號　金剛仙論卷六

（17–5）

臣世上難云諸法无名相言教是名相此名
相法云何能与无名相法作因耶故答以諸
佛實語此明諸佛是一切智人具種四實語
語必當理但信勿疑也有人乘生疑難如來
所知境界有无量无邊何故唯說四語故答
彼智有四種此明依於四境且云四語然此
四境雖名使而義廣論法雖无量不出佛果
小乘大乘及三世有為法等以此四名攝法
皆盡故略明斯四也此半偈兩句与下第二
偈為章門別釋偹文在於下偈也此義云何至
有四種實但釋下半偈為乘生第二偈也第
二偈正釋四種智境也實智及小乘者此一
句合釋二語實智釋經真語也小乘者釋
經實語也說摩訶衍法者此是胡音漢𦘕名
大乘釋經如語也及一切授記者釋經不異
語也以不虛說故者是疾轉義遍上四句之
下皆言以不虛說故也明如來既有四種實
語凡有所說皆不虛妄汝等大衆於我言下
說持經功德但生深信勿更懷疑故明四種
語是實以成不虛說也此明何義等一段長
行論大意有二從初至不顛倒次第釋偈以
經結之復云設難已又次第廣解其難也以
如來實智不妄說佛菩提至次第說四語并
解偈中四語也如經以下并以經來結四語
也不妄說小乘等者所以提此句來論主假
設難云如來所說大乘理是真實果是究竟
可名實語為小乘人說於四諦理非究竟雖
證羅漢果未滿已然諸大乘經中復廣破小

世不妄說小乘等者所以提此句來論主假
設難云如來所說大乘理是真實果是究竟
可名實語為小乘人說於四諦理非究竟雖
證羅漢果未滿已然諸大乘經中復廣破小
乘云非是真實云何而言說於四諦名為實
語也釋云說小乘苦諦等唯是諦故明如來
說四諦等法小乘人依教修行得性空人无
我解斷四住煩惱證羅漢果但於此小乘為
實故言唯是諦故也不妄說授記者復假設
一難云此三世之法流動不實體是虛妄云
何言記三世事者名不異語也釋云一切過
去未來現在授記故如彼義如是說不顛倒
故如彼義者如彼三世法虛則如虛而說實
則依實而記故不顛倒也經復言須菩提如
來所得法所說法等者此是長行論中第二
意授欲作下第三偈釋故先舉此經來作
問生起云何故如是說也第三偈隨順彼實
智說不實不虛者釋經中所得法所
說法无實也隨順彼實智者釋經中如來所
得法所說法无妄語明如來雖以音聲言教
說於證法而證法恒无名故能詮言教非即
證法然言教雖非證法非不因證有說假教
得證以此言教能与證法作因故言隨順彼
實智也說不實不虛者釋經中无實无妄語
也明真如證法絕於名若取音聲名相同
於證法此言虛妄故云說不實也然雖聲教
非證非不因證有說還假教會理言教是法
故言說不虛也如聞聲取證對治如是說者

也明真如證法絶於名相若取音聲名相同
於證法此言虛妄故云說不實也然雖聲教
非證非不因證有說運假教會理言教是法
故言說不虛也如聞聲取證對治如是說者
聞前經中如來自言我是真語者等四種實
語復言所得法所說法无實无妄語此之二
經何故相違故即以下半偈荅如聞聲取證
對治如是說也荅意恐畏衆生尋聲取證謂
真如法即同聲教是其名相作如此意對治
此取著故教言莫如所聞聲取證法也對治
如是說者對治如聲取證故或說不實或說
不虛也此義云何等一段長行論釋有二意
從初至依字句說故釋上半偈解經中所得
法以下經文也諸佛所說法乃至不能得彼
證法釋偈中初句也何以故至是故无妄語
釋偈第二句也若尒何故說如來所得法所
說法者作難若如所聞聲取於證猶是不實
者則證法一向不可說何故如來自云我所
得法所說法即釋云以依字句說故明證法
无名相不可得說然非不依於言教玄談
前理也何故如來前說是真語者復言所說
法无實无妄語者此是長行論中第二意難
執如來經中相違之言設難擧下半偈來釋
解問荅意不異偈中也
須菩提譬如有人入闇則无所見等有二段
經文此是大段中第八分明一切衆生有真
如佛性此段中明一切衆生有真如性即因
以爲名也以何次第起因上第六段中一切

須菩提譬如有人入闇則无所見等有二段
經文此是大段中第八分明一切衆生有真
如佛性此段中明一切衆生有真如性即因
以爲名也以何次第起因上第六段中一切
聖人皆以真如无爲法得名生第八疑乃至
第七段中廣釋一切聖人皆以无爲法得名
疑者云應言一切衆生皆以真如无爲法得
名何故但言一切聖人以无爲法得名也所
以應然者如上第三段經常心中言若菩薩
有衆生想即非菩薩明若菩薩於一切衆生
不起我心者不名解真如菩薩要解一切衆
生平等有真如佛性我者乃名菩薩然此菩
薩證初地時解一切衆生如我身以一切衆
生真如佛性我身所有真如佛性平等无二
无差別故取衆生如我身又處處經中道一
切衆生皆有佛性若一切衆生与聖人真如
理同者何故一切衆生有取著心者不以真
如清淨得名獨諸佛菩薩无取著心者以真
如清淨得名也故知聖人以真如法得名者
可有佛性一切衆生不以真如得名則无佛
性若衆生本无佛性聖人修行因緣後時始
得此佛性則是本无今有便是无常〻常又復
若真如佛性一切衆生平等有之何故有人得
見有人不見也有此如疑故引入闇等喻來
荅荅意云真如佛性雖復一切衆生有之平
等明諸佛菩薩修行斷惑故能見性一切衆
生未能修行斷惑故所以不見也然見性斷
惑者以真如清淨得名若不見性未斷惑者

荅荅意云真如佛性雖復一切衆生有之平
等明諸佛菩薩修行斷惑故能見性一切衆
生未能修行斷惑故所以不見也然見性斷
惑者以真如清淨得名若不見性未斷惑者
不以真如清淨得名也明凡聖二人雖復有
之平等以見不見差故不應以一切衆生等
共有之設使皆以真如清淨得名為除此疑
故次明也
如人入闇則无所見此一段經有二種喻喻愚
癡二人明有修行斷惑者能見佛性以无
為法得名不修行未斷惑者則不能見性以
不能見性故不以无為法得名也譬如人入
闇則无所見者作喻也若薩菩心住於事亦
復如是等者合喻也喻凡夫二乘諸小菩薩
有四住習氣无明之闇行取相之行不能見
真如佛性也二乘人既證真无漏解所以亦
名取相者然二乘人雖不取有為法相而取
无為涅槃相也如人有目見諸色等者作喻
也若菩薩不住於事亦復如是等合喻也譬
初地以上斷四住習氣稍遣无明行不取相
明癡得真无漏能見佛性等常无常理也
論曰復有疑等此中論主将欲作偈釋於此
經略出疑者之意生起下偈也若聖人以无
為法得名者提前第六段中生疑處經也彼
真如一切時一切處有者執第三段經為難
也並舉此兩經然後下設二難云何不住心
得佛菩提則非不住者若三世衆生等有真

BD02266號　金剛仙論卷六　（17–10）

為法得名者提前第六段中生疑處經也彼
真如一切時一切處有者執第三段經為難
也並舉此兩經然後下設二難云何不住心
得佛菩提則非不住者若三世衆生等有真
如佛性者一切衆生應皆以无為法得名云
何唯諸佛菩薩有不住心者得佛菩提有不
住心者得佛菩提以无為法得名而一切衆
生有住者心无不住心者不得佛菩提不以
无為法得名也若一切時一切處有真如何
故有人能得有不得者此重牒經故執第二
得見不見難依下論可知也為斷此二疑難
故略引入闇喻經中斷疑意下作偈釋也凡
以二偈釋斯一段經初一偈作問荅意釋疑
上既有疑問於前故偈荅言時及處實有時
者謂三世時佛性之體乃无三世衆生有三
世故遂衆生云三世也處者三世中一切衆
生處此表異木石无情物也實有者此三世
衆生實有此佛性如疑者意不異也而不得
真如者明疑難云若時處衆生實有真佛性
者何故不得也故第三句云无癡以住法无癡
者明二乘凡夫未得初地无漏癡也何故
无癡以心住法故住法者明地前凡夫二乘
在懷故有取著之心也以凡夫二乘有取著
行故不能見真如佛性也餘者有癡得者明
入地以上菩薩及諸佛如來得出世勝解能見
此佛性也長行論云此義云何以下至是故
能得論主此中凡作三問荅釋前一偈依論
可知也以是義故諸佛如來清淨得名是故

BD02266號　金剛仙論卷六　（17–11）

此佛性也長行論云此義云何以下至是故
能得論主此中凡作三問答釋前一偈依論
可知也以是義故諸佛如來清淨得名是故
住心不得佛菩提者並結得名不得名之由也
第二偈通釋經中闇明二喻并合也闇明愚
无智者闇明兩字雙舉二喻以爲章門下次
第合喻愚第合上闇字即釋何故名愚以
其无智故此一句中下三字釋合闇喻覓明
者如有智者明者還牒上句中明字喻合有
智者故言如有智也對法及對治等自下半
偈釋第二喻經對法者舉初入闇法喻所治
法也及對治者舉喻中明合中智法喻二世得
滅法如是者得者得明智能治法滅者滅愚
闇所治法如有日光明對治能滅於闇也以
不取相布施之解對治心住於事取相愚心
故言對法及對治得滅法如是也此義云
何彼闇明喻者相似法故者闇明愚智法喻
義有相似故以況也闇亦者亦現无智日光
明者亦現有智等一一別合二喻此釋上半
偈也有目者明何義者向雖通解闇明二喻
猶未出喻來之意今將以下半偈釋第二喻
經結作能治所治之義故提經來問云有目
者明何義也即荅偈言對法及對治得滅法
如是也如是次舉者光明對法及後明對治
也又有目者以下次第提經解能治所治後
以經結也
復次須菩提若有善男子善女人能於此法

也又有目者以下次第提經解能治所治後
以經結也
復次須菩提若有善男子善女人能於此法
門受持讀誦修行者此是第八段中第二經
文此經所以來者前段經明一切衆生皆
有真如佛性引闇明二喻解修行者見不修
行者則不能見雖云修行者見未知依何等
法門修行以何方便以何爲因而得見真如
佛性也有如此問故引經荅明依此金剛
般若及諸大乘經受持讀誦三種修行成就
勝業以此方便万行爲因能見佛性故次明
也就此一段經中有二一明三種修行二明
校量功德復拘礫入下第九利益段中何者
三種修行一者受修行謂從他邊受也二者
持修行內自誦持不令妄失三讀誦修行更
廣讀衆經亦名修行此三種修行皆攝在聞
慧不通思修二慧故經言若善男子善女人
能於此法門受持讀誦修行也曰前三種修
行乘復生疑如來雖說受持讀誦修行能見
佛性未知此依經修行人爲决定能見爲當
不見也故荅則爲如來悉知悉見悉覺是人
也悉知者以佛智知悉見者以佛眼見悉覺
者以一切種智了了覺也明如來自云我是
一切智人了了死見依此法門三種修行得見
佛性决定无疑也因此復生疑上雖明三種
修行者能見佛性未知見此性時得幾許
功德爲多爲少有如此疑問故荅言皆成就
无量无邊功德最明修行見性成道證无爲

佛性[illegible]疑也因此復生疑上雖明三種
修行者能見佛性未知見此性時得幾許
功德爲多爲少有如此疑問故答言皆成就
无量无邊功德乘明修行見性成道證无爲
法身時果頭所得功德不可限量非筭數所
知何得疑去得幾許功德爲多爲少也此是
因中說果也須菩提若善男子善女人初日
分以恒河沙等身布施至爲人廣說舉此捨
身喻來挍量持經功德上第七段中以廣明
挍量功德所以此中復明挍量功德者上疑
去受持讀誦修行此經能見佛性未知見佛
性時所得功德爲多爲少前以法明說得无
量无邊功德衆雖有此答猶未顯多福之義
故復引世間少分譬喻挍量以答此義明依
經修行見性功德非筭數法不可限量捨身
福德是有爲取相數量法故雖多不如此明
多分无量非少分也前挍量分中以明捨身
譬喻有何勝故此中復明凡有二種勝一以
所捨身多二時劫長遠有此二勝故重明也
若復有人聞此法門信心不謗等明亘介聞
經信心不謗尚勝捨身福德无量阿僧祇何
況有能書寫讀誦如說修行爲他演說者其
福轉多无量阿僧祇也此一段經凡以三偈
論釋初一偈与前後二段經論中五偈爲本
上一句生此段中第二偈第二句生下此段
第三偈第三句義生下利益分經正与下利
益分論中三偈爲本第四句通結上三句二
本以爲修行也於何法修行者問依何法門

論釋初一偈与前後二段經論中五偈爲本
上一句生此段中第二偈第二句生下此段
第三偈第三句義生下利益分經正与下利
益分論中三偈爲本第四句通結上三句二
本以爲修行也於何法修行者問依何法門
修行能見佛性也覆問修行見性得何等福
德也復成就何業者又問爲直以受持此經
故能見佛性復成就何等勝行能斷惑見性
也如是說修行者上問云何修行能見佛性
名爲修行故云如是說修行也此初一偈標
生兩段經与五偈爲本也於何法修行者提
偈中初句問來也亦現彼行者答上問明亦
現依此經教受持讀誦三種修行生下第二
偈也此第二偈答前偈上句於何法修行正
釋經中三種修行受持讀誦等經文也名字
三種法者猶是經中三種修行故第二句指
出其事謂受持聞廣說即是名字中三種聞
惠也上雖云三種聞惠體未知修之方法竟
復云何故下半偈云修從他及内得聞是修
習修從他者從他諸佛菩薩善知識邊聞法
即受修行也
及内者既從他受得内自謂持不令忘失即
是持修行也依西國誦法有三種一大聲二
小聲三嘿誦也得聞者明不但受讀名爲聞
惠但能愽讀衆經亦名聞惠此是讀誦修行
也是修習者以此三種聞惠習通結爲三種
修行聞惠習也此說何義至受持讀誦故釋
上半偈以經結也彼修行云可得以下生焉

[illegible]第三[illegible]說也得聞者明不但受誦名爲聞
惠但能悕讀衆經亦名聞惠此是讀誦修行
也是修慧者以此三種聞惠脩通結爲三種
修行聞惠脩也此說何義至受持讀誦故釋
上半偈以經結也彼修行云何得以下至爲
得修行故作問生起以下半偈來荅然後次
第解釋也向說名字及以修行等牒前生後
偈也第三偈荅初偈第二句得何等福德釋
經中校量經文此爲自淳熟者此牒前三種
修行明三種聞惠成已自行之德也餘者化
衆生者明廣爲他說成利他之行也前已明
此何故復重舉來也將欲以喻校量故舉前
自行外化持經見性之時得幾許福也今明
見性會无爲法身時得无量无邊功德不可
限量雖不可限量且引三時捨恒沙身比持
經功德猶不及少分故重來也以事及時大
者事謂所捨身事也時謂劫數多也此明於
多時中捨无量身故云以事及時大也福中
勝福德者明捨身持經二種福德也此二種
福中持經之福勝捨身之福劣故云福中勝
福德也此義云何至廣說法故釋上半偈也
得何等福德以下訖未問校量義以下半偈
荅次第解釋然後以經結之依論可知也

金剛仙論卷第六

BD02266號　金剛仙論卷六

（17–16）

經功德猶不及少分故重來也以事及時大
者事謂所捨身事也時謂劫數多也此明於
多時中捨无量身故云以事及時大也福中
勝福德者明捨身持經二種福德也此二種
福中持經之福勝捨身之福劣故云福中勝
福德也此義云何至廣說法故釋上半偈也
得何等福德以下訖未問校量義以下半偈
荅次第解釋然後以經結之依論可知也

金剛仙論卷第六

BD02266號　金剛仙論卷六

（17–17）

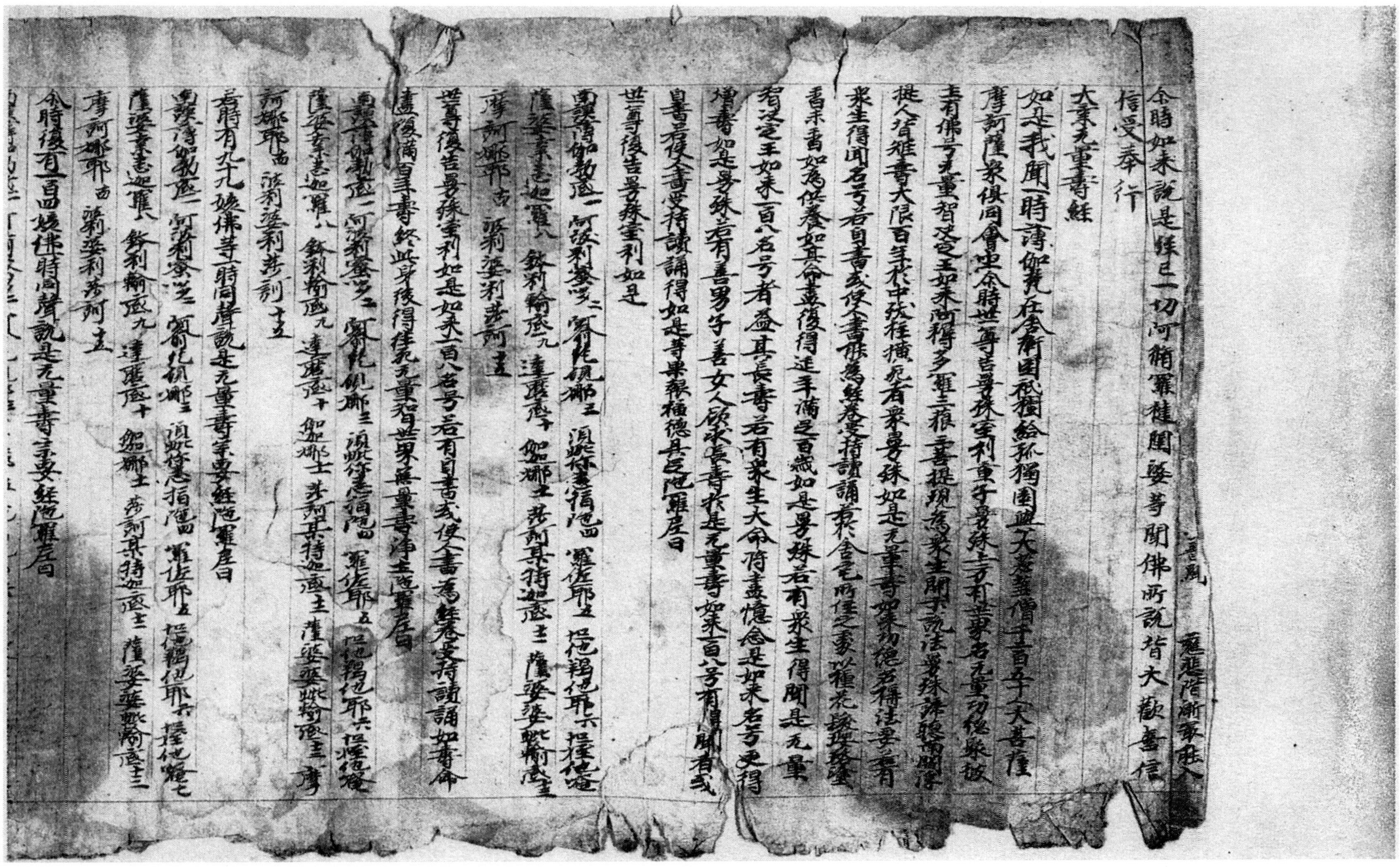

BD02267 號 1　無量壽宗要經　　（6–1）

BD02267 號 2　無量壽宗要經

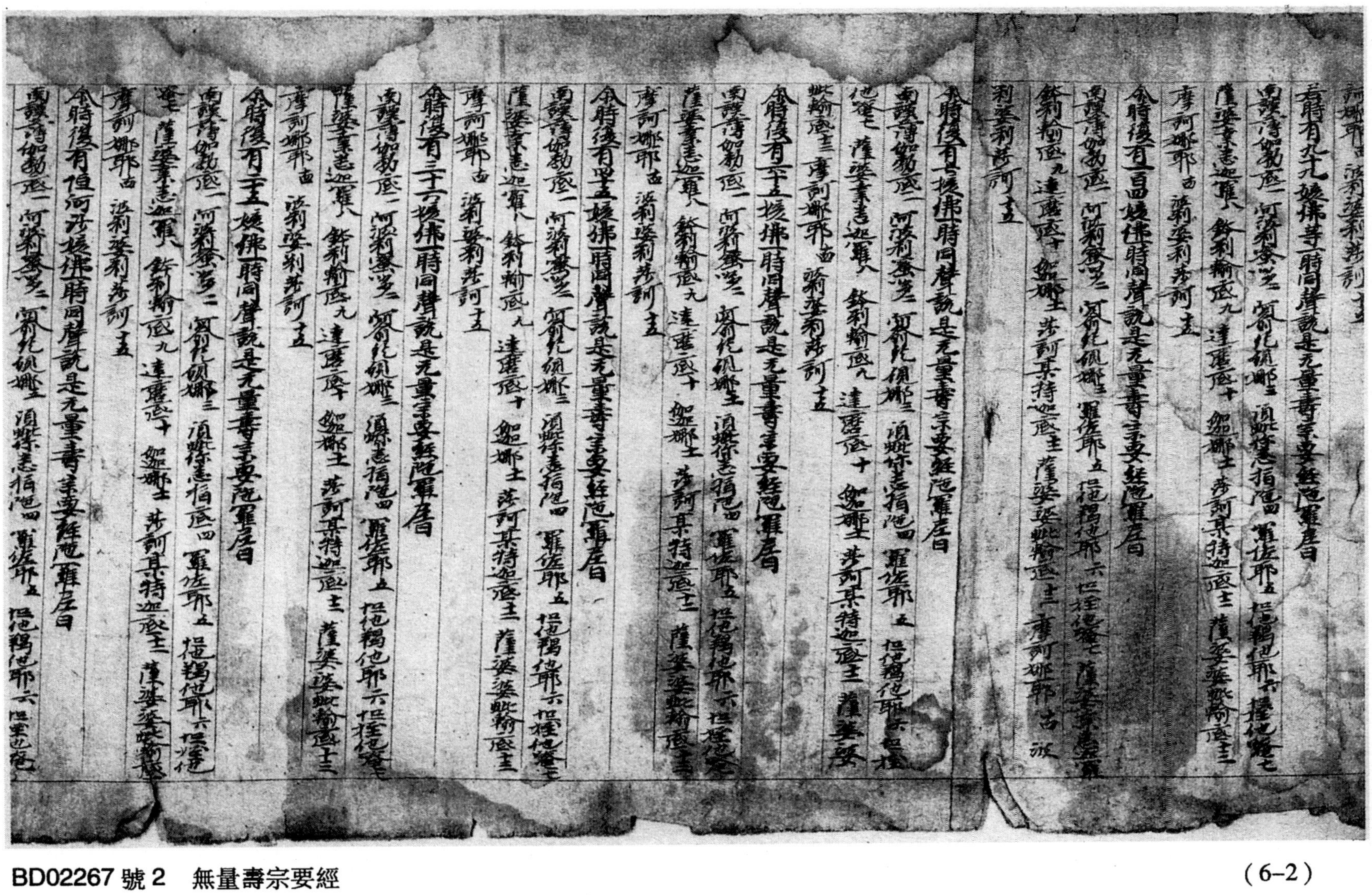

BD02267 號 2　無量壽宗要經　　（6–2）

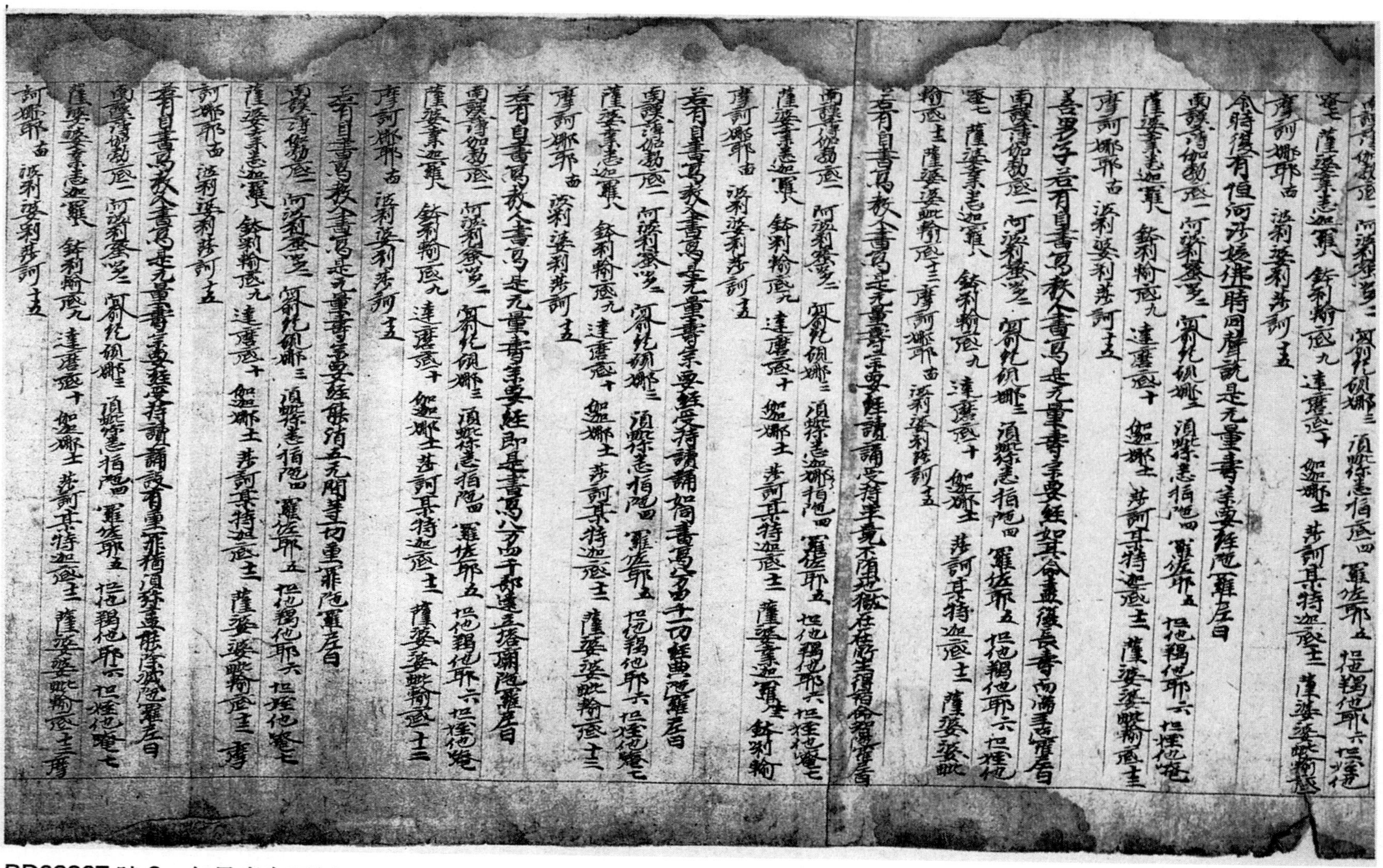

BD02267號2　無量壽宗要經

（6–3）

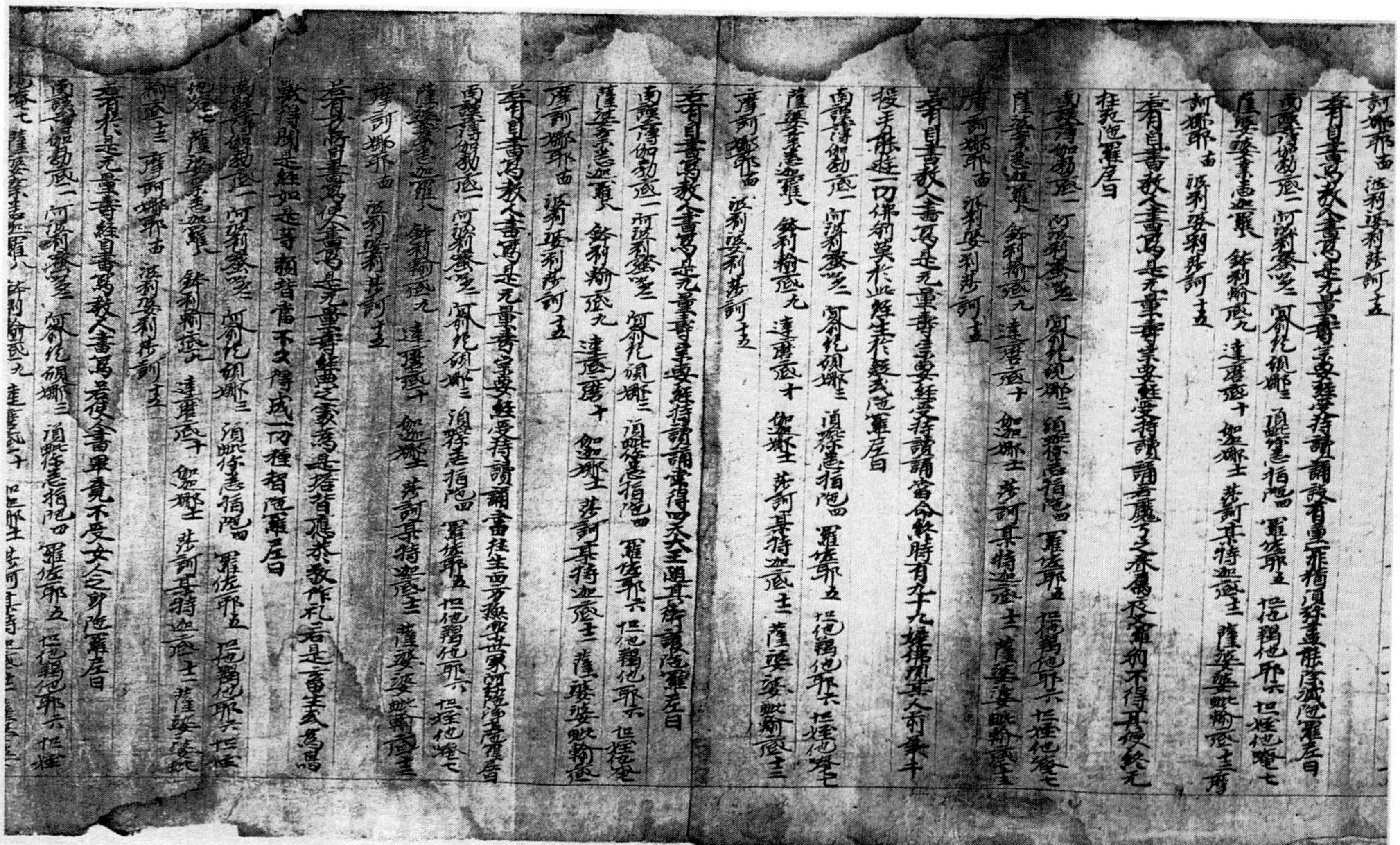

BD02267號2　無量壽宗要經

（6–4）

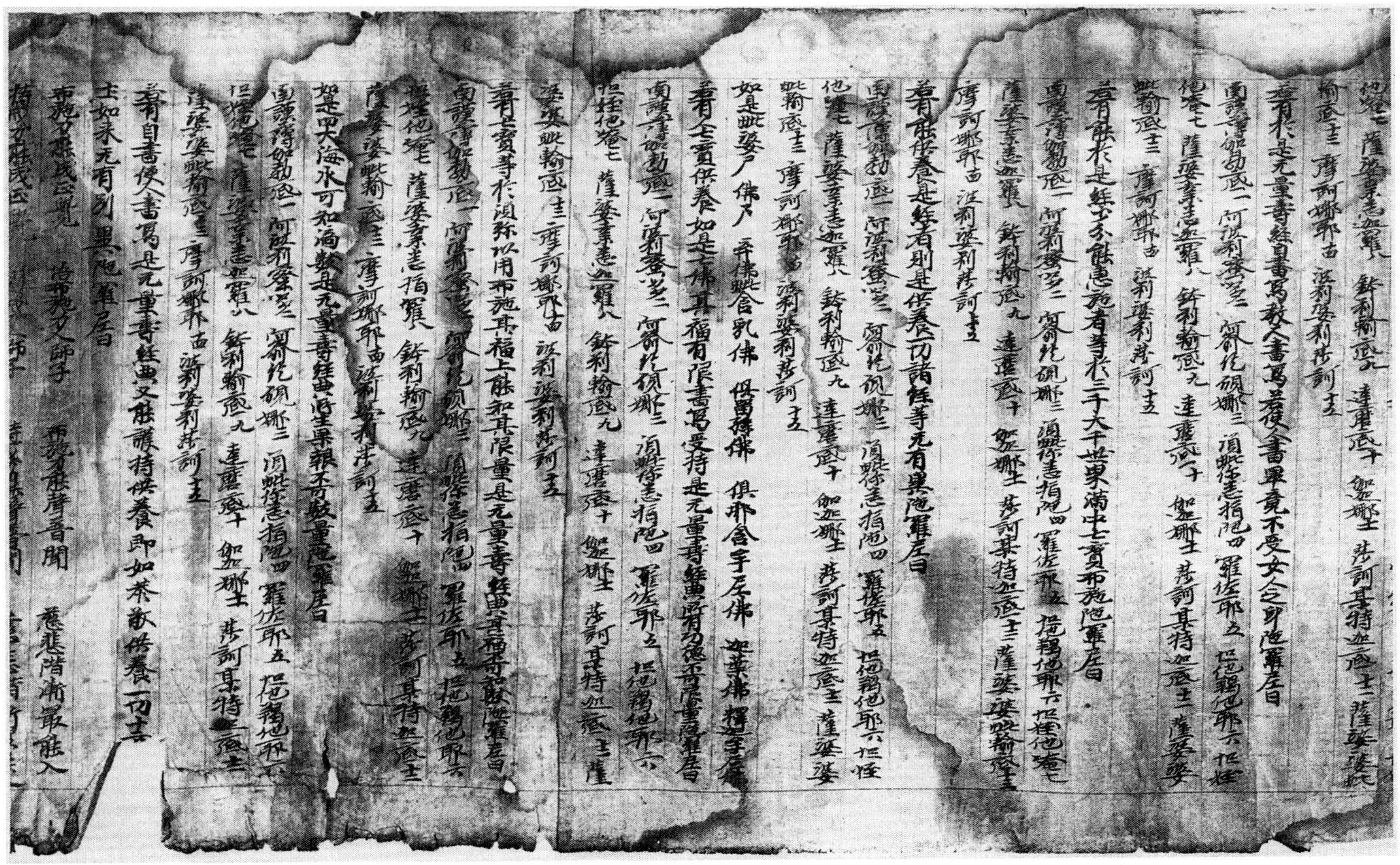
他娑七 薩婆桑悉迦羅八 鉢利輸底九 達摩底十 伽伽娜十一 莎訶某特迦底十二 薩婆婆毗
輸底十三 摩訶娜耶十四 波利婆利莎訶十五
若有於是无量壽經自書寫教人書寫若復人書畢竟不受女人之身陀羅尼曰
南謨薄伽勃底一 阿波利蜜多二 阿喻紇硯娜三 須毗你悉指陀四 羅佐耶五 怛他羯他耶六 怛姪
他唵七 薩婆桑悉迦羅八 鉢利輸底九 達摩底十 伽伽娜十一 莎訶某特迦底十二 薩婆婆
毗輸底十三 摩訶娜耶十四 波利婆利莎訶十五
若有能於是經少分能惠施者等於三千大千世界滿中七寶布施陀羅尼曰
南謨薄伽勃底一 阿波利蜜多二 阿喻紇硯娜三 須毗你悉指陀四 羅佐耶五 怛他羯他耶六 怛姪他唵七
薩婆桑悉迦羅八 鉢利輸底九 達摩底十 伽伽娜十一 莎訶某特迦底十二 薩婆婆毗輸底十三
摩訶娜耶十四 波利婆利莎訶十五
若有能供養是經者則是供養一切諸經等无有異陀羅尼曰
南謨薄伽勃底一 阿波利蜜多二 阿喻紇硯娜三 須毗你悉指陀四 羅佐耶五 怛他羯他耶六 怛姪
他唵七 薩婆桑悉迦羅八 鉢利輸底九 達摩底十 伽伽娜十一 莎訶某特迦底十二 薩婆婆
毗輸底十三 摩訶娜耶十四 波利婆利莎訶十五
如是毗婆尸佛 弃佛 毗舍浮佛 俱留孫佛 俱那含牟尼佛 迦葉佛 釋迦牟尼佛
若有七寶供養如是七佛其福有限書寫受持是无量壽經典所有功德不可限量陀羅尼曰
南謨薄伽勃底一 阿波利蜜多二 阿喻紇硯娜三 須毗你悉指陀四 羅佐耶五 怛他羯他耶六
怛姪他唵七 薩婆桑悉迦羅八 鉢利輸底九 達摩底十 伽伽娜十一 莎訶某特迦底十二 薩
婆婆毗輸底十三 摩訶娜耶十四 波利婆利莎訶十五
若有七寶等於須弥以用布施其福上能知其限量是无量壽經典其福不可數量陀羅尼曰
南謨薄伽勃底一 阿波利蜜多二 阿喻紇硯娜三 須毗你悉指陀四 羅佐耶五 怛他羯他耶六
怛姪他唵七 薩婆桑悉迦羅八 鉢利輸底九 達摩底十 伽伽娜十一 莎訶某特迦底十二
薩婆婆毗輸底十三 摩訶娜耶十四 波利婆利莎訶十五
如是四大海水可知滴數是无量壽經典所生果報不可數量陀羅尼曰
南謨薄伽勃底一 阿波利蜜多二 阿喻紇硯娜三 須毗你悉指陀四 羅佐耶五 怛他羯他耶六
怛姪他唵七 薩婆桑悉迦羅八 鉢利輸底九 達摩底十 伽伽娜十一 莎訶某特迦底十二
薩婆婆毗輸底十三 摩訶娜耶十四 波利婆利莎訶十五
若有自書使人書寫是无量壽經典又能護持供養即如恭敬供養一切十方諸
土如來无有別異陀羅尼曰
布施力能成正覺 法布施力人師子 布施力能聲音聞 慈悲階漸最能入
持戒力能成正覺 持戒力人師子 持戒力能聲音聞

BD02267 號 2　無量壽宗要經　（6–5）

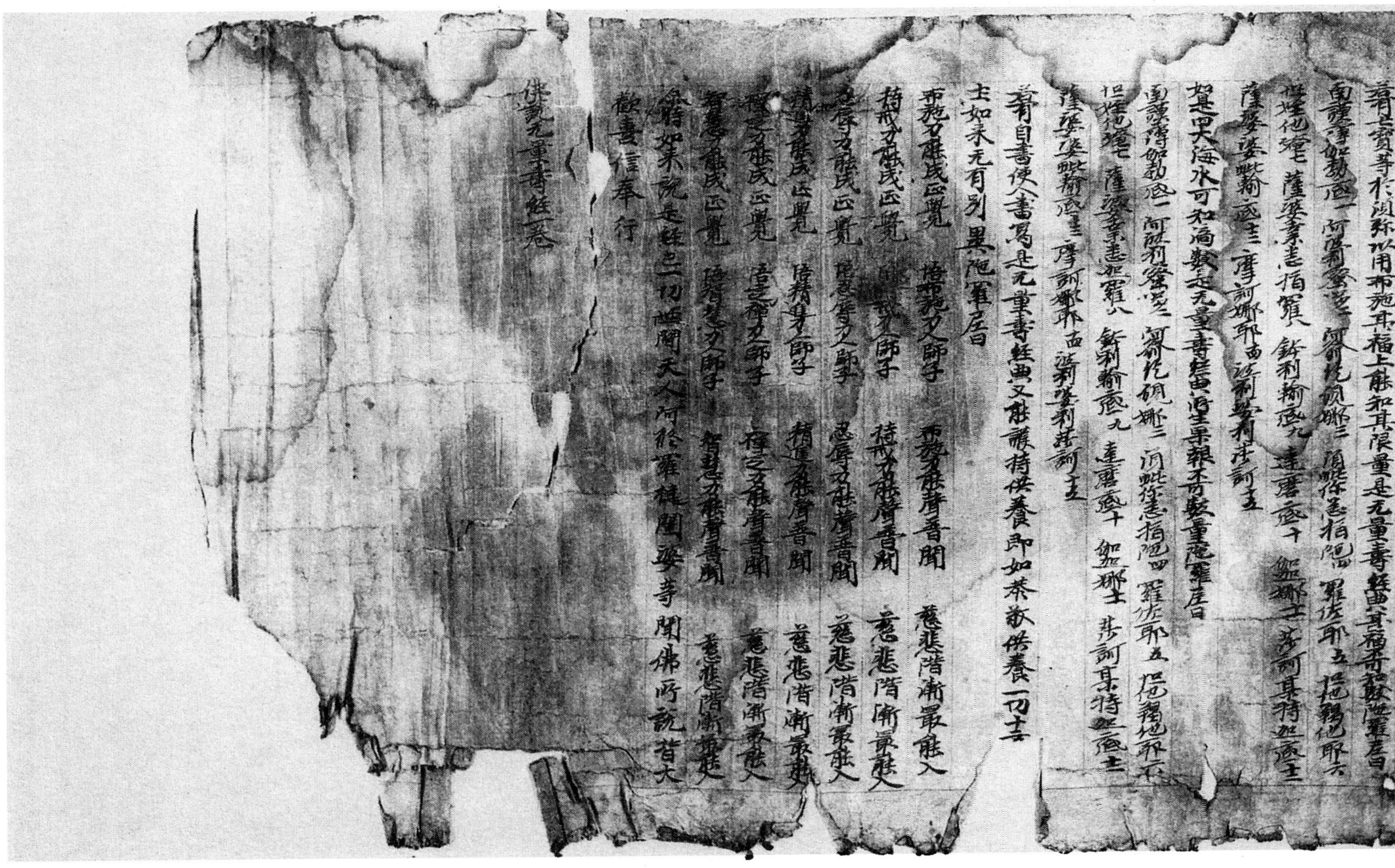
若有七寶等於須弥以用布施其福上能知其限量是无量壽經典其福不可數量陀羅尼曰
南謨薄伽勃底一 阿波利蜜多二 阿喻紇硯娜三 須毗你悉指陀四 羅佐耶五 怛他羯他耶六
怛姪他唵七 薩婆桑悉迦羅八 鉢利輸底九 達摩底十 伽伽娜十一 莎訶某特迦底十二
薩婆婆毗輸底十三 摩訶娜耶十四 波利婆利莎訶十五
如是四大海水可知滴數是无量壽經典所生果報不可數量陀羅尼曰
南謨薄伽勃底一 阿波利蜜多二 阿喻紇硯娜三 須毗你悉指陀四 羅佐耶五 怛他羯他耶六
怛姪他唵七 薩婆桑悉迦羅八 鉢利輸底九 達摩底十 伽伽娜十一 莎訶某特迦底十二
薩婆婆毗輸底十三 摩訶娜耶十四 波利婆利莎訶十五
若有自書使人書寫是无量壽經典又能護持供養即如恭敬供養一切十方諸
土如來无有別異陀羅尼曰
布施力能成正覺 法布施力人師子 布施力能聲音聞 慈悲階漸最能入
持戒力能成正覺 持戒力人師子 持戒力能聲音聞 慈悲階漸最能入
忍辱力能成正覺 忍辱力人師子 忍辱力能聲音聞 慈悲階漸最能入
精進力能成正覺 精進力人師子 精進力能聲音聞 慈悲階漸最能入
禪定力能成正覺 禪定力人師子 禪定力能聲音聞 慈悲階漸最能入
智惠力能成正覺 智惠力人師子 智惠力能聲音聞 慈悲階漸最能入
爾時如來說是經已一切世間天人阿修羅揵闥婆等聞佛所說皆大
歡喜信受奉行
佛說无量壽經一卷

BD02267 號 2　無量壽宗要經　（6–6）

乘稻芉經
聞一時薄伽梵住王舍城耆闍崛山與
大比丘衆千二百五十人及諸菩薩摩
薩俱　尒時具壽舍利子往弥勒菩薩摩訶
薩經行之處到已共相慰問俱坐盤陁石
上是時具壽舍利子而弥勒菩薩摩訶薩作如
是言弥勒今日世尊觀見稻芉告諸比丘作
如是說諸比丘若見因緣彼即見法若見於
法即能見佛作是語已默然無言弥勒善逝
何故作如是說其事云何何者因緣何者是
法何者是佛云何見因緣即能見法云何
即能見佛作是語已弥勒菩薩摩訶薩
壽舍利子言今佛法王正遍知告諸比丘若
見因緣即能見法若見於法即能見佛者
此中何者是因緣言因緣者此有故彼有此
生故彼生所謂無明緣行行緣識識緣名色
名色緣六入六入緣觸觸緣受受緣愛愛緣取
取緣有有緣生生緣老死愁嘆苦憂惱

BD02268號　大乘稻芉經

(11-1)

生故彼生所謂無明緣行行緣識識緣名色
名色緣六入六入緣觸觸緣受受緣愛愛緣取
取緣有有緣生生緣老死愁嘆苦憂惱
得生起如是唯生純極大苦之聚此由
滅故行滅行滅故識滅識滅故名色滅名
滅故六入六入滅故觸滅觸滅故受滅受滅故
愛滅愛滅故取滅取滅故有滅有滅故生滅
生滅故老死愁嘆苦憂惱得滅如是唯滅純
極大苦之聚此是世尊所說因緣之法何者
是法所謂八聖道正見正思惟正語正業
正命正精進正念正定此是八聖道果
槃世尊所說名之為法何者是佛所謂知一
切法者名之為佛以彼慧眼及法身能見作
菩提學無學法故云何見因緣如佛無所說
若能見因緣之法常無壽離壽如實性無錯
謬性無生無起無作無為無障㝵無境界寂靜
無畏無侵奪不寂靜相者是若能如是於法
亦見常無壽離壽如實性無錯謬性無生
起無作無為無障㝵無境界寂靜無畏無侵
奪不寂靜相者得正智故能悟勝法以無上
法身而見於佛問曰何故名因緣答曰 有因
有緣名為因緣非無因無緣故是故名為因
緣之法世尊略說因緣之相彼緣生果如來
出現若不出現法性常住乃至法性法
定性与因緣相應性真如性無錯謬性無變

BD02268號　大乘稻芉經

(11-2)

緣之法世尊略說因緣之相彼緣生果如來
出現若不出現法性常住乃至法性法
定性与因緣相應性真如性無錯謬性无變
異性真實性實際性不虛妄性不顛倒性
等作如是說此因緣法以其二種而得生起
云何為二所謂因相應緣相應彼復有二謂
內及外此中何者是外因緣法因相應所謂從
種生芽從芽生葉從葉生莖從莖生節從節
生穗從穗生花從花生實若无有種
即不生芽乃至若无有花實亦不生有種芽
生如是有花實亦得生彼種亦不作是念我能
生芽芽亦不作是念我從種生乃至花亦不作
是念我能生實實亦不作是念我從花生雖
然有種故而芽得生如是有花故實即而能
成就應如是觀外因緣法因相應義　應云
何觀外因緣法緣相應義謂六界和合故
以何六界和合所謂地水火風空時界等
和合外因緣法而得生起應如是觀外因
緣法緣相應義　地界者能持於種　水
界者潤漬於種火界者能暖於種風界者
動搖於種空界者不障於種時則能變種
子若无此眾緣種則不能而生於芽若具
外地界无不具足如是乃至水火風空時
等无不具足一切和合種子滅時而芽得生
此中地界不作是念我能任持種子如是
水界亦不作是念我能潤漬於種火界亦

BD02268號　大乘稻竿經　（11-3）

外地界无不具足如是乃至水火風空時
等无不具足一切和合種子滅時而芽得生
此中地界不作是念我能任持種子如是
水界亦不作是念我能潤漬於種火界亦
不作是念我能暖於種子風界亦不作是
念我能動搖於種空界亦不作是念我能
不障於種時亦不作是念我能變於種子
種子亦不作是念我能生芽芽亦不作是念
我今從此眾緣而生雖然有此眾緣而種
滅時芽即得生如是有花之時實即得生
彼芽亦非自作亦非他作非自他俱作非自
在作亦非時變非自性生亦非无因而生雖
然地水火風空時界等和合種滅之時而芽得生
是故應如是觀外因緣法緣相應義　應以五
種觀彼外因緣法何等為五不常不斷不移從
於小因而生大果与彼相似云何不常為芽與
種各別異故彼芽非種非種壞時而芽得生亦
非不滅而得生起種壞之時而芽得生是故不常
云何不斷非過去種壞而生於芽亦非不滅而得
生起種子亦壞當介之時如秤高下而芽得生
是故不斷云何不移芽與種別芽非種故是故
不移云何小因而生大果從小種子而生大果是
故從於小因而生大果云何與彼相似如所植種
生彼果故是故與彼相似是以五種觀外因緣之
法如是內因緣法亦以二種而得生起云何為
二所謂因相應緣相應何者是內因緣法因

BD02268號　大乘稻竿經　（11-4）

生彼果故是故與彼相似是以五種觀外因緣之
法如是內因緣法亦以二種而得生起云何為
二所謂因相應緣相應何者是內因緣法因
相應義所謂始從無明緣行乃至生緣老死
若無明不生行亦不有乃至若無有生老死
非有如是有無明故行乃得生乃至有生故
老死得有無明亦不作是念我能生行行亦不
作是念我從無明而生乃至生亦不作是念我
能生於老死老死亦不作是念我從生有雖
然有無明故行乃得生如是有生故老死得
有是故應如是觀內因緣法因相應義
應云何觀內因緣法緣相應事為六界和合故
以何六界和合所謂地水火風空識界等和合
故應如是觀內因緣法緣相應事 何者是內
因緣法地界之相為此身中作堅硬者名為地界
為令此身而聚集者名為水界能消身所食
飲嚼噉者名為火界為此身中作內外出入息
者名為風界為此身中作虛通者名為空界
五識身相應及有漏意識猶如束蘆能成就
此身名色芽者名為識界若無此衆緣身
則不生若內地界無不具足如是乃至水火風空識
界等無不具足一切和合身即得生 彼地界亦不
作是念我能而作身中堅硬之事水界亦不作
是念我能為身而作聚集火界亦不作是念
我能而消身所食飲嚼噉之事風界亦不作念
我能作內外出入息空界亦不作念我能而作身
中虛通之事識界亦不作念我能成就此身名

BD02268號　大乘稻芊經

（11–5）

是念我能為身而作聚集火界亦不作是念
我能而消身所食飲嚼噉之事風界亦不作念
我能作內外出入息空界亦不作念我能而作身
中虛通之事識界亦不作念我能成就此身名
色之芽身亦不作是念我從此衆緣而生雖然有
此衆緣之時身即得生彼地界亦非我非是
衆生非命者非生者非儒童非作者非男非女
非黃門非自在非我所亦非餘等如是乃至水界
火界風界空界識界亦非是我非是衆生非
命者非生者非儒童非作者非男非女非自黃
門非自在非我所亦非餘等 何者是無明於此
六界起於一想一合想常想堅牢想不壞想
安樂想衆生命者生養育士夫人儒童作者我
我所想等及餘種種無知此是無明有無明故於
諸境界起貪瞋癡於諸境界起貪瞋癡者此是
無明緣行而於諸事能了別者名之為識與識
俱生四取蘊者此是名色依名色諸根名為六
入三法和合名之為觸覺受觸者名之為受於
受貪著名之為愛增長愛者名之為取從取
而生能生業者名為有而從彼因所生之蘊名之為生
生蘊成熟者名之為老老已蘊滅壞者名之為
死臨終之時內具貪著及熱惱者名之為愁從
愁而生諸言辭者名之為嘆五識身受苦者名
之為苦作意意識受諸苦者名之為憂具如是
等及隨煩惱者名之為惱大黑闇故故名無明造
作故名諸行了別故名識相依故名名色為生
門故名六入觸故名觸受故名受渴故名愛取故

BD02268號　大乘稻芊經

（11–6）

之為苦作意意識受諸苦者名之為憂具如是
等及隨煩惱者名之為惱大黑闇故故名无明造
作故名諸行了別故名識相依故名名色為生
門故名六入觸故名觸受故名受渴故名愛取故
名取生後有故名有生蘊故名生蘊熟故名老
蘊壞故名死愁故名愁歎故名歎惱身故名苦惱
心故名憂煩惱故名惱　復次不了真性顛倒无
知名為无明如是有无明故能成三行所謂福行
罪行不動行從於福行而生福行識者此是无
明緣行從於罪行而生罪行識者此則名為行
緣識從於不動行而生不動行識者此則名為
識緣名色名色增長故從六入門中能成事者此
是名色緣六入從於六入而生六聚觸者此是六
入緣觸從於所觸而生彼受者此則名為觸緣受
了別受已而生樂著染者此則名為受緣愛知
已而生樂著染故不欲遠離好色及於安樂而
生願樂者此是愛緣取生願樂已從身口意造後
有業者此是取緣有從於彼業所生蘊者此是
有緣生生已諸蘊成熟及滅壞者此則名為生緣
老死是故彼因緣十二支法互相為因互相為緣
非常非无常非有為非无為非无因非无緣非
有受非盡法非壞法非滅法從无始已來如暴
流水而无斷絕　雖然此因緣十二支法互相為
因互相為緣非常非无常非有為非无為非无
因非无緣非有受非盡法非壞法非滅法非破法從无
始已來如暴流水而无斷絕有其四支能攝十
二因緣之法云何為四所謂无明愛業識識者

因非无緣非有受非盡法非壞法非滅法非破法從无
始已來如暴流水而无斷絕有其四支能攝十
二因緣之法云何為四所謂无明愛業識識者
以種子性為因業者以田性為因无明及愛以煩
惱性為因此中業及煩惱能生種子之識業則能
作種子識田愛則能潤種子之識无明能殖種
子之識若无此衆緣種子之識而不能成
彼業亦不作念我今能作種子識田愛亦不作
念我能潤於種子之識无明亦不作念我今能
殖種子之識彼種子之識亦不作念我今從此衆
緣而生雖然種子之識依彼業田及愛所潤无
明糞壤所生之處入於母胎能生名色之芽彼名
色芽亦非自作亦非他作非自他俱作非自在化亦
非時變非自性生非假作者亦非无因而生雖
然父母和合時及餘和合之時无我之法无我我
所猶如虛空彼諸幻法因及緣无不具足故彼生
處入於母胎則能成就執受種子之識名色
之芽　復如眼識生時若具五緣而則得生云
何為五所謂依眼色明空依作意故眼識得
生此中眼則能作眼識所依色則能作眼識之
境明則能為顯現之事空則為不鄣之事
依作意能為思想之事若无此衆緣眼識
不生若內入眼无不具足如是乃至色明空作
意无不具足一切和合之時眼識得生　彼眼
亦不作是念我今能為眼識所依色亦不作
念我今能作眼識之境明亦不作念我今能

意无不具足一切和合之時眼識得生 彼眼
亦不作是念我令能為眼識所依色亦不作
念我令能作眼識之境明亦不作念我令能
作顧現之事作意亦不作是念我令能為眼
識所思彼眼識亦不作念我是從此衆緣而
有雖然有此衆緣眼識得生乃至諸餘眼等
應如是知 如是无有少法而從此世移至他
世雖然因及衆緣无不具足故業果亦現譬如
明鏡之中現其面像雖彼面像不移鏡中因
及衆緣无不具足故面像亦現如是无有少
許從於此滅生其餘處因及衆緣无不具足故
業果亦現譬如月輪（從此四万二千由旬而行然月輪亦像現其有水小器中亦有月）亦不從彼移至於有水之器
器雖然因及衆緣无不具足故月輪亦現如是无
有少許從於此滅而生餘處因及衆緣无不具
足故業果亦現譬如其火因及衆緣若不具足
而不能然因及衆緣具足之時乃可得然如是
无我之法无我我所猶如虛空依彼幻法因及
衆緣无不具足故所生之處入於母胎則能成就
種子之識業及煩惱所生名色之芽是故應如是
觀內因緣法緣相應事 應以五種觀內因緣法
云何為五不常不斷不移從於小因而生大果與
彼相似云何不常所謂彼後滅蘊與彼生分各
異為後滅蘊非生分故彼後滅蘊亦滅生分亦
得現故是故不常云何不斷非依後滅蘊滅壞
之時生分得有亦非不滅彼後滅蘊亦滅當尒之
時生分之蘊如秤高下而得生故是故不斷云何
不移為諸有情從非衆同分處能生衆同分

BD02268號　大乘稻芉經　（11–9）

得現故是故不常云何不斷非依後滅蘊滅壞
之時生分得有亦非不滅彼後滅蘊亦滅當尒之
時生分之蘊如秤高下而得生故是故不斷云何
不移為諸有情從非衆同分處能生衆同分
處故是故不移云何從於小因而生大果作於
小業感大異熟是故從於小因而生大果如所作
因感彼果故與彼相似是故應以五種觀因緣法
尊者舍利子若復有人能以正智常觀如來
所說因緣之法无壽離壽如實性无錯謬性
无生无起无作无為无障礙无境界寂靜无
畏无假奪无盡不寂靜相不虛誑无堅實如
病如癰如箭過失无常苦空无我者我於過
去而有生耶而无生耶而不分別過去之際於
未來世生於何處亦不分別未來之際此是何
耶此復云何而作何物此諸有情從何而來從於
此滅而生何處亦不分別現在之有 復能滅
於世間沙門婆羅門不同諸見所謂我見衆生
見壽者見人見希有見吉祥見開合之見善
了知故如多羅樹明了斷除諸根機已於未
來世證得无生无滅之法 尊者舍利子若
復有人具足如是無生法忍善能了別此因緣
法者如來應供正遍知明行足善逝世間解无
上士調御丈夫天人師佛世尊即與授阿耨多
羅三藐三菩提記 尒時弥勒菩薩摩訶薩
說是語已舍利子及一切世間天人阿脩羅揵闥
婆等聞弥勒菩薩摩訶薩所說之法信受奉
行

BD02268號　大乘稻芉經　（11–10）

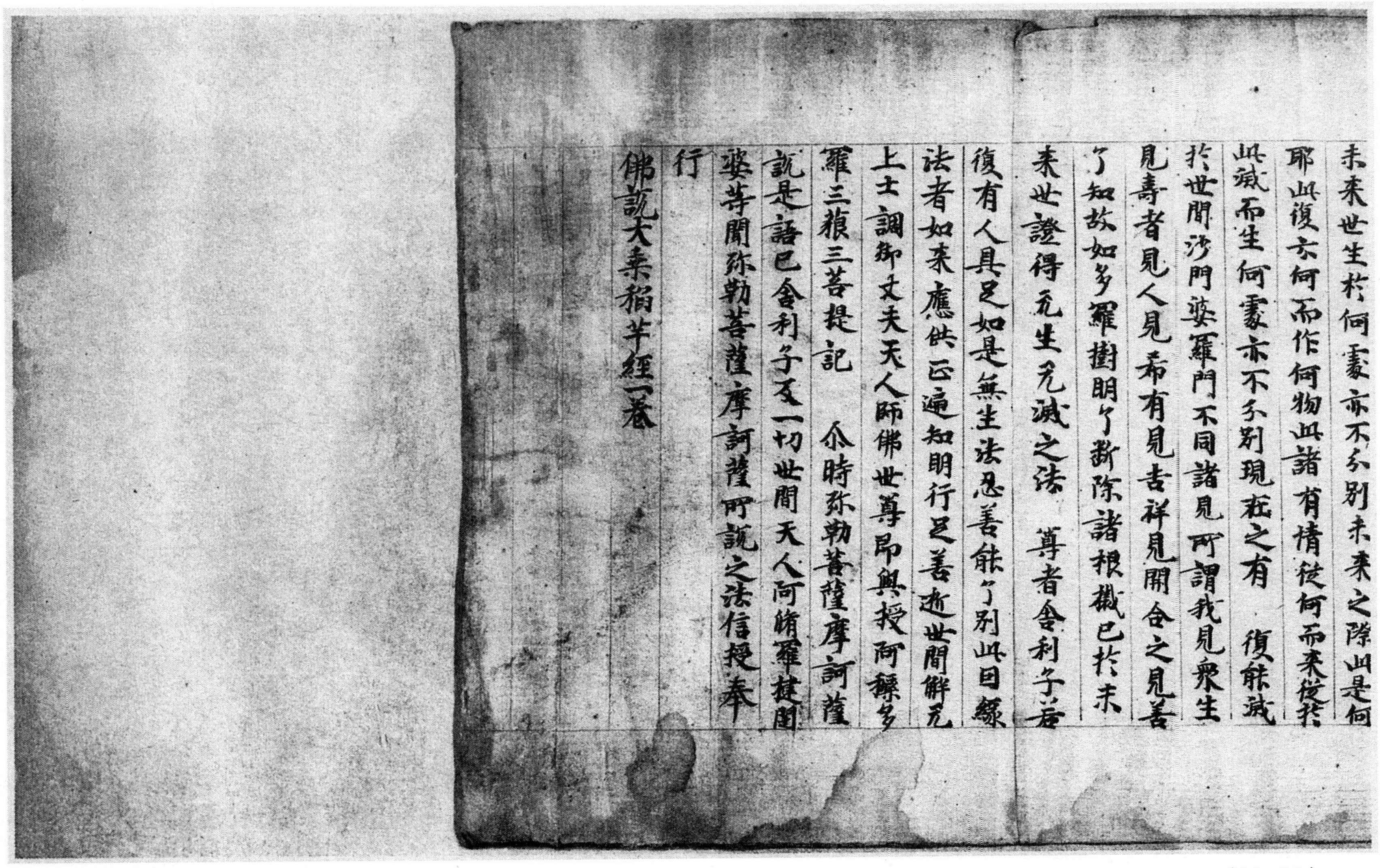

未來世生於何處亦不分別未來之際此是何
耶此復云何而作何物此諸有情從何而來從於
此滅而生何處亦不分別現在之有　復能滅
於世間沙門婆羅門不同諸見所謂我見衆生
見壽者見人見希有見吉祥見開合之見善
了知故如多羅樹明了斷除諸根截已於未
來世證得无生无滅之法　尊者舍利子若
復有人具足如是無生法忍善能了別此因緣
法者如來應供正遍知明行足善逝世間解无
上士調御丈夫天人師佛世尊即與授阿耨多
羅三藐三菩提記　尒時彌勒菩薩摩訶薩
說是語已舍利子及一切世間天人阿脩羅揵闥
婆等聞彌勒菩薩摩訶薩所說之法信受奉
行
佛說大乘稻芊經一卷

BD02268 號　大乘稻竿經　（11–11）

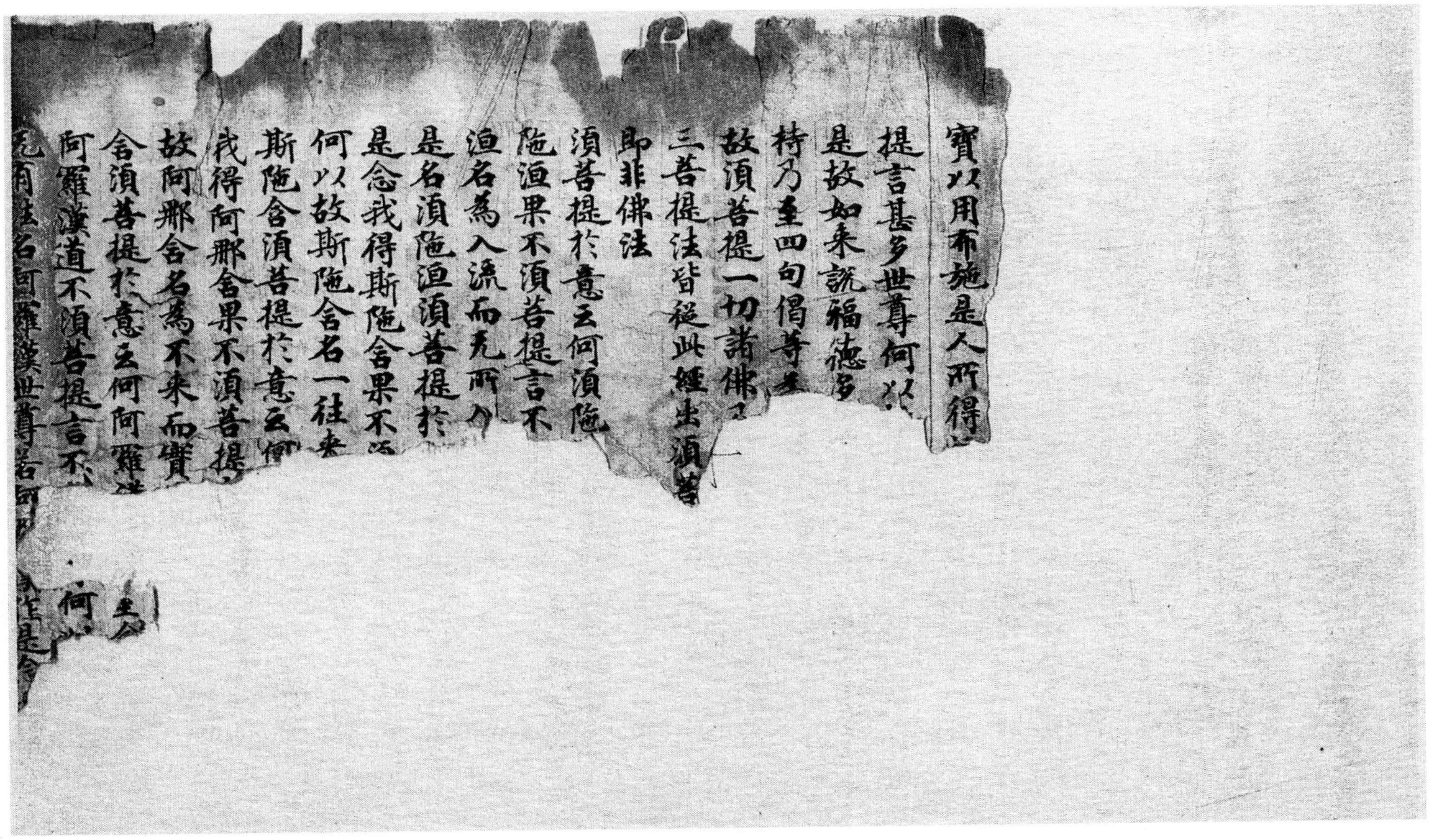

寶以用布施是人所得[illegible]
提言甚多世尊何以[illegible]
是故如來說福德多
持乃至四句偈等[illegible]
故須菩提一切諸佛[illegible]
三菩提法皆從此經出須菩
即非佛法
須菩提於意云何須陁
陁洹果不須菩提言不
洹名為入流而无所入
是名須陁洹須菩提於
是念我得斯陁含果不[illegible]
何以故斯陁含名一往來
斯陁含須菩提於意云何
我得阿那含果不須菩提
故阿那含名為不來而實
含須菩提於意云何阿羅漢
阿羅漢道不須菩提言不
无有法名阿羅漢世尊若阿[illegible]

BD02269 號　金剛般若波羅蜜經　（13–1）

何以故斯陁含名一往來
斯陁含須菩提於意云何
我得阿那含果不須菩提
故阿那含名為不來而實
含須菩提於意云何阿羅漢 生念
阿羅漢道不須菩提言不 何
无有法名阿羅漢世尊若阿羅 作是念
得阿羅漢道即為著我人衆生 者世
說我得无諍三昧人中最為第 是第
欲阿羅漢我不作是念我是離欲阿羅
尊我若作是念我得阿羅漢世尊則
須菩提是樂阿蘭那行者以須菩提實
行而名須菩提是樂阿蘭那行
佛告須菩提於意云何如來昔在然燈
於法有所得不世尊如來在然燈佛所
實无所得須菩提於意云何菩薩莊嚴
不不也世尊何以故莊嚴佛土者則非莊嚴
是名莊嚴是故須菩提諸菩薩摩訶薩應如
是生清淨心不應住色生心不應住聲香味
觸法生心應无所住而生其心須菩提譬如
有人身如須弥山王於意云何是身為大不
須菩提言甚大世尊何以故佛說非身是名
大身須菩提如恒河中所有沙數如是沙等
恒河於意云何是諸恒河沙寧為多不須菩
提言甚多世尊但諸恒河尚多无數何況其
沙須菩提我今實言告汝若有善男子善女
人以七寶滿尒所恒河沙數三千大千世界
以用布施得福多不須菩提言甚多世尊佛

BD02269 號　金剛般若波羅蜜經

（13–2）

須菩提言甚大世尊何以故佛說非身是名
大身須菩提如恒河中所有沙數如是沙等
恒河於意云何是諸恒河沙寧為多不須菩
提言甚多世尊但諸恒河尚多无數何況其
沙須菩提我今實言告汝若有善男子善女
人以七寶滿尒所恒河沙數三千大千世界
以用布施得福多不須菩提言甚多世尊佛
告須菩提若善男子善女人於此經中乃至
受持四句偈等為他人說而此福德勝前福
德復次須菩提隨說是經乃至四句偈等當
知此處一切世間天人阿脩羅皆應供養如
佛塔廟何況有人盡能受持讀誦須菩提當
知是人成就最上第一希有之法若是經典
所在之處則為有佛若尊重弟子
尒時須菩提白佛言世尊當何名此經我等
云何奉持佛告須菩提是經名為金剛般若
波羅蜜以是名字汝當奉持所以者何須菩
提佛說般若波羅蜜則非般若波羅蜜須菩
提於意云何如來有所說法不須菩提白佛
言世尊如來无所說須菩提於意云何三千
大千世界所有微塵是為多不須菩提言甚
多世尊須菩提諸微塵如來說非微塵是名
微塵如來說世界非世界是名世界須菩提
於意云何可以三十二相見如來不不也世
尊何以故如來說三十二相即是非相是名
三十二相須菩提若有善男子善女人以恒
河沙等身命布施若復有人於此經中乃至

BD02269 號　金剛般若波羅蜜經

（13–3）

多世尊須菩提諸微塵如来說非微塵是名
微塵如来說世界非世界是名世界須菩提
於意云何可以三十二相見如来不不也世
尊何以故如来說三十二相即是非相是名
三十二相須菩提若有善男子善女人以恒
河沙等身命布施若復有人於此經中乃至
受持四句偈等為他人說其福甚多
介時須菩提聞說是經深解義趣涕淚悲泣
而白佛言希有世尊佛說如是甚深經典我
從昔来所得慧眼未曾得聞如是之經世尊
若復有人得聞是經信心清淨[illegible]相當
知是人成就第一希有功德世尊是[illegible]相者
則是非相是故如来說名實相世尊我今得
聞如是經典信解受持不足為難
後五百歲其有眾生得聞是經信解
人則為第一希有何以故此人无我
眾生相壽者相所以者何我相即是
相眾生相壽者相即是非相何以故離
諸相則名諸佛
佛告須菩提如是如是若復有人得聞
不驚不怖不畏當知是人甚為希有何
須菩提如来說第一波羅蜜非第一波
是名第一波羅蜜
須菩提忍辱波羅蜜如来說非忍辱
何以故須菩提如我昔為歌利王割截
我於介時无我相无人相无眾生相无
相何以故我於往昔節節支解時若有

BD02269號　金剛般若波羅蜜經

（13–4）

須菩提如来說第一波羅蜜非第一波
是名第一波羅蜜
須菩提忍辱波羅蜜如来說非忍辱
何以故須菩提如我昔為歌利王割截
我於介時无我相无人相无眾生相无
相何以故我於往昔節節支解時若有
人相眾生相壽者相應生瞋恨須菩提
過去於五百世作忍辱仙人於介所世
相无人相无眾生相无壽者相是故須
菩薩應離一切相發阿耨多羅三藐三
心不應住色生心不應住聲香味觸[illegible]心
應生无所住心若心有住則為非住[illegible]佛
說菩薩心不應住色布施須菩提菩薩[illegible]利
益一切眾生應如是布施如来說一切諸[illegible]相
即是非相又說一切眾生則非眾生須菩提
如来是真語者實語者如語者不誑語者不
異語者須菩提如来所得法此法无實无虛
須菩提若菩薩心住於法而行布施如人入
闇則无所見若菩薩心不住法而行布施如
人有目日光明照見種種色須菩提當来之
世若有善男子善女人能於此經受持讀誦
則為如来以佛智慧悉知是人悉見是人皆
得成就无量无邊功德
須菩提若有善男子善女人初日分以恒河
沙等身布施中日分復以恒河沙等身布施
後日分亦以恒河沙等身布施如是无量百
千萬億劫以身布施若復有人聞此經典信

BD02269號　金剛般若波羅蜜經

（13–5）

世尊若有善男子善女人能於此經受持讀誦
則為如来以佛智慧悉知是人悉見是人皆
得成就无量无邊功德
須菩提若有善男子善女人初日分以恒河
沙等身布施中日分復以恒河沙等身布施
後日分亦以恒河沙等身布施如是无量百
千萬億劫以身布施若復有人聞此經典信
心不逆其福勝彼何况書寫受持讀誦為人
解說須菩提以要言之是經有不可思議不
可稱量无邊功德如来為發大乘者說為發
冣上乘者說若有人能受持讀誦廣為人說
如来悉知是人悉見是人皆得成就不可量
不可稱无有邊不可思議功德如是人等則
為荷擔如来阿耨多羅三藐三菩提何以故
須菩提若樂小法者著我見人見衆生見壽
者見則於此經不能聽受讀誦為人解說須
菩提在在處處若有此經一切世間天人阿
脩羅所應供養當知此處則為是塔皆應恭
敬作礼圍繞以諸華香而散其處
復次須菩提善男子善女人受持讀誦此經
若為人輕賤是人先世罪業應墮惡道以今
世人輕賤故先世罪業則為消滅當得阿耨
多羅三藐三菩提須菩提我念過去无量阿
僧祇劫於然燈佛前得值八百四千萬億那
由他諸佛悉皆供養承事无空過者若復有
人於後末世能受持讀誦此經所得功德於
我所供養諸佛功德百分不及一千萬億分
乃至筭數譬喻所不能及須菩提若善男子

BD02269 號　金剛般若波羅蜜經

（13–6）

多羅三藐三菩提須菩提我念過去无量阿
僧祇劫於然燈佛前得值八百四千萬億那
由他諸佛悉皆供養承事无空過者若復有
人於後末世能受持讀誦此經所得功德於
我所供養諸佛功德百分不及一千萬億分
乃至筭數譬喻所不能及須菩提若善男子
善女人於後末世有受持讀誦此經所得功
德我若具說者或有人聞心則狂亂狐疑不
信須菩提當知是經義不可思議果報亦不
可思議
尒時須菩提白佛言世尊善男子善女人發
阿耨多羅三藐三菩提心云何應住云何降
伏其心佛告須菩提善男子善女人發阿耨
多羅三藐三菩提者當生如是心我應滅度
一切衆生滅度一切衆生已而无有一衆生
實滅度者何以故若菩薩有我相人相衆生
相壽者相則非菩薩所以者何須菩提實无
有法發阿耨多羅三藐三菩提者須菩提於
意云何如来於然燈佛所有法得阿耨多羅
三藐三菩提不不也世尊如我解佛所說義
佛於然燈佛所无有法得阿耨多羅三藐三
菩提佛言如是如是須菩提實无有法如来
得阿耨多羅三藐三菩提須菩提若有法如
来得阿耨多羅三藐三菩提者然燈佛則不
與我受記汝於来世當得作佛号釋迦牟尼
以實无有法得阿耨多羅三藐三菩提是故
然燈佛與我受記作是言汝於来世當得作

BD02269 號　金剛般若波羅蜜經

（13–7）

得阿耨多羅三藐三菩提須菩提若有法如
来得阿耨多羅三藐三菩提者然燈佛則不
與我受記汝於来世當得作佛号釋迦牟尼
以實无有法得阿耨多羅三藐三菩提是故
然燈佛與我受記作是言汝於来世當得作
佛号釋迦牟尼何以故如来者即諸法如義
若有人言如来得阿耨多羅三藐三菩提須
菩提實无有法佛得阿耨多羅三藐三菩提
須菩提如来所得阿耨多羅三藐三菩提於
是中无實无虛是故如来說一切法皆是佛
法須菩提所言一切法者即非一切法是故
名一切法須菩提譬如人身長大須菩提言
世尊如来說人身長大則為非大身是名大
身須菩提菩薩亦如是若作是言我當滅度
无量衆生則不名菩薩何以故須菩提實无
有法名為菩薩是故佛說一切法无我无人
无衆生无壽者須菩提若菩薩作是言我當
莊嚴佛土是不名菩薩何以故如来說莊嚴
佛土者即非莊嚴是名莊嚴須菩提若菩薩
通達无我法者如来說名真是菩薩
須菩提於意云何如来有肉眼不如是世尊
如来有肉眼須菩提於意云何如来有天眼
不如是世尊如来有天眼須菩提於意云何
如来有慧眼不如是世尊如来有慧眼須菩
提於意云何如来有法眼不如是世尊如来
有法眼須菩提於意云何如来有佛眼不如

BD02269 號　金剛般若波羅蜜經　（13–8）

如来有肉眼須菩提於意云何如来有天眼
不如是世尊如来有天眼須菩提於意云何
如来有慧眼不如是世尊如来有慧眼須菩
提於意云何如来有法眼不如是世尊如来
有法眼須菩提於意云何如来有佛眼不如
是世尊如来有佛眼須菩提於意云何恒河
中所有沙佛說是沙不如是世尊如来說是
沙須菩提於意云何如一恒河中所有沙有
如是等恒河是諸恒河所有沙數佛世界如
是寧為多不甚多世尊佛告須菩提尒所國
土中所有衆生若干種心如来悉知何以故
如来說諸心皆為非心是名為心所以者何
須菩提過去心不可得現在心不可得未来
心不可得須菩提於意云何若有人滿三千
大千世界七寶以用布施是人以是因緣得
福多不如是世尊此人以是因緣得福甚多
須菩提若福德有實如来不說得福德多以
福德无故如来說得福德多
須菩提於意云何佛可以具足色身見不不
也世尊如来不應以色身見何以故如来說
具足色身即非具足色身是名具足色身須
菩提於意云何如来可以具足諸相見不不
也世尊如来不應以具足諸相見何以故如
来說諸相具足即非具足是名諸相具足須
菩提汝勿謂如来作是念我當有所說法莫
作是念何以故若人言如来有所說法即為
謗佛不能解我所說故須菩提說法者无法

BD02269 號　金剛般若波羅蜜經　（13–9）

菩提於意云何如來可以具足諸相見不不
也世尊如來不應以具足諸相見何以故如
來說諸相具足即非具足是名諸相具足須
菩提汝勿謂如來作是念我當有所說法莫
作是念何以故若人言如來有所說法即為
謗佛不能解我所說故須菩提說法者无法
可說是名說法須菩提白佛言世尊佛得阿
耨多羅三藐三菩提為无所得耶如是如是
須菩提我於阿耨多羅三藐三菩提乃至无
有少法可得是名阿耨多羅三藐三菩提復
次須菩提是法平等无有高下是名阿耨多
羅三藐三菩提以无我无人无衆生无壽者
脩一切善法則得阿耨多羅三藐三菩提須
菩提所言善法者如來說非善法是名善法
須菩提若三千大千世界中所有諸須弥山
王如是等七寶聚有人持用布施若人以此
般若波羅蜜經乃至四句偈等受持為他人
說於前福德百分不及一百千萬億分乃至
筭數譬喻所不能及
須菩提於意云何汝等勿謂如來作是念我
當度衆生須菩提莫作是念何以故實无有
衆生如來度者若有衆生如來度者如來則
有我人衆生壽者須菩提如來說有我者則
非有我而凡夫之人以為有我須菩提凡夫
者如來說則非凡夫須菩提於意云何可以
三十二相觀如來不須菩提言如是如是以
三十二相觀如來佛言須菩提若以三十二

BD02269 號　金剛般若波羅蜜經

（13–10）

有我人衆生壽者須菩提如來說有我者則
非有我而凡夫之人以為有我須菩提凡夫
者如來說則非凡夫須菩提於意云何可以
三十二相觀如來不須菩提言如是如是以
三十二相觀如來佛言須菩提若以三十二
相觀如來者轉輪聖王則是如來須菩提白
佛言世尊如我解佛所說義不應以三十二
相觀如來尒時世尊而說偈言
若以色見我　以音聲求我　是人行邪道　不能見如來
須菩提汝若作是念如來不以具足相故得
阿耨多羅三藐三菩提須菩提莫作是念如
來不以具足相故得阿耨多羅三藐三菩提
須菩提汝若作是念發阿耨多羅三藐三菩
提者說諸法斷滅相莫作是念何以故發阿
耨多羅三藐三菩提者於法不說斷滅相須
菩提若菩薩以滿恒河沙等世界七寶布施
若復有人知一切法无我得成於忍此菩薩
勝前菩薩所得功德須菩提以諸菩薩不受
福德故須菩提白佛言世尊云何菩薩不受
福德須菩提菩薩所作福德不應貪著是故
說不受福德須菩提若有人言如來若來若
去若坐若卧是人不解我所說義何以故如
來者无所從來亦无所去故名如來
須菩提若善男子善女人以三千大千世界
碎為微塵於意云何是微塵衆寧為多不甚
多世尊何以故若是微塵衆實有者佛則不
說是微塵衆所以者何佛說微塵衆則非微

BD02269 號　金剛般若波羅蜜經

（13–11）

去若坐若卧是人不解我所說義何以故如
来者无所從来亦无所去故名如来
須菩提若善男子善女人以三千大千世界
碎爲微塵於意云何是微塵衆寧爲多不甚
多世尊何以故若是微塵衆實有者佛則不
說是微塵衆所以者何佛說微塵衆則非微
塵衆是名微塵衆世尊如来所說三千大千
世界則非世界是名世界何以故若世界實
有者則是一合相如来說一合相則非一合
相是名一合相須菩提一合相者則是不可
說但凡夫之人貪著其事須菩提若人言佛
說我見人見衆生見壽者見須菩提於意云
何是人解我所說義不世尊是人不解如来
所說義何以故世尊說我見人見衆生見壽
者見即非我見人見衆生見壽者見是名我
見人見衆生見壽者見須菩提發阿耨多羅
三藐三菩提心者於一切法應如是知如是
見如是信解不生法相須菩提所言法相者
如来說即非法相是名法相須菩提若有人
以滿无量阿僧祇世界七寶持用布施若有
善男子善女人發菩薩心者持於此經乃至
四句偈等受持讀誦爲人演說其福勝彼云
何爲人演說不取於相如如不動何以故
一切有爲法　如夢幻泡影　如露亦如電　應作如是觀
佛說是經已長老須菩提及諸比丘比丘尼
優婆塞優婆夷一切世間天人阿脩羅聞佛
所說皆大歡喜信受奉行

BD02269號　金剛般若波羅蜜經　（13–12）

說但凡夫之人貪著其事須菩提若人言佛
說我見人見衆生見壽者見須菩提於意云
何是人解我所說義不世尊是人不解如来
所說義何以故世尊說我見人見衆生見壽
者見即非我見人見衆生見壽者見是名我
見人見衆生見壽者見須菩提發阿耨多羅
三藐三菩提心者於一切法應如是知如是
見如是信解不生法相須菩提所言法相者
如来說即非法相是名法相須菩提若有人
以滿无量阿僧祇世界七寶持用布施若有
善男子善女人發菩薩心者持於此經乃至
四句偈等受持讀誦爲人演說其福勝彼云
何爲人演說不取於相如如不動何以故
一切有爲法　如夢幻泡影　如露亦如電　應作如是觀
佛說是經已長老須菩提及諸比丘比丘尼
優婆塞優婆夷一切世間天人阿脩羅聞佛
所說皆大歡喜信受奉行

金剛般若波羅蜜經

BD02269號　金剛般若波羅蜜經　（13–13）

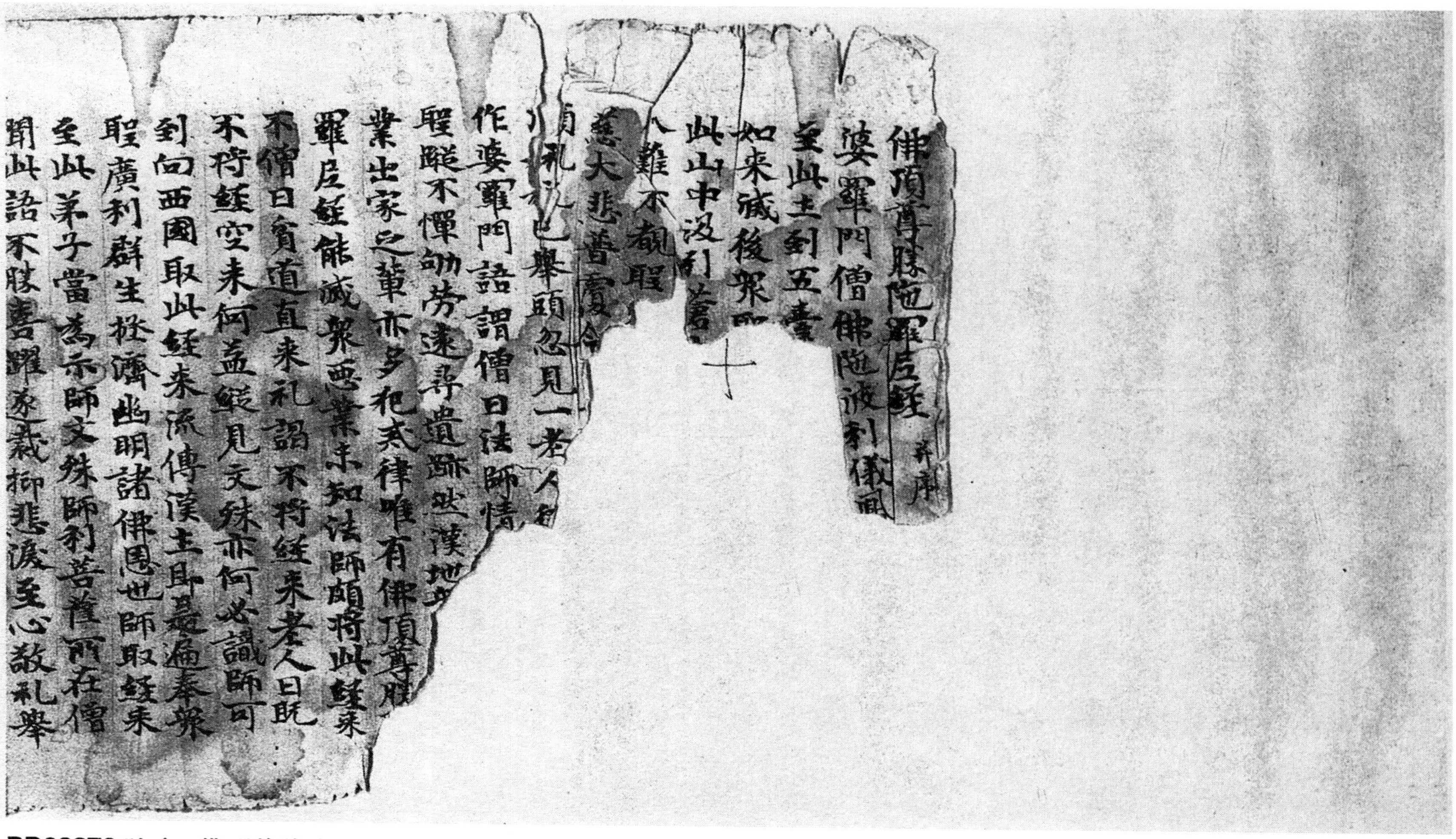

佛頂尊勝陁羅尼經 并序
婆羅門僧佛陁波利儀鳳[illegible]
至此土到五臺[illegible]
如來滅後衆聖[illegible]
此山中汲引蒼[illegible]
八難不覩聖[illegible]
慈大悲普覆令[illegible]
頂礼[illegible]
[illegible]已擧頭忽見一老人從
作婆羅門語謂僧曰法師情
聖蹤不憚劬勞遠尋遺跡然漢地衆
業出家之輩亦多犯戒律唯有佛頂尊勝
羅尼經能滅衆生惡業未知法師頗將此經來
不僧曰貧道直來礼謁不將經來老人曰既
不將經空來何益縱見文殊亦何必識師可
到向西國取此經來流傳漢土即是遍奉衆
聖廣利群生拯濟幽明報諸佛恩世師取經來
至此弟子當爲示師文殊師利菩薩所在僧
聞此語不勝喜躍遂裁抑悲淚至心敬礼擧

BD02270 號 1　佛頂尊勝陀羅尼經（佛陀波利本）序　　（11–1）

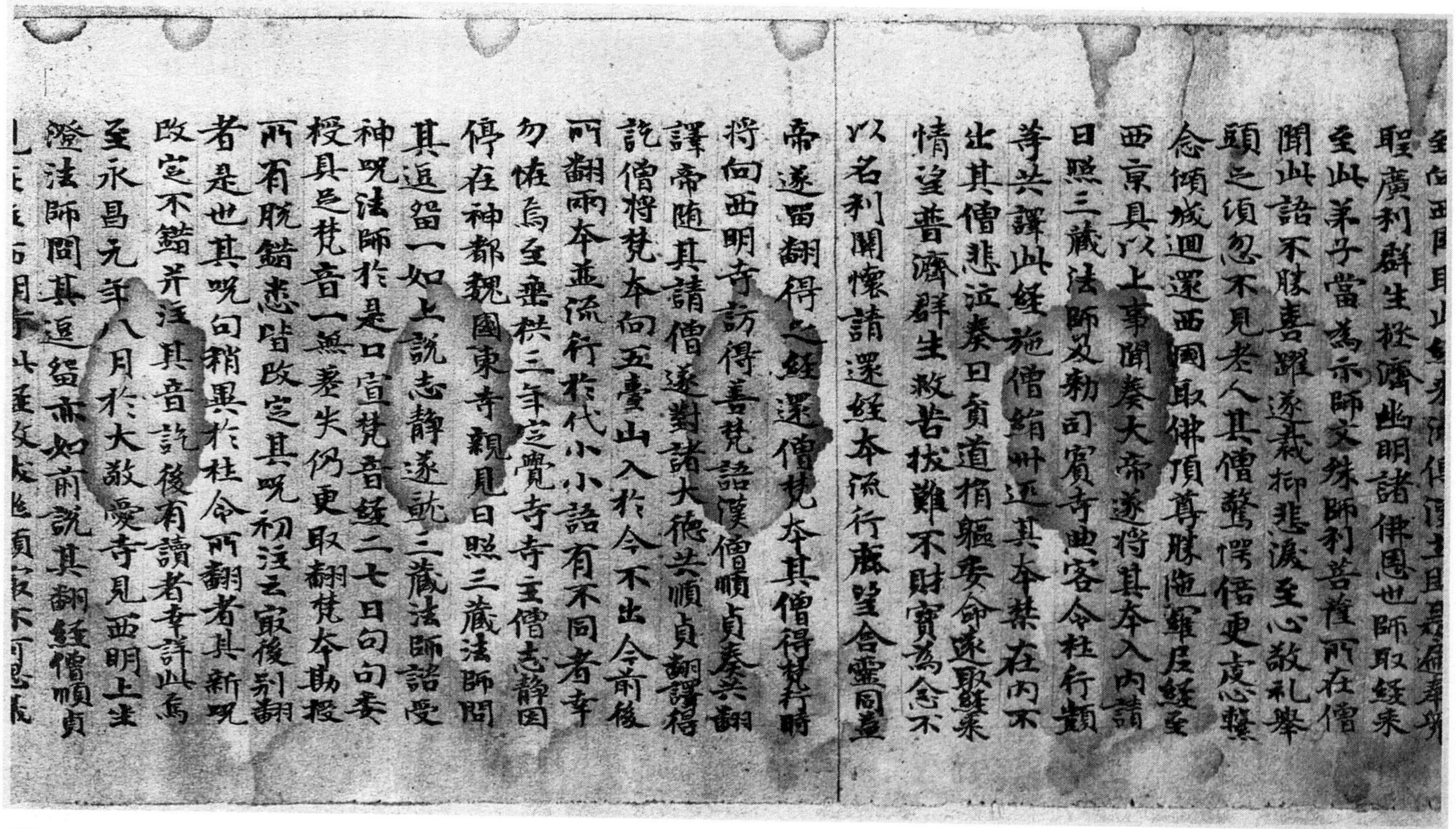

[illegible]向西國取此經來流傳漢土即是遍奉衆
聖廣利群生拯濟幽明報諸佛恩世師取經來
至此弟子當爲示師文殊師利菩薩所在僧
聞此語不勝喜躍遂裁抑悲淚至心敬礼擧
頭之頃忽不見老人其僧驚愕倍更虔心繫
念傾誠迴還西國取佛頂尊勝陁羅尼經至
西京具以上事聞奏大帝遂將其本入內請
日照三藏法師及勅司賓寺典客令杜行顗
等共譯此經施僧絹卅疋其本禁在內不
出其僧悲泣奏曰貧道捐軀委命遠取經來
情望普濟群生救苦拔難不財寶爲念不
以名利關懷請還經本流行庶望含靈同益
帝遂留翻得之經還僧梵本其僧得梵本時
將向西明寺訪得善梵語漢僧順貞奏共翻
譯帝隨其請僧遂對諸大德共順貞翻譯訖
訖僧將梵本向五臺山入於今不出今前後
所翻兩本並流行於代小小語有不同者幸
勿怪焉至垂拱三年定覺寺主僧志靜因
停在神都魏國東寺親見日照三藏法師問
其逗留一如上說志靜遂就三藏法師諮受
神咒法師於是口宣梵音經二七日句句委
授具足梵音一無差失仍更取翻梵本勘授
所有脫錯悉皆改定其咒初注云最後別翻
者是也其咒句稍異於杜令所翻者其新咒
改定不錯并注其音訖後有讀者幸詳此焉
至永昌元年八月於大敬愛寺見西明上座
澄法師問其逗留亦如前說其翻經僧順貞
見在[illegible]

BD02270 號 1　佛頂尊勝陀羅尼經（佛陀波利本）序　　（11–2）

以定不錯并注其音訖後有讀者幸詳此焉
至永昌元年八月於大敬愛寺見西明上座
澄法師問其逗留亦如前説其翻經僧順貞
見在西明寺此經救拔幽顯最不可思議
恐學者不知其所具録委曲以傳未悟

佛頂尊勝陁羅尼經　罽賓沙門佛陁波利奉　詔譯

如是我聞一時薄伽梵在室羅筏住誓多
林給孤獨園與大苾芻衆千二百五十人俱又
與諸大菩薩僧万二千人俱尒時三十三天
於善法堂會有一天子名曰善住與諸大天
遊於園觀又與大天受勝尊貴與諸天女前
後圍繞歡喜遊戲種種音樂共相娛樂受諸
快樂尒時善住天子即於夜分聞有聲言善
住天子却後七日命將欲盡命終之後生贍
部洲受七返畜生身即受地獄苦從地獄出
希得人身生於貧賤處於母胎即无兩目尒
時善住天子聞此聲已即大驚怖身毛皆竪
愁憂不樂速疾往詣天帝釋所悲號啼哭惶
怖无計頂礼帝釋二足尊已白帝釋言聽我
所説我與諸天女共相圍繞受諸快樂聞有
聲言善住天子却後七日命將欲盡命終之
後生贍部洲七返受畜生身受七身已即生
諸地獄從地獄出希得人身生於貧賤家无
其兩目天帝云何令我得免斯苦
尒時帝釋聞善住天子語已甚大驚愕即自
思惟此善住天子受何七返惡道之身尒時
帝釋須臾靜住入定諦觀即見善住當受七

BD02270 號 1　佛頂尊勝陀羅尼經（佛陀波利本）序
BD02270 號 2　佛頂尊勝陀羅尼經（佛陀波利本）

（11–3）

其兩目天帝云何令我得免斯苦
尒時帝釋聞善住天子語已甚大驚愕即自
思惟此善住天子受何七返惡道之身尒時
帝釋須臾靜住入定諦觀即見善住當受七
返惡道之身所謂豬狗野干獼猴蟒蛇烏鷲
等身食諸穢惡不淨之物尒時帝釋觀見善
住天子當墮七返惡道之身極助苦惱痛割
於心諦思无計何所歸依唯有如來應正等
覺令其善住得免斯苦
尒時帝釋即於此日初夜分時以種種花鬘
塗香末香以妙天衣莊嚴執持往詣誓多林
園於世尊所到已頂礼佛足右遶七帀即於
佛前廣大供養佛前䠒跪而白佛言世尊善
住天子云何當受七返畜生惡道之身具如
上説
尒時如來頂上放種種光遍滿十方一切世
界已其光還來遶佛三帀從佛口入佛便微
笑告帝釋言天帝有陁羅尼名爲如來佛頂尊
勝頂能淨一切惡道能淨除一切生死苦惱
又能淨除諸地獄閻羅王界畜生之苦又破
一切地獄能迴向善道天帝此佛頂尊勝陁
羅尼若有人聞一經於耳先世所造一切地
獄惡業皆悉消滅當得清淨之身隨所生處
憶持不忘從一佛剎至一佛剎從一天界至
一天界遍歷三十三天所生之處憶持不忘
天帝若人命欲將終須臾憶念此陁羅尼還
得增壽得身口意淨身无苦痛隨其福利隨

BD02270 號 2　佛頂尊勝陀羅尼經（佛陀波利本）

（11–4）

一天𡖖遍歷三十三天所生之處憶持不忘
天帝若人命欲將終須臾憶念此陀羅尼還
得增壽得身口意淨身无苦痛隨其福利隨
處安隱一切如來之所觀視一切天神恒常
侍衛為人所敬惡鄣消滅一切菩薩同心覆
護天帝若人能須臾讀誦此陀羅尼者此人
所有一切地獄畜生閻羅王界餓鬼之苦破
壞消滅无有遺餘諸佛剎土及諸天宮一切
菩薩所住之門无有鄣礙隨意遊入
尒時帝釋白佛言世尊唯願如來為衆生說
增益壽命之法
尒時世尊知帝釋意心之所念樂聞佛說是
陀羅尼法即說呪曰
那謨薄伽跋帝一啼(入聲)㘑路迦(反之二)鉢(誓耶)囉底
毗失瑟吒(長聲)耶(余何反 下同 二)勃陀(長聲)耶薄伽跋底(三)怛
姪他(四)唵(五)毗輸馱耶(長聲)娑摩三漫多嚩(父何反 下)
婆(准長)娑(六)娑撥囉拏揭底伽訶那娑婆(長聲)
嚩秫(輸律反 下音同)地(七)阿鼻詵(去聲)者穫揭多伐析那
(八)阿嚧嘌多毗曬罽(九)(平聲)阿(上聲)訶囉(長聲)阿
訶囉(下同 十)阿(長聲)瑜散陀(長聲)囉尼(十一)輸馱耶
輸馱耶(十二)伽伽那毗秫提(十三)烏瑟尼沙毗逝(十)
耶秫提(十四)娑訶娑囉喝囉濕弭珊珠地帝(十五)
薩婆怛他揭多地瑟吒(長聲)那阿地瑟恥帝慕
(十六)拔析囉迦(長聲)耶僧訶多那秫提(十七)薩婆伐
囉拏毗秫提(十八)鉢囉底祢伐怛耶阿(長聲)瑜秫
提(十九)薩末耶阿地瑟恥帝(廿)末祢末祢(廿一)怛闥

BD02270號2　佛頂尊勝陀羅尼經（佛陀波利本）

（11–5）

薩婆怛他揭多地瑟吒(長聲)那阿地瑟恥帝慕
(十六)拔析囉迦(長聲)耶僧訶多那秫提(十七)薩婆伐
囉拏毗秫提(十八)鉢囉底祢伐怛耶阿(長聲)瑜秫
提(十九)薩末耶阿地瑟恥帝(廿)末祢末祢(廿一)怛闥
多部多俱胝鉢唎秫提(廿二)毗薩普吒勃地秫
提(廿三)社耶社耶(余何反 下同 廿四)毗社耶毗社耶(廿五)薩末
囉薩末囉勃陀阿地瑟恥多秫提(廿六)跋折梨
跋折囉揭(廿七)跋折藍婆伐都(廿八)摩摩(某甲受持)
(者自稱名)薩婆薩埵寫迦(長聲)耶毗秫提(廿九)薩婆揭
底鉢唎秫提(卅)薩婆怛他揭多三摩濕婆娑
遏地瑟恥帝(卅一)勃陀(地耶反)勃陀(上同)蒲陀耶蒲
陀耶三漫多鉢唎秫提(卅二)薩婆怛他揭多
地瑟吒(長聲)那遏地瑟恥帝(卅三)莎婆(長聲)訶
佛告帝釋言此呪名淨除一切惡道佛頂尊
勝陀羅尼能除一切罪業等鄣能破一切穢
惡道苦天帝此陀羅尼八十八殑伽沙俱胝
百千諸佛同共宣說隨喜受持大如來智印
印之為破一切衆生穢惡道義故為一切地
獄畜生閻羅王界衆生得解脫故臨急苦難
墮生死海中衆生得解脫故短命薄福无救
護衆生樂造雜染惡業衆生故說又此陀羅
尼於贍部洲住持力故能令地獄惡道衆生
種種流轉生死薄福衆生不信善失正道衆
生等得解脫義故
佛告天帝我說此陀羅尼付囑於汝汝當授
與善住天子復當受持讀誦思惟受樂憶念
供養於贍部洲一切衆生廣為宣說此陀羅

BD02270號2　佛頂尊勝陀羅尼經（佛陀波利本）

（11–6）

生等得解脫義故
佛告天帝我說此陀羅尼付囑於汝汝當授
與善住天子復當受持讀誦思惟受樂憶念
供養於贍部洲一切衆生廣為宣說此陀羅
尼亦為一切諸天子故說此陀羅尼印付屬
於汝天帝汝當善持守護勿令忘失
天帝若人須臾得聞此陀羅尼千劫已來積
造惡業重鄣應受種種流轉生死地獄餓鬼
畜生閻羅王界阿脩羅身夜叉羅剎鬼神布
單那羯吒布單那阿波娑摩囉蚊蝱龜狗蟒
虵一切諸鳥及諸猛獸一切蠢動含靈乃至
蟻子之身更不重受即得轉生諸佛如來一
生補處菩薩同會處生或得大姓婆羅門家
生或得剎利種家生或得豪貴最勝家生天
帝此人身如上貴處生者皆由聞此陀羅尼
故轉所生處皆得清淨天帝乃至得到菩提
道場最勝之處皆讚歎此陀羅尼功德如
是天帝此陀羅尼名善吉祥能淨一切惡道
此佛頂尊勝陀羅尼猶如日藏摩尼之寶淨
无瑕翳淨等虛空光焰照徹无不周遍若諸
衆生持此陀羅尼亦復如是亦如閻浮檀金
明淨柔軟令人喜見不為穢惡之所染著天
帝若有衆生持此陀羅尼亦復如是乘斯善
淨得生善道天帝此陀羅尼所在之處若能
書寫流通受持讀誦聽聞供養能如是者一
切惡道皆得清淨一切地獄苦惱皆消滅
佛告天帝若人能書寫此陀羅尼安高幢上

BD02270號2　佛頂尊勝陀羅尼經（佛陀波利本）　（11–7）

淨得生善道天帝此陀羅尼所在之處若能
書寫流通受持讀誦聽聞供養能如是者一
切惡道皆得清淨一切地獄苦惱皆消滅
佛告天帝若人能書寫此陀羅尼安高幢上
或安高山或安樓上乃至安置窣堵波中天
帝若有苾芻苾芻尼優婆塞優婆夷族姓男
族姓女於幢等上或見或與相近其影映身
或風吹陀羅尼上幢等上塵落在身上天帝
彼諸衆生所有罪業應墮惡道地獄畜生閻
羅王界餓鬼阿脩羅身惡道之苦皆悉不受
亦不為罪垢染汙天帝此等衆生為一切諸
佛之所授記皆得不退轉於阿耨多羅三藐
三菩提
天帝何況更以多諸供具花鬘塗香末香幢
幡蓋等衣服瓔珞作諸莊嚴於四衢道造窣
堵波安陀羅尼合掌恭敬旋遶行道歸命
礼拜天帝彼人能如是供養者名摩訶薩埵真
是佛子持法棟梁又是如來全身舍利窣堵
波塔
尒時閻摩羅法王於時夜分來詣佛所到已
以種種天衣妙花塗香莊嚴供養佛已遶佛
七帀頂礼佛足而作是言我聞如來演說讚
持大力陀羅尼者我常隨逐守護不令持者
墮於地獄以彼隨順如來言教而護念之
尒時護世四天大王遶佛三帀白佛言世尊
唯願如來為我廣說持陀羅尼法尒時佛告
四天王汝今諦聽我當為汝宣說受持此陀

BD02270號2　佛頂尊勝陀羅尼經（佛陀波利本）　（11–8）

墮於地獄以彼隨順如來言教而護念之
尒時護世四天大王遶佛三帀白佛言世尊
唯願如來為我廣說持陁羅尼法尒時佛告
四天王汝今諦聽我當為汝宣說受持此陁
羅尼法亦為短命諸衆生說當先洗浴著新
淨衣白月圓滿十五日時持齋誦此陁羅尼
滿其千遍令短命衆生還得增壽永離病苦
一切業鄣悉皆消滅一切地獄苦亦得解脫
諸飛鳥畜生含靈之類聞此陁羅尼一經於
耳盡此一身更不復受
佛言若遇大惡病聞此陁羅尼即得永離一切
諸病亦得消滅應墮惡道亦得除斷即得往
生喜樂世界從此身已後不受胞胎之身所
生之處蓮華化生一切生處憶持不忘常識
宿命佛言若人先造一切極重罪業遂即命
終乘斯惡業應墮地獄或墮畜生閻羅王界
或墮餓鬼乃至墮大阿鼻地獄或生水中或
生禽獸異類之身取其亡者隨身分骨以土
一把誦此陁羅尼二十一遍散亡者骨上即
得生天
佛言若人能日日誦此陁羅尼二十一遍應
消一切世間廣大供養捨身往生極樂世界
若常誦念得大涅槃復增壽命受勝快樂捨
此身已即得往生種種微妙諸佛剎土常與
諸佛俱會一處一切如來恒為演說微妙之
義一切世尊即授其記身光照曜一切剎土

BD02270 號 2　佛頂尊勝陀羅尼經（佛陀波利本）

（11–9）

此身已即得往生種種微妙諸佛剎土常與
諸佛俱會一處一切如來恒為演說微妙之
義一切世尊即授其記身光照曜一切剎土
佛言若誦此陁羅尼法於其佛前先取淨土
作壇隨其大小方四角作以種種草花散於
壇上燒衆名香右膝著地胡跪心常念佛作
慕陁羅尼印屈其頭指以大拇押合掌當其
心上誦此陁羅尼一百八遍訖於其壇中如
雲王雨花能遍供養八十八俱胝殑伽沙那
庾多百千諸佛彼佛世尊咸共讚言善哉希
有真是佛子即得无鄣礙智三昧得大菩提
心莊嚴三昧持此陁羅尼法應如是
佛言天帝我以此方便一切衆生應墮地獄
道令得解脫一切惡道亦得清淨復令持者
增益壽命天帝汝去將我此陁羅尼授與善
住天子滿其七日汝與善住俱來見我
尒時天帝於世尊所受此陁羅尼法奉持還
於本天授與善住天子尒時善住天子受此
陁羅尼已滿六日六夜依法受持一切願滿
應受一切惡道等苦即得解脫住菩提道增
壽无量甚大歡喜高聲歎言希有如來希有
妙法希有明驗甚為難得令我解脫
尒時帝釋至第七日與善住天子將諸天衆
嚴持花鬘塗香末香寶幢幡蓋天衣瓔珞微
妙莊嚴往詣佛所設大供養以妙天衣及諸
瓔珞供養世尊遶百千帀於佛前立踊躍歡
喜而坐聽法

BD02270 號 2　佛頂尊勝陀羅尼經（佛陀波利本）

（11–10）

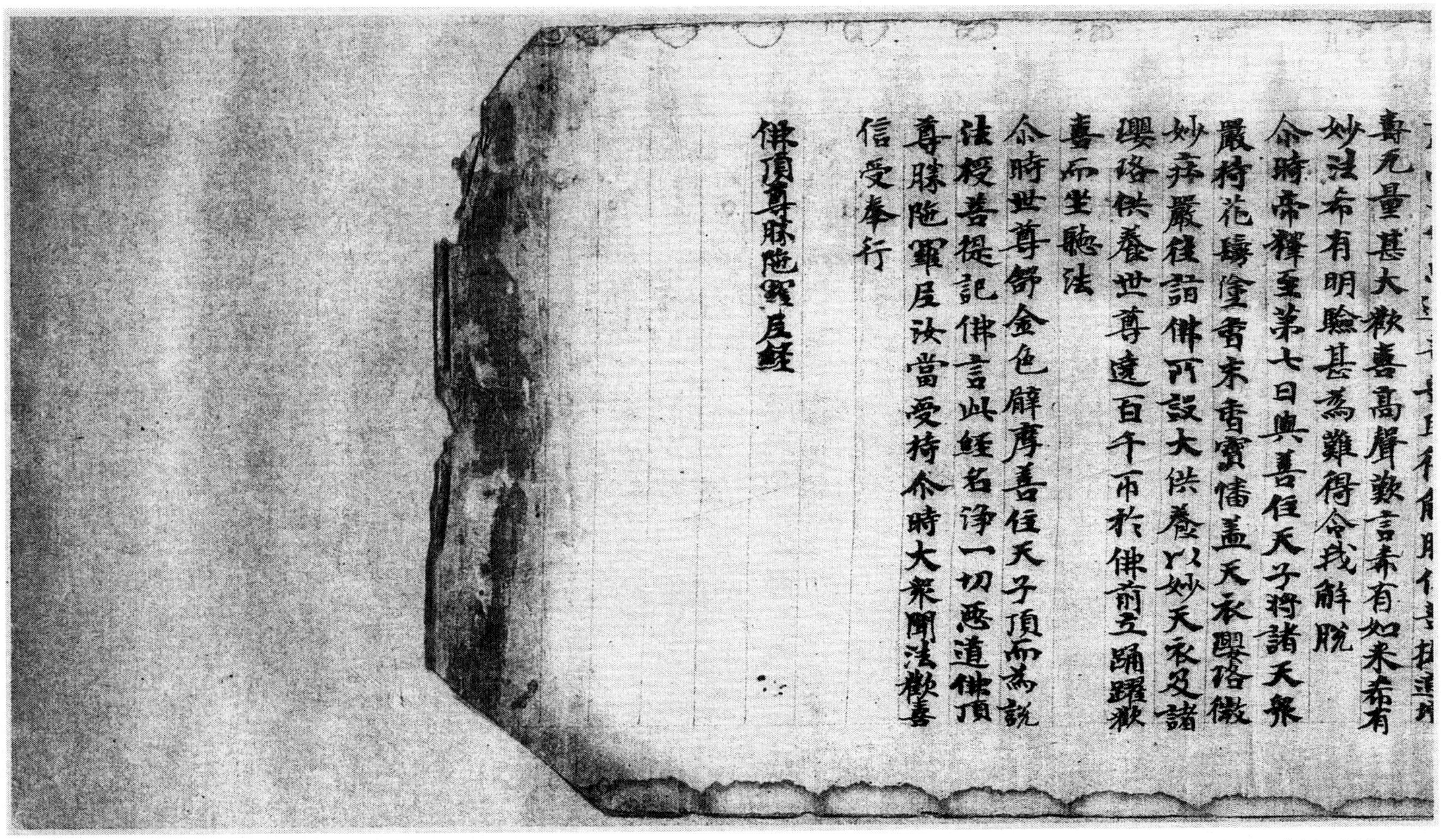

壽无量甚大歡喜高聲歎言希有如來希有
妙法希有明驗甚為難得令我解脫
尒時帝釋至第七日與善住天子將諸天衆
嚴持花鬘塗香末香寶幢幡蓋天衣瓔珞微
妙莊嚴往詣佛所設大供養以妙天衣及諸
瓔珞供養世尊遶百千帀於佛前立踊躍歡
喜而坐聽法
尒時世尊舒金色臂摩善住天子頂而為說
法授菩提記佛言此經名淨一切惡道佛頂
尊勝陁羅尼汝當受持尒時大衆聞法歡喜
信受奉行
佛頂尊勝陁羅尼經

BD02270號 2　佛頂尊勝陀羅尼經（佛陀波利本）　（11–11）

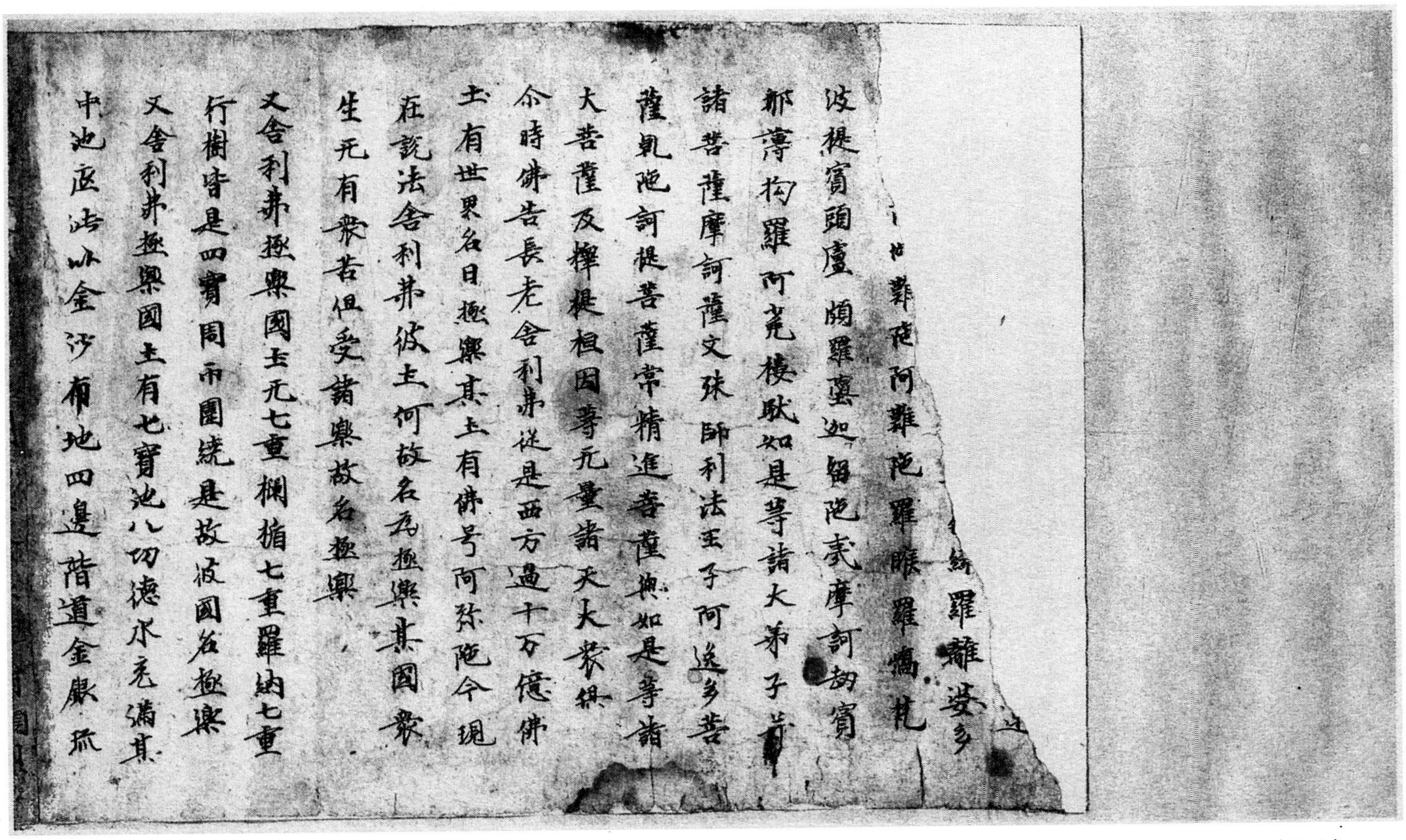

羅離婆多
伽難陀阿難陀羅睺羅憍梵
波提賓頭盧頗羅墮迦留陁夷摩訶劫賓
那薄拘羅阿㝹樓馱如是等諸大弟子并
諸菩薩摩訶薩文殊師利法王子阿逸多菩
薩乾陁訶提菩薩常精進菩薩與如是等諸
大菩薩及釋提桓因等无量諸天大衆俱
尒時佛告長老舍利弗從是西方過十万億佛
土有世界名曰極樂其土有佛号阿弥陁今現
在說法舍利弗彼土何故名為極樂其國衆
生无有衆苦但受諸樂故名極樂
又舍利弗極樂國土七重欄楯七重羅網七重
行樹皆是四寶周帀圍繞是故彼國名極樂
又舍利弗極樂國土有七寶池八功德水充滿其
中池底純以金沙布地四邊階道金銀琉

BD02271號　阿彌陀經　（7–1）

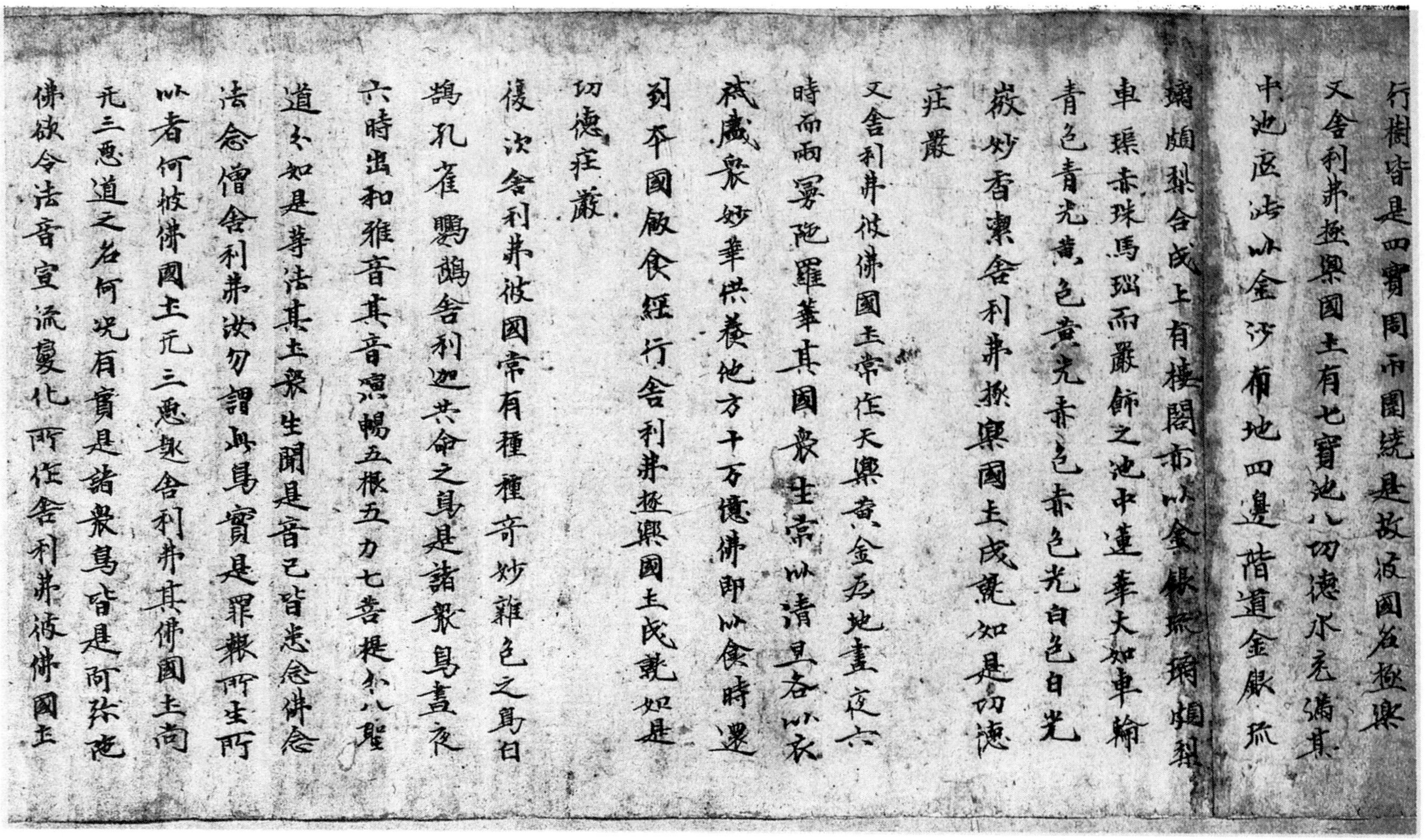
行樹皆是四寶周帀圍繞是故彼國名極樂
又舍利弗極樂國土有七寶池八功德水充滿其
中池底純以金沙布地四邊階道金銀琉
璃頗梨合成上有樓閣亦以金銀琉璃頗梨
車𤦲赤珠馬瑙而嚴飾之池中蓮華大如車輪
青色青光黃色黃光赤色赤光白色白光
微妙香潔舍利弗極樂國土成就如是功德
莊嚴
又舍利弗彼佛國土常作天樂黃金為地晝夜六
時而雨曼陀羅華其國衆生常以清旦各以衣
裓盛衆妙華供養他方十万億佛即以食時還
到本國飯食經行舍利弗極樂國土成就如是
功德莊嚴
復次舍利弗彼國常有種種奇妙雜色之鳥白
鵠孔雀鸚鵡舍利迦共命之鳥是諸衆鳥晝夜
六時出和雅音其音演暢五根五力七菩提分八聖
道分如是等法其土衆生聞是音已皆悉念佛念
法念僧舍利弗汝勿謂此鳥實是罪報所生所
以者何彼佛國土无三惡趣舍利弗其佛國土尚
无三惡道之名何況有實是諸衆鳥皆是阿弥陀
佛欲令法音宣流變化所作舍利弗彼佛國土

BD02271 號　阿彌陀經　（7–2）

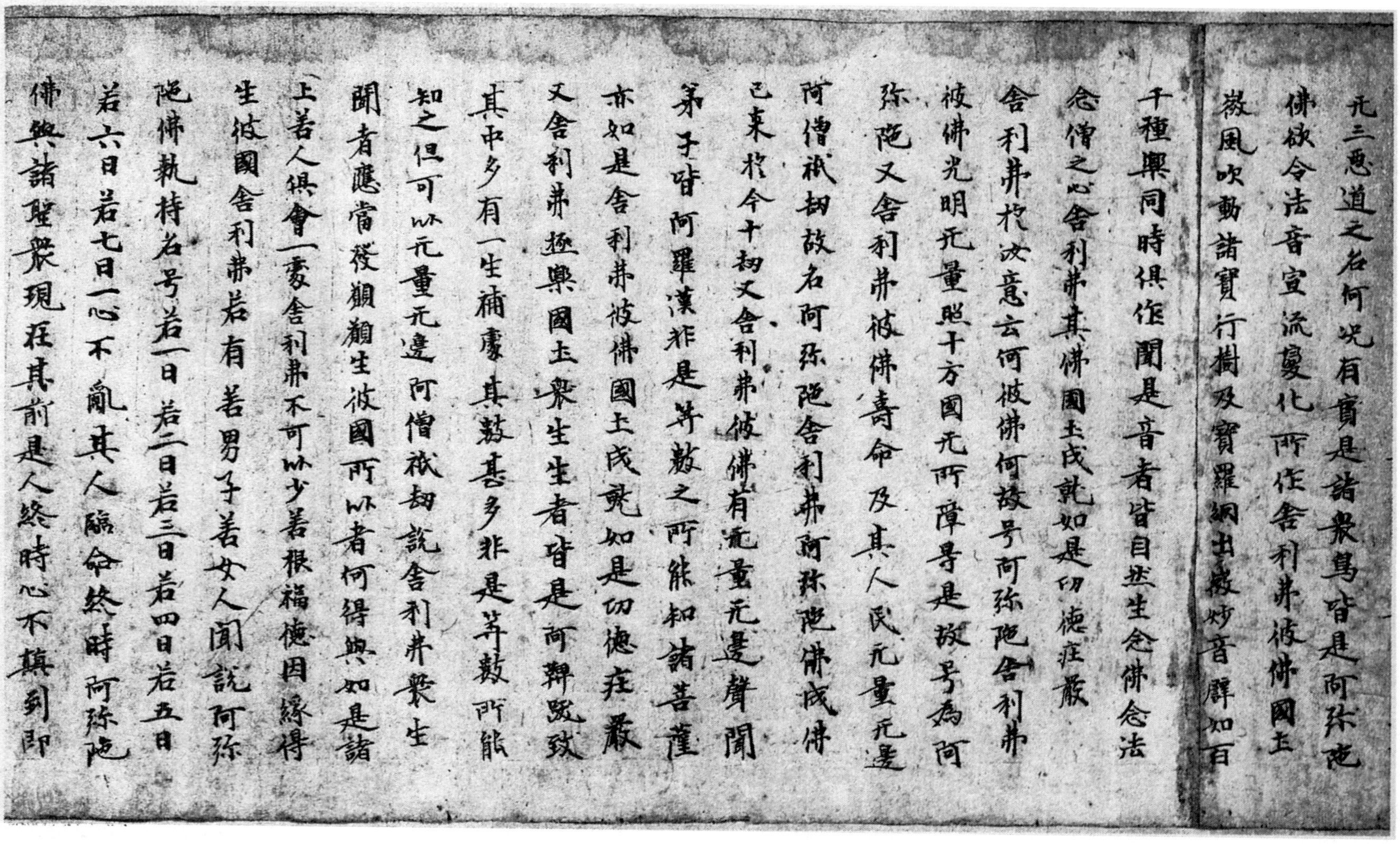
无三惡道之名何況有實是諸衆鳥皆是阿弥陀
佛欲令法音宣流變化所作舍利弗彼佛國土
微風吹動諸寶行樹及寶羅網出微妙音譬如百
千種樂同時俱作聞是音者皆自然生念佛念法
念僧之心舍利弗其佛國土成就如是功德莊嚴
舍利弗於汝意云何彼佛何故号阿弥陀舍利弗
彼佛光明无量照十方國无所障㝵是故号為阿
弥陀又舍利弗彼佛壽命及其人民无量无邊
阿僧祇劫故名阿弥陀舍利弗阿弥陀佛成佛
已來於今十劫又舍利弗彼佛有无量无邊聲聞
弟子皆阿羅漢非是筭數之所能知諸菩薩
亦如是舍利弗彼佛國土成就如是功德莊嚴
又舍利弗極樂國土衆生生者皆是阿鞞跋致
其中多有一生補處其數甚多非是筭數所能
知之但可以无量无邊阿僧祇劫說舍利弗衆生
聞者應當發願願生彼國所以者何得與如是諸
上善人俱會一處舍利弗不可以少善根福德因緣得
生彼國舍利弗若有善男子善女人聞說阿弥
陀佛執持名号若一日若二日若三日若四日若五日
若六日若七日一心不亂其人臨命終時阿弥陀
佛與諸聖衆現在其前是人終時心不顛倒即

BD02271 號　阿彌陀經　（7–3）

陁佛執持名号若一日若二日若三日若四日若五日
若六日若七日一心不亂其人臨命終時阿弥陁
佛與諸聖衆現在其前是人終時心不顛到即
得往生阿弥陁佛極樂國土舍利弗我見是利
故說此言若有衆生聞是說者應當發願
生彼國土舍利弗如我今者讚歎阿弥陁佛不可
思議功德東方亦有阿閦鞞佛須弥相佛大須
弥佛須弥光佛妙音佛如是等恒河沙數諸佛
各於其國出廣長舌相遍覆三千大千世界說誠實
言汝等衆生當信是稱讚不可思議功德一切諸
佛所護念經
舍利弗南方世界有日月燈佛名聞光佛大焰肩
佛須弥燈佛无量精進佛如是等恒河沙數諸佛各
於其國出廣長舌相遍覆三千大千世界說誠實
言汝等衆生當信是稱讚不可思議功德一切諸佛
所護念經
舍利弗西方世界有无量壽佛无量相佛无量幢
佛大光佛大明佛寶相佛淨光佛如是等恒河沙
數諸佛各於其國出廣長舌相遍覆三千大千世界
說誠實言汝等衆生當信是稱讚不可思議功德
一切諸佛所護念經

BD02271號　阿彌陀經　（7–4）

說誠實言汝等衆生當信是稱讚不可思議功德
一切諸佛所護念經
舍利弗北方世界有焰肩佛最勝音佛難沮佛日
生佛網明佛如是等恒河沙數諸佛各於其國
出廣長舌相遍覆三千大千世界說誠實言汝等
衆生當信是稱讚不可思議功德一切諸佛所護
念經
舍利弗下方世界有師子佛名聞佛名光佛達
摩佛法幢佛持法佛如是等恒河沙數諸佛
各於其國出廣長舌相遍覆三千大千世界說誠實
言汝等衆生當信是稱讚不可思議功德一切諸
佛所護念經
舍利弗上方世界有梵音佛宿王佛香上佛香光
佛大焰肩佛雜色寶華嚴身佛娑羅樹王佛
寶華德佛見一切義佛如須弥山佛如是等恒
河沙數諸佛各於其國出廣長舌相遍覆三
千大千世界說誠實言汝等衆生當信是稱
讚不可思議功德一切諸佛所護念經
舍利弗於汝意云何何故名一切諸佛所護念經
舍利弗若有善男子善女人聞是諸佛所說名及
經名受持者是諸善男子善女人皆爲一切諸
佛共所護念皆得不退轉於阿耨多羅三藐三

BD02271號　阿彌陀經　（7–5）

舍利弗若有善男子善女人聞
經名受持者是諸善男子善女人皆為一切諸
佛共所護念皆得不退轉於阿耨多羅三藐三
菩提是故舍利弗汝等皆當信受我語及
諸佛所說舍利弗若有人已發願今發願當
發願欲生阿弥陀佛國者是諸人等皆得不
退轉於阿耨多羅三藐三菩提於彼國土若已
生若今生若當生是故舍利弗諸善男子善
女人若有信者應當發願生彼國土
舍利弗如是我今者稱讚諸佛不可思議功德
彼諸佛等亦稱說我不可思議功德而作是言
釋迦牟尼佛能為甚難希有之事能於娑婆
國土五濁惡世劫濁見濁煩惱濁眾生濁
命濁中得阿耨多羅三藐三菩提為諸眾生說
是一切世間難信之法舍利弗當知我於五濁惡
世行此難事得阿耨多羅三藐三菩提為一切世
間說此難信之法是為甚難佛說此經已舍利
弗及諸比丘一切世間天人阿脩羅等聞佛所
說歡喜信受作禮而去

佛說阿弥陀經

BD02271 號　阿彌陀經

（7–6）

世行此難事得阿耨多羅三藐三菩提為一切世
間說此難信之法是為甚難佛說此經已舍利
弗及諸比丘一切世間天人阿脩羅等聞佛所
說歡喜信受作禮而去

佛說阿弥陀經

BD02271 號　阿彌陀經

（7–7）

大般若波羅蜜多經卷第
初分校量功德品第卅之五
復次憍尸迦若善男
菩提心者宣說安忍波羅蜜
善男子應脩安忍波羅蜜多不應
常若無常不應觀色界眼識
觸為緣所生諸受若常若无常
界自性空色界眼識界及眼觸眼觸
生諸受色界乃至眼觸為緣所生諸
空是眼界自性即非自性是色界乃至眼觸
為緣所生諸受自性亦非自性若非自性即
是安忍波羅蜜多於此安忍波羅蜜多眼界
不可得彼常无常亦不可得色界乃至眼觸
為緣所生諸受皆不可得彼常无常亦不可
得所以者何此中尚无眼界等可得何況有
彼常與无常汝若能脩如是安忍是脩安忍
波羅蜜多復作是言汝善男子應脩安忍波
羅蜜多不應觀眼界若樂若苦不應觀色界
眼識界及眼觸眼觸為緣所生諸受若樂若
苦何以故眼界眼界自性空色界眼識界及

BD02272號　大般若波羅蜜多經卷一五六　（19–1）

彼常與无常汝若能脩如是安忍是脩安忍
波羅蜜多復作是言汝善男子應脩安忍波
羅蜜多不應觀眼界若樂若苦不應觀色界
眼識界及眼觸眼觸為緣所生諸受若樂若
苦何以故眼界眼界自性空色界眼識界及
眼觸眼觸為緣所生諸受色界乃至眼觸為
緣所生諸受自性空是眼界自性即非自性
是色界乃至眼觸為緣所生諸受自性亦非
自性若非自性即是安忍波羅蜜多於此安
忍波羅蜜多眼界不可得彼樂與苦亦不可
得色界乃至眼觸為緣所生諸受皆不可得
彼樂與苦亦不可得所以者何此中尚无眼
界等可得何況有彼樂之與苦汝若能脩如
是安忍是脩安忍波羅蜜多復作是言汝善
男子應脩安忍波羅蜜多不應觀眼界若我
若无我不應觀色界眼識界及眼觸眼觸為
緣所生諸受若我若无我何以故眼界眼界
自性空色界眼識界及眼觸眼觸為緣所生
諸受色界乃至眼觸為緣所生諸受自性空
是眼界自性即非自性是色界乃至眼觸為
緣所生諸受自性亦非自性若非自性即是
安忍波羅蜜多於此安忍波羅蜜多眼界不
可得彼我无我亦不可得色界乃至眼觸為
緣所生諸受皆不可得彼我无我亦不可得
所以者何此中尚无眼界等可得何況有彼
我與无我汝若能脩如是安忍是脩安忍波
羅蜜多復作是言汝善男子應脩安忍波羅

BD02272號　大般若波羅蜜多經卷一五六　（19–2）

緣所生諸受皆不可得彼我无我亦不可得
所以者何此中尚无眼界等可得何况有彼
我與无我汝若能脩如是安忍是脩安忍波
羅蜜多復作是言汝善男子應脩安忍波羅
蜜多不應觀眼界若淨若不淨不應觀色界
眼識界及眼觸眼觸為緣所生諸受若淨若
不淨何以故眼界眼界自性空色界眼識界
及眼觸眼觸為緣所生諸受色界乃至眼觸
為緣所生諸受自性空是眼界自性即非自
性是色界乃至眼觸為緣所生諸受自性亦
非自性若非自性即是安忍波羅蜜多於此
安忍波羅蜜多眼界不可得彼淨不淨亦不
可得色界乃至眼觸為緣所生諸受皆不可
得彼淨不淨亦不可得所以者何此中尚无
眼界等可得何况有彼淨與不淨汝若能脩
如是安忍是脩安忍波羅蜜多憍尸迦是善
男子善女人等作此等說是為宣說真正安
忍波羅蜜多
彼次憍尸迦若善男子善女人等為發無上
菩提心者宣說安忍波羅蜜多作如是言汝
善男子應脩安忍波羅蜜多不應觀耳界若
常若无常不應觀聲界耳識界及耳觸耳觸
為緣所生諸受若常若无常何以故耳界耳
界自性空聲界耳識界及耳觸耳觸為緣所
生諸受聲界乃至耳觸為緣所生諸受自性
空是耳界自性即非自性是聲界乃至耳觸
為緣所生諸受自性亦非自性若非自性即

BD02272號　大般若波羅蜜多經卷一五六

（19–3）

界自性空聲界耳識界及耳觸耳觸為緣所
生諸受聲界乃至耳觸為緣所生諸受自性
空是耳界自性即非自性是聲界乃至耳觸
為緣所生諸受自性亦非自性若非自性即
是安忍波羅蜜多於此安忍波羅蜜多耳界
不可得彼常无常亦不可得聲界乃至耳觸
為緣所生諸受皆不可得彼常无常亦不可
得所以者何此中尚无耳界等可得何况有
彼常與无常汝若能脩如是安忍是脩安忍
波羅蜜多復作是言汝善男子應脩安忍波
羅蜜多不應觀耳界若樂若苦不應觀聲界
耳識界及耳觸耳觸為緣所生諸受若樂若
若何以故耳界耳界自性空聲界耳識界及
耳觸耳觸為緣所生諸受聲界乃至耳觸為
緣所生諸受自性空是耳界自性即非自性
是聲界乃至耳觸為緣所生諸受自性亦非
自性若非自性即是安忍波羅蜜多於此安
忍波羅蜜多耳界不可得彼樂與苦亦不可
得聲界乃至耳觸為緣所生諸受皆不可得
彼樂與苦亦不可得所以者何此中尚无耳
界等可得何况有彼樂之與苦汝若能脩如
是安忍是脩安忍波羅蜜多復作是言汝善
男子應脩安忍波羅蜜多不應觀耳界若我
若无我不應觀聲界耳識界及耳觸耳觸為
緣所生諸受若我若无我何以故耳界耳界
自性空聲界耳識界及耳觸耳觸為緣所生
諸受聲界乃至耳觸為緣所生諸受自性空是

BD02272號　大般若波羅蜜多經卷一五六

（19–4）

若无我不應觀聲界耳識界及耳觸耳觸為
緣所生諸受若我若无我何以故耳界耳界
自性空聲界耳識界及耳觸耳觸為緣所生
諸受聲界乃至耳觸為緣所生諸受自性空是
耳界自性即非自性是聲界乃至耳觸為緣
所生諸受自性亦非自性若非自性即是安
忍波羅蜜多於此安忍波羅蜜多耳界不可
得彼我无我亦不可得聲界乃至耳觸為緣
所生諸受皆不可得彼我无我亦不可得所
以者何此中尚无耳界等可得何況有彼我
與无我汝若能脩如是安忍是脩安忍波羅
蜜多復作是言汝善男子應脩安忍波羅蜜
多不應觀耳界若淨若不淨不應觀聲界
耳識界及耳觸耳觸為緣所生諸受若淨若
不淨何以故耳界耳界自性空聲界耳識界
及耳觸耳觸為緣所生諸受聲界乃至耳觸
為緣所生諸受自性空是耳界自性即非自
性是聲界乃至耳觸為緣所生諸受自性亦
非自性若非自性即是安忍波羅蜜多於此
安忍波羅蜜多耳界不可得彼淨不淨亦不
可得聲界乃至耳觸為緣所生諸受皆不可
得彼淨不淨亦不可得所以者何此中尚无
耳界等可得何況有彼淨與不淨汝若能脩
如是安忍是脩安忍波羅蜜多憍尸迦是善
男子善女人等作此等說是為宣說真正安
忍波羅蜜多
復次憍尸迦善男子善女人等為發无上

BD02272號　大般若波羅蜜多經卷一五六　（19–5）

如是安忍是脩安忍波羅蜜多憍尸迦是善
男子善女人等作此等說是為宣說真正安
忍波羅蜜多
復次憍尸迦善男子善女人等為發无上
菩提心者宣說安忍波羅蜜多作如是言
汝善男子應脩安忍波羅蜜多應觀鼻界若
常若无常不應觀香界鼻識界及鼻觸鼻
觸為緣所生諸受若常若无常何以故鼻界鼻
界自性空香界鼻識界及鼻觸鼻觸為緣所
生諸受香界乃至鼻觸為緣所生諸受自性
空是鼻界自性即非自性是香界乃至鼻觸
為緣所生諸受自性亦非自性若非自性即
是安忍波羅蜜多於安忍波羅蜜多鼻界
不可得彼常无常亦不可得香界乃至鼻觸
為緣所生諸受皆不可得彼常无常亦不可
得所以者何此中尚无鼻界等可得何況有
彼常與无常汝若能脩如是安忍脩安忍波
羅蜜多復作是言汝善男子應脩安忍波
羅蜜多不應觀鼻界若樂若苦不應觀香界
鼻識界及鼻觸鼻觸為緣所生諸受若樂
若苦何以故鼻界鼻界自性空香界鼻識界及
鼻觸鼻觸為緣所生諸受香界乃至鼻觸為
緣所生諸受自性空是鼻界自性即非自性
是香界乃至鼻觸為緣所生諸受自性亦非
自性若非自性即是安忍波羅蜜多於此安
忍波羅蜜多鼻界不可得彼樂與苦亦不可
得香界乃至鼻觸為緣所生諸受皆不可得

BD02272號　大般若波羅蜜多經卷一五六　（19–6）

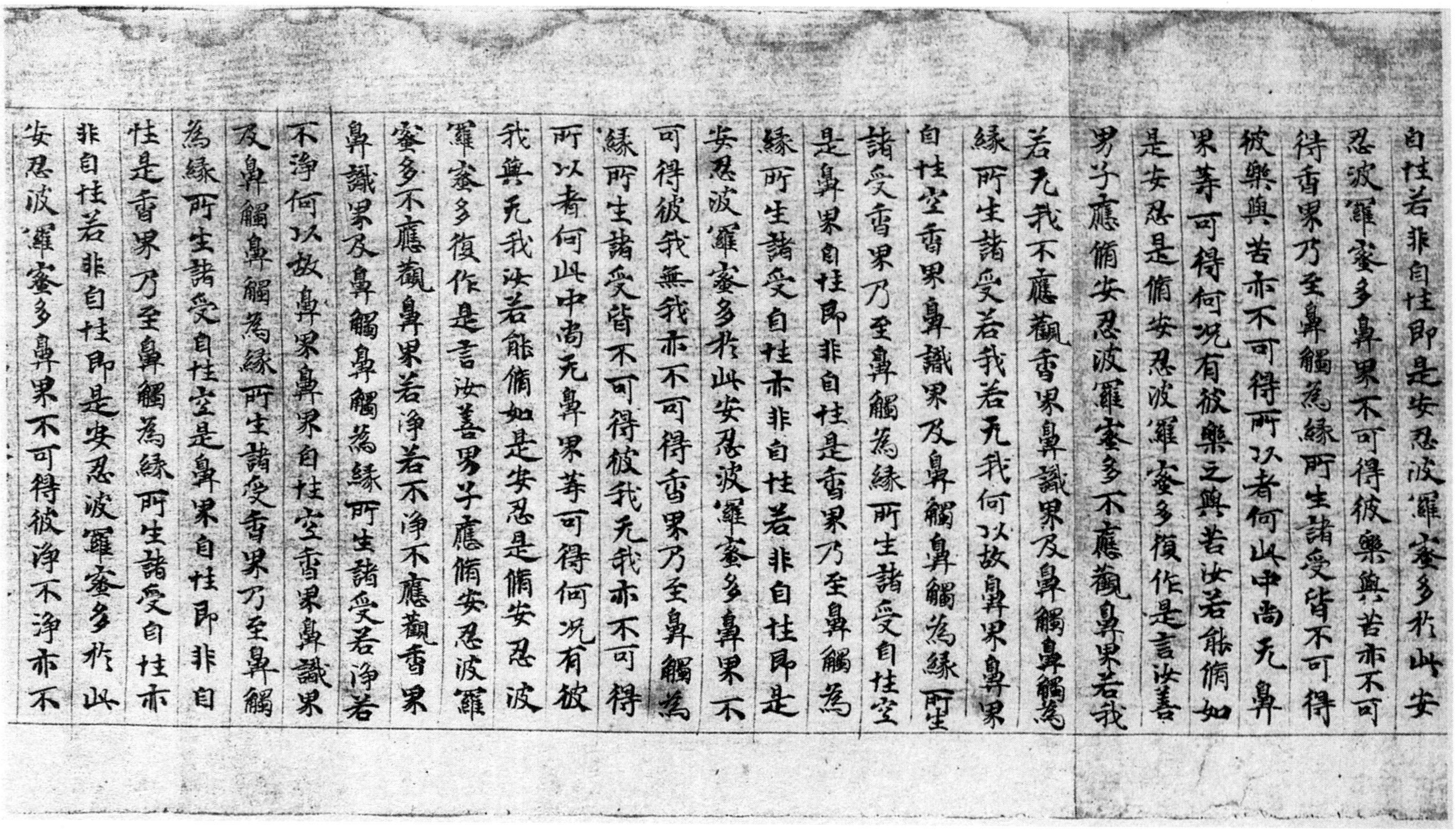
自性若非自性即是安忍波羅蜜多於此安
忍波羅蜜多鼻界不可得彼樂與苦亦不可
得香界乃至鼻觸為緣所生諸受皆不可得
彼樂與苦亦不可得所以者何此中尚无鼻
界等可得何況有彼樂之與苦汝若能脩如
是安忍是脩安忍波羅蜜多復作是言汝善
男子應脩安忍波羅蜜多不應觀鼻界若我
若无我不應觀香界鼻識界及鼻觸鼻觸為
緣所生諸受若我若无我何以故鼻界鼻界
自性空香界鼻識界及鼻觸鼻觸為緣所生
諸受香界乃至鼻觸為緣所生諸受自性空
是鼻界自性即非自性香界乃至鼻觸為
緣所生諸受自性亦非自性若非自性即是
安忍波羅蜜多於此安忍波羅蜜多鼻界不
可得彼我無我亦不可得香界乃至鼻觸為
緣所生諸受皆不可得彼我无我亦不可得
所以者何此中尚无鼻界等可得何況有彼
我與无我汝若能脩如是安忍是脩安忍波
羅蜜多復作是言汝善男子應脩安忍波羅
蜜多不應觀鼻界若淨若不淨不應觀香界
鼻識界及鼻觸鼻觸為緣所生諸受若淨若
不淨何以故鼻界鼻界自性空香界鼻識界
及鼻觸鼻觸為緣所生諸受香界乃至鼻觸
為緣所生諸受自性空是鼻界自性即非自
性是香界乃至鼻觸為緣所生諸受自性亦
非自性若非自性即是安忍波羅蜜多於此
安忍波羅蜜多鼻界不可得彼淨不淨亦不

BD02272 號　大般若波羅蜜多經卷一五六　　（19–7）

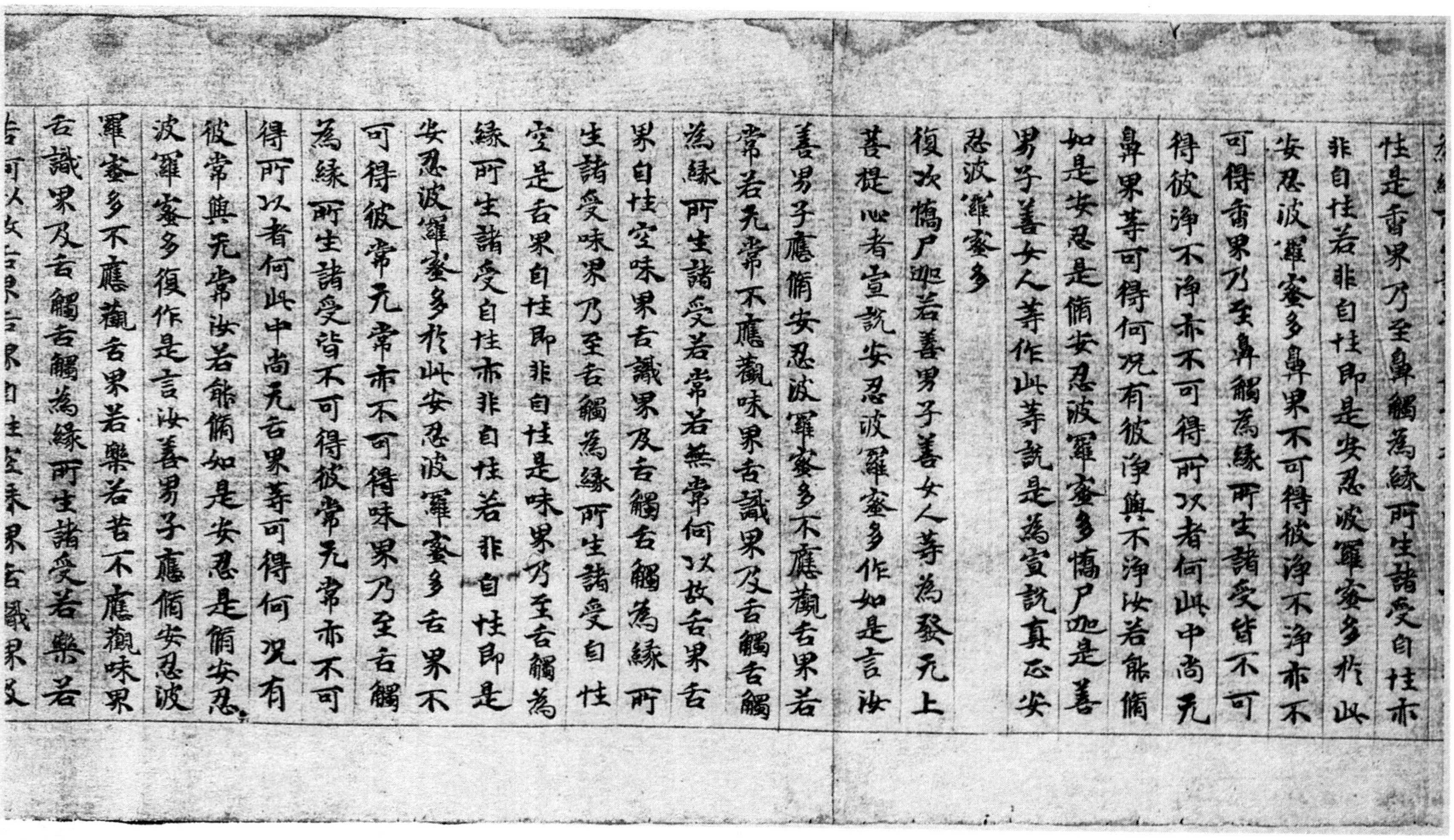
性是香界乃至鼻觸為緣所生諸受自性亦
非自性若非自性即是安忍波羅蜜多於此
安忍波羅蜜多鼻界不可得彼淨不淨亦不
可得香界乃至鼻觸為緣所生諸受皆不可
得彼淨不淨亦不可得所以者何此中尚无
鼻界等可得何況有彼淨與不淨汝若能脩
如是安忍是脩安忍波羅蜜多憍尸迦是善
男子善女人等作此等說是為宣說真正安
忍波羅蜜多
復次憍尸迦若善男子善女人等為發无上
菩提心者宣說安忍波羅蜜多作如是言汝
善男子應脩安忍波羅蜜多不應觀舌界若
常若无常不應觀味界舌識界及舌觸舌觸
為緣所生諸受若常若無常何以故舌界舌
界自性空味界舌識界及舌觸舌觸為緣所
生諸受味界乃至舌觸為緣所生諸受自性
空是舌界自性即非自性是味界乃至舌觸為
緣所生諸受自性亦非自性若非自性即是
安忍波羅蜜多於此安忍波羅蜜多舌界不
可得彼常无常亦不可得味界乃至舌觸
為緣所生諸受皆不可得彼常无常亦不可
得所以者何此中尚无舌界等可得何況有
彼常與无常汝若能脩如是安忍是脩安忍
波羅蜜多復作是言汝善男子應脩安忍波
羅蜜多不應觀舌界若樂若苦不應觀味界
舌識界及舌觸舌觸為緣所生諸受若樂若
苦何以故舌界舌界自性空味界舌識界及

BD02272 號　大般若波羅蜜多經卷一五六　　（19–8）

波羅蜜多復作是言汝善男子應脩安忍波
羅蜜多不應觀舌界若樂若苦不應觀味界
舌識界及舌觸舌觸為緣所生諸受若樂若
苦何以故舌界舌界自性空味界舌識界及
舌觸舌觸為緣所生諸受味界乃至舌觸為
緣所生諸受自性空是舌界自性即非自性
是味界乃至舌觸為緣所生諸受自性亦非
自性若非自性即是安忍波羅蜜多於此安
忍波羅蜜多舌界不可得彼樂與苦亦不可
得味界乃至舌觸為緣所生諸受皆不可得
彼樂與苦亦不可得所以者何此中尚無舌
界等可得何況有彼樂之與苦汝若能脩如
是安忍是脩安忍波羅蜜多復作是言汝善
男子應脩安忍波羅蜜多不應觀舌界若我
若无我不應觀味界舌識界及舌觸舌觸為
緣所生諸受若我若无我何以故舌界舌界
自性空味界舌識界及舌觸舌觸為緣所生
諸受味界乃至舌觸為緣所生諸受自性空
是舌界自性即非自性是味界乃至舌觸為
緣所生諸受自性亦非自性若非自性即是
安忍波羅蜜多於此安忍波羅蜜多舌界不
可得彼我无我亦不可得味界乃至舌觸為
緣所生諸受皆不可得彼我无我亦不可得
所以者何此中尚无舌界等可得何況有彼
我與无我汝若能脩如是安忍是脩安忍波
羅蜜多復作是言汝善男子應脩安忍波羅
蜜多不應觀舌界若淨若不淨不應觀味界

BD02272號　大般若波羅蜜多經卷一五六　（19–9）

所以者何此中尚无舌界等可得何況有彼
我與无我汝若能脩如是安忍是脩安忍波
羅蜜多復作是言汝善男子應脩安忍波羅
蜜多不應觀舌界若淨若不淨不應觀味界
舌識界及舌觸舌觸為緣所生諸受若淨若
不淨何以故舌界舌界自性空味界舌識界
及舌觸舌觸為緣所生諸受味界乃至舌觸
為緣所生諸受自性空是舌界自性即非自
性是味界乃至舌觸為緣所生諸受自性亦
非自性若非自性即是安忍波羅蜜多於此
安忍波羅蜜多舌界不可得彼淨不淨亦
不可得味界乃至舌觸為緣所生諸受皆不可
得彼淨不淨亦不可得所以者何此中尚無
舌界等可得何況有彼淨與不淨汝若能脩
如是安忍是脩安忍波羅蜜多憍尸迦是善
男子善女人等作此等說是為宣說真正安
忍波羅蜜多
復次憍尸迦若善男子善女人等為發无上
菩提心者宣說安忍波羅蜜多作如是言汝
善男子應脩安忍波羅蜜多不應觀身界若
常若无常不應觀觸界身識界及身觸身觸
為緣所生諸受若常若无常何以故身界身
界自性空觸界身識界及身觸身觸為緣所
生諸受觸界乃至身觸為緣所生諸受自性
空是身界自性即非自性是觸界乃至身觸
為緣所生諸受自性亦非自性若非自性即

BD02272號　大般若波羅蜜多經卷一五六　（19–10）

界自性空觸界身識界及身觸身觸為緣所
生諸受觸界乃至身觸為緣所生諸受自性
空是身界自性即非自性是觸界乃至身觸
為緣所生諸受自性亦非自性若非自性即
是安忍波羅蜜多於此安忍波羅蜜多身界
不可得彼常无常亦不可得觸界乃至身觸
為緣所生諸受皆不可得彼常无常亦不可
得所以者何此中尚无身界等可得何況有
彼常與无常汝若能脩如是安忍是脩安忍
波羅蜜多復作是言汝善男子應脩安忍波
羅蜜多不應觀身界若樂若苦不應觀觸界
身識界及身觸身觸為緣所生諸受若樂若
苦何以故身界身界自性空觸界身識界及
身觸身觸為緣所生諸受觸界乃至身觸為
緣所生諸受自性空是身界自性即非自性
是觸界乃至身觸為緣所生諸受自性亦非
自性若非自性即是安忍波羅蜜多於此安
忍波羅蜜多身界不可得彼樂與苦亦不可
得觸界乃至身觸為緣所生諸受皆不可得
彼樂與苦亦不可得所以者何此中尚无身
界等可得何況有彼樂之與苦汝若能脩如
是安忍是脩安忍波羅蜜多復作是言汝善
男子應脩安忍波羅蜜多不應觀身界若我
若无我不應觀觸界身識界及身觸身觸為
緣所生諸受若我若无我何以故身界身界
自性空觸界身識界及身觸身觸為緣所生
諸受觸界乃至身觸為緣所生諸受自性空
是身界自性即非自性是觸界乃至身觸為

BD02272號　大般若波羅蜜多經卷一五六

(19–11)

自性空觸界身識界及身觸身觸為緣所生
諸受觸界乃至身觸為緣所生諸受自性空
是身界自性即非自性是觸界乃至身觸為
緣所生諸受自性亦非自性若非自性即是
安忍波羅蜜多於此安忍波羅蜜多身界不
可得彼我无我亦不可得觸界乃至身觸為
緣所生諸受皆不可得彼我无我亦不可得
所以者何此中尚无身界等可得何況有彼
我與无我汝若能脩如是安忍是脩安忍波
羅蜜多復作是言汝善男子應脩安忍波羅
蜜多不應觀身界若淨若不淨不應觀觸
界身識界及身觸身觸為緣所生諸受若淨若
不淨何以故身界身界自性空觸界身識界
及身觸身觸為緣所生諸受觸界乃至身觸
為緣所生諸受自性空是身界自性即非自
性是觸界乃至身觸為緣所生諸受自性亦
非自性若非自性即是安忍波羅蜜多於此
安忍波羅蜜多身界不可得彼淨不淨亦不
可得觸界乃至身觸為緣所生諸受皆不可
得彼淨不淨亦不可得所以者何此中尚无
身界等可得何況有彼淨與不淨汝若能脩
如是安忍是脩安忍波羅蜜多憍尸迦是善
男子善女人等作此等說是為宣說真正安
忍波羅蜜多
復次憍尸迦若善男子善女人等為發无上
菩提心者宣說安忍波羅蜜多作如是言汝
善男子應脩安忍波羅蜜多不應觀意界若

BD02272號　大般若波羅蜜多經卷一五六

(19–12)

復次憍尸迦若善男子善女人等為發无上
菩提心者宣說安忍波羅蜜多作如是言汝
善男子應脩安忍波羅蜜多不應觀意界若
常若無常不應觀法界意識界及意觸意
觸為緣所生諸受若常若無常何以故意界意
界自性空法界意識界及意觸意觸為緣所
生諸受法界乃至意觸為緣所生諸受自性
空是意界自性即非自性是法界乃至意觸
為緣所生諸受自性亦非自性若非自性即
是安忍波羅蜜多於此安忍波羅蜜多意界
不可得彼常無常亦不可得法界乃至意觸
為緣所生諸受皆不可得彼常无常亦不可
得所以者何此中尚无意界等可得何況有
彼常與无常汝若能脩如是安忍是脩安忍
波羅蜜多復作是言汝善男子應脩安忍波
羅蜜多不應觀意界若樂若苦不應觀法
界意識界及意觸意觸為緣所生諸受若樂
若苦何以故意界意界自性空法界意識界及
意觸意觸為緣所生諸受法界乃至意觸為
緣所生諸受自性空是意界自性即非自性
是法界乃至意觸為緣所生諸受自性亦非
自性若非自性即是安忍波羅蜜多於此安
忍波羅蜜多意界不可得彼樂與苦亦不可
得法界乃至意觸為緣所生諸受皆不可得
彼樂與苦亦不可得所以者何此中尚无意
界等可得何況有彼樂之與苦汝若能脩如
是安忍是脩安忍波羅蜜多復作是言汝善

BD02272號　大般若波羅蜜多經卷一五六　（19–13）

忍波羅蜜多意界不可得彼樂與苦亦不可
得法界乃至意觸為緣所生諸受皆不可得
彼樂與苦亦不可得所以者何此中尚无意
界等可得何況有彼樂之與苦汝若能脩如
是安忍是脩安忍波羅蜜多復作是言汝善
男子應脩安忍波羅蜜多不應觀意界若我
若无我不應觀法界意識界及意觸意觸為
緣所生諸受若我若无我何以故意界意界
自性空法界意識界及意觸意觸為緣所生
諸受法界乃至意觸為緣所生諸受自性空
是意界自性即非自性是法界乃至意觸為
緣所生諸受自性亦非自性若非自性即是
安忍波羅蜜多於此安忍波羅蜜多意界不
可得彼我无我亦不可得法界乃至意觸為
緣所生諸受皆不可得彼我无我亦不可得
所以者何此中尚无意界等可得何況有彼
我與无我汝若能脩如是安忍是脩安忍波
羅蜜多復作是言汝善男子應脩安忍波羅
蜜多不應觀意界若淨若不淨不應觀法界
意識界及意觸意觸為緣所生諸受若淨若
不淨何以故意界意界自性空法界意識界
及意觸意觸為緣所生諸受法界乃至意觸
為緣所生諸受自性空是意界自性即非自
性是法界乃至意觸為緣所生諸受自性亦
非自性若非自性即是安忍波羅蜜多於此
安忍波羅蜜多意界不可得彼淨不淨亦不
可得法界乃至意觸為緣所生諸受皆不可

BD02272號　大般若波羅蜜多經卷一五六　（19–14）

非自性若非自性即是安忍波羅蜜多於此
安忍波羅蜜多意界不可得彼淨不淨亦不
可得法界乃至意觸為緣所生諸受皆不可
得彼淨不淨亦不可得所以者何此中尚无
意界等可得何況有彼淨與不淨汝若能
如是安忍是脩安忍波羅蜜多憍尸迦是善
男子善女人等作此等說是為宣說真正
安忍波羅蜜多
復次憍尸迦若善男子善女人等為發无上
菩提心者宣說安忍波羅蜜多作如是言汝
善男子應脩安忍波羅蜜多不應觀地界若
常若无常不應觀水火風空識界若常若无
常何以故地界地界自性空水火風空識界
水火風空識界自性空是地界自性即非自
性是水火風空識界自性亦非自性若非自
性即是安忍波羅蜜多於此安忍波羅蜜多
地界不可得彼常无常亦不可得水火風空
識界皆不可得彼常无常亦不可得所以者
何此中尚无地界等可得何況有彼常與无
常汝若能脩如是安忍是脩安忍波羅蜜多
復作是言汝善男子應脩安忍波羅蜜多不
應觀地界若樂若苦不應觀水火風空識界
若樂若苦何以故地界地界自性空水火風
空識界水火風空識界自性空是地界自性
即非自性是水火風空識界自性亦非自性
若非自性即是安忍波羅蜜多於此安忍波
羅蜜多地界不可得彼樂與苦亦不可得水

BD02272號　大般若波羅蜜多經卷一五六　（19–15）

即非自性是水火風空識界自性亦非自性
若非自性即是安忍波羅蜜多於此安忍波
羅蜜多地界不可得彼樂與苦亦不可得水
火風空識界皆不可得彼樂與苦亦不可得
所以者何此中尚无地界等可得何況有彼
樂之與苦汝若能脩如是安忍是脩安忍波
羅蜜多復作是言汝善男子應脩安忍波
羅蜜多不應觀地界若我若我不應觀水火
風空識界若我若无我何以故地界地界自
性空水火風空識界水火風空識界自性空
是地界自性即非自性是水火風空識界自
性亦非自性若非自性即是安忍波羅蜜多
於此安忍波羅蜜多地界不可得彼我无我
亦不可得水火風空識界皆不可得彼我无
我亦不可得所以者何此中尚无地界等可
得何況有彼我與无我汝若能脩如是安忍
是脩安忍波羅蜜多復作是言汝善男子應
脩安忍波羅蜜多不應觀地界若淨若不淨
不應觀水火風空識界若淨若不淨何以故
地界地界自性空水火風空識界水火風空
識界自性空是地界自性即非自性是水火
風空識界自性亦非自性若非自性即是安
忍波羅蜜多於此安忍波羅蜜多地界不可
得彼淨不淨亦不可得水火風空識界皆不
可得彼淨不淨亦不可得所以者何此中尚
无地界等可得何況有彼淨與不淨汝若能
脩如是安忍是脩安忍波羅蜜多憍尸迦是

BD02272號　大般若波羅蜜多經卷一五六　（19–16）

可得彼淨不淨亦不可得所以者何此中尚
无地界等可得何況有彼淨與不淨汝若能
脩如是安忍是脩安忍波羅蜜多憍尸迦是
善男子善女人等作此等說是為宣說真正
安忍波羅蜜多
復次憍尸迦若善男子善女人等為發无上
菩提心者宣說安忍波羅蜜多作如是言汝
善男子應脩安忍波羅蜜多不應觀无明若
常若无常不應觀行識名色六處觸受愛取
有生老死愁歎苦憂惱若常若无常何以故
無明无明自性空行識名色六處觸受愛取
有生老死愁歎苦憂惱行乃至老死愁歎若
憂惱自性空是无明自性即非自性是行乃
至老死愁歎苦憂惱自性亦非自性若非自
性即是安忍波羅蜜多於此安忍波羅蜜多
无明不可得彼常无常亦不可得行乃至老
死愁歎苦憂惱皆不可得彼常无常亦不可
得所以者何此中尚无无明等可得何況有
彼常與无常汝若能脩如是安忍是脩安忍
波羅蜜多復作是言汝善男子應脩安忍波
羅蜜多不應觀无明若樂若苦不應觀行識
名色六處觸受愛取有生老死愁歎苦憂惱
若樂若苦何以故无明无明自性空行識名
色六處觸受愛取有生老死愁歎苦憂惱行
乃至老死愁歎苦憂惱自性空是无明自性
即非自性是行乃至老死愁歎苦憂惱自性
亦非自性若非自性即是安忍波羅蜜多於

BD02272號　大般若波羅蜜多經卷一五六　　(19–17)

乃至老死愁歎苦憂惱自性空是无明自性
即非自性是行乃至老死愁歎苦憂惱自性
亦非自性若非自性即是安忍波羅蜜多於
此安忍波羅蜜多无明不可得彼樂與苦亦
不可得行乃至老死愁歎苦憂惱皆不可得
彼樂與苦亦不可得所以者何此中尚无无
明等可得何況有彼樂之與苦汝若能脩如
是安忍是脩安忍波羅蜜多復作是言汝善
男子應脩安忍波羅蜜多不應觀无明若我
若无我不應觀行識名色六處觸受愛取有
生老死愁歎苦憂惱若我若无我何以故无
明无明自性空行識名色六處觸受愛取有
生老死愁歎苦憂惱行乃至老死愁歎苦憂
惱自性空是无明自性即非自性是行乃至
老死愁歎苦憂惱自性亦非自性若非自性
即是安忍波羅蜜多於此安忍波羅蜜多无
明不可得彼我无我亦不可得行乃至老死
愁歎苦憂惱皆不可得彼我无我亦不可得
所以者何此中尚无无明等可得何況有彼
我與无我汝若能脩如是安忍是脩安忍波
羅蜜多復作是言汝善男子應脩安忍波羅
蜜多不應觀无明若淨若不淨不應觀行識
名色六處觸受愛取有生老死愁歎苦憂惱
若淨若不淨何以故无明无明自性空行識
名色六處觸受愛取有生老死愁歎苦憂惱
行乃至老死愁歎苦憂惱自性空是无明自
性即非自性是行乃至老死愁歎苦憂惱自

BD02272號　大般若波羅蜜多經卷一五六　　(19–18)

若淨若不淨何以故无明无明自性空行識
名色六處觸受愛取有生老死愁歎苦憂惱
行乃至老死愁歎苦憂惱自性空是无明自
性即非自性是行乃至老死愁歎苦憂惱自
性亦非自性若非自性即是安忍波羅蜜多
於此安忍波羅蜜多无明不可得彼淨不淨
亦不可得行乃至老死愁歎苦憂惱皆不
可得彼淨不淨亦不可得所以者何此中尚无
無明等可得何況有彼淨與不淨汝若能脩
如是安忍是脩安忍波羅蜜多憍尸迦是善
男子善女人等作此等說是為宣說真正安
忍波羅蜜多

大般若波羅蜜多經卷第一百五十六

BD02272 號　大般若波羅蜜多經卷一五六　（19–19）

一百五十六

BD02272 號背　勘記　（1–1）

若後惡世中　說是第一法　是人得大利　如上諸功德

妙法華經從地踊出品第十五

尒時他方國土諸来菩薩摩訶薩過八恒河
沙數扵大衆中起立合掌作礼而白佛言世尊
若聽我等扵佛滅後在此娑婆世界勤加精
進護持讀誦書寫供養是經典者當扵此土
而廣說之尒時佛告諸菩薩摩訶薩衆止善
男子不須汝等護持此經所以者何我娑婆
世界自有六万恒河沙等菩薩摩訶薩一一
菩薩各有六万恒河沙眷屬是諸人等能扵
我滅後護持讀誦廣說此經佛說是時娑婆
世界三千大千國土地皆震裂而扵其中有
无量千万億菩薩摩訶薩同時踊出是諸菩
薩身皆金色三十二相无量光明先盡在此
娑婆世界之下此界虗空中住是諸菩薩聞
釋迦牟尼佛所說音聲從下發来一一菩薩
皆是大衆唱道之首各将六万恒河沙眷屬

BD02273號　妙法蓮華經卷五　（20–1）

娑婆世界之下此界虗空中住是諸菩薩聞
釋迦牟尼佛所說音聲從下發来一一菩薩
皆是大衆唱道之首各将六万恒河沙眷屬
况将五万四万三万二万一万恒河沙等眷屬
者况復乃至一恒河沙半恒河沙四分之一
乃至千万億那由他分之一况復千万億
那由他眷屬况復億万眷屬况復千万百万
乃至一万况復一千一百乃至一十况復将
五四三二一弟子者况復單己樂遠離行如
是等比无量无邊筭數譬喻不能知是諸
菩薩從地出已各詣虗空七寶妙塔多寶如
来釋迦牟尼佛所到已向二世尊頭面礼足
及至諸寶樹下師子座上佛所亦皆作礼右
繞三帀合掌恭敬以諸菩薩種種讚法而以
讚歎住在一面欣樂瞻仰扵二世尊是諸菩
薩摩訶薩從初踊出以諸菩薩種種讚法而
讚扵佛如是時間經五十小劫是時釋迦牟
尼佛嘿然而坐及諸四衆亦皆嘿然五十小
劫佛神力故令諸大衆謂如半日尒時四衆
亦以佛神力故見諸菩薩遍滿无量百千万
億國土虗空是菩薩衆中有四導師一名上
行二名无邊行三名淨行四名安立行是四
菩薩扵其衆中最為上首唱導之師在大衆
前各共合掌觀釋迦牟尼佛而問訊言世尊
少病少惱安樂行不所應度者受教易不不

BD02273號　妙法蓮華經卷五　（20–2）

行二名无邊行三名淨行四名安立行是四
菩薩於其衆中最為上首唱導之師在大衆
前各共合掌觀釋迦牟尼佛而問訊言世尊
少病少惱安樂行不所應度者受教易不不
令世尊生疲勞耶尒時四大菩薩而說偈言
世尊安樂 少病少惱 教化衆生 得无疲勞
又諸衆生 受化易不 不令世尊 生疲勞耶
尒時世尊於諸菩薩大衆中而作是言如是如
是諸善男子如來安樂少病少惱諸衆生等
易可化度无有疲勞所以者何是諸衆生世
世已來常受我化亦於過去諸佛供養尊重
種諸善根此諸衆生始見我身聞我所說即
皆信受入如來慧除先脩習學小乘者如是
之人我今亦令得聞是經入於佛慧尒時諸
大菩薩而說偈言
善哉善哉 大雄世尊 諸衆生等 易可化度
能問諸佛 甚深智慧 聞已信行 我等隨喜
於時世尊讚歎上首諸大菩薩善哉善哉
善男子汝等能於如來發隨喜心尒時弥勒菩
薩及八千恒河沙諸菩薩衆皆作是念我等
從昔已來不見不聞如是大菩薩摩訶薩衆
從地踊出住世尊前合掌供養問訊如來尒時
弥勒菩薩摩訶薩知八千恒河沙諸菩薩等
心之所念并欲自決所疑合掌向佛以偈問曰
无量千万億 大衆諸菩薩 昔所未曾見 願兩足尊說
是從何所來 以何因緣集 巨身大神通 智慧叵思議

BD02273號　妙法蓮華經卷五　（20–3）

心之所念并欲自決所疑合掌向佛以偈問曰
无量千万億 大衆諸菩薩 昔所未曾見 願兩足尊說
是從何所來 以何因緣集 巨身大神通 智慧叵思議
其志念堅固 有大忍辱力 衆生所樂見 為從何所來
一一諸菩薩 所將諸眷屬 其數无有量 如恒河沙等
或有大菩薩 將六万恒沙 如是諸大衆 一心求佛道
是諸大師等 六万恒河沙 俱來供養佛 及護持此經
將五万恒沙 其數過於是 四万及三万 二万至一万
一千一百等 乃至一恒沙 半及三四分 億万分之一
千万那由他 万億諸弟子 乃至於半億 其數復過上
百万至一万 一千及一百 五十與一十 乃至三二一
單己无眷屬 樂於獨處者 俱來至佛所 其數轉過上
如是諸大衆 若人行籌數 過於恒沙劫 猶不能盡知
是諸大威德 精進菩薩衆 誰為其說法 教化而成就
從誰初發心 稱揚何佛法 受持行誰經 脩習何佛道
如是諸菩薩 神通大智力 四方地震裂 皆從中踊出
世尊我昔來 未曾見是事 願說其所從 國土之名号
我常遊諸國 未曾見是衆 我於此衆中 乃不識一人
忽然從地出 願說其因緣 今此之大會 无量百千億
是諸菩薩等 皆欲知此事 是諸菩薩衆 本末之因緣
无量德世尊 唯願決衆疑
尒時釋迦牟尼佛分身諸佛從无量千万億
他方國土來者在於八方諸寶樹下師子座
上結加趺坐其佛侍者各各見是菩薩大衆
於三千大千世界四方從地踊出住於虛空

BD02273號　妙法蓮華經卷五　（20–4）

他方國土來者在於八方諸寶樹下師子座
上結加趺坐其佛侍者各各見是菩薩大衆
於三千大千世界四方從地踊出住於虛空
各白其佛言世尊此諸无量无邊阿僧祇菩
薩大衆從何所來尒時諸佛各告侍者諸善
男子且待須臾有菩薩摩訶薩名曰弥勒釋
迦牟尼佛之所授記次後作佛已問斯事佛
今 之汝等自當因是得聞尒時釋迦牟尼佛
告弥勒菩薩善哉善哉阿逸多乃能問佛如
是大事汝等當共一心被精進鎧發堅固意
如來今欲顯發宣示諸佛智慧諸佛自在神
通之力諸佛師子奮迅之力諸佛威猛大勢
之力尒時世尊欲重宣此義而說偈言
當精進一心　我欲說此事　勿得有疑悔　佛智叵思議
汝今出信力　住於忍善中　昔所未聞法　今皆當得聞
我今安慰汝　勿得懷疑懼　佛无不實語　智慧不可量
所得第一法　甚深叵分別　如是今當說　汝等一心聽
尒時世尊說此偈已告弥勒菩薩我今於此
大衆宣告汝等阿逸多是諸大菩薩摩訶薩
无量无數阿僧祇從地踊出汝等昔所未見
者我於是娑婆世界得阿耨多羅三藐三菩
提已教化示導是諸菩薩調伏其心令發道
意此諸菩薩皆於是娑婆世界之下此界虛
空中住於諸經典讀誦通利思惟分別正憶
念阿逸多是諸善男子等不樂在衆多有所

BD02273號　妙法蓮華經卷五　（20–5）

意此諸菩薩皆於是娑婆世界之下此界虛
空中住於諸經典讀誦通利思惟分別正憶
念阿逸多是諸善男子等不樂在衆多有所
說常樂靜處勤行精進未曾休息亦不依止
人天而住常樂深智无有障礙亦常樂於諸
佛之法一心精進求无上慧尒時世尊欲重
宣此義而說偈言
阿逸汝當知　是諸大菩薩　從无數劫來　脩習佛智慧
悉是我所化　令發大道心　此等是我子　依止是世界
常行頭陁事　志樂於靜處　捨大衆憒閙　不樂多所說
如是諸子等　學習我道法　晝夜常精進　為求佛道故
在娑婆世界　下方空中住　志念力堅固　常勤求智慧
說種種妙法　其心无所畏　我於伽耶城　菩提樹下坐
得成最正覺　轉无上法輪　尒乃教化之　令初發道心
今皆住不退　逮當得成佛　我今說實語　汝等一心信
我從久遠來　教化是等衆
尒時弥勒菩薩摩訶薩及无數諸菩薩等心
生疑惑怪未曾有而作是念云何世尊於少
時間教化如是无量无邊阿僧祇諸大菩薩
令住阿耨多羅三藐三菩提即白佛言世尊
如來為太子時出於釋氏宮去伽耶城不遠坐
於道場得成阿耨多羅三藐三菩提從是已
來始過四十餘年世尊云何於此少時大作
佛事以佛勢力以佛功德教化如是无量大
菩薩衆當成阿耨多羅三藐三菩提世尊此

BD02273號　妙法蓮華經卷五　（20–6）

来始過四十餘年世尊云何於此少時大作
佛事以佛勢力以佛功德教化如是无量大
菩薩衆當成阿耨多羅三藐三菩提世尊此
大菩薩衆假使有人於千万億劫數不能盡
不得其邊斯等久遠已来於无量无邊諸佛
所植諸善根成就菩薩道常脩梵行世尊如
此之事世所難信譬如有人色美髮黑年二十
五指百歲人言是我子其百歲人亦指年少
言是我父生育我等是事難信佛亦如是
得道已来其實未久而此大衆諸菩薩等已
於无量千万億劫為佛道故勤行精進善入
出住无量百千万億三昧得大神通久脩梵
行善能次第習諸善法巧於問答人中之寶
一切世間甚為希有今日世尊方云得佛道
時初令發心教化示道令向阿耨多羅三藐
三菩提世尊得佛未久乃能作此大功德事
我等雖復信佛隨宜所說佛所出言未曾虛
妄佛所知者皆悉通達然諸新發意菩薩
於佛滅後若聞是語或不信受而起破法罪業
因緣唯然世尊願為解說除我等疑及未来
世諸善男子聞此事已亦不生疑尒時弥勒菩
薩欲重宣此義而說偈言
佛昔從釋種　出家近伽耶　坐於菩提樹　尒来尚未久
此諸佛子等　其數不可量　久已行佛道　住神通智力
善學菩薩道　不染世間法　如蓮華在水　從地而踊出

BD02273號　妙法蓮華經卷五
(20–7)

佛昔從釋種　出家近伽耶　坐於菩提樹　尒来尚未久
此諸佛子等　其數不可量　久已行佛道　住神通智力
善學菩薩道　不染世間法　如蓮華在水　從地而踊出
皆起恭敬心　住於世尊前　是事難思議　云何而可信
佛得道甚近　所成就甚多　願為除衆疑　如實分別說
譬如少壯人　年始二十五　示人百歲子　髮白而面皺
是等我所生　子亦說是父　父少而子老　舉世所不信
世尊亦如是　得道来甚近　是諸菩薩等　志固无怯弱
從无量劫来　而行菩薩道　巧於難問答　其心无所畏
忍辱心決定　端正有威德　十方佛所讚　善能分別說
不樂在人衆　常好在禪定　為求佛道故　於下空中住
我等從佛聞　於此事无疑　願佛為未来　演說令開解
若有於此經　生疑不信者　即當墮惡道　願今為解說
是无量菩薩　云何於少時　教化令發心　而住不退地
妙法蓮華經如来壽量品第十六
尒時佛告諸菩薩及一切大衆諸善男子汝
等當信解如来誠諦之語復告大衆汝等當
信解如来誠諦之語又復告諸大衆汝等當
信解如来誠諦之語是時菩薩大衆弥勒為
首合掌白佛言世尊唯願說之我等當信受
佛語如是三白已復言唯願說之我等當信
受佛語尒時世尊知諸菩薩三請不止而告
之言汝等諦聽如来秘密神通之力一切世
間天人及阿脩羅皆謂今釋迦牟尼佛出釋
氏宮去伽耶城不遠坐於道場得阿耨多羅

BD02273號　妙法蓮華經卷五
(20–8)

之言汝等諦聽如來秘密神通之力一切世
間天人及阿脩羅皆謂今釋迦牟尼佛出釋
氏宮去伽耶城不遠坐於道場得阿耨多羅
三藐三菩提然善男子我實成佛已來无量
无邊百千万億那由他劫譬如五百千万億
那由他阿僧祇三千大千世界假使有人末
為微塵過於東方五百千万億那由他阿僧
祇國乃下一塵如是東行盡是微塵諸善男
子於意云何是諸世界可得思惟挍計知其
數不弥勒菩薩等俱白佛言世尊是諸世界
无量无邊非筭數所知亦非心力所及一切
聲聞辟支佛以无漏智不能思惟知其限數
我等住阿惟越致地於是事中亦所不達世
尊如是諸世界无量无邊尒時佛告大菩薩
衆諸善男子今當分明宣語汝等是諸世界
若著微塵及不著者盡以為塵一塵一劫我
成佛已來復過於此百千万億那由他阿僧
祇劫自從是來我常在此娑婆世界說法教
化亦於餘處百千万億那由他阿僧祇國導
利衆生諸善男子於是中間我說然燈佛等
又復言其入於涅槃如是皆以方便分別諸
善男子若有衆生來至我所我以佛眼觀其
信等諸根利鈍隨所應度處處自說名字不
同年記大小亦復現言當入涅槃又以種種
方便說微妙法能令衆生發歡喜心諸善男
子如來見諸衆生樂於小法德薄垢重者為

BD02273號　妙法蓮華經卷五　（20–9）

同年記大小亦復現言當入涅槃又以種種
方便說微妙法能令衆生發歡喜心諸善男
子如來見諸衆生樂於小法德薄垢重者為
是人說我少出家得阿耨多羅三藐三菩提
然我實成佛已來久遠若斯但以方便教化
衆生令入佛道作如是說諸善男子如來所
演經典皆為度脫衆生或說己身或說他身
或示己身或示他身或示己事或示他事諸
所言說皆實不虛所以者何如來如實知見
三界之相无有生死若退若出亦无在世及
滅度者非實非虛非如非異不如三界見於
三界如斯之事如來明見无有錯謬以諸衆
生有種種性種種欲種種行種種憶想分
別故欲令生諸善根以若干因緣譬喻言辭
種種說法所作佛事未曾暫廢如是我成佛
已來甚大久遠壽命无量阿僧祇劫常住不滅
諸善男子我本行菩薩道所成壽命今猶未
盡復倍上數然今非實滅度而便唱言當取
滅度如來以是方便教化衆生所以者何若
佛久住於世薄德之人不種善根貧窮下賤
貪著五欲入於憶想妄見網中若見如來常
在不滅便起憍恣而懷猒怠不能生難遭之
想恭敬之心是故如來以方便說比丘當知
諸佛出世難可值遇所以者何諸薄德人過
无量百千万億劫或有見佛或不見者以此

BD02273號　妙法蓮華經卷五　（20–10）

想恭敬之心是故如来以方便說比丘當知
諸佛出世難可值遇所以者何諸薄德人過
无量百千万億劫或有見佛或不見者以此
事故我作是言諸比丘如来難可得見斯衆
生等聞如是語必當生於難遭之想心懷戀
慕渴仰於佛便種善根是故如来雖不實滅
而言滅度又善男子諸佛如来法皆如是為
度衆生皆實不虛譬如良醫智慧聰達明練
方藥善治衆病其人多諸子息若十二十乃
至百數以有事緣遠至餘國諸子於後飲他
毒藥藥發悶亂宛轉于地是時其父還来歸
家諸子飲毒或失本心或不失者遥見其父
皆大歡喜拜跪問許善安隱歸我等愚癡
誤服毒藥願見救療更賜壽命父見子等苦惱
如是依諸經方求好藥草色香美味皆悉具
足擣篩和合与子令服而作是言此大良藥
色香美味皆悉具足汝等可服速除苦惱无
復衆患其諸子中不失心者見此良藥色香
俱好即便服之病盡除愈餘失心者見其父
来雖亦歡喜許求索治病然与其藥而不
肯服所以者何毒氣深入失本心故於此好
色香藥而謂不美父作是念此子可愍為毒
所中心皆顛倒雖見我喜求索救療如是好
藥而不肯服我今當設方便令服此藥即作
是言汝等當知我今衰老死時已至是好良

BD02273號　妙法蓮華經卷五

（20–11）

色香藥而謂不美父作是念此子可愍為毒
所中心皆顛倒雖見我喜求索救療如是好
藥而不肯服我今當設方便令服此藥即作
是言汝等當知我今衰老死時已至是好良
藥今留在此汝可取服勿憂不差作是教已
復至他國遣使還告汝父已死是時諸子聞
父背喪心大憂惱而作是念若父在者慈愍
我等能見救護今者捨我遠喪他國自惟孤
露无復恃怙常懷悲感心遂醒悟乃知此藥
色味香美即取服之毒病皆愈其父聞子悉
已得差尋便来歸咸使見之諸善男子於意
云何頗有人能說此良醫虛妄罪不不也世
尊佛言我亦如是成佛已来无量无邊百千
万億那由他阿僧祇劫為衆生故以方便力
言當滅度亦无有能如法說我虛妄過者尒
時世尊欲重宣此義而說偈言
自我得佛来　所經諸劫數　无量百千万　億載阿僧祇
常說法教化　无數億衆生　令入於佛道　尒来无量劫
為度衆生故　方便現涅槃　而實不滅度　常住此說法
我常住於此　以諸神通力　令顛倒衆生　雖近而不見
衆見我滅度　廣供養舍利　咸皆懷戀慕　而生渴仰心
衆生既信伏　質直意柔軟　一心欲見佛　不自惜身命
時我及衆僧　俱出靈鷲山　我時語衆生　常在此不滅
以方便力故　現有滅不滅　餘國有衆生　恭敬信樂者
我復於彼中　為說无上法　汝等不聞此　但謂我滅度

BD02273號　妙法蓮華經卷五

（20–12）

衆生既信伏　質直意柔軟　一心欲見佛　不自惜身命
時我及衆僧　俱出靈鷲山　我時語衆生　常在此不滅
以方便力故　現有滅不滅　餘國有衆生　恭敬信樂者
我復於彼中　為說无上法　汝等不聞此　但謂我滅度
我見諸衆生　沒在於苦惱　故不為現身　令其生渴仰
因其心戀慕　乃出為說法　神通力如是　於阿僧祇劫
常在靈鷲山　及餘諸住處　衆生見劫盡　大火所燒時
我此土安隱　天人常充滿　園林諸堂閣　種種寶莊嚴
寶樹多華菓　衆生所遊樂　諸天擊天鼓　常作衆伎樂
雨曼陀羅華　散佛及大衆　我淨土不毀　而衆見燒盡
憂怖諸苦惱　如是悉充滿　是諸罪衆生　以惡業因緣
過阿僧祇劫　不聞三寶名　諸有脩功德　柔和質直者
則皆見我身　在此而說法　或時為此衆　說佛壽无量
久乃見佛者　為說佛難值　我智力如是　慧光照无量
壽命无數劫　久脩業所得　汝等有智者　勿於此生疑
當斷令永盡　佛語實不虛　如醫善方便　為治狂子故
實在而言死　无能說虛妄　我亦為世父　救諸苦患者
為凡夫顛倒　實在而言滅　以常見我故　而生憍恣心
放逸著五欲　墮於惡道中　我常知衆生　行道不行道
隨應所可度　為說種種法　每自作是意　以何令衆生
得入无上道　速成就佛身

妙法蓮華經分別功德品第十七

尒時大會聞佛說壽命劫數長遠如是无量
无邊阿僧祇衆生得大饒益於時世尊告弥
勒菩薩摩訶薩阿逸多我說是如來壽命長

BD02273號　妙法蓮華經卷五　（20–13）

尒時大會聞佛說壽命劫數長遠如是无量
无邊阿僧祇衆生得大饒益於時世尊告弥
勒菩薩摩訶薩阿逸多我說是如來壽命長
遠時六百八十万億那由他恒河沙衆生得无
生法忍復有千倍菩薩摩訶薩得聞持陀羅
尼門復有一世界微塵數菩薩摩訶薩得樂
說无礙辯才復有一世界微塵數菩薩摩訶
薩得百千万億无量旋陀羅尼復有三千大
千世界微塵數菩薩摩訶薩能轉不退法輪
復有二千中國土微塵數菩薩摩訶薩能轉清
淨法輪復有小千國土微塵數菩薩摩訶薩
八生當得阿耨多羅三藐三菩提復有四四
天下微塵數菩薩摩訶薩四生當得阿耨多
羅三藐三菩提復有三四天下微塵數菩薩
摩訶薩三生當得阿耨多羅三藐三菩提復
有二四天下微塵數菩薩摩訶薩二生當得
阿耨多羅三藐三菩提復有一四天下微塵
數菩薩摩訶薩一生當得阿耨多羅三藐三
菩提復有八世界微塵數衆生皆發阿耨多
羅三藐三菩提心佛說是諸菩薩摩訶薩得
大法利時於虛空中雨曼陀羅華摩訶曼陀
羅華以散无量百千万億寶樹下師子座上
諸佛并散七寶塔中師子座上釋迦牟尼佛
及久滅度多寶如來亦散一切諸大菩薩及
四部衆又雨細末栴檀沉水香等於虛空中

BD02273號　妙法蓮華經卷五　（20–14）

及久滅度多寶如來亦散一切諸大菩薩及
四部衆又雨細末栴檀沉水香等於虛空中
天鼓自鳴妙聲深遠又雨千種天衣垂諸瓔珞
真珠瓔珞摩尼珠瓔珞如意珠瓔珞遍於九
方衆寶香爐燒无價香自然周至供養大會
一一佛上有諸菩薩執持幡蓋次第而上至
于梵天是諸菩薩以妙音聲歌无量頌讚
歎諸佛尒時弥勒菩薩從座而起偏袒右肩
合掌向佛而說偈言
佛說希有法　昔所未曾聞　世尊有大力　壽命不可量
无數諸佛子　聞世尊分別　說得法利者　歡喜充遍身
或住不退地　或得陁羅尼　或无礙樂說　万億旋揔持
或有大千界　微塵數菩薩　各各皆能轉　不退之法輪
或有中千界　微塵數菩薩　各各皆能轉　清淨之法輪
復有小千界　微塵數菩薩　餘各八生在　當得成佛道
復有四三二　如是四天下　微塵諸菩薩　隨數生成佛
或一四天下　微塵數菩薩　餘有一生在　當成一切智
如是等衆生　聞佛壽長遠　得无量无漏　清淨之果報
復有八世界　微塵數衆生　聞佛說壽命　皆發无上心
世尊說无量　不可思議法　多有所饒益　如虛空无邊
雨天曼陁羅　摩訶曼陁羅　釋梵如恒沙　无數佛土來
雨栴檀沉水　繽紛而亂墜　如鳥飛空下　供散於諸佛
天鼓虛空中　自然出妙聲　天衣千万種　旋轉而來下
衆寶妙香爐　燒无價之香　自然悉周遍　供養諸世尊
其大菩薩衆　執七寶幡蓋　高妙万億種　次第至梵天

BD02273號　妙法蓮華經卷五

(20-15)

雨栴檀沉水　繽紛而亂墜　如鳥飛空下　供散於諸佛
天鼓虛空中　自然出妙聲　天衣千万種　旋轉而來下
衆寶妙香爐　燒无價之香　自然悉周遍　供養諸世尊
其大菩薩衆　執七寶幡蓋　高妙万億種　次第至梵天
一一諸佛前　寶幢懸勝幡　亦以千万偈　歌詠諸如來
如是種種事　昔所未曾有　聞佛壽无量　一切皆歡喜
佛名聞十方　廣饒益衆生　一切具善根　以助无上心
尒時佛告弥勒菩薩摩訶薩阿逸多其有衆
生聞佛壽命長遠如是乃至能生一念信解
所得功德无有限量若有善男子善女人為
阿耨多羅三藐三菩提故於八十万億那由他
劫行五波羅蜜檀波羅蜜尸羅波羅蜜羼提
波羅蜜毗梨耶波羅蜜禪波羅蜜除般若波
羅蜜以是功德比前功德百分千分百千万
億分不及其一乃至筭數譬喻所不能知若
善男子有如是功德於阿耨多羅三藐三菩
提退者无有是處尒時世尊欲重宣此義而
說偈言
若人求佛慧　於八十万億　那由他劫數　行五波羅蜜
於是諸劫中　布施供養佛　及緣覺弟子　并諸菩薩衆
珎異之飲食　上服与臥具　栴檀立精舍　以園林莊嚴
如是等布施　種種皆微妙　盡此諸劫數　以迴向佛道
若復持禁戒　清淨无缺漏　求於无上道　諸佛之所歎
若復行忍辱　住於調柔地　設衆惡來加　其心不傾動
諸有得法者　懷於增上慢　為此所輕惱　如是亦能忍
若復勤精進　志念常堅固　於无量億劫　一心不懈怠

BD02273號　妙法蓮華經卷五

(20-16)

若復行忍辱住於調柔地設衆惡來加其心不傾動
諸有得法者懷於增上慢為此所輕惱如是亦能忍
若復勤精進志念常堅固於无量億劫一心不懈怠
又於无數劫住於空閑處若坐若經行除睡常攝心
以是因緣故能生諸禪定八十億万劫安住心不亂
持此一心福願求无上道我得一切智盡諸禪定際
是人於百千万億劫數中行此諸功德如上之所說
有善男女等聞我說壽命乃至一念信其福過於彼
若人悉无有一切諸疑悔深心須臾信其福為如此
其有諸菩薩无量劫行道聞我說壽命是則能信受
如是諸人等頂受此經典願我於未來長壽度衆生
如今日世尊諸釋中之王道場師子吼說法无所畏
我等未來世一切所尊敬坐於道場時說壽亦如是
若有深心者清淨而質直多聞能摠持隨義解佛語
如是諸人等於此无有疑
又阿逸多若有聞佛壽命長遠解其言趣是
人所得功德无有限量能起如來无上之慧
何況廣聞是經若教人聞若自持若教人持
若自書若教人書若以華香瓔珞幢幡繒蓋
香油蘇燈供養經卷是人功德无量无邊能
生一切種智阿逸多若善男子善女人聞我
說壽命長遠深心信解則為見佛常在耆闍
崛山共大菩薩諸聲聞衆圍繞說法又見此
娑婆世界其地琉璃坦然平正閻浮檀金以
界八道寶樹行列諸臺樓觀皆悉寶成其菩

BD02273號　妙法蓮華經卷五　（20–17）

說壽命長遠深心信解則為見佛常在耆闍
崛山共大菩薩諸聲聞衆圍繞說法又見此
娑婆世界其地琉璃坦然平正閻浮檀金以
界八道寶樹行列諸臺樓觀皆悉寶成其菩
薩衆咸處其中若有能如是觀者當知是為
深信解相又復如來滅後若聞是經而不毀
呰起隨喜心當知已為深信解相何況讀誦
受持之者斯人則為頂戴如來阿逸多是善
男子善女人不須為我復起塔寺及作僧坊
以四事供養衆僧所以者何是善男子善女
人受持讀誦是經典者為已起塔造立僧坊
供養衆僧則為以佛舍利起七寶塔高廣漸
小至于梵天懸諸幡蓋及衆寶鈴華香瓔珞
末香塗香燒香衆鼓伎樂簫笛箜篌種種
儛戲以妙音聲歌唄讚頌則為於无量千万億
劫作是供養已阿逸多若我滅後聞是經典
有能受持若自書若教人書則為起立僧坊
以赤栴檀作諸殿堂三十有二高八多羅樹
高廣嚴好百千比丘於其中止園林浴池經
行禪窟衣服飲食牀褥湯藥一切樂具充滿
其中如是僧坊堂閣若干百千万億其數无
量以此現前供養於我及比丘僧是故我說
如來滅後若有受持讀誦為他人說若自書
若教人書供養經卷不須復起塔寺及造僧
坊供養衆僧況復有人能持是經兼行布施
持戒忍辱精進一心智慧其德最勝无量无

BD02273號　妙法蓮華經卷五　（20–18）

如來滅後若有受持讀誦為他人說若自書
若教人書供養經卷不須復起塔寺及造僧
坊供養衆僧況復有人能持是經兼行布施
持戒忍辱精進一心智慧其德㝡勝无量无
邊譬如虛空東西南北四維上下无量无邊
是人功德亦復如是无量无邊疾至一切種
智若人讀誦受持是經為他人說若自書若
教人書復能起塔及造僧坊供養讚歎聲聞
衆僧亦以百千万億讚歎之法讚歎菩薩功
德又為他人種種因緣隨義解說此法華經復
能清淨持戒与柔和者而共同止忍辱无瞋
志念堅固常貴坐禪得諸深定精進勇猛
攝諸善法利根智慧善答問難阿逸多若我
滅後諸善男子善女人受持讀誦是經典者
復有如是諸善功德當知是人已趣道場近
阿耨多羅三藐三菩提坐道樹下阿逸多是
善男子善女人若坐若立若經行處此中便
應起塔一切天人皆應供養如佛之塔尒時世
尊欲重宣此義而說偈言
若我滅度後 能奉持此經 斯人福无量 如上之所說
是則為具足 一切諸供養 以舍利起塔 七寶而莊嚴
表剎甚高廣 漸小至梵天 寶鈴千万億 風動出妙音
又於无量劫 而供養此塔 華香諸瓔珞 天衣衆伎樂
然香油蘇燈 周帀常照明 惡世法末時 能持是經者
則為已如上 具足諸供養 若能持此經 則如佛現在

BD02273號　妙法蓮華經卷五

(20–19)

又於无量劫 而供養此塔 華香諸瓔珞 天衣衆伎樂
然香油蘇燈 周帀常照明 惡世法末時 能持是經者
則為已如上 具足諸供養 若能持此經 則如佛現在
以牛頭栴檀 起僧坊供養 堂有三十二 高八多羅樹
上饌妙衣服 牀卧皆具足 百千衆住處 園林諸浴池
經行及禪窟 種種皆嚴好 若有信解心 受持讀誦書
若復教人書 及供養經卷 散華香末香 以須曼瞻蔔
阿提目多伽 薰油常然之 如是供養者 得无量功德
如虛空无邊 其福亦如是 況復持此經 兼布施持戒
忍辱樂禪定 不瞋不惡口 恭敬於塔廟 謙下諸比丘
遠離自高心 常思惟智慧 有問難不瞋 隨順為解說
若能行是行 功德不可量 若見此法師 成就如是德
應以天華香 天衣覆其身 頭面接足礼 生心如佛想
又應作是念 不久詣道樹 得无漏无為 廣利諸人天
其所住止處 經行若坐卧 乃至說一偈 是中應起塔
莊嚴令妙好 種種以供養 佛子住此地 則是佛受用
常在於其中 經行及坐卧

妙法蓮華經卷第五

BD02273號　妙法蓮華經卷五

(20–20)

若一切智智清淨若散空清
淨無二無二分無別無斷故一切智智清
淨故道相智一切相智清淨道相智一切相
智清淨故散空清淨何以故若一切智智清
淨若道相智一切相智清淨若散空清淨无
二無二分無別無斷故善現一切智智清淨
故一切陁羅尼門清淨一切陁羅尼門清淨
故散空清淨何以故若一切智智清淨若一
切陁羅尼門清淨若散空清淨無二無二分
無別無斷故一切智智清淨故一切三摩地
門清淨一切三摩地門清淨故散空清淨何
故以若一切智智清淨若一切三摩地門清
淨若散空清淨無二無二分無別無斷故
善現一切智智清淨故預流果清淨預流果
清淨故散空清淨何以故若一切智智清淨
若預流果清淨若散空清淨無二無二分無
別無斷故一切智智清淨故一來不還阿羅
漢果清淨一來不還阿羅漢果清淨故散空
清淨何以故若一切智智清淨若一來不還
阿羅漢果清淨若散空清淨無二無二分無
別無斷故善現一切智智清淨故獨覺菩提
清淨獨覺菩提清淨故散空清淨何以故若
一切智智清淨若獨覺菩提清淨若散空清

BD02274號　大般若波羅蜜多經卷二五二　（2–1）

善現一切智智清淨故預流果清淨預流果
清淨故散空清淨何以故若一切智智清淨
若預流果清淨若散空清淨無二無二分無
別無斷故一切智智清淨故一來不還阿羅
漢果清淨一來不還阿羅漢果清淨故散空
清淨何以故若一切智智清淨若一來不還
阿羅漢果清淨若散空清淨無二無二分無
別無斷故善現一切智智清淨故獨覺菩提
清淨獨覺菩提清淨故散空清淨何以故若
一切智智清淨若獨覺菩提清淨若散空清
淨無二無二分無別無斷故善現一切智智
清淨故一切菩薩摩訶薩行清淨一切菩薩
摩訶薩行清淨故散空清淨何以故若一切
智智清淨若一切菩薩摩訶薩行清淨若散
空清淨無二無二分無別無斷故善現一切
智智清淨故諸佛無上正等菩提清淨諸
佛無上正等菩提清淨故散空清淨何以故
若一切智智清淨若諸佛無上正等菩提清淨
若散空清淨無二無二分無別無斷故

大般若波羅蜜多經卷第二百五十二

BD02274號　大般若波羅蜜多經卷二五二　（2–2）

佛說十方千五百佛名經卷上
現在東方佛名　現在東南方佛名
現在南方佛名　現在西南方佛名
□□西方佛名　經中唯顯方所並不顯世界
現在東方一百五十佛名
佛言若有男子善女人學菩薩乘聞此東
方諸佛名号不懷猶豫稱名敬礼者捨身所
生不墮三塗常為轉輪聖王若佛興世常當
覲見无數諸佛悉供養之淨脩梵行獲諸神
通獨步无畏德得自在終不退失上道心捨
離无量百千万億阿僧祇劫生死之罪漸成
佛道相好嚴身若有无世犯重罪者應墮惡
道礼此佛故小過頭痛衆罪消滅世間諸惡
不能加害尊煞之時悉能得見億佞諸佛聞

BD02275 號　賢劫十方千五百佛名經卷上　（25–1）

佛道相好嚴身若有无世犯重罪者應墮惡
道礼此佛故小過頭痛衆罪消滅世間諸惡
不能加害尊煞之時悉能得見億佞諸佛聞
佛所說皆能受持一言不妄若聞此佛名心
懷猶豫誹謗巨逆而不信者世世所生不値
三寶常處三塗八難之中是以行者應勤敬
礼諸佛世尊除棄誹謗必得如上功德之利
南无賢劫千佛　南无東方拘樓孫佛
南无迦葉佛　南无拘那含牟尼佛
南无釋迦文佛　南无弥勒佛
南无智華生佛　南无上雲燈佛
南无寶光月殿妙尊佛　南无寶嚴佛
南无極高德聚佛　南无大堅佛
南无无邊寶力佛　南无須弥堅佛
南无難陁拔檀佛　南无德王明佛
南无樂无相相佛　南无妙化音佛
南无一切緣中自在現種佛　南无華上佛
南无寶德佛　南无海弥樓佛
南无无垢意佛　南无新滅佛
南无二万億滅音王佛　南无離欲自在佛
南无滅諸趣佛　南无不思王德佛
南无善王德佛　南无瑠璃香佛
南无无尋香光佛　南无雲鼓音佛
南无切德生佛　南无无邊行自在佛

BD02275 號　賢劫十方千五百佛名經卷上　（25–2）

南无无导香光佛　南无雲鼓音佛
南无功德生佛　南无无邊行自在佛
南无須弥堅佛　南无无邊光佛
南无上香弥樓佛　南无普觀佛
南无无畏佛　南无德无畏佛
南无月燈佛　南无明燈佛
南无振威德佛　南无極高行佛
南无善衆佛　南无金剛生身佛
南无自在王佛　南无智力流布佛
南无上安佛　南无德王明佛
南无妙肩佛　南无妙眼佛
南无娑羅王佛　南无須弥王佛
南无弥樓佛　南无旃檀窟佛
南无寶威德佛　南无常善德佛
南无梵音聲佛　南无寶華佛
南无常悲佛　南无蓮華生德佛
南无旃檀香佛　南无如須弥佛
南无上嚴佛　南无華聚高德佛
南无寶蓋佛　南无香象佛
南无安王佛　南无不虛稱佛
南无无邊自在力佛　南无不思議功德明佛
南无雜華佛　南无集王佛
南无求利世佛　南无无邊心行佛
南无无邊自在力佛　南无无邊眼佛

BD02275號　賢劫十方千五百佛名經卷上　（25–3）

南无雜華佛　南无集王佛
南无求利世佛　南无无邊心行佛
南无无邊自在力佛　南无无邊眼佛
南无言音自在佛　南无无邊虛空音稽佛
南无上香德佛　南无虛空德佛
南无極高行佛　南无作方所佛
南无極高弥樓佛　南无无导眼佛
南无娑伽羅佛　南无須弥肩佛
南无善安王佛　南无上衆嚴佛
南无三國号上衆佛　南无空柱佛
南无名聞力王佛　南无放光佛
南无離垢佛　南无雜華香佛
南无无相音佛　南无離怖畏佛
南无无导眼佛　南无旃檀香佛
南无大聲眼佛　南无寶積佛
南无香象王佛　南无一華善佛
南无二國号弥樓肩佛　南无朗明佛
南无寶華德佛　南无智花寶明德佛
南无增十光佛　南无增千光佛
南无智光佛　南无智出光佛
南无滅諸怖畏佛　南无无邊光明佛
南无无导智佛　南无網光佛
南无寶意佛　南无善出光佛
南无无邊陳佛　南无无邊自在佛
南无智住佛　南无優波羅德佛

BD02275號　賢劫十方千五百佛名經卷上　（25–4）

南无号智佛　南无細光佛
南无寶意佛　南无善出光佛
南无无邊陳佛　南无无邊自在佛
南无智住佛　南无優波羅德佛
南无釋迦文佛　南无智流布佛
南无調御佛　南无娑羅寶王佛
南无寶娑羅佛　南无寶行列佛
南无德王佛　南无不虛稱王佛
南无流布王佛　南无不虛力佛
南无香明佛　南无无导音佛
南无多安王佛　南无多聞力佛
南无須弥高頂王佛　南无蓮華上佛
南无寶高德佛　南无方流布嚴佛
南无善守增上雲音王佛　南无无邊明佛
南无无邊功德智明佛　南无无邊慧成佛
南无法積佛　南无華主德佛
南无華出王佛　南无本淨佛
南无善德佛　南无寶光月殿妙尊音王佛
南无須弥燈光明佛
現在東南方一百五十佛名
佛言舍利弗若善男子善女人其有聞此諸
佛名号持諷誦念至心信樂无有疑悔此諸
如来皆授其決住不退地若有女人聞諸佛
名歡喜信樂敬礼之者從是以後所生之處
不受女身不爲三毒之所纏繫應受无量億

如来皆授其決住不退地若有女人聞諸佛
名歡喜信樂敬礼之者從是以後所生之處
不受女身不爲三毒之所纏繫應受无量億
劫之罪自然消滅如淨天金獨步无畏魔鬼
外道所不能壞所得功德不可思議滅八万
千億生死之罪
南无東南方无憂德佛　南无入精進佛
南无進精進佛　南无德明王佛
南无除衆戚佛　南无師子音佛
南无師子相佛　南无阿閦佛
南无須弥頂佛　南无一切緣中稱具佛
南无念離佛　南无畏手佛
南无无邊緣中現佛　南无蓮華數力佛
南无絹明佛　南无无邊明佛
南无寶花佛　南无婆羅佛
南无發心即轉法輪佛　南无華聚佛
南无增千光佛　南无无上光佛
南无不動力佛　南无无邊出力佛
南无无邊願佛　南无无邊自在力佛
南无无量願佛　南无无定願佛
南无轉胎佛　南无轉諸難佛
南无一切緣脩行佛　南无三億同字不沙佛
南无无脉莊嚴佛　南无方无憂功德佛
南无法自在師子遊戲佛　南无虛空佛

南无輪肘佛　南无輪言難佛
南无一切緣脩行佛　南无三億同字不沙佛
南无无勝莊嚴佛　南无方无憂功德佛
南无法自在師子遊戲佛　南无虛空佛
南无有德佛　南无道自在佛
南无羅王佛　南无師子吼王佛
南无八辟勝雷佛　南无難堪壞王閻浮提佛
南无弥寶藏功德吼佛　南无大藏佛
南无星宿稱佛　南无功德力娑羅王佛
南无妙音自在佛　南无娑羅藤毗娑王佛
南无妙音自在寶佛　南无明自在佛
南无寶掌龍王佛　南无雨音自在法佛
南无月光明佛　南无燈光明佛
南无勝音山佛　南无稱音王佛
南无梵音王佛　南无堅音佛
南无快樂尊佛　南无導師佛
南无普光佛　南无須弥燈王佛
南无寶莊嚴佛　南无无斷光言佛
南无離垢清淨光海佛　南无水王光佛
南无世界佛　南无樂蓮華首佛
南无離垢光佛　南无守窮佛
南无須弥燈王佛　南无寶德佛
南无寶炎佛　南无樂王佛
南无寶頷佛　南无寶嚴佛
南无難勝佛　南无師子嚮佛

BD02275號　賢劫十方千五百佛名經卷上　（25–7）

南无寶炎佛　南无樂王佛
南无寶頷佛　南无寶嚴佛
南无難勝佛　南无師子嚮佛
南无一切利成佛　南无迦葉佛
南无寶莊嚴佛　南无尊伏欲王佛
南无普賢佛　南无一切智王佛
南无龍種尊佛　南无惟越莊嚴佛
南无一燈王佛　南无普現佛
南无賢王佛　南无日華佛
南无大香王佛　南无須曼那佛
南无持戒王佛　南无善淨王佛
南无梵增蓋佛　南无閻浮影佛
南无富樓那佛　南无勝妙佛
南无寶山佛　南无海藏佛
南无那羅延佛　南无尸棄佛
南无南无尼佛　南无覺尊佛
南无憍陳如佛　南无師子力佛
南无智幢佛　南无佛音聲佛
南无尊勝佛　南无離世尊佛
南无利益佛　南无師子尊佛
南无寂靜智佛　南无難陁佛
南无尸拘羅王佛　南无金色目佛
南无得自在佛　南无日樂佛
南无寶勝佛　南无善目佛
南无梵衆樂佛　南无梵音佛

BD02275號　賢劫十方千五百佛名經卷上　（25–8）

南无得自在佛　南无日樂佛
南无寶勝佛　南无善目佛
南无梵善樂佛　南无梵音佛
南无法月佛　南无示現叢佛
南无彌樂佛　南无彌增益佛
南无端嚴佛　南无善香佛
南无眼勝佛　南无善觀佛
南无攝聚義佛　南无善意顏佛
南无勝慧佛　南无金幢佛
南无善目佛　南无天明佛
南无淨斂佛　南无善見佛
南无毗流離幢佛　南无毗樓愽叉手佛
南无梵音佛　南无功德成佛
南无有功德淨佛　南无寶光明佛
南无師子稱佛　南无功德通王佛
南无雨法華佛　南无造光明佛
南无增益山王佛　南无普明佛
南无那迖勝業佛　南无愛清淨佛
南无日月光佛　南无普光自在王佛
南无梵天佛
歸命敬礼者劫三万六百劫生死之罪
南无不退轉輪成首佛
一心敬礼者却千億劫生死之罪
南无大興光明佛

歸命敬礼者劫三万六百劫生死之罪
南无不退轉輪成首佛
一心敬礼者却千億劫生死之罪
南无大興光明佛
一心敬礼者却八万六千劫生死之罪
南无法種尊佛
一心敬礼者却四百九劫生死之罪
南无成首佛　南无興光明佛
南无法種尊佛　南无寶藏莊嚴佛
現在南方一百五十佛名
佛言若善男子善女人聞南方佛名不懷疑
結信吾道眼執持礼拜者於現在世中功德
具足逮得五法一者除去吾我常值佛世二
者獲尊世轉輪聖王三者逮得德持執御矬
幽誠信无量四者成卅二大人之相生得佛道
衆行備悉五者逮五神通无所罣㝵是爲五
事若有女人聞此佛名至心敬礼則離女身
生淨佛國土神通具足能却七百万億劫生
死之罪
南无南方純寶藏佛　南无旃檀德佛
南无日月燈明佛　南无名聞光佛
南无大炎肩佛　南无須弥燈佛
南无无量精進佛　南无虛空住佛
南无常滅佛　南无寶辯佛
南无不捨精進佛　南无破煩惱光明佛

南无大光肩佛　南无須弥燈佛
南无无量精進佛　南无虛空住佛
南无常滅佛　南无寶辯佛
南无不捨精進佛　南无破煩惱光明佛
南无寶光佛　南无无憂佛
南无无憂德佛　南无不退轉上手佛
南无樹根華王佛　南无二千億同号日月燈佛
南无无相嚴佛　南无明德聚佛
南无日意佛　南无那羅延佛
南无離垢相佛　南无求金剛佛
南无淨意佛　南无求利安佛
南无善思嚴佛　南无壞怨賊佛
南无憂鉢德佛　南无流布力王佛
南无雜華佛　南无无邊明佛
南无轉男女相佛　南无上香德佛
南无寶高王佛　南无香弥樓佛
南无智見一切衆生所樂佛　南无智德佛
南无无导香嚴佛　南无純弥寶藏佛
南无无動力佛　南无迦葉佛
南无亦一切緣佛　南无調御佛
南无成利佛　南无生德佛
南无生德王佛　南无壞衆疑佛
南无德味佛　南无宿王佛
南无智德佛　南无无量相佛
南[illegible]佛　南[illegible]

BD02275號　賢劫十方千五百佛名經卷上　（25-11）

南无生德王佛　南无壞衆疑佛
南无德味佛　南无宿王佛
南无智德佛　南无无量相佛
南无旃檀佛　南无網明佛
南无梵音佛　南无无量性德佛
南无不緣一切法佛　南无无能斷嚴佛
南无无邊自在佛　南无亦一切法佛
南无普現諸法佛　南无无邊德生佛
南无智出光佛　南无華上佛
南无方生佛　南无華主德佛
南无於衆堅固佛　南无智明佛
南无智衆佛　南无離胎佛
南无皆王佛　南无壞諸煩惱佛
南无无邊智讚佛　南无旃檀窟佛
南无具佛　南无華生佛
南无娑羅王安力佛　南无月出光佛
南无調御佛　南无須弥堅佛
南无施名聞佛　南无轉諸難佛
南无名雜佛　南无名堅固佛
南无離憂佛　南无華生德王佛
南无演華相佛　南无普放香光佛
南无解眼佛　南无放光佛
南无名流十方佛　南无高明佛
南无寶照明佛　南无大然佛
南无三界自在力佛　南无名輪佛
南[illegible]

BD02275號　賢劫十方千五百佛名經卷上　（25-12）

南无名流十方佛　南无高明佛
南无寶照明佛　南无火然佛
南无三界自在力佛　南无名輪佛
南无空自在佛　南无盡自在佛
南无鼓音佛　南无普自在佛
南无智流布佛　南无山王佛
南无明力高王佛　南无安立佛
南无自在嚴佛　南无積諸功德佛
南无寶德佛　南无智生德佛
南无智生明德佛　南无聚華生王佛
南无上法自在成就佛　南无半月光佛
南无香鳥佛　南无无量明佛
南无蓮華聚佛　南无華生德佛
南无旃檀德佛　南无演聚佛
南无上名慧佛　南无作安佛
南无无邊德王佛　南无明相佛
南无无邊積佛　南无衆德生佛
南无一切德生佛　南无華德生佛
南无持炬佛　南无無高王佛
南无宿王佛　南无无邊弥樓佛
南无盧淨王佛　南无无量音佛
南无无量明佛　南无寶弥樓佛
南无雜寶花嚴佛　南无上衆佛
南无離垢嚴佛　南无金花佛

BD02275號　賢劫十方千五百佛名經卷上　（25–13）

南无无量明佛　南无寶弥樓佛
南无雜寶花嚴佛　南无上衆佛
南无離垢嚴佛　南无金花佛
南无寶窟佛　南无雜花生佛
南无放光佛　南无華生佛
南无華蓋佛　南无不嚴盧佛
南无流布力王佛　南无梵音佛
南无自在力佛　南无无邊衆佛
南无調御佛　南无无导佛
南无无导眼佛　南无无量花佛
南无糺寶藏佛　南无虛空住佛
南无常滅佛　南无旃檀德佛
南无樹根花生佛　南无旃檀摩尼光佛
現在西南方一百五十佛名
佛告舍利弗若善男子善女人得聞此諸如來
名者曾已供養過去諸佛應當一心信樂持
念當起廣遠无量歡喜安立其意令使真諦
以千万億信樂之心念諸如來其人當得无
量之福永當遠離三厄之罪命終之後皆當
往生彼諸佛刹命終之時彼諸如來將諸大
衆住其人前說法教授令不退轉必成正覺
其有人聞稱揚讚嘆是諸如來功德名号而
生誹謗當墮地獄百万劫具受衆苦若有受
持一心不捨礼拜恭敬滅千万億劫生死之

BD02275號　賢劫十方千五百佛名經卷上　（25–14）

其有人聞稱揚讚嘆是諸如來功德名号而
生誹謗當墮地獄百万劫具受衆苦若有受
持一心不捨礼拜恭敬滅千万億劫生死之
罪
南无西南方普明佛　南无善哀觀衆生佛
南无寶施佛　南无華德佛
南无法音吼佛　南无師子雷音佛
南无遠王神通變化佛　南无普光佛
南无畫勝佛　南无毗婆葉佛
南无迦葉佛　南无諦相佛
南无梵相佛　南无山海慧自在通王佛
南无跛旃檀香神通佛　南无須弥相佛
南无金光佛　南无雷音王佛
南无須弥佛　南无須弥光佛
南无尸棄佛　南无常精進佛
南无善住佛　南无无邊嚴佛
南无无相嚴佛　南无作嚴佛
南无作燈佛　南无作明佛
南无无邊像佛　南无无邊精進佛
南无網光佛　南无大神佛
南无明輪佛　南无觀智佛
南无不虛稱佛　南无壞衆怖畏佛
南无離怖畏佛　南无无邊德王明佛
南无壞諸怨賊佛　南无過諸魔界佛
南无无量光佛　南无持无量德佛

南无不虛稱佛　南无壞衆怖畏佛
南无離怖畏佛　南无无邊德王明佛
南无壞諸怨賊佛　南无過諸魔界佛
南无无量光佛　南无持无量德佛
南无无量音聲佛　南无光聚明德佛
南无離二邊佛　南无无量覺花見佛
南无无量聲佛　南无明弥幢佛
南无涉羅王佛　南无日面佛
南无妙眼佛　南无上德佛
南无寶花佛　南无寶主佛
南无月花佛　南无一切衆主嚴佛
南无轉一切生死佛　南无无邊辯才佛
南无持炬佛　南无火相佛
南无智聚佛　南无善淨德光佛
南无六百廿万同字一切義佛
南无流布力王佛
南无功德王明佛　南无現智佛
南无花高主德佛　南无寶火佛
南无赤蓮花德佛　南无壞一切疑佛
南无善衆佛　南无构樓孫佛
南无相王佛　南无蓮華德主佛
南无放光佛　南无弥勒佛
南无蓮花光明佛　南无上法王相佛
南无无量力佛　南无勝山海佛
南无釋迦文佛　南无不虛見佛

南无蓮花光明佛 南无上法王相佛
南无无量力佛 南无勝山海佛
南无釋迦文佛 南无不虛見佛
南无无導音聲佛 南无无量名德明佛
南无无分別嚴佛 南无无量光佛
南无妙眼佛 南无善利佛
南无吉利嚴佛 南无寶相佛
南无淨光佛 南无香尊王佛
南无出法无垢王佛 南无无垢自大寶蓋佛
南无力无鄣導王佛 南无自知功德力佛
南无衣服知足佛 南无得自在佛
南无无鄣導利益佛 南无智慧藏佛
南无大山王佛 南无日力藏佛
南无求功德佛 南无花幢波佛
南无眾生光明佛 南无无癡功德王佛
南无法相佛 南无尊音王佛
南无堅持金剛佛 南无堅自然幢佛
南无弥寶自在王佛 南无山劫佛
南无雨娛樂佛 南无增益善法佛
南无娑羅王佛 南无遍滿大海功德佛
南无智慧和合佛 南无智識佛
南无花眾佛 南无世間尊佛
南无優曇鉢花幢佛 南无法幢自在王佛
南无旃檀王佛 南无善任佛

BD02275號　賢劫十方千五百佛名經卷上

（25–17）

南无花眾佛 南无世間尊佛
南无優曇鉢花幢佛 南无法幢自在王佛
南无旃檀王佛 南无善任佛
南无精進力佛 南无幢等光明佛
南无智步佛 南无海幢佛
南无法稱佛 南无壞魔王佛
南无眾光明佛 南无智出明佛
南无慧鎧稱佛 南无安隱王佛
南无智音佛 南无幢攝取佛
南无天金剛佛 南无无為思惟佛
南无種種莊嚴王佛 南无无勝像聚步佛
南无德聚威光佛 南无慧持群萌佛
南无思冣尊意佛 南无須弥山意佛
南无覺善香薰佛 南无自在德威佛
南无眼如蓮花趣无為佛 南无方帝相佛
南无梵相佛 南无寶明佛
南无天帝金剛佛 南无金海自在王佛
南无寶蓋照空佛
一心敬礼者却六百劫生死之罪
南无妙寶佛
一心敬礼者却八千劫生死之罪
南无諦幢佛
一心敬礼者却八百九十六劫生死之罪
南无梵幢佛
一心敬礼者却六十七劫生死之罪

BD02275號　賢劫十方千五百佛名經卷上

（25–18）

一心敬礼者劫八百九十六劫生死之罪
南无梵幢佛
一心敬礼者劫六十七劫生死之罪
現在西方一百五十佛名
佛言若有善男子善女人學菩薩道聞此
佛名不生疑網篤信敬事者所生之處演光
明三昧正定尋復逮得无量三昧門臨終之
時亦見十方各千億侯諸佛正覺皆能啓
受其深法言正成佛道終不廢忘能忘能却
千億劫生死之罪永棄不受耳
南无西方寶上佛　南无寶山佛
南无金剛步迹佛　南无无量明佛
南无无量壽佛　南无火光明佛
南无尊音王佛　南无音智藏佛
南无月藏光明无垢尊佛　南无耨黃佛
南无寶山王佛　南无勝光无憂佛
南无遍花藏佛
南无二千億同字雲自在燈王佛
南无梵花佛　南无勢進佛
南无法燈勇佛　南无寶月佛
南无師子乳相尊佛　南无攝諸根淨目佛
南无世自在王佛　南无師子意佛
南无法意佛　南无梵相佛
南无世妙佛　南无慈悲佛

南无法意佛　南无梵相佛
南无世妙佛　南无慈悲佛
南无世主佛　南无人王佛
南无月德佛　南无寶德佛
南无相德佛　南无火相佛
南无殊蓋佛　南无師子勝佛
南无破无明佛　南无多摩羅跋栴檀香佛
南无特大功德佛　南无兩七寶佛
南无超勇佛　南无離瞋恨佛
南无大莊嚴佛　南无无相佛
南无寶藏佛　南无德頂佛
南无多伽羅香佛　南无栴檀香佛
南无蓮花佛　南无莊嚴道路佛
南无龍蓋佛　南无雨花佛
南无散花佛　南无花光明佛
南无日音聲佛　南无薜日月佛
南无琉璃藏佛　南无梵音佛
南无淨明佛　南无金藏佛
南无須弥頂佛　南无山王佛
南无音聲自在佛　南无淨眼佛
南无月明佛　南无如須弥山佛
南无日月佛　南无得衆佛
南无花生佛　南无梵音聲佛
南无世主佛　南无師子行佛

南无日月佛　南无得衆佛
南无花生佛　南无梵音聲佛
南无世主佛　南无師子行佛
南无妙法意佛　南无師子吼佛
南无珠寶蓋珊瑚色佛　南无破癡闇佛
南无水月佛　南无衆花佛
南无菩提佛　南无開智慧持雜寶佛
南无花超出佛　南无真琉璃明佛
南无蘚日月佛　南无持大功德佛
南无得正慧佛　南无勇健佛
南无離諂曲佛　南无除惡根栽佛
南无大音道央佛　南无水光佛
南无海雲慧遊佛　南无德頂花佛
南无莊嚴佛　南无日音聲佛
南无月勝佛　南无如琉璃佛
南无梵聲佛　南无光明佛
南无金藏佛　南无山王佛
南无音王佛　南无龍勝佛
南无无滌佛　南无淨面佛
南无月面佛　南无如須弥佛
南无旃檀香佛　南无威勢佛
南无然燈佛　南无難勝佛
南无寶德佛　南无離垢明佛
南无師子佛　南无王王佛
南无力勝佛　南无喜音佛

BD02275號　賢劫十方千五百佛名經卷上　（25–21）

南无寶德佛　南无離垢明佛
南无師子佛　南无王王佛
南无力勝佛　南无喜音佛
南无光明佛　南无龍勝佛
南无花齒佛　南无无畏明佛
南无香頂佛　南无普賢佛
南无普華佛　南无寶相佛
南无上香佛　南无施一切樂佛
南无見一切緣佛　南无壞諸驚畏佛
南无安立王佛　南无寶明佛
南无刹一切衆佛　南无无邊室嚴德佛
南无善嚴佛　南无空相佛
南无威花生德佛　南无上德佛
南无淨眼佛　南无无邊自在積佛
南无大調御佛　南无无邊相佛
南无最高德弥樓佛　南无衆歸佛
南无天香弥樓佛　南无月關王佛
南无上弥樓佛　南无寶生德佛
南无名聞弥樓佛　南无美德佛
南无梵德佛　南无无导眼佛
南无无邊德積佛　南无无量花佛
南无滅德王佛　南无寶火佛
一心敬礼者其人立得不退轉疾得成佛
南无淨月幢稱光明佛

BD02275號　賢劫十方千五百佛名經卷上　（25–22）

南无滅德王佛　南无寶火佛
一心敬礼者其人立得不退轉疾得成佛
南无淨月幢稱光明佛
一心敬礼者却百六十劫生死之罪
南无阿弥陀佛
聞名一心信樂誦念歡喜得无量福離三
惡道臨終正礼佛自來迎之
南无殊勝佛
聞名歡喜信樂誦念能降魔衆却六十劫
生死之罪
南无集音佛
聞名歡喜信樂誦念其人得佛菩薩衆中
說法能却八十劫生死之罪
南无金剛步精佛
一心敬礼者却百劫生死之罪
南无遠至神通華佛　南无早王神通佛
南无无量幡佛　南无淨白幢稱光明佛
南无度一切世間苦惱佛
南无大光普佛
南无善建立珠壘王佛
南无寶幢佛
南无淨光佛　南无盧舍那佛
南无普賢花敷佛　南无寶上佛
南无普光非勝高佛　南无樹根花佛
南无疾神通佛　南无雜越莊嚴佛

BD02275號　賢劫十方千五百佛名經卷上　（25–23）

南无淨光佛　南无盧舍那佛
南无普賢花敷佛　南无寶上佛
南无普光非勝高佛　南无樹根花佛
南无疾神通佛　南无雜越莊嚴佛
南无自在王神通佛　南无度一切世間苦惱佛
南无須弥相佛
南无多摩羅跋旃檀香神通佛
南无大悲光明王佛
南无蓮花樹世界長精進佛
南无妙樂佛
一心敬礼者却五百劫生死之罪
南无无量幢幡佛
一心敬礼者却五百劫生死之罪
南无无量幢佛
一心敬礼者却八十劫生死之罪
南无大光普通佛
一心敬礼者却九十二劫生死之罪
南无寶幢佛
一心敬礼者却七十九劫生死之罪
南无淨光佛
一心敬礼者却二百劫生死之罪
南无寶上佛
一心敬礼者却百八十一劫生死之罪
南无樹根花王佛
一心敬礼者却三百一十三劫生死之罪

BD02275號　賢劫十方千五百佛名經卷上　（25–24）

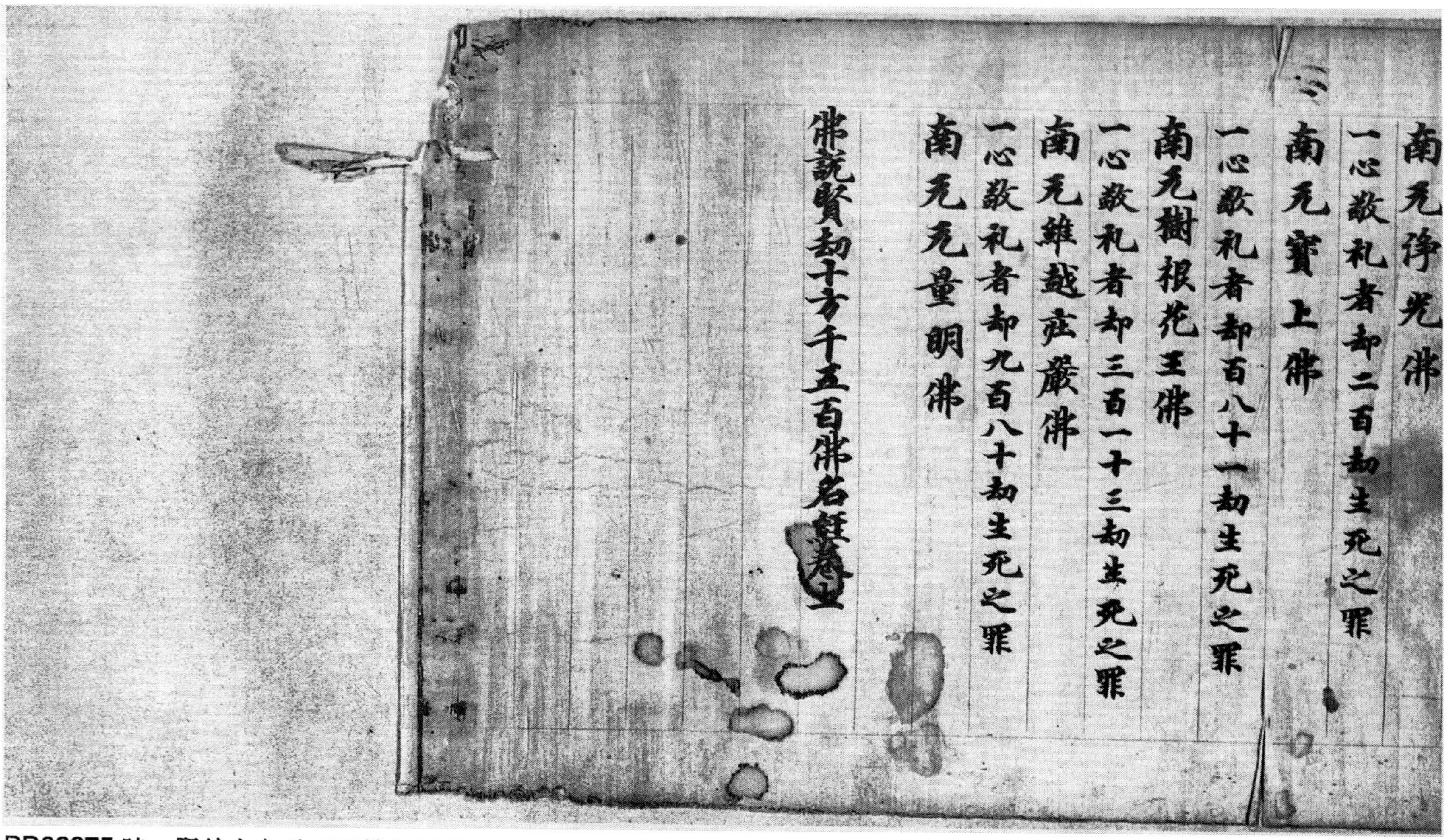

南无淨光佛
一心敬礼者却二百劫生死之罪
南无寶上佛
一心敬礼者却百八十一劫生死之罪
南无樹根花王佛
一心敬礼者却三百一十三劫生死之罪
南无雜越莊嚴佛
一心敬礼者却九百八十劫生死之罪
南无无量明佛

佛說賢劫十方千五百佛名經卷上

BD02275號　賢劫十方千五百佛名經卷上

（25–25）

不成也若自生者結第二句自種因義不成也下自第釋成義不應
相似者不應微自類因也相續亦生者不應微相違因也若相續生則
不俱生者亦顯无自種義也下句微成耳雖不一時已下次第有齊
亦顯三因相資結成緣集義也雖不一時者相違因成循環時異也定
不從餘處來者照略從乳生成自類也當知乳中先有酪相者成自種
因也從乳生者因義生從他生者文非濕出也自生者不由即也甘味多
者轉鄣也不能變者對治未成也是牛者循大乘人也貪水草者
起方便妙惠也四脉轉變得成乳者由修貫性緣集義成也草
括者常等四循也草苦乳苦者无常四循也明知草具六味也雪山
者涅槃也上來就因明性自下就果明性有草者非果性也牛食純得捷
胡者如來解會與後際相應也无青黃等異者一味无飄雜也醫草因緣
色味別者法別故有殊能行也昭无昭生二相者緣異故異也若无明轉
變為明乃至三性无二相者万法轉歸邊顛斯道悉是如來法界之
行故云无二相也迦葉白佛乳中有酪是義云何已下第三明真循因果差
別也何故後生此問也上自類相違二因可識自種沖凜真言猶隱是以迦葉
白佛乳中有酪是義云何已下第三明真循因果差別也何故後生此問也上自類
相違二因可識自種沖凜真言猶隱是以迦葉更顯此義者三乳中有酪
細不見者為上云乳中有各相甘味多故不能自變昂是微細義因此為
問也此句問若自種是因便是先有何須自類因也故言云何從乳亦生

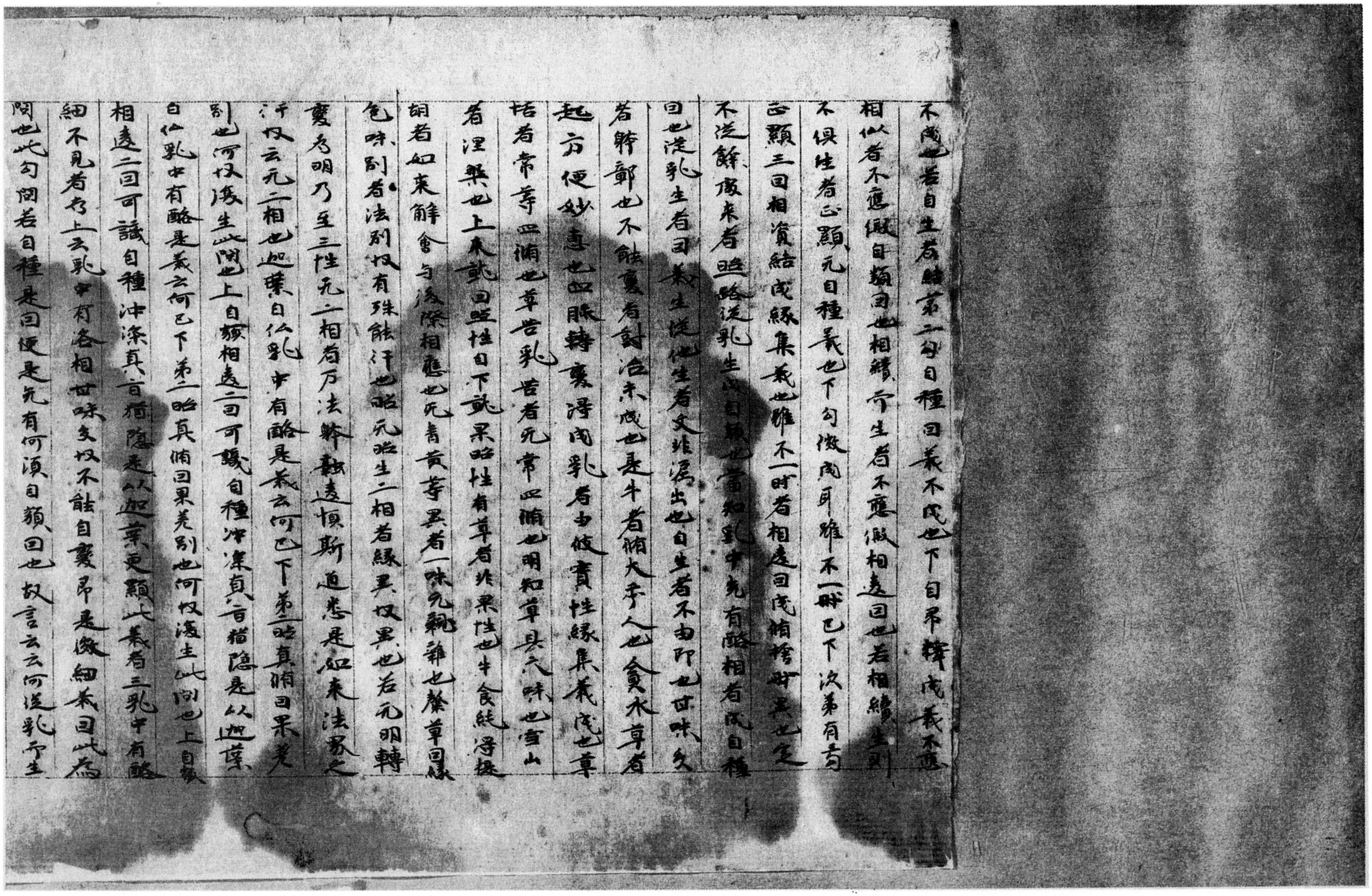

相違二回可議自種冲深真言隨是以近菓更顯七義者三乳中有酪
細不見者ち上云乳中有各相廿味支以不能自裏昂是微細未回此為
問也此七句問若自種是回便是先有何須自類回也故言云云何從乳子生
於洛若乳中定有酪相百草亦應有乳者自種中應有自類
回乳中亦應有草者自類中亦應有自種回也若乳中定有者
此一句難无回別果此有无難知故言足義云何善男子不可定
言者通答也不得先有者未有回用也不得先无者又從遷起也
亦不從他生者又起不專在外也若言乳中定有者何轉味各異故
知回緣不同也總答上无有也若言乳中定无知者參上不得先无
也置毒乳中酪殺人者讒今有今有也若言是酪從也生何故不
從外生者明自斷自集不由相處回也善男子是牛食噉草已
成真寶回緣也草西滅已者理有從緣之義也稟成乳者真調顯
也雖從草西而出不得言二者雖方便衆多理唯一致也六足義故得
名牛味者緣異故異牛味異一故得洪流雖方便行異真性不差
也若羝若㹀者緣異故異非性異也善男子明與无明亦如是者合
喻與緣知俱者名為无明與真照俱者名之為明與緣俱者顯方
便回與善俱者顯正回下肥膩草成提明者會性淺仏果也忍辱
草擄解彰性肥膩草擄行彰性具體无二也衆生薄福不見
是草答上云何諸菩薩能見難見性何意來也至性沖玄亩深
難測循相既與顯之現用但或除有漸故見有明昧此是衆善之
本而不幹之何善之有故自下廣辨見相差別顯之不易非難見也
就中有三段從初至真仏弟子明種性人聞見義二從迦葉菩薩白
仏言訖非諸聲聞緣覺所及明十住菩薩諸仏循見義三從非聖凡
夫訖品明習種人循憤明白義就前聞見中復有二句從初至客塵所
覆明凡夫不見仏性義二從剎剎已下訖此段明種性菩薩修四種循
相能見義也就明十住菩薩諸仏能見中復有三句從初至何況聲
聞緣覺能得見也明二六不見菩薩能見二從復次譬如遠觀虛空
[illegible]

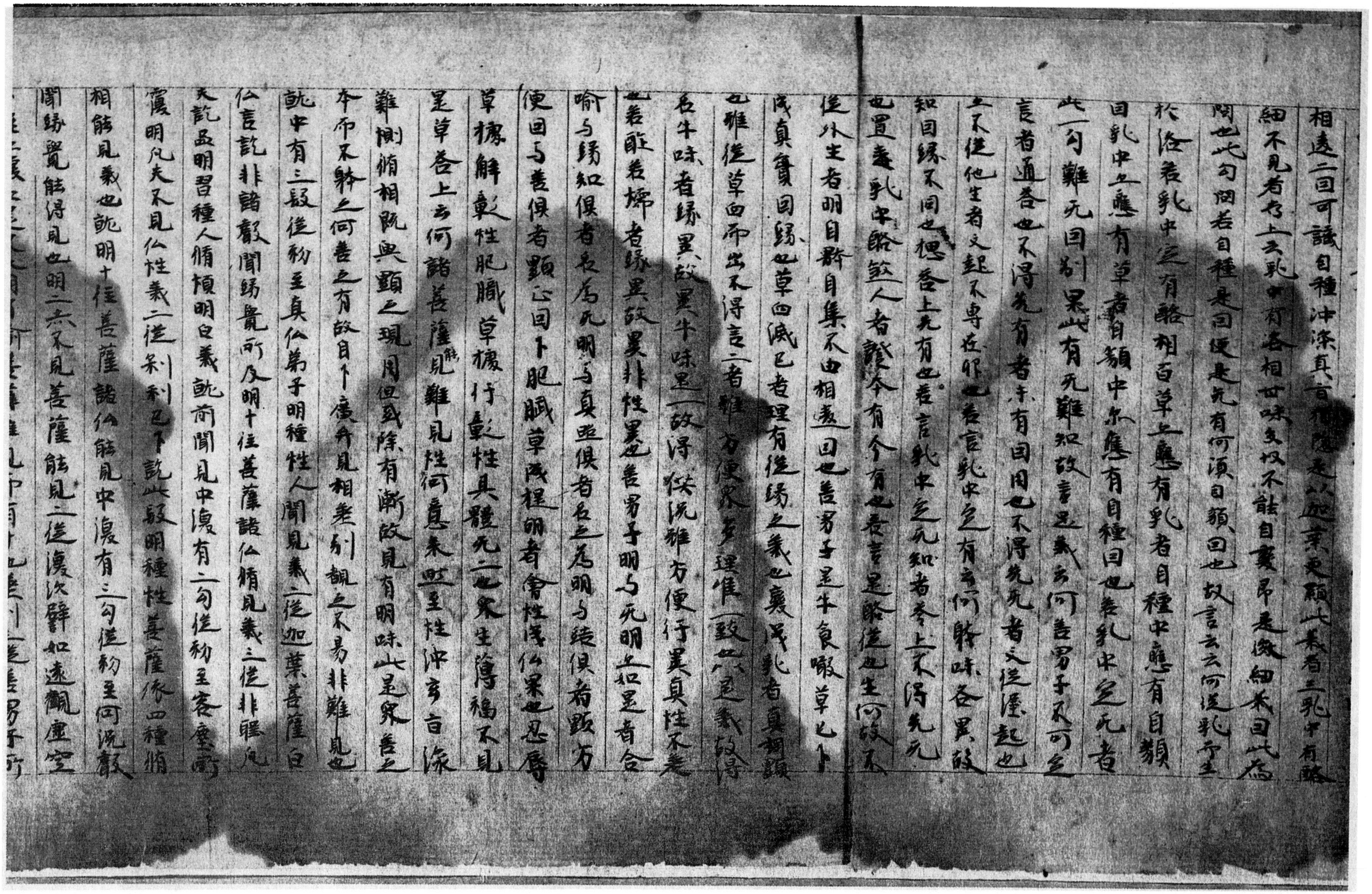

覆明凡夫不見仏性義二從剎剎[illegible]説教
相餘見義也訑明十[illegible]仏餘見中復有三句從初至何況
聞緣覺餘得見也明二六不見菩薩餘見二從復次譬如遠覯虛空
下至如復如是不大明了喻菩薩雖見而有十地差別三從善男子所
有仏性訖此譏明雖仏見了覺舉勸脩訑習種教量信順中有二從初
至我藏藏中元如是力明教量人元悉解不餘見義二從善男子今日如
來訖下明雖元悉見信順不遠義大海中有上妙水者明生死中有真
性也雪山中者毒草者明生[illegible]實行有涂用也譬如虛空者元郭寻
教也雷雷者教有泰彰也起雲者教所詮法有治潤也一切鴿女者
菩薩根基也上生花者感果行也若元雷花不生者元假行教曰道
不成也如元名字者幹義未准也衆生仏性已下合喻可知雖聞此
經者緣照元漏中行教也不聞是經者不聞真實教道也五
盲人三損者對害伴三便説[illegible]
覺人也五盲目者[illegible]各有十郭也虛空鷂鷹已下凡有九郭名字
楞伽經一者刑處轉處二者相轉處三者因轉處四者成轉處五見
轉處六性轉處七緣人[illegible]轉處八所作分[illegible]轉處九事轉處此是九
郭但名隱難識凡言處者如仏真金一隨緣轉處而金性不改十地
之行亦爾隨郭淺深而行不異也已上少見凡夫二六一向不見遠於此文如
真見者上云不見何意也故發斯問也譬如有人棄親友者師徒相益
惠因脩真也王子者初依也負賤者邂逅人也未有行濟名為負位
居僚下名為賤一人相注相三有貴賤負富之義況珠絕也互相
住返者基教相違也負人於後見王子好刀者依教信有真性也
心中貪著者如專樂脩習也王子後時者知基未顯也持刀者逃也
國者真脩未顯學者不見謂之為逃轉化勝基名為他國負人
寄宿他家者心有獸離非情所安名曰他家權居至宅名之為寄
也眠中闇言刀刀者幹非真悟名眠想損分別名鸞歸仰緣真
故云刀刀傍人聞者方便道也収至王者基對教也一恒人衆王教

園者真脩未顯學者不見謂之為迷轉化勝星名為他國貧人
寄宿他家者心有歎離非情所安名曰他家權居安宅名之為寄
也眠中闇言刀刀者，幹非真悟名眠想傾分別名譬歸仰緣真
故云刀刀傍人聞者方便道也叔至王者是對教也一恒人眾王教
故名之為王非上王子父也，義隱勝郭芳次第相付乃得言父時王即
語者持教對是也汝言刀者可示我者汝所謂真相狠何似也是
人王者對教陳也所見也設割屠分張手足刀不可得者正行
及方便皆作无我之解也臣與王子素親友者初發之間依說常
樂也同共一處者大乘无二也雖曾眼見者信心見也不敢手捉者
无常所方便也況故取者況於幹證也王復問言相狠何類答如羊
角者同使聲聞解王所並所嘆知漸於所相得云欣並憐愍不會
為嘆隨意所至莫生憂怖者方便未成不違真約聽依分所說義
庫藏中无況王子直見者我教量中常无即我況四依邊所得有想
時王即問諸臣汝等曾見如是刀不已下訖方便行中撿校也言易
者一恒教息也得立餘子紹繼者二恒人為師也次第借問是教相對
與前不異次第四三者三恒四恒人撿校同前都復數時者望初為言
也先死王子從他國還者息彼化也歸本土為王者知前貧賤者是
就今勘前勝所也既證王位復問刀者欲聞真性也亦可初恒人所行成還
依教十分文中人也初云具性清淨者婆羅門見羖羊角者刹利
見也泛示未大聚者毗舍見也如黑蛇者首陀見也此向見囑當將名
同號陀品初貧四性也如是見者信解分別非正見也故下言不見我
刀真實之於也善男子菩薩摩訶薩已下合喻分為二段從初訖闍
言刀刀經文自顯第二從聲聞緣覺訖我藏中无如是刀通合四王撿
校從傍人聞之訖不見我刀真實之相此文是也言如來者量与羅漢
等也善男子今日如來已下正是佛說善男子若有凡夫能善說者已
下嘆習種人自分解中勸為法師當知是菩薩於狠者雖未階四依教
量之化同也故云於狠也
文字品　上明於見難見而見已見於由非
詮不曉並理於淺深教於深顯如不善達解莫由與故次明也是以得

等也善男子今日如來已下正是佛說善男子若於凡夫能善說一
下嘆習種人自分解中勸為法師當知是菩薩於根者雖未階四依教
量之化同也故云於根也　文字品　上明於見難見亦見之如是由非
詮不曉然理於淺深教大應顯知不善達解莫由異故次明也是以忌
云何解滿字及以半字義今答此就中為三段使初至是十四音名為
字今略辯字義差別二從境何者至曾流盧樓廣解字義不同也三從
吸氣舌根前品明字滿半詮於不等字是非字也上名字品弁行詮今
文字弁理詮階是轉詮故題得字稱理斑成曰謂之文功用外彰謂
名之義文細辯理行之別是以彼此文二品別矣名字已前弁緣曰行法
文字已前明於理性以此推之二品亦別仏告加葉所有呪術章句皆仏說
非外道者此明息轉詮乃於无為皆以如來藏為本仏者歎性也說者
是詮也故言仏說也非外道說者不得言真實依做虛妄者詮聲詮
何得无外道說所明理者同於法界之用即是理之適慎何得言外也稱
說半字為根本者若舉化教眾為半字先際為滿眾生信解名半先際
即實為滿若舉明於先際為半後際為滿若舉對治道方便為半正
行為滿无常四行与常四為詮名曰稱今此常之无常是以得作轉詮也
持諸已論呪術者是教也文章者是詮也詮非是教教之見是詮直表其
言不中傳持論教之見可傳如此為異若舉通於各具斯二諸陰實法者詮
所表言也凡夫學字本者體世間於凡夫於也明後知法非法者常樂是
法體世間非法於十四音名為字者正弁字轉也亦名為音聲韻為聲
入淨為樂此中以文畫為字指字為音如此解時十四音是非字下卌四是
字非音如似胡家迦字要得阿音來呼始聿脚下得成迦字表於慈義若
无音呼卌四都无名字若舉理實十四音是音是字卌四者表字名字轉
非字也凡名字多含詮教稱謂皆表於差別論其通義悉是音也如
似漢字表胡音指漢字故知音者總攝之稱聲成音聲非音也何以
得知直出一聲不表胡音漢園楚故知非音之外是聲此義明矣子
身復云聲成文謂之音復是一證依如胡章有十八音斯是二音名為
无者乞音字轉不生於世雖不生他一切章首皆以此為本皆表其實雖

得知亘生一聲不表明音漢闡提故知非音〻必是聲〻義可矣乎
是須六聲成文謂之音須是一證依如胡章有十八音斯是二音名為
无音此音字體不生於他雖不生他一切章首皆以此為本借表真實難
復不生与法界為本字〻涅槃常故不流義在於此下卷阿两音乃是資
易具攝音也以不异正為音所疑生者於資易之力也今唯取十四為一
段十四音在前習流盧樓四音存後此四无在六音後也十音後也十音之
長阿短阿長伊短伊長憂短憂於生之時使短至長七思八　九烏
十抱中間有卅四字亦分為二初廿五字後并九字然中分張良於傍敢
初十音何故別明此是慎詮論惡是惡語善是善是以合說也後四
音是反詮論遮非遮言慎非慎故寄詞違以顯无鄣碍教也是以
別說也卅四中前廿五并於行於殊於後之九字明依法所明若合四為
一法門亦成次第初十音直明詮教次廿五并於行法次九字依法明成下
文四字彰行成就故能到所成慎及所合并行若不成為於尔也
鳥喻品　前文字品舉宗詮論則於理教之別尋音半滿則常无常
異若事窮條別則生死絕依持之令菩提涅槃事歸真道之義若
尔依我无由生死涅槃義於資成之用今明復相不孤義存隱實互家殊於
量同法界是以无常与苦不亦於真性常之与樂无捨其達故致真
為雖殊而渾成同歸澄原湛一而義顯殊於良以真音理雖无外於法
性故不於離以彰至性沖玄理於津益之義雖可深難明故借喻以況无之
是以上問云何共離行鴛鴦迦隣提今答此說喻為目故曰鳥喻品說字
於二段從初至亦復如是不得於離略辯宗要明不於離也　二從迦葉
白仏言說品廣釋不於離義說廣并中於五段一從初至直以世希言果
實常明先後二際不於捨離亦以持明共義先彰位別〻而不離鄣共
義之顯故也　二從迦葉白仏善哉〻〻乃至无亦復如是明同而不於捨
離也　三從迦葉白仏如來已離身悲憂蔔至第一欲斷壞諸行故說
仏界行明不於捨離　四從迦葉白仏云何衆生至異法无常釋上因行不
於捨離以表資成出離之道　第五從精懃勇進去說品釋上果〻不

義之顯故也　二從迦葉白仏……不於諸
離也　三從迦葉白仏如來已離一切悲憂苦惱至第一微妙壞諸行故說
仏果行咋不於捨離　四從迦葉白仏云何眾生至異法无常釋上四行不
於捨離以表資成出離之道　第五從精懃勇進下訖品釋上果咋不
於捨離顯菩提涅槃備顯負用義也　月喻品　上明如來現同无常於
在憂苦真为於拯理須更辨非遷迅无方顯益在物而真常不壞於
我无为何像之於然百玄巨曉故借喻以況之真由日月隱顯義與在
方諸具辯實常无改頂以上明言云何如日月太白与歲星今若比量說喻
为名月喻品說中首尾无更而事於茶沙具拔難分且尋具要義
統三曲見具狀於別十二義三云何一明不生不滅驗真常住而物見去留增
減顯益之良以物開殊於應出感基然基感非一見之不同見真實真
異然于二明真於是感感之見真何故不覩於真但以行未窮未斷故不
見耳三明感雖有見具而出為益故於生善滅惡義也於分十二事顯
在文也義分三三真文是何從初至是故迦葉常住不壞是一義二從奄文下
至下是第二義究窮惑除至下是第三義　菩薩品　上卉五品辨涅槃
理顯物无不在故於資成之美以彰大頃之[illegible]然猶未曉資益之
拔如何宜須辨今明在因成因善妙開天真果而不[illegible]在果顯[illegible]
窮圓通自在无量備益之道是故在[illegible]然言[illegible]故无因[illegible]行
此彰曰名曰菩薩行[illegible]喻日始也創於發心故聞云何未發心而名為菩
薩然寄未發以彰行之初於也但發之是可起方便於發是種性
實即實與行何於發於復云未發也而名为菩薩之与是也具文是何從
初至不生菩提根永彰廣此義說中於四段一從初如日月光至是故不名大
般涅槃明涅槃至要益物之實故於實資未發心令發心也二從迦葉
白仏言至以是義故名为大事明資之益言无心令於心從无因而發
乎猶俱遣是故迦葉致疑而明因此如來下益言亦似返而義慎成一闡
在无遠故也　三從迦葉白仏至大乘妙典真仏所明未發而發
也然發名於由故明發起因緣也　四從復次善男子如虛空中與大雲

BD02276號　涅槃經疏(擬)　(13–7)

白仏言至以是義故名為大事以資之益言无心合於心假无因而發
辛循俱建是故迦葉致疑而問曰此如來下答言亦似迅而義慎成理
在无違故也　三從迦葉白仏至大乘妙典真仏所說未發而發
也然發名於由故以發疑曰緣也　四從復次善男子如虛空中興大雲
雨下訖此段明闡提斷善身心非器无發心之義也問迦葉何以五逆四重
智種闡提是與違前人若涅槃光於合此人發心与淨持戒於何差別者
與性種无異若亦何故云五恒行道方便成初依人也故知四恒已還不發
心也第二問如來上云聞大涅槃一逕於耳斷五逆煩惱何復說四恒已還不
解其義二言於食能決疑也下答除一闡提與違已上皆以發義但發於
久種與違發者信中發也習種發者解中發也性種發者行中也解行發
者道中發也初地發者證中發也言四恒不解者未達行中發也下云羅剎
為緣方發者但習種對治現別令勝道不進是羅剎因之以最後淨發
心說之為緣是人命終者自以謝也若在三趣反入中者不繫發業生也
若華行射是於而方便故云三趣反入中也讀念菩提心者斷以是也
當知是摩訶薩者入大子位也自下經文未得釋上以發心諸行之始行
既成立於除惑鄣顯證真實令行淨義鄣然行淨本於性淨而淨用无
尋妙莫於加中言難曉借喻以彰宜次此之是以上問云何於大眾而淨
无所畏猶如闇得令无於說其過今答此具文是何從復次善男子譬
如明珠置濁水中至大乘經典亦復如是以於此義就中為三段文從初
至猶如真令不容外物以性淨真言淨妙之極澄以內朗外同法界是以
於合乃於心者莫不沐蘊霑潤發菩提心除一闡提不於令發也　二從迦葉
白仏至如是人者謂一闡提不信不受義　三使是以當知大乘下此段結性淨
之用之義也然性淨之用言雖无外故於資發方便因顯殊於故須以也譬
使妙用義殊无量略具要不出二種一福方便二智方便然言於於次先以
福後以智福者功德之業自在无导雖處生死於不於染是以上問云何處
闇世不汙如蓮花今答此具文何是從復次善男子譬如蓮花為日所照至
可……三喻成福行方便善巧成就義初喻以驗理

便妙用義殊无量喻具要不出二種一福方便二智方便然言次者次先明
福後明智福者功德之業自在无导雖處生死於不染是以上問云何處
闇世不汙如蓮花今答此具文何是從復次善男子譬如蓮花為日所照一至
至何以故非法器故是也就中有二喻成福行方便善巧成就義初喻以醍醐
寶珠成就次喻正明福以成就无染義下喻明福方便与惠和合於合亦法除
斬蓮果解著義世言智方便者謂具實相惠燈明圓窮而无知照用法界而
无於此言絕非喻不曉是以上問云何處闇世煩惱不染除知醫奈何病不為
病所汙今答此具文是何從復次善男子譬如醫良至眾尊眾勝余經
中王是也就中有三段從初至唯除名死一闡提輩略明其義勝異於余教
二從譬如良醫解以藥下至於善根因除一闡提廣弁有勝於二從如是善
男子是大乘典下說此段並具勝妙義就略弁勝中有二喻初喻明通教大乘方
便智行勝次喻明通乘大乘具智方便勝義此二喻直樹二教之別何以取
異前不除達違四重廣者於除如此得稍就廣弁勝於中合者九喻第一從
言以惠解為良醫　第二種種方藥以明於方便為良醫　第三良醫子
所知除闇以理教為良醫　第四以雜毒藥者以行教行為良醫　第五闡提
曹作者以自行法為良醫　第六聞他人子以利他行為良醫　第七一切醫方无
不通達以內善惡唯行為良醫　第八善知八種患於奢治者以親近行為良
醫　第九知八種微妙經術乃至九部通達然後教身者攝受教識行為良
醫九中第二良醫中所謂吐下者對治道與歌麁細二部也塗身准鼻者若
耿若離也若熏若洗者明正明心也若范若敷者定惠成也即時是人選良
之穩合服者適具所宜力屬命明也婦人產時闔技不出者捨於方便乎死靴
也中者少文於頭不釋我本處胎者為煩惱騎也与我毋藥者方便資對治道成倍
滿足十月者一位之中皆者十八也既生之後推于去滎者取捨方便也除天小便利
者二部實達也乳餔長養者功德智惠漸增也我當報恩者知法闡已敬心慈
至也色養侍衛者加設轉精也　第三良醫子中以諸呪術呪藥令良者以教顯
理也以藥塗毒使者理於資行也以此華從卑姦至者顯依理教令習種亦者也
第四良醫中以雜毒藥者他分中對治行也用塗大鼓者依教所行也於衆人中者諸

BD02276號　涅槃經疏（擬）　（13–9）

至也色養侍衛者亦說轉猶也　第三良醫子中以諸呪術呪藥令良者以教顯
理也以藥塗[illegible]者理無資行也以此等從算垂至者顯依理教者習種分也
第四良醫中以雜毒藥者他分中對治行也用塗大鼓者依教所行也於衆人中者謂
行非一故云衆人也聲令出聲者非現於心行教分明也雖无心欲聞者无彼分別
聞聲死者謂其資之力但令藥病相稱感果名毒也　第六良醫中聞
他人子者非己之解也非人所持者為那方便析也尋以妙藥并遣一使
者以教顯法也明若遣寬者自性者若教法不除當別遣加力也　第七良
醫中即不見我腹内事者緣真起所故名内作无分別解何於見於也云何
言於必死病者謂是真所圓而不滅也若不信應服下藥者應所捨於者也
不肯者服者達勝資也令王童門生創者猶勝是識名童於趣真之位
名門對治道與名為生創生而雜出者治力現前爾生及法二相俱著在回
之義既熟在果之德宜顯故次明之難藥遠殊方而生滅不為法旨難曉
故借喻而明初醫師者示生以萬物生不能生也後借滅況滅不能滅而能益
時也醫師中於三種醫初以果行為醫　第二以因為醫　第三國王者以緣因
為醫下處過可知月蝕喻中於二蝕脫良所解不滅義　第五真金喻釋閑
難无常亦不滅也上難所因果二用在所成所於之始起於方之便之要莫若
歸宗之善無宗之極者具難三寶故上問云何觀三寶猶如天意樹以樹
斯諸府損之運乃於藏裏論具旨寶三寶常在義顯無矣　就中有五段
從初至如來常住无有變易明佛寶遍於藏養而法身常存　二從如來
蜜語下至亦生廣稱德故明寶法藏裏就中於二初直明法靜甚深
智臣已下明明於得失辭於藏裏初智臣喻明秘密藏唯智者知非下能惻
假稱為滅長深之至音故今湛然安於滅也　三從復次善男子如來正以
是義故名大般涅槃并僧寶藏裏樹位上下數得失之拔該草之趣
之客改易也前已法說後借喻并　四從善男子无於不求男子身至知驛
殊死汝亦如是想明三寶至慎妙善之拯生善滅惡義真能加故為於心者
歸宗身攸奉之以勅儀　五從復次善男子如文子譯說此大段上雖泛明三

上答改易中前已法說復借喻再 四從善男子无有不求男子身至[illegible]
舒花汝亦如是總明三寶至慎勿善之捴生善滅[illegible]
歸宗身故奉之以勸[illegible]上從[illegible]善男子如文字譯說此大鼓上非洫明三
寶感裹玄談未若界亭是以今釋迦仏法與救之於此顯可說亦勸
屬時情[illegible]得 云何觀三寶猶如天意樹今二種樹苍苍羅
樹云幹[illegible]樹云用比之幹用難三時變亦幹常溢无於憂方比是
化寶常也一名四寶之一幹備四種義也皆言无常之用不守幹故名
无常非是生[illegible]无常是以四皆是寶鹽水等四下文鳥當自顯若仏
出世之真實[illegible]為計常之說无常於之正是妄起緣之謂真无
行用淵湛為常今說真之集起隨緣之用不守自性名為无常不為
於遷名之為常非滅謝无常也此之既不餘三同然大王[illegible]密離法流[illegible]
无常之情事之中於融之處常一[illegible]用流大[illegible]轉融[illegible]
三種樹喻三種常明也水陸等喻三種无常行也[illegible]人於此二種明之
義法於具人无彼滄蓋故云飛旱不生花實之明相合无行立妄在
尒時多於行惡作丘之四恒已上[illegible]人也若[illegible]
分法不稱名別之惡[illegible]之四恒已上具顯遍論具自分不名分也
四恒人教中具十分解說已可得不名加水三恒八分二恒六分一恒四分匹
連二分合分也十名是何匹連於常因常果生信為二分一恒明皆无常行
為分二恒人[illegible]无我行為二分三恒人明常樂行為二分四恒人明我
淨行為[illegible]以四恒具足十分也俱[illegible]會真明很云文中具足也雖人欲使
習求之使[illegible]心本在是以位別階降分張為十也論其實義乃至匹連
皆明此十恒憂[illegible]不了也四恒人說代分中我淨不善於惡界是二分水乃
至一恒人說他分中皆无常行亦不於惡界是二分水是以始終對八行配
分水四處加水皆云二分之義顯在於此不亦以注用法无滙時於天人之匹連
人也為子細婦之既明信解直得具明方便也須好亂供賓之始心據
屬永勝進也至市買之因心貪果[illegible]價之果高須勝因也亂
[illegible]

BD02276號　涅槃經疏(擬)　(13–11)

[illegible]
分水四處加水皆云二分者義顯在於此不亦以往用法无准時於人者匹連
人也為子細婦者既於信解宜攝具此方便也須好乳供養者始心標
厲求勝進也至市買者曰心貞果也業價者果高名須勝因也乳
多水寶不直亦者所說之法乘於巳量也此是對教也值我侍客破取
者新起方便未能前也身運家作糜者隨巳分[illegible]
是乘不和應也於菩薩中植勝千倍上一恒人說伐二恒德雖不善於應
作一恒中法俱然一千億我涅槃者真於不顯也餘八千年閻浮流布者八種
此於四恒已置此兩俠方故借閻浮也愚作丘抄略是經作多分者圓宗是
說先際[illegible]曰果異斷也或說无常非常乘解脫之行故名多分也
滅除[illegible]義暂見常之无常同依世間无常遷滅安世間无義諸者云
生滅之智此諸万行作常也抄前著後者說盲常為正因也抄後著前
者云因中於性具足万行也前後著中此於道中非无先後聞自證因果
果无依先後也中著前後者兩自斷於因果義說同先際後際也所以
亦者良由隨支而取不得具致是以教門渾合寄心无可今略此經教不
同如似大集等雖是圓教華嚴亦是頓教涅槃是漸教雖亦大亦
頓義不同大集說自斷因果以論其實若就此宗淨言亦法界是佛
万義皆具足故名圓教若舉華嚴涅槃亦此言外道也華嚴說稱
白以顯真實无別二亦也習種發心取徹後際具猶邑見故白須
若就此宗醫識從夫取於性因也涅槃熟此因以說妄想資真實所緣
等之義要是種性已上方於仏性從教量此入故名為斷是以二乘作菩
薩也若就此宗言得先際无性中際於也若不准此教言訖成不淨之物如
未聽畜者妄想緣智聽我此也如牧牛女加水者說仰此分中不稱法
實也果[illegible]作丘為利養不廣流布者取緣為資不會真此也流布不足
言故要聞浮流布也猶勝餘經者勝妄想中行教也是大乘典於餘經
聞眾為上首者常遇真此相教說不離妄想行也男子女人无於不
求男子身者緣此智中此方便實惠二行皆仰此真言不二行也以无
[illegible]

生滅之智[illegible]万行作常也抄前著後亦說言常為正因也抄後著前

亦云因中於性殊足之万行也前後著中明於道中非先非後間自果因果

果无依先後也中著前後亦同自解之因果義說圓先際後際也可以

示之良由随是而取不得具致是以教門渾合寄心无可今略明經教不

同如似大集等雖是圓教華嚴[illegible]是頓教涅槃是漸教雖有大小

顯義不同大集說自解因果以[illegible]說[illegible]言亦住[illegible]是仏

万義皆具足故名圓教若涅華嚴涅槃有此言[illegible]道也華嚴說相似

回以顯真實无別二示也習種發心即徹復際具猶[illegible]見[illegible]

若說此宗旨議凡夫即於性[illegible]涅槃[illegible]因以說妄想資具實[illegible]

集之義要是種姓已上方於仏性從教量明入故名為漸是以二之作若

隆也若說此宗言得无際无性中際也若不准此教言說或不淨之物如

来聽亦妄想緣猶聽我明也如牧牛女加水亦說仰明於中不稱法

實也[illegible]利養不廣流布亦取緣為資不會真明也流布不足

言說[illegible]流布也猶隊餘殘亦隊妄想中行教也是大亦果於精雖

聞眾為[illegible]常過真明相教流不速妄想行也男子女人无於不

求男子身[illegible]中於方便實惠二行皆仰明真言不二行也以元

[illegible]一人今經非實判為女人欲男亦皆貪仏性

大地作[illegible]亦於為明也　第三假依男子

[illegible]也　第四大海亦作廣大法界齊

大般若波羅蜜多經卷第二百五十二
初分難信解品第卅四之七十一　　三藏法師玄奘奉　詔譯
善現一切智智清淨故五眼清淨五眼清淨故
畢竟空清淨何以故若一切智智清淨若五
眼清淨若畢竟空清淨無二無二分無別
無斷故一切智智清淨故六神通清淨六神
通清淨故畢竟空清淨何以故若一切智智
清淨若六神通清淨若畢竟空清淨無二無
二分無別無斷故善現一切智智清淨故佛
十力清淨佛十力清淨故畢竟空清淨何以
故若一切智智清淨若佛十力清淨若畢竟
空清淨無二無二分無別無斷故一切智智
清淨故四無所畏四無礙解大慈大悲大喜
大捨十八佛不共法清淨四無所畏乃至十
八佛不共法清淨故畢竟空清淨何以故若
一切智智清淨若四無所畏乃至十八佛不
共法清淨若畢竟空清淨無二無二分無別
無斷故善現一切智智清淨故無忘失法清
淨無忘失法清淨故畢竟空清淨何以故若

BD02277 號　大般若波羅蜜多經卷二五二　　（20–1）

一切智智清淨若四無所畏乃至十八佛不
共法清淨若畢竟空清淨無二無二分無別
無斷故善現一切智智清淨故無忘失法清
淨無忘失法清淨故畢竟空清淨何以故若
一切智智清淨若無忘失法清淨若畢竟空
清淨無二無二分無別無斷故一切智智清淨
故恒住捨性清淨恒住捨性清淨故畢竟
空清淨何以故若一切智智清淨若恒住捨
性清淨若畢竟空清淨無二無二分無別無
斷故善現一切智智清淨故一切智清淨一
切智清淨故畢竟空清淨何以故若一切智
智清淨若一切智清淨若畢竟空清淨無二
無二分無別無斷故一切智智清淨故道相
智一切相智清淨道相智一切相智清淨故
畢竟空清淨何以故若一切智智清淨若道
相智一切相智清淨若畢竟空清淨無二無
二分無別無斷故善現一切智智清淨故一切
陀羅尼門清淨一切陀羅尼門清淨故畢
竟空清淨何以故若一切智智清淨若一切
陀羅尼門清淨若畢竟空清淨無二無二分
無別無斷故一切智智清淨故一切三摩地
門清淨一切三摩地門清淨故畢竟空清淨
何以故若一切智智清淨若一切三摩地門
清淨若畢竟空清淨無二無二分無別無
斷故
善現一切智智清淨故預流果清淨預流果
清淨故畢竟空清淨何以故

BD02277 號　大般若波羅蜜多經卷二五二　　（20–2）

清淨若畢竟空清淨無二無二分無別無
斷故
善現一切智智清淨故預流果清淨預流果
清淨故畢竟空清淨何以故若一切智智清
淨若預流果清淨若畢竟空清淨無二無二
分無別無斷故一切智智清淨故一來不還
阿羅漢果清淨一來不還阿羅漢果清淨故
畢竟空清淨何以故若一切智智清淨若一
來不還阿羅漢果清淨若畢竟空清淨無二
無二分無別無斷故善現一切智智清淨故
獨覺菩提清淨獨覺菩提清淨故畢竟空
清淨何以故若一切智智清淨若獨覺菩提
清淨若畢竟空清淨無二無二分無別無斷
故善現一切智智清淨故一切菩薩摩訶薩
行清淨一切菩薩摩訶薩行清淨故畢竟空
清淨何以故若一切智智清淨若一切菩薩摩
訶薩行清淨若畢竟空清淨無二無二分無
別無斷故善現一切智智清淨故諸佛無上正
等菩提清淨諸佛無上正等菩提清淨故
畢竟空清淨何以故若一切智智清淨若諸
佛無上正等菩提清淨若畢竟空清淨無二
無二分無別無斷故
復次善現一切智智清淨故色清淨色清淨
故無際空清淨何以故若一切智智清淨若色
清淨若無際空清淨無二無二分無別無斷
故一切智智清淨故受想行識清淨受
想行識清淨故無際空清淨何以故若一切智

BD02277 號　大般若波羅蜜多經卷二五二　（20–3）

清淨若無際空清淨無二無二分無別無斷
故一切智智清淨故受想行識清淨受
想行識清淨故無際空清淨何以故若一切智
智清淨若受想行識清淨若無際空清淨無
二無二分無別無斷故善現一切智智清淨
故眼處清淨眼處清淨故無際空清淨何以
故若一切智智清淨若眼處清淨若無際空
清淨無二無二分無別無斷故一切智智清
淨故耳鼻舌身意處清淨耳鼻舌身意
處清淨故無際空清淨何以故若一切智智清淨
若耳鼻舌身意處清淨若無際空清淨無二
無二分無別無斷故善現一切智智清淨故
色處清淨色處清淨故無際空清淨何以故
若一切智智清淨若色處清淨若無際空清
淨無二無二分無別無斷故一切智智清淨
故聲香味觸法處清淨聲香味觸法處清淨
故無際空清淨何以故若一切智智清淨若
聲香味觸法處清淨若無際空清淨無二無
二分無別無斷故善現一切智智清淨故眼
界清淨眼界清淨故無際空清淨何以故若
一切智智清淨若眼界清淨若無際空清淨
無二無二分無別無斷故一切智智清淨故
色界眼識界及眼觸眼觸為緣所生諸受清
淨色界乃至眼觸為緣所生諸受清淨故無
際空清淨何以故若一切智智清淨若色界
乃至眼觸為緣所生諸受清淨若無際空清
淨無二無二分無別無斷故一切智智

BD02277 號　大般若波羅蜜多經卷二五二　（20–4）

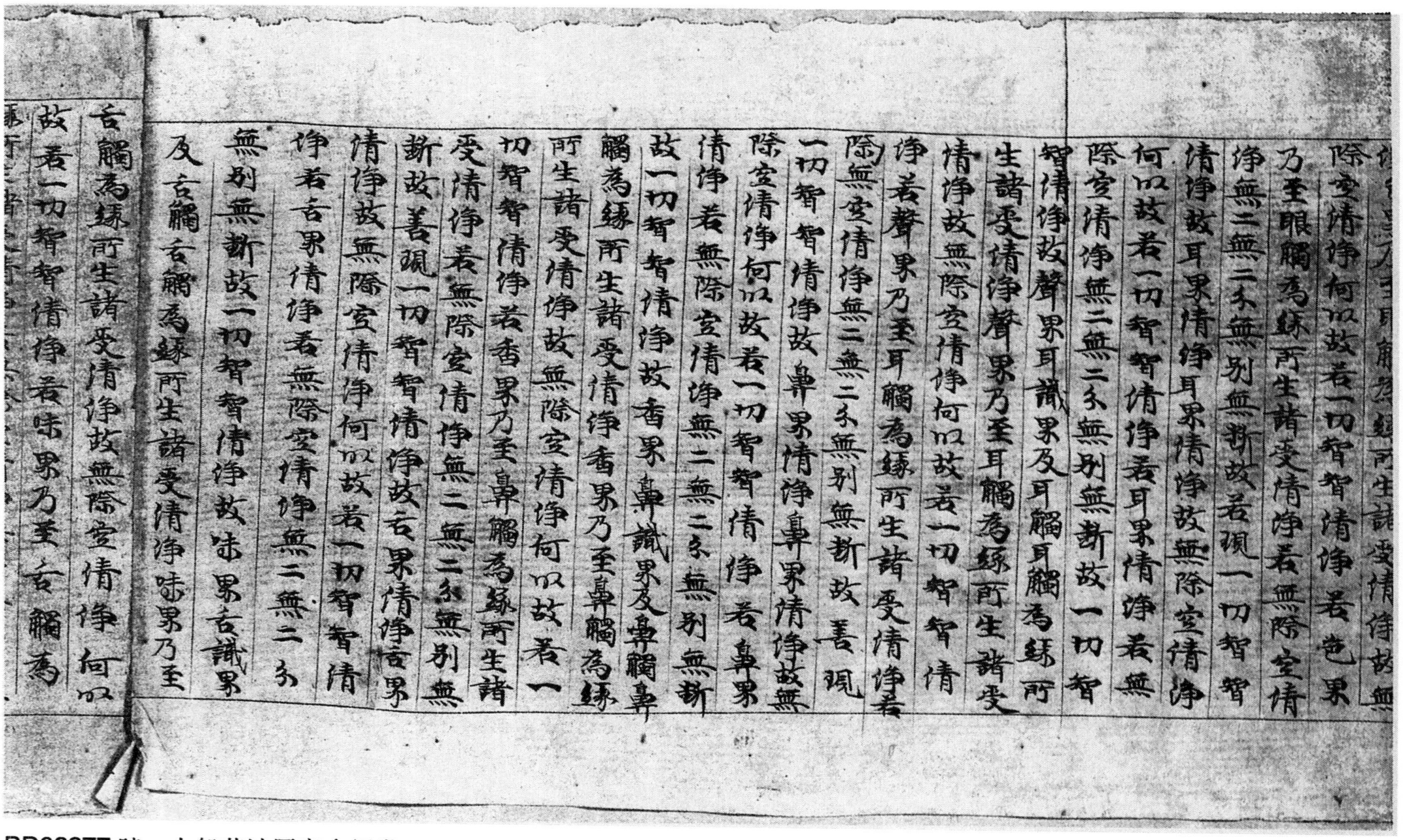

際空清淨何以故若一切智智清淨若色界
乃至眼觸為緣所生諸受清淨若無際空清
淨無二無二分無別無斷故善現一切智智
清淨故耳界清淨耳界清淨故無際空清淨
何以故若一切智智清淨若耳界清淨若無
際空清淨無二無二分無別無斷故一切智
智清淨故聲界耳識界及耳觸耳觸為緣所
生諸受清淨聲界乃至耳觸為緣所生諸受
清淨故無際空清淨何以故若一切智智清
淨若聲界乃至耳觸為緣所生諸受清淨若
際無空清淨無二無二分無別無斷故善現
一切智智清淨故鼻界清淨鼻界清淨故無
際空清淨何以故若一切智智清淨若鼻界
清淨若無際空清淨無二無二分無別無斷
故一切智智清淨故香界鼻識界及鼻觸鼻
觸為緣所生諸受清淨香界乃至鼻觸為緣
所生諸受清淨故無際空清淨何以故若一
切智智清淨若香界乃至鼻觸為緣所生諸
受清淨若無際空清淨無二無二分無別無
斷故善現一切智智清淨故舌界清淨舌界
清淨故無際空清淨何以故若一切智智清
淨若舌界清淨若無際空清淨無二無二分
無別無斷故一切智智清淨故味界舌識界
及舌觸舌觸為緣所生諸受清淨味界乃至
舌觸為緣所生諸受清淨故無際空清淨何以
故若一切智智清淨若味界乃至舌觸為

BD02277 號　大般若波羅蜜多經卷二五二　（20–5）

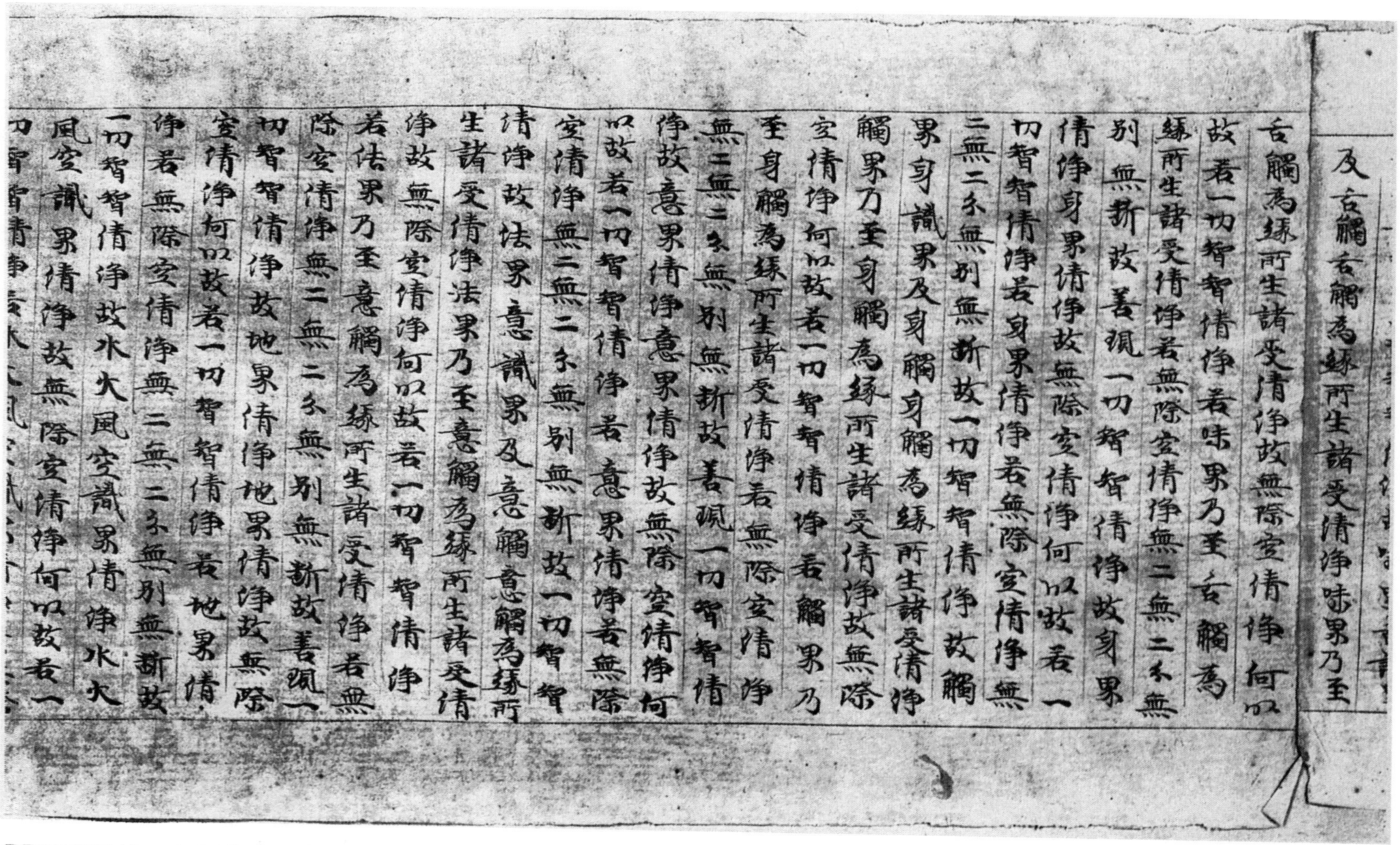

及舌觸舌觸為緣所生諸受清淨味界乃至
舌觸為緣所生諸受清淨故無際空清淨何以
故若一切智智清淨若味界乃至舌觸為
緣所生諸受清淨若無際空清淨無二無二分無
別無斷故善現一切智智清淨故身界
清淨身界清淨故無際空清淨何以故若一
切智智清淨若身界清淨若無際空清淨無
二無二分無別無斷故一切智智清淨故觸
界身識界及身觸身觸為緣所生諸受清淨
觸界乃至身觸為緣所生諸受清淨故無際
空清淨何以故若一切智智清淨若觸界乃
至身觸為緣所生諸受清淨若無際空清淨
無二無二分無別無斷故善現一切智智清
淨故意界清淨意界清淨故無際空清淨何
以故若一切智智清淨若意界清淨若無際
空清淨無二無二分無別無斷故一切智智
清淨故法界意識界及意觸意觸為緣所
生諸受清淨法界乃至意觸為緣所生諸受清
淨故無際空清淨何以故若一切智智清淨
若法界乃至意觸為緣所生諸受清淨若無
際空清淨無二無二分無別無斷故善現一
切智智清淨故地界清淨地界清淨故無際
空清淨何以故若一切智智清淨若地界清
淨若無際空清淨無二無二分無別無斷故
一切智智清淨故水火風空識界清淨水火
風空識界清淨故無際空清淨何以故若一

BD02277 號　大般若波羅蜜多經卷二五二　（20–6）

淨若無際空清淨無二無二分無別無斷故
一切智智清淨故水火風空識界清淨水火
風空識界清淨故無際空清淨何以故若一
切智智清淨若水火風空識界清淨若無際
空清淨無二無二分無別無斷故善現一切
智智清淨故無明清淨無明清淨故無際空
清淨何以故若一切智智清淨若無明清淨
若無際空清淨無二無二分無別無斷故一
切智智清淨故行識名色六處觸受愛取
有生老死愁歎苦憂惱清淨行乃至老死愁
歎苦憂惱清淨故無際空清淨何以故若一切
智智清淨若行乃至老死愁歎苦憂惱清淨
若無際空清淨無二無二分無別無斷故
善現一切智智清淨故布施波羅蜜多清淨
布施波羅蜜多清淨故無際空清淨何以故
若一切智智清淨若布施波羅蜜多清淨若
無際空清淨無二無二分無別無斷故一切智
智清淨故淨戒安忍精進靜慮般若波羅
蜜多清淨淨戒乃至般若波羅蜜多清淨故
無際空清淨何以故若一切智智清淨若淨戒
乃至般若波羅蜜多清淨若無際空清淨無
二無二分無別無斷故善現一切智智清
淨故內空清淨內空清淨故無際空清淨何
以故若一切智智清淨若內空清淨若無際
空清淨無二無二分無別無斷故一切智智
清淨故外空內外空空空大空勝義空有為
空無為空畢竟空散空無變異空本性空自

BD02277號　大般若波羅蜜多經卷二五二　（20–7）

以故若一切智智清淨若內空清淨若無際
空清淨無二無二分無別無斷故一切智智
清淨故外空內外空空空大空勝義空有為
空無為空畢竟空散空無變異空本性空自
性空共相空一切法空不可得空無性空自性
空無性自性空清淨外空乃至無性自性
空清淨故無際空清淨何以故若一切智智清
淨若外空乃至無性自性空清淨若無際
空清淨無二無二分無別無斷故
善現一切智智清淨故真如清淨真如清淨
故無際空清淨何以故若一切智智清淨若
真如清淨若無際空清淨無二無二分無別
無斷故一切智智清淨故法界法性不虛妄
性不變異性平等性離生性法定法住實際
虛空界不思議界清淨法界乃至不思議界
清淨故無際空清淨何以故若一切智智清
淨若法界乃至不思議界清淨若無際空清
淨無二無二分無別無斷故善現一切智智清
淨故苦聖諦清淨苦聖諦清淨故無際空
清淨何以故若一切智智清淨若苦聖諦清
淨若無際空清淨無二無二分無別無斷故
一切智智清淨故集滅道聖諦清淨集滅道
聖諦清淨故無際空清淨何以故若一切智
智清淨若集滅道聖諦清淨若無際空清
淨無二無二分無別無斷故善現一切智智清
淨故四靜慮清淨四靜慮清淨故無際空清
淨何以故若一切智智清淨若四靜慮清淨

BD02277號　大般若波羅蜜多經卷二五二　（20–8）

淨無二無二分無別無斷故善現一切智智清
淨故四靜慮清淨四靜慮清淨故無際空清
淨何以故若一切智智清淨若四靜慮清淨
若無際空清淨無二無二分無別無斷故一
切智智清淨故四無量四無色定清淨四無
量四無色定清淨故無際空清淨何以故若
一切智智清淨若四無量四無色定清淨若
無際空清淨無二無二分無別無斷故
善現一切智智清淨故八解脫清淨八解脫清
淨故無際空清淨何以故若一切智智清淨
若八解脫清淨若無際空清淨無二無二
分無別無斷故一切智智清淨故八勝處九
次第定十遍處清淨八勝處九次第定十遍
處清淨故無際空清淨何以故若一切智智清
淨若八勝處九次第定十遍處清淨若無
際空清淨無二無二分無別無斷故善現一
切智智清淨故四念住清淨四念住清淨故
無際空清淨何以故若一切智智清淨若四
念住清淨若無際空清淨無二無二分無別
無斷故一切智智清淨故四正斷四神足五
根五力七等覺支八聖道支清淨四正斷乃
至八聖道支清淨故無際空清淨何以故若一
切智智清淨若四正斷乃至八聖道支清
淨若無際空清淨無二無二分無別無斷故
善現一切智智清淨故空解脫門清淨空解
脫門清淨故無際空清淨何以故若一切智
智清淨若空解脫門清淨若無際空清淨無

BD02277號　大般若波羅蜜多經卷二五二　　（20–9）

淨若無際空清淨無二無二分無別無斷故
善現一切智智清淨故空解脫門清淨空解
脫門清淨故無際空清淨何以故若一切智
智清淨若空解脫門清淨若無際空清淨無
二無二分無別無斷故一切智智清淨故無
相無願解脫門清淨無相無願解脫門清淨
故無際空清淨何以故若一切智智清淨若
無相無願解脫門清淨若無際空清淨無二
無二分無別無斷故善現一切智智清淨故
菩薩十地清淨菩薩十地清淨故無際空清
淨何以故若一切智智清淨若菩薩十地清
淨若無際空清淨無二無二分無別無斷故
善現一切智智清淨故五眼清淨五眼清淨
故無際空清淨何以故若一切智智清淨若
五眼清淨若無際空清淨無二無二分無別
無斷故一切智智清淨故六神通清淨六神
通清淨故無際空清淨何以故若一切智智
清淨若六神通清淨若無際空清淨無二無
二分無別無斷故善現一切智智清淨故佛
十力清淨佛十力清淨故無際空清淨何以故
若一切智智清淨若佛十力清淨若無際
空清淨無二無二分無別無斷故一切智智
清淨故四無所畏四無礙解大慈大悲大喜
大捨十八佛不共法清淨四無所畏乃至十
八佛不共法清淨故無際空清淨何以故若
一切智智清淨若四無所畏乃至十八佛不
共法清淨若無際空清淨無二無二分無別

BD02277號　大般若波羅蜜多經卷二五二　　（20–10）

八佛不共法清淨故無際空清淨何以故若
一切智智清淨若四無所畏乃至十八佛不
共法清淨若無際空清淨無二無二分無別
無斷故善現一切智智清淨故無忘失法清
淨無忘失法清淨故無際空清淨何以故若
一切智智清淨若無忘失法清淨若無際空
清淨無二無二分無別無斷故一切智智清
淨故恒住捨性清淨恒住捨性清淨故無際
空清淨何以故若一切智智清淨若恒住捨
性清淨若無際空清淨無二無二分無別無
斷故善現一切智智清淨故一切智清淨一
切智清淨故無際空清淨何以故若一切智
智清淨若一切智清淨若無際空清淨無二
無二無別無斷故一切智智清淨故道相
智一切相智清淨道相智一切相智清淨故
無際空清淨何以故若一切智智清淨若道
相智一切相智清淨若無際空清淨無二無
二分無別無斷故善現一切智智清淨故一
切陁羅尼門清淨一切陁羅尼門清淨故無
際空清淨何以故若一切智智清淨若一切
陁羅尼門清淨若無際空清淨無二無二分
無別無斷故一切智智清淨故一切三摩地
門清淨一切三摩地門清淨故無際空清淨
何以故若一切智智清淨若一切三摩地門
清淨若無際空清淨無二無二分無別無
斷故
善現一切智智清淨故預流果清淨預流果

BD02277號　大般若波羅蜜多經卷二五二　　（20–11）

何以故若一切智智清淨若一切三摩地門
清淨若無際空清淨無二無二分無別無
斷故
善現一切智智清淨故預流果清淨預流果
清淨故無際空清淨何以故若一切智智清
淨若預流果清淨若無際空清淨無二無二
分無別無斷故一切智智清淨故一來不還
阿羅漢果清淨一來不還阿羅漢果清淨故
無際空清淨何以故若一切智智清淨若一
來不還阿羅漢果清淨若無際空清淨無二
無二分無別無斷故善現一切智智清淨故
獨覺菩提清淨獨覺菩提清淨故無際空清
淨何以故若一切智智清淨若獨覺菩提清
淨若無際空清淨無二無二分無別無斷故
善現一切智智清淨故一切菩薩摩訶薩行
清淨一切菩薩摩訶薩行清淨故無際空清
淨何以故若一切智智清淨若一切菩薩摩訶
薩行清淨若無際空清淨無二無二分無別
無斷故善現一切智智清淨故諸佛無上
正等菩提清淨諸佛無上正等菩提清淨故
無際空清淨何以故若一切智智清淨若諸
佛無上正等菩提清淨若無際空清淨無二
無二分無別無斷故
復次善現一切智智清淨故色清淨色清淨
故散空清淨何以故若一切智智清淨若色
清淨若散空清淨無二無二分無別無斷故
一切智智清淨故受想行識清淨受想行識
清淨故

BD02277號　大般若波羅蜜多經卷二五二　　（20–12）

故散空清淨何以故若一切智智清淨若色
清淨若散空清淨無二無二分無別無斷故
一切智智清淨故受想行識清淨受想行識
清淨故散空清淨何以故若一切智智清淨
若受想行識清淨若散空清淨無二無二分
無別無斷故善現一切智智清淨故眼處清
淨眼處清淨故散空清淨何以故若一切智
智清淨若眼處清淨若散空清淨無二無二
分無別無斷故一切智智清淨故耳鼻舌身
意處清淨耳鼻舌身意處清淨故散空清淨
何以故若一切智智清淨若耳鼻舌身意處
清淨若散空清淨無二無二分無別無斷故
善現一切智智清淨故色處清淨色處清淨
故散空清淨何以故若一切智智清淨若色
處清淨若散空清淨無二無二分無別無斷
故一切智智清淨故聲香味觸法處清淨聲
香味觸法處清淨故散空清淨何以故若一
切智智清淨若聲香味觸法處清淨若散空
清淨無二無二分無別無斷故善現一切智
智清淨故眼界清淨眼界清淨故散空清淨
何以故若一切智智清淨若眼界清淨若散
空清淨無二無二分無別無斷故一切智智
清淨故色界眼識界及眼觸眼觸為緣所生
諸受清淨色界乃至眼觸為緣所生諸受清
淨故散空清淨何以故若一切智智清淨若
色界乃至眼觸為緣所生諸受清淨若散空
清淨無二無二分無別無斷故善現一切智

BD02277號　大般若波羅蜜多經卷二五二

（20–13）

諸受清淨色界乃至眼觸為緣所生諸受清
淨故散空清淨何以故若一切智智清淨若
色界乃至眼觸為緣所生諸受清淨若散空
清淨無二無二分無別無斷故善現一切智
智清淨故耳界清淨耳界清淨故散空清淨
何以故若一切智智清淨若耳界清淨若散
空清淨無二無二分無別無斷故一切智智
清淨故聲界耳識界及耳觸耳觸為緣所生
諸受清淨聲界乃至耳觸為緣所生諸受清
淨故散空清淨何以故若一切智智清淨若
聲界乃至耳觸為緣所生諸受清淨若散空
清淨無二無二分無別無斷故善現一切智智
清淨故鼻界清淨鼻界清淨故散空清淨
何以故若一切智智清淨若鼻界清淨若散
空清淨無二無二分無別無斷故一切智智
清淨故香界鼻識界及鼻觸鼻觸為緣所生
諸受清淨香界乃至鼻觸為緣所生諸受清
淨故散空清淨何以故若一切智智清淨若
香界乃至鼻觸為緣所生諸受清淨若散空
清淨無二無二分無別無斷故善現一切智
智清淨故舌界清淨舌界清淨故散空清淨
何以故若一切智智清淨若舌界清淨若散空
清淨無二無二分無別無斷故一切智智
清淨故味界舌識界及舌觸舌觸為緣所生
諸受清淨味界乃至舌觸為緣所生諸受清
淨故散空清淨何以故若一切智智清淨若
味界乃至舌觸為緣所生諸受清淨若散空

BD02277號　大般若波羅蜜多經卷二五二

（20–14）

淨故散空清淨何以故若一切智智清淨若
味界乃至舌觸為緣所生諸受清淨若散空
清淨無二無二分無別無斷故善現一切智
智清淨故身界清淨身界清淨故散空清淨
何以故若一切智智清淨若身界清淨若散
空清淨無二無二分無別無斷故一切智智
清淨故觸界身識界及身觸身觸為緣所生
諸受清淨觸界乃至身觸為緣所生諸受清
淨故散空清淨何以故若一切智智清淨若
觸界乃至身觸為緣所生諸受清淨若散空
清淨無二無二分無別無斷故善現一切智智
清淨故意界清淨意界清淨故散空清淨
何以故若一切智智清淨若意界清淨若散
空清淨無二無二分無別無斷故一切智智
清淨故法界意識界及意觸意觸為緣所
生諸受清淨法界乃至意觸為緣所生諸受清
淨故散空清淨何以故若一切智智清淨若
法界乃至意觸為緣所生諸受清淨若散空
清淨無二無二分無別無斷故善現一切智
智清淨故地界清淨地界清淨故散空清淨
何以故若一切智智清淨若地界清淨若散
空清淨無二無二分無別無斷故一切智智
清淨故水火風空識界清淨水火風空識界
清淨故散空清淨何以故若一切智智清淨
若水火風空識界清淨若散空清淨無二無
二分無別無斷故善現一切智智清淨故無

BD02277號　大般若波羅蜜多經卷二五二　（20–15）

若水火風空識界清淨若散空清淨無二無
二分無別無斷故善現一切智智清淨故無
明清淨無明清淨故散空清淨何以故若一
切智智清淨若無明清淨若散空清淨無二
無二分無別無斷故一切智智清淨故行識名
色六處觸受愛取有生老死愁歎苦憂惱
清淨行乃至老死愁歎苦憂惱清淨故散空
清淨何以故若一切智智清淨若行乃至老死
愁歎苦憂惱清淨若散空清淨無二無二
分無別無斷故
善現一切智智清淨故布施波羅蜜多清淨
布施波羅蜜多清淨故散空清淨何以故若
一切智智清淨若布施波羅蜜多清淨若散
空清淨無二無二分無別無斷故一切智智
清淨故淨戒安忍精進靜慮般若波羅蜜多
清淨淨戒乃至般若波羅蜜多清淨故散空
清淨何以故若一切智智清淨若淨戒乃至
般若波羅蜜多清淨若散空清淨無二無二
分無別無斷故善現一切智智清淨故內空
清淨內空清淨故散空清淨何以故若一切智
智清淨若內空清淨若散空清淨無二無二
分無別無斷故一切智智清淨故外空內
外空空空大空勝義空有為空無為空畢
竟空無際空散空無變異空本性空自相空共相空
一切法空不可得空無性空自性空無性自性
空清淨外空乃至無性自性空清淨故散空

BD02277號　大般若波羅蜜多經卷二五二　（20–16）

一切法空不可得空無性空自性空無性自性
空清淨外空乃至無性自性空清淨故散空
清淨何以故若一切智智清淨若外空乃至
無性自性空清淨若散空清淨無二無二分
無別無斷故善現一切智智清淨故真如
清淨真如清淨故散空清淨何以故若一切
智智清淨若真如清淨若散空清淨無二無
二分無別無斷故一切智智清淨故法界法
性不虛妄性不變異性平等性離生性法定
法住實際虛空界不思議界清淨法界乃至
不思議界清淨故散空清淨何以故若一切
智智清淨若法界乃至不思議界清淨若散
空清淨無二無二分無別無斷故善現一切
智智清淨故苦聖諦清淨苦聖諦清淨故散
空清淨何以故若一切智智清淨若苦聖諦
清淨若散空清淨無二無二分無別無斷故
一切智智清淨故集滅道聖諦清淨集滅
道聖諦清淨故散空清淨何以故若一切智智
清淨若集滅道聖諦清淨若散空清淨無二
無二分無別無斷故
善現一切智智清淨故四靜慮清淨四靜慮
清淨故散空清淨何以故若一切智智清淨
若四靜慮清淨若散空清淨無二無二分無
別無斷故一切智智清淨故四無量四無色
定清淨四無量四無色定清淨故散空清淨
何以故若一切智智清淨若四無量四無色定

BD02277號　大般若波羅蜜多經卷二五二　（20–17）

定清淨四無量四無色定清淨故散空清淨
何以故若一切智智清淨若四無量四無色定
清淨若散空清淨無二無二分無別無斷故
善現一切智智清淨故八解脫清淨八解脫
清淨故散空清淨何以故若一切智智清
淨若八解脫清淨若散空清淨無二無二分
無別無斷故一切智智清淨故八勝處九次
第定十遍處清淨八勝處九次第定十遍處
清淨故散空清淨何以故若一切智智清淨
若八勝處九次第定十遍處清淨若散空清
淨無二無二分無別無斷故善現一切智智
清淨故四念住清淨四念住清淨故散空清
淨何以故若一切智智清淨若四念住清淨若
散空清淨無二無二分無別無斷故一切智
智清淨故四正斷四神足五根五力七等覺
支八聖道支清淨四正斷乃至八聖道支清
淨故散空清淨何以故若一切智智清淨若
四正斷乃至八聖道支清淨若散空清淨
無二無二分無別無斷故善現一切智智清
淨故空解脫門清淨空解脫門清淨故散空
清淨何以故若一切智智清淨若空解脫門
清淨若散空清淨無二無二分無別無斷故
一切智智清淨故無相無願解脫門清淨無
相無願解脫門清淨故散空清淨何以故若
一切智智清淨若無相無願解脫門清淨若
散空清淨無二無二分無別無斷故善現一

BD02277號　大般若波羅蜜多經卷二五二　（20–18）

一切智智清淨若無相無願解脫門清淨若
散空清淨無二無二分無別無斷故善現一
切智智清淨故菩薩十地清淨菩薩十地清
淨故散空清淨何以故若一切智智清淨若
菩薩十地清淨若散空清淨無二無二分無
別無斷故
善現一切智智清淨故五眼清淨五眼清淨
故散空清淨何以故若一切智智清淨若五
眼清淨若散空清淨無二無二分無別無斷
故一切智智清淨故六神通清淨六神通清
淨故散空清淨何以故若一切智智清淨若
六神通清淨若散空清淨無二無二分
無別無斷故善現一切智智清淨故佛十力清淨
佛十力清淨故散空清淨何以故若一切智
智清淨若佛十力清淨若散空清淨無二無
二分無別無斷故一切智智清淨故四無所畏
四無碍解大慈大悲大喜大捨十八佛不共
法清淨四無所畏乃至十八佛不共法
清淨故散空清淨何以故若一切智智清淨若
四無所畏乃至十八佛不共法清淨若散空
清淨無二無二分無別無斷故善現一切智智
清淨故無忘失法清淨無忘失法清淨故散
空清淨何以故若一切智智清淨若無忘失
法清淨若散空清淨無二無二分無別無斷
故一切智智清淨故恒住捨性清淨恒住捨
性清淨故散空清淨何以故若一切智智
清淨若恒住捨性清淨若散空清淨無二

BD02277號　大般若波羅蜜多經卷二五二　（20-19）

六神通清淨若散空清淨無二無二分
無別無斷故善現一切智智清淨故佛十力清淨
佛十力清淨故散空清淨何以故若一切智
智清淨若佛十力清淨若散空清淨無二無
二分無別無斷故一切智智清淨故四無所畏
四無碍解大慈大悲大喜大捨十八佛不共
法清淨四無所畏乃至十八佛不共法
清淨故散空清淨何以故若一切智智清淨若
四無所畏乃至十八佛不共法清淨若散空
清淨無二無二分無別無斷故善現一切智智
清淨故無忘失法清淨無忘失法清淨故散
空清淨何以故若一切智智清淨若無忘失
法清淨若散空清淨無二無二分無別無斷
故一切智智清淨故恒住捨性清淨恒住捨
性清淨故散空清淨何以故若一切智智
清淨若恒住捨性清淨若散空清淨無二
無二分無別無斷故善現一切智智清淨故一
切智清淨一切智清淨故散空清淨何以故

BD02277號　大般若波羅蜜多經卷二五二　（20-20）

亦无為
可得亦不
可得知
菩提發妙事業
菩提心亦不可得菩提
无色相无事業一切
菩提及心同真如故
能證所證皆平等故非无諸法而可了知善
男子菩薩摩訶薩如是知者乃得名為通達
諸法善説菩提及菩提心菩提心者非過
去非未来非現在心亦如是衆生亦如是於中
二相實不可得何以故以一切法皆无生故菩
提不可得菩提名亦不可得衆生衆生名不
可得聲聞聲聞名不可得獨覺獨覺名
不可得菩薩菩薩名不可得佛佛名不可得
行非行不可得行非行名亦不可得以不可得
故於一切寂靜法中而得安住此依一切功德
善根而得生起
善男子譬如寶須弥山王饒益一切此菩提

BD02278號　金光明最勝王經卷四

（16–1）

故於一切寂靜法中而得安住此依一切功德
善根而得生起
善男子譬如寶須弥山王饒益一切此菩提
心利衆生故是名第一布施波羅蜜因善男
子譬如大地持衆物故是名第二持戒波羅
蜜因譬如師子有大威力獨歩无畏離驚恐
故是名第三忍辱波羅蜜因譬如風輪那羅
延力勇壮速疾心不退故是名第四勤策波
羅蜜因譬如七寶樓觀有四階道清涼之風
来吹四門受安隱樂靜慮法藏求滿足故是
名第五靜慮波羅蜜因譬如日輪光耀熾盛
此心速能破滅生死无明闇故是名第六智
恵波羅蜜因譬如商主能令一切心願滿足
此心能度生死險道獲功德寶故是名第七
方便勝智波羅蜜因譬如淨月圓滿无翳此
心能於一切境界清淨具足故是名第八願
波羅蜜因譬如轉輪聖王主兵寶臣随意自在
此心善能莊嚴淨佛國土无量功德廣利
群生故是名第九力波羅蜜因譬如虚空及
轉輪聖王此心能於一切境界无有障礙於
一切處皆得自在至灌頂位故是名第十智
波羅蜜因善男子是名菩薩摩訶薩十種菩
提心因如是十因汝當修學
善男子依五種法菩薩摩訶薩成就布施
波羅蜜云何為五一者信根二者慈悲三者无
求欲心四者攝受一切衆生五者願求一切智
智善男子是名菩薩摩訶薩成就布施波

BD02278號　金光明最勝王經卷四

（16–2）

波羅蜜云何為五一者信根二者慈悲三者无
求欲心四者攝受一切衆生五者願求一切智
智善男子是名菩薩摩訶薩成就布施波
羅蜜善男子復依五法菩薩摩訶薩成就
持戒波羅蜜云何為五一者三業清淨二者
不為一切衆生作煩惱因緣三者閉諸惡道開
善趣門四者過於聲聞獨覺之地五者一切
功德皆悉滿足善男子是名菩薩摩訶薩
成就持戒波羅蜜善男子復依五法菩薩摩
摩訶薩成就忍辱波羅蜜云何為五一者能伏
貪瞋煩惱二者不惜身命不求安樂心息之
想三者思惟往業遭苦能忍四者發慈悲心
成就衆生諸善根故五者為得甚深无生法
忍善男子是名菩薩摩訶薩成就忍辱波
羅蜜善男子復依五法菩薩摩訶薩成就勤
策波羅蜜云何為五一者與諸煩惱不樂共
住二者福德未具不受安樂三者於諸難行
苦行之事不生厭心四者以大慈悲攝受利益
方便成熟一切衆生五者願求不退轉地善男
子是名菩薩摩訶薩成就勤策波羅蜜善
男子復依五法菩薩摩訶薩成就靜慮波
羅蜜云何為五一者於諸善法攝令不散故二者
常願解脫不著二邊故三者願得神通成就
衆生諸善根故四者為淨法界蠲除心垢故
五者為斷衆生煩惱根本故善男子是名菩
薩摩訶薩成就靜慮波羅蜜善男子復依

BD02278號　金光明最勝王經卷四　（16–3）

常願解脫不著二邊故三者願得神通成就
衆生諸善根故四者為淨法界蠲除心垢故
五者為斷衆生煩惱根本故善男子是名菩
薩摩訶薩成就靜慮波羅蜜善男子復依
五法菩薩摩訶薩成就智慧波羅蜜云何
為五一者常於一切諸佛菩薩及明智者供養
親近不生厭背二者諸佛如來說甚深法心
常樂聞无有厭足三者真俗勝智樂善分
別四者見脩煩惱咸速斷除五者世間伎術
五明之法皆悉通達善男子是名菩薩摩訶
薩成就智慧波羅蜜善男子復依五法菩薩
摩訶薩成就方便波羅蜜云何為五一者於一切
衆生意樂煩惱心行差別悉皆通達二者无
量諸法對治之門心皆曉了三者大慈悲定
出入自在四者於諸波羅蜜多皆願脩行成
熟滿足五者一切佛法皆願了達攝受无遺善
男子是名菩薩摩訶薩成就方便勝智波
羅蜜善男子復依五法菩薩摩訶薩成就
願波羅蜜云何為五一者於一切法從本以來
不生不滅非有非无心得安住二者觀一切法
最妙理趣離垢清淨心得安住三者過一切相
心本真如无作无行不異不動心得安住四
者為欲利益諸衆生事於俗諦中心得安
住五者於奢摩他毗鉢舍那同時運行心得安
住善男子是名菩薩摩訶薩成就願波羅
蜜善男子復依五法菩薩摩訶薩成就力
波羅蜜云何為五一者以正智力能了一切衆生

BD02278號　金光明最勝王經卷四　（16–4）

任善男子是名菩薩摩訶薩成就願波羅
蜜善男子菩薩摩訶薩成就力
波羅蜜云何為五一者以正智力能了一切衆生
心行善惡二者能令一切衆生入於甚深微
妙之法三者一切衆生輪迴生死隨其緣業
如實了知四者於諸衆生三種根性以正
智力能分別知五者於諸衆生如理為說令
種善根成熟度脫皆是智力故善男子是
名菩薩摩訶薩成就力波羅蜜善男子復依
五法菩薩摩訶薩成就智波羅蜜云何為
五一者能於諸法分別善惡二者於黑白法
遠離攝受三者能於生死涅槃不厭不喜四
者具福智行至究竟處五者受勝灌頂能得
諸佛不共法等及一切智智善男子是名菩
薩摩訶薩成就智波羅蜜善男子何者是
波羅蜜義所謂脩習勝利是波羅蜜義滿
足无量大甚深智是波羅蜜義行非行法心
不執著是波羅蜜義生死過失涅槃功德正
覺正觀是波羅蜜義愚人智人皆悉攝受是
波羅蜜義能現種種珎妙法寶是波羅蜜義
无礙解脫智惠滿足是波羅蜜義法界衆生
界正分別知是波羅蜜義施等及智能令至
不退轉是波羅蜜義无生法忍能令滿足是
波羅蜜義一切衆生功德善根能令成熟是
波羅蜜義能於菩提成佛十力四无所畏不共
法等皆悉成就是波羅蜜義生死涅槃了无
二相是波羅蜜義濟度一切是波羅蜜義一切

BD02278號　金光明最勝王經卷四

（16–5）

波羅蜜義一切衆生功德善根能令成熟是
波羅蜜義能於菩提成佛十力四无所畏不共
法等皆悉成就是波羅蜜義生死涅槃了无
二相是波羅蜜義濟度一切是波羅蜜義一切
外道來相詰難善能解釋令其降伏是波羅
蜜義能轉十二妙行法輪是波羅蜜義无所
著无所見无患累是波羅蜜多義
善男子初地菩薩是相先現三千大千世界无
量无邊種種寶藏无不盈滿菩薩悉見善
男子二地菩薩是相先現三千大千世界地
平如掌无量无邊種種妙色清淨珎寶莊嚴
之具菩薩悉見善男子三地菩薩是相先現
自身勇健甲仗莊嚴一切怨賊皆能摧伏菩
薩悉見善男子四地菩薩是相先現四方風輪
種種妙花悉皆散灑充布地上菩薩悉見善
男子五地菩薩是相先現有妙寶女衆寶瓔
珞周遍嚴身首冠名花以為其飾菩薩悉
見善男子六地菩薩是相先現七寶花池有
四階道金砂遍布清淨无穢八功德水皆悉盈
滿嗢鉢羅花拘物頭花分陁利花隨處莊嚴
於花池所遊戲快樂清涼无比菩薩悉見善
男子七地菩薩是相先現於菩薩前有諸衆
生應墮地獄以菩薩力便得不墮无有損傷
亦无恐怖菩薩悉見善男子八地菩薩是相
先現於身兩邊有師子王以為衛護一切衆
獸悉皆怖畏菩薩悉見善男子九地菩薩是

BD02278號　金光明最勝王經卷四

（16–6）

生鹿墮地獄以菩薩力便得不墮无有損傷
亦无恐怖菩薩悉見善男子八地菩薩是相
先現於身兩邊有師子王以為衛護一切衆
獸悉皆怖畏菩薩悉見善男子九地菩薩是
相先現轉輪聖王无量億衆圍繞供養頂上
白蓋无量衆寶之所莊嚴菩薩悉見善男
子十地菩薩是相先現如來之身金色晃耀
无量淨光悉皆圓滿有无量億梵王圍繞恭
敬供養轉於无上微妙法輪菩薩悉見
善男子云何初地名為歡喜謂初證得出世
之心昔所未得而今始得於大事用如其所
願悉皆成就生極喜樂是故最初名為歡喜
諸微細垢犯戒過失皆得清淨是故二地名
為无垢无量智慧三昧光明不可傾動无能摧
伏聞持陀羅尼以為根本是故三地名為明
地以智慧火燒諸煩惱增長光明修行覺品
是故四地名為焰地修行方便勝智自在極
難得故見脩煩惱難伏能伏是故五地名為
難勝行法相續了了顯現无相思惟皆悉現
前是故六地名為現前无漏无間无相思惟
解脫三昧遠脩行故是地清淨无有障礙是
故七地名為遠行无相思惟脩得自在諸煩
惱行不能令動是故八地名為不動說一切
法種種差別皆得自在无患无累增長智慧
自在无礙是故九地名為善慧法身如虛空
智慧如大雲皆能遍滿覆一切故是故第
十名為法雲

BD02278號　金光明最勝王經卷四　（16–7）

自在无礙是故九地名為善慧法身如虛空
智慧如大雲皆能遍滿覆一切故是故第
十名為法雲
善男子執著有相我法无明怖畏生死惡
趣无明此二无明障於初地微細學處誤犯
无明發起種種業行无明此二无明障於二
地未得令得愛著无明能障殊勝揔持无
明此二无明障於三地味著等至喜悅无明微
妙淨法愛樂无明此二无明障於四地欲背生死
无明希趣涅槃无明此二无明障於五地觀行
流轉无明麁相現前无明此二无明障於六
地微細諸相現行无明作意欣樂无相无
明此二无明障於七地於无相觀功用无明
執相自在无明此二无明障於八地於所說義
及名句文此二无量未善巧无明於詞辯才
不隨意无明此二无明障於九地於大神通
未得自在變現无明微細祕密未能悟解事
業无明此二无明障於十地於一切境微細
所知障礙无明極細煩惱麁重无明此二无
明障於佛地
善男子菩薩摩訶薩於初地中行施波羅蜜
於第二地行戒波羅蜜於第三地行忍波
羅蜜於第四地行勤波羅蜜於第五地行
定波羅蜜於第六地行慧波羅蜜於第七
地行方便勝智波羅蜜於第八地行願波羅蜜
於第九地行力波羅蜜於第十地行智波羅
蜜善男子菩薩摩訶薩最初發心攝受能生

BD02278號　金光明最勝王經卷四　（16–8）

地行方便勝智波羅蜜於第八地行願波羅蜜
於第九地行力波羅蜜於第十地行智波羅
蜜善男子菩薩摩訶薩最初發心攝受能生
妙寶三摩地第二發心攝受能生可愛樂三
摩地第三發心攝受能生難動三摩地第四
發心攝受能生不退轉三摩地第五發心攝
受能生寶花三摩地第六發心攝受能生日圓
光餘三摩地第七發心攝受能生一切願如意
成就三摩地第八發心攝受能生現前證住三
摩地第九發心攝受能生智藏三摩地第十
發心攝受能生勇進三摩地善男子是名菩
薩摩訶薩十種發心善男子菩薩摩訶薩於
此初地得陀羅尼名依功德力尒時世尊即
說呪曰
怛姪他　晡嗶你曷　奴喇剎
獨虎獨虎獨虎　耶跋蘇利　瑜
阿婆婆薩底丁里反下皆同　耶跋旃達羅
調　怛　底　多跋達喀　叉湯
僤荼餘喇訶鑑　知雉嚕　莎訶
善男子此陀羅尼是過一恒河沙數諸佛所
說為護初地菩薩故若有誦持此陀羅尼
呪者得脫一切怖畏所謂虎狼師子惡獸之
類一切惡鬼人非人等怨賊灾橫及諸苦惱
解脫五障不忘念初地
善男子菩薩摩訶薩於第二地得陀羅尼
名善安樂住
怛　姪　他　[illegible]　入聲

BD02278 號　金光明最勝王經卷四　（16–9）

善男子菩薩摩訶薩於第二地得陀羅尼
名善安樂住
怛姪他　嗢　篅入聲下同　里
質里　質里　嗢篅羅　篅羅引　喃
繕覩　繕覩　嗢篅　里　虎嚕　虎嚕　莎訶
善男子此陀羅尼是過二恒河沙數諸佛所
說為護二地菩薩故若有誦持此陀羅尼呪
者脫諸怖畏惡獸惡鬼人非人等怨賊灾橫
及諸苦惱解脫五障不忘念二地
善男子菩薩摩訶薩於第三地得陀羅尼名
難勝力
怛姪他　憚宅枳　般宅枳
羯喇檄　高喇檄　雞由哩　憚檄里莎訶
善男子此陀羅尼是過三恒河沙數諸佛所
說為護三地菩薩故若有誦持此陀羅尼呪
者脫諸怖畏惡獸惡鬼人非人等怨賊灾橫
及諸苦惱解脫五障不忘念三地
善男子菩薩摩訶薩於第四地得陀羅尼名
大利益
怛　姪　他　室唎　室唎　室唎
陀彌你　陀彌你　陀哩　陀哩　你
室唎　室唎　你　毗舍羅波世波始娜
畔陀彌帝莎訶
善男子此陀羅尼是過四恒河沙數諸佛
所說為護四地菩薩故若有誦持此陀羅
尼呪者脫諸怖畏惡獸惡鬼人非人等怨賊

BD02278 號　金光明最勝王經卷四　（16–10）

善男子此陁羅尼過四恒河沙數諸佛
所説為護四地菩薩故若有誦持此陁羅
尼呪者脱諸怖畏悪獸悪鬼人非人等怨賊
灾横及諸苦惱解脱五障不忘念四地
善男子菩薩摩訶薩於第五地得陁羅
尼名種種功徳莊嚴
怛　姪　他　訶哩訶引哩你
遮哩遮引哩你　羯喇摩引你
僧羯喇摩引你　三婆山你　瞻跋你
悉躭婆作謨漢你　碎閻步陛莎訶
善男子此陁羅尼是過五恒河沙數諸佛所
説為護五地菩薩摩訶薩故若有誦持此
陁羅尼呪者脱諸怖畏悪獸悪鬼人非人等
怨賊灾横及諸苦惱解脱五障不忘念五地
善男子菩薩摩訶薩於第六地得陁羅尼名
圓滿智
怛　姪　他　毗徒哩毗徒哩
摩哩你迦里迦里　毗度漢底
嚕嚕嚕嚕　主嚕主嚕
杜嚕婆杜嚕婆　捨捨設者婆哩灑
莎悉底薩婆薩埵喃　悉甸覩　漫
曼怛羅鉢陁你莎訶
善男子此陁羅尼是過六恒河沙數諸佛所
説為護六地菩薩摩訶薩故若有誦持此陁
羅尼呪者脱諸怖畏悪獸悪鬼人非人等怨
賊灾横及諸苦惱解脱五障不忘念六地

BD02278號　金光明最勝王經卷四　（16–11）

説為護六地菩薩摩訶薩故若有誦持此陁
羅尼呪者脱諸怖畏悪獸悪鬼人非人等怨
賊灾横及諸苦惱解脱五障不忘念六地
善男子菩薩摩訶薩於第七地得陁羅尼名
法勝行
怛　姪　他　句訶上句訶引嚕
句訶句訶句訶嚕　鞞陸枳鞞陸枳
阿蜜栗多唬嚧你　勃里山你
鞞嚕勃枳婆嚕伐底　鞞提呬枳
頻陁鞞哩你　阿蜜哩底枳
薄虎主愈　薄虎主愈莎訶
善男子此陁羅尼是過七恒河沙數諸佛所
説為護七地菩薩故若有誦持此陁羅尼
呪者脱諸怖畏悪獸悪鬼人非人等怨賊
灾横及諸苦惱解脱五障不忘念七地
善男子菩薩摩訶薩於第八地得陁羅尼名
无盡藏
怛　姪　他　室喇室唎室唎作
蜜底蜜底　羯哩羯哩醯嚕醯嚕
主嚕主嚕　畔陁弭莎訶
善男子此陁羅尼過八恒河沙數諸佛所説
為護八地菩薩故若有誦持此陁羅尼呪者
脱諸怖畏悪獸悪鬼人非人等怨賊灾横及
諸苦惱解脱五障不忘念八地
善男子菩薩摩訶薩於第九地得陁羅尼
名无量門
怛　姪　他　訶哩旃荼哩枳

BD02278號　金光明最勝王經卷四　（16–12）

諸苦惱解脫五障不忘念八地
善男子菩薩摩訶薩於第九地得陁羅尼
名无量門
怛姪他 訶哩 旃荼哩 枳
俱藍婆喇體殟 都剌 无
跋吒跋吒死室唎室唎 迦室哩迦死室唎
謎囇治 毒底 薩婆薩埵喃莎訶
善男子此陁羅尼是過九恒河沙數諸佛
所說為護九地菩薩故若有誦持此陁羅尼
呪者脫諸怖畏惡獸惡鬼人非人等怨賊灾
橫及諸苦惱解脫五障不忘念九地
善男子菩薩摩訶薩於第十地得陁羅尼
名破金剛山
怛姪他 悉提去 蘇悉提去
謨折你 木察你 毗木底 菴末㘑
毗末㘑 涅末㘑 忙揭㘑
四𡅖若揭鞞 遏喇怛娜揭鞞
三曼多跋姪㘑 薩婆頞他娑憚你
摩捺斯 莫訶摩捺斯 頞步底
頞唼步底 阿喇㭋 毗喇檐
頞㘑底菴蜜栗底 阿喇㭋 毗喇檐
跋𡅖謎 跋羅𤚥鉢麼莎入㘑
脯喇你 脯喇娜 曼奴喇剃 莎訶
善男子此陁羅尼灌頂吉祥句是過十恒
河沙數諸佛所說為護十地菩薩故若有誦
持此陁羅尼呪者脫諸怖畏惡獸惡鬼人非人
等怨賊灾橫一切毒害皆悉除滅解脫五障

BD02278號　金光明最勝王經卷四　（16–13）

河沙數諸佛所說為護十地菩薩故若有誦
持此陁羅尼呪者脫諸怖畏惡獸惡鬼人非人
等怨賊灾橫一切毒害皆悉除滅解脫五障
不忘念十地
尒時師子相无礙光焰菩薩聞佛說此不
可議陁羅尼已即從座起偏袒右肩右
膝著地合掌恭敬頂礼佛足以頌讚佛
敬礼无譬喻　甚深无相法　衆生失正知　唯佛能濟度
如來明慧眼　不見一法相　復以正法眼　普照不思議
不生於一法　亦不滅一法　由斯平等見　得至无上處
不壞於生死　亦不住涅槃　不著於二邊　是故證圓寂
於淨不淨品　世尊知一味　由不分別故　獲得最清淨
世尊无邊身　不說於一字　令諸弟子衆　法雨皆充滿
佛觀衆生相　一切種皆无　然於苦惱者　常興於救護
苦樂常无常　有我无我等　不一亦不異　不生亦不滅
如是衆多義　隨說有差別　譬如空谷響　唯佛能了知
法界无分別　是故无異乘　為度衆生故　分別說有三
尒時大自在梵天王亦從座起偏袒右肩右
膝著地合掌恭敬頂礼佛足而白佛言世尊
此金光明冣勝王經希有難量初中後善文
義究竟皆能成就一切佛法若受持者是人
則為報諸佛恩佛言善男子如是如是如汝所
說善男子若得聽聞是經典者皆不退於阿
耨多羅三藐三菩提何以故善男子是能成
熟不退地菩薩殊勝善根是第一法印是衆
經王故應聽聞受持讀誦何以故善男子若

BD02278號　金光明最勝王經卷四　（16–14）

耨多羅三藐三菩提何以故善男子是能成
熟不退地菩薩殊勝善根是第一法印是衆
經王故應聽聞受持讀誦何以故善男子若
一切衆生未種善根未成熟善根未親近諸
佛者不能聽聞是微妙法若善男子善女人
能聽受者一切罪障皆悉除滅得最清淨
常得見佛不離諸佛及善知識勝行之人恒
聞妙法住不退地獲得如是勝陁羅尼門所謂
无盡无減海印出妙功德陁羅尼无盡无減
通達衆生意行言語陁羅尼无盡无減
日圓无垢相光陁羅尼无盡无減滿月相光陁
羅尼无盡无減能伏諸惑演功德流陁羅尼
无盡无減破金剛山陁羅尼无盡无減說不
可說義因緣藏陁羅尼无盡无減通達實語
法則音聲陁羅尼无盡无減虚空无垢心
行印陁羅尼无盡无減无邊佛身皆能顯現
陁羅尼无盡无減
善男子如是等无盡无減諸陁羅尼門得成
就故是菩薩摩訶薩能於十方一切佛土化
作佛身演說无上種種正法於法真如不
動不住不來不去善能成熟一切衆生善根
亦不見一衆生可成熟者雖說種種諸法於
言詞中不動不住不去不來能於生滅證无
生滅以何因緣說諸行法无有去來由一切法
體无異故說是法時三万億菩薩摩訶薩得
无生法忍无量諸菩薩不退菩提心无量无
邊苾芻苾芻尼得法眼淨无量衆生發菩薩

BD02278號　金光明最勝王經卷四　（16–15）

去來由一切法
體无異故說是法時三万億菩薩摩訶薩得
无生法忍无量諸菩薩不退菩提心无量无
邊苾芻苾芻尼得法眼淨无量衆生發菩薩
心尒時世尊而說頌曰
勝法能逆生死流　甚深微妙難得見
有情盲冥貪欲覆　由不見故受衆苦
尒時大衆俱從座起頂礼佛足而白佛言
世尊若所在處講宣讀誦此金光明最勝
王經我等大衆皆悉往彼爲作聽衆是說
法師令得利益安樂无障身意泰然我等
皆當盡心供養亦令聽衆安隱快樂所住國
土无諸怨賊恐怖厄難飢饉之苦人民熾盛
此說法處道場之地一切諸天人非人等一切衆
生不應履踐及以汙穢何以故說法之處即是
制底當以香花繒綵幡蓋而爲供養我等
常爲守護令離衰損佛告大衆善男子
汝等應當精勤修習此妙經典是則正
法久住於世

金光明經卷第四

校從集里本

BD02278號　金光明最勝王經卷四　（16–16）

心起諸顛倒何以故善勇猛諸菩薩衆修行
般若波羅蜜多遠離顛倒心心所法證心本
性清淨明白於中都無心心法起善勇猛愚
夫異生依所緣境起心心所執有所緣執有
一切心及心所諸菩薩衆知彼所緣及彼所
起心心所法都無所有是故不生心心所法
菩薩如是觀察一切心心所法本性清淨本
性明白愚夫顛倒妄生雜染復作是念由所
緣境心心所生了知所緣無所有故心心所
法皆不得生既不得生亦無住滅心心所法
本性明淨離諸雜染清白可樂心性不生亦
無住滅亦不令法有生住等但諸愚夫妄執
斯事如是菩薩知心所本性不生亦無住
滅修行般若波羅蜜多若諸菩薩能如是行
為行般若波羅蜜多如是行時不作是念我
行般若波羅蜜多我今依此而行般若波羅
蜜多我今由此而行般若波羅蜜多我今從
此而行般若波羅蜜多若諸菩薩作如是念
此是般若波羅蜜多此由般若波羅蜜多此
依般若波羅蜜多此屬般若波羅蜜多彼由
此念非行般若波羅蜜多若諸菩薩於諸般

BD02279 號　大般若波羅蜜多經卷五九八

（11–1）

此而行般若波羅蜜多若諸菩薩作如是念
此是般若波羅蜜多此由般若波羅蜜多此
依般若波羅蜜多此屬般若波羅蜜多彼由
此念非行般若波羅蜜多若諸菩薩於諸般
若波羅蜜多無見無得而行般若波羅蜜
多是行般若波羅蜜多
爾時善勇猛白佛言世尊菩薩如是行深
般若波羅蜜多是無上行菩薩如是行深般
若波羅蜜多是清淨行菩薩如是行深般若
波羅蜜多是明白行菩薩如是行深般若波羅
蜜多是無生行菩薩如是行深般若波羅蜜
多是無滅行菩薩如是行深般若波羅蜜多
是超出行菩薩如是行深般若波羅蜜多是
難伏行謂諸惡魔若魔眷屬若餘有損有所
得行若我有情命者生者養者士夫補特伽
羅意生儒童作者受者知者見者所有諸見
若斷常見若諸蘊見若諸處見若諸界見若
諸佛見若諸法見若諸僧見若涅槃見若證
得想若增上慢若貪瞋癡行若顛倒蓋行
若越道路而發趣者皆不能伏是故菩薩行
深般若波羅蜜多超諸世間無能及者最尊
最勝爾時世尊告善勇猛如是如是如汝所說
如是菩薩行深般若波羅蜜多超諸世間無
能及者最尊最勝一切惡魔若魔天子眷屬
軍衆皆不能伏乃至執著涅槃相性所有諸
見亦不能伏一切愚夫異生等行於此菩薩
所行之行皆不能伏善勇猛此菩薩行愚夫
異生皆所非有有學無學獨覺聲聞亦所非

BD02279 號　大般若波羅蜜多經卷五九八

（11–2）

見亦不能伏一切愚夫異生等行於此菩薩
所行之行皆不能伏善勇猛此菩薩行愚夫
異生皆所非有有學無學獨覺聲聞亦所非
有善勇猛聲聞獨覺若有此行應不說名聲
聞獨覺應名菩薩當得如來四無畏等無邊
功德善勇猛聲聞獨覺無此行故不名菩薩
不得如來四無畏等無邊功德善勇猛菩薩
所行甚深般若波羅蜜多是諸如來應正等
覺四無畏等功德之地諸菩薩衆行般若
波羅蜜多以能證得四無畏等為所作業若
諸菩薩行深般若波羅蜜多疾能證得四無
畏等如來功德善勇猛若諸菩薩未證無上
正等菩提由大願力或諸如來護持之力行
深般若波羅蜜多速能攝受四無畏等無邊
功德善勇猛聲聞獨覺不能願求四無畏等
諸佛功德諸佛世尊亦不護念令彼證得四
無畏等善勇猛諸菩薩衆由大願力及諸如
來護持之力當能證得四無畏等何以故善
勇猛諸菩薩衆行深般若波羅蜜多定能獲
得四無礙解何等名為四無礙解謂義無礙解
法無礙解詞無礙解辯無礙解如是名為四
無礙解諸菩薩衆成就如是四無礙解雖未
證得所求無上正等菩提由大願力即能攝
受四無畏等諸佛功德諸佛世尊知彼成就
四無礙解勝善根故知彼已得甚深般若波
羅蜜多功德地故以神通力勤加護念令彼
攝受四無畏等諸佛功德是故菩薩欲求證
得四無礙解欲求攝受四無畏等功德善根

BD02279號　大般若波羅蜜多經卷五九八　（11–3）

四無礙解勝善根故知彼已得甚深般若波
羅蜜多功德地故以神通力勤加護念令彼
攝受四無畏等諸佛功德是故菩薩欲求證
得四無礙解欲求攝受四無畏等功德善根
應學般若波羅蜜多應行般若波羅蜜多
勿生執著
復次善勇猛若諸菩薩修行般若波羅蜜
多通達諸若因若集若沒若滅無有苦
不合般若波羅蜜多是諸菩薩如實了知諸法
因集滅道之相知法因集滅道相已於色不
修不遣於受想行識亦不修不遣於眼不修
不遣於耳鼻舌身意亦不修不遣於色不修
不遣於聲香味觸法亦不修不遣眼識不
修不遣於耳鼻舌身意識亦不修不遣於
名色不修不遣於淨不修不遣於緣起不修
不遣於顛倒見趣諸蓋愛行不修不遣於貪
瞋癡不修不遣於欲色無色界不修不遣於
地水火風空識界不修不遣於有情界法界
不修不遣於我有情命者生者養者士夫補
特伽羅意生儒童作者受者知者見者不修
不遣於斷常見不修不遣於布施慳貪持戒
犯戒安忍忿恚精進懈怠靜慮散亂般若
惡慧不修不遣於念住正斷神足根力覺支道
支不修不遣於靜慮解脫等持等至不修不遣
於斷顛倒不修不遣於苦集滅道不修不遣
於無量神通不修不遣於盡智無生智無造
作智不修不遣於異生聲聞獨覺菩薩佛地
不修不遣於異生聲聞獨覺菩薩佛法不修

BD02279號　大般若波羅蜜多經卷五九八　（11–4）

於斷顛倒不修不遣於苦集滅道不修不遣
於無量神通不修不遣於盡智無生智無造
作智不修不遣於異生聲聞獨覺菩薩佛地
不修不遣於異生聲聞獨覺菩薩佛法不修
不遣於止觀不修不遣於涅槃不修不遣於
過去未來現在智見不修不遣於無著智不
修不遣於佛智不修不遣於無畏等諸佛功
德不修不遣何以故善勇猛色無自性不可
修遣受想行識亦無自性不可修遣眼無自
性不可修遣耳鼻舌身意亦無自性不可修
遣色無自性不可修遣聲香味觸法亦無自
性不可修遣眼識無自性不可修遣耳鼻舌
身意識亦無自性不可修遣名色無自性不
可修遣染淨無自性不可修遣緣起無自性
不可修遣顛倒見趣諸蓋愛行無自性不可
修遣貪瞋癡無自性不可修遣欲色無色界
無自性不可修遣地水火風空識界無自性
不可修遣有情界法界無自性不可修遣我
有情命者生者養者士夫補特伽羅意生儒
童作者受者知者見者無自性不可修遣斷
常見無自性不可修遣布施慳貪持戒犯戒
安忍忿恚精進懈怠靜慮散亂般若惡慧無
自性不可修遣念住正斷神足根力覺支道
支無自性不可修遣靜慮解脫等持等至無
自性不可修遣斷顛倒無自性不可修遣苦
集滅道無自性不可修遣無量神通無自性
不可修遣盡智無生智無造作智無自性不
可修遣異生聲聞獨覺菩薩佛地無自性不
可修遣異生聲聞獨覺菩薩佛法無自性不

集滅道無自性不可修遣無量神通無自性
不可修遣盡智無生智無造作智無自性不
可修遣異生聲聞獨覺菩薩佛地無自性不
可修遣異生聲聞獨覺菩薩佛法無自性不
可修遣止觀無自性不可修遣涅槃無自性
不可修遣過去未來現在智見無自性不可
修遣無著智無自性不可修遣佛智無自性
不可修遣無畏等諸佛功德無自性不可修
遣何以故善勇猛無少法性是圓成實一切
皆是世俗假立非於此中有少自性無自性
故皆非實有諸法皆以無性為性是故諸法
無實無生何以故善勇猛諸顛倒法皆非實
有諸法皆從顛倒而起諸顛倒者皆無實性
何以故善勇猛以一切法皆離自性尋求自
性都不可得是故皆以無性為性善勇猛無
性者無實無生故名無性此則顯示性非實
有故名無性若性非有則不可修亦不可遣
顛倒所起非實有故既不可修亦不可遣何
以故善勇猛以一切法無性為性遠離自性
則非實物非實物故無修無遣善勇猛若諸
菩薩摩訶薩衆於諸法中住如實見修行般
若波羅蜜多於一切法無修無遣名修般若
波羅蜜多善勇猛若諸菩薩能如是行能如
是住修行般若波羅蜜多速得圓滿
復次善勇猛若諸菩薩摩訶薩衆修行般
若波羅蜜多不起色相應相心亦不起受想行
識相應相心不起眼相應相心亦不起耳鼻
舌身意相應相心不起眼識相應相心亦不
[illegible]

若波羅蜜多不起色相應相心亦不起受想行識相應相心不起眼相應相心亦不起耳鼻舌身意相應相心不起眼識相應相心亦不起耳鼻舌身意識相應相心不起色相應相心亦不起聲香味觸法相應相心不起栽康俱行之心不起瞋恚俱行之心不起慳貪俱行之心不起煩惱俱行之心不起忿恚俱行之心不起懈怠俱行之心不起散亂俱行之心不起惡慧俱行之心不起欲結俱行之心不起緣色執俱行之心不起無色執俱行之心不起貪欲俱行之心不起離開俱行之心不起邪見俱行之心不起執著財位俱行之心不起執著富貴俱行之心不起執著大財勝族俱行之心不起執著生天俱行之心不起執著欲界俱行之心不起執著色無色界俱行之心不起聲聞地心不起獨覺地心不起執著諸菩薩行俱行之心乃至不起執涅槃見俱行之心是諸菩薩摩訶薩衆成就如是清淨心故於諸有情雖起遍滿慈悲喜捨而能遣除諸有情想於有情想無執而住於四梵住亦無執著成就妙慧方便善巧彼由成就如是法故能無執著修行般若波羅蜜多速得圓滿是諸菩薩修行般若波羅蜜多速圓滿故便於諸色無取無執於受想行識亦無取無執於眼無取無執於耳鼻舌身意亦無取無執於色無取無執於聲香味觸法亦無取無執於眼識無取無執於耳鼻舌身意識亦無取無執於名色無取無執於染淨

亦無取無執於眼無取無執於耳鼻舌身意亦無取無執於色無取無執於聲香味觸法亦無取無執於眼識無取無執於耳鼻舌身意識亦無取無執於名色無取無執於染淨無取無執於緣起無取無執於顛倒見趣諸蓋愛行無取無執於貪瞋癡無取無執於欲色無色界無取無執於地水火風空識界無取無執於有情界法界無取無執於我有情命者生者養者士夫補特伽羅意生儒童作者受者知者見者無取無執於斷常見無取無執於布施慳貪持戒犯戒安忍忿恚精進懈怠靜慮散亂般若惡慧無取無執於念住正斷神足根力覺支道支無取無執於靜慮解脫等持等至無取無執於苦集滅道無取無執於無量神通無取無執於盡智無生智無造作智無取無執於異生聲聞獨覺菩薩佛地無取無執於異生聲聞獨覺菩薩佛法無取無執於奢摩他毗鉢舍那無取無執於涅槃果無取無執於過去未來現在智見無取無執於無著智無取無執於佛智力無畏等無邊佛法無取無執於斷顛倒見趣蓋等無取無執何以故善勇猛以一切法不可隨取不可執處無能隨取無能執處何以故善勇猛無有少法應可執處亦無少法能有執處所以者何若能執處若所執處俱不可得何以故善勇猛以一切法皆不堅實如幻事故以一切法皆不自在堅實之性不可得故以一切法皆如光影不可取故以一切法皆

所以者何若能觀察若所執受俱不可得
何以故善勇猛以一切法皆不堅實如幻事
故以一切法皆不自在堅實之性不可得故
以一切法皆如光影不可取故以一切法皆
悉虛偽無自性故以一切法皆如聚沫不可
撮摩故以一切法皆如陽焰顛倒所起故以
一切法皆如浮泡起已速滅故以一切法皆
如芭蕉中無堅實故以一切法皆如水月不
可執取故以一切法皆如虹蜺虛妄分別故以
一切法皆無作用不能發起故以一切法
皆如空拳無實性相故善勇猛諸菩薩如是
觀察一切法已於一切法無取無執無住無
著善勇猛諸菩薩於一切法不深係著不起
取著不生固執無所貪愛而行般若波羅蜜
多善勇猛若諸菩薩能如是行能如是住修
行般若波羅蜜多速得圓滿
復次善勇猛若諸菩薩如是學時不於色學不
為超越色故學不於受想行識學不為超
越受想行識故學不於色生學不於色滅學
不於受想行識生學不於受想行識滅學不
為調伏色故學不為不調伏色故學不為調
伏受想行識故學不為不調伏受想行識故
學不為攝伏移轉色故學不為趣入安住色
故學不為攝伏移轉受想行識故學不為趣
入安住受想行識故學善勇猛若諸菩薩如是
學時不於眼學不為超越眼故學不於耳鼻
舌身意學不為超越耳鼻舌身意故學不於
眼生學不於眼滅學不於耳鼻舌身意生學不
於耳鼻舌身意滅學不為調伏眼故學不

BD02279 號　大般若波羅蜜多經卷五九八

（11–9）

學時不於眼學不為超越眼故學不於耳鼻
舌身意學不為超越耳鼻舌身意故學不於
眼生學不於眼滅學不於耳鼻舌身意生學不
於耳鼻舌身意滅學不為調伏眼故學不
為不調伏眼故學不為調伏耳鼻舌身意故
學不為不調伏耳鼻舌身意故學不為攝伏
移轉眼故學不為趣入安住眼故學不為攝
伏移轉耳鼻舌身意故學不為趣入安住耳
鼻舌身意故學善勇猛若諸菩薩如是學時
不於色學不為超越色故學不於聲香味觸
法學不為超越聲香味觸法故學不於色生
學不於色滅學不於聲香味觸法生學不於
聲香味觸法滅學不為調伏色故學不為不
調伏色故學不為調伏聲香味觸法故學不
為不調伏聲香味觸法故學不為攝伏移轉
色故學不為趣入安住色故學不為攝伏移
轉聲香味觸法故學不為趣入安住聲香味
觸法故學善勇猛若諸菩薩如是學時不於
眼識學不為超越眼識故學不於耳鼻舌身
意識學不起越耳鼻舌身意識故學不於
眼識生學不於眼識滅學不於耳鼻舌身意
識生學不於耳鼻舌身意識滅學不為調伏
眼識故學不為不調伏眼識故學不為調伏
耳鼻舌身意識故學不為不調伏耳鼻舌身
意識故學不為攝伏移轉眼識故學不為趣
入安住眼識故學不為攝伏移轉耳鼻舌身
意識故學不為趣入安住耳鼻舌身意識故
學

BD02279 號　大般若波羅蜜多經卷五九八

（11–10）

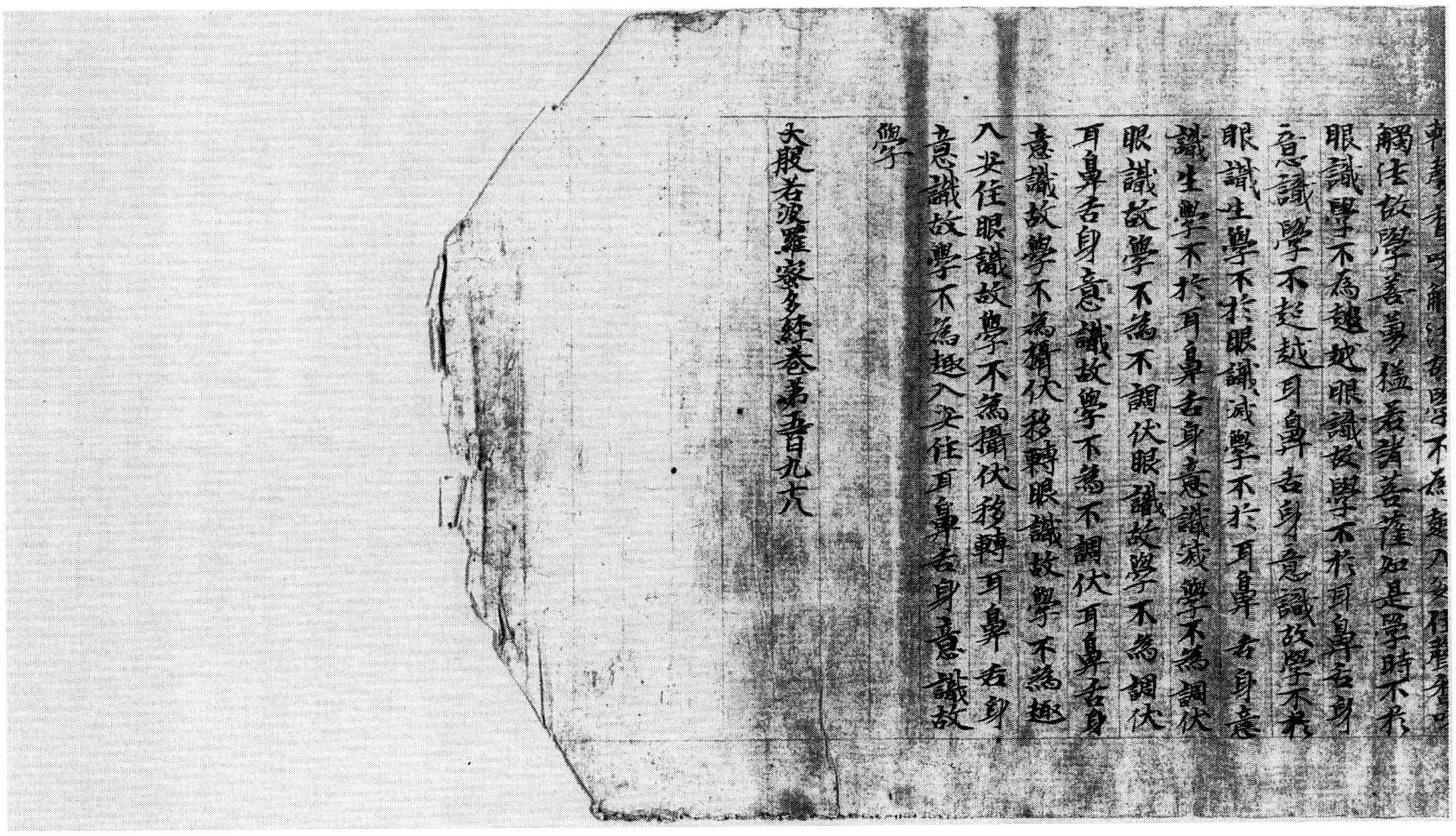

[illegible]
觸法故學善勇猛若諸菩薩如是學時不於
眼識學不爲超越眼識故學不於耳鼻舌身
意識學不超越耳鼻舌身意識故學不於
眼識生學不於眼識滅學不於耳鼻舌身意
識生學不於耳鼻舌身意識滅學不爲調伏
眼識故學不爲不調伏眼識故學不爲調伏
耳鼻舌身意識故學不爲不調伏耳鼻舌身
意識故學不爲攝伏移轉眼識故學不爲趣
入安住眼識故學不爲攝伏移轉耳鼻舌身
意識故學不爲趣入安住耳鼻舌身意識故
學
大般若波羅蜜多經卷第五百九十八

BD02279 號　大般若波羅蜜多經卷五九八　　（11–11）

BD02279 號背　勘記　　（1–1）

闍崛山中頭面礼釋迦牟尼佛
言世尊我於寶威德上王佛國遥聞此娑婆
世界說法華經與无量无邊百千万億諸菩
薩衆共來聽受唯願世尊當爲說之若善男
子善女人於如來滅後云何能得是法華經
佛告普賢菩薩若善男子善女人成就四法
於如來滅後當得是法華經一者爲諸佛護
念二者殖衆德本三者入正定聚四者發救
一切衆生之心善男子善女人如是成就四
法於如來滅後必得是經尒時普賢菩薩白
佛言世尊於後五百歲濁惡世中其有受
持是經典者我當守護除其衰患令得安隱使
无伺求得其便者若魔若魔子若魔女若
魔民若爲魔所著者若夜叉若羅刹若鳩槃
茶若毗舍闍若吉蔗若富單那若韋陁羅等
諸惱人者皆不得便是人若行若立讀誦此
經我尒時乘六牙白象王與大菩薩衆俱詣
其所而自現身供養守護安慰其心亦爲供養
法華經故是人若坐思惟此經尒時我復乘

BD02280號　妙法蓮華經卷七

（6–1）

諸惱人者皆不得便是人若行若立讀誦此
經我尒時乘六牙白象王與大菩薩衆俱詣
其所而自現身供養守護安慰其心亦爲供養
法華經故是人若坐思惟此經尒時我復乘
白象王現其人前其人若於法華經有所忘
失一句一偈我當教之與共讀誦還令通利
尒時受持讀誦法華經者得見我身甚大歡
喜轉復精進以見我故即得三昧及陁羅尼
名爲旋陁羅尼百千万億旋陁羅尼法音方
便陁羅尼得如是等陁羅尼世尊若後世後
五百歲濁惡世中比丘比丘尼優婆塞優婆
夷求索者受持者讀誦者書寫者欲脩習是
法華經於三七日中應一心精進滿三七日
已我當乘六牙白象與无量菩薩而自圍繞
以一切衆生所憙見身現其人前而爲說法
示教利喜亦復與其陁羅尼呪得是陁羅尼
故无有非人能破壞者亦不爲女人之所惑
亂我身亦自常護是人唯願世尊聽我說此
陁羅尼呪即於佛前而說呪曰
阿檀地(途賣反)一 檀陁婆地二 檀陁婆帝三 檀陁
鳩舍隸四 檀陁脩陁隸五 脩陁隸六 脩陁羅
婆底七 佛馱波羶禰八 薩婆陁羅尼阿婆多
尼九 薩婆婆沙阿婆多尼十 脩阿婆多尼十一
僧伽婆履叉尼十二 僧伽涅伽陁尼十三 阿僧祇
十四 僧伽波伽地十五 帝隸阿惰僧伽兜略(盧遮反)
阿羅帝波羅帝十 薩婆僧伽三摩地伽蘭地

BD02280號　妙法蓮華經卷七

（6–2）

尼九薩婆婆沙阿婆多尼十脩阿婆多尼十一
僧伽婆履叉尼十二僧伽涅伽陁尼十三阿僧祇
十四僧伽波伽地十五帝隸阿惰僧伽兜略盧遮反
阿羅帝波羅帝十六薩婆僧伽三摩地伽蘭地
十七薩婆達磨脩波利刹帝十八薩婆薩埵樓䭾憍
舍略阿㝹伽地十九辛阿毗吉利地帝二十
世尊若有菩薩得聞是陁羅尼者當知普賢
神通之力若法華經行閻浮提有受持者應
作此念皆是普賢威神之力若有受持讀誦
正憶念解其義趣如說脩行當知是人行普
賢行於无量无邊諸佛所深種善根為諸如
來手摩其頭若但書寫是人命終當生忉利
天上是時八万四千天女作衆伎樂而來迎
之其人即著七寶冠於采女中娛樂快樂何
況受持讀誦正憶念解其義趣如說脩行若
有人受持讀誦解其義趣是人命終為千佛
授手令不恐怖不墮惡趣即往兜率天上弥
勒菩薩所弥勒菩薩有三十二相大菩薩衆
所共圍繞有百千万億天女眷屬而於中生
有如是等功德利益是故智者應當一心自
書若使人書受持讀誦正憶念如說脩行世
尊我今以神通力故守護是經於如來滅後
閻浮提內廣令流布使不斷絕尒時釋迦牟
尼佛讚言善哉善哉普賢汝能護助是經令
多所衆生安樂利益汝已成就不可思議功德
深大慈悲從久遠來發阿耨多羅三藐三菩

BD02280號　妙法蓮華經卷七

（6–3）

尼佛讚言善哉善哉普賢汝能護助是經令
多所衆生安樂利益汝已成就不可思議功德
深大慈悲從久遠來發阿耨多羅三藐三菩
提意而能作是神通之願守護是經我當以
神通力守護能受持普賢菩薩名者普賢若
有受持讀誦正憶念脩習書寫是法華經者
當知是人則見釋迦牟尼佛如從佛口聞此
經典當知是人供養釋迦牟尼佛當知是人
佛讚善哉當知是人為釋迦牟尼佛手摩其
頭當知是人為釋迦牟尼佛衣之所覆如是
之人不復貪著世樂不好外道經書手筆亦
復不喜親近其人及諸惡者若屠兒若畜猪
羊雞狗若獵師若衒賣女色是人心意質直
有正憶念有福德力是人不為三毒所惱亦
不為嫉妬我慢邪慢增上慢所惱是人少欲
知足能脩普賢之行普賢若如來滅後後五
百歲若有人見受持讀誦法華經者應作是
念此人不久當詣道場破諸魔衆得阿耨多
羅三藐三菩提轉法輪擊法鼓吹法螺雨法
雨當坐天人大衆中師子法座上普賢若於
後世受持讀誦是經典者是人不復貪著衣
服卧具飲食資生之物所願不虛亦於現世得
其福報若有人輕毀之言汝狂人耳空作是
行終无所獲如是罪報當世世无眼若有供
養讚歎之者當於今世得現果報若復見
受持是經者出其過惡若實若不實此人現

BD02280號　妙法蓮華經卷七

（6–4）

其福報若有人輕毀之言汝狂人耳空作是
行終无所獲如是罪報當世世无眼若有供
養讚歎之者當於今世得現果報若復見
受持是經者出其過惡若實若不實此人現
世得白癩病若輕咲之者當世世牙齒疎缺
醜脣平鼻手脚繚戾眼目角睞身體臭穢惡
瘡膿血水腹短氣諸惡重病是故普賢若見
受持是經典者當起遠迎當如敬佛說是普
賢勸發品時恒河沙等无量无邊菩薩得百
千万億旋陁羅尼三千大千世界微塵等諸菩
薩具普賢道佛說是經時普賢等諸菩薩舍
弗等諸聲聞及諸天龍人非人等一切大
皆大歡喜受持佛語作礼而去

妙 蓮華經卷第七

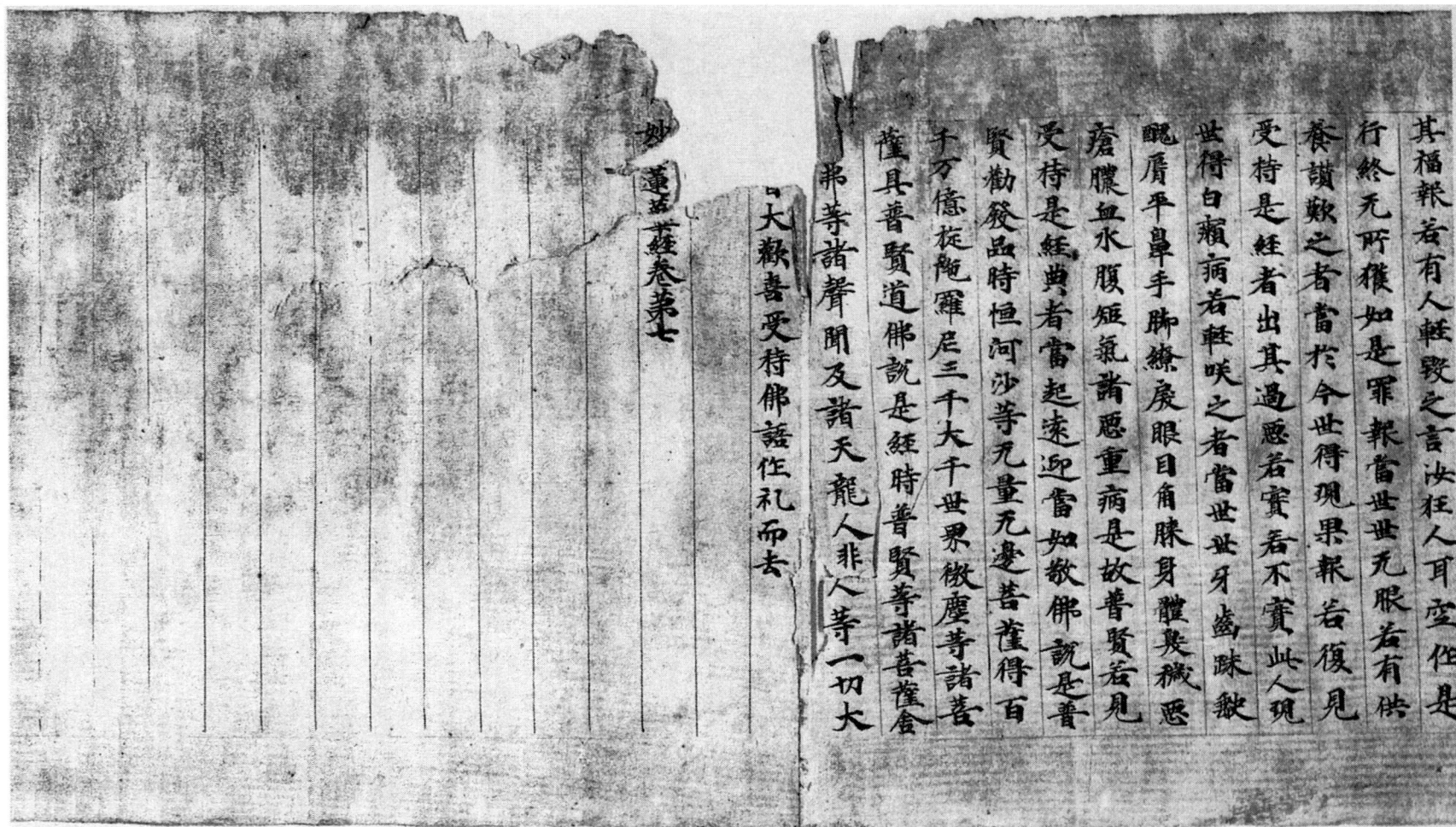

BD02280號　妙法蓮華經卷七　（6-5）

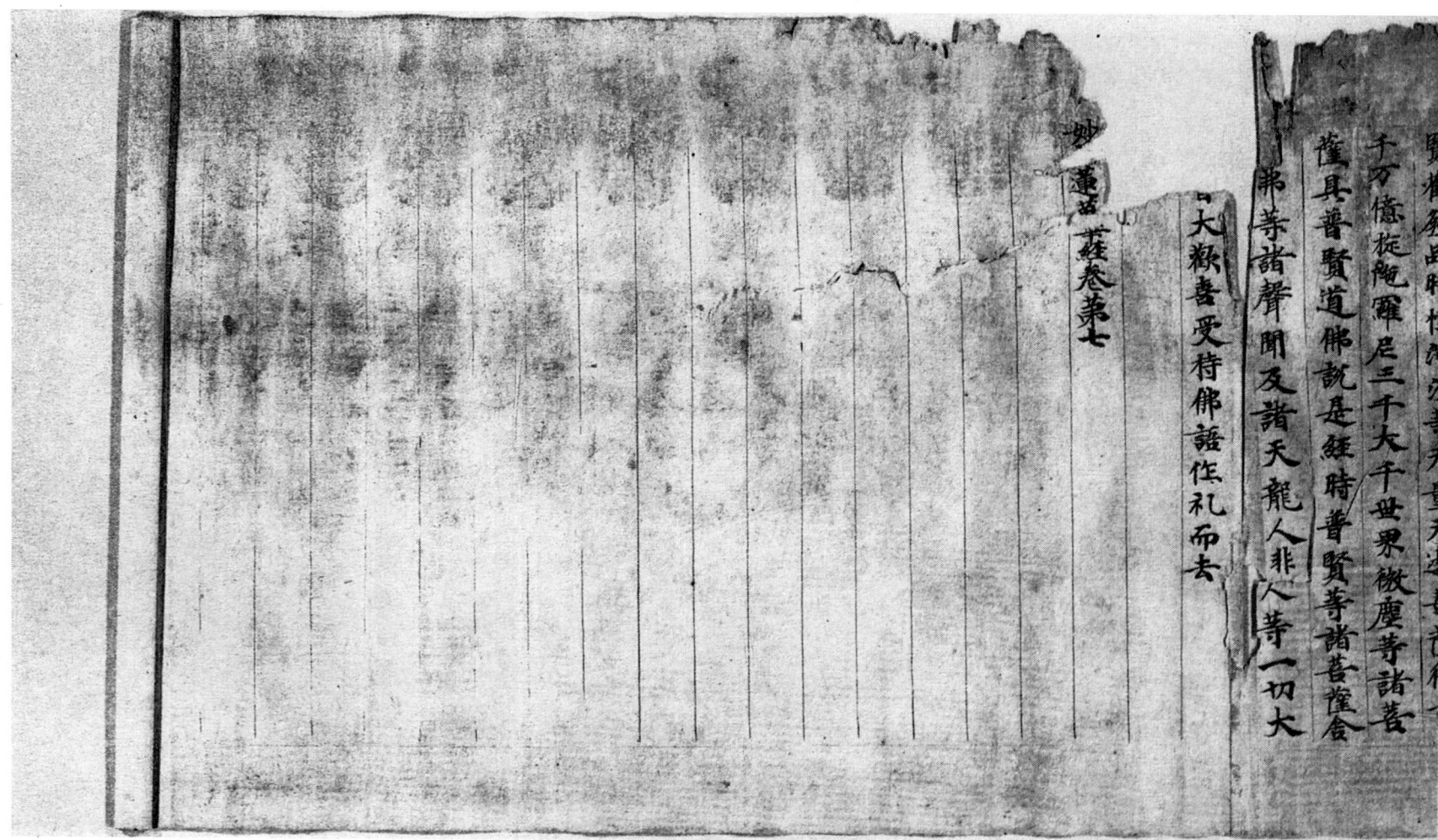

賢勸發品時恒河沙等无量无邊
千万億旋陁羅尼三千大千世界微塵等諸菩
薩具普賢道佛說是經時普賢等諸菩薩舍
弗等諸聲聞及諸天龍人非人等一切大
皆大歡喜受持佛語作礼而去

妙 蓮華經卷第七

BD02280號　妙法蓮華經卷七　（6-6）

等不解方便隨宜所
思惟取證世尊我從昔來
責而今從佛聞所未聞未曾有法
身意泰然快得安隱今日乃知真是佛子
佛口生從法化生得佛法分爾時舍利弗欲
重宣此義而說偈言
我聞是法音　得所未曾有　心懷大歡喜　疑網皆已除
昔來蒙佛教　不失於大乘　佛音甚希有　能除眾生惱
我已得漏盡　聞亦除憂惱　我處於山谷　或在林樹下
若坐若經行　常思惟是事　嗚呼　自欺
我等亦佛子　同入无漏法　不能於未來　演說无上道
金色三十二　十力諸解脫　同共一法中　而不得此事
八十種妙好　十八不共法　如是等功德　而我皆已失
我獨經行時　見佛在大眾　名聞滿十方　廣饒益眾生
自惟失此利　我為自欺誑　我常於日夜　每思惟是事
欲以問世尊　為失為不失　我常見世尊　稱讚諸菩薩
以是於日夜　籌量如是事　今聞佛音聲　隨宜而說法
无漏難思議　令眾至道場　我本著邪見　為諸梵志師
世尊知我心　拔邪說涅槃　我悉除邪見　於空法得證
爾時心自謂　得至於滅度　而今乃自覺　非是實滅度
若得作佛時　具三十二相　天人夜叉眾　龍神等恭敬
是時乃可謂　永盡滅无餘
佛於大眾中　[illegible]

BD02281號　妙法蓮華經卷二　（26–1）

爾時心自謂　得至於滅度　而今乃自覺　非是實滅度
若得作佛時　具三十二相　天人夜叉眾　龍神等恭敬
是時乃可謂　永盡滅无餘
佛於大眾中　說我當作佛　聞如是法音　疑悔悉已除
初聞佛所說　心中大驚疑　將非魔作佛　惱亂我心耶
佛以種種緣　譬喻巧言說　其心安如海　我聞疑網斷
佛說過去世　无量滅度佛　安住方便中　亦皆說是法
現在未來佛　其數无有量　亦以諸方便　演說如是法
如今者世尊　從生及出家　得道轉法輪　亦以方便說
世尊說實道　波旬无此事　以是我定知　非是魔作佛
我墮疑網故　謂是魔所為　聞佛柔軟音　深遠甚微妙
演暢清淨法　我心大歡喜　疑悔永已盡　安住實智中
我定當作佛　為天人所敬　轉无上法輪　教化諸菩薩
爾時佛告舍利弗吾今於天人沙門婆羅門等
大眾中說我昔曾於二万億佛所為无上道故
常教化汝汝亦長夜隨我受學我以方便引
導汝故生我法中舍利弗我昔教汝志願佛
道汝今悉忘而便自謂已得滅度我今還
欲令汝憶念本願所行道故為諸聲聞說
是大乘經名妙法蓮華教菩薩法佛所護念
舍利弗汝於未來世過无量无邊不可思議
劫供養若干千万億佛奉持正法具足菩薩
所行之道當得作佛号曰華光如來應供正
遍知明行足善逝世間解无上士調御丈夫
天人師佛世尊國名離垢其土平正清淨嚴
飾安隱豐樂天人熾盛琉璃為地有八交道
黃金為繩以界其側其傍各有七寶行樹常

BD02281號　妙法蓮華經卷二　（26–2）

天人師佛世尊國名離垢其土平正清淨嚴
飾安隱豐樂天人熾盛琉璃為地有八交道
黃金為繩以界其側其傍各有七寶行樹常
有華菓華光如來亦以三乘教化眾生舍利
弗彼佛出時雖非惡世以本願故說三乘法
其劫名大寶莊嚴何故名曰大寶莊嚴其國
中以菩薩為大寶故彼諸菩薩无量无邊不
可思議筭數譬喻所不能及非佛智力无能
知者若欲行時寶華承足此諸菩薩非初發
意皆久殖德本於无量百千万億佛所淨脩
梵行恒為諸佛之所稱歎常脩佛慧具大神
通善知一切諸法之門質直无偽志念堅固
如是菩薩充滿其國舍利弗華光佛壽十二
小劫除為王子未作佛時其國人民壽八小劫
華光如來過十二小劫授堅滿菩薩阿耨多羅
三藐三菩提記告諸比丘是堅滿菩薩次
當作佛号曰華足安行多陁阿伽度阿羅
訶三藐三佛陁其佛國土亦復如是舍利弗是
華光佛滅度之後正法住世三十二小劫像法
住世亦三十二小劫尒時世尊欲重宣此義
而說偈言
舍利弗來世　成佛普智尊　号名曰華光　當度无量眾
供養无數佛　具足菩薩行　十力等功德　證於无上道
過无量劫已　劫名大寶嚴　世界名離垢　清淨无瑕穢
以琉璃為地　金繩界其道　七寶雜色樹　常有華菓實
彼國諸菩薩　志念常堅固　神通波羅蜜　皆已悉具足
於无數佛所　善學菩薩道　如是等大士　華光佛所化

BD02281號　妙法蓮華經卷二

（26–3）

以琉璃為地　金繩界其道　七寶雜色樹　常有華菓實
彼國諸菩薩　志念常堅固　神通波羅蜜　皆已悉具足
於无數佛所　善學菩薩道　如是等大士　華光佛所化
佛為王子時　棄國捨世榮　於最末後身　出家成佛道
華光佛住世　壽十二小劫　其國人民眾　壽命八小劫
佛滅度之後　正法住於世　三十二小劫　廣度諸眾生
正法滅盡已　像法三十二　舍利廣流布　天人普供養
華光佛所為　其事皆如是　其兩足聖尊　最勝无倫匹
彼即是汝身　宜應自欣慶
尒時四部眾比丘比丘尼優婆塞優婆夷天
龍夜叉乾闥婆阿脩羅迦樓羅緊那羅摩睺
羅伽等大眾見舍利弗於佛前受阿耨多羅
三藐三菩提記心大歡喜踊躍无量各各脫
身所著上衣以供養佛釋提桓因梵天王等與
无數天子亦以天妙衣天曼陁羅華摩訶
曼陁羅華等供養於佛所散天衣住虛空中
而自迴轉諸天伎樂百千万種於虛空中一時
俱作雨眾天華而作是言佛昔於波羅柰
初轉法輪今乃復轉无上最大法輪尒時
諸天子欲重宣此義而說偈言
昔於波羅柰　轉四諦法輪　分別說諸法　五眾之生滅
今復轉最妙　无上大法輪　是法甚深奧　少有能信者
我等從昔來　數聞世尊說　未曾聞如是　深妙之上法
世尊說是法　我等皆隨喜　大智舍利弗　今得受尊記
我等亦如是　必當得作佛　於一切世間　最尊无有上
佛道叵思議　方便隨宜說　我所有福業　今世若過世

BD02281號　妙法蓮華經卷二

（26–4）

我等從昔來　數聞世尊說　未曾聞如是　深妙之上法
世尊說是法　我等皆隨喜　大智舍利弗　今得受尊記
我等亦如是　必當得作佛　於一切世間　最尊无有上
佛道叵思議　方便隨宜說　我所有福業　今世若過世
及見佛功德　盡迴向佛道
尒時舍利弗白佛言世尊我今无復疑悔親於
佛前得受阿耨多羅三藐三菩提記是諸
千二百心自在者昔住學地佛常教化言我
法能離生老病死究竟涅槃是學无學人亦
各自以離我見及有无見等謂得涅槃而今於
世尊前聞所未聞皆墮疑惑善哉世尊願
為四衆說其因緣令離疑悔尒時佛告舍利
弗我先不言諸佛世尊以種種因緣譬喻言
辭方便說法皆為阿耨多羅三藐三菩提耶
是諸所說皆為化菩薩故然舍利弗今當復
以譬喻更明此義諸有智者以譬喻得解舍
利弗若國邑聚落有大長者其年衰邁財
富无量多有田宅及諸僮僕其家廣大唯有一
門多諸人衆一百二百乃至五百人止住其
中堂閣朽故墻壁隤落柱根腐敗梁棟傾
危周匝俱時欻然火起焚燒舍宅長者諸子
若十二十或至三十在此宅中長者見是大火
從四面起即大驚怖而作是念我雖能於此
所燒之門安隱得出而諸子等於火宅內樂
著嬉戲不覺不知不驚不怖火來逼身苦痛
切己心不猒患无求出意舍利弗是長者作
是思惟我身手有力當以衣裓若以机案從

BD02281號　妙法蓮華經卷二　（26–5）

從四面起即大驚怖而作是念我雖能於此
所燒之門安隱得出而諸子等於火宅內樂
著嬉戲不覺不知不驚不怖火來逼身苦痛
切己心不猒患无求出意舍利弗是長者作
是思惟我身手有力當以衣裓若以机案從
舍出之復更思惟是舍唯有一門而復狹小
諸子幼稚未有所識戀著戲處或當墮落
為火所燒我當為說怖畏之事此舍已燒宜時
疾出无令為火之所燒害作是念已如所思
惟具告諸子汝等速出父雖憐愍善言誘喻
而諸子等樂著嬉戲不肯信受不驚不畏了
无出心亦復不知何者是火何者為舍云何為
失但東西走戲視父而已尒時長者即作
是念此舍已為大火所燒我及諸子若不時
出必為所焚我今當設方便令諸子等得免
斯害父知諸子先心各有所好種種珎玩奇異
之物情必樂著而告之言汝等所可玩好希
有難得汝若不取後必憂悔如此種種羊車
鹿車牛車今在門外可以遊戲汝等於此
火宅宜速出來隨汝所欲皆當與汝尒時諸
子聞父所說珎玩之物適其願故心各勇銳互
相推排競共馳走爭出火宅是時長者見
諸子等安隱得出皆於四衢道中露地而
坐无復鄣㝵其心泰然歡喜踊躍時諸子等
各白父言父先所許玩好之具羊車鹿車牛車
願時賜與舍利弗尒時長者各賜諸子等一
大車其車高廣衆寶莊校周匝欄楯四面懸
鈴又於其上張設幰蓋亦以珎奇雜寶而嚴

BD02281號　妙法蓮華經卷二　（26–6）

各白父言父先所許玩好之具羊車鹿車牛車
願時賜與舍利弗尒時長者各賜諸子等一
大車其車高廣衆寶莊校周迊欄楯四面懸
鈴又於其上張設幰蓋亦以珎竒雜寶而嚴
餝之寶繩交絡垂諸華纓重敷綩綖安置丹
枕駕以白牛膚色充潔形體姝好有大筋力
行步平正其疾如風又多僕從而侍衛之所
以者何是大長者財冨无量種種諸藏悉皆
充溢而作是念我財物无極不應以下劣小
車與諸子等今此幼童皆是吾子愛无偏黨
我有如是七寶大車其數无量應當等心各
各與之不宜差別所以者何以我此物周給一國
猶尚不匱何況諸子是時諸子各乘大車得
未曾有非本所望舍利弗於汝意云何是
長者等與諸子珎寶大車寧有虛妄不舍
利弗言不也世尊是長者但令諸子得免火難
全其軀命非爲虛妄何以故若全身命便爲已
得玩好之具況復方便於彼火宅而拔濟之世
尊若是長者乃至不與最小一車猶不虛妄
何以故是長者先作是意我以方便令子得
出以是因緣无虛妄也何況長者自知財冨
无量欲饒益諸子等與大車佛告舍利弗
善哉善哉如汝所言舍利弗如來亦復如是
則爲一切世間之父於諸怖畏衰惱憂患无
明闇蔽永盡无餘而悉成就无量知見力无
所畏有大神力及智慧力具足方便智慧波
羅蜜大慈大悲常无懈惓恒求善事利益
一切而生三界朽故火宅爲度衆生生老病

明闇蔽永盡无餘而悉成就无量知見力无
所畏有大神力及智慧力具足方便智慧波
羅蜜大慈大悲常无懈惓恒求善事利益
一切而生三界朽故火宅爲度衆生生老病死
憂悲苦惱愚癡闇蔽三毒之火教化令得阿
耨多羅三藐三菩提見諸衆生爲生老病死
憂悲苦惱之所燒煑亦以五欲財利故受種
種苦又以貪著追求故現受衆苦後受地
獄畜生餓鬼之苦若生天上及在人間貧窮
困苦愛別離苦怨憎會苦如是等種種諸
苦衆生没在其中歡喜遊戲不覺不知不驚
不怖亦不生猒不求解脫於此三界火宅東西
馳走雖遭大苦不以爲患舍利弗佛見此已
便作是念我爲衆生之父應拔其苦難與无
量无邊佛智慧樂令其遊戲舍利弗如來復
作是念若我但以神力及智慧力捨於方便
爲諸衆生讚如來知見力无所畏者衆生不
能以是得度所以者何是諸衆生未免生老
病死憂悲苦惱而爲三界火宅所燒何由能
解佛之智慧舍利弗如彼長者雖復身手
有力而不用之但以慇懃方便免濟諸子火
宅之難然後各與珎寶大車如來亦復如是雖
有力无所畏而不用之但以智慧方便於三
界火宅拔濟衆生爲說三乘聲聞辟支佛
乘而作是言汝等莫得樂住三界火宅勿貪
麁弊色聲香味觸也若貪著生愛則爲所燒
汝等速出三界當得三乘聲聞辟支佛佛乘

乘而作是言汝等莫得樂住三界火宅勿貪
麁弊色聲香味觸也若貪著生愛則為所燒
汝等速出三界當得三乘聲聞辟支佛佛乘
我今為汝保任此事終不虛也汝等但當勤
脩精進如來以是方便誘進衆生復作是言
汝等當知此三乘法皆是聖所稱歎自在无
繫无所依求乘是三乘以无漏根力覺道禪
定解脫三昧等而自娛樂便得无量安隱快
樂舍利弗若有衆生内有智性從佛世尊聞
法信受慇懃精進欲速出三界自求涅槃是
名聲聞乘如彼諸子為求羊車出於火宅若
有衆生從佛世尊聞法信受慇懃精進求自
然慧樂獨善寂深知諸法因緣是名辟支佛
乘如彼諸子為求鹿車出於火宅若有衆生
從佛世尊聞法信受勤脩精進求一切智佛
智自然智无師智如來知見力无所畏愍念
安樂无量衆生利益天人度脫一切是名大
乘菩薩求此乘故名為摩訶薩如彼諸子為
求牛車出於火宅舍利弗如彼長者見諸子
等安隱得出火宅到无畏處自惟財富无量
等以大車而賜諸子如來亦復如是為一切衆
生之父若見无量億千衆生以佛教門出
三界苦怖畏險道得涅槃樂如來尒時便作
是念我有无量无邊智慧力无畏等諸佛法
藏是諸衆生皆是我子等與大乘不令有人
獨得滅度皆以如來滅度而滅度之是諸衆

是念我有无量无邊智慧力无畏等諸佛法
藏是諸衆生皆是我子等與大乘不令有人
獨得滅度皆以如來滅度而滅度之是諸衆
生脫三界者悉與諸佛禪定解脫等娛樂之
具皆是一相一種聖所稱歎能生淨妙第一之
樂舍利弗如彼長者初以三車誘引諸子然後
但與大車寶物莊嚴安隱第一然彼長者
无虛妄之咎如來亦復如是无有虛妄初
說三乘引導衆生然後但以大乘而度脫
之何以故如來有无量智慧力无所畏諸法
之藏能與一切衆生大乘之法但不盡能受舍
利弗以是因緣當知諸佛方便力故於一佛
乘分別說三佛欲重宣此義而說偈言
譬如長者　有一大宅　其宅久故　而復頓弊
堂舍高危　柱根摧朽　梁棟傾斜　基陛頹毀
墻壁圮坼　泥塗褫落　覆苫亂墜　椽梠差脫
周鄣屈曲　雜穢充遍　有五百人　止住其中
鵄梟鵰鷲　烏鵲鳩鴿　蚖蛇蝮蝎　蜈蚣蚰蜒
守宮百足　狖狸鼷鼠　諸惡蟲輩　交橫馳走
屎尿臭處　不淨流溢　蜣蜋諸蟲　而集其上
狐狼野干　咀嚼踐蹋　嚌齧死屍　骨肉狼藉
由是群狗　競來搏撮　飢羸慞惶　處處求食
鬪諍𪁟掣　啀喍嘷吠　其舍恐怖　變狀如是
處處皆有　魑魅魍魎　夜叉惡鬼　食噉人肉
毒蟲之屬　諸惡禽獸　孚乳產生　各自藏護
夜叉競來　爭取食之　食之既飽　惡心轉熾
鬪諍之聲　甚可怖畏　鳩槃荼鬼　蹲踞土

毒虫之屬　諸惡禽獸　孚乳產生　各自藏護
夜叉競來　爭取食之　食之既飽　惡心轉熾
鬪諍之聲　甚可怖畏　鳩槃荼鬼　蹲踞土埵
或時離地　一尺二尺　往返遊行　縱逸嬉戲
捉狗兩足　撲令失聲　以脚加頸　怖狗自樂
復有諸鬼　其身長大　裸形黑瘦　常住其中
發大惡聲　叫呼求食　復有諸鬼　其咽如針
復有諸鬼　首如牛頭　或食人肉　或復噉狗
頭髮蓬亂　殘害兇險　飢渴所逼　叫喚馳走
夜叉餓鬼　諸惡鳥獸　飢急四向　窺看窓牖
如是諸難　恐畏无量　是朽故宅　屬于一人
其人近出　未久之間　於後宅舍　忽然火起
四面一時　其焰俱熾　棟梁椽柱　爆聲震裂
摧折墮落　墻壁崩倒　諸鬼神等　揚聲大叫
鵰鷲諸鳥　鳩槃荼等　周章惶怖　不能自出
惡獸毒虫　藏竄孔穴　毗舍闍鬼　亦住其中
薄福德故　為火所逼　共相殘害　飲血噉肉
野干之屬　並已前死　諸大惡獸　競來食噉
臭烟熢㶿　四面充塞　蜈蚣蚰蜒　毒蛇之類
為火所燒　爭走出穴　鳩槃荼鬼　隨取而食
又諸餓鬼　頭上火然　飢渴熱惱　周章悶走
其宅如是　甚可怖畏　毒害火災　衆難非一
是時宅主　在門外立　聞有人言　汝諸子等
先因遊戲　來入此宅　稚小无知　歡娛樂著
長者聞已　驚入火宅　方宜救濟　令无燒害
告喻諸子　說衆患難　惡鬼毒虫　災火蔓延

BD02281 號　妙法蓮華經卷二　（26–11）

先因遊戲　來入此宅　稚小无知　歡娛樂著
長者聞已　驚入火宅　方宜救濟　令无燒害
告喻諸子　說衆患難　惡鬼毒虫　災火蔓延
衆苦次第　相續不絕　毒蛇蚖蝮　及諸夜叉
鳩槃荼鬼　野干狐狗　鵰鷲鵄梟　百足之屬
飢渴惱急　甚可怖畏　此苦難處　況復大火
諸子无知　雖聞父誨　猶故樂著　嬉戲不已
是時長者　而作是念　諸子如此　益我愁惱
今此舍宅　无一可樂　而諸子等　耽湎嬉戲
不受我教　將為火害　即便思惟　設諸方便
告諸子等　我有種種　珍玩之具　妙寶好車
羊車鹿車　大牛之車　今在門外　汝等出來
吾為汝等　造作此車　隨意所樂　可以遊戲
諸子聞說　如此諸車　即時奔競　馳走而出
到於空地　離諸苦難　長者見子　得出火宅
住於四衢　坐師子座　而自慶言　我今快樂
此諸子等　生育甚難　愚小无知　而入險宅
多諸毒虫　魑魅可畏　大火猛炎　四面俱起
而此諸子　貪樂嬉戲　我已救之　令得脫難
是故諸人　我今快樂
爾時諸子　知父安坐　皆詣父所　而白父言
願賜我等　三種寶車　如前所許　諸子出來
當以三車　隨汝所欲　今正是時　唯垂給與
長者大富　庫藏衆多　金銀琉璃　車磲馬瑙
以衆寶物　造諸大車　莊校嚴飾　周匝欄楯
四面懸鈴　金繩交絡　真珠羅網　張施其上

BD02281 號　妙法蓮華經卷二　（26–12）

當以三車　隨汝所欲　今正是時　唯垂給與
長者大富　庫藏衆多　金銀琉璃　車璩馬瑙
以衆寶物　造諸大車　莊校嚴餝　周匝欄楯
四面懸鈴　金繩交絡　真珠羅網　張施其上
金華諸瓔　處處垂下　衆綵雜餝　周匝圍遶
柔軟繒纊　以為茵蓐　上妙細疊　價直千億
鮮白淨潔　以覆其上　有大白牛　肥壯多力
形體姝好　以駕寶車　多諸儐從　而侍衛之
以是妙車　等賜諸子　諸子是時　歡喜踊躍
乘是寶車　遊於四方　嬉戲快樂　自在无导
告舍利弗　我亦如是　衆聖中尊　世間之父
一切衆生　皆是吾子　深著世樂　无有慧心
三界无安　猶如火宅　衆苦充滿　甚可怖畏
常有生老　病死憂患　如是等火　熾然不息
如來已離　三界火宅　寂然閑居　安處林野
今此三界　皆是我有　其中衆生　悉是吾子
而今此處　多諸患難　唯我一人　能為救護
雖復教詔　而不信受　於諸欲染　貪著深故
是以方便　為說三乘　令諸衆生　知三界苦
開示演說　出世間道　是諸子等　若心決定
具足三明　及六神通　有得緣覺　不退菩薩
汝舍利弗　我為衆生　以此譬喻　說一佛乘
汝等若能　信受是語　一切皆當　成得佛道
是乘微妙　清淨第一　於諸世間　為无有上
佛所悅可　一切衆生　所應稱讚　供養礼拜
无量億千　諸力解脫　禪定智慧　及佛餘法
得如是乘　令諸子等　日夜劫數　常得遊戲

BD02281號　妙法蓮華經卷二　（26–13）

是乘微妙　清淨第一　於諸世間　為无有上
佛所悅可　一切衆生　所應稱讚　供養礼拜
无量億千　諸力解脫　禪定智慧　及佛餘法
得如是乘　令諸子等　日夜劫數　常得遊戲
與諸菩薩　及聲聞衆　乘此寶乘　直至道場
以是因緣　十方諦求　更无餘乘　除佛方便
告舍利弗　汝諸人等　皆是吾子　我則是父
汝等累劫　衆苦所燒　我皆濟拔　令出三界
我雖先說　汝等滅度　但盡生死　而實不滅
今所應作　唯佛智慧
若有菩薩　於是衆中　能一心聽　諸佛實法
諸佛世尊　雖以方便　所化衆生　皆是菩薩
若人小智　深著愛欲　為此等故　說於苦諦
衆生心喜　得未曾有　佛說苦諦　真實无異
若有衆生　不知苦本　深著苦因　不能暫捨
為是等故　方便說道　諸苦所因　貪欲為本
若滅貪欲　无所依止　滅盡諸苦　名第三諦
為滅諦故　修行於道　離諸苦縛　名得解脫
是人於何　而得解脫　但離虛妄　名為解脫
其實未得　一切解脫　佛說是人　未實滅度
斯人未得　无上道故　我意不欲　令至滅度
我為法王　於法自在　安隱衆生　故現於世
汝舍利弗　我此法印　為欲利益　世間故說
在所遊方　勿妄宣傳　若有聞者　隨喜頂受
當知是人　阿鞞跋致　若有信受　此經法者
是人已曾　見過去佛　恭敬供養　亦聞是法
若人有能　信汝所說　則為見我　亦見於汝

BD02281號　妙法蓮華經卷二　（26–14）

在所遊方　勿妄宣傳　若有聞者　隨喜頂受
當知是人　阿鞞跋致　若有信受　此經法者
是人已曾　見過去佛　恭敬供養　亦聞是法
若人有能　信汝所說　則為見我　亦見於汝
及比丘僧　并諸菩薩　斯法華經　為深智說
淺識聞之　迷惑不解　一切聲聞　及辟支佛
於此經中　力所不及　汝舍利弗　尚於此經
以信得入　況餘聲聞　其餘聲聞　信佛語故
隨順此經　非己智分　又舍利弗　憍慢懈怠
計我見者　莫說此經　凡夫淺識　深著五欲
聞不能解　亦勿為說　若人不信　毀謗此經
則斷一切　世間佛種　或復顰蹙　而懷疑惑
汝當聽說　此人罪報　若佛在世　若滅度後
其有誹謗　如斯經典　見有讀誦　書持經者
輕賤憎嫉　而懷結恨　此人罪報　汝今復聽
其人命終　入阿鼻獄　具足一劫　劫盡更生
如是展轉　至无數劫　從地獄出　當墮畜生
若狗野干　其形頞瘦　黧黮疥癩　人所觸嬈
又復為人　之所惡賤　常困飢渴　骨肉枯竭
生受楚毒　死被瓦石　斷佛種故　受斯罪報
若作駱駝　或生驢中　身常負重　加諸杖捶
但念水草　餘无所知　謗斯經故　獲罪如是
若作野干　来入聚落　身體疥癩　又无一目
為諸童子　之所打擲　受諸苦痛　或時致死
於此死已　更受蟒身　其形長大　五百由旬
聾騃无足　蜿轉腹行　為諸小虫　之所唼食
晝夜受苦　无有休息　謗斯經故　獲罪如是

於此死已　更受蟒身　其形長大　五百由旬
聾騃无足　蜿轉腹行　為諸小虫　之所唼食
晝夜受苦　无有休息　謗斯經故　獲罪如是
若得為人　諸根闇鈍　矬陋攣躄　盲聾背傴
有所言說　人不信受　口氣常臭　鬼魅所著
貧窮下賤　為人所使　多病痟瘦　无所依怙
雖親附人　人不在意　若有所得　尋復忘失
若修醫道　順方治病　更增他疾　或復致死
若自有病　无人救療　設服良藥　而復增劇
若他反逆　抄劫竊盜　如是等罪　橫羅其殃
如斯罪人　永不見佛　衆聖之王　說法教化
如斯罪人　常生難處　狂聾心亂　永不聞法
於无數劫　如恒河沙　生輒聾瘂　諸根不具
常處地獄　如遊園觀　在餘惡道　如己舍宅
駝驢猪狗　是其行處　謗斯經故　獲罪如是
若得為人　聾盲瘖瘂　貧窮諸衰　以自莊嚴
水腫乾痟　疥癩癰疽　如是等病　以為衣服
身常臭處　垢穢不淨　深著我見　增益瞋恚
婬欲熾盛　不擇禽獸　謗斯經故　獲罪如是
告舍利弗　謗斯經者　若說其罪　窮劫不盡
以是因緣　我故語汝　无智人中　莫說此經
若有利根　智慧明了　多聞強識　求佛道者
如是之人　乃可為說　若人曾見　億百千佛
殖諸善本　深心堅固　如是之人　乃可為說
若人精進　常修慈心　不惜身命　乃可為說
若人恭敬　无有異心　離諸凡愚　獨處山澤
如是之人　乃可為說　又舍利弗　若見有人

殖諸善本　深心堅固　如是之人　乃可為說
若人精進　常脩慈心　不惜身命　乃可為說
若人恭敬　无有異心　離諸凡愚　獨處山澤
如是之人　乃可為說　又舍利弗　若見有人
捨惡知識　親近善友　如是之人　乃可為說
若見佛子　持戒清潔　如淨明珠　求大乘經
如是之人　乃可為說　若人无瞋　質直柔軟
常愍一切　恭敬諸佛　如是之人　乃可為說
復有佛子　於大衆中　以清淨心　種種因緣
譬喻言辭　說法无㝵　如是之人　乃可為說
若有比丘　為一切智　四方求法　合掌頂受
但樂受持　大乘經典　乃至不受　餘經一偈
如是之人　乃可為說　如人至心　求佛舍利
如是求經　得已頂受　其人不復　志求餘經
亦未曾念　外道典籍　如是之人　乃可為說
告舍利弗　我說是相　求佛道者　窮劫不盡
如是等人　則能信解　汝當為說　妙法華經

妙法蓮華經信解品第四

尒時慧命須菩提摩訶迦旃延摩訶迦葉摩
訶目揵連從佛所聞未曾有法世尊授舍利
弗阿耨多羅三藐三菩提記發希有心歡喜
踊躍即從座起整衣服偏袒右肩右膝著地
一心合掌曲躬恭敬瞻仰尊顏而白佛言我
等居僧之首年並朽邁自謂已得涅槃无所
堪任不復進求阿耨多羅三藐三菩提世尊
往昔說法既久我時在座身體疲懈但念空

BD02281號　妙法蓮華經卷二　（26–17）

一心合掌曲躬恭敬瞻仰尊顏而白佛言我
等居僧之首年並朽邁自謂已得涅槃无所
堪任不復進求阿耨多羅三藐三菩提世尊
往昔說法既久我時在座身體疲懈但念空
无相无作於菩薩法遊戲神通淨佛國土成
就衆生心不喜樂所以者何世尊令我等出
於三界得涅槃證又今我等年已朽邁於佛教
化菩薩阿耨多羅三藐三菩提不生一念好
樂之心我等今於佛前聞授聲聞阿耨多
羅三藐三菩提記心甚歡喜得未曾有不謂
於今忽然得聞希有之法深自慶幸獲大善
利无量珎寶不求自得世尊我等今者樂說
譬喻以明斯義譬若有人年既幼稚捨父逃
逝久住他國或十二十至五十歲年既長大
加復窮困馳騁四方以求衣食漸漸遊行遇
向本國其父先來求子不得中止一城其家大
富財寶无量金銀琉璃珊瑚虎珀頗梨珠
等其諸倉庫悉皆盈溢多有僮僕臣佐吏民
象馬車乘牛羊无數出入息利乃遍他國商
估賈客亦甚衆多時貧窮子遊諸聚落經
歷國邑遂到其父所止之城父每念子與子離
別五十餘年而未曾向人說如此事但自思惟
心懷悔恨自念老朽多有財物金銀珎寶倉
庫盈溢无有子息一旦終沒財物散失无所
委付是以慇懃每憶其子復作是念我若
得子委付財物坦然快樂无復憂慮世尊尒

BD02281號　妙法蓮華經卷二　（26–18）

庫盈溢无有子息一旦終沒財物散失无所
委付是以慇懃每憶其子復作是念我若
得子委付財物坦然快樂无復憂慮世尊尒
時窮子傭賃展轉遇到父舍住立門側遥見
其父踞師子牀寶机承足諸婆羅門剎利居
士皆恭敬圍遶以真珠瓔珞價直千万莊嚴
其身吏民僮僕手執白拂侍立左右覆以寶帳
垂諸華幡香水灑地散衆名華羅列寶物
出内取與有如是等種種嚴飾威德特尊窮
子見父有大力勢即懷恐怖悔來至此竊作
是念此或是王或是王等非我傭力得物之處
不如往至貧里肆力有地衣食易得若久住此
或見逼迫強使我作作是念已疾走而去
時富長者於師子座見子便識心大歡喜
即作是念我財物庫藏今有所付我常思念
此子无由見之而忽自來甚適我願我雖年
朽猶故貪惜即遣傍人急追將還尒時使者疾
走往捉窮子驚愕稱怨大喚我不相犯何為見
捉使者執之逾急強牽將還于時窮子自
念无罪而被囚執此必定死轉更惶怖悶絶
躃地父遥見之而語使言不須此人勿強將來
以冷水灑面令得醒悟莫復與語所以者何
父知其子志意下劣自知豪貴為子所難審
知是子而以方便不語他人云是我子使
者語之我今放汝隨意所趣窮子歡喜得
未曾有從地而起往至貧里以求衣食尒時
長者將欲誘引其子而設方便密遣二人形

BD02281 號　妙法蓮華經卷二

者語之我今放汝隨意所趣窮子歡喜得
未曾有從地而起往至貧里以求衣食尒時
長者將欲誘引其子而設方便密遣二人形
色憔悴无威德者汝可詣彼徐語窮子此有
作處倍與汝直窮子若許將來使作若言欲
何所作便可語之雇汝除糞我等二人亦共
汝作時二使人即求窮子既已得之具陳上
事尒時窮子先取其價尋與除糞其父見子
愍而怪之又以他日於窓牖中遥見子身羸瘦
憔悴糞土塵坌汙穢不淨即脫瓔珞細軟
上服嚴飾之具更著麁弊垢膩之衣塵土坌
身右手執持除糞之器狀有所畏語諸作人
汝等勤作勿得懈息以方便故得近其子後
復告言咄男子汝常此作勿復餘去當加汝
價諸有所須瓫器米麵鹽醋之屬莫自疑難
亦有老弊使人須者相給好自安意我如汝父
勿復憂慮所以者何我年老大而汝少壯汝常
作時无有欺怠瞋恨怨言都不見汝有此諸
惡如餘作人自今已後如所生子即時長者更
與作字名之為兒尒時窮子雖欣此遇猶故
自謂客作賤人由是之故於二十年中常令
除糞過是已後心相體信入出无難然其
所止猶在本處世尊尒時長者有疾自知
將死不久語窮子言我今多有金銀珍寶倉
庫盈溢其中多少所應取與汝悉知之我
心如是當體此意所以者何今我與汝便為
不異宜加用心无令漏失尒時窮子即受教

BD02281 號　妙法蓮華經卷二

將死不久語窮子言我今多有金銀珎寶倉
庫盈溢其中多少所應取與汝悉知之我
心如是當體此意所以者何今我與汝便為
不異宜加用心无令漏失尒時窮子即受教
勅領知衆物金銀珎寶及諸庫藏而无悕取
一食之意然其所止故在本處下劣之心亦
未能捨復經少時父知子意漸已通泰成就
大志自鄙先心臨欲終時而命其子并會親
族國王大臣刹利居士皆悉已集即自宣言
諸君當知此是我子我之所生於某城中捨
吾逃走跉跰辛苦五十餘年其本字某我名
某甲昔在本城懷憂推覓忽於此間遇會得
之此實我子我實其父今吾所有一切財物皆是
子有先所出内是子所知世尊是時窮子聞
父此言即大歡喜得未曾有而作是念我
本无心有所悕求今此寶藏自然而至世尊
大富長者則是如来我等皆似佛子如来常
説我等為子世尊我等以三苦故於生死中
受諸熱惱迷惑无知樂著小法今日世尊令
我等思惟蠲除諸法戲論之糞我等於中勤
加精進得至涅槃一日之價既得此已心大
歡喜自以為足便自謂言於佛法中勤精進
故所得弘多然世尊先知我等心著弊欲樂
於小法便見縱捨不為分別汝等當有如来
知見寶藏之分世尊以方便力説如来智慧
我等從佛得涅槃一日之價以為大得於此
大乘无有志求我等又因如来智慧為諸

知見寶藏之分世尊以方便力説如来智慧
我等從佛得涅槃一日之價以為大得於此
大乘无有志求我等又因如来智慧為諸
菩薩開示演説而自於此无有志願所以者何
佛知我等心樂小法以方便力随我等説而
我等不知真是佛子今我等方知世尊於佛智
慧无所悋惜所以者何我等昔来真是佛子
而但樂小法若我等有樂大之心佛則為我
説大乘法於此經中唯説一乘而昔於菩薩前
毀呰聲聞樂小法者然佛實以大乘教化是
故我等説本无心有所悕求今法王大
寶自然而至如佛子所應得者皆已得之尒
時摩訶迦葉欲重宣此義而説偈言
我等今日　聞佛音教　歡喜踊躍　得未曾有
佛説聲聞　當得作佛　无上寶聚　不求自得
譬如童子　幼稚无識　捨父逃逝　遠到他土
周流諸國　五十餘年　其父憂念　四方推求
求之既疲　頓止一城　造立舍宅　五欲自娯
其家巨富　多諸金銀　車𤦲馬瑙　真珠琉璃
象馬牛羊　輦輿車乘　田業僮僕　人民衆多
出入息利　乃遍他國　商估賈人　无處不有
千万億衆　圍遶恭敬　常為王者　之所愛念
羣臣豪族　皆共宗重　以諸縁故　往来者衆
豪富如是　有大力勢　而年朽邁　益憂念子
夙夜惟念　死時將至　癡子捨我　五十餘年
庫藏諸物　當如之何　尒時窮子　求索衣食

豪富如是　有大力勢　而年朽邁　益憂念子
夙夜惟念　死時將至　癡子捨我　五十餘年
庫藏諸物　當如之何　爾時窮子　求索衣食
從邑至邑　從國至國　或有所得　或无所得
飢餓羸瘦　體生瘡癬　漸次經歷　到父住城
傭賃展轉　遂至父舍　爾時長者　於其門內
施大寶帳　處師子座　眷屬圍遶　諸人侍衛
或有計算　金銀寶物　出內財產　注記券疏
窮子見父　豪貴尊嚴　謂是國王　若是王等
驚怖自怪　何故至此
覆自念言　我若久住　或見逼迫　強驅使作
思惟是已　馳走而去　借問貧里　欲往傭作
長者是時　在師子座　遙見其子　默而識之
即勑使者　追捉將來　窮子驚喚　迷悶躄地
是人執我　必當見煞　何用衣食　使我至此
長者知子　愚癡狹劣　不信我言　不信是父
即以方便　更遣餘人　眇目矬陋　无威德者
汝可語之　云當相雇　除諸糞穢　倍與汝價
窮子聞之　歡喜隨來　為除糞穢　淨諸房舍
長者於牖　常見其子　念子愚劣　樂為鄙事
於是長者　著弊垢衣　執除糞器　往到子所
方便附近　語令勤作
既益汝價　并塗足油　飲食充足　薦席厚煖
如是苦言　汝當勤作　又以軟語　若如我子
長者有智　漸令入出　經二十年　執作家事
示其金銀　真珠頗梨　諸物出入　皆使令知

BD02281 號　妙法蓮華經卷二　（26–23）

如是苦言　汝當勤作　又以軟語　若如我子
長者有智　漸令入出　經二十年　執作家事
示其金銀　真珠頗梨　諸物出入　皆使令知
猶處門外　止宿草菴　自念貧事　我无此物
父知子心　漸已曠大　欲與財物　即聚親族
國王大臣　剎利居士　於此大眾　說是我子
捨我他行　經五十歲　自見子來　已二十年
昔於某城　而失是子　周行求索　遂來至此
凡我所有　舍宅人民　悉以付之　恣其所用
子念昔貧　志意下劣　今於父所　大獲珍寶
并及舍宅　一切財物　甚大歡喜　得未曾有
佛亦如是　知我樂小　未曾說言　汝等作佛
而說我等　得諸无漏　成就小乘　聲聞弟子
佛勑我等　說最上道　脩習此者　當得成佛
我承佛教　為大菩薩　以諸因緣　種種譬喻
若干言辭　說无上道　諸佛子等　從我聞法
日夜思惟　精勤脩習　是時諸佛　即授其記
汝於來世　當得作佛　一切諸佛　秘藏之法
但為菩薩　演其實事　而不為我　說斯真要
如彼窮子　得近其父　雖知諸物　心不悕取
我等雖說　佛法寶藏　自无志願　亦復如是
我等內滅　自謂為足　唯了此事　更无餘事
我等若聞　淨佛國土　教化眾生　都无欣樂
所以者何　一切諸法　皆悉空寂　无生无滅
无大无小　无漏无為　如是思惟　不生喜樂
我等長夜　於佛智慧　无貪无著　无復志願
而自於法　謂是究竟

BD02281 號　妙法蓮華經卷二　（26–24）

无大无小　无漏无為　如是思惟　不生喜樂
我等長夜　於佛智慧　无貪无著　无復志願
而自於法　謂是究竟
我等長夜　脩習空法　得脫三界　苦惱之患
住最後身　有餘涅槃　佛所教化　得道不虛
則為已得　報佛之恩　我等雖為　諸佛子等
說菩薩法　以求佛道　而於是法　永无願樂
導師見捨　觀我心故　初不勸進　說有實利
如冨長者　知子志劣　以方便力　柔伏其心
然後乃付　一切財寶　佛亦如是　現希有事
知樂小者　以方便力　調伏其心　乃教大智
我等今日　得未曾有　非先所望　而今自得
如彼窮子　得无量寶
世尊我今　得道得果　於无漏法　得清淨眼
我等長夜　持佛淨戒　始於今日　得其果報
法王法中　久脩梵行　今得无漏　无上大果
我等今者　真是聲聞　以佛道聲　令一切聞
我等今者　真阿羅漢　於諸世間　天人魔梵
普於其中　應受供養　世尊大恩　以希有事
憐愍教化　利益我等　无量億劫　誰能報者
手足供給　頭頂礼敬　一切供養　皆不能報
若以頂戴　兩肩荷負　於恒沙劫　盡心恭敬
又以美膳　无量寶衣　及諸臥具　種種湯藥
牛頭栴檀　及諸珎寶　以起塔廟　寶衣布地
如斯等事　以用供養　於恒沙劫　亦不能報
諸佛希有　无量无邊　不可思議　大神通力

我等今者　真是聲聞　以佛道聲　令一切聞
我等今者　真阿羅漢　於諸世間　天人魔梵
普於其中　應受供養　世尊大恩　以希有事
憐愍教化　利益我等　无量億劫　誰能報者
手足供給　頭頂礼敬　一切供養　皆不能報
若以頂戴　兩肩荷負　於恒沙劫　盡心恭敬
又以美膳　无量寶衣　及諸臥具　種種湯藥
牛頭栴檀　及諸珎寶　以起塔廟　寶衣布地
如斯等事　以用供養　於恒沙劫　亦不能報
諸佛希有　无量无邊　不可思議　大神通力
无漏无為　諸法之王　能為下劣　忍于斯事
取相凡夫　隨宜為說　諸佛於法　得最自在
知諸衆生　種種欲樂　及其志力　隨所堪任
以无量喻　而為說法　隨諸衆生　宿世善根
又知成熟　未成熟者　種種籌量　分別知已
於一乘道　隨宜說三

妙法蓮華經卷第二

其
幾研窮
竟天阿難
欽聞不能……野深山聖道場
地皆阿羅……住持故世間麤人所不能見
阿難是十八天獨行无交未盡形累自此已
還名為色界
復次阿難從是有頂色邊際中其間復有二
種岐路若於捨心發明智慧光圓通便出
塵界成阿羅漢入菩薩乘如是一類名為迴
心大阿羅漢若在捨心捨厭成就覺身為导
銷导入空如是一類名為空處諸导既銷无
导无滅其中唯留阿賴耶識全於末那半分
微細如是一類名為識處空色既亡識心都
滅十方寂然迴无攸往如是一類名无所有
處識性不動以滅窮研於无盡中發宣盡性
如存不存若盡非盡如是一類名為非想非
非想處 空不盡空理從不還天聖道
窮者 不迴心鈍阿羅漢若從无
相諸外道天窮空不歸迷漏无聞便入輪轉

BD02282 號　大佛頂如來密因修證了義諸菩薩萬行首楞嚴經卷九

（20–1）

如存不存若盡非盡如是一類名為非想非
非想處 空不盡空理從不還天聖道
窮者 不迴心鈍阿羅漢若從无
相諸外道天窮空不歸迷漏无聞便入輪轉
阿難是諸天上各各天人則是凡夫業果酬
荅荅盡入輪彼之天王即是菩薩遊三摩提
漸次增進迴向聖倫所修行路阿難是四空
天身心滅盡定性現前无業果色從此逮終
名无色界此皆不了妙覺明心積妄發生妄有
三界中間妄隨七趣沉溺補特伽羅各從其類
復次阿難是三界中復有四種阿脩羅類
若於鬼道以護法力成通入空此阿脩羅從
卵而生鬼趣所攝若於天中降德貶墜其所
卜居鄰於日月此阿脩羅從胎而出人趣
所攝有脩羅王執持世界力洞无畏能與梵
王及天帝釋四天爭權此阿脩羅因變化有
天趣所攝阿難別有一分下劣脩羅生大海
心沉水穴口旦遊虛空暮歸水宿此阿脩羅因
濕氣有畜生趣攝
阿難如是地獄餓鬼畜生人及神仙天洎脩羅
精研七趣皆是昏沉諸有為相妄想受生妄
想隨業於妙圓明无作本心皆如空花元无
所着但一虛妄更无根緒阿難此等眾生
不識本心受此輪迴經无量劫不得真淨皆
由隨順殺盜婬故反此三種又則出生无殺盜
……鬼倫……天趣有无相傾起輪迴性若

BD02282 號　大佛頂如來密因修證了義諸菩薩萬行首楞嚴經卷九

（20–2）

不識本心受此輪迴經无量劫不得真淨皆
由隨順煞盜婬故反此三種又則出生无煞盜
婬有名[illegible]名天趣有无相傾起輪迴性若
得妙發三摩提者則妙常寂有无二无无二
亦滅尚无不煞不偷不婬云何更隨煞盜婬
事阿難不斷三業各各有私因各各私衆
私同分非无定處自妄發生生妄无因无可
尋究汝勗修行欲得菩提要除三惑不盡
三惑縱得神通皆是世間有為功用習氣不
滅落於魔道雖欲除妄倍加虛偽如來說為
可哀憐者汝妄自造非菩提咎作是說者
名為正說若他說者即魔王說
即時如來將罷法座於師子床攬七寶机迴
紫金山再來憑倚普告大衆及阿難言汝等
有學緣覺聲聞今日迴心趣大菩提无上妙
覺吾今已說真修行法汝猶未識修奢摩他
毗婆舍那微細魔事魔境現前汝不能識洗
心非正落於邪見或汝陰魔或復天魔或著
鬼神或遭魑魅心中不明認賊為子又復於中
得少為足如第四禪无聞比丘妄言證聖天
報已畢衰相現前謗阿羅漢身遭後有墮
阿鼻獄汝應諦聽吾今為汝子細分別阿難
起立并其會中同有學者歡喜頂禮伏聽
慈誨
佛告阿難及諸大衆汝等當知有漏世界十
二類生本覺妙明覺圓心體與十方佛无二

BD02282號　大佛頂如來密因修證了義諸菩薩萬行首楞嚴經卷九　（20–3）

佛告阿難及諸大衆汝等當知有漏世界十
二類生本覺妙明覺圓心體與十方佛无二
无別由汝妄想迷理為咎癡愛發生生發遍
迷故有空性化迷不息有世界生則此十方微
塵國土非无漏者皆是迷頑妄想安立當知
虛空生汝心內猶如片雲點太清裏況諸世
界在虛空耶汝等一人發真歸元此十方
空皆悉銷殞云何空中所有國土而不振裂
汝輩修禪飾三摩地十方菩薩及諸无漏大
阿羅漢心精通溜當處湛然一切魔王及與
鬼神諸凡夫天見其宮殿无故崩裂大地振
坼水陸飛騰无不驚慴凡夫昏暗不覺遷訛
彼等咸得五種神通唯除漏盡戀此塵勞如
何令汝摧裂其處是故神鬼及諸天魔魍
魎妖精於三昧時僉來惱汝然彼諸魔雖有
大怒彼塵勞內汝妙覺中如風吹光如刀斷水
了不相觸汝如沸湯彼如堅氷煖氣漸隣不
日銷殞徒恃神力但為其客成就破亂由汝
心中五陰主人主人若迷客得其便當處禪
那覺悟无惑則彼魔事无奈汝何陰銷入明
則彼群邪咸受幽氣明能破暗近自銷殞如
何敢留擾亂禪定若不明悟被陰所迷則汝
阿難必為魔子成就魔人如摩登伽殊為眇
劣彼唯咒汝破佛律儀八万行中秖毀一戒
心清淨故尚未淪溺此乃隳汝寶覺全身如宰
臣家忽逢籍沒宛轉零落无可哀救

BD02282號　大佛頂如來密因修證了義諸菩薩萬行首楞嚴經卷九　（20–4）

方被唯況汝破佛律儀八万行中秖毀一戒
心清淨故尚未淪溺此乃隳汝寶全身如宰
臣家忽逢籍沒宛轉零落无可哀救
阿難當知汝坐道場銷落諸念其念若盡則
諸離念一切精明動靜不移憶妄如一當住
此處入三摩提如明目人處大幽暗精性妙
淨心未發光此則名為色陰區宇若目明朗
十方洞開无復幽黯名色陰盡是人則能超
越劫濁觀其所由堅固妄想以為其本
阿難當在此中精研妙明四大不織少選之
間身能出礙此名精明流溢前境斯但功用
暫得如是非為聖證不作聖心名善境界
若作聖解即受群邪
阿難復以此心精研妙明其身內徹是人忽
然於其身內拾出蟯蛔身相宛然无傷毀
此明精明流溢形體斯但精行暫得如是非
為聖證不作聖心名善境界若作聖解即
受群邪
又以此心內外精研其時魂魄意志精神除
執受身餘皆涉入互為賓主忽於空中聞說
法聲或聞十方同敷密義此名精魂遞相離
合成就善種暫得如是非聖證不作聖心
名善境界若作聖解即受群邪
又以此心澄露皎徹內光發明十方遍作閻浮
檀色一切種類化為如來于時忽見毗盧遮
那

BD02282號　大佛頂如來密因修證了義諸菩薩萬行首楞嚴經卷九　（20–5）

種暫得如是非聖證不作聖心
心名善境界若作聖解即受群邪
又以此心澄露皎徹內光發明十方遍作閻浮
檀色一切種類化為如來于時忽見毗盧遮
那踞天光臺千佛圍繞百億國土及與蓮花
俱時出現此名心魂靈悟所染心光研明照
諸世界暫得如是非為聖證不作聖心名
善境界若作聖解即受群邪
又以此心精研妙明觀察不停抑按降伏制心
超越於時忽然十方虛空成七寶色或
百寶色同時遍滿不相留礙青黃赤白各各
純現此名抑按功力踰分暫得如是非為聖
證不作聖心名善境界若作聖解即受群邪
又以此心研究澄徹精光不亂忽於夜合在
暗室內見種種物不殊白晝而暗室物亦不
除滅此名心細密澄其見所視洞幽暫得如
是非為聖證不作聖心名善境界若作聖
解即受群邪
又以此心圓入虛融四體忽然同於草木火燒
刀斫曾无所覺又於火光不能燒爇縱割
其肉猶如削木此名塵併排四大性一向入
純暫得如是非為聖證不作聖心名善
境界若作聖解即受群邪
又以此心成就清淨淨心功極忽見大地十方山
河皆成佛國具足七寶光明遍滿又見恒沙
諸佛如來遍滿空界樓殿花麗下見地獄

BD02282號　大佛頂如來密因修證了義諸菩薩萬行首楞嚴經卷九　（20–6）

又以此心成就清淨心功極忽見大地十方山
河皆成佛國具足七寶光明遍滿又見恒沙
諸佛如來遍滿空界樓殿花麗下見地獄
上觀天宮得无障㝵此名欣厭凝想日深
想化成非為聖證不作聖心名善境界
若作聖解即受群邪
又以此心研究深遠忽於中夜遙見遠方市
井街巷親族眷屬或聞其語此名迫心逼極
飛出故多隔見非為聖證不作聖心名善
境界若作聖解即受群邪
又以此心研究精極見善知識形體變移少
選无端種種遷改此名邪心含受魑魅或遭
天魔入其心腹无端說法通達妙義非為聖
證不作聖心魔事銷歇若作聖解即受
群邪
阿難如是十種禪那現境皆是色陰用心交
互故現斯事衆生頑迷不自忖量逢此因緣
迷不自識謂言登聖大妄語成墮无間獄汝
等當依如來滅後於末法中宣示斯義无
令天魔得其方便保持覆護成无上道
阿難彼善男子修三摩提奢摩他中色陰盡
者見諸佛心如明鏡中顯現其像若有所得
而未能用猶如魘人手足宛然見聞不惑心
觸客邪而不能動此則名為受陰區宇若魘

BD02282 號　大佛頂如來密因修證了義諸菩薩萬行首楞嚴經卷九　（20–7）

…心如明鏡中顯現其像若有所得
而未能用猶如魘人手足宛然見聞不惑心
觸客邪而不能動此則名為受陰區宇若魘
咎歇其心離身返觀其面去住自由无復留
㝵名受陰盡是人則能超越見濁觀其所
由虛明妄想以為其本
阿難彼善男子當此中得大光耀其心發
明內抑過分忽於其處發无窮悲如是乃至
觀見蚊䖟猶如赤子心生憐愍不覺流淚此
名功用抑摧過越悟則无咎非為聖證覺了
不迷久自銷歇若作聖解則有悲魔入其心
府見人則悲啼泣无限失於正受當從淪墜
阿難又彼定中諸善男子見色陰銷受陰明
白勝相現前感激過分忽於其中生无限勇其
心猛利志齊諸佛謂三僧祇一念能越此
名功用陵率過越悟則无咎非為聖證覺
了不迷久自銷歇若作聖解則有狂魔入
其心府見人則誇我慢无比其心乃至上不見
佛下不見人失於正受當從淪墜
又彼定中諸善男子見色陰銷受陰明白前
无新證歸失故居智力衰微入中隳地迥无
所見心中忽然生大枯渴於一切時沉憶不散
將此以為勤精進相此名修心无慧自失
悟則无咎非為聖證若作聖解則有憶魔
入其心府旦夕撮心懸在一處失於正受當
從淪墜

BD02282 號　大佛頂如來密因修證了義諸菩薩萬行首楞嚴經卷九　（20–8）

將此以為勤精進相此名修心无慧自失
悟則无咎非為聖證若作聖解則有憶魔
入其心府旦夕撮心懸在一處失於正受當
從淪墜
又彼定中諸善男子見色陰銷受陰明白
慧力過定失於猛利以諸勝性懷於心中自心
已疑是盧舍那得少為足此名用心亡失恒審
溺於知見悟則无咎非為聖證若作聖解
則有下劣易知足魔入其心府見人自言我得
无上第一義諦失於正受當從淪墜
又彼定中諸善男子見色陰銷受陰明白新
證未獲故心已亡歷覽二際自生艱險於心忽
然生无盡憂如坐鐵床如飲毒藥心不欲活
常求於人令害其命早取解脫此名修行失
於方便悟則无咎非為聖證若作聖解則有
一分常憂愁魔入其心府手執刀劍自割其
肉欣其捨壽或常憂愁走入山林不耐見人
失於正受當從淪墜
又彼定中諸善男子見色陰銷受陰明白處
清淨中心安隱後忽然自有无限喜心生心中歡
悅不能自止此名輕安无慧自禁悟則无咎
非為聖證若作聖解則有一分好喜樂魔
入其心府見人則笑於衢路傍自歌自舞自
謂已得无礙解脫失於正受當從淪墜
又彼定中諸善男子見色陰銷受陰明白自
謂已足忽有无端大我慢起如是乃至慢與過

BD02282 號　大佛頂如來密因修證了義諸菩薩萬行首楞嚴經卷九　（20–9）

謂已得无礙解脫失於正受當從淪墜
又彼定中諸善男子見色陰銷受陰明白自
謂已足忽有无端大我慢起如是乃至慢與過
慢及慢過慢或增上慢或卑劣慢一時俱
發心中尚輕十方如來何況下位聲聞緣覺
此名見勝无慧自救悟則无咎非為聖證若
作聖解則有一分大我慢魔入其心府不礼塔
廟摧毀經像謂檀越言此是金銅或是土
木經是樹葉或是疊花肉身真常不自恭
敬卻崇土木實為顛倒其深信者從其毀
碎埋棄地中疑誤眾生入无間獄失於正受當
從淪墜
又彼定中諸善男子見色陰銷受陰明白於
精明中圓悟精理得大隨順其心忽生无量
輕安已言成聖得大自在此名因慧獲諸輕
清悟則无咎非為聖證若作聖解則有一分
好輕清魔入其心府自謂滿足更不求進此
等多作无聞比丘疑謗後生墮阿鼻獄失於
正受當從淪墜
又彼定中諸善男子見色陰銷受陰明白處
清淨中心安隱後忽然自有无限喜心生心中
歡悅不能自止此名輕安无慧自禁悟則
无咎非為聖證若作聖解則有一分好喜樂
魔入其心府見人則笑於衢路傍自歌自舞
自謂已得无礙解脫失於正受當從淪墜
又彼定中諸善男子見色陰銷受陰明白自

BD02282 號　大佛頂如來密因修證了義諸菩薩萬行首楞嚴經卷九　（20–10）

分非爲聖證若作聖解則有一分好喜樂
魔入其心腑見人則笑於衢路傍自歌自舞
自謂已得无导解脫失於正受當從淪墜
又彼定中諸善男子見色陰銷受陰明白自
謂已足忽有无端大我慢起如是乃至慢與
過慢及慢過慢或增上慢或卑劣慢一時俱發
心中尚輕十方如來何況下位聲聞緣覺此
名見勝无惠自救悟則无咎非爲聖證若
作聖解則有一分大我慢魔入其心腑不禮
塔廟摧毀經像謂檀越言此是金銅或是土
木經是樹葉或是疊花肉身真常不自恭
敬卻崇土木實爲顛倒其深信者從其毀
碎埋棄地中疑誤衆生入无間獄失於正受
當從淪墜
又彼定中諸善男子見色陰銷受陰明白於
精明中圓悟精理得大隨順其心忽生无量
輕安已言成聖得大自在此名因慧獲諸輕
清悟則无咎非爲聖證若作聖解則有一分
好清輕魔入其心腑自謂滿足更不求進此
等多作无聞比丘疑謗後生墮阿鼻獄失
於正受當從淪墜
又彼定中諸善男子見色陰銷受陰明白於
明悟中得虛明性其中忽然歸向永滅撥无
因果一向入空空心現前乃至心生長斷滅解
悟則无咎非爲聖證若作聖解則有空
魔入其心腑乃謗持戒名爲小乘菩薩悟空有
何持犯其人常於信心檀越飲酒噉肉廣行

BD02282號　大佛頂如來密因修證了義諸菩薩萬行首楞嚴經卷九　（20–11）

悟則无咎非爲聖證若作聖解則有空
魔入其心腑乃謗持戒名爲小乘菩薩悟空有
何持犯其人常於信心檀越飲酒噉肉廣行
婬穢因魔力故攝其前人不生疑謗鬼心久
入或食屎尿與酒肉等一種俱空破佛律
儀誤入人罪失於正受當從淪墜
又彼定中諸善男子見色陰銷受陰明白其
虛明深入心骨其心忽有无限愛生愛極發
狂便爲貪欲此名定境安順入心无惠自持
誤入諸欲悟則无咎非爲聖證若作聖解
則有欲魔入其心腑一向說欲爲菩提道化
諸白衣平等行欲其行婬者名持法子神鬼
力故於末世中攝其凡愚其數至百如是乃
至一百二百或五六百多滿千萬魔心生厭
離其身體威德既无陷於王難疑誤衆生
入无間獄失於正受當從淪墜
阿難如是十種禪那現境皆是受陰用心交
互故現斯事衆生頑迷不自忖量逢此因緣
迷不自識謂言登聖大妄語成墮无間獄汝
等亦當將如來語於我滅後傳示末法遍令
衆生開悟斯義无令天魔得其方便保持
覆護成无上道
阿難彼善男子修三摩提受陰盡者雖未漏
盡心離其形如鳥出籠已能成就從是凡身
上歷菩薩六十聖位得意生身隨往无导辟
如有人熟寐寱言是人雖則无別所知其言
已成音韻倫次令不寐者咸悟其語此則
名爲想陰區宇

BD02282號　大佛頂如來密因修證了義諸菩薩萬行首楞嚴經卷九　（20–12）

如有人熟寐寱言是人雖則无別所知其言
已成音韻倫次令不寐者咸悟其語此則
名爲想陰區宇若動念盡浮想銷除於覺
明心如去塵垢一倫死生首尾圓照名想陰盡
是人則能超煩惱濁觀其所由融通妄想以
爲其本
阿難彼善男子受陰虛妙不遭邪慮圓定
發明三摩地中心愛圓明銳其精思貪求善
巧尒時天魔候得其便飛精附人口說經法
其人不覺是其魔著自言謂得无上涅槃
來彼求巧善男子處敷坐說法其形斯須
或作比丘比丘尼或寢暗室身有光明是人愚
迷惑爲菩薩信其教化搖蕩其心破佛律儀
潛行貪欲口中好言災祥變異或言如來某
處出世或言劫火或說刀兵恐怖於人令其家資
无故耗散此名怪鬼年老成魔惱亂是人猒
足心生去彼人體弟子與師俱陷王難汝當
先覺不入輪迴迷惑不知墮无間獄
阿難又善男子受陰虛妙不遭邪慮圓定
發明三摩地中心愛遊蕩飛其精思貪求經歷
尒時天魔候得其便飛精附人口說經法其
人亦不覺知魔著亦言自得无上涅槃來彼
求遊善男子處敷坐說法自形无變其聽
者忽自見身坐寶蓮花全體化成紫金光聚
一衆聽人各各如是得未曾有是人愚迷惑爲
菩薩婬逸其心破佛律儀潛行貪欲口中
好言諸佛應世某處某人當是某佛化身來
此其人即是某菩

BD02282 號　大佛頂如來密因修證了義諸菩薩萬行首楞嚴經卷九　（20–13）

一衆聽人各各如是得未曾有是人愚迷惑爲
菩薩婬逸其心破佛律儀潛行貪欲口中
好言諸佛應世某處某人當是某佛化身來
此其人即是某菩薩等來化人間其人見故
生渴仰邪見密興種智銷滅此名魃鬼年老
成魔惱亂是人猒足心生去彼人體弟子與
師俱陷王難汝當先覺不入輪迴迷惑不知
墮无間獄
又善男子受陰虛妙不遭邪慮圓定發明三
摩地中心愛綿㳷澄其精思貪求契合尒時
天魔候得其便飛精附人口說經法其人實
不覺知魔著亦言自得无上涅槃來彼求合
善男子處敷坐說法其形及彼聽法之人外
无遷變令其聽者未聞法前心自開悟念念
移易或得宿命或有他心或見地獄或知人
間好惡諸事或口說偈或自誦經各各歡娛
得未曾有是人愚迷惑爲菩薩綿愛其心破
佛律儀潛行貪欲口中好言佛有大小某佛
先佛某佛後佛其中亦有真佛假佛男佛
女佛菩薩亦然其人見故洗滌本心易入邪悟
此名魅鬼年老成魔惱亂是人猒足心生去彼
人體弟子與師俱陷王難汝當先覺不入輪
迴迷惑不知墮无間獄
又善男子受陰虛妙不遭邪慮圓定發明三
摩地中心愛根本窮覽物性之終始精爽其
心貪求辯析尒時天魔候得其便飛精附
人口說經法其人先不覺知魔著亦言自得

BD02282 號　大佛頂如來密因修證了義諸菩薩萬行首楞嚴經卷九　（20–14）

摩地中心愛根本窮覽物性之終始精爽其
心貪求辯析尒時天魔候得其便飛精附
人口說經法其人先不覺知魔着亦言自得
无上涅槃來彼求元善男子處敷坐說法身
有威神摧伏求者令其坐下雖未聞法自然
心伏是諸人等將佛涅槃菩提法身即是現前
我肉身上父父子子遞代相生即是法身常
住不絶都指現在即為佛國无別淨居及金色
相其人信受忘失先心身命歸依得未曾有
是等愚迷惑為菩薩推究其心破佛律儀潛
行貪欲口中好言眼耳鼻舌皆為淨土男女亦
根即是菩提涅槃真處彼无知者信是穢言
此名蟲毒厭勝惡鬼年老成魔惱亂是人
厭足心生去彼人體弟子與師俱陷王難汝
當先覺不入輪迴迷惑不知墮无間獄又善
男子受陰虛妙不遭邪慮圓定發明三摩地
中心愛懸應周流精研貪求冥感尒時天魔
候得其便飛精附人口說經法其人元不覺
知魔着亦言自得无上涅槃來彼求應善
男子處敷坐說法能令聽衆暫見其身
如百千歲心生愛染不能捨離身為奴僕四
事供養不覺疲勞各各令其坐下人心知是
先師本善知識別生法愛粘如膠漆得未曾有
是人愚迷惑為菩薩親近其心破佛律儀潛
行貪欲口中好言我於前世於某生中先度
其人當時是我妻妾兄弟今來相度與汝
相隨歸某世界供養某佛或言有大光明天

BD02282號　大佛頂如來密因修證了義諸菩薩萬行首楞嚴經卷九　（20–15）

行貪欲口中好言我於前世於某生中先度
其人當時是我妻妾兄弟今來相度與汝
相隨歸某世界供養某佛或言有大光明天
佛於中住一切如來所休居地彼无知者信
是虛誑遺失本心此名厲鬼年老成魔惱亂
是人厭足心生去彼人體弟子與師俱陷王
難汝當先覺不入輪迴迷惑不知墮无間獄
又善男子受陰虛妙不遭邪慮圓定發明
三摩地中心愛深入克己辛勤樂處陰貪求
靜謐尒時天魔候得其便飛精附人口說經法
其人本不覺知魔着亦言自得无上涅槃來
彼求陰善男子處敷坐說法令其聽人各知
本業或於其處語一人言汝今未死已作畜
生勑使一人於後踏尾頓令其人起不能得
於是一衆傾心欽伏有人起心已知其肇佛律
儀外重加精苦誹謗比丘罵詈徒衆訐露人
事不避譏嫌口中好言未然禍福及至其時
毫髮无失此大力鬼年老成魔惱亂是人
厭足心生去彼人體弟子與師多陷王難汝
當先覺不入輪迴迷惑不知墮无間獄
又善男子受陰虛妙不遭邪慮圓定發明三
摩地中心愛知見勤苦研尋貪求宿命時天
魔候得其便飛精附人口說經法其人殊不覺
知魔着亦言自得无上涅槃來彼求知善男
子處敷坐說法是人无端於說法處得大寶
珠其魔或時化為畜生口銜其珠及雜珍寶簡
策符牘諸奇異物先授彼人後着其體或
誘聽人藏於地下有明月珠照耀其處是

BD02282號　大佛頂如來密因修證了義諸菩薩萬行首楞嚴經卷九　（20–16）

……生談法是人无端於說法處得大寶
珠其魔或時化為畜生口銜其珠及雜珠寶簡
策符牘諸奇異物先授彼人後著其體或
誘聽人藏於地下有明月珠照耀其處是
諸聽者得未曾有多食藥草不飡嘉膳
或時日飡一麻一麦其形肥充魔力持故誹
謗比丘罵詈徒衆不避譏嫌口中好言他方
寶藏十方聖賢潛匿之處隨其後者往往
見有奇異之人此名山林土地城隍川嶽鬼神年
老成魔或有宣婬破佛戒律與承事者潛行
五欲或有精進純食草木无定行事惱亂彼人
猒足心生去彼人體弟子與師多陷王難汝
當先覺不入輪迴迷惑不知墮无間獄
又善男子受陰虛妙不遭邪慮圓定發明三
摩地中心愛神通種種變化研究化元貪取
神力尒時天魔候得其便飛精附人口說經
法其人誠不覺知魔著亦言自得无上涅槃
來彼求通善男子處敷坐說法是人或復
手執火光手撮其光分於所聽四衆頭上是
諸聽人頂上火光皆長數尺亦无熱性曾不焚
燒或上水行如履平地或於空中安坐不動或
入瓶內或處囊中越牖透垣曾无障礙唯於
刀兵不得自在自言是佛身著白衣受比丘禮
誹謗禪律罵詈徒衆訐露人事不避譏嫌
口中常說神通自在或復令人傍見佛土
鬼力惑人非有真實讚歎行婬不毀麁行將
諸猥媟以為傳法此名天地大力山精海精風
……

BD02282號　大佛頂如來密因修證了義諸菩薩萬行首楞嚴經卷九　（20–17）

口中常說神通自在或復令人傍見佛土
鬼力惑人非有真實讚歎行婬不毀麁行將
諸猥媟以為傳法此名天地大力山精海精風
精河精土精一切草樹積劫精魅或復龍魅
或壽終仙再活為魅或仙期終計年應死其
形不化他怪所附年老成魔惱亂是人猒
足心生去彼人體弟子與師多陷王難汝當
先覺不入輪迴迷惑不知墮无間獄
又善男子受陰虛妙不遭邪慮圓定發明三
摩地中心愛入滅研究化性貪求深空尒時
天魔候得其便飛精附人口說經法其人終不
覺知魔著亦言自得无上涅槃來彼求空善
男子處敷坐說法於大衆內其形忽空衆无
所見還從虛空突然而出存沒自在或現
其身洞如琉璃或垂手足作栴檀氣或大小
便如厚石蜜誹謗戒律輕賤出家口中常說
无因无果一死永滅无復後身及諸凡聖雖
得空寂潛行貪欲受其欲者亦得空心撥无
因果此名日月薄蝕精氣金玉芝草麟鳳龜
鶴經千万年不死為靈出生國土年老成魔
惱亂是人猒足心生去彼人體弟子與師多陷
王難汝當先覺不入輪迴迷惑不知墮无
間獄
又善男子受陰虛妙不遭邪慮圓定發明三
摩地中心愛長壽辛苦研幾貪求永歲弃分
段生頓希變易細相常住尒時天魔候得其
便飛精附人口說經法其人竟不覺知魔著
……

BD02282號　大佛頂如來密因修證了義諸菩薩萬行首楞嚴經卷九　（20–18）

摩地中心愛長壽辛苦研幾貪求永歲弃分
段生頓希變易細相常住尒時天魔候得其
便飛精附人口說經法其人竟不覺知魔著
亦言自得无上涅槃來彼求生善男子處敷
坐說法好言他方往還无滯或經萬里瞬息
再來皆於彼方取得其物或於一處在一宅
中數步之間令其從東詣至西壁是人急行
累年不到因此心信疑佛現前口中常說十
方眾生皆是吾子我生諸佛我出世界我是
元佛出世自然不因修得此名住世自在天
魔使其眷屬如遮文茶及四天王毗舍童
子未發心者利其虛明食彼精氣或不因師
其修行人親自觀見稱執金剛與汝長命
現美女身盛行貪欲未逾年歲肝腦枯竭
口兼獨言聽若魅魅前人未詳多陷王難未及
遇刑先已乾死惱亂彼人以至殂殞汝當先
覺不入輪迴迷惑不知墮无間獄
阿難當知是十種魔於末世時在我法中出
家修道或附人體或自現形皆言已成正遍知
覺讚歎婬欲破律儀先惡魔師與魔弟
子婬婬相傳如是邪精魅其心府近則九生
多踰百世令真修行揔為魔眷命終之後畢
[illegible]遍知墮无間獄汝今未須先取
寂滅縱得无學留願入彼末法之中起大慈悲
救度正心深信眾生令不著魔得正知見
我今度汝已出生死

BD02282號　大佛頂如來密因修證了義諸菩薩萬行首楞嚴經卷九　（20–19）

家修道或附人體或自現形皆言已成正遍知
覺讚歎婬欲破律儀先惡魔師與魔弟
子婬婬相傳如是邪精魅其心府近則九生
多踰百世令真修行揔為魔眷命終之後畢
[illegible]遍知墮无間獄汝今未須先取
寂滅縱得无學留願入彼末法之中起大慈悲
救度正心深信眾生令不著魔得正知見
我今度汝已出生死汝遵佛語名報佛恩
阿難如是十種禪那現境皆是想陰用心交
互故現斯事眾生頑迷不自忖量逢此因緣
迷不自識謂言登聖大妄語成墮无間獄汝
等必須將如來語於我滅後傳示末法遍令
眾生開悟斯義无令天魔得其方便保
持覆護成无上道

大佛頂萬行首楞嚴經卷第九

BD02282號　大佛頂如來密因修證了義諸菩薩萬行首楞嚴經卷九　（20–20）

聞怖
人於尒所
者相是故
須菩提菩薩應
多羅三藐三菩提心不
聲香味觸法生心應
則為非住是故佛
須菩提菩薩為利
如来說一切諸相即
則非衆生
須菩提如来是真語者
語者不異語者須菩提如来所得法此法无
實无虛
須菩提若菩薩心住於法而行布施如人入闇
則无所見若菩薩心不住法而行布施如人有
目日光明照見種種色
須菩提當来之世若有善男子善女人能於
此經受持讀誦則為如来以佛智慧悉知是人
悉見是人皆得成就无量无邊功德
須菩提若有善男子善女人初日分以恒河沙
等身布施中日分復以恒河沙等身布施後
日分亦以恒河沙等身布施如是无量百千
万億劫以身布施若復有人聞此經典信心不

BD02283號　金剛般若波羅蜜經

（8–1）

等身布施中日分復以恒河沙等身布施後
日分亦以恒河沙等身布施如是无量百千
万億劫以身布施若復有人聞此經典信心不
逆其福勝彼何況書寫受持讀誦為人解說
須菩提以要言之是經有不思議不可稱量无
邊功德如来為發大乘者說為發㝡上乘者
說若有人能受持讀誦廣為人說如来悉知是
人悉見是人皆成就不可量不可稱无有邊不
可思議功德如是人等則為荷擔如来阿耨多
羅三藐三菩提何以故
須菩提若樂小法者著我見人見衆生見壽者
見則於此經不能聽受讀誦為人解說須菩提
在在處處若有此經一切世間天人阿脩羅所
應供養當知此處則為是塔皆應恭敬作礼
圍遶以諸華香而散其處
復次須菩提若善男子善女人受持讀誦此經若
為人輕賤是人先世罪業應墮惡道以今世人
輕賤故先世罪業則為消滅當得阿耨多羅
三藐三菩提須菩提我念過去无量阿僧祇劫
於然燈佛前得值八百四千万億那由他諸佛
悉皆供養承事无空過者若復有人於後
末世能受持讀誦此經所得功德於我所供養
諸佛功德百分不及一千万億分乃至筭數譬
喻所不能及
須菩提若善男子善女人於後末世有受持
讀誦此經所得功德我若具說者或有人聞
心則狂亂狐疑不信須菩提當知是經義不

BD02283號　金剛般若波羅蜜經

（8–2）

喻所不能及
須菩提若善男子善女人於後末世有受持
讀誦此經所得功德我若具說者或有人聞
心則狂亂狐疑不信須菩提當知是經義不
可思議果報亦不可思議
尒時須菩提白佛言世尊善男子善女人發
阿耨多羅三藐三菩提心云何應住云何降
伏其心佛告須菩提善男子善女人發阿耨
多羅三藐三菩提者當生如是心我應滅度
一切衆生滅度一切衆生已而无有一衆生實
滅度者何以故若菩薩有我相人相衆生相
壽者相則非菩薩所以者何
須菩提實无有法發阿耨多羅三藐三菩提
者須菩提於意云何如來於然燈佛所有法得
阿耨多羅三藐三菩提不不世尊如我解佛
所說義佛於然燈佛所无有法得阿耨多羅
三藐三菩提佛言如是如是
須菩提實无有法如來得阿耨多羅三藐三
菩提須菩提若有法如來得阿耨多羅三藐
三菩提然燈佛則不與我受記汝於來世當得
作佛号釋迦牟尼以實无有法得阿耨多羅
三藐三菩提是故然燈佛與我受記作是言
汝於來世當得作佛号釋迦牟尼何以故如來
者即諸法如義若有人言如來得阿耨多羅
三藐三菩提須菩提實无有法佛得阿耨
多羅三藐三菩提
須菩提如來所得阿耨多羅三藐三菩提於
是中无實无虛是故如來說一切法皆是佛法

三藐三菩提須菩提實无有法佛得阿耨
多羅三藐三菩提
須菩提如來所得阿耨多羅三藐三菩提於
是中无實无虛是故如來說一切法皆是佛法
須菩提所言一切法者即非一切法是故名一
切法
須菩提譬如人身長大須菩提言世尊如來
說人身長大則為非大身是名大身
須菩提菩薩亦如是若作是言我當滅度无
量衆生則不名菩薩何以故須菩提實无有
法名為菩薩是故佛說一切法无我无人无衆
生无壽者須菩提若菩薩作是言我當莊嚴
佛土是不名菩薩何以故如來說莊嚴佛土
者即非莊嚴是名莊嚴須菩提若菩薩通
達无我法者如來說名真是菩薩
須菩提於意云何如來有肉眼不如是世尊
如來有肉眼須菩提於意云何如來有天眼
不如是世尊如來有天眼須菩提於意云何
如來有慧眼不如是世尊如來有慧眼須菩
提於意云何如來有法眼不如是世尊如來有
法眼須菩提於意云何如來有佛眼不如是世
尊如來有佛眼須菩提於意云何恒河中所
有沙佛說是沙不如是世尊如來說是沙
須菩提於意云何如一恒河中所有沙有如
是等恒河是諸恒河所有沙數佛世界如
是寧為多不甚多世尊佛告須菩提尒所國
土中所有衆生若干種心如來悉知何以故如
來說諸心皆為非心是名為心所以者何[illegible]

是等恒河是諸恒河所有沙數佛世界如
是寧為多不甚多世尊佛告須菩提尒所國
土中所有眾生若干種心如來悉知何以故如
來說諸心皆為非心是名為心所以者何須菩提
過去心不可得現在心不可得未來心不可得
須菩提於意云何若有人滿三千大千世
界七寶以用布施是人以是因緣得福多
不如是世尊此人以是因緣得福甚多須菩
提若福德有實如來不說得福德多以
福德无故如來說得福德多
須菩提於意云何佛可以具足色身見不不
也世尊如來不應以具足色身見何以故如來
說具足色身即非具足色身是名具足色
身須菩提於意云何如來可以具足諸相見
不不也世尊如來不應以具足諸相見何以故如
來說諸相具足即非具足是名諸相具足須
菩提汝勿謂如來作是念我當有所說法莫作
是念何以故若人言如來有所說法即為謗
佛不能解我所說故須菩提說法者无法
可說是名說法
須菩提白佛言世尊佛得阿耨多羅三藐
三菩提為无所得耶如是如是須菩提我
於阿耨多羅三藐三菩提復次須菩提
是法平等无有高下是名阿耨多羅
三藐三菩提以无我无人无眾生无壽者
脩一切善法則得阿耨多羅三藐三菩提
須菩提所言善法者如來說非善法是名
善法須菩提若三千大千世界中所有諸須

BD02283號　金剛般若波羅蜜經　（8–5）

三藐三菩提以无我无人无眾生无壽者
脩一切善法則得阿耨多羅三藐三菩提
須菩提所言善法者如來說非善法是名
善法須菩提若三千大千世界中所有諸須
弥山王如是等七寶聚人持用布施若人以此
般若波羅蜜經乃至四句偈等受持讀誦
為他人說於前福德百分不及一百千万億分
乃至筭數譬喻所不能及
須菩提於意云何汝等勿謂如來作是念我
當度眾生須菩提莫作是念何以故實无有
眾生如來度者如來則有我人眾生壽者
須菩提如來說有我者則非有我而凡夫之
人以為有我須菩提凡夫者如來說則非凡夫
須菩提於意云何可以卅二相觀如來不須菩
提言如是如是以卅二相觀如來佛言須菩
提若以卅二相觀如來者轉輪聖王則是如
來須菩提白佛言世尊如我解佛所說義不應
以卅二相觀如來尒時世尊而說偈言
若以色見我　以音聲求我　是人行邪道　不能見如來
須菩提汝若作是念如來不以具足相故得
阿耨多羅三藐三菩提須菩提莫作是念如來
不以具足相故得阿耨多羅三藐三菩提
須菩提汝若作是念發阿耨多羅三藐三菩
提者說諸法斷滅相莫作是念何以故發阿
耨多羅三藐三菩提者於法不說斷滅相須
菩提若菩薩以滿恒河沙等世界七寶布施
若復有人知一切法无我得成於忍此菩薩

BD02283號　金剛般若波羅蜜經　（8–6）

提者說諸法斷滅相莫作是念何以故發阿
耨多羅三藐三菩提者於法不說斷滅相須
菩提若菩薩以滿恒河沙等世界七寶布施
若復有人知一切法无我得成於忍此菩薩
勝前菩薩所得功德須菩提以諸菩薩不受
福德須菩提菩薩所作福德不應貪著是
故說不受福德須菩提若有人言如來若來
若去若坐若卧是人不解我所說義何以故
如來者无所從來亦无所去故名如來
須菩提若善男子善女人以三千大千世界
碎為微塵於意云何是微塵衆寧為多不
甚多世尊何以故若是微塵衆實有者佛則
不說是微塵衆所以者何佛說微塵衆則非微
塵衆是名微塵衆世尊如來所說三千大千世界
則非世界是名世界何以故若世界實有者則
是一合相如來說一合相則非一合相是名
是名一合相須菩提一合相者則是不可說
但凡夫之人貪著其事須菩提若人言佛說
我見人見衆生見壽者見須菩提於意云何
是人解我所說義不世尊是人不解如來所
說義何以故世尊說我見人見衆生見壽者
見即非我見人見衆生見壽者見是名我
見人見衆生見壽者見須菩提發阿耨多羅
三藐三菩提心者於一切法應如是知如是見
如是信解不生法相須菩提所言法相者如
來說即非法相是名法相須菩提若有人以
滿无量阿僧祇世界七寶持用布施若有善

BD02283號　金剛般若波羅蜜經　（8–7）

見人見衆生見壽者見須菩提發阿耨多羅
三藐三菩提心者於一切法應如是知如是見
如是信解不生法相須菩提所言法相者如
來說即非法相是名法相須菩提若有人以
滿无量阿僧祇世界七寶持用布施若有善
男子善女發菩薩心者持於此經乃至四句
偈等受持讀誦為人演說其福勝彼云何
為人演說不取於相如如不動何以故
一切有為法　如夢幻泡影　如露亦如電　應作如是觀
佛說是經已長老須菩提及諸比丘比丘尼
優婆塞優婆夷一切世間天人阿脩羅聞佛
所說皆大歡喜信受奉行

金剛般若經

BD02283號　金剛般若波羅蜜經　（8–8）

蓋　相

答…不…滿之業聖人无滿

也自體〻〻道故經言種〻意生身我〻

又問既言為道本者是以不答如是　又問若空是…

空如念仏　答為愚人教念仏若有道心者教念空亦…即令觀…之念

身實相觀仏亦然實相者即是空无相也　又問大道者為獨

在於形路之中耶亦在草木之內耶　答大道无所不遍　又問道若

遍者何故煞人有罪煞草木无罪　答夫言有罪无罪者皆就

情約事非正道也但為人不達理妄立我身煞即有心結於業即

云罪也草木无罪情故非有我故煞者不計即不論罪与无罪

夫我无者視形如草木被斫如樹林故文殊執劒於瞿曇㝵持

力於釋氏此皆合道同證无生了知幻化虛故即不論罪与非罪

又問若草木久合道者經中何不記草木成佛但論說人也　答非獨

記人草木亦記故經云一微塵中具含一切法　又云一切法亦如也

一切衆生亦如也如即无二无差別　又問如是畢竟空理當於何求當

於何證　答當於一切色中求當於汝自語中證　又問云何色中求

語中證　答空色一合語證不二　又問若一切法空者何故聖道

凡穢　答妄動故擬真淨故通　又問境實空者何為究勸　答既空

説人華不亦説故經云一微塵中具含一切法 又云一切法亦如也
一切衆生亦如也 如即无差別 又問如是畢竟空理當於何求當
於何證 答當於一切色中求當於汝自語中證 又問云何色中求
語中證 答空色一合語證不二 又問若一切法必空者何故聖道
凡擁 答妄動故擁真淨故通 又問既實空者何為妄動若既妄
動豈成空也 答夫言妄者不覺起妄動論其空體无有一法而妄
者 又問若實空者一切衆生不須修道應自成 答一切衆生若
解空理者實不假修道只為不了自生有惑 又問言人不達此
理者得法說化衆生不 答自眼未開豈能他療目也 又問道其
須力方便化之可不得也 若道理者不達故名曰无明也 何以故
助已煩惱作氣力故 又問雖不能以入道具教衆生行五戒十善要
囊人天豈不益哉 答至理无益更招二損何以故自陷〻他故
自陷者自妨於道陷他者不免生死輪迴 又問聖人豈不說三乘
差別耶 答聖人无心說差別法但教衆生自心希望見故經云若彼
心滅盡无乘及不乘者无有乘達立也 又問世人外現威儀専
事精業多為男女之所親近者何 答婬女招羣男臭肉來
衆蠅此為名相之所致也 又問云何行於非道通達佛道
答平等无分別 又問何為无分別 答於法不生心 又問不可作无
作者乎 答人法性離誰作誰受 又問非有无可不覺知
答雖知不主我豈得无知 又問既无有我何得有知 答我見是
非我非有知 又問道我者有何妨 答知是我亦不妨道我只恐中
有事 又問若簡有事取无事者云何言得非道也 答其實死
事汝經死童他生事作何物也 又問正有因緣得無生不 答野火燒
山猛風折樹崩崖壞獸沈水漂與心同如此亦須併倫加若有心猶
豫見有無生中心不盡者乃至蟻子亦結汝命業 又問正有
因緣得偷盜 答蜂采池花雀銜庭粟牛飡澤豆馬噉原禾
畢竟不作自他物解者即得若生彼我心乃至針毫亦計作盜

豫見有無生中心不蓋者乃至蟻子亦結汝命業 又問亞有
因緣得偷盗 答鵝采池花雀銜庭粟牛飡澤豆馬噉原禾
畢竟不作自他物解者即得著生彼我心乃至針毫亦計作婬
業 又問得行婬不 答天覆於地陽合於陰心同如此者一切无妨
若生情分別自家婦亦污汝心 又問得妄語不 答語而无生言而无心
聲同鍾響氣類風陰心同此者當佛无事若不如此乃至念佛
亦須妄語 又問若不捨身云何行住坐卧耶何須三身見耶
又問既不能得存心得思惟義理不 答若計有心者不思惟亦有
若了无心者設使思惟久无釋之動而恒靜猶風動樹无心 又問
學道人忽被人打云何對治而令打平道 答不可忍而詠笑之 又問若
尖者為有他我見人見何別 答如杵和鍾其聲自然出也何必有
我乎汝若押捉心噏造口思者此乃存大大我也 又問人衷尖中有
情動豈同鍾響 答若言同與不同者俱是汝心多事妄想思量
作諸若知妄想者體道无為自然之也 又問聖人兵不復若不失色不
亦心不動何謂 答若了一切法无我者聲與不聲動與不動
俱合理也 又問有學道人不專持戒不護戒威儀不勤精進不
化衆生騰騰任運狀如痴人有何意耶 答蓋是滅見耶雖外相
似騰騰內宗恒无有捨 又問此行者更生他小兒之見云何稱言滅見
耶 答但滅已見何慮他生譬如魚求脫深網寧當更慮耶
答若與者所遣自逝不平何名大士 答言損益但有虛名生與不生
汝心自執今汝云慮他者乃是自生非他生耶 又問若內通大理
外現小儀自他同物於法何損 答汝今猶死要他大毛子作小兒戲
於理何益 答證者乃知悟者能識 又問如是滅見大士何能知
又問如此滅見大士亦能化生不 答何有日出不照燈舉不明 又問
作何方便云何大利 答物來而去事至而應无心計較斷絕衆緣
始成大利 又問然去思惟方便從何而生 答諸佛不生但從心生緣

又問如此滅見大士不能化生不 荅何有日出不照燈炎不明 又問
作何方便云何大利 荅物來而照事至而應无心計校斷絕衆緣
始成大利 又問然云思惟方便從何而生 荅諸佛不生但從心生緣
化方有法本无名 又問我不知云何為佛何名為道何者變化誰
名常住 荅覺了无物謂之為佛通達一切名之為道法界出生
稱為變化究竟寂滅故号常住 又問云何名一切法悉是佛法
荅非法通一切法也 又問誰說誰證 荅此誰云何言證
又問无誰何說 荅无誰即无說之說乃稱正說 又問何名邪說
荅有心計校者名為邪說 又問是誰之計云何无計 荅計者悉空其
實无物知諸中无諸計者久无 又問如此說者一切衆生應本解脫
荅本无繫縛何有解脫 又問縛解已无何有名字 荅法尚无有何
得有名 又問如此說者我轉不解 荅實无解法汝莫求解汝若
求一个小解法此法令汝更受長眠 又問何法名究竟 荅法无始終
誰存究竟 又問法无究竟可因果耶 荅法本既无何名因果 又問云
何說證 荅真實无證說 又問佛云何知見 荅佛知一切法等
又問何心知何目見 荅无心之心知无目之目見 又問誰說是言舍
荅如我所問 又問云何如我所問 荅欲得知汝自觀問者於是緣
門再審寂然无言入理无生 問曰汝何不言 緣門荅曰我不見一
切法如處塵許而不對也 爾時入理即語緣門曰汝今似見真實
好理也 緣門問曰云何似見非正見乎 入理荅汝今所見无有一
法者如彼外道雖隱形而未能滅影及跡 緣門又問何得形影雙滅
入理荅曰本无心境汝莫起生滅之見 又問吾聞聖人无問而自說
云何待問說 荅對病故說藥无病故不須說此是對病語
又問他人未言聖人云何使其病未發藥病何須 荅如天雨雷動
而必有所應如其有藥必有病人 又問大聖既无有何生緣何
見世 荅太平之世瑞草緣生 又問大聖既非盡云何見滅 荅飢荒

又問他人亦言聖人去使其病亦發藥療病何須 答如天震雷動
而必有所應如其有藥丸有病人 又問大聖既无有何生緣何
見世 答太平之世瑞草緣生 又問大聖既非盡去何見滅 答亂荒
之世五穀緣滅 又問吾聞聖之初从空之起慈悲化生无身大通是同
瑞草生也 答之謂法身起謂化身法无同緊化无緣苗生設庫通
故稱无身 答問云何言念 答但以化身无應鮮合真空人物无心
彼彊謂之悲也 又問衆生何時循道得似如來 答若不了時從
設恒沙劫循轉不及若了時衆生即是如來何論得似 又問吾直
說者如來即應易得云何言三代劫循耶 答甚難非易 又問既道
即身是也云何返說難 答夫起心二是易滅二轉難有作有身易
无作身難故知玄功難會妙理難合不動即真佛无相為法即
三聖共尊非吾獨貴於是緣門長歎聲滿十方寂然无音豁然
大悟言无淨智乃蕩光疑无惑是非因玄乘息始知學道奇難也
先生則无說而說我則无聽而聽說一合從來寂然不知上來所問
吾者誰也於是入理日夫至理幽玄无有文字汝所問者皆是量
起心生也覺已无物皆是假名問吾无蹤可言絕觀論也 問日人皆
有心作何方便得无生心 答下中上循能見自心妄想知三界如幻實
空始可得无 問曰一切衆生如幻如夢弟子煞之有罪不
答若見有衆生是衆生是衆生煞之得罪不見衆生是衆生即
无可煞如夢中煞人寤時畢竟无物 問云何入道 答心非有无
何問入道 答心非有无故得識入道者不出入心是也 問有人
飲食酒宍行諸五欲得作佛法耶 答心上不有誰作是非
答問何名佛法 答知心法无即是佛法 問何名无分別智 答觀識
不生覺觀不起是 問何名妄想 答想念心是 問云何息妄想
答知妄想不生无妄可息知心无心可息是也 問何名如來藏
答覺知色塵是自心現想即不生故即是如來藏 問世人稱

不生覺觀不起是　問何名妄想　答想念心是　問云何息妄想
答知妄想不生无妄可息知心无心可息是也　問何名如來藏
答覺知色塵是自心現想即不生故即是如來藏　問世人循
學得道不　答循道實行不可成世人皆務時有心久後即揚故曰
實行者不可口說而得道也　經云兵法不可徵敵馬者不能代步
問云何无名想法　答心裏所求證无人我說即假名言即假相見
聞知覺不何名想　問任何行即生无色界　答此人不知方法皆是
息妄見心雖得靜久後還發經云當來比丘如犬逐塊人已擲塊
犬知塊從人起犬咬塊不咬其人若也咬人塊即自息循道之人
若了心量久復如是　問佛奪度眾生盡然後成佛眾生未度
佛已成佛　答佛自有解譬如有客坐在闇室主人吹大意无照
客但大著時主人无照菩薩意度眾生然功德具足在前成佛
問眾生本法如何　答无佛无眾生不見人我想即是本法
觀行法為有緣　　无名上士集
沙門知當述
因緣所生法　是義滅不生　滅諸生滅義　是義非生滅
釋曰因緣性寂滅寂滅性无生有心滅生滅是生非寂滅所以者何
雖有生死无受生者雖有涅槃无有證者雖有言說无分別
者雖有聽聞亦无知者法離自性各不相知內外緣中其性解
脫无分別理故以言申不如意念自當會矣　夫佛性者性本空
无妄可除无真可得有真可得有妄可除真性既空妄亦非有
知妄非有妄識不生了心无生所生心滅所生心滅所見心亡
識心不住於心妄滅不住於滅所以者何心无住處即不住心
妄无滅處即不住滅縱滅他亦不滅縱生亦是无生无滅是无
生心无生心本不滅　夫言无生者是所證之名夫有生者立所
斷之目然而冥會之際契入之時无生不生斷證相滅言阝然无

BD02284號1　絕觀論
BD02284號2　因緣頌釋（擬）

（8–6）

是无滅盡即不從滅，從滅他亦不滅，能生亦是无生，无滅是无
生。心无生心本不滅。夫言无生者，是不識之名。夫有生者，之所
斷之因然。所言真會之際，契入之時，无生不生，新舊相滅，言說无
身，詩照无影，內空外空，真空一體，內外空故，內外不生不生
即是无生，无生即是似性，性觀々，文句義能了真，看々不依看
言說見，只如日月可以眼見，不可以盈手主道，可以神會，不可以
方求。謹上答曰　外法內從生，內空外亦空，即內外空，內外何
分？止念々，息觀心々，不見累，緣生是无生，諍見無心起

寂和尚說偈

見者即是空　々本是不見　本從心起　空以歸本　見盡歸心
永斷緣處　心盡無見　大道從生道者，離無色像可見，稱
量可知，而實有用，々者作，用者修行之人，言表其用言之者，不
盡不見，名之為空，能緣諸塵，名之為患，即定之時不妨於患，即患
之時不妨於定，即定之時是患家體，即患之時是定家用，體
用者，即是菩提，如日與光不相捨離，即日之時光家體，即光
之時日家用，體用之義，理數悉順，相合不生，即合道
又說行門云　心緣无處　相合不生　既見心承　如々但無
覺心无寄　无處不通　一念能功起生覺動　努力善自勤之
賢除得力無過此門，一千處滅，猶在其中，此方如行，亦在其次
來我得无從此顯，何稱菩提不離此處

力求謹上誠日　外法內從生內空外亦示既如內外空內外何
令上念〻若覺亂心〻不免累〻縱生是无生誰見妄心起

寂和尚說偈

見青如雲〻本是水　見本從心起　雲収歸水　見盡歸心
永諸無雲　心盡無見　又且躡徑去道者雖無色像可見稱
量可知而實有用〻者作〻用〻者循行之人定惠等用言定者万
緣不起名之為定能鑒諸塵名之為惠即定之時不妨於惠即惠
之時不妨於定即定之時是惠家體即惠之時是定家用體
用齊等即是菩提如日与光不相捨離即日之時光家體即光
之時日家用體用之義理飽挺煩相念不生即合道
又說行門去　心緣无處　相念不生　照見心原　如〻恒寂
覺心无寻　无處不通　一念施切起生塵動　努力〻善自循之
臨路得力無過此門三千威儀攝在其中八万細行亦在其　次第
樂我詩无從此顯阿耨菩提不離此處

切智智清淨故諸佛無上正等菩提清淨諸佛
無上正等菩提清淨故靜慮波羅蜜多清淨何以
故若一切智智清淨若諸佛無上正等菩提
清淨若靜慮波羅蜜多清淨無二無二分無別
無斷故復次善現一切智智清淨故色清淨色
清淨故精進波羅蜜多清淨何以故若一切智智清
淨若色清淨若精進波羅蜜多清淨無二無
二分無別無斷故一切智智清淨故受想行識
清淨受想行識清淨故精進波羅蜜多清淨
何以故若一切智智清淨若受想行識清淨若
精進波羅蜜多清淨無二無二分無別無斷故
善現一切智智清淨故眼處清淨眼處清淨
故精進波羅蜜多清淨何以故若一切智智清
淨若眼處清淨若精進波羅蜜多清淨無二
無二分無別無斷故一切智智清淨故耳鼻舌
身意處清淨耳鼻舌身意處清淨故精進波
羅蜜多清淨何以故[illegible]智智[illegible]
舌身意處清淨[illegible]
無二分無別無斷[illegible]智[illegible]故
色處清淨色處清淨故精進波羅蜜多清淨何

BD02285號　大般若波羅蜜多經卷二四五

（2–1）

清淨受想行識清淨故精進波羅蜜多[illegible]
何以故若一切智智清淨若受想行識清淨若
精進波羅蜜多清淨無二無二分無別無斷故
善現一切智智清淨故眼處清淨眼處清淨
故精進波羅蜜多清淨何以故若一切智智清
淨若眼處清淨若精進波羅蜜多清淨無二
無二分無別無斷故一切智智清淨故耳鼻舌
身意處清淨耳鼻舌身意處清淨故精進波
羅蜜多清淨何以故[illegible]智智[illegible]
舌身意處清淨[illegible]
無二分無別無斷[illegible]智[illegible]故
色處清淨色處清淨故精進波羅蜜多清淨何
以故若一切智智清淨若色處清淨若精進波羅
蜜多清淨無二無二分無別無斷故一切智智
清淨故聲香味觸法處清淨聲香味觸法處清淨
故精進波羅蜜多清淨何以故若一切智智清淨若
聲香味觸法處清淨若精進波羅蜜多清淨無
二無二分無別無斷故善現一切智智清淨故
眼界清淨眼界清淨故精進波羅蜜多清
淨何以故若一切智智清淨若眼界清淨若

BD02285號　大般若波羅蜜多經卷二四五

（2–2）

BD02285 號背　勘記　（1–1）

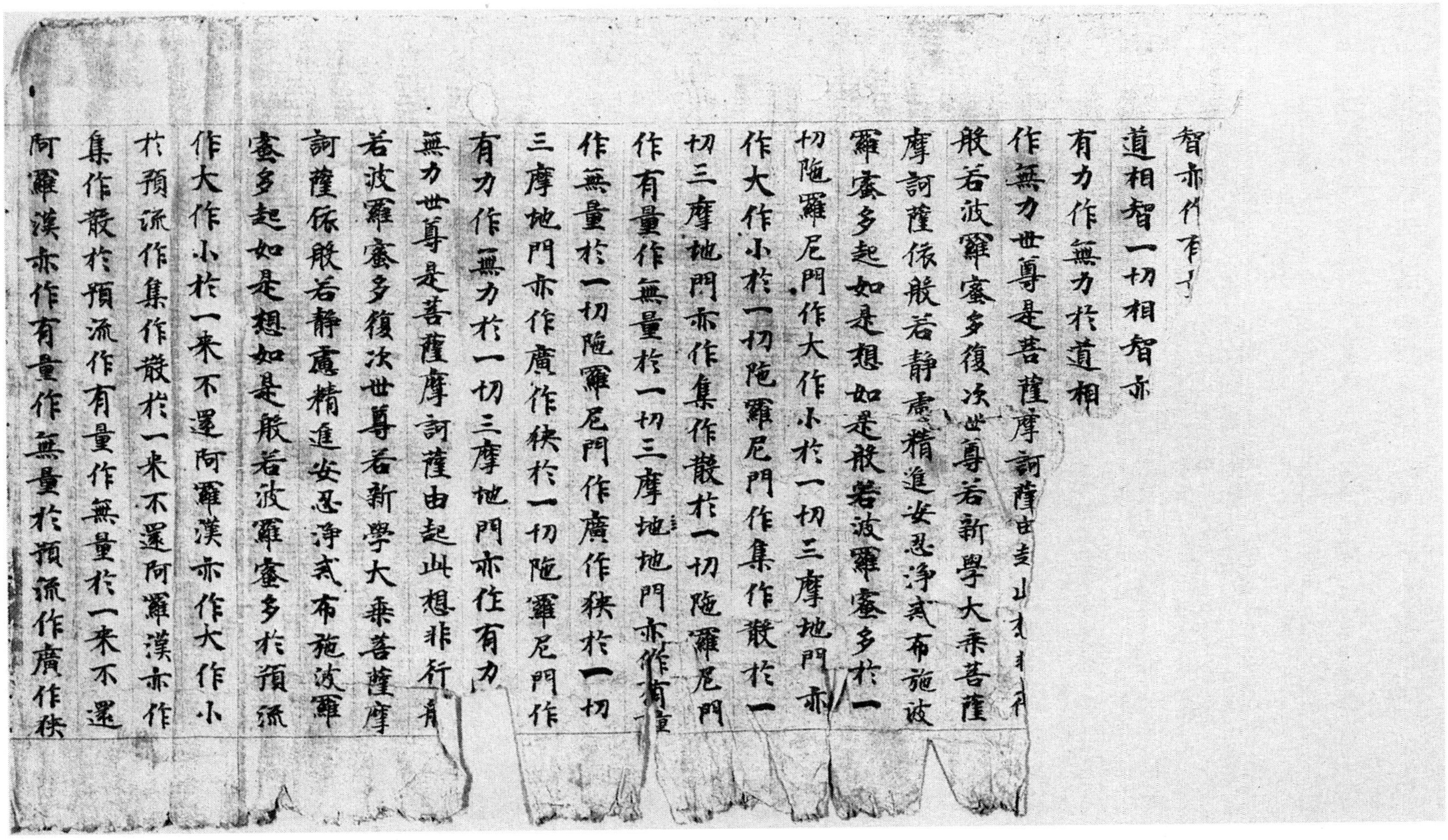

智亦作有
道相智一切相智亦
有力作無力於道相
作無力世尊是菩薩摩訶薩由起此想非行
般若波羅蜜多復次世尊若新學大乘菩薩
摩訶薩依般若靜慮精進安忍淨戒布施波
羅蜜多起如是想如是般若波羅蜜多於一
切陁羅尼門作大作小於一切三摩地門亦
作大作小於一切陁羅尼門作集作散於一
切三摩地門亦作集作散於一切陁羅尼門
作有量作無量於一切三摩地地門亦作有量
作無量於一切陁羅尼門作廣作狹於一切
三摩地門亦作廣作狹於一切陁羅尼門作
有力作無力於一切三摩地門亦作有力
無力世尊是菩薩摩訶薩由起此想非行般
若波羅蜜多復次世尊若新學大乘菩薩摩
訶薩依般若靜慮精進安忍淨戒布施波羅
蜜多起如是想如是般若波羅蜜多於預流
作大作小於一來不還阿羅漢亦作大作小
於預流作集作散於一來不還阿羅漢亦作
集作散於預流作有量作無量於一來不還
阿羅漢亦作有量作無量於預流作廣作狹

BD02286 號　大般若波羅蜜多經卷一七六　（2–1）

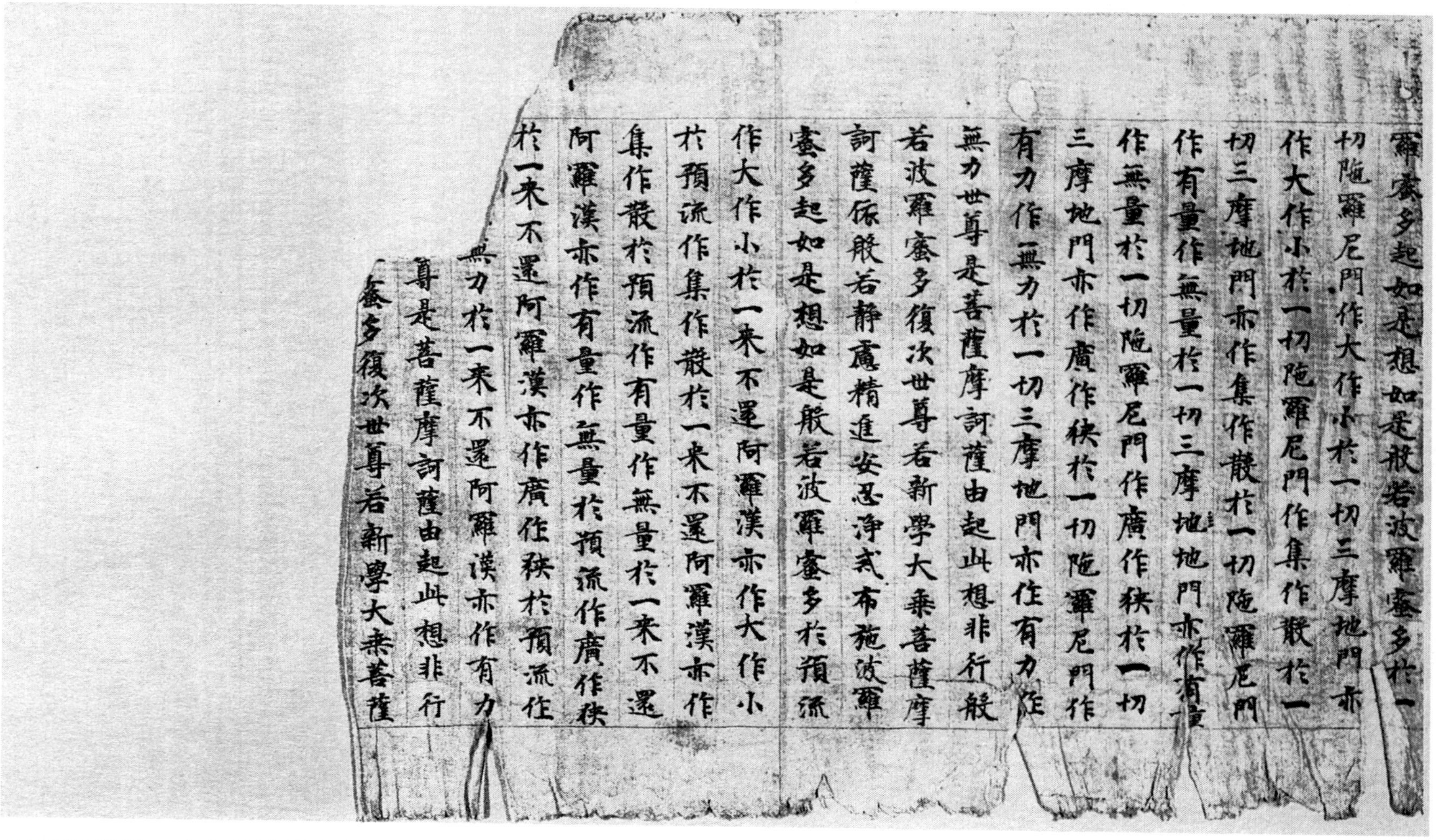
羅蜜多起如是想如是般若波羅蜜多於一
切陁羅尼門作大作小於一切三摩地門亦
作大作小於一切陁羅尼門作集作散於一
切三摩地門亦作集作散於一切陁羅尼門
作有量作無量於一切三摩地地門亦作有量
作無量於一切陁羅尼門作廣作狹於一切
三摩地門亦作廣作狹於一切陁羅尼門作
有力作無力於一切三摩地門亦作有力作
無力世尊是菩薩摩訶薩由起此想非行般
若波羅蜜多復次世尊若新學大乘菩薩摩
訶薩依般若靜慮精進安忍淨戒布施波羅
蜜多起如是想如是般若波羅蜜多於預流
作大作小於一來不還阿羅漢亦作大作小
於預流作集作散於一來不還阿羅漢亦作
集作散於預流作有量作無量於一來不還
阿羅漢亦作有量作無量於預流作廣作狹
於一來不還阿羅漢亦作廣作狹於預流作
無力於一來不還阿羅漢亦作有力
尊是菩薩摩訶薩由起此想非行
蜜多復次世尊若新學大乘菩薩

BD02286 號　大般若波羅蜜多經卷一七六　（2–2）

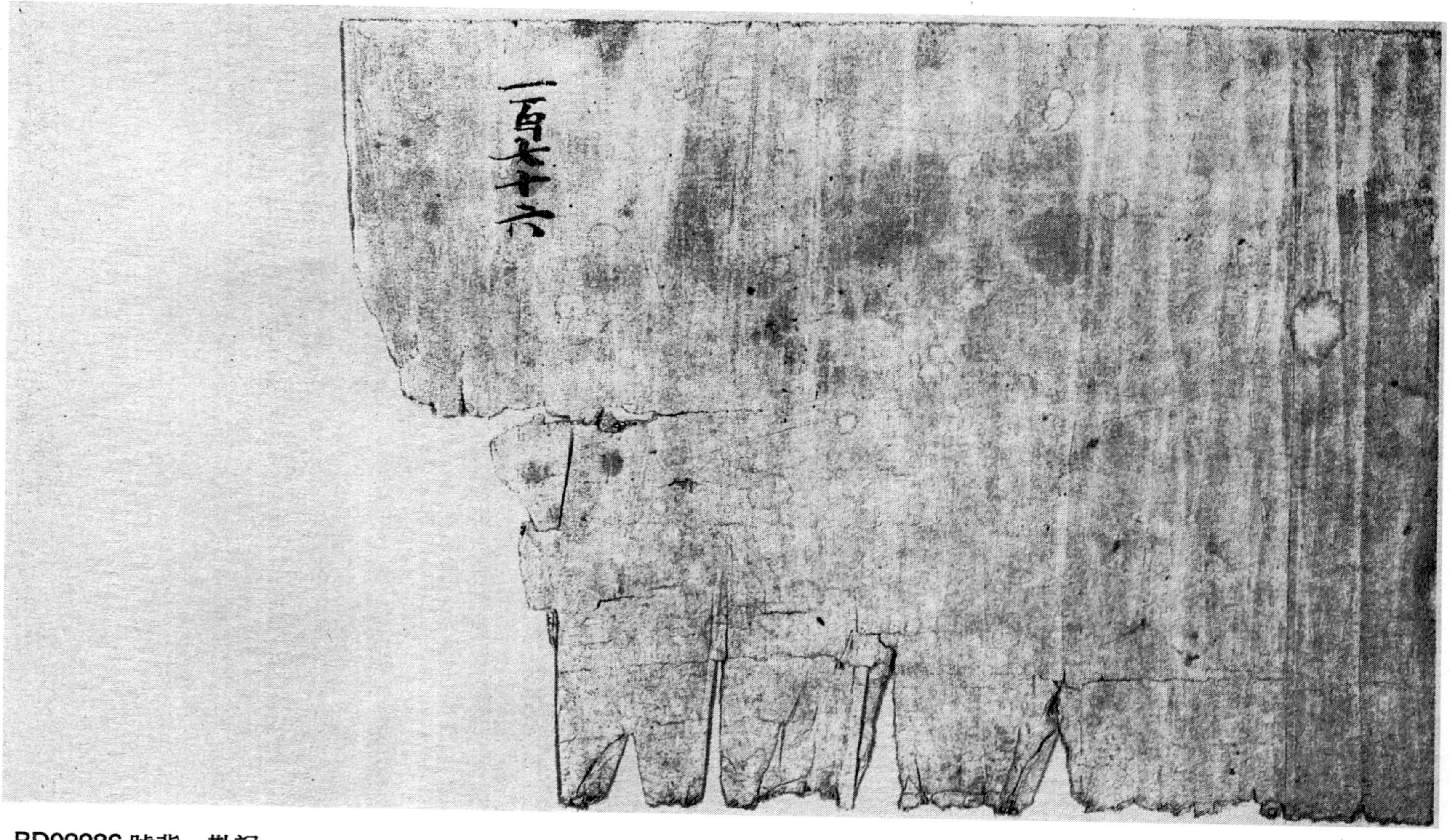
一百七十六

BD02286 號背　勘記　（1–1）

現一切智智清淨故眼界清淨眼界清淨故
一切菩薩摩訶薩行清淨何以故若一切智
智清淨若眼界清淨若一切菩薩摩訶薩行
清淨無二無二分無別無斷故一切智智清
淨故色界眼識界及眼觸眼觸為緣所生諸
受清淨色界乃至眼觸為緣所生諸受清淨
故一切菩薩摩訶薩行清淨何以故若一切
智智清淨若色界乃至眼觸為緣所生諸受
清淨若一切菩薩摩訶薩行清淨無二無二
分無別無斷故善現一切智智清淨故耳界
清淨耳界清淨故一切菩薩摩訶薩行清淨
何以故若一切智智清淨若耳界清淨若一
切菩薩摩訶薩行清淨無二無二分無別無
斷故一切智智清淨故聲界耳識界及耳觸
耳觸為緣所生諸受清淨聲界乃至耳觸為
緣所生諸受清淨故一切菩薩摩訶薩行
清淨何以故若一切智智清淨若聲界乃至耳
觸為緣所生諸受清淨若一切菩薩摩訶薩
行清淨無二無二分無別無斷故善現一切
智智清淨故鼻界清淨鼻界清淨故一切菩
薩摩訶薩行清淨何以故若一切智智清淨
若鼻界清淨若一切菩薩摩訶薩行清淨

BD02287號　大般若波羅蜜多經卷二八四　（3–1）

行清淨無二無二分無別無斷故善現一切
智智清淨故鼻界清淨鼻界清淨故一切菩
薩摩訶薩行清淨何以故若一切智智清淨
若鼻界清淨若一切菩薩摩訶薩行清淨
無二無二分無別無斷故一切智智清淨故香
界鼻識界及鼻觸鼻觸為緣所生諸受清
淨香界乃至鼻觸為緣所生諸受清淨故一切
菩薩摩訶薩行清淨何以故若一切智智清
淨若香界乃至鼻觸為緣所生諸受清淨
若一切菩薩摩訶薩行清淨無二無二分無別
無斷故善現一切智智清淨故舌界清淨舌
界清淨故一切菩薩摩訶薩行清淨何以故
若一切智智清淨若舌界清淨若一切菩薩
摩訶薩行清淨無二無二分無別無斷故一
切智智清淨故味界舌識界及舌觸舌觸為
緣所生諸受清淨味界乃至舌觸為緣所生
諸受清淨故一切菩薩摩訶薩行清淨何以
故若一切智智清淨若味界乃至舌觸為緣
所生諸受清淨若一切菩薩摩訶薩行清
淨無二無二分無別無斷故善現一切智智清
淨故身界清淨身界清淨故一切菩薩摩訶
薩行清淨何以故若一切智智清淨若身界
清淨若一切菩薩摩訶薩行清淨無二無二
分無別無斷故一切智智清淨故觸界身識
界及身觸身觸為緣所生諸受清淨觸界乃
至身觸為緣所生諸受清淨故一切菩薩摩

BD02287號　大般若波羅蜜多經卷二八四　（3–2）

故若一切智智清淨若味界乃至舌觸為緣
所生諸受清淨若一切菩薩摩訶薩行清
淨無二無二分無別無斷故善現一切智智清
淨故身界清淨身界清淨故一切菩薩摩訶
薩行清淨何以故若一切智智清淨若身界
清淨若一切菩薩摩訶薩行清淨無二無二
分無別無斷故一切智智清淨故觸界身識
界及身觸身觸為緣所生諸受清淨觸界乃
至身觸為緣所生諸受清淨故一切菩薩摩
訶薩行清淨何以故若一切智智清淨若觸
界乃至身觸為緣所生諸受清淨若一切菩
薩摩訶薩行清淨無二無二分無別無斷故
善現一切智智清淨故意界清淨意界清
淨故一切菩薩摩訶薩行清淨何以故若一切
智智清淨若意界清淨若一切菩薩摩訶薩
行清淨無二無二分無別無斷故一切智智
清淨故法界意識界及意觸意觸為緣所生
諸受清淨法界乃至意觸為緣所生諸受清
淨故一切菩薩摩訶薩行清淨何以故若一
切智智清淨若法界乃至意觸為緣所生諸
受清淨若一切菩薩摩訶薩行清淨無二無

BD02287號　大般若波羅蜜多經卷二八四　（3–3）

兌

分无別无斷故善現我清淨故一切菩薩
摩訶薩行清淨一切菩薩摩訶薩行清淨
故一切智智清淨何以故若我清淨若一切菩
薩摩訶薩行清淨若一切智智清淨无二
无二分无別无斷故善現我清淨故諸佛无
上正等菩提清淨諸佛无上正等菩提清淨
故一切智智清淨何以故若我清淨若諸佛无
上正等菩提清淨若一切智智清淨无二无
二分无別无斷故
復次善現有情清淨故色清淨色清淨故一
切智智清淨何以故若有情清淨若色清
淨若一切智智清淨无二无二分无別无斷
故有情清淨故受想行識清淨受想行識
淨故一切智智清淨何以故若有情清淨若
受想行識清淨若一切智智清淨无二无二
分无別无斷故善現有情清淨故眼處清淨
眼處清淨故一切智智清淨何以故若有情
清淨若眼處清淨若一切智智清淨无二无
二分无別无斷故有情清淨故耳鼻舌身意
處清淨耳鼻舌身意處清淨故一切智智
清淨何以故若有情清淨若耳鼻舌身意

BD02288號　大般若波羅蜜多經（兌廢稿）卷一九五　（2–1）

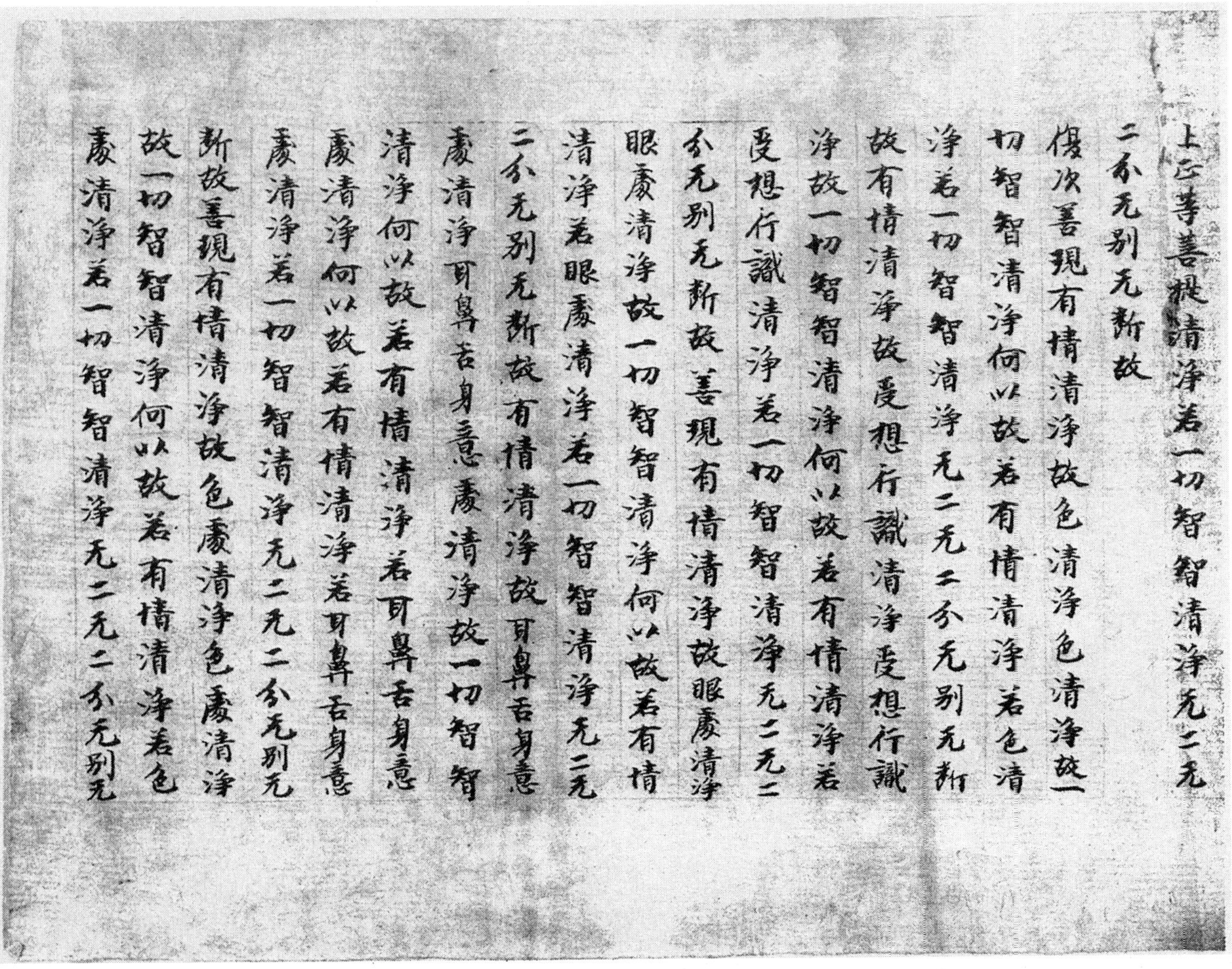

上忍等善根清淨若一切智智清淨无二无
二分无别无斷故
復次善現有情清淨故色清淨故一
切智智清淨何以故若有情清淨若色清
淨若一切智智清淨无二无二分无别无斷
故有情清淨故受想行識清淨受想行識
淨故一切智智清淨何以故若有情清淨若
受想行識清淨若一切智智清淨无二无二
分无别无斷故善現有情清淨故眼處清淨
眼處清淨故一切智智清淨何以故若有情
清淨若眼處清淨若一切智智清淨无二无
二分无别无斷故有情清淨故耳鼻舌身意
處清淨耳鼻舌身意處清淨故一切智智
清淨何以故若有情清淨若耳鼻舌身意
處清淨何以故若有情清淨若耳鼻舌身意
處清淨若一切智智清淨无二无二分无别无
斷故善現有情清淨故色處清淨色處清淨
故一切智智清淨何以故若有情清淨若色
處清淨若一切智智清淨无二无二分无别无

BD02288號　大般若波羅蜜多經（兌廢稿）卷一九五　（2–2）

BD02288號背　雜寫　（1–1）

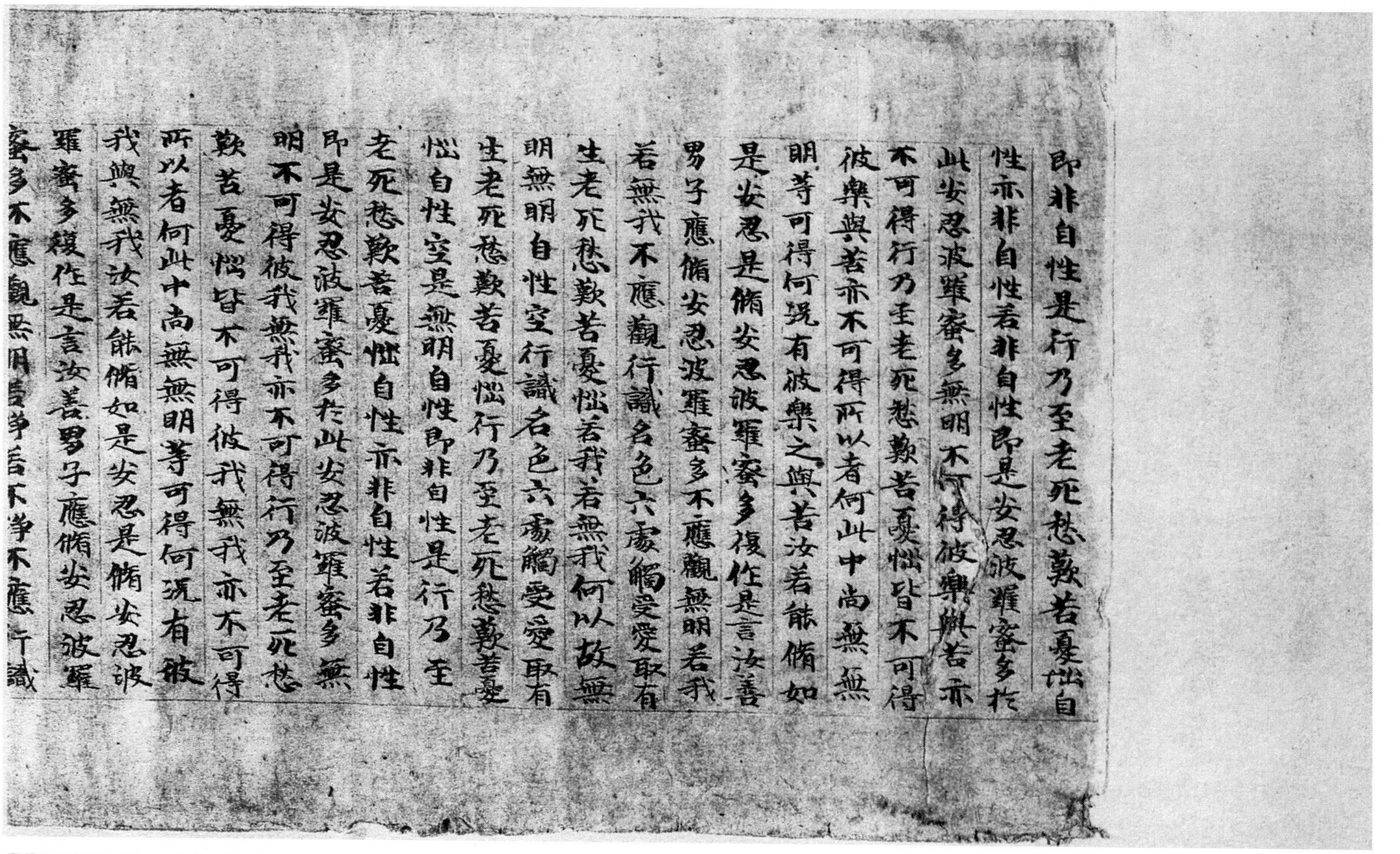

即非自性是行乃至老死愁歎苦憂惱自
性亦非自性若非自性即是安忍波羅蜜多於
此安忍波羅蜜多無明不可得彼樂與苦亦
不可得行乃至老死愁歎苦憂惱皆不可得
彼樂與苦亦不可得所以者何此中尚無無
明等可得何況有彼樂之與苦汝若能脩如
是安忍是脩安忍波羅蜜多復作是言汝善
男子應脩安忍波羅蜜多不應觀無明若我
若無我不應觀行識名色六處觸受愛取有
生老死愁歎苦憂惱若我若無我何以故無
明無明自性空行識名色六處觸受愛取有
生老死愁歎苦憂惱行乃至老死愁歎苦憂
惱自性空是無明自性即非自性是行乃至
老死愁歎苦憂惱自性亦非自性若非自性
即是安忍波羅蜜多於此安忍波羅蜜多無
明不可得彼我無我亦不可得行乃至老死愁
歎苦憂惱皆不可得彼我無我亦不可得
所以者何此中尚無無明等可得何況有彼
我與無我汝若能脩如是安忍是脩安忍波
羅蜜多復作是言汝善男子應脩安忍波羅
蜜多不應觀無明若淨若不淨不應行識

BD02289號　大般若波羅蜜多經卷一五六　（2–1）

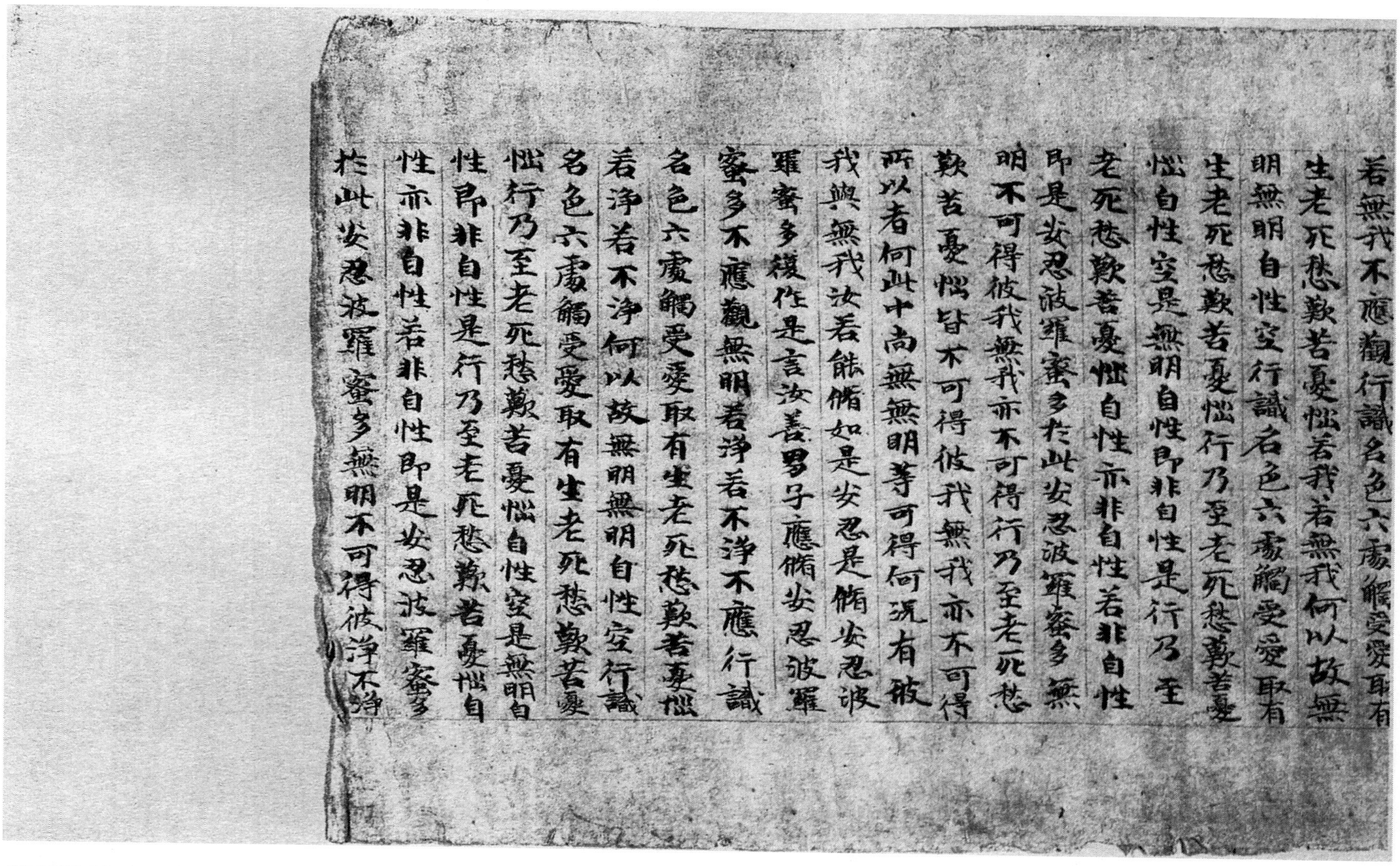

若無我不應觀行識名色六處觸受愛取有
生老死愁歎苦憂惱若我若無我何以故無
明無明自性空行識名色六處觸受愛取有
生老死愁歎苦憂惱行乃至老死愁歎苦憂
惱自性空是無明自性即非自性是行乃至
老死愁歎苦憂惱自性亦非自性若非自性
即是安忍波羅蜜多於此安忍波羅蜜多無
明不可得彼我無我亦不可得行乃至老死愁
歎苦憂惱皆不可得彼我無我亦不可得
所以者何此中尚無無明等可得何況有彼
我與無我汝若能脩如是安忍是脩安忍波
羅蜜多復作是言汝善男子應脩安忍波羅
蜜多不應觀無明若淨若不淨不應行識
名色六處觸受愛取有生老死愁歎苦憂惱
若淨若不淨何以故無明無明自性空行識
名色六處觸受愛取有生老死愁歎苦憂
惱行乃至老死愁歎苦憂惱自性空是無明自
性即非自性是行乃至老死愁歎苦憂惱自
性亦非自性若非自性即是安忍波羅蜜多
於此安忍波羅蜜多無明不可得彼淨不淨

BD02289號　大般若波羅蜜多經卷一五六　（2–2）

第六

BD02289號背　勘記　（1–1）

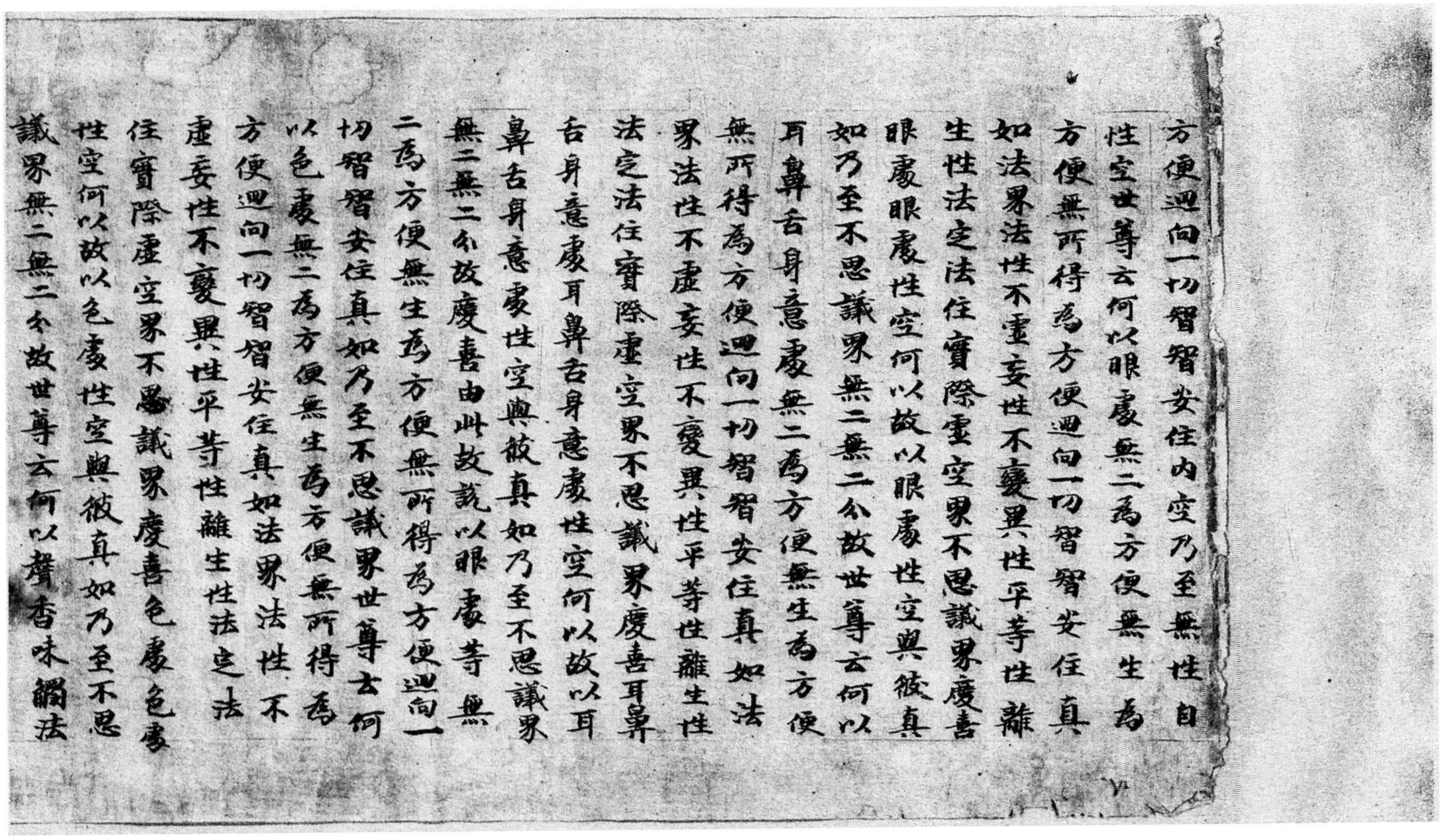

方便迴向一切智智安住內空乃至無性自
性空世尊云何以眼處無二為方便無生為
方便無所得為方便迴向一切智智安住真
如法界法性不虛妄性不變異性平等性離
生性法定法住實際虛空界不思議界慶喜
眼處眼處性空何以故以眼處性空與彼真
如乃至不思議界無二無二分故世尊云何以
耳鼻舌身意處無二為方便無生為方便
無所得為方便迴向一切智智安住真如法
界法性不虛妄性不變異性平等性離生性
法定法住實際虛空界不思議界慶喜耳鼻
舌身意處耳鼻舌身意處性空何以故以耳
鼻舌身意處性空與彼真如乃至不思議界
無二無二分故慶喜由此故說以眼處等無
二為方便無生為方便無所得為方便迴向一
切智智安住真如乃至不思議界世尊云何
以色處無二為方便無生為方便無所得為
方便迴向一切智智安住真如法界法性不
虛妄性不變異性平等性離生性法定法
住實際虛空界不思議界慶喜色處色處
性空何以故以色處性空與彼真如乃至不思
議界無二無二分故世尊云何以聲香味觸法

BD02290號　大般若波羅蜜多經卷一一二　（2–1）

界法性不虛妄性不變異性平等性離生性
法定法住實際虛空界不思議界慶喜耳鼻
舌身意處耳鼻舌身意處性空何以故以耳
鼻舌身意處性空與彼真如乃至不思議界
無二無二分故慶喜由此故說以眼處等無
二為方便無生為方便無所得為方便迴向一
切智智安住真如乃至不思議界世尊云何
以色處無二為方便無生為方便無所得為
方便迴向一切智智安住真如法界法性不
虛妄性不變異性平等性離生性法定法
住實際虛空界不思議界慶喜色處色處
性空何以故以色處性空與彼真如乃至不思
議界無二無二分故世尊云何以聲香味觸法
處無二為方便無生為方便無所得為方
便迴向一切智智安住真如法界法性不虛妄
性不變異性平等性離生性法定法住實
際虛空界不思議界慶喜聲香味觸法處
聲香味觸法處性空何以故以聲香味觸法
性空與彼真如乃至不思議界無二無二分

BD02290號　大般若波羅蜜多經卷一一二

（2–2）

上[illegible]
應身此權由真故為此
殊妙異於餘人從耳識後知名聞見也上來明惠於
名聞惠也今欲使積文六應身知其應本真本何由為佛性故為佛性故
名聞惠也法上生解云何名聞惠也欲使比較解識他識應身亦欲使解
已身中亦為當應此不自為由真身故為真身何由為由佛性故為於己佛性
上生解得成聞惠也上來直明説法未明中道波羅捺已下就始未説法
以明中道也不破者實法道中不能斷結名不破也非不能破
者假名道中惠斷煩惱名破結也實法无破名不破假名相續破非
是不破是名中道也性空理中无一法當心名不度衆生假名緣
為中非是不受性空空道无衆生可教非一切成緣和道中衆生更教
脩道越凡成聖非不成也如來所可説法畢竟空相然不存心自言師是
故不自言師受小戒教者如來亦不存心是我弟子説不為利養不望
為利所説空相行因果報自對名非不得果者如此解是名聞見也
師子吼言白佛言已下何以故作此問上來如來勸人觀如來心相具二因緣
從眼識後知名眼見耳識後知名眼聞惠若如來形服是定所可
説法之定請二因緣可知也如來形服不定所説法攬云何可識是
故興此問也菴羅果喻四種人等菴羅菓内熟外生自為内外俱熟自内
外俱生四人亦知此為人行細心不正實此内生外熟心細行不正實内外
俱熟有人心不細行亦不正實此内外俱生初二種人云何可識雖依眼見利
教默攬實難知也　善男子已下荅上問也此問初二種云
何知實難知後與共住受共住不知當與久受者為其五年十識其
若是佛説法不希利養恒作興顯佛法若不如此是外道也若久處不知與堀
惠觀察具四因緣則知持戒及與破戒持戒者名如來破戒者外道也
善男子戒為二種如來戒者畢竟空相无為因緣究竟持戒故能現天方
[illegible]

何知實難知必与共住久受共住不知當与久受者為共五年方識其
若是如說法不希利養恒作興顯佛法若不如此是外道也若久處不知与塌
專觀察具四因緣則知持戒及与破戒持戒者名如來破戒者外道也
善男子戒為二種如來戒者畢竟亡相无為因緣究竟持戒故能現天方
應而生解得名為聞慧也　善男子昔与五百弟子已下所持戒究竟
也鴿至舍利弗影猶故戰慄者持戒未究竟斷結習而未亡也至如來影中
者如來持戒究竟斷故結習永盡能令鴿在隱也身影猶為是功豈況
應本也　復為二種者一為利養二為正法為利養持戒者畢在三
為不見於佛性雖聞不名於聞慧第二句為正持戒者不悕利養情
善名聞亡相而行行又見於佛性亦名為眼見亦名為聞見　復為二種
者一為自身二為眾生為眾生者亡己而為物又見於佛性為己身備行自雖
己又不見於佛性　復為二種一性自能持二須他教勅者假師受戒
戒此戒為弱不能見於佛性性自能持者積行來久不假於師受眾
行以相發也見於佛性師子吼言何因緣故受持戒者上來直明於戒見佛
懷憚太少故發此問為持一戒能見佛性為更為餘行也　善男子從
以我為單持戒為更為行戒是眾行之本是故且明戒眾行故見佛性
非一戒能見也戒者住下行因戒故發生物住名不悔得受樂從下生
中生上從初住得二住乃至第十住金剛心謝種智忽現名大涅槃
善男子持戒不求不悔之心自然生已下眾行之相性自相感不待作心
也　師子吼言世尊已下此明所以興上來廣勸人觀一如來應身稱
此應身知其具真本欲使行人尋應以得本得戒聞慧也自此已
難喜若為其本可勸我尋應以得本觀涅槃无本既无其本欲自
尋應何時得具本无本而可得云何得感聞壽也戒則无自而勝
是常之法不從因得戒无因故名常涅槃為因所生勝非是若爾涅
槃本无今為方從緣得是无常若為常涅槃可勸我尋應得此涅槃本之
既是无常云何可得云何戒聞慧　佛言已下答上問也不失本念
者此明將答先嘆也諦之聽之故明戒天因者不然戒二為因之聽正法
方得此戒聽正法二為因之近善友戒前為本許因云何道无因戒為因故
知戒為因戒為因故知戒无常那推无窮也聽正法因信心復聽正
法遠此二法上達為因果聽正法因信之心之者因聽正法如此二法亦得名
因之亦得名果之亦因之者初聽法作頭聽正法生信心從信心生弟

BD02291號　涅槃經疏（擬）　（5–2）

[illegible]
知義為因義為因故知義无常耶推无窮也聽正法因信心復聽正
法意此二法上述為因果聽正法因信心心者因聽正法如此二法亦得名
因因亦得名果果亦因因者初聽法作頭聽正法生信心從信心生聞
三時中聽法第二時中信心与第三時中聽法作因初時聽法与
信心作因与因作因故名因因聽法亦名果果者信心与初聽法作
果第三時中聽法与信心作果作果故名果果也試信心上亦為果
果義根瓶為因果因瓶木得住瓶是木家因因木瓶得住木是瓶
家因亦由木瓶得住瓶是木家果由瓶木得住木是瓶家果果是
无明行亦因因亦果果无明作頭无明生行行後復生无明行与第
三時中无明作因初无明与行作因中間有行与因作因故名因
因行与初无明作果第三時中无明与行作果与果作果故名果果乃至
老死亦然此生生外人義生生此大生能生八法能生他然不能自生時由小
生生生屬上也生生者不自生者此小生正生他大生不能自生轉生者類
大生故生由大生生生小大生小生復生大生小生与第三大生作因初大生与
第二生小作因与因作因故名因因第二小生与初大生作果第三
時中大生与第二小生作果与果作果故名果果是果是涅槃
果非因非生因辨是大果涅槃也更无法過名上果自以天下
恐盡名沙門果也金剛已還盡是不淨涅槃是真淨名
婆羅門果破煩惱盡方得此果故名破惡果也過過者五蘊
四重是一過復謗无涅槃過也涅槃无因辨是了因家果也
何以故无其生滅故知常也涅槃常故是本為不无始尋應得
其本為本而可得无成於所惠也 槃者言曰足試胡
音正名无為生因故名涅槃也 師子吼言无因常義不
然如來上言涅槃无因則合六義雖引六來正釋河池无水作
難為時為水為時无水涅槃為時无因可名常哉時為因辨无常
故云何成所惠也善男子汝所涅槃无因何故乃引為時
為有時无六中何不引畢竟无作喻涅槃一回无因如似无
我所畢竟无也涅槃无具因辨是果是了因家果是因
未現故名因辨未顯現名非果當為必屬了人不可差、
集名佛性也非因非生因是因是佛性之正因非果非生因果也非沙
門果者此果本來為不待息惡故方為者為了因可得

我所畢竟无也 涅槃无具因斷是果是了因家果是因
未現故名因斷未顯現名非果當為必屬門人不可差、
集名佛性也非因非生因是因是佛性之正因非果非生因果也非涉
門果者此果本來為不待息惡故方為者為了因所得
因為二種 已下 欲解世間生了不同出世間生了 是以先解世間生
了煩惚業結能為衆生名生因 父母和合生子名了因 外法中

糓子等辦八月 糓強名生因 人功水土名了因 此是世間異
辨生了 復為生因 已下 出世間生了異於世間也 此下所明義
凡為三對 六句初對 逐強弱作語 弟二對 眼名 解義 今日正名 第三對
還明世間生了也 復為生因謂波羅蜜者金剛心頭六波羅蜜辯
現果義強說為生因 復為了因謂佛性者當常 佛性能了
現果說為了因 復為了因 謂六波羅蜜者 斷是了因 回者義說
為生因 今日還狀具了因也 金剛心杖六波羅蜜能了出其
果 早斷非果斷弱故說為了因也 復為生因 謂首楞嚴者還、
復為生因當常現常斷正是一名生因 若无當常終无現
常 此現常所以為者 由當為故說生因也 復為了因 已下 解異斷
生了皆是了因 從強弱作生了也 釋成上義 復為了因八聖道者八聖
道辨果義弱能了出著果 說為了因 復為生因 謂信心六波羅蜜
者由信心作生 言六波羅蜜為生因也 師子吼言見如来
及以佛性云何觀 上來廣解世間生了 自此已下 還服柔而二種見
故與此心 如來佛性具義 云何如來天為相狠名无長短復非黑白果
相永天知是故何物法不為六識之所得 云何可見云何可所既
非見所云何上眼見耳識 後知名所見 佛性亦不可見所
善男子已下 菩上所佛性身二種 一无常二者常 无常身為受衆
生亦為長短質像 為衆生說常无常法 時會大衆眼見丈六
淑根所說法之義 執從眼識思量知 由佛性故 所以為得成眼見
從耳識後思量知名所見 常者如來法身理處絕相故不可
知 藉應故可知也 佛性名二 一可見二所見 眼見者 十住菩薩
法佛眼現見佛性名一眼見 一切衆生乃至九地以還都名
所見也 如來身為二種 一是色二非色 色者如來妙斷顯現白色
言非色者 斷除生死為相 皆盡非菩下地之色名非色
也佛性名二 一色二非色 色之皆以見[illegible]

常此現常一而以不者由當不故說生因也復次了因菩薩能與般
生了皆是了因從強弱作生了也釋成上義復為了因八聖道者八聖
道辯果義弱能了出者果說為了因復為生因謂信心六波羅蜜
者由信心作生言六波羅蜜為生因也　　師子吼言見如來
及以佛性云何觀上來廣解世所生了自此菩薩還眼來而二種見
故興此問如來佛性其義云何如來無為相狀亦無長短復非黑白異
相亦無知是故何物法不為六識之所得云何可見云何可聞既
非見聞云何上眼見耳識後知名聞見佛性亦不可見聞
善男子菩薩答上聞佛性身二種一無常二者常無常身為受衆
生示為長短質像為衆生說常無常法時會大衆眼見丈六
次根聞說法之義執從眼識思量知由佛性故所以為得成眼見
從耳識後思量知名聞見常者如來法身理處絕相資不可
知藉聽故可知也佛性亦二一可見二聞見眼見者十住菩薩
法佛眼現見佛性名一眼見一切衆生乃至九地以還名
聞見也如來身為二種一是色二非色色者如來妙軀顯現名色
言非色者斷除生死為相皆盡非下地之色名非色
也佛性亦二一色二非色色者佛現證明白顯現以明義同其色非
色者衆生上至十住未能現證名非色也前見何中以為佛
同此中所以推去法着為義如來全見十地見九分見息自是
以同為眼見色中所以異者校現證不現證故異耳佛性
者非內非外非已為有身中非外非已為有當雖非定內雖非定
不始終相續會也當受故言

兌
等覺支八聖道支清淨四正斷乃至八聖道支
清淨即見者清淨何以故是見者清淨與四正
斷乃至八聖道支清淨无二无二分无別无斷
故善現見者清淨即空解脫門清淨空解脫門
清淨即見者清淨何以故是見者清淨與空
解脫門清淨无二无二分无別无斷故見者
清淨即无相无願解脫門清淨无相无願解
脫門清淨即見者清淨何以故是見者清淨
與无相无願解脫門清淨无二无二分无別
无斷故善現見者清淨即菩薩十地清淨菩
薩十地清淨即見者清淨无二无二分无別无
斷故
善現見者清淨即五眼清淨五眼清淨即見
者清淨何以故是見者清淨與五眼清淨无
二无二分无別无斷故見者清淨即六神通
清淨六神通清淨即見者清淨何以故是見
者清淨與六神通清淨无二无二分无別无斷
故善現見者清淨即佛十力清淨佛十力清
淨即見者清淨何以故是見者清淨與佛
十力清淨无二无二分无別无斷故見者清
淨即四无所畏四无礙解大慈大悲大喜大

BD02292號　大般若波羅蜜多經（兌廢稿）卷一九五　　（2–1）

脫門清淨即見者清淨何以故是見者清淨
與无相无願解脫門清淨无二无二分无別
无斷故善現見者清淨即菩薩十地清淨菩
薩十地清淨即見者清淨无二无二分无別无
斷故
善現見者清淨即五眼清淨五眼清淨即見
者清淨何以故是見者清淨與五眼清淨无
二无二分无別无斷故見者清淨即六神通
清淨六神通清淨即見者清淨何以故是見
者清淨與六神通清淨无二无二分无別无斷
故善現見者清淨即佛十力清淨佛十力清
淨即見者清淨何以故是見者清淨與佛
十力清淨无二无二分无別无斷故見者清
淨即四无所畏四无礙解大慈大悲大喜大
捨十八佛不共法清淨四无所畏乃至十八
佛不共法清淨即見者清淨何以故是見者
清淨與四无所畏乃至十八佛不共法清淨
无二无二分无別无斷故善現見者清淨即
无忘失法清淨无忘失法清淨即見者清

BD02292號　大般若波羅蜜多經（兌廢稿）卷一九五　　（2–2）

BD02292 號背　勘記　（1–1）

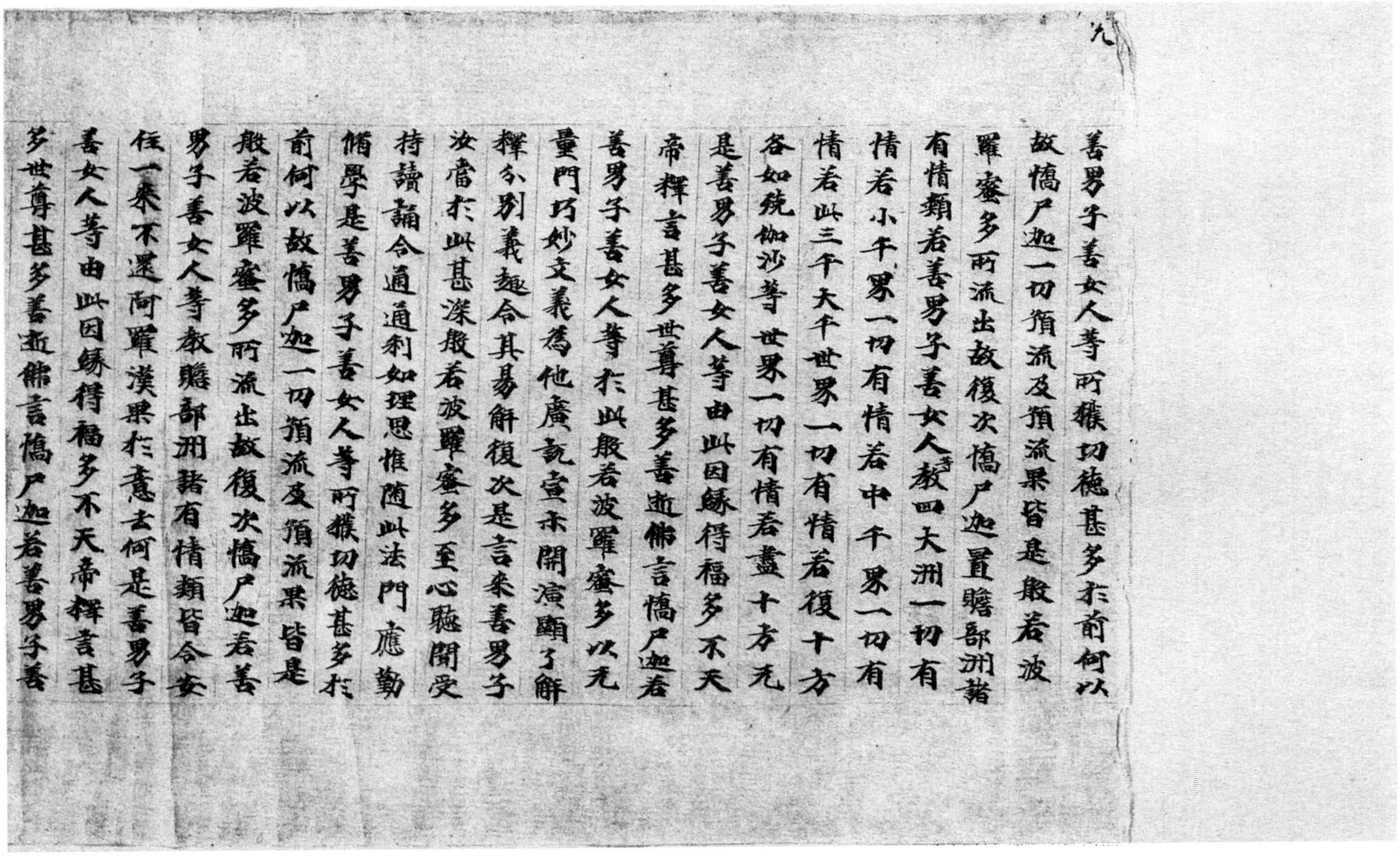

善男子善女人等所獲功德甚多於前何以
故憍尸迦一切預流及預流果皆是般若波
羅蜜多所流出故復次憍尸迦置贍部洲諸
有情類若善男子善女人等教四大洲一切有
情若小千界一切有情若中千界一切有
情若此三千大千世界一切有情若復十方
各如殑伽沙等世界一切有情若盡十方无
是善男子善女人等由此因緣得福多不天
帝釋言甚多世尊甚多善逝佛言憍尸迦若
善男子善女人等於此般若波羅蜜多以无
量門巧妙文義為他廣說宣示開演顯了解
釋分別義趣令其易解復次是言来善男子
汝當於此甚深般若波羅蜜多至心聽聞受
持讀誦令通通利如理思惟隨此法門應勤
脩學是善男子善女人等所獲功德甚多於
前何以故憍尸迦一切預流及預流果皆是
般若波羅蜜多所流出故復次憍尸迦若善
男子善女人等教贍部洲諸有情類皆令安
住一來不還阿羅漢果於意云何是善男子
善女人等由此因緣得福多不天帝釋言甚
多世尊甚多善逝佛言憍尸迦若善男子善

BD02293 號　大般若波羅蜜多經（兑廢稿）卷四三一　（2–1）

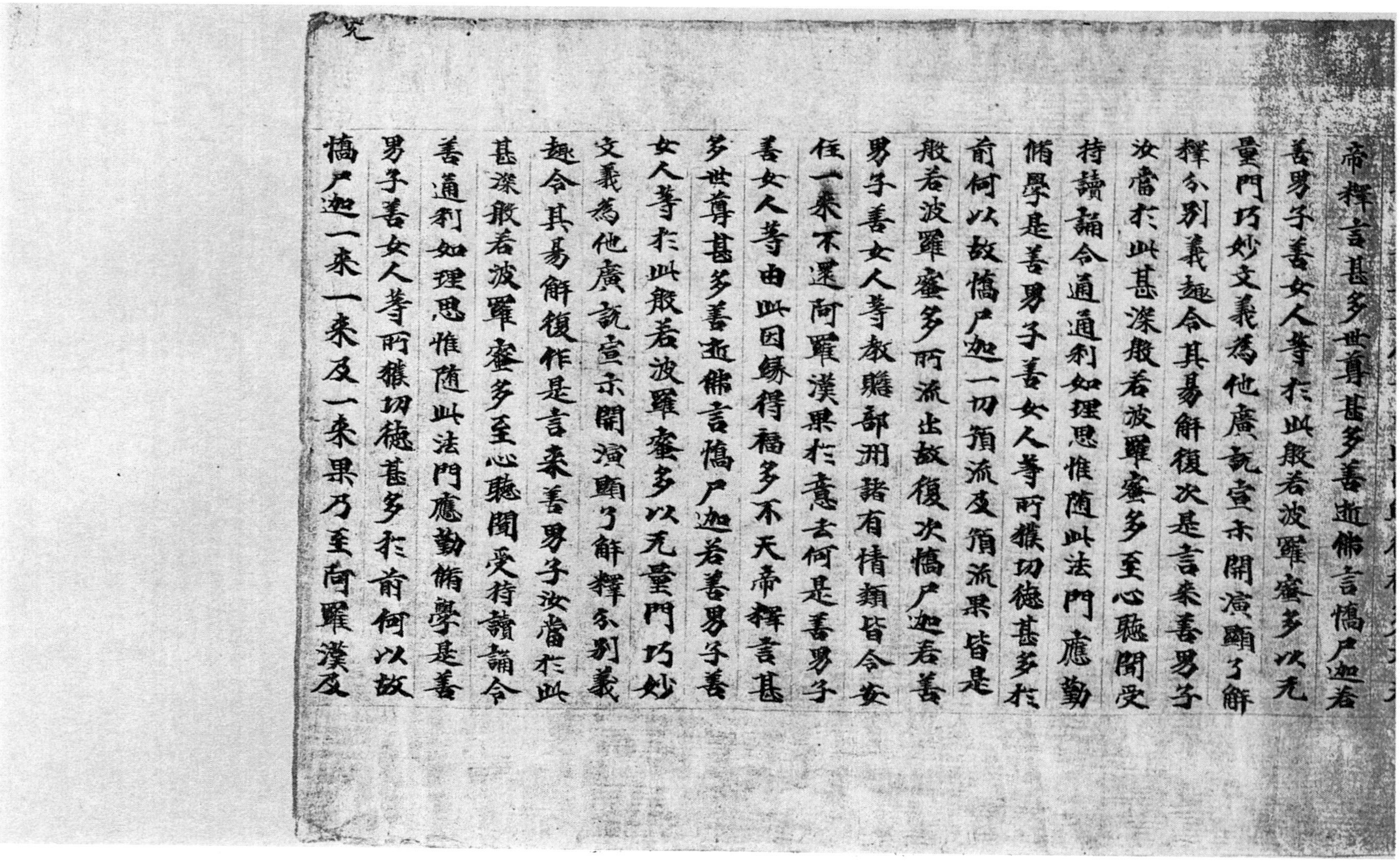

兌

帝釋言甚多世尊甚多善逝佛言憍尸迦若
善男子善女人等於此般若波羅蜜多以无
量門巧妙文義為他廣說宣示開演顯了解
釋分別義趣令其易解復次是言來善男子
汝當於此甚深般若波羅蜜多至心聽聞受
持讀誦令通通利如理思惟隨此法門應勤
脩學是善男子善女人等所獲功德甚多於
前何以故憍尸迦一切預流及預流果皆是
般若波羅蜜多所流出故復次憍尸迦若善
男子善女人等教贍部洲諸有情類皆令安
住一來不還阿羅漢果於意云何是善男子
善女人等由此因緣得福多不天帝釋言甚
多世尊甚多善逝佛言憍尸迦若善男子善
女人等於此般若波羅蜜多以无量門巧妙
文義為他廣說宣示開演顯了解釋分別義
趣令其易解復作是言來善男子汝當於此
甚深般若波羅蜜多至心聽聞受持讀誦令
善通利如理思惟隨此法門應勤脩學是善
男子善女人等所獲功德甚多於前何以故
憍尸迦一來一來及一來果乃至阿羅漢及

BD02293 號　大般若波羅蜜多經（兌廢稿）卷四三一　（2–2）

BD02293 號背　雜寫　（1–1）

兌

剩

生諸受清淨法界乃至意觸為緣所生諸受
清淨故一切智智清淨何以故若一切菩薩
摩訶薩行清淨若法界乃至意觸為緣所生
諸受清淨若一切智智清淨無二無二分無
別無斷故善現一切菩薩摩訶薩行清淨故
地界清淨地界清淨故一切智智清淨何以
故若一切菩薩摩訶薩行清淨若地界清淨
若一切智智清淨無二無二分無別無斷故
一切菩薩摩訶薩行清淨故水火風空識界
清淨水火風空識界清淨故一切智智清淨
何以故若一切菩薩摩訶薩行清淨若水火
風空識界清淨若一切智智清淨無二無二
分無別無斷故善現一切菩薩摩訶薩行清
淨故無明清淨無明清淨故一切智智清淨
何以故若一切菩薩摩訶薩行清淨若無明
清淨若一切智智清淨無二無二分無別無
斷故一切菩薩摩訶薩行清淨故行識名色
六處觸受愛取有生老死愁歎苦憂惱清淨
行乃至老死愁歎苦憂惱清淨故一切智智

BD02294號　大般若波羅蜜多經（兌廢稿）卷二四四　（2–1）

智一切智智清淨無二無二分無別無斷故
一切菩薩摩訶薩行清淨故水火風空識界
清淨水火風空識界清淨故一切智智清淨
何以故若一切菩薩摩訶薩行清淨若水火
風空識界清淨若一切智智清淨無二無二
分無別無斷故善現一切菩薩摩訶薩行清
淨故無明清淨無明清淨故一切智智清淨
何以故若一切菩薩摩訶薩行清淨若無明
清淨若一切智智清淨無二無二分無別無
斷故一切菩薩摩訶薩行清淨故行識名色
六處觸受愛取有生老死愁歎苦憂惱清淨
行乃至老死愁歎苦憂惱清淨故一切智智
清淨何以故若一切菩薩摩訶薩行清淨若
行乃至老死愁歎苦憂惱清淨若一切智智
清淨無二無二分無別無斷故
善現一切菩薩摩訶薩行清淨故布施波羅
蜜多清淨布施波羅蜜多清淨故一切智智
清淨何以故若一切菩薩摩訶薩行清淨若
布施波羅蜜多清淨若一切智智清淨無二
無二分無別無斷故一切菩薩摩訶薩行清

BD02294號　大般若波羅蜜多經（兌廢稿）卷二四四　（2–2）

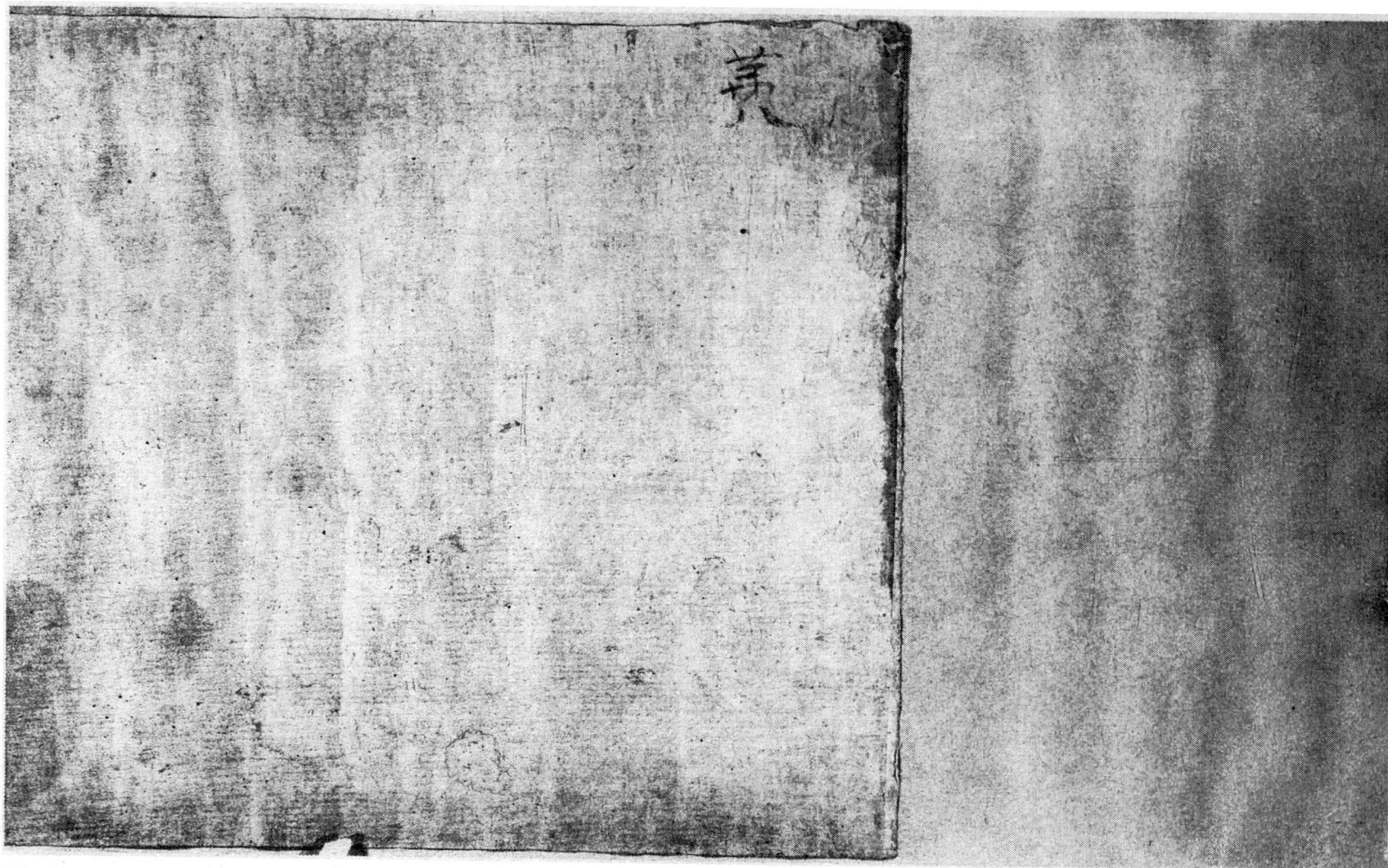

BD02294 號背　勘記

（1–1）

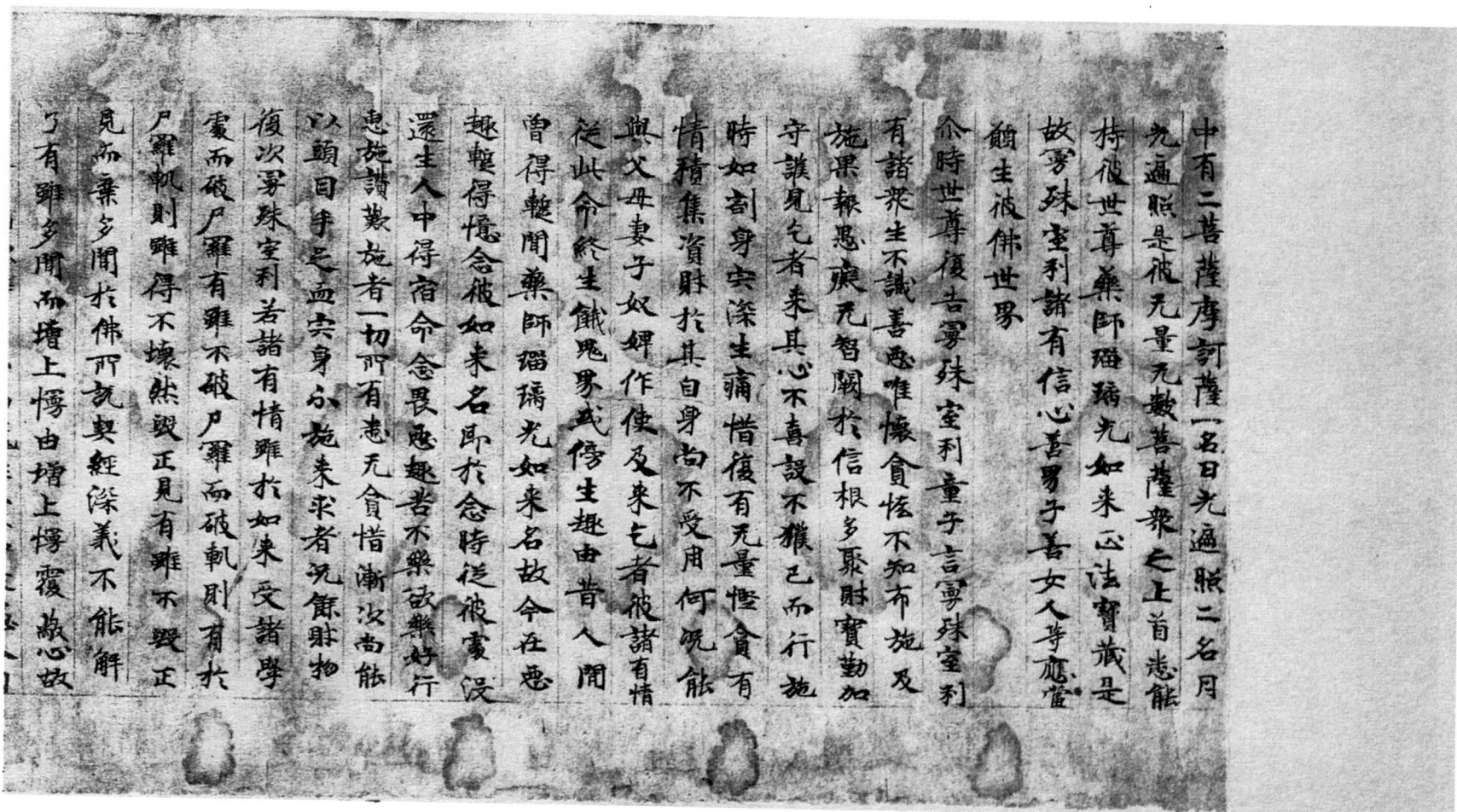

中有二菩薩摩訶薩一名日光遍照二名月
光遍照是彼无量无數菩薩衆之上首悉能
持彼世尊藥師瑠璃光如来正法寶藏是
故曼殊室利諸有信心善男子善女人等應當
願生彼佛世界
尒時世尊復告曼殊室利童子言曼殊室利
有諸衆生不識善惡唯懷貪悋不知布施及
施果報愚癡无智闕於信根多聚財寶勤加
守護見乞者来其心不喜設不獲已而行施
時如割身宍深生痛惜復有无量慳貪有
情積集資財於其自身尚不受用何況能
與父母妻子奴婢作使及来乞者彼諸有情
從此命終生餓鬼界或傍生趣由昔人間
曾得暫聞藥師瑠璃光如来名故今在惡
趣暫得憶念彼如来名即於念時從彼處沒
還生人中得宿命念畏惡趣苦不樂欲樂好行
惠施讚歎施者一切所有悉无貪惜漸次尚能
以頭目手足血宍身分施来求者况餘財物
復次曼殊室利若諸有情雖於如来受諸學
處而破尸羅有雖不破尸羅而破軌則有於
尸羅軌則雖得不壞然毀正見有雖不毀正
見而棄多聞於佛所説契經深義不能解
了有雖多聞而增上慢由增上慢覆蔽心故

BD02295 號　藥師瑠璃光如來本願功德經

（10–1）

處而破尸羅有雖不破尸羅而破軌則有於
尸羅軌則雖得不壞然毀正見有雖不毀正
見而棄多聞於佛所說契經深義不能解
了有雖多聞而增上慢由增上慢覆蔽心故
自是非他嫌謗正法為魔伴黨如是愚人自
行邪見復令无量俱胝有情墮大險坑此諸
有情應於地獄傍生鬼趣流轉无窮若得聞
此藥師瑠璃光如來名号便捨惡行脩諸善法
不墮惡趣設有不能捨諸惡行脩行善法墮
惡趣者以彼如來本願威力令其現前暫聞
名号從彼命終還生人趣得正見精進善調
意樂便能捨家趣於非家如來法中受持學
處无有毀犯正見多聞解甚深義離增上慢
不謗正法不為魔伴漸次脩行諸菩薩行速
得圓滿
復次曼殊室利若諸有情慳貪嫉妬自讚毀
他當墮三惡趣中无量千歲受諸劇苦受劇
苦已從彼命終還生人間作牛馬駝驢恒被
鞭撻飢渴逼惱又常負重隨路而行或得為
人生居下賤作人奴婢受他驅役恒不自在
若昔人中曾聞世尊藥師瑠璃光如來名号
由此善因今復憶念至心歸依以佛神力衆
苦解脫諸根聰利智慧多聞恒求勝法常遇
善友永斷魔羂破无明㲉竭煩惱河解脫
一切生老病死憂悲苦惱
復次曼殊室利若諸有情好喜乖離更相鬪
訟惱亂自他以身語意造作增長種種惡業

BD02295號　藥師瑠璃光如來本願功德經　（10–2）

一切生老病死憂悲苦惱
復次曼殊室利若諸有情好喜乖離更相鬪
訟惱亂自他以身語意造作增長種種惡業
展轉常為不饒益事互相謀害告召山林
樹塚等神殺諸衆生取其血肉祭祀藥叉羅
刹娑等書怨人名作其形像以惡呪術而呪詛
之厭媚蠱道呪起屍鬼令斷彼命及壞其身是
諸有情若得聞此藥師瑠璃光如來名号彼
諸惡事悉不能害一切展轉皆起慈心利益
安樂无損惱意及嫌恨心各各歡悅於自所
受生於喜足不相侵淩互為饒益
復次曼殊室利若有四衆苾芻苾芻尼鄔波
索迦鄔波斯迦及餘淨信善男子善女人等
有能受持八分齋戒或經一年或復三月受
持學處以此善根願生西方極樂世界无量
壽佛所聽聞正法而未定者若聞世尊藥
師瑠璃光如來名号臨命終時有八菩薩乘神
通來示其道路即於彼界種種雜色衆寶華
中自然化生或有因此生於天上雖生天中
而本善根亦未窮盡不復更生諸餘惡趣天
上壽盡還生人間或為輪王統攝四洲威德
自在安立无量百千有情於十善道或生刹
帝利婆羅門居士大家多饒財寶倉庫盈
溢形相端嚴眷屬具足聰明智慧勇健威猛
大力士若是女人得聞世尊藥師瑠
名号至心受持於後不復更受女身
尒時曼殊室利童子白佛言世尊我當誓於
像法轉時以種種方便令諸淨信善男子善

BD02295號　藥師瑠璃光如來本願功德經　（10–3）

帝利婆羅門居士大家多饒財寶倉庫盈
溢形相端嚴眷屬具足聰明智慧勇健
大力士若是女人得聞世尊藥師瑠
名号至心受持於後不復更受女身
尒時曼殊室利童子白佛言世尊我當誓於
像法轉時以種種方便令諸淨信善男子善
女人等得聞世尊藥師琉璃光如來名号
乃至睡中亦以佛名覺悟其耳世尊若於此經
受持讀誦或復爲他演說開示若自書若使
人書恭敬尊重以種種華香塗香末香燒香
花鬘瓔珞幡蓋伎樂而爲供養以五色綵作
囊盛之掃灑淨處敷設高座而用安處尒時
四大天王與其眷屬及餘无量百千天衆皆
詣其所供養守護世尊若此經寶流行之處
有能受持以彼世尊藥師瑠璃光如來本
願功德及聞名号當知是處无復橫死亦復不
爲諸惡鬼神奪其精氣設已奪者還得如故
身心安樂
佛告曼殊室利如是如是如汝所說曼殊室
利若有淨信善男子善女人等欲供養彼世
尊藥師瑠璃光如來者應先造立彼佛形像
敷清淨座而安處之散種種華燒種種香
以種種幢幡莊嚴其處七日七夜受八分齋
戒食清淨食澡浴香潔著新淨衣應生无垢
濁心无怒害心於一切有情起利益安樂慈悲
喜捨平等之心鼓樂歌讚右遶佛像復應
念彼如來本願功德讀誦此經思惟其義演
說開示隨所樂願一切皆遂求長壽得長

BD02295號　藥師瑠璃光如來本願功德經

(10-4)

喜捨平等之心鼓樂歌讚右遶佛像復應
念彼如來本願功德讀誦此經思惟其義演
說開示隨所樂願一切皆遂求長壽得長
壽求富饒得富饒求官位得官位求男女得
男女若復有人忽得惡夢見諸惡相或恠
鳥來集或於住處百恠出現此人若以衆妙
資具恭敬供養彼世尊藥師琉璃光如來者
惡夢惡相諸不吉祥皆悉隱沒不能爲患或有
水火刀毒懸嶮惡象師子虎狼熊羆毒蛇惡
蝎蜈蚣蚰蜒蚊虻等怖若能至心憶念彼佛恭
敬供養一切怖畏皆得解脫若他國侵擾
盜賊反亂憶念恭敬彼如來者亦皆解脫
復次曼殊室利若有淨信善男子善女人等
乃至盡形不事餘天唯當一心歸佛法僧受持
禁戒若五戒十戒菩薩四百戒苾芻二百
五十戒苾芻尼五百戒於所受中或有毀犯
怖墮惡趣若能專念彼佛名号恭敬供養者
必定不受三惡趣生或有女人臨當產時受於
極苦若能至心稱名禮讚恭敬供養彼如
來者衆苦皆除所生之子身分具足形色端
正見者歡喜利根聰明安隱少病无有非人
奪其精氣
尒時世尊告阿難言如我稱揚彼佛世尊藥
師琉璃光如來所有功德此是諸佛甚深行
處難可解了汝爲信不阿難白言大德世尊
我於如來所說契經不生疑惑所以者何一切
如來身語意業无不清淨世尊此日月輪可
令墮落妙高山王可使傾動諸佛所言无有

BD02295號　藥師瑠璃光如來本願功德經

(10-5)

我於如來所說契經不生疑惑所以者何一切
如來身語意業无不清淨世尊此日月輪可
令墮落妙高山王可使傾動諸佛所言无有
異也世尊有諸衆生信根不具聞說諸佛
甚深行處作是思惟云何但念藥師琉璃光
如來一佛名号便獲尒所功德勝利由此不信
返生誹謗彼於長夜失大利樂墮諸惡趣流
轉无窮佛告阿難是諸有情若聞世尊藥師
琉璃光如來名号至心受持不生疑惑墮惡
趣者无有是處阿難此是諸佛甚深所行
難可信解汝今能受當知皆是如來威力阿
難一切聲聞獨覺及未登地諸菩薩等皆悉
不能如實信解唯除一生所繫菩薩阿難人
身難得於三寶中信敬尊重亦難可得得
聞世尊藥師瑠璃光如來名号復難於是阿難
彼藥師瑠璃光如來无量菩薩行无量巧方
便无量廣大願我若一劫若一劫餘而廣說
者劫可速盡彼佛行願善巧方便无有盡
也尒時衆中有一菩薩摩訶薩名曰救脫即
從座起偏袒一肩右膝著地曲躬合掌而白
佛言大德世尊像法轉時有諸衆生為種種
患之所困厄長病羸瘦不能飲食唯脣乾燥
見諸方暗死相現前父母親屬朋友知識啼泣
圍遶然彼自身臥在本處見琰魔使引其神
識至于琰魔法王之前然諸有情有俱生神
隨其所作若罪若福皆具書之盡持授與琰
魔法王尒時彼王推問其人筭計所作隨其

BD02295號　藥師瑠璃光如來本願功德經　（10–6）

識至于琰魔法王之前然諸有情有俱生神
隨其所作若罪若福皆具書之盡持授與琰
魔法王尒時彼王推問其人筭計所作隨其
罪福而處斷之時彼病人親屬知識若能為
彼歸依世尊藥師瑠璃光如來請諸衆僧轉
讀此經然七層之燈懸五色續命神幡或
有是處神識得還如在夢中明了自見或經七
日或二十一日或三十五日或四十九日彼
識還時如從夢覺皆自憶知善不善業所得
果報由自證見業果報故乃至命難亦不
造作諸惡之業是故淨信善男子善女人等
皆應受持藥師琉璃光如來名号隨力所能
恭敬供養
尒時阿難問救脫菩薩曰善男子應云何恭
敬供養彼世尊藥師瑠璃光如來續命幡燈
復云何造救脫菩薩言大德若有病人欲
脫病苦當為其人七日七夜受持八分齋戒
應以飲食及餘資具隨力所辦供養苾芻
僧晝夜六時礼拜供養彼世尊藥師瑠璃光如
來讀誦此經四十九遍然四十九燈造彼如
來形像七軀一一像前各置七燈一一燈量大
如車輪乃至四十九日光明不絕造五色綵幡
長四十九搩手應放雜類衆生至四十九
可得過度危厄之難不為諸橫惡鬼所持復
次阿難若刹帝利灌頂王等災難起時所
謂人衆疾疫難他國侵逼難自界叛逆難
星宿變怪難日月薄蝕難非時風雨難過時

BD02295號　藥師瑠璃光如來本願功德經　（10–7）

可得過度危厄之難不為諸横惡鬼所持復
次阿難若刹帝利灌頂王等灾難起時所
謂人衆疾疫難他國侵逼難自界叛逆難
星宿變怪難日月薄蝕難非時風雨難過時
不雨難彼刹帝利灌頂王等尒時應於一切
有情起慈悲心赦諸繫閉依前所説供養之
法供養彼世尊藥師瑠璃光如来由此善根
及彼如来本願力故令其國界即得安隠風
雨順時穀稼成熟一切有情无病歡樂於其
國中无有暴惡藥叉等神惱有情者一切惡相
皆即隠没而刹帝利灌頂王等壽命色力
无病自在皆得增益阿難若帝后妃主儲
君王子大臣輔相中宫綵女百官黎庶為
病所苦及餘厄難亦應造立五色神旛然
燈續明放諸生命散雜色華燒衆名香病得
除愈衆難解脱
尒時阿難問救脱菩薩言善男子云何已盡
之命而可增益救脱菩薩言大德汝豈不聞
如来説有九横死耶是故勸造續命旛燈脩
諸福德以脩福故盡其壽命不經苦患阿難
問言九横云何救脱菩薩言若諸有情得病
雖輕然无醫藥及看病者設得遇醫授以
非藥實不應死而便横死又信世間邪魔
外道妖孽之師妄説禍福便生恐動心不自
正卜問覓禍殺種種衆生解奏神明呼諸魍
魎請乞福祐欲冀延年終不能得愚癡迷惑
信邪倒見遂令横死入於地獄无有出期

BD02295號　藥師瑠璃光如來本願功德經

（10–8）

正卜問覓禍殺種種衆生解奏神明呼諸魍
魎請乞福祐欲冀延年終不能得愚癡迷惑
信邪倒見遂令横死入於地獄无有出期
是名初横二者横被王法之所誅戮三者畋
獵嬉戲耽婬嗜酒放逸无度横為非人奪其
精氣四者横為火焚五者横為水溺六者横
為種種惡獸所噉七者横墮山崖八者横為
毒藥厭禱呪咀起屍鬼等之所中害九者飢
渴所困不得飲食而便横死是為如来略説
横死有此九種其餘復有无量諸横難可具
説
復次阿難彼琰魔王主領世間名籍之記若
諸有情不孝五逆破辱三寶壞君臣法毀於
信戒琰魔法王隨罪輕重考而罰之是故我
今勸諸有情然燈造旛放生脩福令度苦厄
不遭衆難
尒時衆中有十二藥叉大将俱在會坐所謂
宫毗羅大将　伐折羅大将　迷企羅大将　安底羅大将
頞你羅大将　珊底羅大将　因達羅大将　波夷羅大将
摩虎羅大将　真達羅大将　招杜羅大将　毗羯羅大将
此十二藥叉大将一一各有七千藥叉以為眷
屬同時舉聲白佛言世尊我等今者蒙佛威
力得聞世尊藥師瑠璃光如来名号不復更
有惡趣之怖我等相率皆同一心乃至盡形歸
佛法僧誓當荷負一切有情為作義利饒
益安樂隨於何等村城國邑空閑林中若有
流布此經或復受持藥師瑠璃光如来名号

BD02295號　藥師瑠璃光如來本願功德經

（10–9）

益安樂隨於何等村城國邑空閑林中若有
流布此經或復受持藥師瑠璃光如來名号
恭敬供養者我等眷屬衛護是人皆使解脫
一切苦難諸有願求悉令滿足或有疾厄求
度脫者亦應讀誦此經以五色縷結我名字
得如願已然後解結
尒時世尊讚諸藥叉大將言善哉善哉大藥
叉將汝等念報世尊藥師瑠璃光如來恩德
者常應如是利益安樂一切有情
尒時阿難白佛言世尊當何名此法門我等
云何奉持佛告阿難此法門名說藥師瑠璃
光如來本願功德亦名說十二神將饒益有
情結願神呪亦名拔除一切業鄣應如是持
時薄伽梵說是語已諸菩薩摩訶薩及大
聲聞國王大臣婆羅門居士天龍藥叉健達
縛阿素洛揭路荼緊捺洛莫呼洛伽人非人
等一切大衆聞佛所說皆大歡喜信受奉行
藥師琉璃光如來本願功德經

龍興寺信藏定[illegible]記

BD02295號　藥師瑠璃光如來本願功德經　（10–10）

關中釋抄卷上

名經不思議權實之道　二[illegible]
五下辯釋由始四余以闇拙下明
盡化者盡權應之變化權用也此之體用即名无名故云[illegible]
辯不思議之名也　旨意也例條也言像名相也此句明意趣也　三空者
三无相无願也二乘處有存空中道　二故非其符餘識也此句明道理也　群數者
雖乘方有理超事外故云表也此明壞三界諸識取相生名有心也真境无相故有
心自絕也此句明智　无為等者法身无為應物而為故者者不測名不思議也已前總
明也　何則已下對像辯也智无知體也俱照用也此明聖心亦有諸部般若經佛智也
无像真身也　並應應身也如下七言偈云各見世尊在其前及佛道品種種身皆是佛
一身无異身也如法華經明普說佛壽短長說佛壽長皆是即法身非矩長无像也應
身現矩長並應也如涅槃明佛入滅度後又云而實常住不滅是即法身非生滅无像
也應身現王宮雙林滅亦並應現又孫勤身長三百五十尺釋迦身長丈六矩亦法身非
應物消大小不皆並應也　至韻者謂至教起相无言之理也　玄籍者十二分教
之典籍應根施教故云殊布殊即遍也如法華明普說三乘令說一乘而至理非一而教
應三一也是即至韻无言理也玄籍殊布教殊也　寂權等者此明感應權實也至應
无心故无謀也寂然物合名權也而動即應物故无事不會也如一月在天影現百盆隨器
大小而不會也又如一谷在下隨聲善惡无不應也即是幽谷无善惡喻聖心无謀異響
隨聲喻事會也又小乘以菩提樹下得十智為智大乘了心无生名智小乘王宮生相好身
為身大乘了相无相為身小乘以鹿苑說法大乘以了言无言為說小乘以思惟根感
應為化事大乘无緣而應為化事[illegible]

BD02296號　淨名經關中釋抄卷上　（16–1）

現心若无説也…移合名稱无所重敢應於若无事不會也如一月在天影現百盆隨器
大小乘不會也又如一谷在下隨聲善惡无不應也即是幽谷无善惡喻聖心无謀異響
隨聲喻事會也又小乘以菩提樹下得十智為智大乘了心无生名智小乘王宮生相好身
為身大乘了相无相為身小乘以鹿苑説法大乘以了言无言為説小乘以思惟根感
應為化事大乘无緣而應為化事復次初句明聖心不思議第二句明法身不思議第三
句明教不思議第四句明應會不思議也　開物成務者開導三乘為脩行作務皆獲道果
无窮教也或者為或着空後聞智即執心見形即着身聞教即滯言觀權即為變此
皆在聖不然或謂然也　文殊異方者有古寶相佛國來下注云從方菩薩不知所之
也不思議本者方行六度慈悲宗極皆内於實相故名本也借座請飯等皆外應衆
生故名為迹也又非迹不可以生物信非本不可以令物證也如見蓮華大方信池水深要
觀神變大方信所證妙復次證无相故不可思无名故不可議故經云言語道斷諸
名言也心行處滅謂相盡也此釋本不思議又欲言小室能含多座欲言其大室相
不異變化万端非心所測此名迹不思議　乾像者乾天也八未曾有室諸天宮聚
然現室中故云室苞乾像也　幽關者實相真也登非本无以垂迹者非見聖人心
證實相〻本方能外現神變〻〻迹衆生因覩神變〻迹生信方能脩行自證實
〻本也是即本迹内外雖殊而引物證真測〻心一也天台本迹五重如前可見栖
神者言此經是神解所栖託〻處也　支竺者支謙竺法蘭竺法護等理滯於文
叡疏序云所蒙鳩摩羅什法師正玄文摘幽旨始悟前譯〻傷本謬文〻
其至如不來相為辱來不見相為相見未緣法為始神緣合法為止心諸如此流无
品不有无章不云又云此土先出諸經於識神性空明言處少存神〻之文其處甚多中
百二論文未及此又无通鑒誰与正〻之先匠所以輟章遐慨思决言於弥勒者良有在
也　北天之運者大品經云我滅度後般若流南天竺次至西天次至北天竺當設於地今
此國即北天〻東隅羅什至此大傳般若即佛記北天之運數法合流行此也　弘始八
八年姚秦時也什弘始三年冬到秦而先譯大品智論中觀門百隨譯隨講而生肇
諸師皆悉聆悟生公述頓悟義肇公述般若无知等論什見妙解至八年方重譯茲經及
法華等所以理圓意顯逈超古曾也　歲次鶉火者爾雅云子年困頓丑年赤奮若寅年
攝提格卯年單閼辰年執徐巳年大荒落午年敦牂未年協洽申年涒灘酉年作噩
戌年閹茂亥年大淵獻正月祈木二月大火三月壽星四月鶉尾五月鶉火六月鶉首七月

法華等將以理圓意顯迴題方者也　歲次敦次者爾雅云子年困敦丑年赤奮若寅年
攝提格卯年單閼辰年執徐巳年大荒落午年敦牂未年協洽申年涒灘酉年作噩
戌年閹茂亥年大淵獻正月析木二月大火三月壽星四月鶉尾五月鶉首六月
實沈八月大梁九月降婁十月娵觜十一月玄枵十二月星紀弘始八年太歲在午應云歲次
敦牂而云敦火者以月命年也長安者有本云常安秦王父名姚萇諱故改名常也現畫
環中者語出莊子云是非相待猶如循環在道也　是非由如環中也今借言以表中道也
陶冶者今造化經文務存聖意若爐冶〻而鑄造也　文約而詣者其文簡約而理詣
也其旨趣婉順而彰〻明也如彌勒章明菩提等即文約詣其佛道品菩眷屬等是旨婉而
彰諸如此例譯者叙〻時預聽〻次者什法師隨譯隨講務傳聖旨肇法師隨聽隨述務
流大觀廣〻如傳述〻而不作者論語云唯聖作法余但依教稱述而已　維摩結廣〻
玄述若言淨无垢稱淨即法身性淨无垢即名報身无漏功德稱即應物稱根亦名
淨也若單云无垢稱亦名淨名无垢即淨稱是即名〻即二身釋也謂淨真身稱
應身下文云觀身　詞觀佛亦然此淨名真身也從妙喜國來遊此界淨名應身
也乃至方便品得无生忍等真身也雖為白衣等應身也　顯跡語持者謂顯淨
名迹示本法身以語持人也若自說而等攝者自從也若真從說〻功而淨名文
殊等聖齊功不應獨標名也　舊經本直由於淨名故獨名也　什法師者高僧
傳云什父天竺輔相〻子名炎姓鳩摩羅炎當嗣相位避之遠遊至龜茲龜茲
王妹白純體有赤黶法生智子諸國聘之不受及見炎心欲當〻王遂逼妻炎〻
納生什〻七歲出家學小乘十三從師須利耶摩受業摩為說阿耨達經陰界入空
无相於日何故此經破壞諸法摩曰為說諸法因成故无實什遂專務方等受誦
三論初得放光經魔來蔽文唯見空紙因義撿習誦如字常出復聞空聲
曰汝是智人何故誦此什遂呵叱今去也又什母將什至北天竺有一阿羅漢達摩瞿沙見而
異之謂母曰善守護〻若三十五不破戒度人如優波毱多如不然可才明絕代而已後
欲東化什母謂曰方等深教大闡真丹唯尓之力但於自身无益其可如何什曰大士之
道利巨彼軀若使大教流傳能洗悟蒙俗雖復身當爐鑊苦而无恨錄云前秦苻堅
去十六年有德星〻外國分野當有智人入輔中國得〻者王堅乃使苻丕攻襄陽取釋
道安呂光求龜茲取羅什後堅代晉敗為姚萇主為後秦呂光迴至姑臧聞堅亂遂僭

BD02296號　淨名經關中釋抄卷上　（16–3）

道利已被，雖若使大教流傳，能洗曉蒙俗，雖復身當影銷，若而无恨。録云：前秦苻堅
建元十六年有德星見外國分野，當有智人入輔中國，得之者王。堅乃使苻丕攻襄陽，取釋
道安。呂光求龜茲，取羅什。後堅伐晉敗，為姚萇立為後秦。呂光迴至姑臧，聞堅亡，遂僭
號關外。後涼萇崩，興立，弘始三年春，有樹連理生於廟庭，逍遙一園葱變為薤，咸
稱嘉瑞。冬，什到，姚興加礼，遇待以國師，崇敬甚重，大興法化於大寺草堂及逍遙園，与什
及三千碩德親自翻譯，聖理之興，其在茲矣。什又著實相論，注淨名經，雅好大乘，嘗歎曰：吾
操筆著摩訶衍論，尠非迦旃延子比，餘廣如傳。　肇法師者，開皇録云：俗姓張
氏，長安人也。家素貧，以傭書為業，遂因繕寫，乃得窮心，歷觀經史，備盡墳籍，性好玄
微，每以莊老為心要。常讀老子至道德章，歎曰：美則美矣，期神冥累之方猶未盡也。後
因見故維摩經，歡喜頂受，披尋翫味，乃言今始知所歸矣。因此出家，學善方等，兼通三
藏。乃至冠年而名振關輔。時競譽之徒莫不猜其早達，千里負糧入關抗辯，肇機挫
銳，曾不流滯。什至姑臧，肇從自遠從之，什嗟賞无極。及什適常安，肇亦隨返。姚興命
肇与叡等助什詳定，因此諮稟，所悟更多。因出大品，肇便著般若无知論，呈什，什讀
稱善，乃曰：吾解不謝汝，詞當相揖。什重出此經，肇受因之注解，及制於序，呈什。什又
歎曰：解空第一，肇公其人。又廬山隱士劉遺民見无知論，乃歎曰：不意方袍復有平叔。因以呈
遠。遠乃撫机歎曰：未嘗有也。及什亡後，又著涅槃无名論，現傳於世。又常州弘善寺宣法師
讚曰：般若唯絕鑒，涅槃固无名。先賢未始覺，之子唱希聲。秦王嗟理詣，童壽挹詞清。纖
音聞廬岳，精難動中京。適驗方袍理，奇才復在生。注云：法身大士者，地前菩薩結業生
身，初地至七地隨類受生，十方淨國也。八地已上，乃法身无生，應物受生。今言法身，即八地已上，
依仁王經分別也。　生法師者，三藏記集云：法師彭城人也。幼而穎悟，父知非常，携詣法汰道
人改服受學，而篤思卓拔，披讀經文，一覽能誦，研味句義，即自解說。是以年未志學
便登講座，吐納奇辭，詞清珠玉，高僧名士屢挫辭窮。年至具戒，聲遍區夏，初住龍光
寺，下帷專業。後移廬岳，幽栖七年，常以入道之要，慧解為本，故鑽仰群經，斟酌眾論。
遂与叡、嚴、觀等同往長安，從什受學。關中僧眾咸嗟秀悟，始弄龍樹大乘之源，兼綜提婆
小道之要，博以異聞，約以一致。乃喟然歎曰：由自經典東流，譯人阻多，守滯文字，鮮見圓義。
若忘筌取魚，則可以言道矣。乃立善不受報及頓悟等義，而守文之徒多生嫉妒，与奪
之聲紛然競起。又六卷泥洹先至京都，剖析佛性，洞入幽微，乃說一切眾生皆有佛性。于
時大本未至，孤明先發，獨見于眾，舊學僧黨以為背經邪說，遂□□□□□

小道之要博以異聞約以一致乃謂其數曰由自經典東流譯人阻多守滯文質見品義

若巨筌取魚則可以言道矣乃竟善不受報及頓悟等義而守文之徒多生嫉妬与桒

之聲然其年起又六卷泥洹先至京都剖拆佛性洞入幽微乃說一切衆生皆有佛性于

時大本未至孤明先發獨見迕衆舊學僧徒以為背經邪說遂被擯遂生衆中誓曰我

若所說反於經義者請現身癘疾若与實相不相違背願捨壽之時據師子座言竟

拂衣而逝以宋元嘉七年投迹廬山銷影巖岫怡然自得俄而大經至果佛性之義与前

說符同生以　元嘉十一年於廬山精舍昇于法座神色開明德音駿發觀聽之衆莫不悟悅

法音罷唱麈尾忽墜端坐正容隱机而卒道俗嗟駭遠近悲慟京邑僧衆內慙自疾

矣製義十四科法華涅槃疏及注此經顯暢新異理切詞簡雖學之近咸共憲章鳥胡音去

者羅也新云梵音印言正言同梵天音也終南宣律師云釋道安猶法盡正而以梵為胡猶是

崑山之一礫也　晦迹者晦闇也貴名求實等者若曰菩薩賤名以求實法者則必曰淨名之嘉

名以重其所說淨名既本表實然以重名則令學者因名以重法故終得所求也曰斯近接者

淨名同[illegible]也有過聖之言者不以文殊等諸聖名經獨以淨名之故云過也淨名同凡接物

故獨標經名也經義如玄也又阻壞也夫教以陳理理不可易故教自常矣如不淨觀以治貪欲曰

緣觀以遣邪見等理不可易也若道失理施教即究竟自壞如然羊事火求生天等理必不

然也亦名三昧者於解脫體也亦名神足之明解脫用也巨大也細小也若真明室法等下明外現不

思議事於理也　肇曰微遠幽深者明中道實相因緣頓悟即菩提名不思議也外用无

尋為解脫也　生曰或止形跡心不妄然者謂若單言无諍解或謂應形跡中不染塵累不妄

心安何法故復言一名不思議解脫即是心所住法也　其求愈心到者到之也徹到也若今義

者徹到何遠不悟矣　叡法師者高僧傳云法師魏郡長樂人少小出家法二博通經

論聽僧朗法師講放光經屢有機難朗与師僧賢有濠上之契謂賢曰叡比難吾

累思不能通可謂賢賢弟子羅什至秦命叡入逍遙園詳譯秦王興問姚嵩曰叡公

何人答曰此實鄴衛之松栢興勅見之觀其風韻宣流會味蔚乃謂嵩曰此乃四海之

標領何獨鄴衛之松栢也什出成實論叡講之什曰此論有七處破毗曇而在言小隱

若能不問而解可謂英才叡啓發幽微果不諮什而契然與會什譯法花至受決品舊

本云天見人人見天什曰此語与西域同但在言過質叡應聲曰將非人天交接兩得相見

什曰吾傳譯得子真无所恨矣又弘讚之業皆願生安養每行住坐臥不背西方臨終合

掌五色光從叡而出疏記此經及制衣序如別注　生菩薩无心者非名示之无心也直以凡夫

取相分別心說故名有心菩薩常觀无相无分別心而方便應物假名相說故名无心

佛國品者夫法身非身亦真土非土而應身在世亦號[illegible]故各有所化之處如娑婆香

積各有境域亦名佛土所依住也佛剎世界釋亦同也此有二種真土如金光明云

取相分別心故名有心菩薩常觀无相无分別心而方便應物假名相說故名无心
佛國品者夫法身非身亦真土非土而應身在世亦有統御故各有所化之處如娑婆者
積各有境域亦名佛土所依佛也佛剎世界釋亦同也此有二一者真土如金光明云毗
盧遮那遍一切處其佛住處名常寂光此以真如法身非身為身亦真空淨土非土
為土又花嚴云菩薩清涼月智身也 遊於法性空真如土也 衆生心水淨 菩提影
現中 身也 此皆真身真土 二應土者下文云衆生之類是菩薩佛土此明菩薩應衆生之善
惡取佛土之淨穢又下文云諸佛如來功德平等為度衆生現佛國異 淨穢異也 又云諸
佛國土亦永寂如空 真土 而現種種殊勝佛土 應土 又云雖知諸佛及与衆生 真土 而常脩淨
土教化於群生 應土 品文及下自明故關中諸師不釋 三示者釋文大體略有二種 一關中注解
直明理宗諸師釋通但釋觀理並造文便解不開科段文近代諸師文起盡各有科酌
而取捨多異之而今釋者必不可偏然隨文生起不可遺於科段而文理相承互相通會不
可偏以科文取捨之宜並在說者故又皇朗云夫適化无方陶誘非一考聖心以息患為
主統教意以開道為宗若因開以得悟則聖教為之開若由合而受道則聖教為之合
如其兩曉並為甘露必也雙迷俱成毒藥此則開合隨緣事无恆準序分者或引時
方說處或神通合蓋或稱歎讚揚此皆令物生信故也 二正宗者或談真應二身
或示真應二土皆令悟理剋證故物悟明悟也流通者或讚法供最勝或屬累囑累此
皆委法傳通也 三序一發信者正宗為智多明无相事隨理顯或者多疑故集經
者引時及化處主同聞既事跡炳然兼翻傳不謬則令聽者因事證之不虛生信无相
之真[illegible]引事證信也即諸師所集譯經圖紀傳弘明記傳助宣法化意皆爾也中有
千聖[illegible]之主傳化文廣不具也 合蓋現瑞現序者且名表發序正宗為悟證深
經旨凡心信難故此說者廣現神變使觀異生信又合蓋現土表說淨土即表發序如法
花云放一光以表一乘之旨仁王云現蓮華以表出生諸佛有所表彰故言表發善法先兆故言
現瑞由如嘉禾醴泉孝子之祥兆河圖洛書明王之休禎也 三稱歎序者正宗多示
脩門故行之為艱此中廣讚佛果德使慕果深於信心即脩行之門不倦故讚之也又若
不脩得无違何以申其教請德也故 先讚德也 一發信序般若燈論分七段我聞為二我為能聞人
聞為所聞餘五同也 智論六段如瑜伽佛地論五段初如是我聞合為一段此蓋隨時科
酌之非一定義无勞煩敘然佛說經欲令聞者緣文齊相逐生死流序分證經略通文句正宗
至理須廣中明所以順佛讚經不可以此於繁重正宗真觀便略指點而已也 如是大論云
如是善信之辭不信者言是事不如是信者言是事如是佛法大海信為能入智為能度也
然論及注但以如是信辭故真釋信不釋如是字也此既非是真宗秘理不勞廣引繁辭
我聞者注文證經意是不繁更釋 然欲横敘者 大論云隨俗故說我和合故稱聞詣句

BD02296號　淨名經關中釋抄卷上

（16–6）

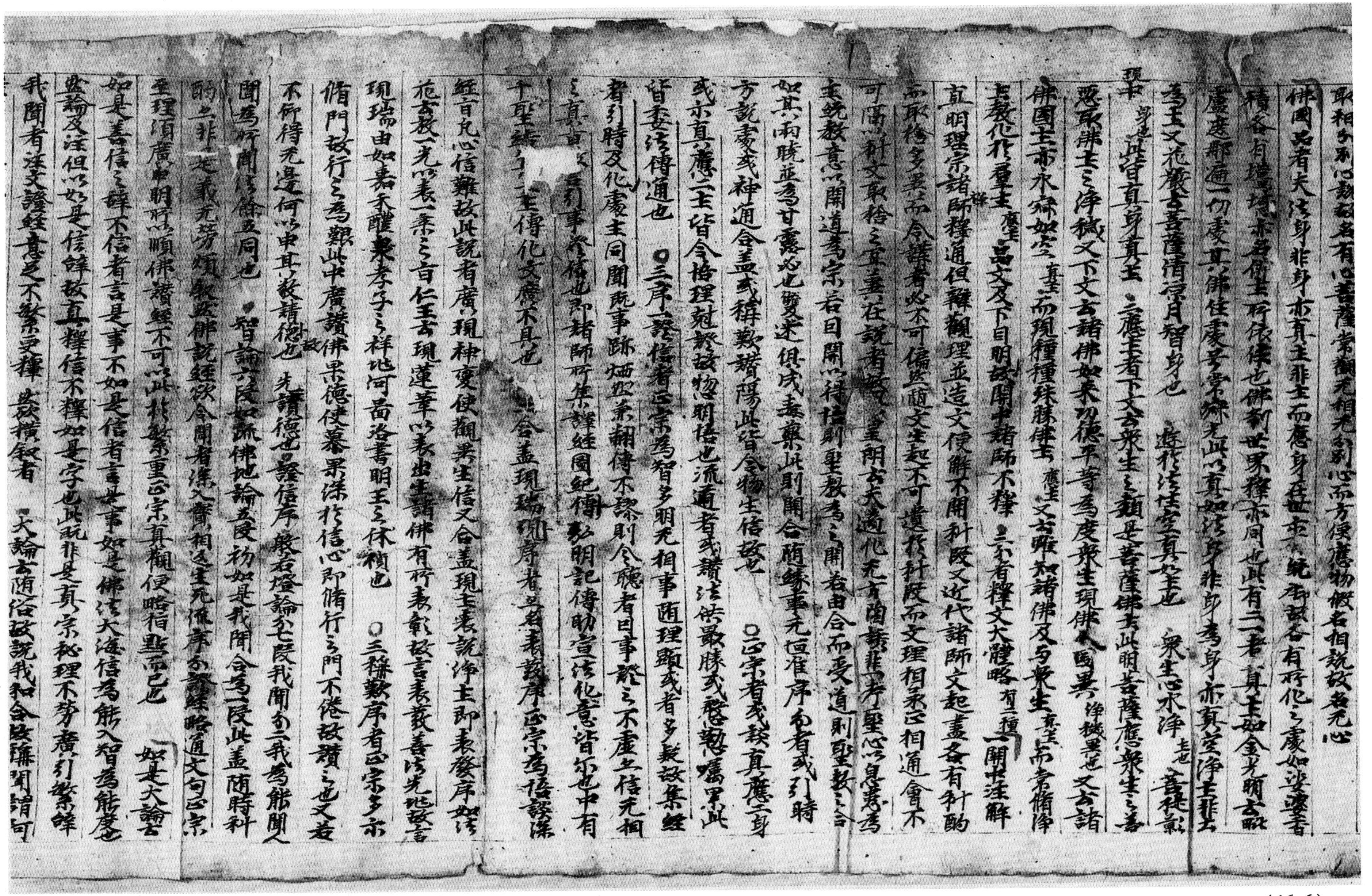

如是善信之辞不信者言是事不如是信者言是事如是佛法大海信為能入智為能度
此論及注但以如是信辞故直釋信不釋如是字也此既非是真宗秘理不勞廣引繁辞
我聞者法之證經意也不繁更釋 此欲積叙者 一大論云隨俗故說我和合故稱聞謂阿
難等雖悟无我而順俗傳經故稱我也和合聞者根境識三和合為聞也又若阿難云我
說智既未圓鑒法不深故不可信若言傳聞即或致錯謬故也今言我聞乃是親而不自
說故可信也問室中六品阿難在菴園不聞何言我聞答報恩經說阿難佛命為侍乞
佛四願一不受故衣二不隨別請三有欲見佛由我四佛所未聞經為我再說今室中六品及
佛初成道阿難未侍之前并涅槃之時所未聞經皆為他再說也 一時者生日名機感
聖聖能垂應凡聖道交不失良機謂之一時又云說聽究竟故云一時問何不定言春秋
等時答佛地論云晝夜時分諸方不定不可別說 佛在此是說經主或辯此可信此有
二意一或淨故永離虛妄所言誠諦故可信二悟圓故智照无瑕說必稱理故可信文中五有菩
薩弟子說者佛所印可咸得名經如世臣下有事奏上於君主依行即名勅也 在者住也大論
云四種住一天住住施戒善二者梵住住四禪四无量三聖住住三脫門四者佛住住无量功
德力无畏等[illegible]住上大國一根本住住首楞嚴三威儀住行住坐卧四[illegible]捨衛
今未般涅槃也今言住者住菴園說經也 廣嚴城者舊翻云維耶離西域記云中天竺吠舍釐國
周五千里此云廣嚴說經處也又道林云法身雖无不在應跡必有方所若不記之說處由
為猶濱耳 然佛真淨法身住本淨法性廣嚴之城大悲應物住人間廣嚴之城此即從本垂
跡因跡顯本也 菴園羅者此園是菴羅樹生一女國王異之以園封女女見佛歡喜捨作伽
藍故名園也 故西域記云吠舍釐城南不遠精舍前有窣堵波是菴羅女園持以施佛處園
者梵曰僧伽藍摩此云衆園非以種菜為園也但以循治道樹為園故云樹持園苑亦如道場
是循道之處 此園城道指之有所的轉處者此經佛國弟子菩薩三品及下菩薩行見阿閦
法供養囑累七品的在菴園問疾下六品文殊入室即在淨名室內方便一品據本化事遂
在室中若準積對佛宣陳及佛印時即在菴園又香積品亦有預國問答亦隨品收之不別
論也失在他經者吳本云柰是園柰女經有人見經說柰女生謂即菴羅女是柰女失
正事也 與大比丘下列衆云其有八一為證信助成道之阿難同聞可信二為顯德釋梵園能顯
佛德故三為諮請問淨土故四為表明淨名德故五為當根益故六為同事引攝有緣故七成就
脩行法供養故八為承受付囑相同无漏稱傳經故 與大比丘與者共義謂阿難共聞也 此之一句再貫下衆諸
論七義共一相同无漏二見同正見三道同无學道四解脫同俱解脫五時同聞經時六處同
菴羅園也大者佛地論四義釋之一者利根破羅[illegible]種性二者无學果三不定種性迴心向大
四衆數多大論五義一切衆中最上故二諸[illegible]故三諸王大人敬故四衆數多故五破九十

脩行法供養故　八[illegible]
論七義共一相同无偏（相同无偏）二一見同正見一道同无學道一解脫同俱解脫一時同聞經時一處同
菴羅園也大者佛地論四義釋之者一利根（戒）波羅蜜種性　二者无學果　三不定種性迴心向大
四衆數多大論五義　一一切衆中最上故　二諸[illegible]（學斷）故　三諸天人敬故　四衆數多故　五破九十
六外道論故　此四義淨名食者離四邪故　一下口食耕田種植故　二仰口食仰觀星像等　三方口
食通致使故（命四）維口食占卜等　五邪者一現異改常　二高聲聲不威　三自說功德　四占相吉凶
五讚所得利　菩薩秦言大心者大論有大摩訶（三天各大　四弘則也）心不可動（心大者大　四魔不動）精進不退（難忍能忍）初願大
即成衆生義　二心大即大心衆生義　三精進大即勇健義　十地論有十種　一菩提薩埵依菩
提智生故　二摩訶薩埵住大乘故　三第一薩埵證甚深法故　四勝薩埵覺悟勝法故　五最勝薩埵
智慧最勝故　六上薩埵起上精進故　七无上薩埵開示无上法故　八力薩埵廣知十方故　九无等薩埵
世間无等故　十不思議薩埵一念成佛故　又如下下盡有為中明不離大悲不捨大悲生死无數劫意而
有多聞佛无量德志而下修等皆是明（薩）埵心也　結業身者小乘俱舍所明乃至成佛入涅槃皆結業
身不明法身應感生大乘所明法身應感生仁王云地前菩薩世心結業生地（初）至七地隨願生八地已去法身
无生應物現生此法身　大智本行天台云大智觀解本行數行解如於目行如於足目足備者到
清淨池又有二智實智權智實智是本故大又三智一智觀空二道種智照假三一切種智照中智（切）（大）
詮用圓故名大智又四智一成所作智二妙觀察智三平等性智四大圓鏡智此第四為小乘十智此明（非）
也[illegible]　去成者感也感人物故博物志云夏禹作成往者攻穀者戰弱者守今佛法亦本
弱以戒守[illegible]戰强以惠攻故借喻也　十地經論四種神通一教法書寫演說故　二證理自教
他故　三證行法自行教他故　四證果法自成教他故　恚清淨者外道六行斷結已復生二乘見脩
三道斷惑不了本性寂滅故皆不名恚已　菩薩了本寂滅故名恚已也　五蓋十纏如常无量纏者圓
滿大乘一切煩惱同迷真性故凡起惑等名五蓋以覆真性故下文云諸煩惱是道場知如實
故又云一念知一切法是道場成就一切智故准此或若不等覆真理豈悟時一念同知一切法也
七辯者大論云捷辯疾辯（於法无）导辯　二利辯利根深入故　三无盡辯實相无盡故　四不斷辯无諍
論故　五隨應辯已斷法愛故　六義辯得涅槃利故　七世間最上辯說大乘事故　是
德者七波羅蜜也治七蔽垢故一一切殊如施治慳等无相不異故言其相不異　遠无所得者
遠及也謂及至第八地以无所得而得名无生忍不起即无生也　不退轉法輪者小乘但名
法輪有生滅故大乘名不退轉法輪理无滅故轉者說也　飾形靡俗者靡偃也謂世二相
說法生善如風靡草書云君子之德（風也小人之心）草也如風偃草化導行也　深入緣起等者謂觀
深也外道邪因无因故隨邪見二乘觀十二因緣生滅无常故但斷正使菩薩觀因緣不生不
滅无无明亦无无明盡深達實相故无復餘習氣也　近无等等佛也（齊无等）今大士自在智惠能近
[illegible]

BD02296號　淨名經關中釋抄卷上　　（16–8）

說法生善如風靡草善云君子之德草也如風偃草化導行也 一緣入緣起等者謂觀緣
淨也外道邪因无因故隨邪見二乘觀十二因緣生滅无常故但斷正使菩薩觀因緣不生不
滅无无明亦无无明盡深達實相故无復餘習氣也 无等等佛也今大士自在智惠雖近
也天台云等觀觀空也不等觀假也差別也等不等者中道也觀體圓故等用異故不等不淨
善受也清淨法善也假名天大論云如國王名天子也天者諸天也 ○賢聖天者聲聞第一義天也
妙生者亦名可從法化生也 ●四覺行者思益云慈悲捨也 （天龍雜衆者此中有人有天有鬼
有聖有本有跡故言雜也等問此八部若善業所招合受人天之報若是惡業不合見
佛聞法今形受龍而預會聞法何耶答天台云過去因異一若戒急而乘緩者受人天身
不聞法二戒若緩而乘急者受龍鬼身而聞法三乘戒俱急即受人天身聞法四若乘戒緩
者受惡身而不聞法以斯不同故形法異緣也 大論云諸天者欲界六天 ●一四天王在須弥山半
腹住 ●二忉利天（此云卅三天）在須弥山頂 ●三夜摩天（此云時分） ●四兜率（此云知足 亦名妙足） 五須涅密陀（此云化樂）自化宮
殿而遊樂也 ●六波舍跋提（此云他自在）他化宮而遊也 ●二色界有十八天 ●二初禪三天梵衆梵輔大
梵 ●二禪三天少光无量光極光 ●三禪三天少淨无量淨遍淨 ●四禪九天一无雲天二福生天
四无相天（外道天也） 五无煩天 ●六无熱天 ●七善見天 ●八善現天 ●九色究竟天（此五那含天也） ●无色界有四天 一
空處 ●二識處 ●三无所有處 ●四非想非想處 ●釋此諸天五門不同 一明身量 俱舍論頌云瞻
部洲人量三肘半四肘東西北洲人倍倍增如此釋曰瞻部人身長三肘半尺東洲倍南西復倍東北
復倍西欲天俱盧舍四分一一增 釋曰俱舍二里四分之一者欲天半里乃至第六天長三里色天踰
繕那初天四增半半此上增倍倍准无雲減三釋謂梵衆天半由旬梵輔一由旬梵王一由旬半少光二
由旬此上增倍倍者无量光四由旬等也准无雲天於增數內減三由旬 ●二明壽量 ●論云頌
人間五十年下天一晝夜乘斯壽五百倍倍增下天者謂四天王天言倍倍者日月一倍倍壽命色无晝
晝夜殊劫數等身量釋曰謂梵衆身半由旬壽命半劫（梵輔身一由旬壽命）一劫已上准知論頌无色初二万後後二二增
釋曰謂空處二万識處四万等 ●三明初生量頌曰欲初五至十色圓滿有衣 ○釋曰謂欲界初
天生如五歲乃至第六天如十歲色天初生即圓滿復身有衣羞重慚愧心猶因故也 ○四天舍
相去論頌曰如彼去下量去上數亦然 ○釋曰四天王天去海四万由旬去上亦尔忉利去海八万去
上亦然此上准知又如論頌曰无色界无處由生有四種依同分及命命心等相續也又諸部宗及
大乘言有色義如別也 ○又下三趣壽量如何畜生壽命多无定限若壽極長亦一中劫鬼以
人間一月為一日乘斯成歲壽五百年地獄者受不定八熱地獄者等活与四天王壽同黑繩衆
合號叫大號叫炎熱此五如次同欲五天極熱半中劫无間中劫金大乘經云有云八万四千劫等
八寒地獄論頌頞部陀壽量一婆訶麻百年除一盡後後倍廿婆訶麻者如世斛園油麻百斛
舍一粒盡[illegible] ○五受生者[illegible]也欲及諸天中有唯化生也

人間一月為一日乘斯成歲壽五百歲……
合鉢叫大鉢叫炎熱此五如次同欲五天極熱半中劫無間中劫全大乘經云有云八万四千劫壽
八寒地獄論頌頌部隨壽量一婆訶麻百年除一盡後後隨廿婆訶麻者如世斛圖油麻百斛
除一麻盡頌部隨壽亦如是 ● 五受生者差別者人傍生具四地獄及諸天中有唯化生鬼
通胎化 八寒地獄者一頞部陀此云皰 二尼剌部陀此云皰裂 此二寒故胞生 ● 三頞哳吒 四臛臛婆
虎虎婆此忍寒聲 ● 六嗢鉢羅此云青蓮 ● 七鉢特摩此云紅蓮 ● 八摩訶鉢特摩
此云大紅蓮此三寒身色也 四衆者理合有七衆一比丘二比丘尼三式叉摩那此云正學四沙彌此云勤策 五沙彌尼六優婆塞婆夷此有二一受五戒此云近事二受八戒此云近住七優婆夷
者女也 鎌 授人夜光者昔隨侯過塘見附藥蛇銜夜光珠來報未知報恩故隨侯按劒
上同也
相擬況大乘深旨若不現通遣發生信熟可傳也此現瑞別序諸經不同如法華
一 放光表一乘在肩間表中道照東方表三乘之上涅槃於面門放種種光果類衆
生同有佛性大品經遍身支節放光表般若波羅蜜遍法身万德也 此經合蓋
現土表說此經圓法界為一真報淨土復於一真淨土現十方諸差別應緣佛土也故此
經雖種種異陳皆以淨土為宗而為說法者昔高齊尚統師問長耳三藏云說菩集經
也 藏於大衆者昔說小乘以法劣故但現丈六比丘劣身今說淨土大乘以法勝故之
處寶師子座上現巍巍之身 瞻蔽衆會故法華云長者在門內則寶机承之威德特
尊出門外則著蔽垢衣狀有所畏門內表大乘實相理內門外表小乘應跡在門外
● 復次昔現劣表小乘可思議解脫今現勝表大乘不可思議解脫
名亦劣身寢疾今故現勝故淨名現通坐掌擎大等又下偈歎目淨脩廣及說法不有
不無即是歎此大乘法會勝身法始在佛樹及三轉法輪等即昔說小乘時劣身權教也
獻蓋者獻蓋下能奉上表因必趣果合蓋破異此一表在因則是殊至果則悟一又蓋者
表慈悲也在因有緣慈則異在果無緣慈則一悉於中現者於一蓋現三千表一法性淨
土能現十方應緣淨穢之土故下文云諸佛如來功德平等為教化衆生故現佛不
同佛土既應物故有異佛身亦隨應不同故金光明云諸佛法身猶若虛空應物現形
如水中月身土既殊當知說法亦應物差別然寶積下問疑生此為歎未曾有口業合掌礼
佛身業目不暫捨心業信也義於內故三業現於外故注云現相於外也 心淨已度諸
釋定梵曰波羅蜜此云度亦云到彼岸 此歎如來到禪定際也 導衆以寂者寂滅涅
槃也言伝以八正道導引蒼生到於涅槃不同六師 ● 善分別無者名相中應衆生故假名
相分別也 於第一義而不動者外道執見心說二乘法執心皆說名動也如來無見無執故
不動也 ● 稽首同不乖異等者一乘為同三乘為異應物說三故同不乖異會三為一故異
不乖同 ● 復次於我無我而不二我無我實性一故異不乖同應物說我無我異故同不乖

説法生善如風靡草善者君子之德也草也如風偃草化導行也 ○縁入縁起等者謂[illegible]
淨也外道邪因无因故隨邪見二乘觀十二因緣生滅无常故但斷正使菩薩觀因緣不生不
滅无无明亦无无明盡深達實相故无復餘習氣也 近无等等佛也今大士自在智惠雅近
也天台云等觀觀空也不等觀假也差別也等不等者道心觀體圓故等用果故不等不淨
善受也清淨法善也假名天大論云如國王名天子也天者諸天也 ○賢聖天者於第一義天也
妙生者亦名可復法化生也 ○四梵行者思益云慈悲喜捨也 天龍雜衆者此中有人有天有鬼
有聖有夲有跡故言雜也等問此八部若善業所招合受人天之報若是惡業不合見
佛聞法今形受龍而預會聞法何耶答天台云過去因果六一若戒急而乘緩者受人天身
不聞法二戒若緩而乘急者受龍鬼身而聞法三乘戒俱急即受人天身聞法四若乘戒緩
者受惡身而不聞法以斯不同故形法異緣也 大論云諸天者欲界六天 ○一四天王在須弥山半
腹住 ○二忉利天在須弥山頂 ○三夜摩天 ○四兜率 ○五須濕衆陀此云化樂自化宮
殿而遊樂也 ○六波舍跋提此云他自在化宮而遊也 ○二色界有十八天 ○一初禪三天梵衆梵輔大
梵 ○二禪三天少光无量光極光 ○三禪三天少淨无量淨遍淨 ○四禪九天一无雲天二福生天
四无相天 五无煩天 ○六无熱天 ○七善見天 ○八善現天 ○九色究竟天 ○无色界有四天 ○一
空處 ○二識處 ○三无所有處 ○四非想非非想處 ○釋此諸天五門不同一明身量俱舍論頌云瞻
部洲人量三肘半四肘 東西北洲人倍倍增如此釋曰瞻部人身長三肘半東洲倍南西復倍東北
復倍西欲天俱盧舍四分一一增 釋曰俱舍二里四分增一 欲天半里乃至第六天長三里色天踰
繕那初天四增半已上增倍唯无雲減三 釋曰梵衆天半由旬梵輔一由旬梵王一由旬半少光二
由旬此上增倍倍者无量光四由旬等也唯无雲天於增數內減三由旬 ○二明壽量 ○論云頌
人間五十年下天一晝夜乘斯壽五百上倍倍增下天者謂四天王天云倍倍日月一倍倍壽命色无晝
晝夜殊劫數等身量釋曰謂梵衆身半由旬壽命一劫已上准知論頌无色初二万後後二二增
釋曰謂空處二万識處四万等 ○三明初生量頌曰欲初五至十色圓滿有衣 ○釋曰謂欲界初
天生如五歲乃至第六天如十歲色天初生即圓滿復身有衣慚愧心備故也 ○四天合
相去論頌曰如彼去下量去上數亦然 ○釋曰四天王天去海四万由旬去上亦爾忉利去海八万去
上亦然此上准知又如論頌曰无色界无處由生有四種依同分及命令心等相續也又諸部宗及
大乘言有色義如別也 ○又下三趣壽量如何畜生壽命多无定限若壽極長亦一中劫鬼以
人間一月為一日乘斯成歲壽五百年地獄者受不定八熱地獄者等活与四天王壽同黑繩衆
合號叫大號叫炎熱此五如次同欲五天極熱半中劫无間中劫全大乘經云有云八万四千劫等
八寒地獄論頌頞部陀壽量一婆訶麻百年除一盡後後倍廿婆訶麻者如世斛圖油麻百斛
[illegible] ○五受生[illegible]四也欲及諸天中有住化生鬼

人間一月為一日乘斯戒常壽五百歲[illegible]
合鄉叫大鄉叫炎熱此五如次同欲五天極熱半中劫無間中劫金大乘經云有古八万四千劫等
八寒地獄論頌頌部隨壽量一婆訶麻百年除一盡後後陪廿婆訶麻者如世斛圖油麻百斛
除一麻盡頌部隨壽亦如是　五處生者差別諸人傍生具四地獄及諸天中有唯化生鬼
通胎化二八寒地獄者一頞部陀此云皰　二尼剌部陀此云皰裂　此二寒故皰生　三頞哳吒　四臛臛婆
虎虎婆此忍寒聲　六嗢鉢羅此云青蓮　七鉢特摩此云紅蓮　八摩訶鉢特摩
此云大紅蓮此三寒身色也　四衆者理合有七衆一比丘二比丘尼比丘尼三式叉摩那此云正學四沙彌此云息慈五沙彌尼六優婆塞此有二受五戒此云近事二受八戒此云近住七優婆夷亦二
者女也上周也餘援人夜光者昔隨侯過塘䖝附藥䖝銜夜光珠來報未知報恩故隨侯按劍
相擬況大乘深旨若不現通達誰生信敬可傳也此現瑞別序諸經不同如法華
放光表一乘在眉間表中道照東方表三乘之上涅槃於面門放種種光果類衆
生同有佛性大品經遍身支節放光表般若波羅蜜遍法身万德也　此經合蓋
現土表說此經圓法界為一真郭淨土復於一真淨土現十方諸差別應緣佛土也故此
經雖種種異陳皆以淨土為宗而為說法者昔高齊尚統師問長耳三藏云說普集經
也　嚴於大衆者昔說小乘以法劣故但現丈六比丘劣身今說淨土大乘以法勝故之
義寶師子座上現巍巍之身聯嚴衆會故法華云長者在門內則寶机承足威德特
尊出門外則著弊垢衣服有所畏門內表大乘實相理內門外表小乘應跡在也外
復次昔現劣表小乘可思議解脫今現勝表大乘不可思議解脫　復次昔教佛現劣故淨
名亦劣身寢疾今教現勝故淨名現通坐掌擎大菩又下偈歎目淨脩廣及說法不有
不無即是歎此大乘法會勝身法始在佛樹及三轉法輪菩即昔說小乘時劣身權教也
嚴蓋者嚴蓋下能奉上表因必趣果合蓋破異此一表在因則是殊至果則合一又蓋者
表慈悲也在因有緣慈則異在果無緣慈則一悉於中現者於一蓋現三千表一法性淨
土能現十方應緣淨穢之土故下文云諸佛如來功德平等為教化衆生故現佛不
同佛土既應物故有異佛身亦隨應不同故金光明云諸佛法身猶若虛空應物現形
如水中月身土既殊當知說法亦應物差別也寶積下問疑生此為歎未曾有口業合掌禮
佛身業目不暫捨心業信心發於內故三業現於外故注云現相於外也　心淨已度諸
禪定梵日波羅蜜此云度亦云到彼岸　此歎如來到禪定際也　導衆以寂者寂滅涅
槃也言從八正道導引蒼生到於涅槃不同六師　善分別者名相中應衆生故假名
相分別也　於第一義而不動者外道執見心說二乘法執心皆說名動也如來無見無執故
不動也　離同不乖異等者一乘為同三乘為異應物說三故同不乖異會三為一故異
不乖同　復次於我無我而不二我無我實性一故異不乖同應物說我無我異故同不乖

BD02296號　淨名經關中釋抄卷上　（16–10）

桐ㄙ別也　一於第一義而不動者外道執見心說二乘法執心皆說名動也如來无見无執故
不動也　雖同不亦異等者一乘為同二乘為異應物說三故同不亦異ㄟ會三為一故異ㄟ
不亦同　復次於我无我而不二我无我實性一故異ㄟ不亦同應物說我无我異故同不亦
異淨不淨等例然故中論頌云諸仏或說我或說於无我諸法實相中无我无非我
有不自生等者若法本有生應不待緣而先有今待緣而有明非本有若法定无
性應緣會ㄟ時亦无緣會既有明非无性也若定无者如龜毛兔角緣會亦无也此
因成假破也　有ㄟ故无者有无相待生諸法ㄟ有ㄟ時未有无既未有无待誰言有
无亦如是如小乘說有為法四相ㄟ念ㄟ生滅亦即此生滅相待生且生時无滅待誰說生滅
時无生待誰說滅故云自有即不有自无即不无也　有亦不由緣者已有故須緣无亦不
由緣如兔角故定无何用緣論日者大智論也　從緣故不有者藉他緣有非自有
也緣起故不无者被他緣生起故豈名定无也　无我无造者既破善惡業ㄟ亭即我ㄟ不
自ㄟ在ㄟ故无我也　自然ㄟ理者道理如然也非外道自然也亦云其理甚然矣　仏樹者菩
提樹也佛於下成道名為佛樹亦名道樹西域記云摩竭提國迦耶山東有ㄟ騰ㄟ山ㄟ西
南十四五里有菩提樹畢鉢羅樹也同垣壘石中有金剛座昔賢劫初成大地俱起據千
界ㄟ中下極金剛輪上侵地際金剛所成周百餘步賢劫千仏坐而入金剛定故日金剛座
為此樹冬夏不彫唯至仏涅槃日彫落須生如故仏涅槃後諸國王等遂以兩軀觀音
在像南北標記傳聞者旨舊日此像没盡仏法滅矣今南隅菩薩没過胷矣　力降魔
等者三義一出家因果經云太子十九踰城出家二習邪壞果四分律云一詣羅閲城同阿
藍迦ㄟ藍修不用處定知非正道而捨ㄟ二詣摩竭國提界鬱頭藍弗修非ㄟ相定知非亦
捨三至鳥頭山山同彼外道六年苦行知非亦捨故經云以无心意无受行而悉摧伏諸外道
也　三受食成道因果經云今我若復以此羸身而取道者彼外道當言自餓是涅槃
因我當受食然後成道婆沙論云菩薩知苦行非真ㄟ遂受難陁跋難陁二女姊妹所奉具
十六德香蜜乳糜食已身心安隱有力後吉祥人邊受吉祥草詣菩提樹下手自敷設結
跏趺坐ㄟ已誓堅固摧我若不得无上菩提櫓當不起起介時大地六種震動魔王驚惝觀
動因遂見菩薩摧取菩提使三魔女以或如來仏化三老姥還宮魔王大怒遂將欲界鬼兵
擊動如來魔軍大敗動故經云始在仏樹力降魔得甘露滅者涅槃寂滅也永息生死如天
甘露大乘以一念心知一切法是道場成就一切智故小乘以卅四心得非相擇滅為滅諦涅槃卅四心八
智八忍斷見或為十六心九无㝵九解脫而下八地修或上淨妙離也又踰城捨愛捨外道奔見
能去受見名出家也无受行者數曰无受行衍音如前引同外道苦行等无心受行受法但欲
摧伏外道令知邪法无涅槃果故若菩薩ㄟ小乘ㄟ學即云我ㄟ亦一同見條ㄟ……

智八忍斷見惑為十六心九无礙九解脫而下八地修惑上淨妙離也又踰城捨愛捨外道棄見
能去愛見名出家也无受行者歎曰无受行銜 如前引同外道者行等无心受行受法但欲
權伏外道令知耶法无涅槃果故若菩薩亦學即去我法亦有涅槃以菩薩學而不得故知无
也所以權伏　肇曰无受行 謂凡夫二乘取相故有心心即受受著著即起行佛智不相
相故无心心即不受受即不起行　故注云心者緣有心心生生即取相生苦樂是行者謂愛
著苦樂而造心起行也　實首體者謂境智俱空故无心虛空其懷者謂不着苦
樂故无受也以无取著即諸見永滅自見既滅即能摧伏一切外道諸見也　三轉法輪
者一事相轉亦四諦相此是苦此是集此是滅此是道　二勸脩轉謂勸令修行此是苦汝須知
此是集汝須斷此是滅汝須證此是道汝須修　三引證轉謂引已為證此苦我已知
此集我已斷此滅我已證此道我已修以此名為三轉也　天人得道者大論云五人證小乘
道八万諸天發大乘心　外道上者亦能斷結者即厭下苦麤鄣忻上淨妙離六行斷惑
如替頭藍等也　等以慈者大悲以三念也有二種一色三念謂刀割塗香不割心无二也
二心三念謂順法不喜違法不憂不違不順心无二也　三密者謂三業神用難思如來密
亦非心所測故云秘密也　淨心觀佛者淨信也獲其利者謂言必有理名有義言有義物解
依解起修行修行即獲道利也果受等者謂三乘教必隨根故果受異利也或有恐怖
者說世界悉檀三界火宅故恐畏說人為悉檀生善故歡喜說對治悉檀斷惡散
離說第一義悉檀證真故斷疑後次說苦諦故恐畏說滅諦故歡喜說集諦故散離說
道諦故斷疑　稽首者鄭玄云稽至也謂屈身至手而表敬也　十力者如來十種智
力也　一是處非處智力此知因果決定智謂因果道理當名是處　二業力知三界六道
業差別業智也　三定力謂知諸禪定得自在故　四根力知諸眾生上中下根　五欲力知諸眾生樂
欲不同　六性力亦云界力謂知種種性差別也　七至道處力道因處果知行因得果也　八宿命力知
宿生受命差別也　九天眼力知生死因果故　十漏盡力知无漏法故通名力者大論云通知究竟
名力成實論了知无礙為力離心不伏不屈无勝无動為力　无所畏者四无所畏也　一一切智
无畏自言具一切智　二漏盡无畏自言諸煩惱盡　三鄣道无畏自言我識煩惱貪欲能鄣
聖道　四出苦道无畏言我知无漏道能出生死說此四法於大眾中心无怯懼故云无畏
三明行相者如經中說外道難云若具一切智何故問諸比丘乞食易得不等佛答我非不知
但隨世所承法故問　二難云若漏盡者何故呵罵調達愛語羅什云佛答調物應不非煩惱
漏也　三難云貪欲鄣道者何故於二果人受五欲也佛答決定能鄣後二果故　四難云四果要
說八聖道能出苦者何故羅漢由有寒熱飢渴等　佛言聖道實能盡苦但羅漢殊報未盡
也此後无二无畏且隨小乘說理實……

仏答我非不知

但隨世所樂法故問 二難云若漏盡者何故呵罵調達愛語羅什云仏答調物應不非煩惱

漏也 三難云貪欲障道者何故於二果人受五欲也仏答決定能斷後二果故 四難云瞿曇

說八聖道能出苦者何故羅漢由有宿執飢渴等 ○仏言聖道實能盡苦但羅漢殊報未盡

也此後无二无畏且隨小乘說理實无上大道要離一切戒方說非二乘四果知也 又法身真

如性无生滅非四大起故出苦非二乘結業後邊身為出苦也 十八不共法 一身无失 二口

无失 三意无失 四无不定心 五无異想 六无不知已捨 七欲无減 八念无減 九精進无減

十智惠无減 十一解脫无減 十二解脫知見无減 十三身業隨智惠 十四口業隨智惠 十五

意業隨智惠 十六智惠知過去 十七智惠知未來 十八智惠知現在 ○此中初六是斷身口意

永離過失常住定心悉觀平等知而後捨也 ○次六是德謂欲念進智解脫〻〻知見圓滿

无闕減也 ○後六是智謂三業三世常住正智无忘失也惣言不共者仏住此法不与凡夫二

乘共也 ○文寶積大集二經並云三業无失為一加无諍訟為第二无忘誤為第三餘同前

佛國品如王宮正會方便品下九品如大臣行事菩薩行見阿閦二品事訖朝尊〻〻顯也

空洞无像者法身空洞无形像也 形无常體者或現丈六或現千尺長壽應物无常定也

應身說大小无常體應物生亦淨穢无恒處 美惡自彼等者衆生性異見國土見美惡

如來住正智淨穢常平等於我定无者應淨即淨應穢即穢故云不定〻〻即淨穢〻〻无性〻〻即平

等真至也无方為體者穢淨性空无方所也或以恒沙為國者法華經富樓那或仏以恒沙

三千大千為一國也菩薩根者或折淨土而生信根或厭穢土而生信根隨緣万差生信一也皆

言攝能盡也 直心是菩薩淨土者直心多種有凡夫質直心有二乘正見四歸直心有

菩薩正觀中道直心有諸仏果一如直心下諸行類此稽金為食者貿金方買得食此喻至

因為果也 前後果名者真心不諂等前略後廣十善道品等前後果恩禪相好等

正定衆生者有三聚衆生一邪定聚二正定聚三不定聚俱舍云五无間衆生名邪定聚

得聖道名正定聚餘衆生名不定聚仁王經十信并不定聚十住已去正定聚十信已前邪

定聚也此智鑒邪正決定去取名正定也 迴向者謂凡於善皆迴向无上菩提 口瓔珞

經有三種迴事向理 三迴己功德以普施衆生 三迴因向果 八難或聞仏名者如靈空所說

等也 ○仏名經云聞此仏名礼一拜一切罪鄣悉皆消滅等 觀仏三昧海經聞白毫相名滅三

罪生死餘相如文陁羅尼如寶樓閣等涅槃經云聞常住二字不墮惡趣 提婆達多品常

生仏前蓮華化生等可知十善有二 一心謂心十惡為十善 二行十善謂放生布施礼敬實語

軟語和合語 饒益語修不淨觀行慈悲住正見也 隨其直心此豎明淨土行即十二位列直

心對十住義行對十行深心對十迴向意調伏對初地說行對二地迴向對三地方便對四地或能衆生

罪生死餘相如文隨羅漢如實積閻等涅槃經云聞常住二字不墮惡趣提婆達多品云
生佛前蓮華化生等可知十善有三心謂心十惡為十善 二行十善謂放生布施礼敬實語
軟語和合語 饒益語修不淨觀行慈悲住正見也 隨其直心此竪明淨土行即十二位列直
心對十住義行對十行深心對十迴向意調伏對初地說行對二地迴向對三地方便對四地成就衆生
對五地佛土淨對六地說法淨對七地智惠淨對八地心淨對九地一切功德淨對十地前來一十七行
淺深皆然謂惑漸漸盡智漸漸圓悲漸漸增土漸漸淨也 ○然如仁王經始從鐵輪十信終至四禪十
地謂惑漸盡而福漸增勝悲漸增而化漸寬如下十地佛果衆德皆淨何獨佛土不淨歟
舍利佛作念者前實積問果 ○三問佛答既了理圓行足聽者理合證悟而不悟者有疑在懷故
身子託衆疑以申念事淨者七寶池臺淨也既能執淨為淨豈能了穢非穢也故言時也
螺髻見淨者身子疑佛答既了亦合得悟而不悟者衆懷疑念世尊自言我此淨土意誰見
也故梵王證見也 淨土如四天王等者理之合然准仁王經地前卅心配四種輪王是結業生身化
物未有淨土化物初地已去至十地配六欲天及四禪王既七地已前願生八地已去應生即是遊戲神
通淨佛國土教化衆生故有淨土既諸地王位階差不同淨土之合隨位昇降有果也准配可
解 心有高下者然佛土應淨而淨應穢而穢即知真土本非淨穢是名佛惠而身子見淨
定淨勝妙故高見穢定穢甲劣故下是名數見非佛界惠也 得无生法忍者悟諸淨无性也
若穢定有性不應被變使亡若淨定有性不應接待方現淨明淨本无性被變便亡明
穢亦无定无性故无性无定故无滅可謂見悟實性即亡淨相得无生法忍入不二法門經
雖不言非淨非穢而理自明矣如法華壽量品但即伽耶之矩壽明長斯則長長矩矩不定
即長云矣經雖不明非長非短而理亦自明故分別功德品諸菩薩亦證无生法忍大品即色明空
亦顯色空不異理可見也准此諸大乘經雖因緣事跡不同會理證真一也 ○故不二法門
尋或生滅兩亡或罪福住或心无所得或口默不言此皆事跡不同非證異也 智者為法皆
悉无常者若依大乘悟淨穢皆是應現應物无定即无自性今小乘執實故見事變即无常
也 如何難不了佛身是應執實病也 ○八十八使此是見道所斷煩惱也 ○謂迷四諦起此
諸惑也迷苦起十使貪嗔癡慢疑身見邊見邪見戒取見取也迷集諦起七使除身邊二見及
戒取也迷滅諦起七使亦然迷道諦起八使謂除身邊二見此是欲界具卅二上二界无嗔四諦各除
嗔即各有廿八也三界具言有八十八也九十八者謂前見道八十八上更加十斷修道煩惱故成九十八也言
十者謂貪嗔癡慢欲界具此四色有三除嗔无色三亦然故三界合論有十也 ○方便品天台云
此品序淨名淨德是阿難本願將來聞經佛為說故此品及室內六品佛說經訖并說付囑故結集
時誦出也長者具十德者天台云有二世間如別二出世間淨名十德果圓如今經具明聞經一念發
發心隨喜亦具六十德一往貴此經諸佛菩提皆從是生即般若佛母種性中生 ○二位高初發心時

BD02296號　淨名經關中釋抄卷上　　（16–14）

此品序淨名淨德是阿難本願所未聞經佛為說故此品及室內六品佛說經竟非說付囑故結集
時誦出也長者具十德者天台云有二世間如別二出世間淨名十德果圓如今經且明聞經一念發
發心隨喜亦具十德一姓貴此經諸佛菩提皆從是生即般若佛母種姓中生 〇二位高初發心時
已超二乘法一念隨喜超二乘四果 〇三大富金剛一念淨信勝施三千七寶 〇四威德勢下文天
帝四王未信生信以信作證等 〇五智深大經云學大乘者雖有肉眼即名佛眼 〇六年耆不於
一佛二佛種諸善根 〇七行无失大經云聞常住二字不墮惡趣法花化生佛前 〇八禮儀備足諸相非
相即見佛身威儀 〇九上人所歎法花云應以天花散生心如佛想等 〇十下人歸敬法花云諸天童子
而為給事等 殖諸善本者發大乘心在佛家无生忍者仁王云地前三賢伏忍初地二三地信忍
四五六地順忍七八九地无生忍十地佛果寂滅忍今不言寂滅忍者天台云以是佛忍故讓之但言无
生忍也 心心存趣者如泉出流必趣大海凡有心者皆趣佛果也以无來不來亦无達不悟故也
資財无量者世財及方善法財貧人謂貧世財及貧无上法財又云資財无量大令也攝諸貧人
者跡也此從本垂跡也 雖為白衣跡也奉持律行本也言律律者實相真戒住淨尸羅也
故羅云章云是即出家即是具足謂發菩提心出家生死涅槃家受方行一心具足戒也
梵行謂住真諦法身皆非男非女无相梵行也 異道者九十六種著見論世典者安國者處家
之愛論也以忠則愛主孝則愛親各親其親故名其愛論 淨生者脩治生業也 四徧者
十字路也 政法柱礩日在君為政在臣為事 剎帝利此云田主俱舍論頌云劫初如色天後
漸貪味由惰貯賊起為防雇守田謂劫初人身有光明食諸地味貪心生故地味不生次食林藤
貪又不生次食自然粳米身光隱蔽貪貯既多遂共分田為防諍論乱遂雇有德以為田主此剎
帝利王之始也又從此姓改姓瞿曇新云喬答摩（此云日種 亦甘蔗種） 本行集云彼大茅草王无子出家得
五通仙弟子以王仙老以籠盛之懸於樹上出行采藥有獵師來是謂仙鳥遂便射之血墮
隨地生兩甘蔗一出童子一出童女後嗣王位因改為甘蔗種及日炙生故亦名日炙種後從
甘蔗改姓釋迦此名能也 〇五分律云聲摩王有四子神武聰明寵妃有子頑薄醜陋妃念我子
雖長才不及物國祚所鍾必當四子即依方便令王擯遂四子之去已後者如雲到雪山北近迦夷
林築城營邑衆人識威王聞三歎我子有能因稱釋迦種也又剎利婆羅門毗舍首陀天竺四
姓剎利如上婆羅門道學為業毗舍者此云坐謂坐估販貨也 首陀者謂田農宗長者
學也 勝志者觀四聖諦无漏事也梵天愛見心脩禪着无正慧不免倫迴也 護世者四天王
也東方提頭賴吒此云持國主南方毗樓勒叉此云增長主西方毗樓博叉此云雜語主亦云醜
眼主北方毗沙門此云多聞主 是身无常者有二種无常（無常）一常謂四時遷變顏貌衰老

[illegible]

也東方提頭賴吒此云持國主南方毗樓勒叉此云增長主西方毗樓博叉此云雜語主亦云醜
眼主北方毗沙門此云多聞主　是身无常者有二種无常一常謂四時遷變人顏貌衰老
等事物變移為无常也　二理无常謂執有為法剎那剎那住自遷變易皆時素髮白
首相異此後為无常也下共觀亦然若病衰死生為苦者此事苦也　第三空觀亦二若厭身
壞色為空此是事也若知五陰有為性不堅實剎那剎那无常　空亦此是理也又此是半字
因緣无常常空又非滿字緣生生空也觀此苦理名為苦等理理觀也　苦者三苦也一苦
苦受性二壞苦樂受性三行苦捨受性也欲界具三苦色界具後二无色唯行苦又有八苦如常
十喻者聚沫泡芭蕉浮雲電此上五喻也通小乘半字无常故空義也炎幻夢影響此
五喻通大乘滿字无生空義也　无生如地者身四大者皮肉筋骨為地血髓目淚為水動
轉喘息為風遍體暖氣為火又俱舍云堅為地性濕為水性煖為火性動為風性又執地大為
我即衆生相執火大為我即我相火性炎上与我慢同相執水大為我即人事隨時如水之隨器
亦同相也執風大為我即壽者相風息不斷名為壽命故大集云出入息者名為壽命
故金剛云若心取相即著我人衆生壽者若取一我相即四大齊執也无知如草木等者草木无知
託四氣以生落識心亦不假異境以憂悲既託緣以分別即自性而无知此六物者外相十二髮毛爪
齒脛淚涎唾屎尿諸穢汗也身器十二皮膚血肉筋脈骨髓方膏肓腦膜中含十二肝
膽腸胃脾腎心肺生藏熟藏赤白痰飲　形形妙者謂二乘人不知五陰皆空是佛身乃
取世二相為佛身有金鏘馬麥之患何得歎彼所此也將示大乘五陰本空空王空生无生歎
滅不滅丈六即真為佛身也故云佛身者即法身也超三界者謂悟三界如幻也陰入不攝
者陰入即空也　八極者八方也稽者稽授也置也　六通者一神境通謂或現大身小身也
二天耳聞郭外聲　三天眼見郭外事　四他心知他心故　五宿命知宿命事故　六漏盡諸煩惱盡
故　三明者為聊宿命明知宿命　二天眼明　三漏盡明謂一往知事為通通深照金因緣為明
又俱舍云宿命明除過去過天眼除未來過漏盡除三世愚心餘三不爾故但名通不名明也
淨名關中釋抄卷上

BD02296號　淨名經關中釋抄卷上　（16–16）

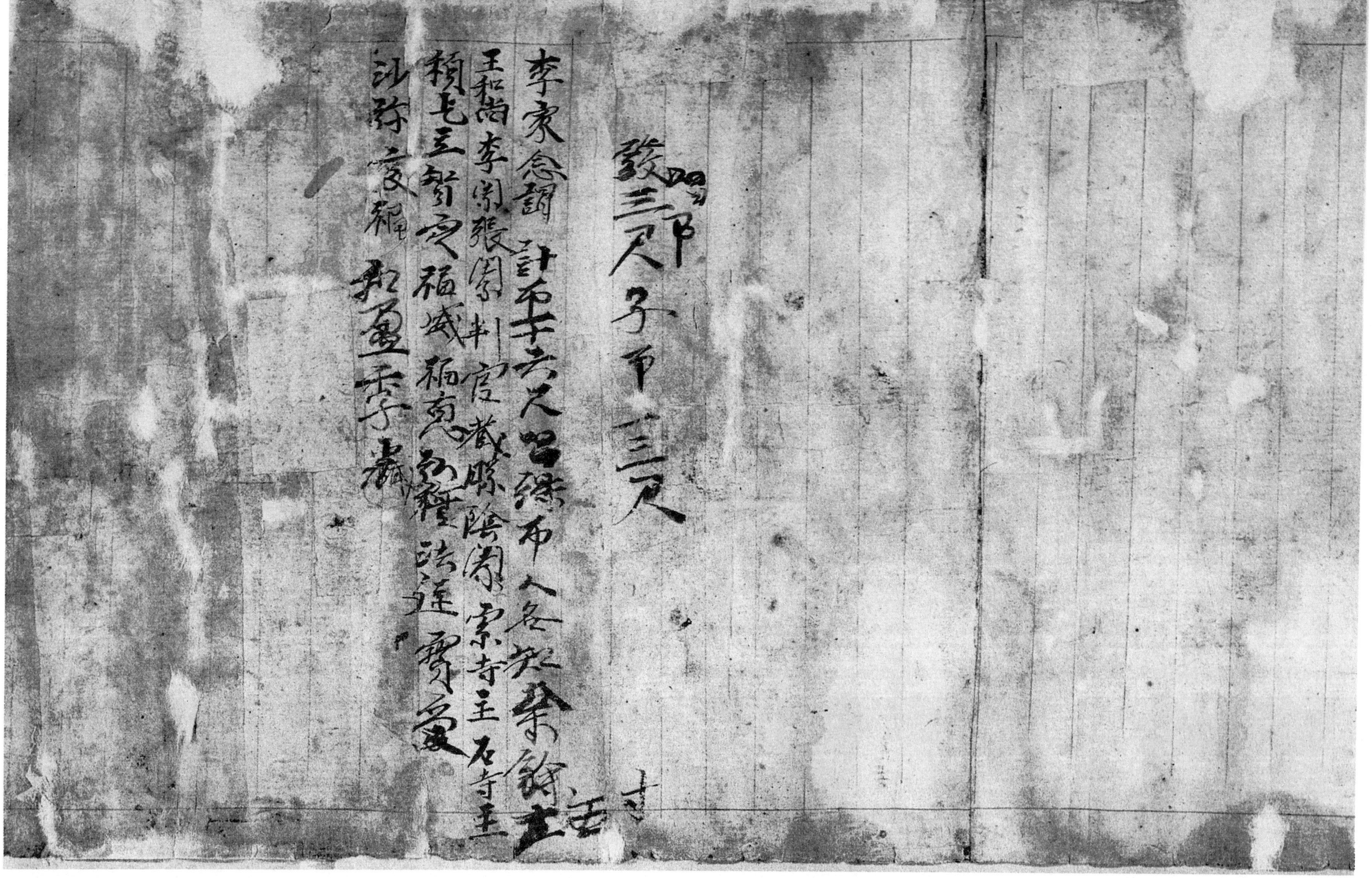

BD02296號背　唱布歷（擬）

（1-1）

若……盡諸苦　名第三諦
為滅諦故　脩行於道　離諸苦縛　名得解脫
是人於何　而得解脫　但離虛妄　名為解脫
其實未得　一切解脫　佛說是人　未實滅度
斯人未得　无上道故　我意不欲　令至滅度
我為法王　於法自在　安隱眾生　故現於世
汝舍利弗　我此法印　為欲利益　世間故說
在所遊方　勿妄宣傳　若有聞者　隨喜頂受
當知是人　阿惟越致（鞞跋）　若有信受　此法經者
是人已曾　見過去佛　恭敬供養　亦聞是法
若人有能　信汝所說　則為見我　亦見於汝
及比丘僧　并諸菩薩
斯法華經　為深智說　淺識聞之　迷惑不解
一切聲聞　及辟支佛　於此經中　力所不及
汝舍利弗　尚於此經　以信得入　況餘聲聞
其餘聲聞　信佛語故　隨順此經　非己智分
又舍利弗　憍慢懈怠　計我見者　莫說此經
凡夫淺識　深著五欲　聞不能解　亦勿為說
若人不信　毀謗此經　則斷一切　世間佛種
或復顰蹙　而懷疑惑　汝當聽說　此人罪報
若佛在世　若滅度後　其有誹謗　如此經典
見有讀誦　書持經者　輕賤憎嫉　而懷結恨
此人罪報　汝今復聽
其人命終　入阿鼻獄　具足一劫　劫盡更生
如是展轉　至无數劫　從地獄出　當墮畜生

BD02297 號　妙法蓮華經（十卷本）卷二　（4–1）

若佛在世　若滅度後　其有誹謗　如此經典
見有讀誦　書持經者　輕賤憎嫉　而懷結恨
此人罪報　汝今復聽
其人命終　入阿鼻獄　具足一劫　劫盡更生
如是展轉　至无數劫　從地獄出　當墮畜生
若狗野干　其形領瘦　黧黮疥癩　人所觸嬈
又復為人　之所惡賤　常困飢渴　骨肉枯竭
生受楚毒　死被瓦石　斷佛種故　受斯罪報
若作駱駝　或生驢中　身常負重　加諸杖捶
但念水草　餘无所知　謗斯經故　獲罪如是
有作野干　來入聚落　身體疥癩　又无一目
為諸童子　之所打擲　受諸苦痛　或時致死
於此死已　更受蟒身　其形長大　五百由旬
聾騃无足　蜿轉腹行　為諸小虫　之所唼食
晝夜受苦　无有休息　謗斯經故　獲罪如是
若得為人　諸根闇鈍　矬陋攣躄　盲聾背傴
有所言說　人不信受　口氣常臭　鬼魅所著
貧窮下賤　為人所使　多病痟瘦　无所依怙
雖親附人　人不在意　若有所得　尋復忘失
若脩醫道　順方治病　更增他疾　或復致死
若自有病　无人救療　設服良藥　而復增劇
若他反逆　抄劫竊盜　如是等罪　橫羅其殃
如斯罪人　永不見佛　眾聖之王　說法教化
如斯罪人　常生難處　狂聾心亂　永不聞法
於无數劫　如恒河沙　生輒聾瘂　諸根不具
常處地獄　如遊園觀　在餘惡道　如己舍宅
駝驢猪狗　是其行處　謗斯經故　獲罪如是
若得為人　聾盲瘖瘂　貧窮（諸）眾衰　以自莊嚴
水腫乾消　疥癩癰疽　如是等病　以為衣服

BD02297 號　妙法蓮華經（十卷本）卷二　（4–2）

常處地獄　如遊園觀　在餘惡道　如己舍宅
駝驢猪狗　是其行處　謗斯經故　獲罪如是
若得為人　聾盲瘖瘂　貧窮諸衰　以自莊嚴
水腫乾消　疥癩癰疽　如是等病　以為衣服
身常臭處　垢穢不淨
深著我見　增益瞋恚　婬欲熾盛　不擇禽獸
謗斯經故　獲罪如是
告舍利弗　謗斯經者　若說其罪　窮劫不盡
以是因緣　我故語汝　无智人中　莫說此經
若有利根　智慧明了　多聞強識　求佛道者
如是之人　乃可為說
若人曾見　億百千佛　殖諸善本　深心堅固
如是之人　乃可為說
若人曾見（精進）　常脩慈心　不惜身命　乃可為說
若人恭敬　无有異心　離諸凡愚　獨處山澤
如是之人　乃可為說
舍利弗　若見有人　捨惡知識　親近善友
如是之人　乃可為說
若見佛子　持戒清潔　如淨明珠　求大乘經
如是之人　乃可為說
若人无瞋　質直柔濡　常愍一切　恭敬諸佛
如是之人　乃可為說
復有佛子　於大衆中　以清淨心　種種因緣
譬喻言辭　說法无礙　如是之人　乃可為說
若有比丘　為一切智　四方求法　合掌頂受
但樂受持　大乘經典　乃至不受　餘經一偈如是之人乃可為說
如人至心　求佛舍利　如是求經　得已頂受

BD02297號　妙法蓮華經（十卷本）卷二　（4–3）

如是之人　乃可為說
若見佛子　持戒清潔　如淨明珠　求大乘經
如是之人　乃可為說
若人无瞋　質直柔濡　常愍一切　恭敬諸佛
如是之人　乃可為說
復有佛子　於大衆中　以清淨心　種種因緣
譬喻言辭　說法无礙　如是之人　乃可為說
若有比丘　為一切智　四方求法　合掌頂受
但樂受持　大乘經典　乃至不受　餘經一偈
如是之人　乃可為說
如人至心　求佛舍利　如是求經　得已頂受
其人不復　志願餘經　亦未曾念　外道典籍
如是之人　乃可為說
告舍利弗　我說是相　求佛道者　窮劫不盡
如是等人　則能信解　汝當為說　妙法華經

妙法蓮華卷第二

一校竟

BD02297號　妙法蓮華經（十卷本）卷二　（4–4）

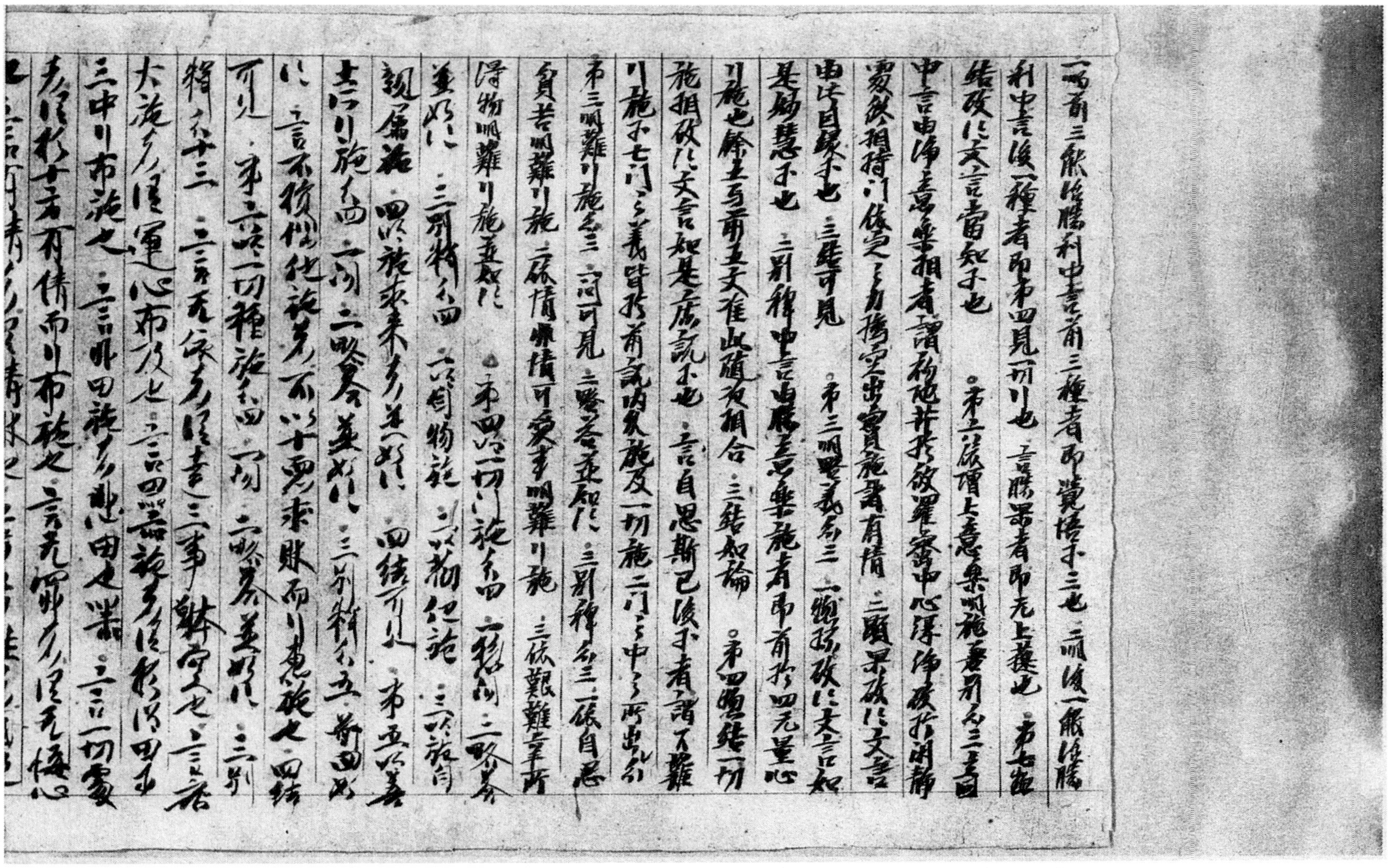

BD02298號 1　瑜伽師地論手記卷三九　（18–1）

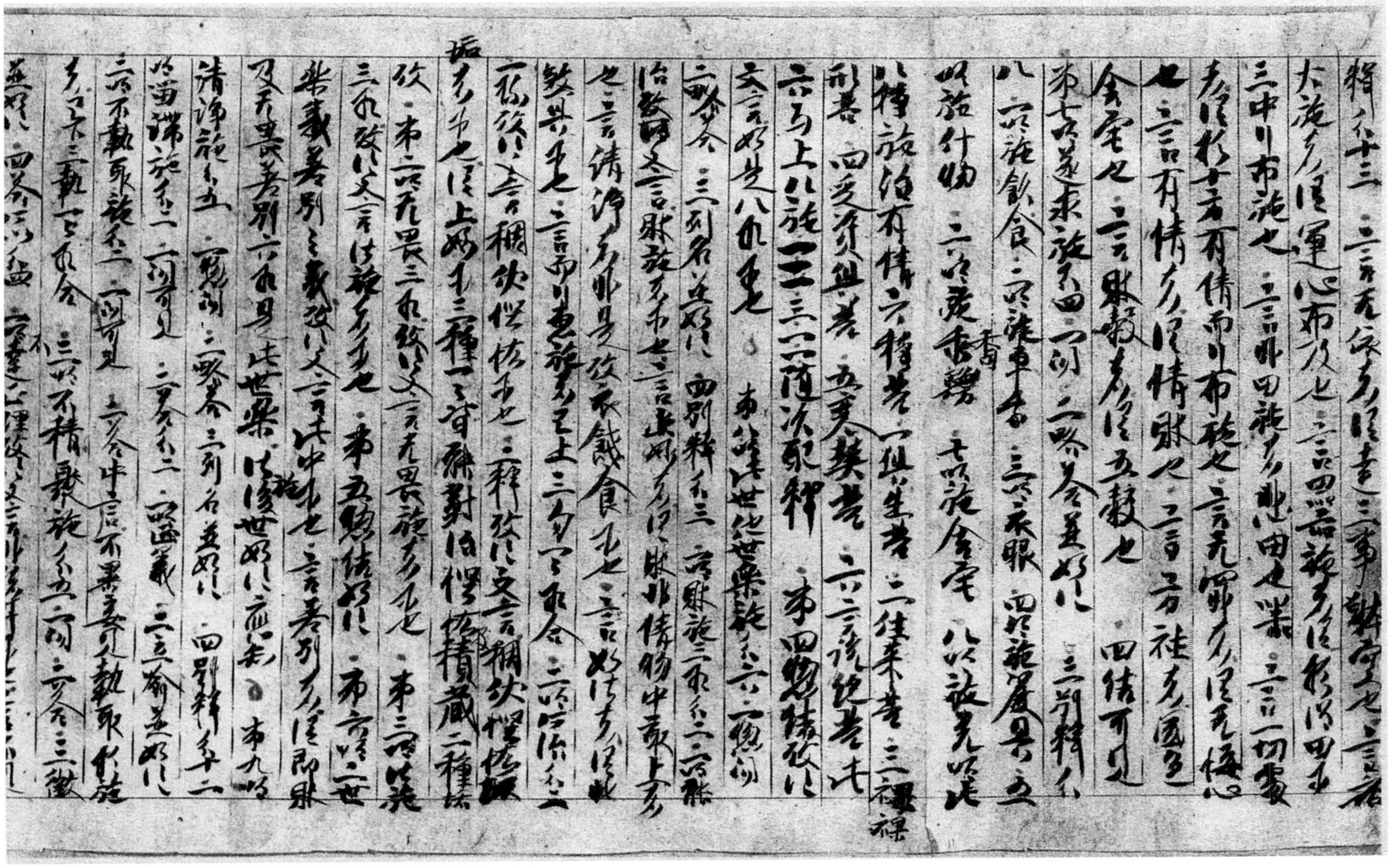

BD02298號 1　瑜伽師地論手記卷三九　（18–2）

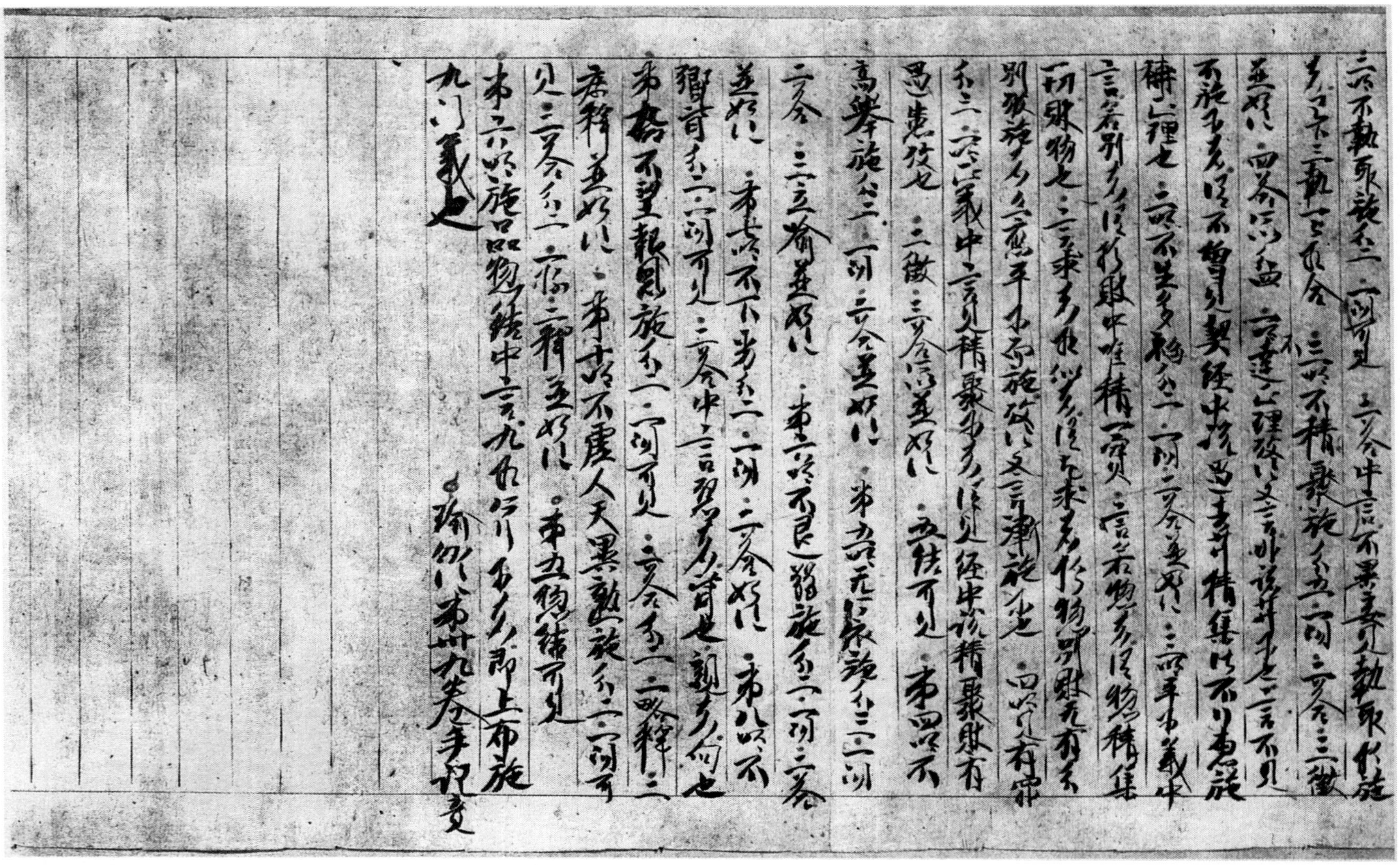

BD02298 號 1　瑜伽師地論手記卷三九　（18–3）

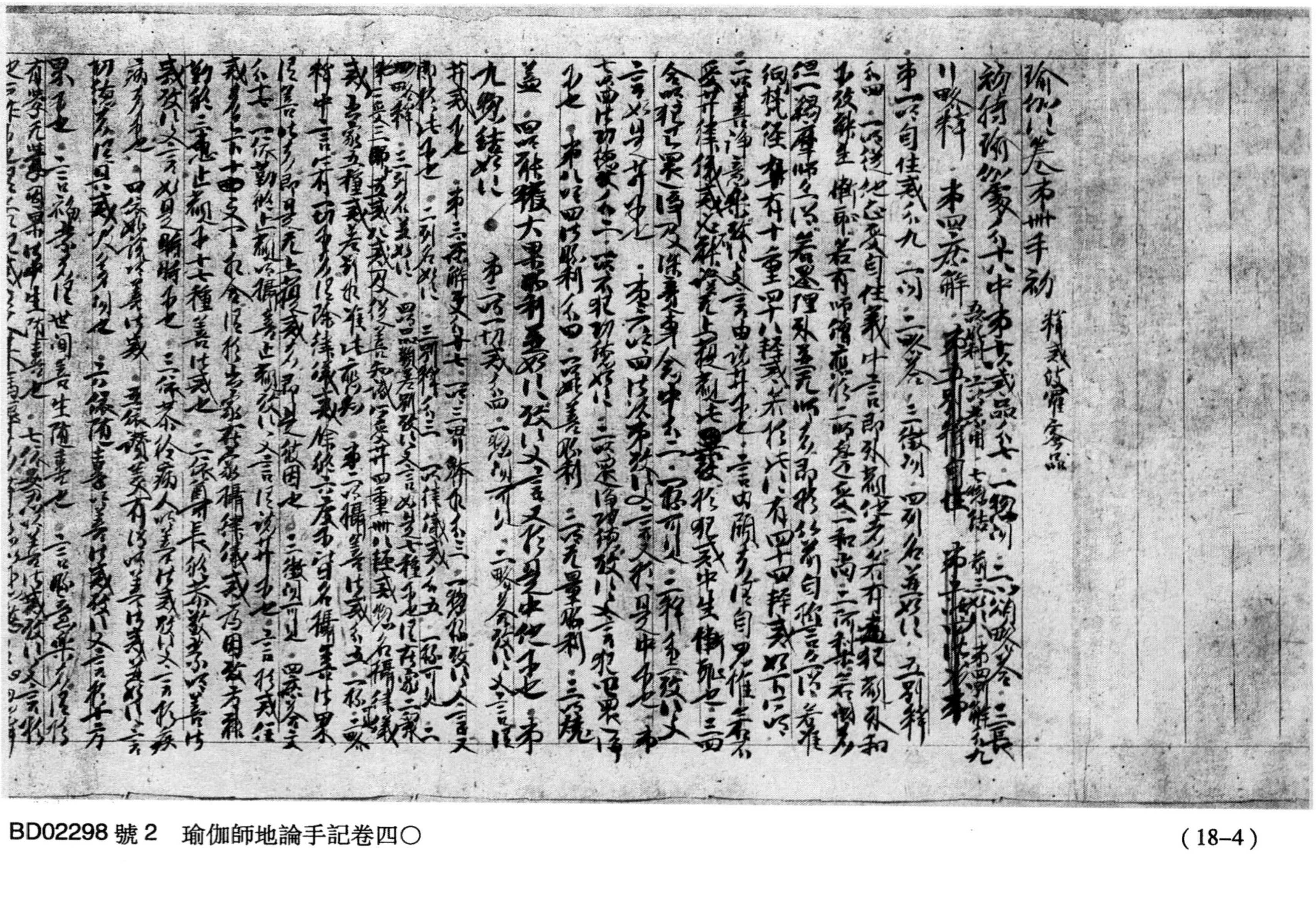

BD02298 號 2　瑜伽師地論手記卷四〇　（18–4）

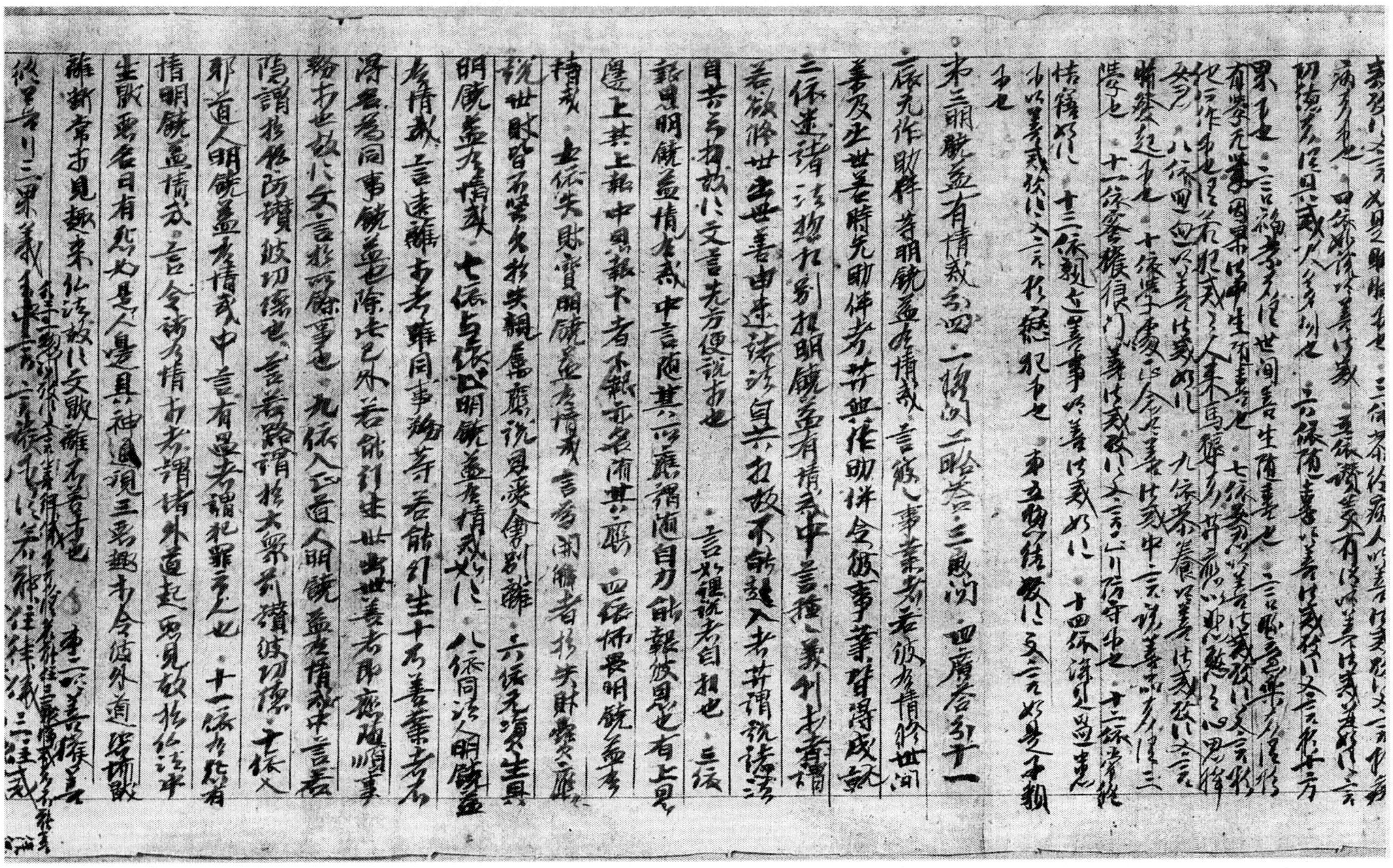

BD02298 號 2　瑜伽師地論手記卷四〇　（18–5）

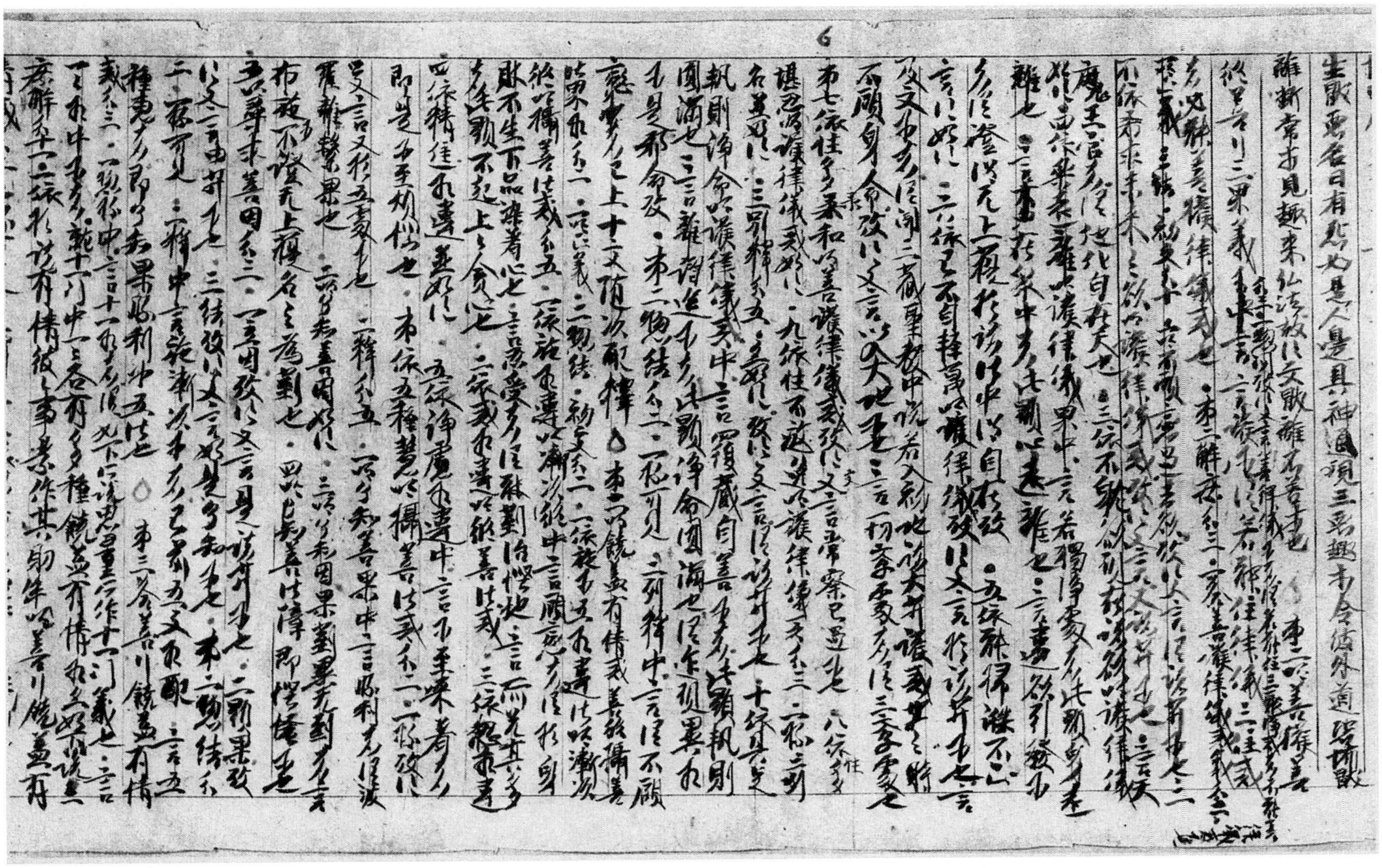

BD02298 號 2　瑜伽師地論手記卷四〇　（18–6）

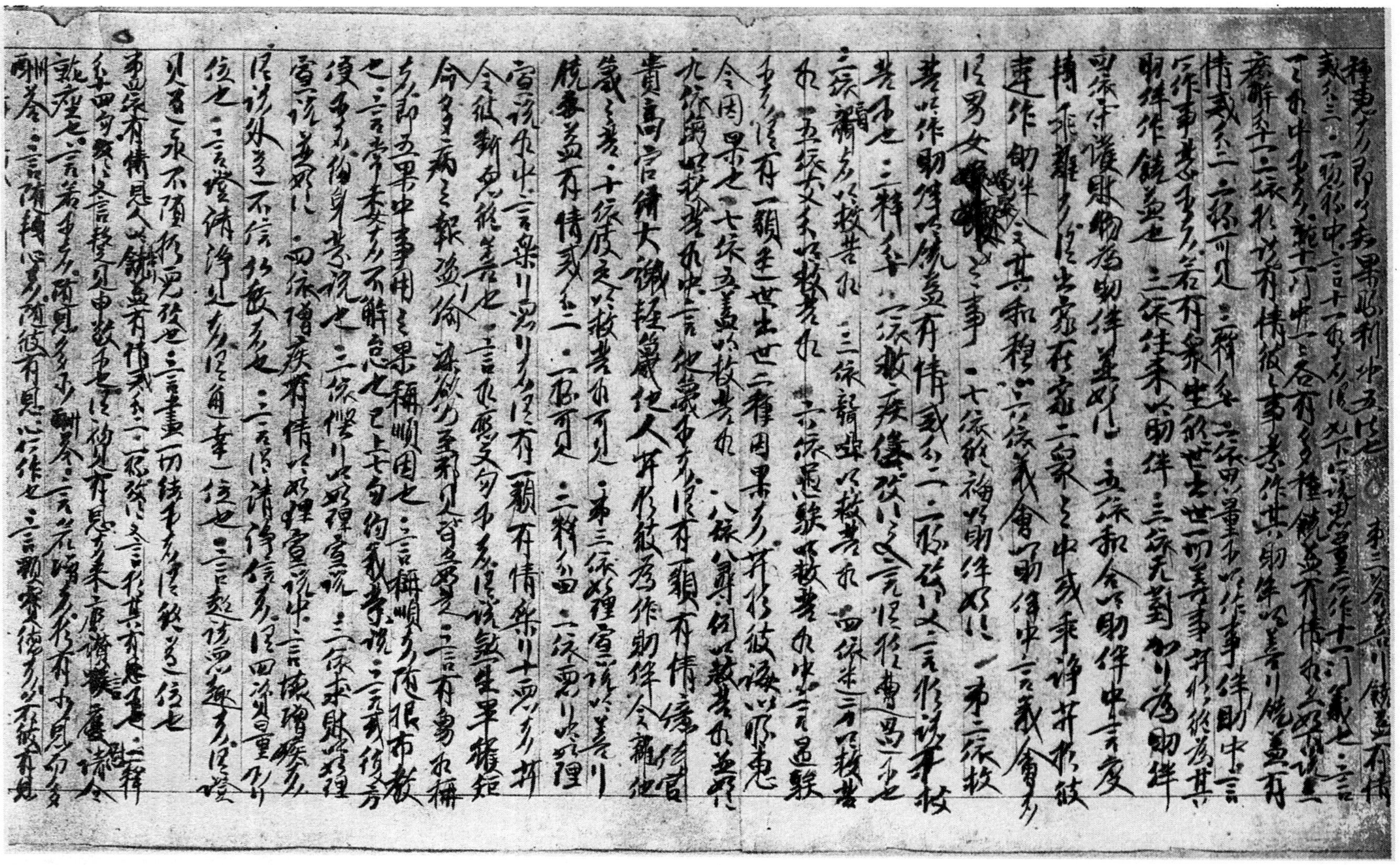

BD02298 號 2　瑜伽師地論手記卷四〇　　（18–7）

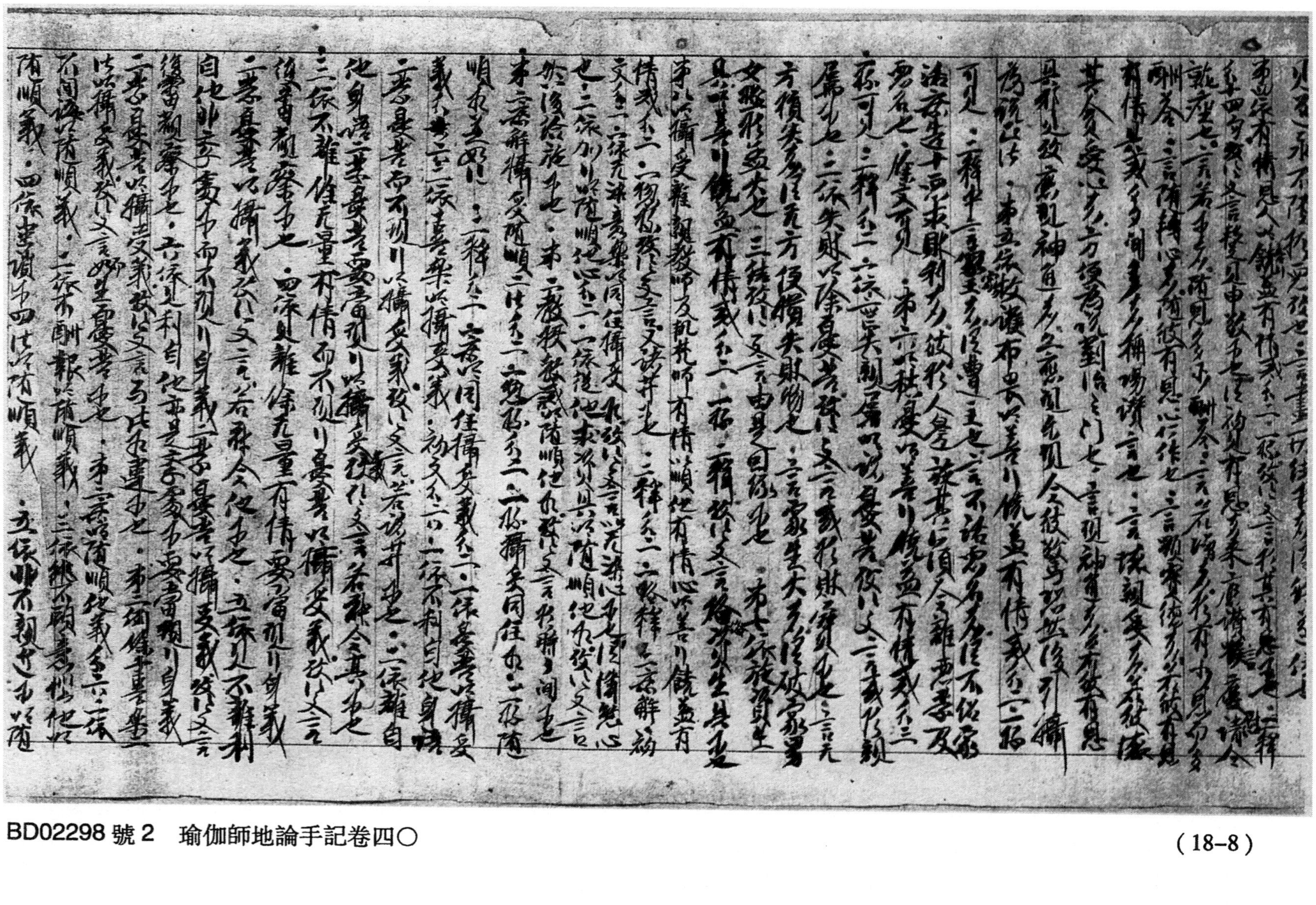

BD02298 號 2　瑜伽師地論手記卷四〇　　（18–8）

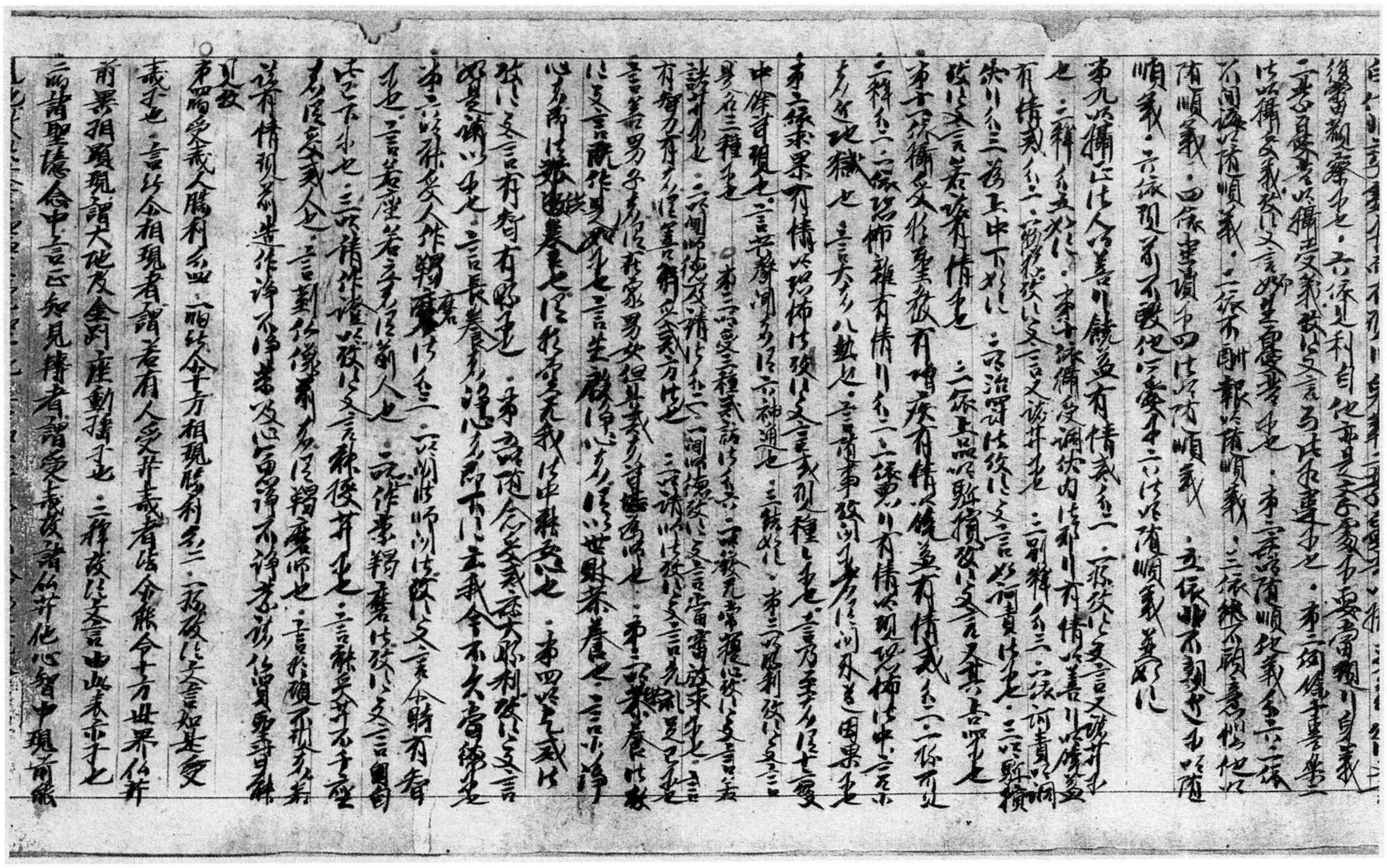

BD02298 號 2　瑜伽師地論手記卷四〇　（18–9）

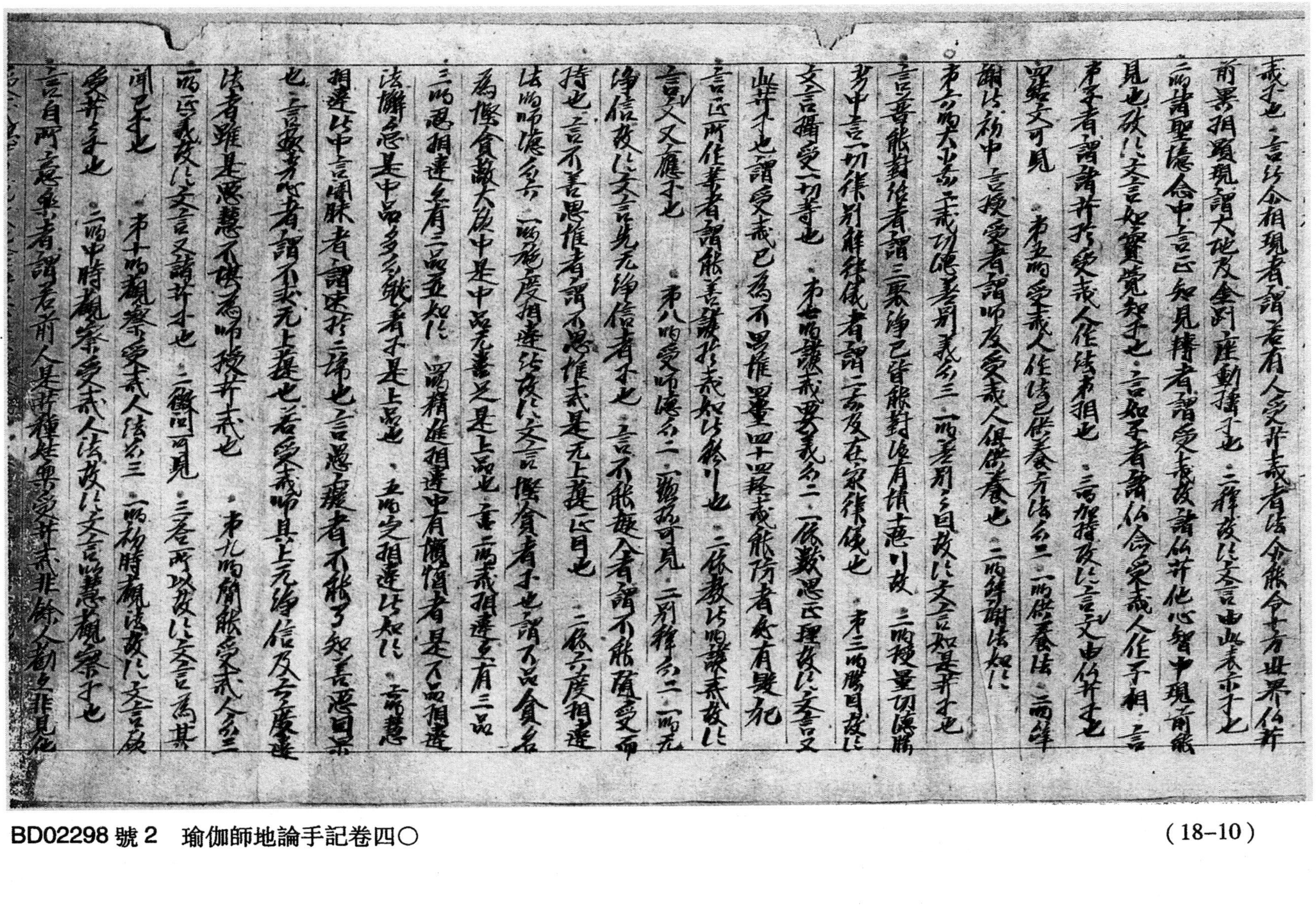

BD02298 號 2　瑜伽師地論手記卷四〇　（18–10）

聞己等也。第十四觀察受戒人法分三：一明初時觀法，故論文言應
受菩薩等也。二明中時觀察受戒人法，故論文言以慧觀察等也。
言以自所意樂者，謂若前人是此種姓樂受菩薩戒，非餘人勸及非見他
受戒，恐勝我故起嫉妒心來受戒者，故論文言當知等也。三明後時
為說故，論文言以受戒法如應正受也。 ○第十五廣明學處開分三
一明四他勝處法。二明卌四輕染違犯法。 ○初文分十二：一標 二微細
並如下。三別釋四：一依自讚毀他明初時處法，故論文言若諸菩薩
等也。若聲聞以不淨心為他勝，猶能修行自他身心征業，罷故今
自讚毀他亦能修行自他故，初稱也。聲聞要假具緣方犯他勝，
此但舉心即便犯也。又聲聞犯他勝者，不通懺悔，不許再受。若菩薩
此戒者，若再受戒者中品犯，三人是懺，下品人復本清淨。 ．二依慳
財法故，論文言現有資財等也。此對聲聞盜戒。 ．三依忿纏明第三他
勝法故，論文言長養等也。 ．言不唯發起等也，謂若思惟發起惡言，
便能以息而不發起者，亦不加害於彼也。 ．四依謗亂正法明
第四他勝中。 ．言建立像似者，謂立法雖同，立義不同，名為像似。如
世尊說蘊處界等皆假立者，一類不了言假立者及是實物，
如是等類，如下攝事分中攝律儀分當廣分別。 ○第四明結故
論文言如是名為菩薩等也。 ○第五明犯戒過失，故論文言菩薩於四他勝
法，謂於四他勝中若犯一種，尚於現法不能成就攝資糧，何況俱犯。言上無
乘清淨者，謂不證十地意樂也。 ○第六明聚戒分三：一依下中二種
明不捨戒處，故論文言菩薩若用軟中等也。二依上纏明捨戒處，故論文
言上品纏犯等也。三依上品纏相，故論文言若諸菩薩等也。 ○第七明不
同聲聞犯一他勝便捨其戒不通更受義，故論文言非諸菩薩暫一現行
等也。言由此毀犯者，若由三品纏犯他勝法，堪任若懺悔更受，不同
二乘犯他勝已更不再受，故論文言非如苾芻住別解等也。 ○第八明
正捨戒因，故論文言略由二緣等也。 ○第九明在所生處不捨戒義，
故論文言若諸菩薩等也。 ○第十明雖復轉生其戒本在非新得義，
故論文言若諸菩薩轉受餘生等也。

BD02298 號 2　瑜伽師地論手記卷四〇

（18–11）

二乘犯他勝已更不再受，故論文言非如苾芻住別解等也。 ○第八明
正捨戒因，故論文言略由二緣等也。 ○第九明在所生處不捨戒義，
故論文言若諸菩薩等也。 ○第十明雖復轉生其戒本在非新得義，
故論文言若諸菩薩轉受餘生等也。

瑜伽論第卌卷手記畢

BD02298 號 2　瑜伽師地論手記卷四〇

（18–12）

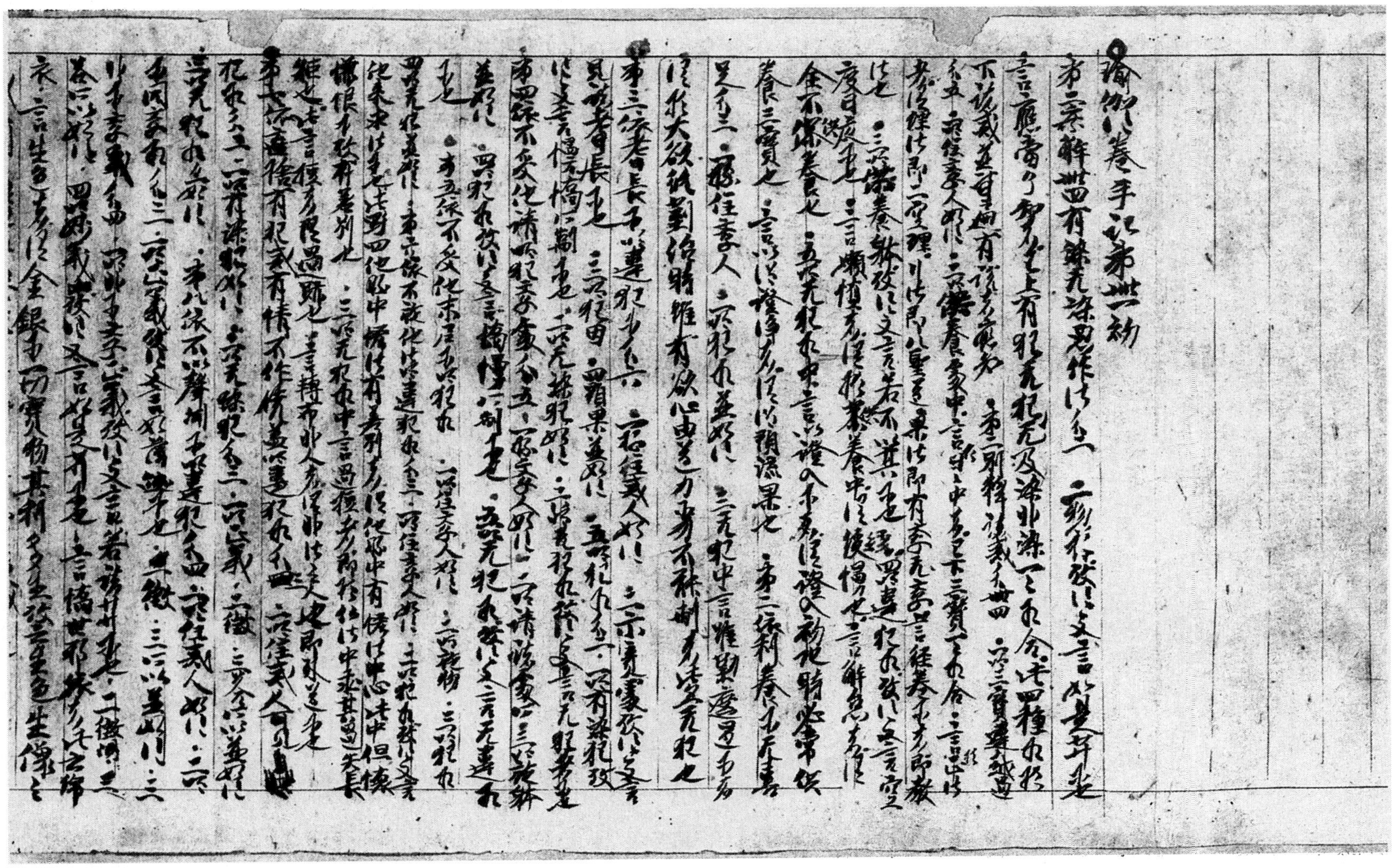

BD02298 號 3　瑜伽師地論手記卷四一　　（18–13）

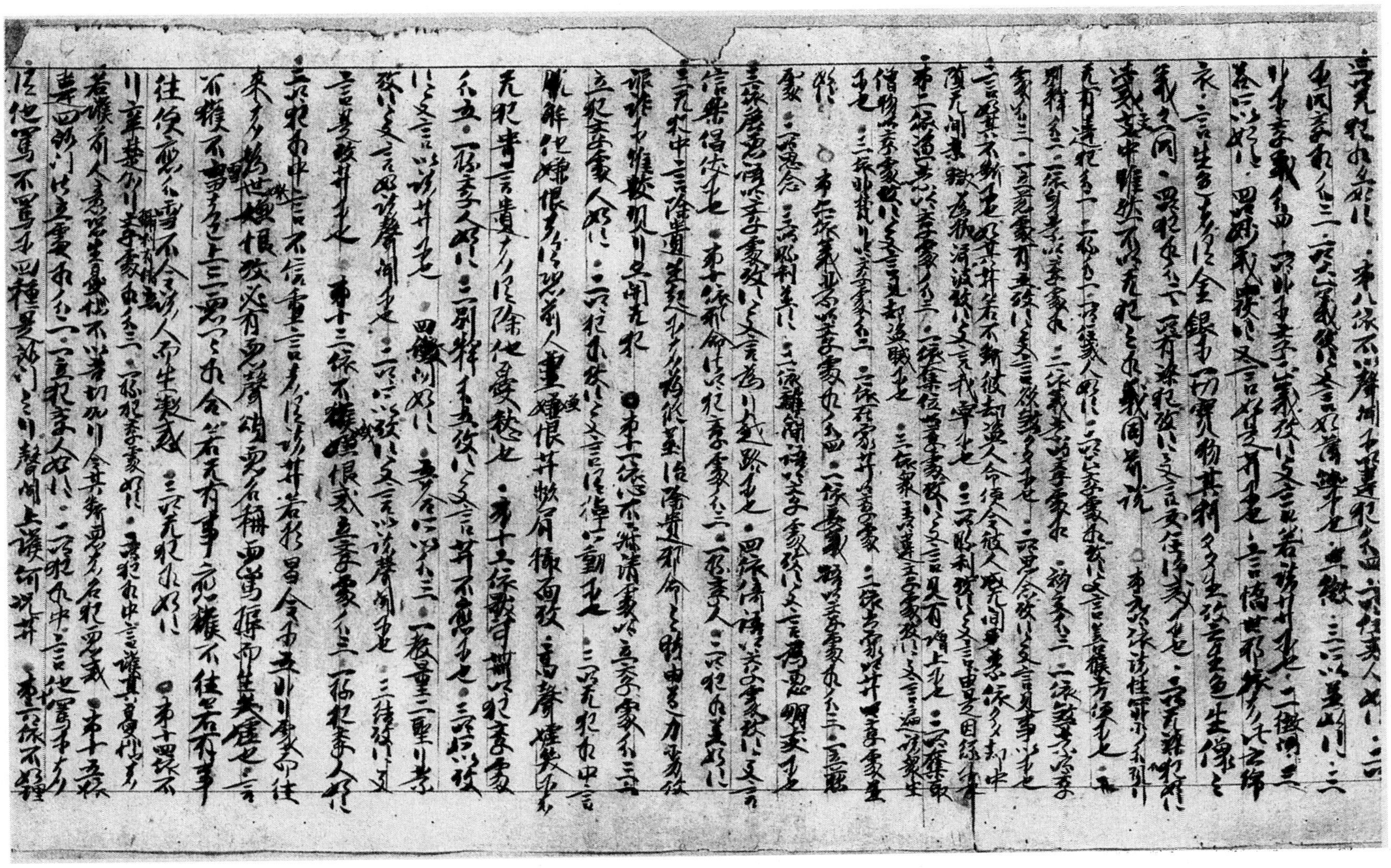

BD02298 號 3　瑜伽師地論手記卷四一　　（18–14）

BD02298號3　瑜伽師地論手記卷四一

（18–15）

BD02298號3　瑜伽師地論手記卷四一

（18–16）

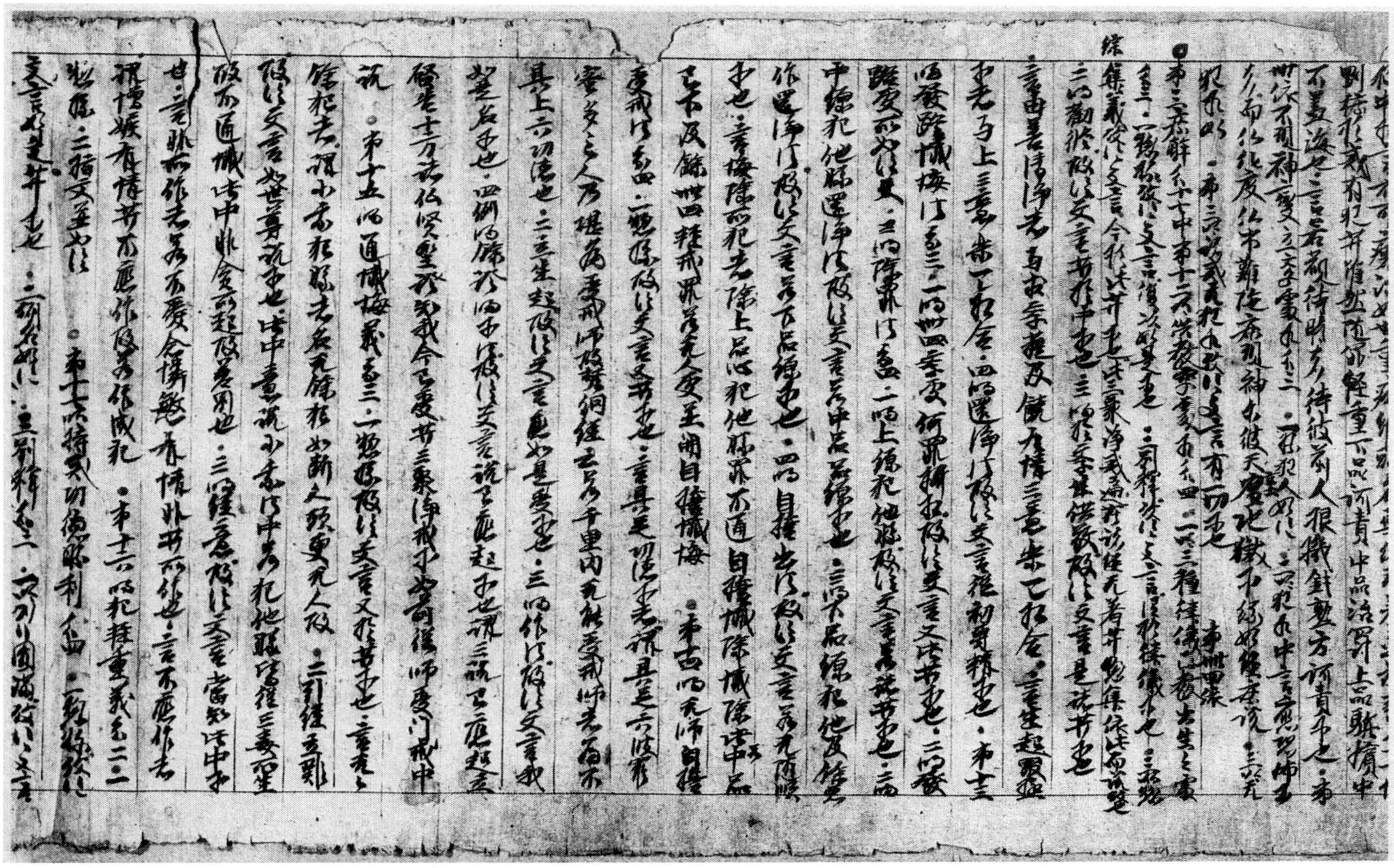

BD02298 號 3　瑜伽師地論手記卷四一　　（18–17）

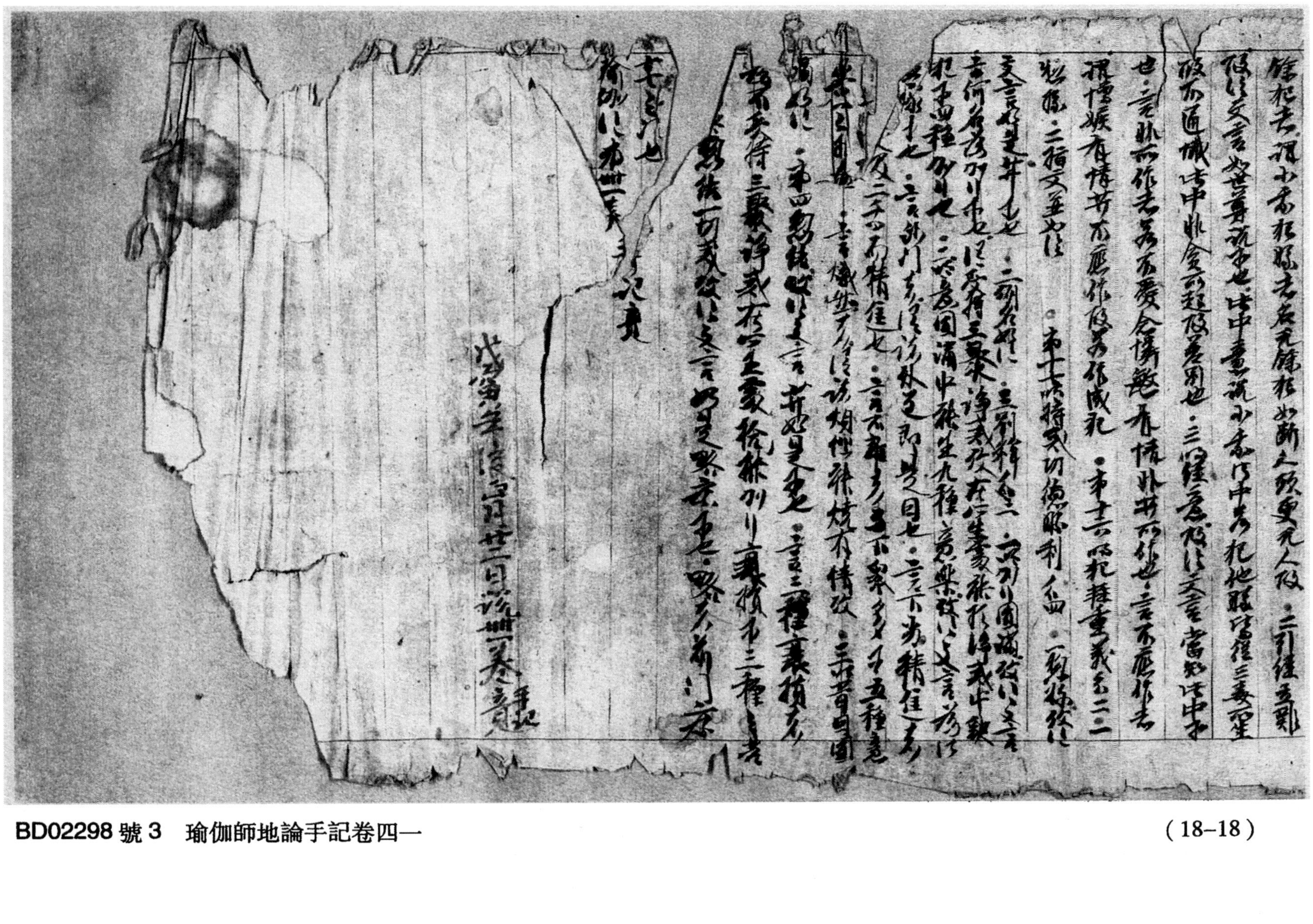

BD02298 號 3　瑜伽師地論手記卷四一　　（18–18）

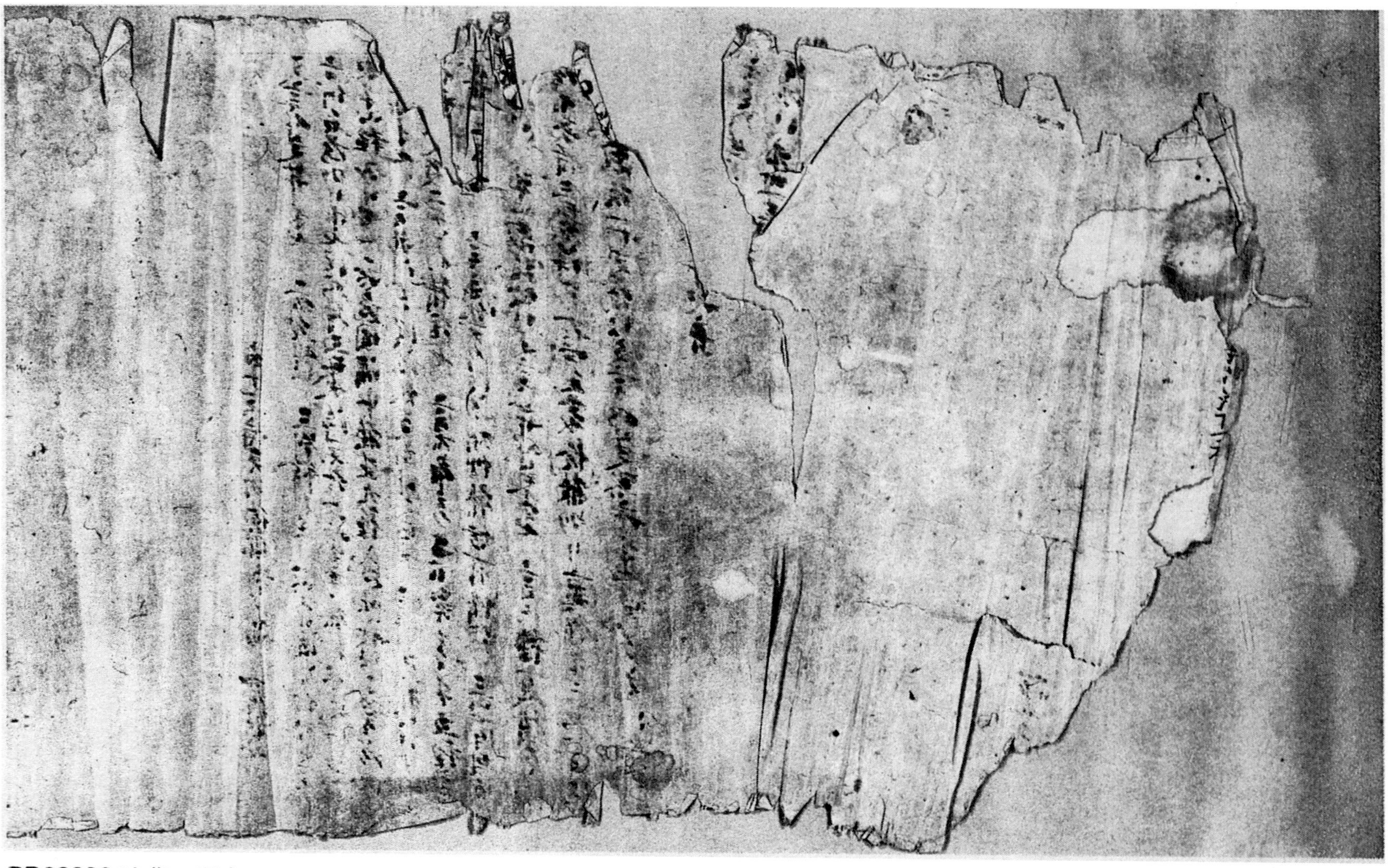

BD02298號背　題名　　（16–1）

BD02298號背　題名　　（16–2）

BD02298號背　題名　（16–3）

BD02298號背　題名　（16–4）

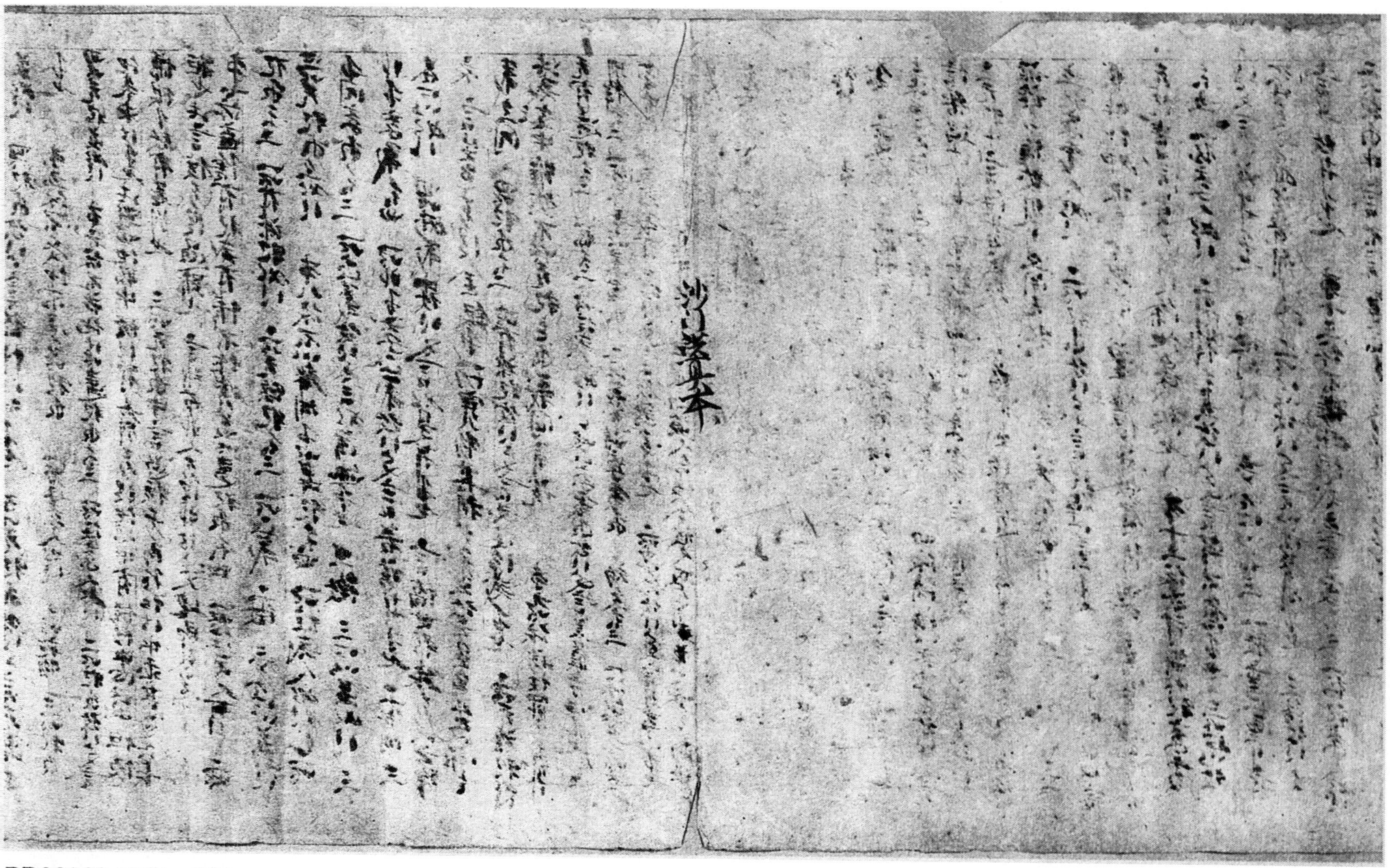

BD02298號背　題名

（16–5）

BD02298號背　題名

（16–6）

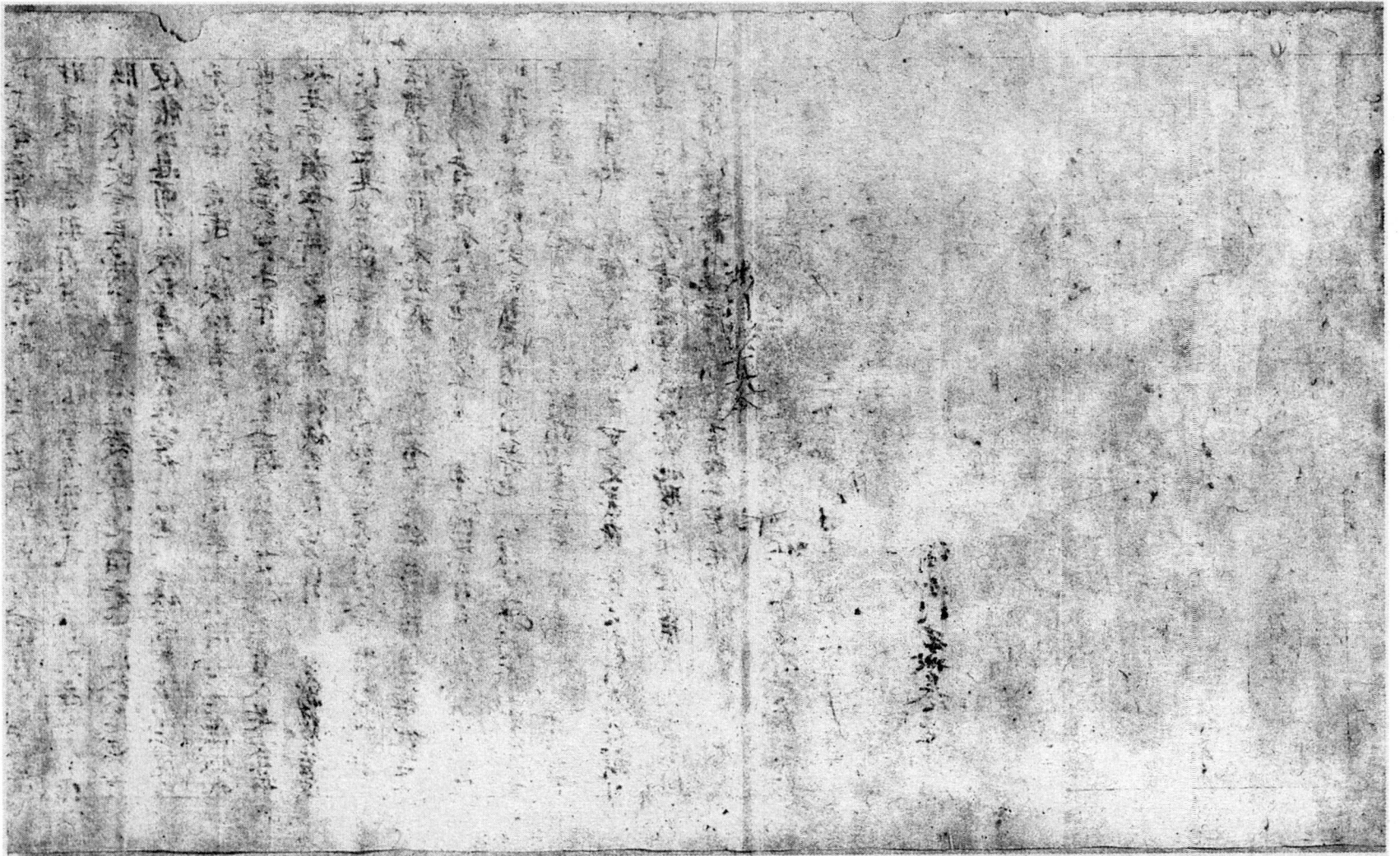

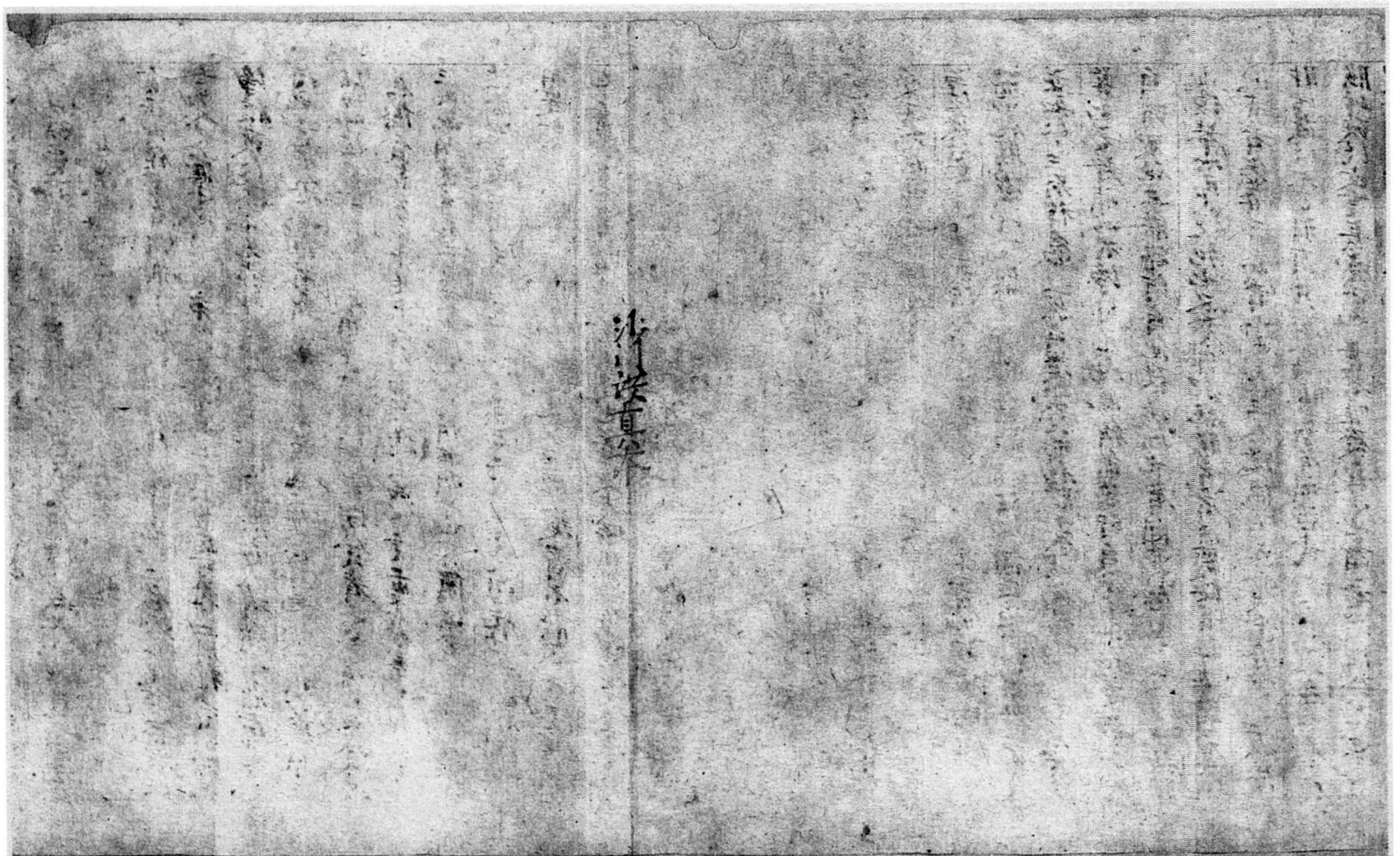

BD02298 號背　題名　（16–7）

BD02298 號背　題名　（16–8）

BD02298號背　題名　（16–9）

BD02298號背　題名　（16–10）

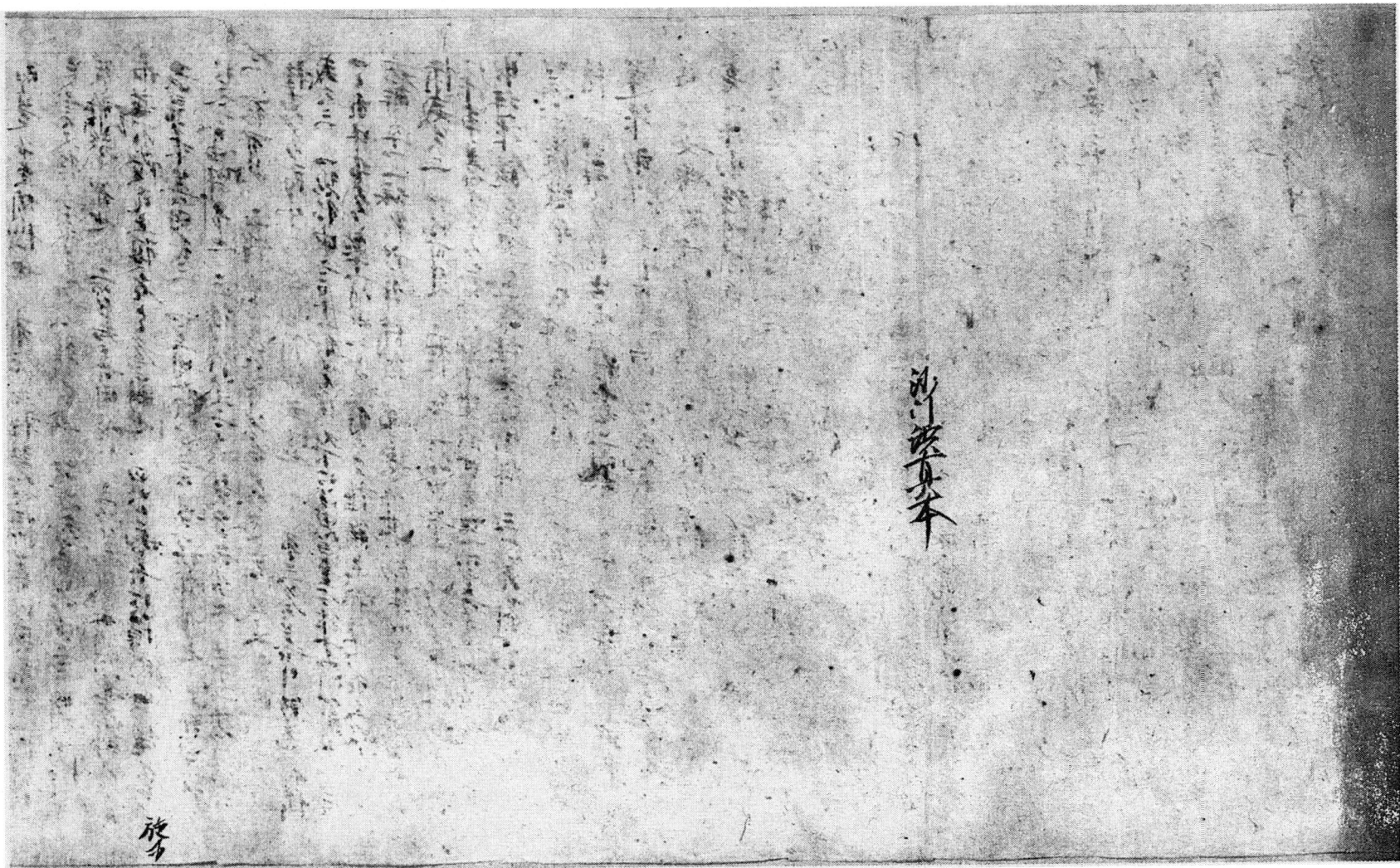

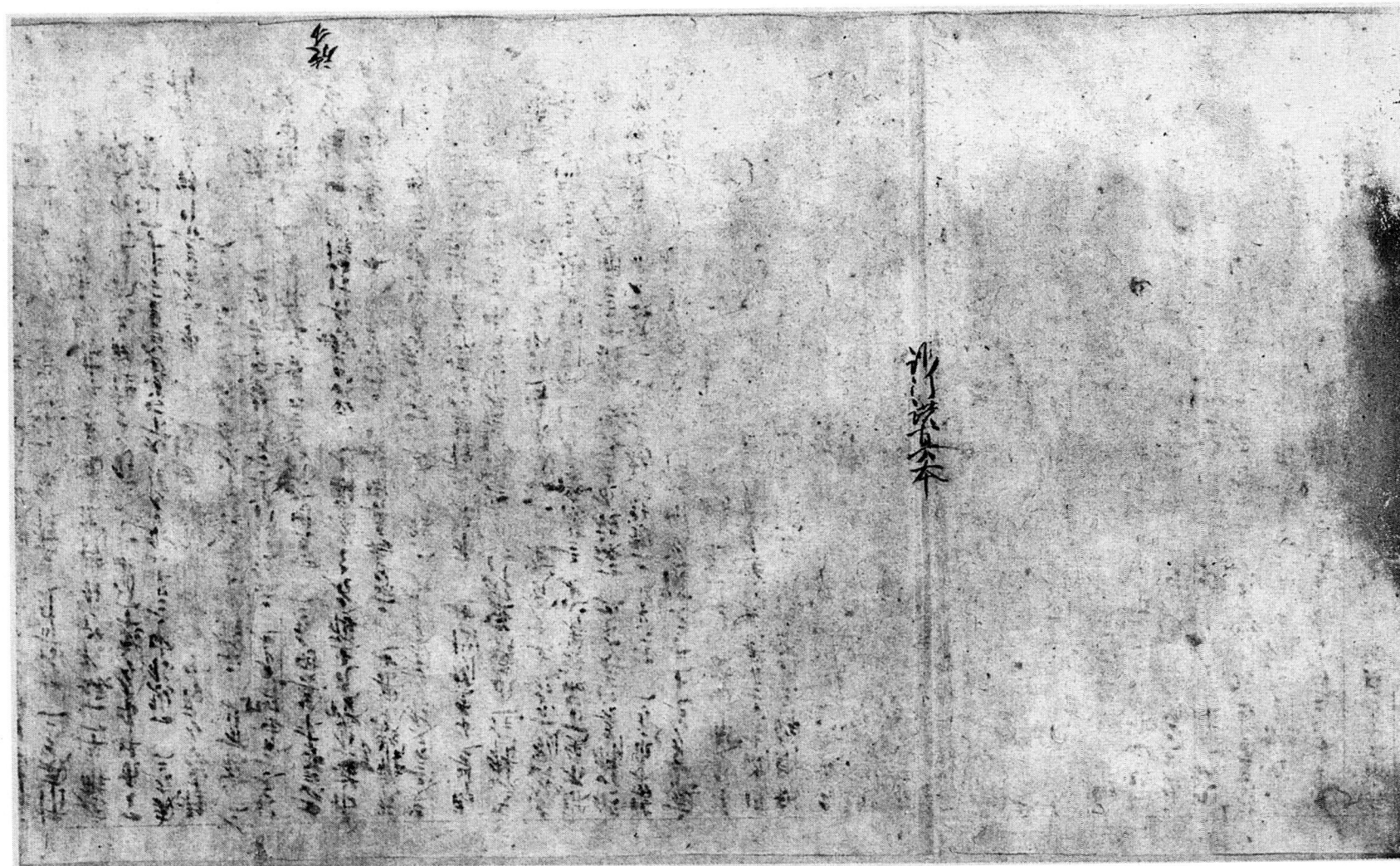

BD02298號背　題名　　（16–11）

BD02298號背　題名　　（16–12）

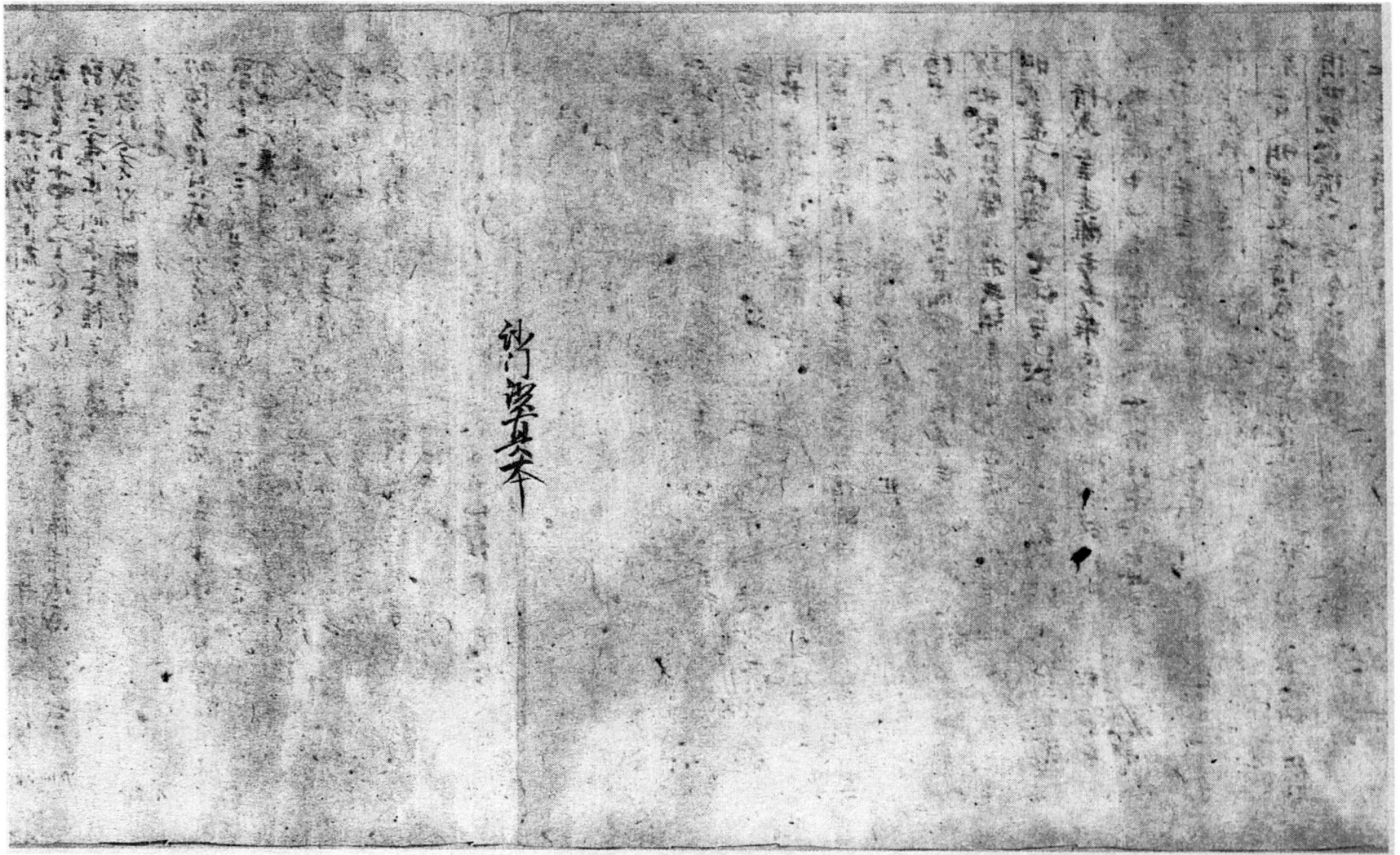

BD02298 號背　題名　　（16–13）

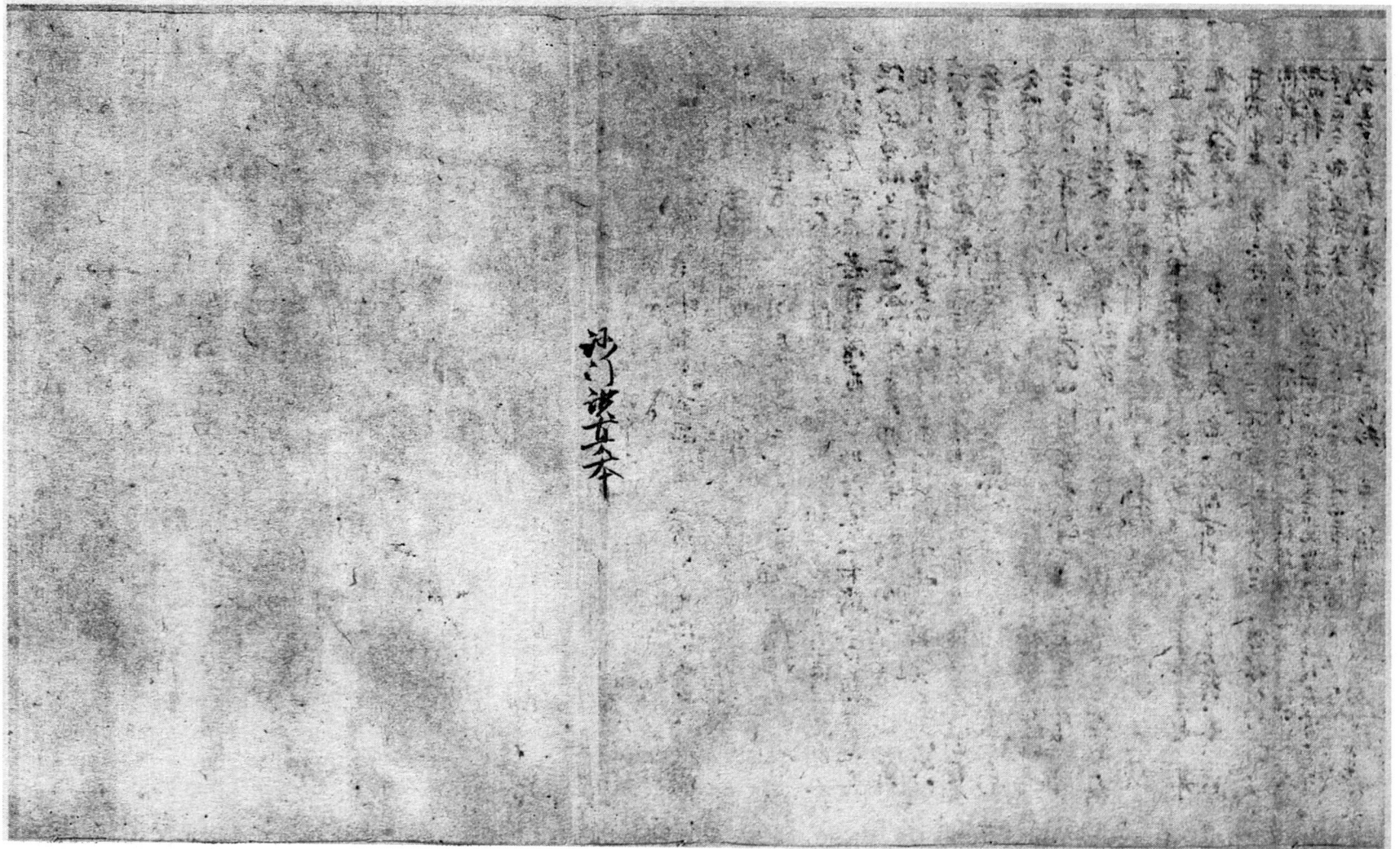

BD02298 號背　題名　　（16–14）

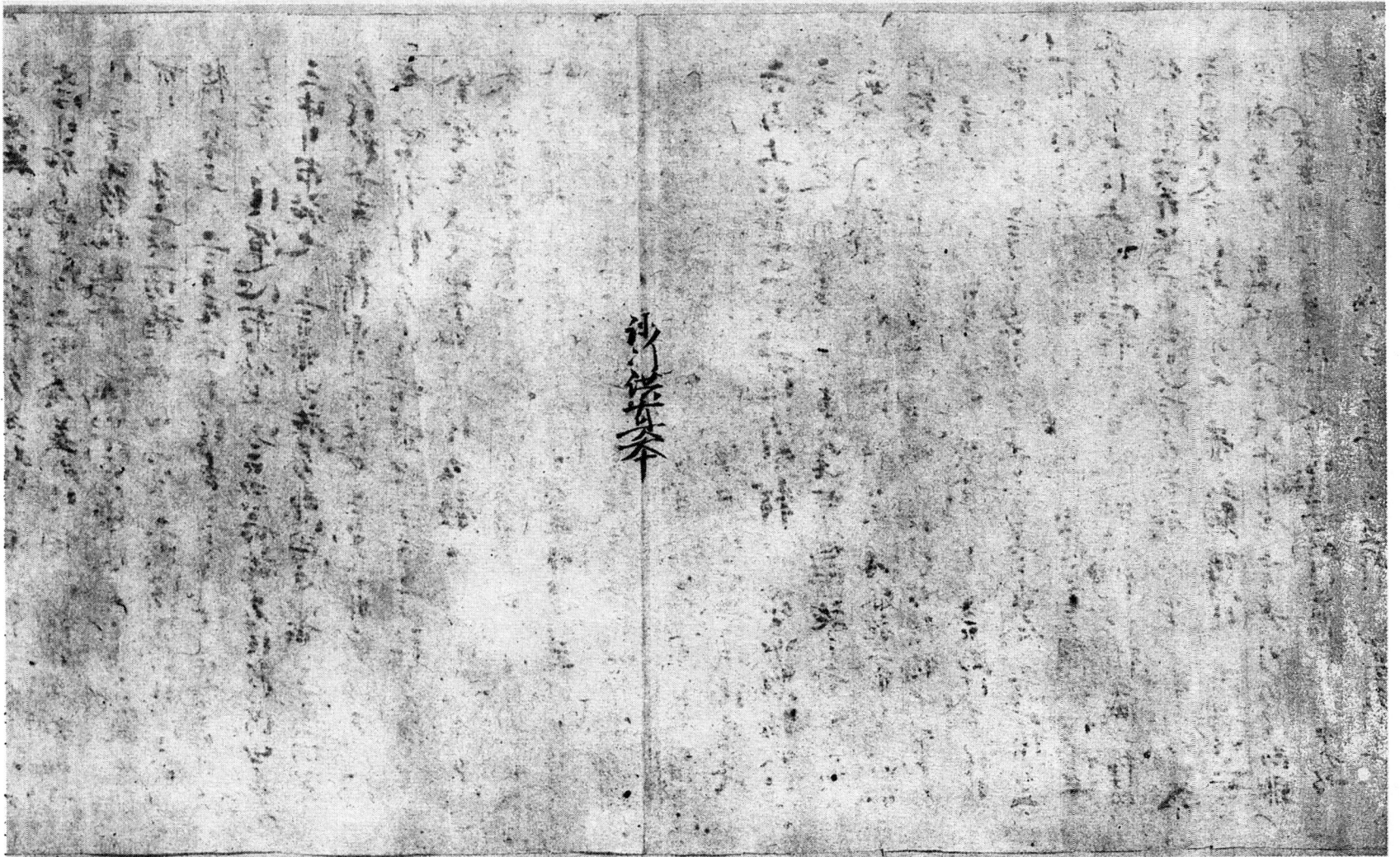

BD02298 號背　題名　（16–15）

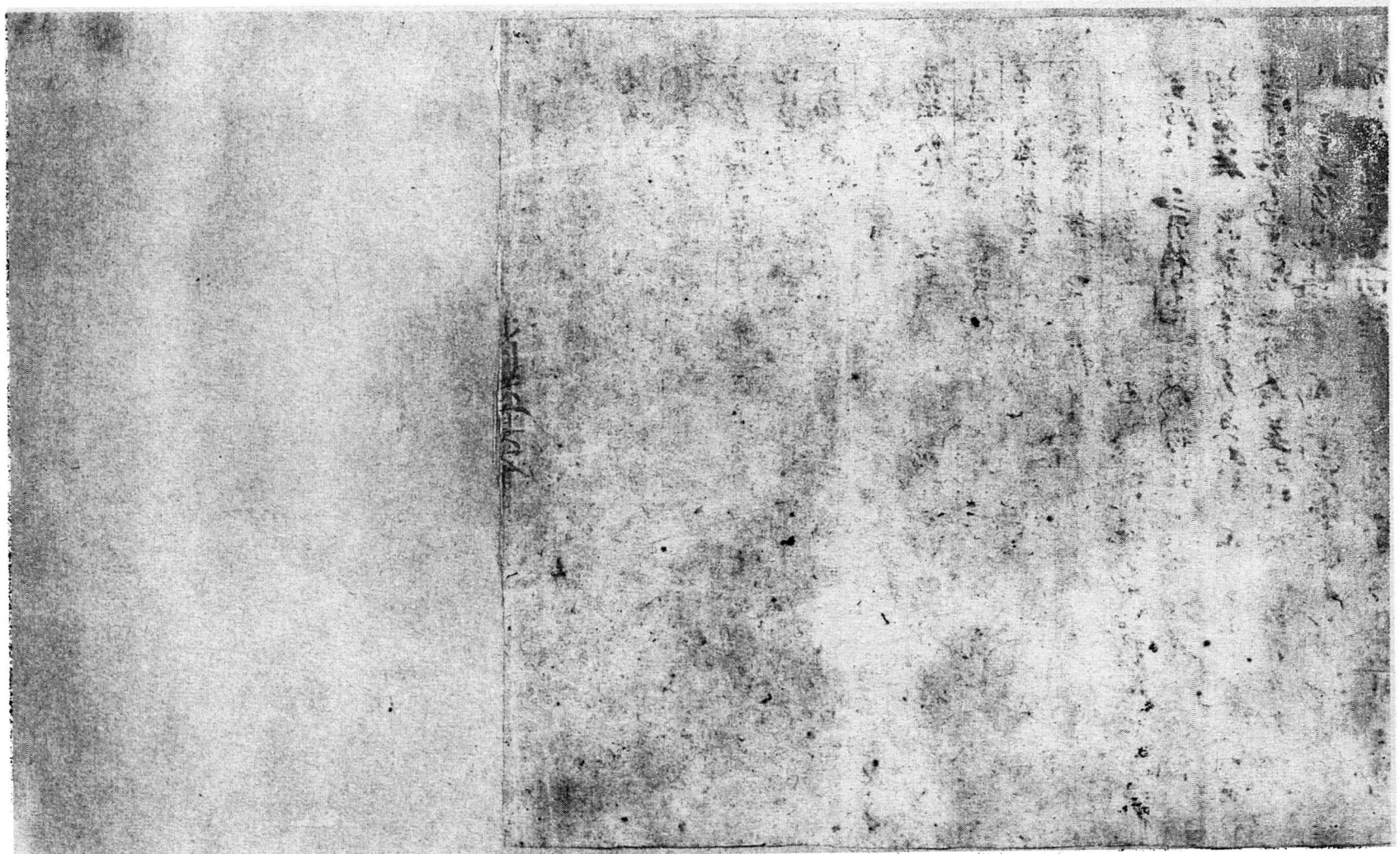

BD02298 號背　題名　（16–16）

者亻

憶念有　　懺悔懺悔得安樂諸

大姉我已說ナ　　今問諸大姉是中清淨不

如是三 諸大姉是中清淨嘿然故是事如是持

諸大姉是八波羅夷法半月半月說戒經中

來若比丘尼作婬欲法犯不淨行乃至共畜生

是比丘尼波羅夷　　住

若比丘尼在聚落　　處不與懷盗心取隨所

盗物若為王若王大臣所捉若縛若煞若駈出

國汝是賊汝癡汝无所知若比丘尼作如是不與

取是比丘尼波羅夷不共住

若比丘尼故自手斷人命若持刀授與人若歎

死譽死勸死咄人用此惡活為寧死不生作如

是心念无數方便歎死譽死勸死是比丘尼波

羅夷不共住

若比丘尼實无所知自歎譽言我得過人法入

聖智勝法我知是我見是後於異時若問若

不問欲求清淨故作如是言諸大姉我實不知

BD02299號　四分比丘尼戒本

（33–1）

羅夷不共住

若比丘尼實无所知自歎譽言我得過人法入

聖智勝法我知是我見是後於異時若問若

不問欲求清淨故作如是言諸大姉我實不知

不見而言我知我見虛誑妄語除增上慢是

比丘尼波羅夷不共住

若比丘尼染汙心共染汙心男子從掖已下膝已

上身相觸若捺若摩若牽若推若上摩若下

摩若舉若下若捉若捺是比丘尼波羅夷不[illegible]

是身相觸也 若比丘尼染汙心知男子染汙心受捉手捉

衣入屏處共立共語共行或身相倚或共期

是比丘尼波羅夷不共住 犯此八事故

若比丘尼知比丘尼犯波羅夷不自舉不語衆人

不白大衆若於異時彼比丘尼或命終或衆中

舉或休道或入外道衆後作是言我先知有如

是如是罪是比丘尼波羅夷不共住 覆重罪故

若比丘尼知比丘僧為作舉如法如律如佛所教

不順從不懺悔僧未与作共住而順從諸比丘尼

語言大姉此比丘為僧所舉如法如律如佛所教

不順從不懺悔僧未与作共住汝莫順從如是

比丘尼諫彼比丘尼時是事堅持不捨彼比丘尼

應乃至第二第三諫令捨此事故若乃至三諫

捨者善若不捨者是比丘尼波羅夷不共住 犯隨舉故

諸大姉我已說八波羅夷法若比丘尼犯一一

波羅夷法不得與諸比丘尼共住如前後亦如

是是比丘尼得波羅夷罪不應共住今問諸

大姉是中清淨不 如是 諸大姉是中清淨黑然

BD02299號　四分比丘尼戒本

（33–2）

諸大姊我已說八波羅夷法若比丘尼犯一一
波羅夷法不得與諸比丘尼共住如前後亦如
是是比丘尼得波羅夷罪不應共住今問諸
大姊是中清淨不（如是三）諸大姊是中清淨嘿然
故是事如是持諸大姊是七十僧伽婆尸沙法
半月半月說戒經中來
若比丘尼媒嫁持男語語女持女語語男若為
成婦事若為私通乃至須臾是比丘尼犯初
法應捨僧伽婆尸沙
若比丘尼嗔恚不喜以無根波羅夷法謗欲破彼
清淨行後於異時若問若不問知是事無根說
我嗔恚故作如是語是比丘尼犯初法應捨僧伽
婆尸沙
若比丘尼嗔恚不喜於異分事中取片非波羅
夷比丘尼以無根波羅夷法謗欲壞彼人梵行
後於異時若問若不問知是異分事中取片彼比
丘尼住嗔恚法故作如是說是比丘尼犯初法應
捨僧伽婆尸沙
若比丘尼詣官言人若居士居士兒若奴若客作
人若晝若夜若一念頃若彈指頃若須臾頃是
比丘尼犯初法應捨僧伽婆尸沙
若比丘尼先知是賊女罪應死多人所知不問王
大臣不問種姓便度出家受具足戒是比丘尼
犯初法應捨僧伽婆尸沙
若比丘尼知比丘尼為僧所舉如法如律如佛所教
不順從未懺悔僧未與作共住羯磨為愛故不問
[illegible]

犯初法應捨僧伽婆尸沙
若比丘尼知比丘尼為僧所舉如法如律如佛所教
不順從未懺悔僧未與作共住羯磨為愛故不問
僧僧不約勅出界外作羯磨與解罪是比丘尼
犯初法應捨僧伽婆尸沙
若比丘尼獨渡水獨入村獨宿獨在後行是比丘
尼犯初法應捨僧伽婆尸沙
若比丘尼染汙心知染汙心男子從彼受可食者及
食并餘物是比丘尼犯初法應捨僧伽婆尸沙
若比丘尼教比丘尼作如是語大姊彼有染汙心
無染汙心那汝何汝自無染汙心於彼若得食以
時清淨受取此比丘尼犯初法應捨僧伽婆尸沙
若比丘尼欲壞和合僧方便受破和合僧法堅持不
捨是比丘尼應諫彼比丘尼言大姊汝莫壞和合僧
莫方便壞和合僧莫受破僧法堅持不捨
大姊應與僧和合與僧和合歡喜不諍同一
師學如水乳合於佛法中有增益安樂住是比
丘尼諫彼比丘尼時堅持不捨是比丘尼應三諫
捨此是故乃至三諫捨者善不捨者是比丘尼犯
三法應捨僧伽婆尸沙
若比丘尼有餘比丘尼群黨若一若二若三乃至
無數彼比丘尼語是比丘尼言大姊汝莫諫此
比丘尼此比丘尼法語比丘尼律語比丘尼此比丘
尼所說我等心喜樂此比丘尼所說我等忍可是
比丘尼語彼比丘尼言大姊莫作是說言此比丘尼
是法語比丘尼律語比丘尼此比丘尼所說我等喜

比丘尼此比丘尼法語比丘尼律語此比丘尼此比丘
尼所說我等心喜樂此比丘尼所說我等忍可是
比丘尼語彼比丘尼言大姊莫作是說言此比丘尼
是法語比丘尼律語比丘尼此比丘尼所說我等喜
樂此比丘尼所說我等忍可何以故此比丘尼所說
非法語非律語大姊莫欲破壞和合僧當欲和
合僧大姊與僧和合歡喜不諍同一師學如水
乳合於佛法中有增益安樂住是比丘尼諫彼
比丘尼時堅持不捨是比丘尼應三諫捨此事
故乃至三諫捨者善不捨者是比丘尼犯三法
應捨僧伽婆尸沙
若比丘尼依城邑若村落住汙他家行惡行
惡行亦見亦聞汙他家亦見亦聞是比丘尼諫彼
比丘尼言大姊汝汙他家行惡行行惡行亦見
亦聞汙他家亦見亦聞大姊汝汙他家行惡行
今可遠此村落去不須住此彼比丘尼語此比丘尼
作是言大姊諸比丘尼有愛有恚有怖有癡有
如是同罪比丘尼有驅者有不驅者是諸比丘尼
語彼比丘尼言大姊莫作是語有愛有恚有怖
有癡亦莫言有如是同罪比丘尼有驅者有不
驅者何以故而諸比丘尼不愛不恚不怖不癡
有如是同罪比丘尼有驅者有不驅者大姊汙他
家行惡行行惡行亦見亦聞汙他家亦見亦聞
是比丘尼諫彼比丘尼時堅持不捨是比丘尼應
三諫捨此事故乃至三諫捨者善不捨者是比丘
尼犯三法應捨僧伽婆尸沙

BD02299 號　四分比丘尼戒本

（33–5）

三諫捨此事故乃至三諫捨者善不捨者是比丘
尼犯三法應捨僧伽婆尸沙
若比丘尼惡性不受人語於戒法中諸比丘尼如
法諫已自身不受諫語言大姊汝莫向我說
若好若惡我亦不向汝說若好若惡諸大姊
且止莫諫我是比丘尼當諫彼比丘尼言大姊
汝莫自身不受諫語大姊自身當受諫語大
姊如法諫諸比丘尼諸比丘尼亦當如法諫大姊
如是佛弟子衆得增益展轉相諫展轉相教
展轉懺悔是比丘尼如是諫時堅持不捨是比
丘尼應三諫捨此事故乃至三諫捨者善不捨
者是比丘尼犯三法應捨僧伽婆尸沙
若比丘尼相親近住共作惡行惡聲流布展轉
共相覆罪是比丘尼當諫彼比丘尼言大姊汝
等莫相親近共作惡行惡聲流布共相覆罪
汝等若不相近親於佛法中得增益安樂住
是比丘尼諫彼比丘尼時堅持不捨是比丘尼
應三諫捨此事故乃至三諫捨者善不捨者
是比丘尼犯三法應捨僧伽婆尸沙
若比丘尼比丘尼僧為作呵諫時餘比丘尼教
作如是言汝等莫別住當共住我亦見餘比丘
尼不別住共作惡行惡聲流布共相覆罪僧
以恚故教汝別住是比丘尼應諫彼比丘尼言
大姊汝莫教餘比丘尼言汝等莫別住我亦見
餘比丘尼共住共作惡行惡聲流布共相覆
罪僧以恚故教汝別住今正有此二比丘尼共住

BD02299 號　四分比丘尼戒本

（33–6）

大姊汝莫教餘比丘尼言汝等莫別住我亦見
餘比丘尼共住共作惡行惡聲流布共相覆
罪僧以恚故教汝別住今正有此二比丘尼共住
共作惡行惡聲流布共相覆罪更无有餘若
此比丘尼別住於佛法中有增益安樂住是比
丘尼諫彼比丘尼時堅持不捨是比丘尼應三
諫令捨此事故乃至三諫捨者善不捨者是
比丘尼犯三法應捨僧伽婆尸沙
若比丘尼趣以一小事瞋恚不喜便作是語我
捨佛捨法捨僧不獨有此沙門釋子亦更有餘
沙門婆羅門修梵行者我等亦可於彼修梵行
是比丘尼當諫彼比丘尼言大姊汝莫趣以一小
事瞋恚不喜便作是語我捨佛捨法捨僧不
獨有此沙門釋子亦更有沙門婆羅門修梵
行者我等亦可於彼修梵行若是比丘尼諫
彼比丘尼時堅持不捨彼比丘尼應三諫捨
此事故乃至三諫捨者善不捨者是比丘尼犯
三法應捨僧伽婆尸沙
若比丘尼喜鬪諍不善憶持諍事後瞋恚作
是語僧有愛有恚有怖有癡是比丘尼應諫
彼比丘尼言妹汝莫喜鬪諍不善憶持諍事
後瞋恚作是語僧有愛有恚有怖有癡而僧
不愛不恚不怖不癡汝自有愛有恚有怖有
癡是比丘尼諫彼比丘尼時堅持不捨彼比丘尼
應三諫捨此事故乃至三諫捨者善不捨者
是比丘尼犯三法應捨僧伽婆尸沙

BD02299號　四分比丘尼戒本　（33–7）

不愛不恚不怖不癡汝自有愛有恚有怖有
癡是比丘尼諫彼比丘尼時堅持不捨彼比丘尼
應三諫捨此事故乃至三諫捨者善不捨者
是比丘尼犯三法應捨僧伽婆尸沙
諸大姊我已說十七僧伽婆尸沙法九初犯罪
八乃至三諫若比丘尼犯一一法應半月二部
僧中行摩那埵行摩那埵已餘有出罪應二
部四十人僧中出是比丘尼罪若少一人不滿四
十眾出是比丘尼罪不得除諸比
丘尼亦可呵此是時今問諸大姊是中清
淨不(如是至三)諸大姊是中清淨嘿然故是事如是
持諸大姊是三十尼薩耆波逸提法半月半
月說戒經中來
若比丘尼衣已竟迦絺那衣已捨畜長衣經
十日不淨施得畜若過者尼薩耆波逸提
若比丘尼衣已竟迦絺那衣已捨五衣中若離
一一衣異處宿經一夜除僧羯磨尼薩耆波逸提
若比丘尼衣已竟迦絺那衣已捨若得非時衣
欲須便受受已疾疾成衣若足者善若不足者
得畜一月為滿足故若過畜者尼薩耆波逸提
若比丘尼從非親里居士居士婦乞衣除餘時
尼薩耆波逸提餘時者若奪衣失衣燒衣
漂衣是名時若比丘尼奪衣失衣燒衣漂衣
若非親里居士若居士婦自恣請多與衣是
比丘尼當知足受衣若過受者尼薩耆波逸提
若比丘尼居士居士婦為比丘尼辦衣價具如

BD02299號　四分比丘尼戒本　（33–8）

若非親里居士居士婦自恣請多與衣是
比丘尼當知足受衣若過受者尼薩耆波逸提
若比丘尼居士居士婦為比丘尼辦衣價具如
是衣價與某甲比丘尼是比丘尼先受自恣請
到居士家作如是說善哉居士為我辦如是如是
衣價與我為好故若得衣者尼薩耆波逸提
若比丘尼二居士居士婦與比丘尼辦衣價我曹
辦如是衣價與某甲比丘尼是比丘尼先不受自
恣請到二居士家作如是言善哉居士辦如是如
是衣價與我共作一衣為好故若得衣者尼薩耆波逸提
若比丘尼若王若大臣若婆羅門若居士居士婦
遣使為比丘尼送衣價持如是衣價與某甲比丘
尼彼使至比丘尼所語言阿姨為汝送衣價受
取是比丘尼語彼使如是言我不應受此衣價
我若須衣合時清淨當受彼使語比丘尼言
阿姨有執事人不須衣比丘尼應言有若僧
伽藍民若優婆塞此是比丘尼執事人常為諸
比丘尼執事彼使至執事人所與衣價已還到
比丘尼所如是言阿姨所示某甲執事人我已與
衣價大姊知時往彼當得衣比丘尼若須衣者
當往執事人所二反三反語言我須衣若二反三
反為作憶念得衣者善若不得衣四反五反六
反在前嘿然立令彼憶念若四反五反六反在前
嘿然住得衣者善若不得衣過是求得衣者尼薩
耆波逸提若不得衣隨彼使所來處若自往若
遣使往語言汝先遣使持衣價與某甲比丘尼

嘿然住得衣者善若不得衣過是求得衣者尼薩
耆波逸提若不得衣隨彼使所來處若自往若
遣使往語言汝先遣使持衣價與某甲比丘尼
是比丘尼竟不得衣汝還取莫使失此是時
若比丘尼自取金銀若錢若教人取若口可受者
尼薩耆波逸提
若比丘尼種種買賣寶物者尼薩耆波逸提
若比丘尼種種販賣者尼薩耆波逸提
若比丘尼鉢減五綴不漏更求新鉢為好故尼薩
耆波逸提是比丘尼當持此鉢於尼衆中捨從
次第貿至下坐以下坐鉢與此比丘尼言妹持
此鉢乃至破此是時
若比丘尼自求縷使非親里織師織作衣者尼
薩耆波逸提
若比丘尼居士居士婦使織師為比丘尼織作
衣彼比丘尼先不受自恣請便往到彼所語
織師言此衣為我織極好織令廣長堅緻齊
整好我當少多與汝價若比丘尼與價乃至
一食直得衣者尼薩耆波逸提
若比丘尼與比丘尼衣已後嗔恚若自奪若
教人奪取還我衣來不與汝是比丘尼應
還衣彼取衣者尼薩耆波逸提
若比丘尼有諸病畜藥蘇油生蘇蜜石蜜
得食殘宿乃至七日得服若過七日服者尼薩耆波逸提
若比丘尼十日未滿夏三月若有急施衣比丘
尼知是急施衣應受受已乃至衣時應畜

若比丘尼有諸病畜藥酥油生酥蜜石蜜
得食殘宿乃至七日得服若過七日服者尼薩耆波逸提
若比丘尼十日未滿夏三月若有急施衣比丘
尼知是急施衣應受受已乃至衣時應畜
若過畜者尼薩耆波逸提
若比丘尼知物向僧自求入己者尼薩耆波逸提
若比丘尼欲索是更索彼者尼薩耆波逸提
若比丘尼知檀越所為僧施異迴作餘用者
尼薩耆波逸提
若比丘尼所為施物異自求為僧迴作餘用
者尼薩耆波逸提
若比丘尼檀越所施物異迴作餘用者尼薩耆波逸提
若比丘尼檀越所為施物異自求為僧迴作
餘用者尼薩耆波逸提
若比丘尼畜長鉢者尼薩耆波逸提
若比丘尼多畜好色器者尼薩耆波逸提
若比丘尼許他比丘尼病衣後不與者尼薩耆波逸提
若比丘尼以非時衣受作時衣者尼薩耆波逸提
若比丘尼與比丘尼貿易衣後瞋恚還自奪
取若使人奪妹還我衣來我不與汝汝衣屬
汝我衣還我者尼薩耆波逸提
若比丘尼乞重衣齊價直四張㲲過者尼薩耆波逸提
若比丘尼欲乞輕衣極重價直兩張半㲲過者
尼薩耆波逸提
諸大姊我已說三十尼薩耆波逸提法今問諸
大姊是中清淨不（如是至三）諸大姊是中清淨嘿然故
是事如是持諸大姊是一百七十八波逸

BD02299號　四分比丘尼戒本　（33–11）

尼薩耆波逸提
諸大姊我已說三十尼薩耆波逸提法今問諸
大姊是中清淨不（如是至三）諸大姊是中清淨嘿然故
是事如是持諸大姊是一百七十八波逸提法半
月半月說戒經中來
若比丘尼故妄語者波逸提
若比丘尼毀呰語者波逸提
若比丘尼兩舌語者波逸提
若比丘尼與男子同室宿者波逸提
若比丘尼共未受大戒女人同一室宿若過
三宿波逸提
若比丘尼與未受具戒人共誦法者波逸提
若比丘尼知他有麁惡罪向未受大戒人說
除僧羯磨波逸提
若比丘尼向未受大戒人說過人法言我知
是我見是實者波逸提
若比丘尼與男子說法過五六語除有知
女人波逸提
若比丘尼自掘地若教人掘波逸提
若比丘尼壞鬼神村波逸提
若比丘尼妄作異語惱他者波逸提
若比丘尼嫌罵他者波逸提
若比丘尼取僧繩床若木床若卧具坐褥露地自敷
若教人敷捨去不自舉不教人舉波逸提
若比丘尼於僧房中取僧卧具自敷若教人
敷在中若坐若卧從彼處捨去不自舉不教

BD02299號　四分比丘尼戒本　（33–12）

若教人敷捨去不自舉不教人舉波逸提
若比丘尼於僧房中取僧臥具自敷若教人
敷在中若坐若臥從彼處捨去不自舉不教
人舉者波逸提
若比丘尼知比丘尼先住處後來於中間敷臥
具止宿念言彼若嫌迮者自當避我去作如
是因緣非餘非威儀波逸提
若比丘尼嗔他比丘尼不喜眾僧房中自牽出
若教人牽出者波逸提
若比丘尼若在重閣上脫腳繩床若木床若
坐若臥波逸提
若比丘尼知水有虫自用澆泥若草若教人
澆者波逸提
若比丘尼作大房戶扉窗牖及餘庄飾具指
授覆苫齊二三節若過者波逸提
若比丘尼施一食處無病比丘尼應一食若過
受者波逸提
若比丘尼別眾食除餘時波逸提餘時者
病時作衣時施衣時道行時船上時大會
時沙門施食時此是時
若比丘尼至檀越家慇懃請與餅麨飯比
丘尼欲須者當二三缽應受持至寺內分與
餘比丘尼食若比丘尼無病過三缽受持至
寺中不分與餘比丘尼食者波逸提
若比丘尼非時受食食者波逸提
若比丘尼殘宿食食者波逸提

BD02299號　四分比丘尼戒本

（33–13）

餘比丘尼食若比丘尼無病過三缽受持至
寺中不分與餘比丘尼食者波逸提
若比丘尼非時受食食者波逸提
若比丘尼殘宿食食者波逸提
若比丘尼不受食及藥著口中除水楊枝波逸提
若比丘尼先受請已若前食後食行詣餘家
不囑餘比丘尼除餘時波逸提餘時者病時
作衣時施衣時此是時
若比丘尼食家中有寶強安坐者波逸提
若比丘尼食家中有寶在屏處坐者波逸提
若比丘尼獨與男子露地一處共坐者波逸提
若比丘尼語比丘尼如是語大姊共汝至聚落當與
汝食彼比丘尼竟不教與是比丘尼食如是言
大姊去我與汝一處共坐共語不樂我獨坐樂以
是因緣非餘方便遣去波逸提
若比丘尼請比丘尼四月與藥無病比丘尼應
受若過受除常請更請分請盡形請波逸提
若比丘尼往觀軍陣除時因緣波逸提
若比丘尼有因緣至軍中若二宿三宿過者波逸提
若比丘尼軍中住若二宿三宿或時觀軍陣鬪
戰若觀遊軍象馬力勢者波逸提
若比丘尼飲酒者波逸提
若比丘尼水中戲者波逸提
若比丘尼以指相擊攊者波逸提
若比丘尼不受諫者波逸提
若比丘尼恐怖他比丘尼者波逸提

BD02299號　四分比丘尼戒本

（33–14）

若比丘尼以指相擊攊者波逸提
若比丘尼不受諫者波逸提
若比丘尼恐怖他比丘尼者波逸提
若比丘尼半月洗浴无病比丘尼應受若過受
除餘時波逸提餘時者熱時病時作時風雨時
遠行來時此是時
若比丘尼无病爲炙身故露地然火若教人
然除餘時波逸提
若比丘尼藏他比丘尼若鉢若衣若坐具針筩
自藏教人藏下至戲笑者波逸提
若比丘尼淨施比丘比丘尼式叉摩那沙弥沙
弥尼衣後不問主取著者波逸提
若比丘尼得新衣應作三種壞色青黑木蘭
若比丘尼故斷畜生命者波逸提
若比丘尼知水有蟲飲者波逸提
若比丘尼故惱他比丘尼乃至少時不樂波逸提
若比丘尼知比丘尼有麁惡罪覆藏者波逸提
若比丘尼知僧諍事如法懺悔已後更發舉者波逸提
若比丘尼知是賊伴共期一道行乃至一聚落波逸提
若比丘尼作如是語我知佛所說法行婬欲非障
道法彼比丘尼諫此比丘尼言大姉莫作是
語莫謗世尊謗世尊者不善世尊不作是語
世尊无數方便說婬欲是障道法犯婬者是障
道法彼比丘尼諫此比丘尼時堅持不捨彼比
丘尼乃至三諫令捨是事乃至三諫時捨者善
不捨者波逸提

BD02299號　四分比丘尼戒本　（33–15）

道法彼比丘尼諫此比丘尼時堅持不捨彼比
丘尼乃至三諫令捨是事乃至三諫時捨者善
不捨者波逸提
若比丘尼知如是語人未作法如是耶見而不
捨若畜同一羯磨同一止宿波逸提
若比丘尼知沙弥尼作如是語我知佛所說法行
婬欲法非障道法彼比丘尼諫此沙弥尼言汝
莫作是語莫誹謗世尊誹謗世尊不善世尊不
作是語沙弥尼世尊无數方便說婬欲是障道法
犯婬欲者是障道法彼比丘尼諫此沙弥尼時堅
持不捨彼比丘尼應乃至三呵諫捨此事故乃
至三諫時若捨者善不捨者彼比丘尼應語是沙
弥尼言汝自今已去非佛弟子不得隨餘比丘尼
行如諸沙弥尼得與比丘尼二三宿汝今无是
事汝去滅去不須此中住若比丘尼知如是被擯
沙弥尼若畜共同止宿者波逸提
若比丘尼如法諫時作如是語我今不學是戒乃
至問有智慧持律者當難問波逸提若爲求
解應當難問
若比丘尼說戒時作如是語大姉用是雜碎戒爲
說是戒時令人惱愧懷疑輕毀戒故波逸提
若比丘尼說戒時作如是語大姉我今始知是戒
半月半月說戒經中來餘比丘尼知是比丘尼
若二若三說戒中坐何況多彼比丘尼无知无解
若犯罪應如法治更重增无知法大姉汝无利
得不善汝說戒時不用心念不一心兩耳聽法彼

BD02299號　四分比丘尼戒本　（33–16）

半月半月說戒經中來餘比丘尼知是比丘尼
若二若三說戒中坐何況多彼比丘尼无知无解
若犯罪應如法治更重增无知法大姊汝无利
得不善汝說戒時不用心念不一心兩耳聽法彼
无知故波逸提
若比丘尼共同羯磨已後作如是說諸比丘尼
隨親厚以衆僧物與者波逸提
若比丘尼僧斷事時不與欲而起去者波逸提
若比丘尼與欲竟後更呵責者波逸提
若比丘尼比丘尼共鬪諍後聽此語已欲向彼說
者波逸提
若比丘尼瞋恚故不喜打彼比丘尼者波逸提
若比丘尼瞋恚故不喜以手搏比丘尼者波逸提
若比丘尼瞋恚故不喜以无根僧伽婆尸沙法
謗者波逸提
若比丘尼剎利水澆頭王王未出未藏寶若入
宮過門閾者波逸提
若比丘尼若寶及寶莊飾具自捉若教人捉
除僧伽藍中及寄宿處波逸提若僧伽藍中
若寄宿處若寶若以寶莊飾具自捉若教人
捉若識者當取如是因緣非餘
若比丘尼非時入聚落又不囑比丘尼者波逸提
若比丘尼作繩床若木床足應高如來八指
除入梐孔上若截竟過者波逸提
若比丘尼持兜羅綿貯作繩床木床若卧具
坐具波逸提

BD02299號　四分比丘尼戒本

（33–17）

若比丘尼作繩床若木床足應高如來八指
除入梐孔上若截竟過者波逸提
若比丘尼持兜羅綿貯作繩床木床若卧具
坐具波逸提
若比丘尼噉蒜者波逸提
若比丘尼剃三處毛者波逸提
若比丘尼以水作淨應齊兩指各一節若
過者波逸提
若比丘尼以胡膠作男根者波逸提
若比丘尼共相拍者波逸提
若比丘尼比丘无病時供給水以扇扇者波逸提
若比丘尼乞生穀者波逸提
若比丘尼在生草上大小便者波逸提
若比丘尼夜便大小便器中晝不看墻外弃者波逸提
若比丘尼往觀看伎樂者波逸提
若比丘尼入村內與男子在屏處共立共語者波逸提
若比丘尼與男子共入屏障處者波逸提
若比丘尼入村內巷陌中遣伴遠去在屏處與
男子共立耳語者波逸提
若比丘尼入白衣家內坐不語主人捨去者波逸提
若比丘尼入白衣家內不語主人輒坐床者波逸提
若比丘尼入白衣家內不語主人轉自敷坐宿者波逸提
若比丘尼與男子共入闇室中者波逸提
若比丘尼不審諦受師語便向人說者波逸提
若比丘尼有小因緣事便呪詛墮三惡道不生
佛法中若汝有如是事墮三惡道不生佛法中
若汝有如是事亦墮三惡道不生佛法中波逸提

BD02299號　四分比丘尼戒本

（33–18）

若比丘尼有小因緣事便呪詛墮三惡道不生
佛法中若汝有如是事墮三惡道不生佛法中
若汝有如是事亦墮三惡道不生佛法中波逸提
若比丘尼共闘諍不善憶持諍事搥胸啼哭者波逸提
若比丘尼无病二人共床卧者波逸提
若比丘尼共一褥同一被卧除時者波逸提
若比丘尼知先住後至知後至先住為惱故在前
誦經問義教授者波逸提
若比丘尼同活比丘尼病不瞻視者波逸提
若比丘尼安居初聽餘比丘尼在房中安床後
嗔恚驅出者波逸提
若比丘尼春夏冬一切時人間遊行除餘因緣波逸提
若比丘尼夏安居訖不去者波逸提
若比丘尼邊界有疑恐怖處人間遊行者波逸提
若比丘尼於界內有疑恐怖處在人間遊行者波逸提
若比丘尼親近居士居士兒共住作不隨順行
餘比丘尼諫此比丘尼言妹汝莫親近居士
居士兒共住作不隨順行大姉可別住若
別住於佛法中有增益安樂住彼比丘
尼諫此比丘尼時堅持不捨彼比丘尼
應三諫捨此事故乃至三諫捨此事
者善若不捨者波逸提
若比丘尼往觀王宮文飾畫堂園林浴池者波逸提
若比丘尼露身形在河水泉水流水池水中浴者波逸提
若比丘尼作浴衣應量作應量作者長佛
六搩手廣二搩手半若過者波逸提

若比丘尼往觀王宮文飾畫堂園林浴池者波逸提
若比丘尼露身形在河水泉水流水池水中浴者波逸提
若比丘尼作浴衣應量作應量作者長佛
六搩手廣二搩手半若過者波逸提
若比丘尼縫僧伽梨過五日者波逸提
若比丘尼過五日不看僧伽梨波逸提
若比丘尼與衆僧衣作留難者波逸提
若比丘尼不問主便著他衣者波逸提
若比丘尼持沙門衣施與外道白衣者波逸提
若比丘尼作如是意衆僧如法分衣遮令
不分恐弟子不得者波逸提
若比丘尼作如是意令衆僧今不得出迦絺
那衣後當出欲令五事久得放捨者波逸提
若比丘尼作如是意遮比丘尼僧不出迦絺那
衣欲令久得五事放捨者波逸提
若比丘尼餘比丘尼語言為我滅此諍事而不
與作方便令滅者波逸提
若比丘尼自手持食與白衣入外道食者波逸提
若比丘尼為白衣作使者波逸提
若比丘尼自手紡縷者波逸提
若比丘尼入白衣舍內在小牀大牀上
若坐若卧者波逸提
若比丘尼至白衣舍語主人敷座止宿明
日不辭主人而去者波逸提
若比丘尼自誦習世俗呪術者波逸提
若比丘尼教人誦習世俗呪術者波逸提
若比丘尼知女人任身度與受具戒者波逸提

日不辭主人而去者波逸提
若比丘尼自誦習世俗呪術者波逸提
若比丘尼教人誦習世俗呪術者波逸提
若比丘尼知女人任身度與受具戒者波逸提
若比丘尼知婦女乳兒與受具戒者波逸提
若比丘尼知年不滿二十與受具足戒者波逸提
若比丘尼年十八童女不與二歲學戒年滿二
十便與受具足戒者波逸提
若比丘尼年十八童女與二歲學戒不與六
法滿二十便與受具足戒者波逸提
若比丘尼年十八童女與二歲學戒與滿六
法二十衆僧不聽便與受具足戒者波逸提
若比丘尼度曾嫁婦女年十歲與二歲學戒年
滿十二聽與受具足戒若減十二與受具足戒者波逸提
若比丘尼度他小年曾嫁婦女與二歲學戒年
滿十二不白衆僧便與受具足戒者波逸提
若比丘尼知如是人與受具戒者波逸提
若比丘尼多度弟子不教二歲學戒不以
二法攝取者波逸提
若比丘尼不二歲隨和上尼者波逸提
若比丘尼僧不聽而授人具足戒者波逸提
若比丘尼年未滿十二歲授人具足戒者波逸提
若比丘尼年滿十二歲衆僧不聽便授人具足戒者波逸提
若比丘尼僧不聽授人具足戒便言衆僧有愛有
恚有怖有癡欲聽者便聽不欲聽者便不聽
如是語者波逸提

若比丘尼年滿十二歲衆僧不聽便授人具足戒者波逸提
若比丘尼僧不聽授人具足戒便言衆僧有愛有
恚有怖有癡欲聽者便聽不欲聽者便不聽
如是語者波逸提
若比丘尼父母夫主不聽與受具足戒者波逸提
若比丘尼知女人與童男男子相敬愛愁憂
嗔恚女人度令出家授具足戒者波逸提
若比丘尼語式叉摩那言汝捨是學是當與
汝受具足戒若不方便與受具足戒者波逸提
若比丘尼語式叉摩那言持衣來與我我當與
汝受具足戒而不方便與受具足戒者波逸提
若比丘尼不滿一歲授人具足戒者波逸提
若比丘尼與人授具足戒已經宿方往比丘僧
中與受具足戒者波逸提
若比丘尼不病不往受教授者波逸提
若比丘尼半月應往比丘僧中求教授若不
求者波逸提
若比丘尼僧夏安居竟應往比丘僧中說
三事自恣見聞疑若不往者波逸提
若比丘尼在无比丘處夏安居者波逸提
若比丘尼有比丘僧伽藍不白而入者波逸提
若比丘尼罵比丘者波逸提
若比丘尼喜鬪諍不善憶持諍事後嗔
恚不喜罵比丘尼衆者波逸提
若比丘尼身生癰及種種瘡不白衆及餘人
輒使男子破若裹者波逸提
若比丘尼先受請若足食已後食飯麨乾飯

恚不喜罵比丘尼衆者波逸提
若比丘尼身生癰及種種瘡不白衆及餘人
輒使男子破若裹者波逸提
若比丘尼先受請若足食已後食飯麨乾飯
魚及肉者波逸提
若比丘尼於家生嫉妬心者波逸提
若比丘尼以香塗摩身者波逸提
若比丘尼以胡麻滓塗摩身者波逸提
若比丘尼使比丘尼塗摩身者波逸提
若比丘尼使式叉摩那塗摩身者波逸提
若比丘尼使沙彌尼塗摩身者波逸提
若比丘尼使白衣婦女塗摩身者波逸提
若比丘尼著貯跨衣者波逸提
若比丘尼畜婦女莊嚴身具除時因緣波逸提
若比丘尼著革屣持蓋行除時因緣波逸提
若比丘尼無病乘乘行除時因緣波逸提
若比丘尼不著僧祇支入村者波逸提
若比丘尼向暮至白衣家先不被喚者波逸提
若比丘尼向暮開僧伽藍門不囑授餘比丘
尼而出入者波逸提
若比丘尼日沒開僧伽藍門不囑授而出者波逸提
若比丘尼不前安居不後安居者波逸提
若比丘尼女人常漏大小便涕唾常出者與受
具足戒者波逸提
若比丘尼知二形人與受具足戒者波逸提
若比丘尼知有負債難者病難者與受

具足戒者波逸提
若比丘尼知二形人與受具足戒者波逸提
若比丘尼知有負債難者病難者與受
具足戒者波逸提
若比丘尼學世俗伎術以自活命者波逸提
若比丘尼以世俗伎術教授白衣者波逸提
若比丘尼被擯不去者波逸提
若比丘尼欲問比丘義先不求而問者波逸提
若比丘尼知先住後至後至先住欲惱彼故在
前經行若立若坐若臥者波逸提
若比丘尼在有比丘僧伽藍內起塔者波逸提
若比丘尼見新受戒比丘應起迎逆恭敬禮拜
問訊請與坐不者除因緣波逸提
若比丘尼為好故搖身趨行者波逸提
若比丘尼作婦女莊嚴香塗摩身者波逸提
若比丘尼使外道女香塗身者波逸提
諸大姊我已說一百七十八波逸提法今問
諸大姊是中清淨不（如是三）諸大姊是中清
淨嘿然故是事如是持
諸大姊是八波羅提提舍尼法半月半月說
戒經中來
若比丘尼無病乞蘇而食者犯應懺悔可呵
法應向餘比丘尼說言大姊我犯可呵法
所不應為我今向大姊懺悔是名悔過法
若比丘尼不病乞油而食者犯應懺悔可呵
法應向餘比丘尼說言大姊我犯可呵法所

法應向餘比丘尼說言大姊我犯可呵法
所不應為我今向大姊懺悔是名懺悔過法
若比丘尼不病乞油而食者犯應懺悔可呵
法應向餘比丘尼說言大姊我犯可呵法所
不應為我今向大姊懺悔是名悔過法
若比丘尼不病乞蜜食者犯應懺悔可呵法
應向餘比丘尼說言大姊我犯可呵法所
不應為我今向大姊懺悔是名悔過法
若比丘尼不病乞黑石蜜食者犯應懺悔
可呵法應向餘比丘尼說言大姊我犯可
呵法所不應為我今向大姊懺悔是名
悔過法
若比丘尼不病乞乳而食者犯應懺悔
可呵法應向餘比丘尼說言大姊我犯可呵
法所不應為我今向大姊懺悔是名悔過法
若比丘尼不病乞酪而食者犯應懺悔可呵
法應向餘比丘尼說言大姊我犯可呵法所
不應為我今向大姊懺悔是名悔過法
若比丘尼不病乞魚食者犯應懺悔可呵法
應向餘比丘尼說言大姊我犯可呵法所不應
為我今向大姊懺悔是名悔過法
若比丘尼不病乞肉食者犯應懺悔可呵法
應向餘比丘尼說言大姊我犯可呵法所不應為
我今向大姊懺悔是名悔過法
諸大姊我已說八波羅提提舍尼法今問諸大
姊是中清淨不 如是三 諸大姊是中清淨默然故
是事如是持

我今向大姊懺悔是名悔過法
諸大姊我已說八波羅提提舍尼法今問諸大
姊是中清淨不 如是三 諸大姊是中清淨默然故
是事如是持
諸大姊是眾學戒法半月半月說戒經中來
當齊整著涅槃僧應當學
當齊整著三衣應當學
不得反抄衣入白衣舍應當學
不得反抄衣入白衣舍坐應當學
不得衣纏頸入白衣舍應當學
不得衣纏頸入白衣舍坐應當學
不得覆頭入白衣舍應當學
不得覆頭入白衣舍坐應當學
不得跳行入白衣舍應當學
不得跳行入白衣舍坐應當學
不得白衣舍內蹲坐應當學
不得叉腰行入白衣舍應當學
不得叉腰入白衣舍坐應當學
不得搖身行入白衣舍應當學
不得搖身行入白衣舍坐應當學
不得掉臂行入白衣舍應當學
不得掉臂行入白衣舍坐應當學
好覆身入白衣舍應當學
好覆身入白衣舍坐應當學
不得左右顧視行入白衣舍應當學
不得左右顧視行入白衣舍坐應當學
靜默入白衣舍應當學

不得左右顧視行入白衣舍應當學
不得左右顧視行入白衣舍坐應當學
靜嘿入白衣舍應當學
靜嘿入白衣舍坐應當學
不得戲咲行入白衣舍應當學
不得戲咲行入白衣舍坐應當學
用意受食應當學
平鉢受食應當學
平鉢受羹應當學
羹飯等食應當學
以次食應學
不得挑鉢中而食應當學
若比丘有病不得自為己索羹飯應當學
不得以飯覆羹更望得應當學
不得視比坐鉢中應當學
當繫鉢想食應當學
不得大摶飯食應當學
不得大張口待飯食應當學
不得含飯語應當學
不得摶飯擲口中應當學
不得遺落飯食應當學
不得頰食食應當學
不得嚼飯作聲食應當學
不大噏飯食應當學
不得舌舐食應當學
不得振手食應當學

BD02299號　四分比丘尼戒本　（33–27）

不大噏飯食應當學
不得舌舐食應當學
不得振手食應當學
不得手把散飯食應當學
不得污手捉飯器應當學
不得洗鉢水棄白衣舍內應當學
不得生草菜上大小便涕唾除病應學當
不得淨水中大小便涕唾除病應當學
不得立大小便除病應當學
不得與反抄衣不恭敬人說法除病應當學
不得為衣纏頸者說法除病應當學
不得為覆頭者說法除病應當學
不得為裹頭者說法除病應當學
不得為叉腰者說法除病應當學
不得為著革屣者說法除病應當學
不得為著木屐者說法除病應當學
不得為騎乘者說法除病應當學
不得在佛塔中宿除為守護故應當學
不得藏財物置佛塔中除為堅牢故應當學
不得著革屣入佛塔中應當學
不得手捉革屣入佛塔中應當學
不得著革屣繞佛塔行應當學
不得著富羅入佛塔中應當學
不得手捉富羅入佛塔中應當學
不得塔下坐食留草及食污地應當學
不得擔死屍從塔下過應當學

BD02299號　四分比丘尼戒本　（33–28）

不得著革屣入佛塔中應當學
不得手捉革屣入佛中應當學
不得塔下坐食留草及食汙地應當學
不得擔死屍從塔下過應當學
不得塔下埋死屍應當學
不得在塔下燒死屍應當學
不得向塔燒死屍應當學
不得佛塔四邊燒死屍使臭氣來入應當學
不得持死人衣及牀從塔下過除浣染香薰應當學
不得佛塔下大小便應當學
不得向佛塔大小便應當學
不得繞佛塔四邊大小便使臭氣來入應當學
不得持佛像至大小便處應當學
不得在佛塔下嚼楊枝應當學
不得向佛塔嚼楊枝應當學
不得佛塔四邊嚼楊枝應當學
不得在佛塔下涕唾應當學
不得向佛塔涕唾應當學
不得佛塔四邊涕唾應當學
不得向佛舒脚坐應當學
不得安佛像在下房己在上房住應當學
人坐己立不得為說法除病應當學
人卧己坐不得為說法除病應當學
人在坐己在非坐不得為說法除病應當學
人在高坐己在下坐不得為說法除病應當學
人在前行己在後行不得為說法除病應當學

人在坐己在非坐不得為說法除病應當學
人在高坐己在下坐不得為說法除病應當學
人在前行己在後行不得為說法除病應當學
人在高經行處己在下經行處不應為說法除病應當學
人在道己在非道不應為說法除病應當學
不得携手在道行應當學
不得上樹過人頭除時因緣應當學
不得絡囊盛鉢貫杖頭著肩上而行應當學
人持杖不恭敬不應為說法除病應當學
人持劍不應為說法除病應當學
人持鉾不應為說法除病應當學
人持刀不應為說法除病應當學
人持蓋不應為說法除病應當學
諸大姊我已說衆學法今問諸大姊是中
清淨不（如是三說）諸大姊是中清淨嘿然故是事如
是持
諸大姊是七滅諍法半月半月說戒經中來
若比丘尼有諍事起即應除滅
應與現前毗尼　當與現前毗尼
應與憶念毗尼　當與憶念毗尼
應與不癡毗尼　當與不癡毗尼
應與自言治　當與自言治
應與覓罪相　當與覓罪相
應與多人語　當與多人語
應與如草覆地　當與如草覆地
諸大姊我已說七滅諍法今問諸大姊是中

應與覓罪相　當與覓罪相
應與多人語　當與多人語
應與如草覆地　當與如草覆地
諸大姊我已說七滅諍法今問諸大姊是中
清淨不（如是三）諸大姊是中清淨默然故是事如
是持諸大姊我已說戒經序已說八波羅夷法已
說十七僧伽婆尸沙法已說三十尼薩耆波逸提
法已說一百七十八波逸提法已說八波羅提提舍
尼法已說眾學戒法已說七滅諍法此是
佛所說戒經半月半月說戒經中來若更
有餘佛法是中皆共和合應當學
忍辱第一道　佛說無為最　出家惱他人　不名為沙門
此是毗婆尸如來無所著等正覺說是戒經
譬如明眼人　能避險惡道　世有聰明人　能遠離諸惡
此是尸棄如來無所著等正覺說是戒經
不謗亦不嫉　當奉行於戒　飲食知止足　常樂在空閑
心定樂精進　是名諸佛教
此是毗葉羅如來無所著等正覺說是戒經
譬如蜂採花　不壞色與香　但取其味去　比丘入聚然
不違戾他事　不觀作不作　但自觀身行　若正若不正
此是拘樓孫如來無所著等正覺說是戒經
心莫作放逸　聖法當勤學　如是無憂愁　心定入涅槃
此是拘那含牟尼如來無所著等正覺說是戒經
一切惡莫作　當奉行諸善　自淨其志意　是則諸佛教
此是迦葉如來無所著等正覺說是戒經
善護於口言　自淨其志意　身莫作諸惡　此三業道淨

BD02299號　四分比丘尼戒本　（33–31）

此是拘那含牟尼如來無所著等正覺說是戒經
一切惡莫作　當奉行諸善　自淨其志意　是則諸佛教
此是迦葉如來無所著等正覺說是戒經
善護於口言　自淨其志意　身莫作諸惡　此三業道淨
能得如是行　是大仙人道
此是釋迦牟尼如來無所著等正覺於十二年中為
無事僧說是戒經從是已後廣分別說
諸比丘尼自為樂法樂沙門者有慚有愧樂學
戒者當於中學
明人能護戒　能得三種樂　名譽及利養　死得生天上
當觀如是處　有智勤護戒　戒淨有智慧　便得第一道
如過去諸佛　及以未來者　現在諸世尊　能勝一切憂
皆共尊敬戒　此是諸佛法　若有自為身　欲求於佛道
當尊重正法　此是諸佛教　七佛為世尊　滅除諸結使
說是七戒經　諸縛得解脫　已入於涅槃　諸戲永滅盡
尊行大仙說　聖賢稱譽戒　弟子之所行　入寂滅涅槃
世尊涅槃時　興起於大悲　集諸比丘眾　與如是教戒
莫謂我涅槃　淨行者無護　我今說戒經　亦善說毗尼
我雖般涅槃　當視如世尊　此經久住世　佛法得熾盛
以是熾盛故　得入於涅槃　若不持此戒　如所應布薩
喻如日沒時　世界皆闇冥　當護持是戒　如犛牛愛尾
和合一處坐　如佛之所說　我已說戒經　眾僧布薩竟
我今說戒經　所說諸功德　施一切眾生　皆共成佛道

四分尼戒本

BD02299號　四分比丘尼戒本　（33–32）

[illegible]

世尊涅槃時　興起於大悲　集諸比丘眾　與如是教戒

莫謂我涅槃　淨行者無護　我今說戒經　亦善說毗尼

我雖般涅槃　當視如世尊　此經久住世　佛法得熾盛

以是熾盛故　得入於涅槃　若不持此戒　如所應布薩

喻如日沒時　世界皆闇冥　當護持是戒　如犛牛愛尾

和合一處坐　如佛之所說　我已說戒經　眾僧布薩竟

我今說戒經　所說諸功德　施一切眾生　皆共成佛道

四分尼戒本

BD02299號　四分比丘尼戒本　（33–33）

已同佛即是未德為增上慢　一切女人亦當能轉亦大士法身非男女應物故
現女舍利報身本非女神通所轉為作女衆生性本非女煩惱妄業受今成女
身子若了自女即非女亦知一切女人即女无生故非女故去非女而現女身也以此妙
悟說以示人令悟即女非女此乃轉女為法身不同二乘轉為男也　已得當得如
恒河沙者當已三世不言今世者何一釋云小乘唯知一恒沙不知有十方佛土當
已相累成佛可言恒沙今唯一佛与恒沙之文不便故不舉一解云文舉當已現在
例有但成有得之難何要三世之數　佛道品　上問疾品大以无所受而受
諸受今此品廣明三界六道二乘異學皆是无受而受也　无間梵云阿鼻新云
阿鼻旨此云无間此五種業有四无間一趣報无間二身量无間三壽命无間四
壽苦无間　地獄者梵云那落迦此云苦具舊云泥犁耶亦云泥羅夜此云非
行謂非法行處八耶法者為耶見耶思惟耶精進耶語耶業耶命耶念耶定也
高原陸地及植種於空者譬二乘於擇滅无為中求如來種也此是捨生死之滅非
不生不滅之滅故不得如來種也　卑濕淤泥及糞壤之地此譬煩惱大煩惱者
能聞經則悟煩惱即菩提得見如來種也壤者尚書注云土无塊曰壤見无為
者取小乘見道十六心已去也此有二錫不得如來種一以斷惑故无復悟惑即菩提二
為捨生死故不能返入起大悲也故下文云如菩薩者不盡有為不住无為也　不厭
惱大海則不能得一切智寶者二乘偏真捨生死證无既能捨此證彼安能返入生
死大悲廣濟以无所受而受諸受救如是偏悟即不能德无上菩提一切種智也若
菩中道即生死即菩提既能不捨生死便證菩提亦能不離菩提便入生死未嘗不離未業
濟所以煩惱泥中起法耳　永絕其根者昔者佛為聲聞說生身佛菩提樹下卌
四心成道雙林滅不說如來法身不生不滅應跡為人現其生滅是以聲聞但
知三乘同有生身成道灰滅毋不知有法身常住應跡生滅今此經忽聞大士行
非道為佛道即惑種為佛種謬自思惟煩惱已盡餘報未幾將欲廣遊非道溫業
已除即取菩提三祇行歎復未知法性應生大悲遊化所以根敗之歎由此生焉
若聖法華大悟權實深知真應故无此歎也復次聲聞滅惑取真偏悟未
中以此取於无上佛法失之遠矣凡夫雖具足煩惱然未曾捨惑取證若聞大乘
自然能達即始即淨即色即空圓真佛種由此而生也惑有經未了此意將謂

[illegible]不生不滅應跡爲人現其生滅是以聲聞位
知三乘同有生身成道灰滅耕不知有法身常住應跡生滅今此經名聞大士行
非道爲佛道即惑種爲佛種聲聞自思惟煩惱已盡餘報未錢將欲度遊非道漏業
已除即取菩提三秖行欲復未知法性應生大悲遊化所以根敗之歎由此生焉
若至法華大悟推實深知真應故无此歎也復次聲聞滅惑取真偏悟乘
中以此取於无上佛法失之遠矣凡夫雖具足煩惱然未曾捨惑取證若聞大乘
自然能達即垢即淨即色即空圓真佛種由此而生也惑有結未了此意將謂
聲聞決定畢竟不得无上菩提縁之甚矣何者若以煩惱性爲佛性二乘有明位
把煩惱何得此惑獨非佛性乎若以生死性即涅槃性二乘有變易生死何得此生死非
涅槃耶具如嚴冬之月水結成冰仲春之時冰即爲水迷時煩惱覺了菩提理既
若愚更何惑矣況聲聞即指丈六爲生死之身大經即云今吾此身即是常身法身
唯此生死即涅槃煩惱即佛性之理盡矣　智度菩薩母者智度者正見也方便者方行
也智者而能信法身始生焉法喜已下至除香等明修持以增長權滅一行的
果成雖知已下明益物也　女者權智大悲曲順物心如男女者實知正直一百非俱
破如男子剛毅不受耶諂　弟子塵勞者菩薩日倫迴爲无明郎主恩愛魔王之
所纂使今成正覺智圓惑盡並諸塵勞門皆爲佛事隨意縈使故如弟子也
无漏林樹者離煩惱熱如蔭覆於林樹大得清涼　覺意花者此花結果莊
也結惠果故下華縢之花此莊嚴花非結菓花也　解脫者此是九无导九解脫
之解脫此已智惠斷非想地惑至[illegible]九解脫名智惠果也下云八解脫者此是煙
解脫非智惠法也　八解脫者一內有色觀外色二內无色觀外色三淨
解脫具足住身作證四空處五識處六无所有處七非非想處八滅盡
定解脫　七淨花者　心二淨在七方便位見淨度疑淨分別道非道淨
此三在見道位離身邊耶三見淨名見淨離疑度名疑淨離戒取見取
善識耶道正道名分別道非道淨行淨在脩道位離九地脩惑名爲行淨
七迎緣淨在无學道　淨命生者所言耶命者謂現異相等耶心活命名
耶命也離此耶命名淨命謂淨心活命也今言淨命生者謂凡夫脩禪爲貪
著生於梵世无求由離如此味禪名耶命也若求菩惠三界而脩禪者此
正求惠命故云淨命生也　食者智惠也資養法身故禪者禪定也除
感渴愛故　淨心澡浴者淨心有三種心淨已度諸禪定者或盡爲淨一也
淨心觀佛離不折者信心无疑爲淨二也今淨度以澡浴者懺悔除罪三
也或現劫盡燒等者此大三災劫也活法師劫頌云
皆第二十增　劫將欲壞時　十九壞情類　唯殘[illegible]　壞彼器世間　有情居
如壞　无間死不生　當界東北西　次南贍部洲　乃至化樂天　時經十九減
怖火不逆惡　及无愛欲心　地空諸有情　並習二禪定　有情既盡已　日熱四種
樂　七日並現時　火炎洞然起　燒梵眾以輔梵　怖長生二禪　梵王眾後生
[illegible]

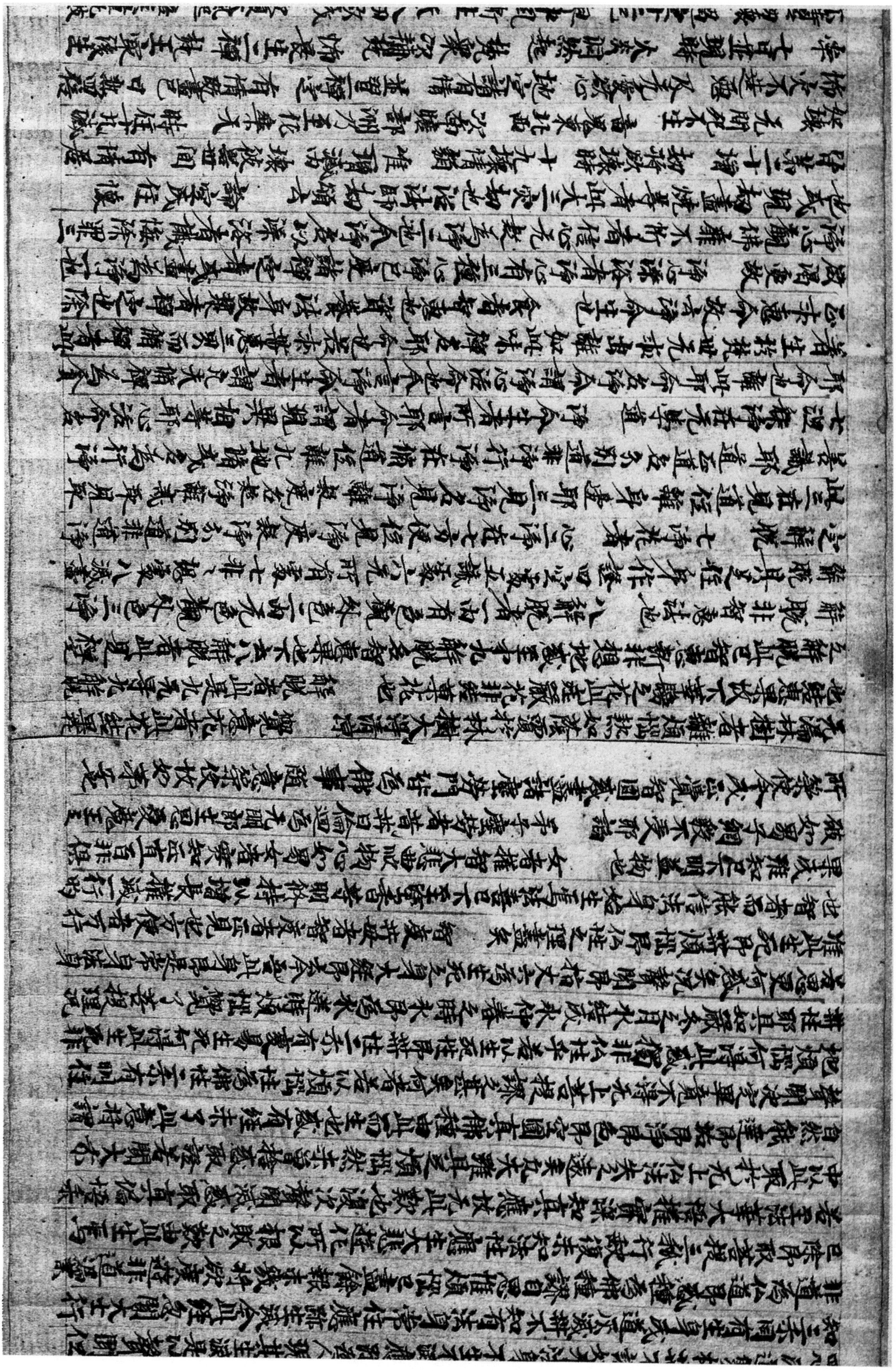

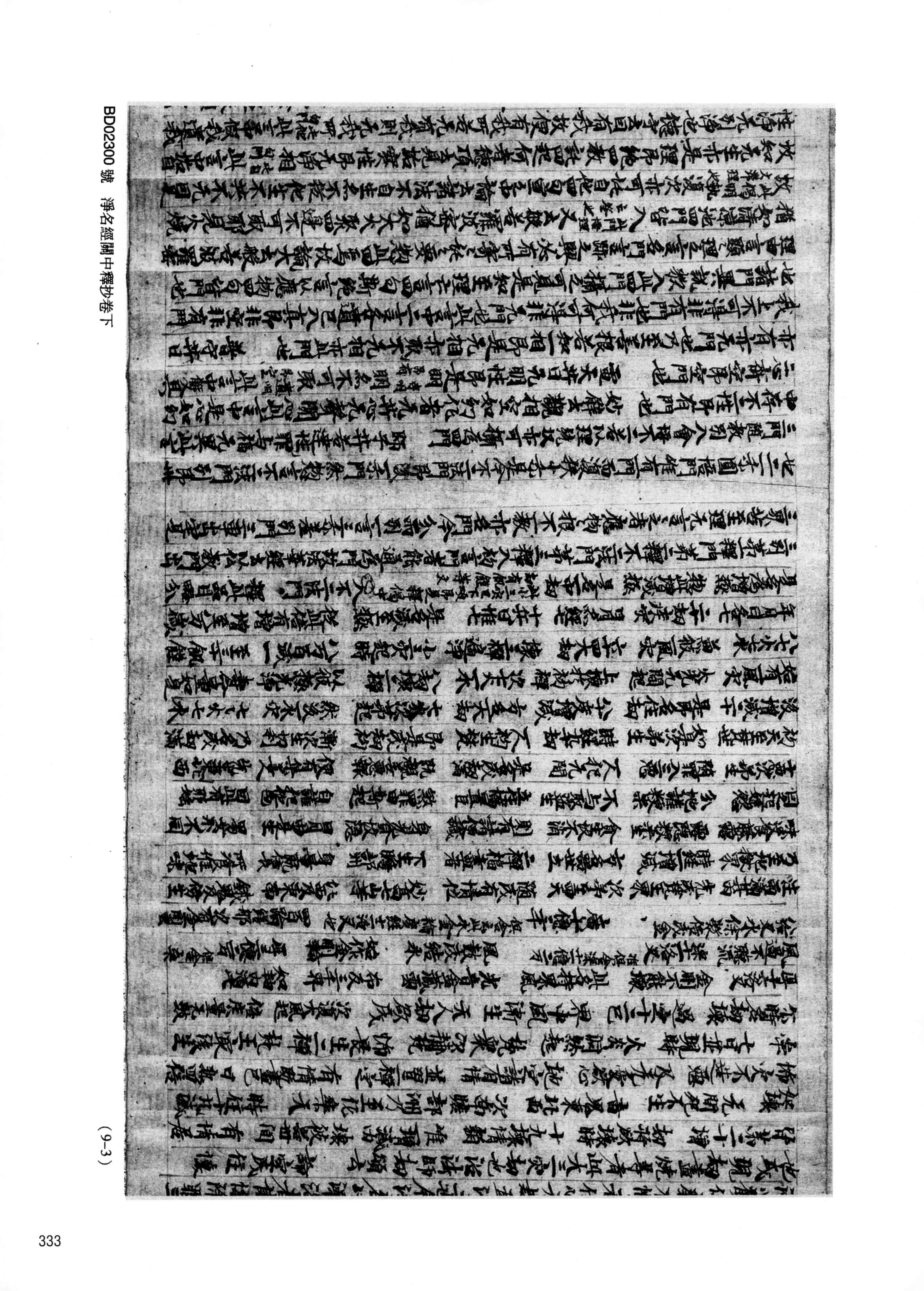

理由言顯々理之言名門言跡之興必有所寄々於々要惣此四焉故論大云般若波羅蜜
猶如清涼池四門皆入（此門悟理三登也）又云般若波羅蜜猶如大火聚四邊不可取邪見火燒
故（此偈明執文并理也）復次非可說自他四句宣之中論云諸法不自生亦不從他生不共不无因是
故知无生亦是理即絕四教託四起何者德頂云見始要性即无淨相（此自句門）此言中始旨
性淨无別淨也德守云因有我故便有我所若无有我則无我所（此他句門）此言中假我遣我
所即他句也明相云前際後際空故中際亦空此前後共空方得中際空也珠頂王云
住正道者則分別是耶是正（此三眾句門）此言中共存即共存故言共也德藏云有所德為二若
无所德則无取无捨（此无因句門）此言中更无因起直云本无所德故云无因也須次惣分二門
前卅一有待門後一大士絕待門亦可前卅二語門後淨名大士默然門所以此中人々各說者
明隨悟々門必多所證之理不異乃至大仏及諸菩薩各說之意亦然華嚴經善才蜜々求
知識々々善知識各々言唯知此一法門而入諸法界亦其意也故經云涅槃真法寶衆生以
種々門入　第二言不二法者万法之々其性不二法性實相即不二法然理本自亡亡名詮
經立名亦隨緣不一此言不二法華言一乘花嚴云法界亦日如々真解脫法性々空即
理明智亦日本覺故大論云般若是一法仏說種々名隨諸衆生類為之立異字闍實相
一法何故多名多法若有一名不應多應物有多名明法知无名也小乘所念等
空二法門以要斷漏得无漏故捨垢取淨也大品經云二乘共行十地菩薩七二邊同證
无生名空不二漸次大乘五十二位歷別修行内照无生不二名體外用涉有即一名用
是即亦二亦不二若圓妙大乘未嘗不照即寂而照即照而寂是即二而不二即不二而二
此中三不二皆不思議也前諸經論皆是如來方便引物窮源盡性此為極矣
第三釋入字言入不二門者悟入悟解入理故名入也不悟名不入然論其真語了二空心
无所得名盡相亡何入不入是悟體无名假名宣悟既无名相中假名相說諸經及至
本文論入不同亦作四句料簡法花即云出火宅出化城此經即云入不二門亦云入一切諸
仏法門言出者迷惑繫縛如回電獄若了惑性空即縛自解々即名出然雖體本无
出亦可借出以名之由此言入者明迷理失真心返妄境名出若了妄即真證理名入證
雖无入可入借入以名之也是即法華以脫惑為出此經以會理為入是知二教未嘗不理
未嘗異也法花云其人近出未久之間又云於我此所燒之門安隱得出然而出三界於故
火宅此入名名出也悟理脫縛出也大悲垂化入也故大經云來時善逝去時善逝故名
善逝此皆名入名出名入也非入非出名入者那羅延云世間出世間為二世間性空即是出世間
於其中不入不出不溢不散是為入不二法門此入非非出名入也　見始要住者始住自
无了始无住名始實性也　是動是念者動者分別流動也念者專一不分別也不動
則无念有動則念有動若問實何念之有也　金剛惠者了達中道无生則百非自
次縛解永云破惑窮源名金剛也即无生忍故名剛名也　有漏无漏者迷理滯惑名
之為漏悟理契真名為无漏方便教以地前為漏登地已上名无漏小乘但念即見道前
名有漏見道以去名无漏此皆方便之說非至理說也　今經以万累即真理无餘惑即惑而
[illegible]改无[illegible]一故[illegible]若等諸法等則不起漏不漏相也生公云万善理同无漏釋云夫明

則无念有動則念有動若則空何念之有也　金剛患者了達中道无生則百非自
泯縛解永亡破惑窮源名金剛也即无生忍故立則名也　有漏无漏者迷理滯惑名
之為漏悟理契真名為无漏方便教以地前為漏登地已上名无漏小乘但念即見道前
名有漏見道以上名无漏此皆方便之說非至極之說也　今經以万累即真理无餘惑即惑亡名
真故无有二故云若得諸法等則不起漏不漏相也生公云夫万善理同无漏釋云夫
善本有皆資理發理既无異善不容二但隨改惡回用生異名論其解體明照而已
始雖未能兼用終極字自實為一解脫即以改惡為理至於理始涉之事皆是无漏解
明能除闇故无闇不除但明故闇滅未能欲滅非明理不足矣有為无為者三界生識
有為者須緣有滅无為也從我起二為二者以我一法為能待即一切法為所待斯則觸
觸對境對我皆為二矣前諸菩薩能所皆有相待此即能待是我所待是境也下云所
得為二即能所皆得斯則取一法万法皆待故云有所得也　集怛醯等此衆最為二
不明須攀世間何以故前道明故不可重也　非肉眼所見者肇曰云可以神會難以事
求此明不可由眼見但可惠眼悟解而已也　香積佛品　前不二法門已殺七三
遠的體此雙流淨穢的用何者為雙流耶婆娑化菩往彼衆香請佛來化穢土淨土之
教流化穢土也九百万菩下至娑婆請有无漏解脫法門持往香積當念如來此即穢
土之教遊彼淨國也上來諸大士雖廣明於淨无二而惑者未能深信故此中廣約
淨土不同以約理體无二復次上佛國品明隨所調伏衆生而取佛土國之淨穢故現香
以驗之令等殊應之跡會不二之理也復次上可迦葉云以一食施一切供養諸佛未見其事
或者寧无疑乎故此中示一鉢之飯而足衆會又善吉章於法等者於食亦等若
皆疑佐有悟道之緣食无契真之分何故云於故此明法食俱等道也　此不思議之事生
二乘之所量哉復次前室空除有故此念飯因此念飯便施不思議法食也八解脫者禪
悅食也身子受行豈以雜欲界團食而問法乎未曾有食者食飯得道食即食法也
即食此大悲流勝化之佛事不思議食也　娑婆或曰娑訶世界此云忍界悲直云大士衆生堪忍三毒又云雜惡亦曰雜會謂雜惡之所會　四海有
竭等者四海龍魚之福故有可竭之文香飯如來之福故无盡也无盡戒定所食之
餘者明佛旅施成因時无限心修故今感果亦无限也　一切德藏三昧者曰香悟理也
中道實相圓具万行故得此三昧也德无不具名即經云三昧三諦三昧於皆異名也又
經云般若雖空一心具足万德又大經云金剛寶藏无所缺減皆此三昧之異名也然
假錫雖殊於法而悟理未易於真如故雖淨國之香亦以悟圓中道為三昧也是熟生
報者報有三種論頌云皆能招異熟（墮三惡趣異時而熟）等流增上果（等流報增上報）此令他受苦（招異熟也）
新命壞威故（新命招等流壞威招增上）又十惡異熟同招三惡報等流增上不同頌曰
壽短先非潔　財乏多遭霜　不貞塵深汙　誑語身非香　親乖居險曲　惡口居棘荊荒
无威時更改　貪威果非苦　嗔增味辛苦　癡增果少云　多於彼國百千劫行者娑婆
世界貪善者衆大士多行法施所利无獲以是諸佛淨土之所不及也復次娑婆衆生鈍根
或重自非悲深忍大何以拯濟群生是即難行能行難作能作故一切利益多百千劫也
[illegible]淨三[illegible]也即淨土不[illegible]識上

報若業在三乘[illegible]熱也
新命條感故（新命相等流 續感相增上）又十惡異熟同於三惡報等流增上不同頌曰
壽短先非業　財乏多遭霜　不貞塵深汗　誑語息非者　親乖惡陰曲　惡罵聞荊荒
無義時更改　貪感果非苦　嗔增味辛苦　癡增果少也　多共被困百千劫行者婆娑
世界貪善若衆大士行法施所利无殘以是[illegible]諸淨土之所不及也復次娑婆衆生鈍根
我重自非悲深忍大何以拔濟群生是即難行能行難作能作故一切利益多百千劫也
自利即穢土不如淨土利他即淨土不如穢土
菩薩行品　此下兩品來意有多略出其四一辨仏問疾廣說言經文事訖歸還因意
与定二者此經大宗淨之化入室談道詞理似殊故歸仏復宗明所宣无異三被來大士來
見至尊是故寧聲躬同礼觀四緣在之入室因度訖緣在仏者須將見佛七日乃消者譬
七日餓消飯之常力者法常飢渴無食息諸疾故知是治世患也知故先說法先令饗者
淨聞患者德疾然与三乘道利食之香飯亦然故先七日消世惡已然後權大小亦益也
又法身以五示善為華不治惡世為　地菩薩又五淨不濁西亦是雜熱惱也　如須弥頂仏者
大論明須弥頂仏成道一日即般涅槃然後歸化仏度人也　八万四千塵勞門即法門者說諸勞
多略舉一文以通經旨賢還經去始從光耀主終至涅夜其間三百五十度說法皆說三度
成二千一百又以此對治大四分兼成二万一千又以對治貪嗔癡等分衆生成八万四千也婆沙
云議云十種隨眠皆已九隨眠為方便是成一百此有前後分各一百合成三百是本一百執前
分一百一皆以九隨眠方便成一千後分一百亦以九隨眠為方便復一千兼本一百成二千一百已
起亦有二千一百未起亦二千一百足滿四千二百明多貪嗔癡著我見覺此五五人有四
千二百合成二万一千更就三毒等分四人以配遂成八万四千也此八万四千迷即是塵勞門對
治即是法門故俱舍云有言諸法蘊量如彼論說或隨蘊等言如實行對治是名入一切
諸佛法門者夫至理无言託群言而為教真事无可即俗可而不為仏可所以進退為威
儀諸煩惱皆仏可也既其真俗无二穢淨一質故入此門者无貪高尋沒之見也
地有若干者明釋迦成道即沙礫為土彌勒成道即七寶為處土虛空无穢淨故无
若干也仏身有若干者釋迦丈六彌勒三百五十尺也无量壽无若干者夫无生智寄
也此皆小亦執可之見非大乘達理之見也故大士舉平等以破之復次前隨文殊入室
聲聞皆已捨小慕大諸餘在困住者此中寄呵局難令伏過即亦皆捨小利慕大
深發一切智心者謂志願深重不令半路退忘復次即不令退欲樂憂患便忽退忘也
見來求者求法即令我法利滿日滿求財即令我捨心彌廣此即進我道理之善助也
捨諸所有注云妙斯有在者斯在大捨一切智果審回果之不虛者審種度之回也至
一切智果也諸波羅蜜者前別說施戒此言諸波羅蜜是餘四度也　成以仏度者
謂隨彼如來行願之回即彼如來嚴飾之可亦嚴我土
見阿閦佛品
无始彌言見如來品唯前半品應言見如來唯後半品即言見阿閦亦无異義以何等相觀如
來乎者大乘真宗遣相離着而諸聽求皆取相生信故上文殊入室淨名空室以待
之不思議品身子求床淨名遣求以誨之今二士歸因方將見仏而諸聽者多着相求真
[illegible]言汝問見來觀來无相之相以覺悟故文殊入室不來相而來之淨名見仏

於諸□有法云如其本□□□□□□□□□□□□□□□
一切智果也諸波羅蜜者前別說施戒此言諸波羅蜜者是餘四度也　戒以仁度者
謂隨彼如來行願之因即彼如來嚴飾之耳亦嚴我土　㊃見阿閦佛品
无始稱言見如來品准前半品應言見如來准後半品即言見阿閦亦无異義以何等相觀如
來乎者大乘真宗遣相離著而諸聽衆皆取相生倦故上文殊入室淨名空室以待
之不思議品身子求床淨名遣求以誨之今二士歸園方將見仏而諸聽者多著相求真
依身起信故問其來觀使陳无相之相以崇見悟故文殊入室不來相而來之淨名見仏
不見相而見之身子求法絕求心之求之弥勒得記離得記以得之　妙絕常境見者六
塵之境是常境也如來即色非色故云妙絕也　則真真者同真之者謂淨名達悟
達自相而見佛无相是同法偽者同悟謂未悟之流自執己身相之有異見如來身
相亦同斯則兩執名為同失兩亡名之同得　不此不彼者此彼體空也不以此不以
彼識空也者以用也謂聖心不執用此彼也　不在方者明法身不偏在方隅也　不離方
者遍一切處也　等諸智者上无上也　同衆生者下而无下以斯觀者離前百非故名正也
若他觀者同前百非故名耶　舍利弗問維摩詰者身子如等小二尊者此處[illegible]
小准大故始會已來鼓詫迷以陳問或假悟以悲悔皆并方便誘勸之至也其事者何如
佛國品來答二問已衆既未悟故身子假執果疑因令衆教悟文殊師利入室問疾空
室无侍表諸佛國土亦復皆空不思議品身子假念床以悟无求之賤因借座以明
不思議解脫之用復以身子迦葉領音傷明聲聞皆應號叫三千菩薩折慶頂受此法
也觀衆生品二大士論衆生性空即真空真之慈悲喜捨因天女散花身子對揚彥明
可思議解脫不可思議解脫二種力用不同佛道品二大士彥明非道行於佛道身子迦葉
亦居不及自救領解云凡夫於佛有返復聲聞无也今无數聲聞迴心向大早部小乘香
積品明淨識二十七法門不同舍利弗念佛餘飯至菩薩行品對佛自云非意所畜非度所測
兼假阿難伏過從今已往不敢自謂多聞即令无數聲聞捨小折大此中復假問淨名沒
生今大士自陳法身應用非沒非生能來沒生令无數衆生發菩提心願生淨國此上諸說皆
文殊淨名示其勝二天聲聞伏其劣以此方便引進无數小乘方便行人令衆即座悟无生
忍義大品法華菩薩方德无生忍雖迹有優劣而化功也　汝於何沒而來生此者所
以有此問答者成前即相无相義也故者意謂事外別有理應身之外別有法身
所以問答令知即生非生即相无相也又前橫破自非名橫遍此中即生沒明不生不沒者
豎深遍而真深法身之理圓矣　日光出時者此明應身也前既即生不生為真身
此明不生而明生輔應身又日光自明闇不可徹此喻真身本是无處樂不淨能破諸癡
喻化身應物返迷從悟也　刃利者梵音也此云三十三天也　阿迦膩吒天者梵音也此云
色究竟天此色界天頂故云也　㊄法供養品　法者大乘中道實相法也故文云
諸佛所說深經也供養者文有二種一者讀誦解脫此名淺也二者如說修行得无生
忍者此名深也若法華香瓔珞書寫隨喜皆法供養也問為是供養佛為是供養
法耶答云以離持正法之心以供養佛故文云受持讀誦供養是經者則為供養法

爲化身，應物返迷從悟也　忉利者梵音也，此云三十三天也　阿迦膩吒天者梵音也，此云
色究竟天，此色界天頂故云也　法供養品　法者大乘中道實相法也，故文云
諸佛所說深經也。供養者，文有二種：一者讀誦解說，此名淺也；二者如說修行，淨无生
忍者，此名深也。若法華一一香瓔珞書寫隨喜皆法供養也。問：爲是供養佛，爲是供養
法耶？答：云以護持正法之心以供養佛，故文云受持讀誦供養是經者則爲供養去
來今佛也。又　末結勸云：是故帝當以法之供養於佛。流通分而品此品説教法眞
益大勸，令供養後品方品囑累，付令其宣流也　百千經者，阿含小乘經也。自
在神通者，教能證力用也；決定實相者，所證法身也　舍利者梵音，新云舍利羅，
此云身骨。有全有碎，今云全者取功德多也　寶塔者，應云他合。及諸經論或作藪斗
波，或作塔婆，又云兜婆，或云偷婆，或云无藝偷婆，或云脂帝浮都，亦云支提浮圖，
新舍觀彼此譯云廟。白虎通曰：廟，白也，萬德字。蒐云塔，仏堂也。表剎者，又作綵
因，察音梵音，或云乞羌多羅，譯云土田。或云剎土者，存二音也。應云立竿以安仏
骨，所依義同土田也，故經云剎帝利，此云田主，亦此義也。所言表者，是高顯處
有所表彰，故云也　藥王如來應供等十號也　如來者，如理能行，號大經云諸
佛世尊從六波羅蜜卅七品十一空來至大涅槃，故論云：乘如實道來成正覺也　二應
供者，應行二利，號大經云應破四魔（即四分云无所著也）；應度衆生應受供養，故云也
三遍知者，實智窮源，號大經云正者不顛倒，遍知於四顛倒无不通達，故云也　四明
行足，依目滿足，號大經意云明者佛果，行者戒定惠，依行滿足，故云也　五善逝，直
往復不退，號大經云不捨最初發心得大涅槃（謂退不也）　六世間解，謂智圓明，號大論云
知世間解，即知也。瑜伽云：善知世界及有情界一切品類染淨相故也　七无上士，在
趣諸善聖，號大經云：有所斷者名有上士（謂菩薩也），无斷者名无上士（謂果仏也）　八調
御丈夫，巧攝有情，號大經云：如來實非丈夫、非不丈夫，因調丈夫故名也。此二號
准大經開二，瑜伽合云无上丈夫調御士　九天人師，善執衆生，號大經云實作法
界師，天人益多，故云也　十仏无師，勝覺，仏號明无師自覺，諸惑不能覆也　世尊
准大論，十號外號也　七寶千子金輪王也　一輪寶，二珠寶，三女寶，四象寶，五馬寶，六主藏
神寶，七主兵神寶　陀羅尼即之之者，論云小乘經三法印，謂无常、苦、无我，摩訶衍印
一實相印，此即之即能善分別諸法相於第一義而不動，四句百非所不能動此印，所
皆圓頓大乘也。大寶積經清淨陀羅尼品云：以虛空即一切法，以无相印能示現彼
虛空无相。又偈云：諸法无所有，不生亦不起，无有取此。云何遍持？若能如是解一切法，
如理彼則无分別　而能得遍持　決定无我者，我空也　因緣果報離我所者，法空也
四依者，大集卅九云：語者稱說生死，義者知生死无性；語者說涅槃味，義者知涅槃无性；語
者說諸乘隨所安止，義者知諸乘入一相智門；語者說從發心至坐道場修集莊嚴
菩提功德，義者以一念惠覺了一切法；誰要言之，能說八万四千法聚，是名爲語，知諸文字
不可宣說，是名爲義。又釋：識者識大，智者住四大无住；識者識根六識，智者內外寂滅

皆圓頓大乘也大寶積經清淨陁羅尼品云以虛空印一切法以无相印能示現彼
虛空无相又偈云諸法无所有不生亦不起无有取此云何爲持若能如是解一切法
如理彼則无分別　而能得遍持　決定无我者我空也因緣果報離我所者法空也
四依者大集卅九云語者稱說生死義者知生死无性語者說諸味義者知諸无性語
者說諸乘隨所安止義者知諸乘入一相智門語者說從發心至坐道場修集莊嚴
菩提功德義者以一念惠心覺了一切法㨿要言之能說八万四千法聚是名爲語知諸文字
不可宣說是名爲義又釋者識大智者住四大无性識者識根六識智者内外寂滅
生无等取不取有所緣无所緣亦然又不了義經說生死苦惱了義經說生死无等一
相不了義說我人諸法了義者說三空无我也又人者攝取人見人者解无人无見人
者凡聖三乘人者也法者法性決定知一切法无別无異如虛空　不復起見注云
上觀因緣无常我等諸見者即指前離諸邪見得无生忍門也　得柔順忍者大
品三忍外凡執惠伏內凡性地順忍八人地見地已去名无生忍雖三乘同行二乘不取證不
得忍名菩薩不證故受故忍名若准人王經云五忍法門地前三十人惣名伏忍初二三地信
忍四五六地順忍七八九地无生忍十地佛果寂滅忍今准人王經入第四地也　得五神通
身業用得陁羅尼意業用辯才口業用此三爲化物用之妙門積善業之真藏故
別標也　迦羅鳩村馱亦云拘留孫即七佛中第四仏賢劫千仏之首樓至亦盧至此云
涕泣謂拘孫發心千人皆願成佛度衆生樓至最後成佛乃言諸兄成道皆一度切衆
生我後成道當何所度故暗泣耳　如今此賢劫　云當才九減
即此增減中　有物留四等　六百二万時　百歲拘留孫出　減至弟十三　飢饉亦時興
廿夜十兵　子陪文分　彼一增減中　慈氏次當興　從斯第十減　至第二十減
彼增減中　九百九十四　大聖此第興　言賢劫者此劫初時有千葉
蓮花現於水上諸天皆云善哉此劫當有千賢出世故因爲名也　囑累品
前品勸法真益大故此品慇懃付囑也新學二法一毀法二毀揚師重師即敬法尊法
即依行若行即斷惑成聖以此而推雖云敬師乃成自敬矣而新學者輕師慢法自塞
於進求之路耳先學二法一者歎人二者細法慈愛新學即利他之業可成專改密相
即自濟之功斯熟素何雖人失於慈惠詞直滞於諸見然此二誡之至也凡預進求無不各保於
心時耳

淨名經關中抄卷下

敬已
養共我者
在諸佛
是因緣是諸
眷屬諸王
熾盛宮殿
之神增長
國土所有人
爭悉皆消滅
世尊未来之世若有人
妃綵女諸王子等宮殿
所王領處為殊勝具不可思
稱取无量福聚國土无有他
无諸衰惱及苦惱事世尊如是人王
不應放逸散亂其心應生恭敬謙下之心應當
莊嚴第一微妙最勝宮宅種種香汁持用灑
地散種種花敷大法座師子之座縣以无量
珎奇異物而為校飾張施種種无數微妙幢
幡寶蓋當淨洗浴以香塗身著好淨衣
瓔珞自嚴坐小卑坐亦不高大除去自在離諸

BD02301 號　金光明經卷二　（16–1）

地散種種花敷大法座師子之座縣以无量
珎奇異物而為校飾張施種種无數微妙幢
幡寶蓋當淨洗浴以香塗身著好淨衣
瓔珞自嚴坐小卑坐亦不高大除去自在離諸
放逸謙下自卑除去憍慢正念聽受如是妙典於
說法者生世尊想復於宮內后妃王子綵女眷
屬生慈哀心和顏與語勸以種種供養之具
供養法師是王尒時既歡化生即生无量歡喜
快樂心生悅豫倍復自勵不生疲倦多作利益
於說法者倍生恭敬
尒時佛告四天大王尒時人王應著白淨鮮潔之
衣種種瓔珞齊整莊嚴執持素白微妙上蓋
服飾容儀不失常則躬出奉迎說法之人何
以故是王如是隨其舉足步步之中即供養
值遇百千億那由他諸佛世尊復得超越如是
等劫生死之難復於來世尒許劫中常得封
受轉輪王位隨其步步亦得如是現世功
德不可思議自在之力常得最勝微妙七寶
人天宮殿在在生處增益壽命言語辯了
人所信用无所畏忌有大名稱常為人天之所
恭敬天上人中受上妙樂得大勢力具足威德
身色微妙端嚴第一值諸佛遇善知識成
就具足无量福聚汝等四天王如是人王見
如是等種種无量功德利益是故此王應當
躬出奉迎法師若一由旬至百千由旬於諸法師
應生佛想應作是念今日釋迦如來正知入於
我宮受我供養為我說法我聞是法即不退
轉於阿耨多羅三藐三菩提已為得值百千

BD02301 號　金光明經卷二　（16–2）

我宮受我供養為我說法我聞是法即不退
轉於阿耨多羅三藐三菩提已為得值百千
万億那由他佛為已供養過去未來現在諸佛
已得畢竟三惡道苦我今已種百千无量轉
輪聖王釋梵之因已種无邊善根種子已令
无量百千万億諸衆生等度於生死已集无
量无邊福聚後宮眷屬已得擁護宮宅
諸衰惱已消滅國土无有怨賊棘剋他方
怨敵不能侵陵汝等四王如是人王應作如是
供養正法清淨聽受是妙經典及恭敬供養
尊重讚歎持是經典四部之衆亦當迴此所
得最勝功德之分施與汝等及餘眷屬諸天
鬼神聚集如是諸善功德現世常得无量无
邊不可思議自在之利威德勢力成就具
足能以正法摧伏諸惡
尒時四王白佛言世尊若未來世有諸人王
作如是等恭敬正法至心聽受是妙經典及
恭敬供養尊重讚歎持是經典四部之衆
嚴飾舍宅香汁灑地專心正念聽說法時
我等四王亦當在中共聽此法願諸人王為自
利故以己所得功德少分施與我等世尊是諸
人王於說法者所坐之處為我等故燒種種香
供養是經是妙香氣於一念頃即至我等諸
天宮殿其香即時變成香蓋其香微妙金
色晃曜照我等宮梵宮大辯神天功德神天
堅牢地神散脂鬼神最大將軍二十八部鬼
神大將摩醯首羅金剛密迹摩尼跋陀鬼神

BD02301 號　金光明經卷二　（16–3）

色晃曜照我等宮梵宮大辯神天功德神天
堅牢地神散脂鬼神最大將軍二十八部鬼
神大將摩醯首羅金剛密迹摩尼跋陀鬼神
大將鬼子母與五百鬼子周匝圍遶阿耨達龍
王娑竭羅龍王如是等衆自於宮殿各各得
聞是妙香氣及見香蓋光明普照是香蓋光
明亦照一切諸天宮殿佛告四王是香光明非但
至汝四王宮殿何以故是諸人王手擎香爐供
養經時其香遍布於一念頃遍至三千大千世
界百億日月百億大海百億須彌山百億大鐵
圍山小鐵圍山及諸山王百億四天下百億四天
王百億三十三天乃至百億非相非非相天於
此三千大千世界百億三十三天一切龍鬼乾闥
婆阿脩羅迦樓羅緊那羅摩睺羅宮殿虛
空悉滿種種香烟雲蓋其蓋金光亦照宮殿
如是三千大千世界所有種種香烟香蓋皆
是此經威神力故是諸人王手擎香爐供養經時
種種香氣不但遍此三千世界於一念頃亦遍十
方无量无邊恒河沙等百千万億諸佛世界於
諸佛土虛空之中亦成香蓋金色普照亦復
如是諸佛世尊聞是妙香見是香蓋及金色
光於十方界恒河沙等諸佛世尊作如是等神
力變化異口同音於說法者稱讚善哉善哉
大士汝能廣宣流布如是甚深微妙經典則
為成就无量无邊不可思議功德之聚若有聞
是甚深經典所得功德則為不失呪持讀誦
為他衆生開示分別演說其義何以故善男

BD02301 號　金光明經卷二　（16–4）

為成就无量无邊不可思議功德之聚若有聞
是甚深經典所得功德則為不失光持讀誦
為他衆生開示分別演說其義何以故善男
子此金光明微妙經典无量无邊億那由他諸菩
薩等若得聞者即不退轉於阿耨多羅三藐三
菩提尒時十方无量无邊恒河沙等諸佛世界
現在諸佛異口同音作如是言善男子汝於未
世必定當得坐於道場菩提樹下於三界中㝡尊
㝡勝出過一切衆生之上勤修力故受諸苦行善
能莊嚴菩提道場能壞三千大千世界外道邪
論摧伏諸魔怨賊異形覺了諸法第一寂滅清
淨无垢甚深无上菩提之道善男子汝已能坐金
剛坐處轉於无上諸佛所讚十二種甚深法輪能
擊无上㝡大法鼓能吹无上極妙法蠡能豎无上
㝡勝法幢能然无上極明法炬能雨无上甘露法
雨能斷无量煩惱怨結能令无量百千万億那由
他衆生度於无崖可畏大海能勝生死无際轉
輪復過无量百千万億那由他佛尒時四天王
復白佛言世尊是金光明微妙經典能得未來
現在種種无量功德是故人王若得聞是微妙
經典則為已於百千万億无量佛所種諸善根我
以敬念是人王故復見无量福德利故我等四
王及餘眷屬无量百千万億鬼神於自宮殿
見是種種香烟雲蓋瑞應之時或當隱蔽不
現身為聽法故當至是王所至宮殿講法之處
大梵天王釋提桓因大辯神天功德天神堅牢
地神散脂鬼神大將軍等二十八部鬼神大將
摩醯首羅金剛密迹摩尼跋陀鬼神大將鬼子

大梵天王釋提桓因大辯神天功德天神堅牢
地神散脂鬼神大將軍等二十八部鬼神大將
摩醯首羅金剛密迹摩尼跋陀鬼神大將鬼子
母及五百鬼子周匝圍遶阿耨達龍王娑竭羅
王无量百千万億那由他鬼神諸天如是衆等
為聽法故悉見隱蔽不現其身至是人王所止宮
殿講法之處世尊我等四王及餘眷屬无量
鬼神悉當同心以是人王為善知識同共一行
善相應行為无上大法施主以甘露味充足我
等我等應當擁護是王除其衰患令得安
隱及其宮宅國土城邑諸惡災患悉令消滅
世尊若有人王於此經典心生捨離不樂聽聞
其心不欲恭敬供養尊重讚歎若四部衆有
受持讀誦讚說之者亦復不能恭敬供養
尊重讚歎我等四王及餘眷屬无量鬼神即
便不得聞此正法背甘露味失大法利无有勢
力及以威德減損天衆增長惡趣世尊我等
四王及无量鬼神捨其國土不但我等亦有无量
守護國土諸舊善神皆悉捨去我等諸天及
諸鬼神既捨離已其國有種種災異一切人民
失其善心唯有繫縛瞋恚鬪諍互相破壞多
諸疾疫彗星現怪流星崩落五星諸宿違失
常度兩日並現日月博蝕白黑惡虹數數出現
大地震動發大音聲暴風惡雨无日不有穀米
勇貴飢饉凍餓多有他方怨賊侵掠其國人
民多受苦惱其地无有可愛樂處世尊我等
四王及諸无量百千鬼神并守國土諸舊善
[illegible]

大地震動發大音聲累風惡雨无日不有穀米
勇貴飢饉凍餓多有他方怨賊侵掠其國人
民多受苦惱其地无有可愛樂處世尊我等
四王及諸无量百千鬼神并守國土諸舊善
神遠離去時生如是等无量惡事世尊若
有人王欲得自護及王國土多受安樂欲令國土
一切衆生悉皆成就具足快樂欲得摧伏一
切外敵欲得擁護一切國土欲以正法正治國土
欲得除滅衆生怖畏世尊是人王等應當必
定聽是經典及恭敬供養讀誦受持是經典
者我等四王及无量鬼神以是法食善根因
緣得服甘露无上法味增長身力心進勇銳增
益諸天何以故以是人王至心聽受是經典故
如諸梵天說出欲論釋提桓因種種善論五通
之人神仙之論世尊梵天釋提桓因五通仙人
雖有千億那由他无量勝論是金光明於中最
勝所以者何如來說是金光明經為衆生故為
令一切閻浮提内諸人王等以正法治為與一切衆
生安樂為欲愛護一切衆生欲令衆生无諸苦
惱无有他方怨賊棘刺所有諸惡皆而不向
欲令國土无有憂惱以正法教无有諍訟是
故人王各於國土應然法炬熾然正法增益天
衆我等四王及无量鬼神閻浮提内諸天善神
以是因緣得服甘露法味充足得大威德進力
具足閻浮提内安隱豐樂人民熾盛安樂其處
復於來世无量百千不可思議那由他劫常受
微妙第一快樂復得值遇无量諸佛種諸善
根然後證成阿耨多羅三藐三菩提如是

BD02301號　金光明經卷二　（16-7）

具足閻浮提内安隱豐樂人民熾盛安樂其處
復於來世无量百千不可思議那由他劫常受
微妙第一快樂復得值遇无量諸佛種諸善
根然後證成阿耨多羅三藐三菩提如是
等无量功德悉是如來正遍知說如來過
去於百千億那由他諸梵天等以大悲力
故過亦无量百千億那由他釋提桓因以苦
行力故是故如來謂諸衆生演說如是金光
明經若閻浮提一切衆生及諸人王世間出世間
所作國事所造世論皆因此經欲令衆生得
安樂故釋迦如來示現是經廣宣流布世尊
以是因緣故是諸人王應當畢定聽受供養恭
敬尊重讚歎是經尒時佛復告四天王汝等四
王及餘眷屬无量百千那由他鬼神是諸人王
若能至心聽是經典供養恭敬尊重讚歎汝
等四天王應擁護滅其衰患而与安樂若有
人能廣宣流布如是妙典於人天中作大佛事
能大利益无量衆生如是之人汝等四王必當
擁護莫令他緣而得擾亂令心澹靜受於快樂
續復當得廣宣是經尒時四天王即從坐起偏
袒右肩右膝著地長跪合掌於世尊前以偈
讚曰
佛月清淨　滿足莊嚴　佛日暉曜　放千光明
如來面目　最上明淨　齒白无垢　如蓮花根
功德无量　猶如大海　智淵无邊　法水具足
百千三昧　无有缺減　足下平滿　千輪相現
足指網縵　猶如鵝王
光明晃耀　如寶山王　微妙清淨　如鍊真金

BD02301號　金光明經卷二　（16-8）

百千三昧　无有缺減　足下平滿　千輪相現
足指網縵　猶如鵝王
光明晃耀　如寶山王　微妙清淨　如鍊真金
所有福德　不可思議　佛功德山　我今敬礼
佛真法身　猶如虛空　應物現形　如水中月
无有鄣㝵　如炎如化　是故我今　稽首佛月
尒時世尊　以偈答曰
此金光明　諸經之王　甚深最勝　无有上
十方世尊　之所演說　汝等四王　應當勤護
以是因緣　是深妙典　能與衆生　无量快樂
為諸衆生　安樂利益　故久流布　於閻浮提
能滅三千　大千世界　所有惡趣　无量諸苦
閻浮提內　諸人王等　心生慈心　正法治世
若能流布　此妙經典　則令其土　安隱豐樂
所有衆生　悉受快樂　若有人王　欲愛己身
及其國土　欲令豐盛　應當至心　淨潔洗浴
往法會所　聽受是典　是經能作　所有善事
摧伏一切　內外怨賊　復能滅除　无量怖畏
是諸經王　能與一切　无量衆生　安隱快樂
譬如寶樹　在人家中　悉能出生　一切珎寶
是妙經典　亦復如是　悉能出生　諸王功德
如清冷水　能除渴乏　是妙經典　亦復如是
能除諸王　功德渴乏
譬如珎寶　異物篋中　悉在于手　隨意所用
是金光明　亦復如是　隨意能與　諸王法寶
是金光明　微妙經典　常為諸天　恭敬供養
亦為護世　四天大王　威神勢力　之所護持

BD02301 號　金光明經卷二

(16–9)

譬如珎寶　異物篋中　悉在于手　隨意所用
是金光明　亦復如是　隨意能與　諸王法寶
是金光明　微妙經典　常為諸天　恭敬供養
亦為護世　四天大王　威神勢力　之所護持
十方諸佛　常念是經　若有演說　稱讚善哉
亦有百千　无量鬼神　從十方来　擁護是人
若有得聞　是妙經典　心生歡喜　踊躍无量
閻浮提內　无量大衆　皆悉歡喜　集聽是法
聽是經故　具諸威德　增益天衆　精氣身力
尒時四天王聞是偈已白佛言世尊我從昔
来未曾得聞如是微妙寂滅之法我聞是已
心生悲喜涕淚橫流舉身戰慄支節怡解
復得无量不可思議具足妙樂以天曼陁羅
華摩訶曼陁羅華供養奉散於如来上作
如是等供養佛已復白佛言世尊我等四王
各各自在五百鬼神常當隨逐是說法者
而為守護
金光明經大辯神品第七
尒時大辯神白佛言世尊是說法者我當益
其樂說辯才令其所說莊嚴次第善得大
智若是經中　有失文字句義違
錯我能令是說法比丘次第還得解與揔持
令不妄失若有衆生於百千佛所種諸善根
是說法者為是等故於閻浮提廣宣流布
是妙經典令不斷絕復令无量无邊衆生得
聞是經當令是等悉得猛利不可思議大智
慧聚不可稱量功德之聚若解无量種種
方便善能辯暢一切諸論善知世間種種伎

BD02301 號　金光明經卷二

(16–10)

聞是經當令是等悉得猛利不可思議大智
慧聚不可稱量功德之藂若解无量種種
方便善能辯暢一切諸論善知世間種種伎
術能出生死得不退轉必定疾得阿耨多
羅三藐三菩提
金光明經功德天品第八
尒時功德天白佛言世尊是說法者我當隨其
所須之物衣服飲食臥具醫藥及餘資生供
給是人无所乏少令心安住晝夜歡樂正念思惟
是經章句分別深義若有衆生於百千佛種
諸善根是說法者為是等故於閻浮提廣
宣流布是妙經典令不斷絶是諸衆生聽是
經已於未來世无量百千那由他劫常在天
上人中受樂值遇諸佛速成阿耨多羅三藐
三菩提三惡道苦悉畢无餘世尊我已於過
去寶花功德瑠璃金山照明如來應供正遍知
明行足善逝世間解无上士調御丈夫天人師
佛世尊所種善根是故我今隨所念方隨所
視方隨所至方令无量百千衆生受諸快樂
若衣服飲食資生之具金銀七寶真珠琉璃
珊瑚虎珀璧玉珂貝悉无所乏若有人能稱
金光明微妙經典為我供養諸佛世尊三稱
我名燒香供養供養佛已別以香花種種
美味供施於我灑散諸方當知是人即能
聚集資財寶物以是因緣增長地味地神諸
天悉得歡喜所種穀米牙莖枝葉菓實滋茂
樹神歡喜出生无量種種諸物我時慈念諸衆
生故多与資生所須之物世尊於此北方毗沙門

BD02301號　金光明經卷二　（16–11）

美味供施於我灑散諸方當知是人即能
聚集資財寶物以是因緣增長地味地神諸
天悉得歡喜所種穀米牙莖枝葉菓實滋茂
樹神歡喜出生无量種種諸物我時慈念諸衆
生故多与資生所須之物世尊於此北方毗沙門
王有城名曰阿尼曼陁其城有國名德花光
於是國中有最勝園名曰金幢七寶極妙此
即是我常止住處若有欲得財寶增長是人
當於自所住處應淨掃灑洗浴其身著鮮白
衣香塗其身為我至心三稱彼佛寶華琉璃
世尊名号礼拜供養燒香散花亦當三稱金
光明經至誠發願別以香花種種美味供施於我
散灑諸方尒時當說如是章句
波利富樓那遮利　三曼達舍尼
摩訶毗樓伽帝　三曼陁毗陁那伽帝
摩訶迦梨波帝　婆婆祢薩婆三曼陁
修鉢梨富隸　阿夜那達摩帝
摩訶毗鼓畢帝　摩訶弥勒斯僧祇帝
醯帝徒三博祇悕帝　三曼阿呵㖿阿㝹婆羅尼
是灌頂章句畢定吉祥真實不虛等行衆
生及中善根應當受持讀誦通利七日七夜
受持八戒朝暮淨心香花供養十方諸佛常
為己身及諸衆生迴向具足阿耨多羅三藐
三菩提作是誓願令我所求皆得吉祥自於
所居房舍屋宅淨潔掃除若自住處若阿蘭
若處以香泥塗地燒微妙香敷淨好坐以種種花
香布散其地以待於我我於尒時如一念頃入其室
宅即坐其座從此日夜令此居處若村邑若僧

BD02301號　金光明經卷二　（16–12）

[illegible]
若處以香泥塗地燒微妙香敷淨好坐以種花
香布散其地以待於我於尒時如一念須入其室
宅即坐其座從此日夜令此居處若村邑若僧
坊若露地无所乏少若錢若金銀若珎寶若
牛羊若穀米一切所須悉得具足悉受快樂
若能以己所作善根㝡勝之分迴与我者我當
終身不遠其人於所住處至心護念隨其所
求令得成就應當至心礼如是諸佛世尊其名
寶勝如來无垢熾寶光明王相如來金炎光
明如來金百光明照藏如來金山寶蓋如來
金華炎光明如來大炬如來寶相如來亦應
敬礼信相菩薩金光明菩薩金藏菩薩常
悲菩薩法上菩薩亦應敬礼東方阿閦如來
南方寶相如來西方无量壽佛北方微妙聲佛
金光明經堅牢地神品第九
尒時地神堅牢白佛言世尊是金光明經若
現在世若未來世在在處處若城邑聚落
若山澤空處若王宮宅世尊隨是經典所流
布處是地分中敷師子座令說法者坐其座
上廣演宣說是妙經典我當在中常作宿衛
隱蔽其身於法座下頂戴其足我聞法已得
服甘露无上法味增益身力而此大地深十六
万八千由旬從金剛際至海地上悉得眾味增
長具足豐壤肥濃過於今日以是之故閻浮
提內藥草樹木根莖枝葉花菓滋茂美色
香味皆悉具足眾生食已增長壽命色力辯
安六情諸根具足通利威切顏貌端嚴殊特
[illegible]

BD02301號　金光明經卷二

（16–13）

[illegible]
提內藥草樹木根莖枝葉花菓滋茂美色
香味皆悉具足眾生食已增長壽命色力辯
安六情諸根具足通利威切顏貌端嚴殊特
成就如是種種等已所作事業多得成辦有
有大勢力精勤勇猛是故世尊閻浮提內安
隱豐樂人民熾盛一切眾生多受快樂應心
適意隨其所樂是諸眾生得是威德大勢力
已能供養是金光明經及恭敬供養受持經
者四部之眾我於尒時當往其所為諸眾生
受快樂故請說法者廣宣流布如是妙典何
以故世尊是金光明若廣說時我及眷屬所
得切德倍過於常增長身力心進勇銳世尊
我服无上甘露味已閻浮提地縱廣七十由旬豐
壤倍常世尊如此大地眾生所依悉能增長
一切所須之物增長一切所須物已令諸眾生隨
意所用受於快樂種種飲食衣服臥具宮殿
屋宅樹木林藂河池泉井如是等物因依於
地悉皆具足是故世尊是諸眾生為知我恩
應作是念我當畢定聽受是經供養恭敬
尊重讚歎作是念已即從住處若城邑聚
落舍宅空地往法會所聽受是經即聽受已
還其所止各應相慶作如是言我等今者聞此
甚深无上妙法已為攝取不可思議切德之聚
值遇无量无邊諸佛三惡道報已得解脫於
未來世生天上人中受樂是諸眾生各於住
處若為他人演說是經若說一喻一品一緣
若復稱歎一佛菩薩一四句偈乃至一句及稱
[illegible]

BD02301號　金光明經卷二

（16–14）

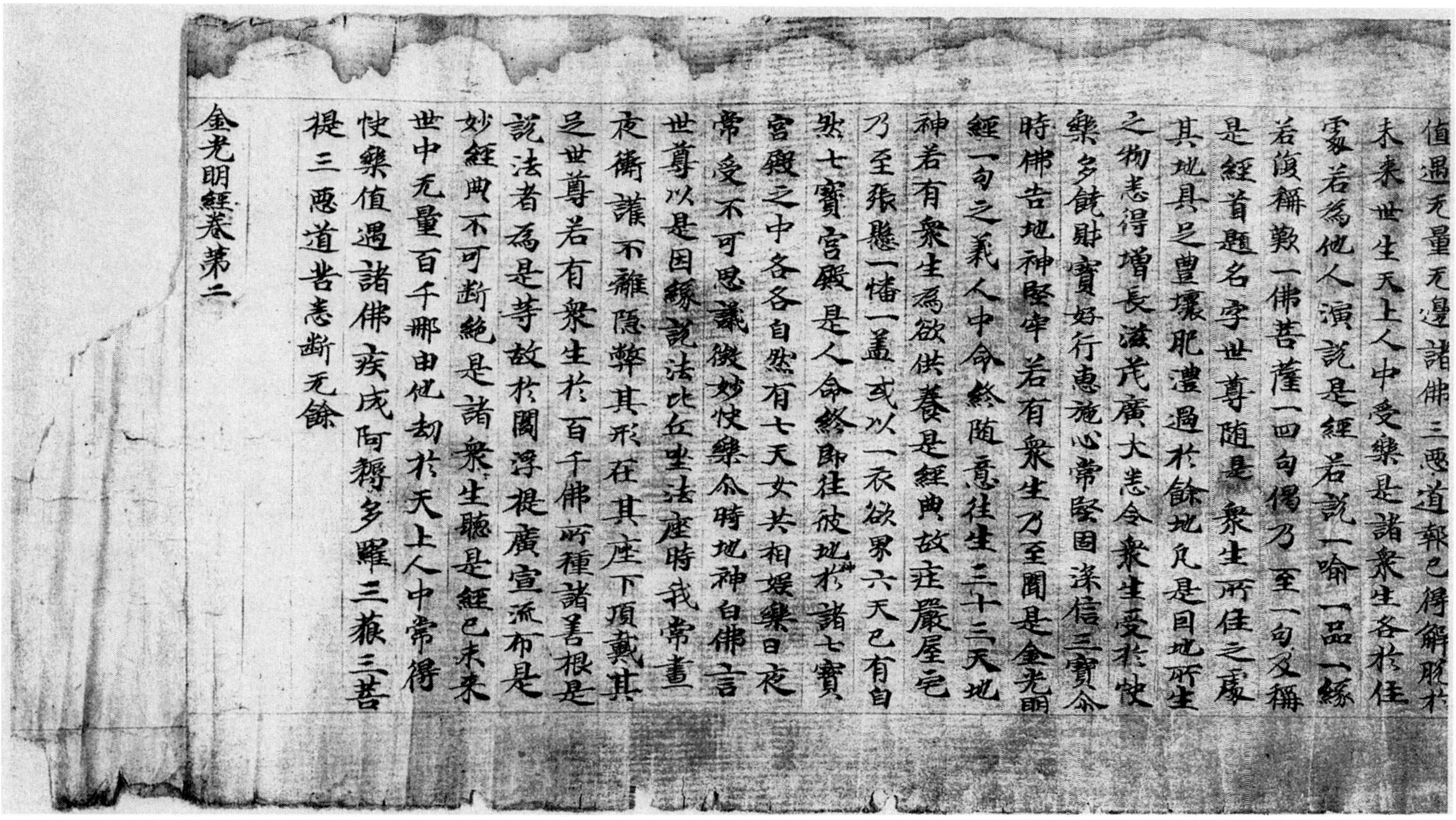
值遇无量无邊諸佛三惡道報已得解脫於
未來世生天上人中受樂是諸衆生各於住
處若為他人演說是經若說一喻一品一緣
若復稱歎一佛菩薩一四句偈乃至一句及稱
是經首題名字世尊隨是衆生所住之處
其地具足豐壤肥濃過於餘地凡是因地所生
之物悉得增長滋茂廣大悉令衆生受於快
樂多饒財寶好行惠施心常堅固深信三寶尒
時佛告地神堅牢若有衆生乃至聞是金光明
經一句之義人中命終隨意往生三十三天地
神若有衆生為欲供養是經典故莊嚴屋宅
乃至張懸一幡一蓋或以一衣欲界六天已有自
然七寶宮殿是人命終即往彼地於諸七寶
宮殿之中各各自然有七天女共相娛樂日夜
常受不可思議微妙快樂尒時地神白佛言
世尊以是因緣說法比丘坐法座時我常晝
夜衛護不離隱弊其形在其座下頂戴其
足世尊若有衆生於百千佛所種諸善根是
說法者為是等故於閻浮提廣宣流布是
妙經典不可斷絕是諸衆生聽是經已未來
世中无量百千那由他劫於天上人中常得
快樂值遇諸佛疾成阿耨多羅三藐三菩
提三惡道苦悉斷无餘
金光明經卷第二

BD02301號　金光明經卷二　（16–15）

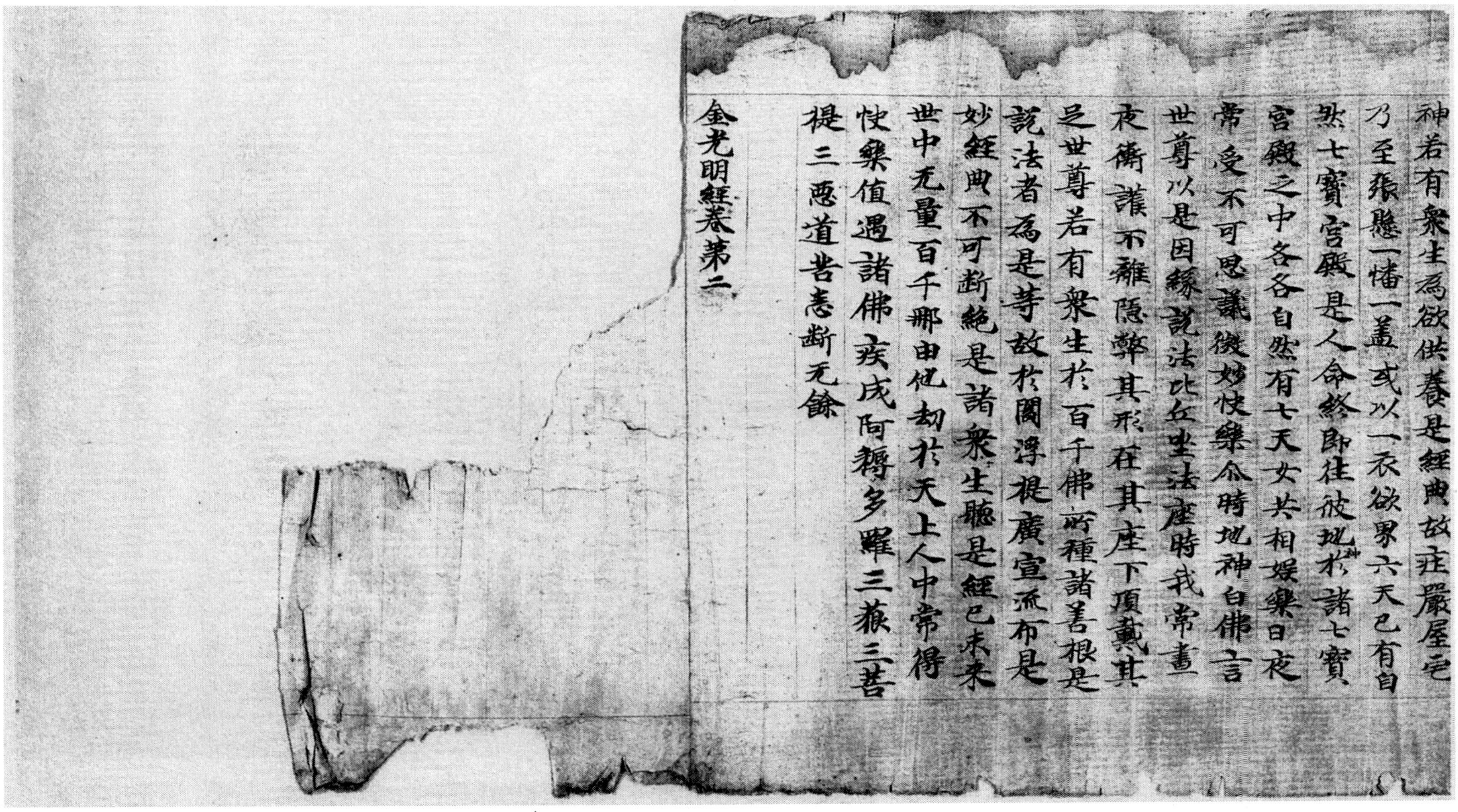
神若有衆生為欲供養是經典故莊嚴屋宅
乃至張懸一幡一蓋或以一衣欲界六天已有自
然七寶宮殿是人命終即往彼地於諸七寶
宮殿之中各各自然有七天女共相娛樂日夜
常受不可思議微妙快樂尒時地神白佛言
世尊以是因緣說法比丘坐法座時我常晝
夜衛護不離隱弊其形在其座下頂戴其
足世尊若有衆生於百千佛所種諸善根是
說法者為是等故於閻浮提廣宣流布是
妙經典不可斷絕是諸衆生聽是經已未來
世中无量百千那由他劫於天上人中常得
快樂值遇諸佛疾成阿耨多羅三藐三菩
提三惡道苦悉斷无餘
金光明經卷第二

BD02301號　金光明經卷二　（16–16）

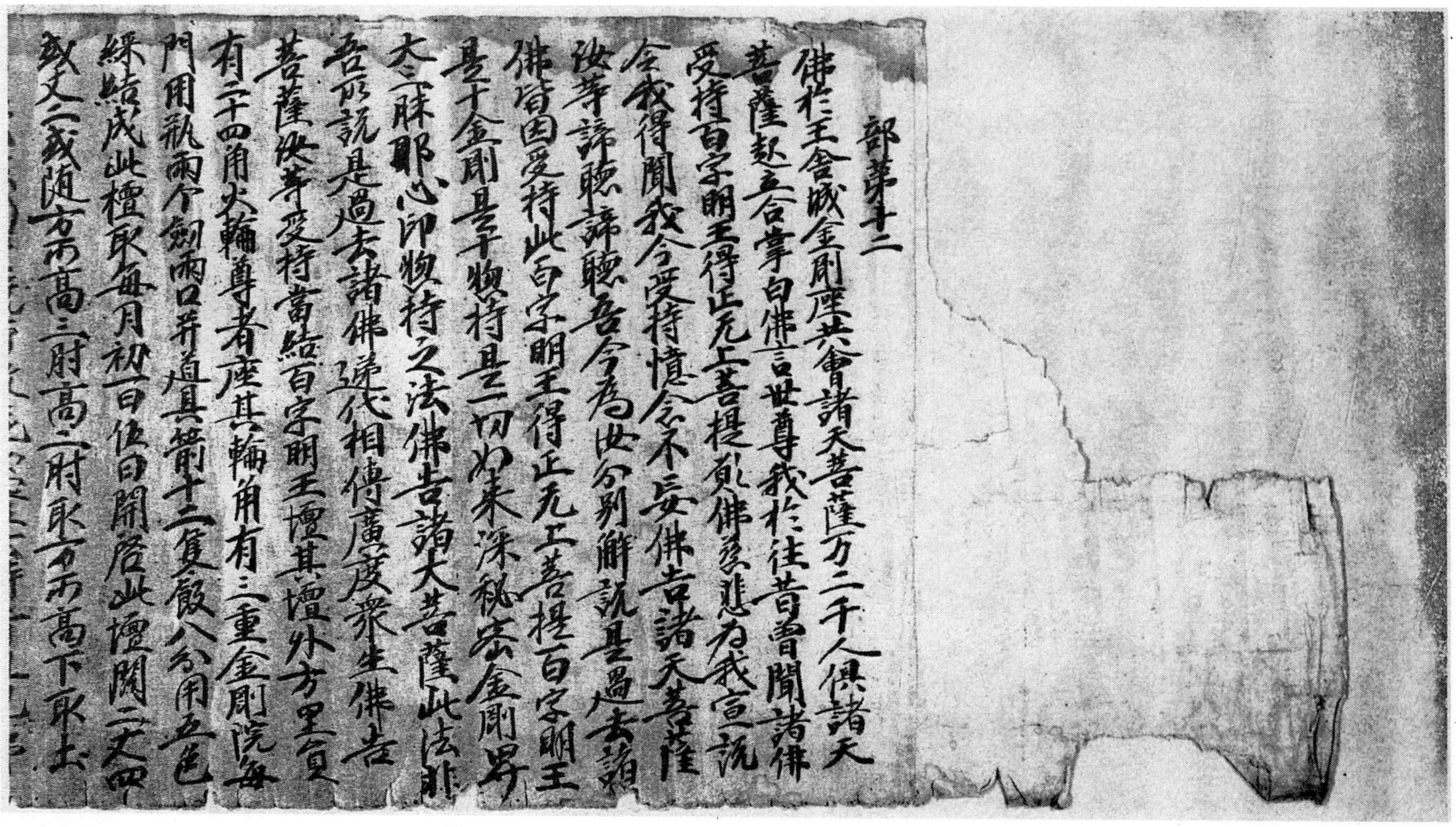
部第十二
佛於王舍城金剛座共會諸天菩薩万二千人俱諸天
菩薩起立合掌白佛言世尊我於往昔曾聞諸佛
受持百字明王得正无上菩提亂佛慈悲爲我宣說
令我得聞我今受持憶念不妄佛言諸天菩薩
汝等諦聽諦聽吾今爲汝分別解說是過去諸
佛皆因受持此百字明王得正无上菩提百字明王
是十金剛是千物持是一切如來深秘密金剛界
大三昧耶心印物持之法佛告諸大菩薩此法非
吾所說是過去諸佛遞代相傳廣度衆生佛告
菩薩汝等受持當結百字明王壇其壇外方里亘
有二十四角火輪尊者座其輪角有三重金剛院每
門用钺兩个劍兩口并道具箭十二隻殷八分用五色
綵結成此壇取每月初一日從日開啓此壇闊二丈四
或丈二或隨方而高三肘高二肘取方而高下取土

BD02301 號背　金剛峻經金剛頂一切如來深妙秘密金剛界大三昧耶修行四十九種壇法經作用威儀法則，
大毗盧遮那佛金剛心地法門法界壇法儀則

（15–1）

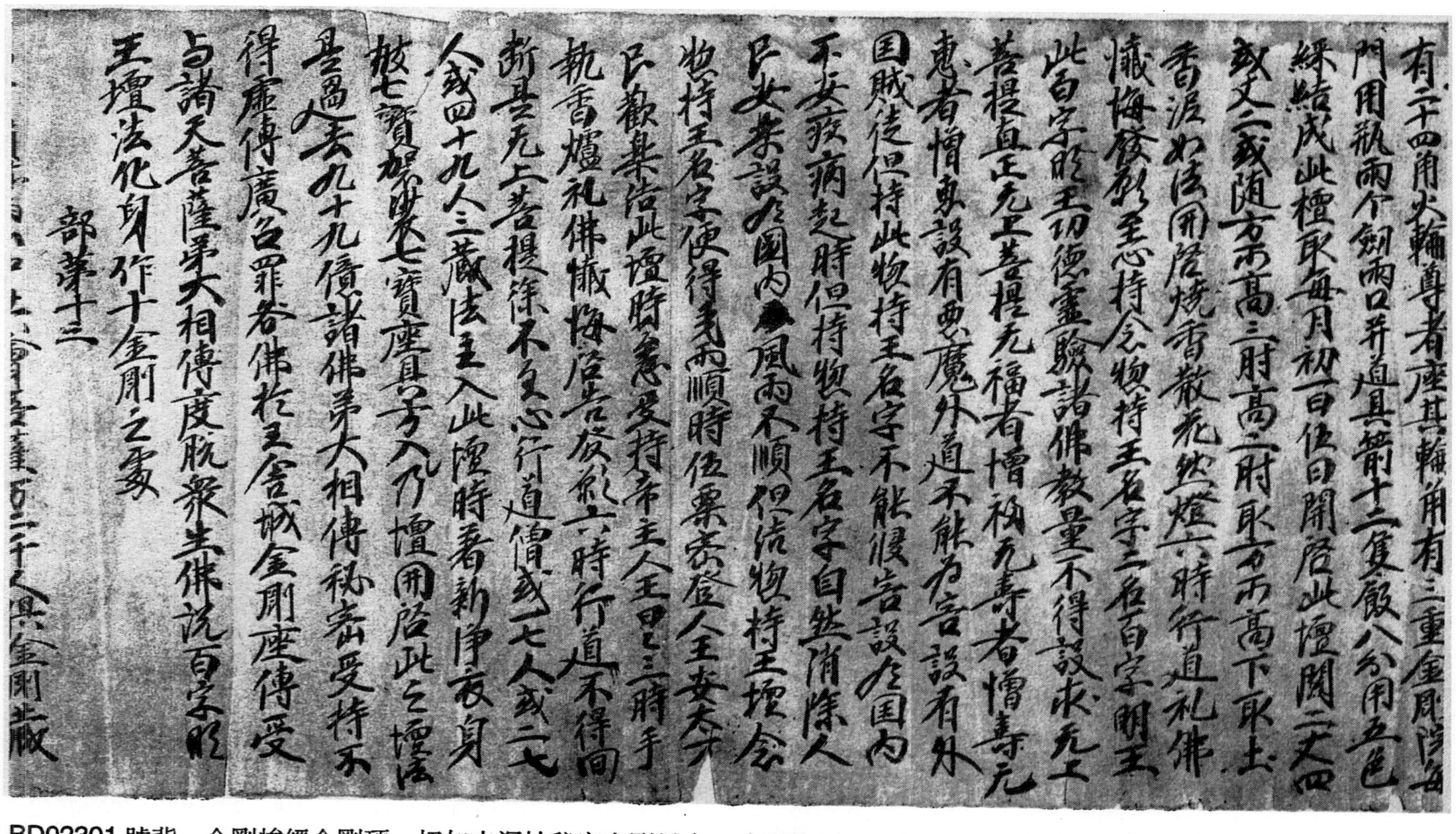
有二十四角火輪尊者座其輪角有三重金剛院每
門用钺兩个劍兩口并道具箭十二隻殷八分用五色
綵結成此壇取每月初一日從日開啓此壇闊二丈四
或丈二或隨方而高三肘高二肘取方而高下取土
香泥如法用啓燒香散花然燈六時行道礼佛
懺悔發願至心持念物持王名字三百字明王
此百字明王功德靈驗諸佛教量不得說求无上
菩提直正无上菩提无福者增福无壽者增壽无
惠者增惠設有惡魔外道不能爲害設有外
国賊徒但持此物持王名字不能侵害設於国內
不安疾病起時但持物持王名字自然消除人
民安樂設於国內風雨不順但誦物持王壇念
物持王名字便得風雨順時伍果豐登人王安太
民歡樂結此壇時意受持帝主人王日三時手
執香爐礼佛懺悔啓告發願六時行道不得向
斷是无上菩提深不生心行道僧或一七人或二七
人或四十九人三藏法主入此壇時著新淨衣身
披七寶加七寶座具手入乃壇用啓此之壇法
是過去九十九億諸佛弟大相傳秘密受持不
得座傳廣召罪咎佛於王舍城金剛座傳受
与諸天菩薩弟大相傳度脫衆生佛說百字明
王壇法化身作十金剛之處
部第十三
[illegible]

BD02301 號背　金剛峻經金剛頂一切如來深妙秘密金剛界大三昧耶修行四十九種壇法經作用威儀法則，
大毗盧遮那佛金剛心地法門法界壇法儀則

（15–2）

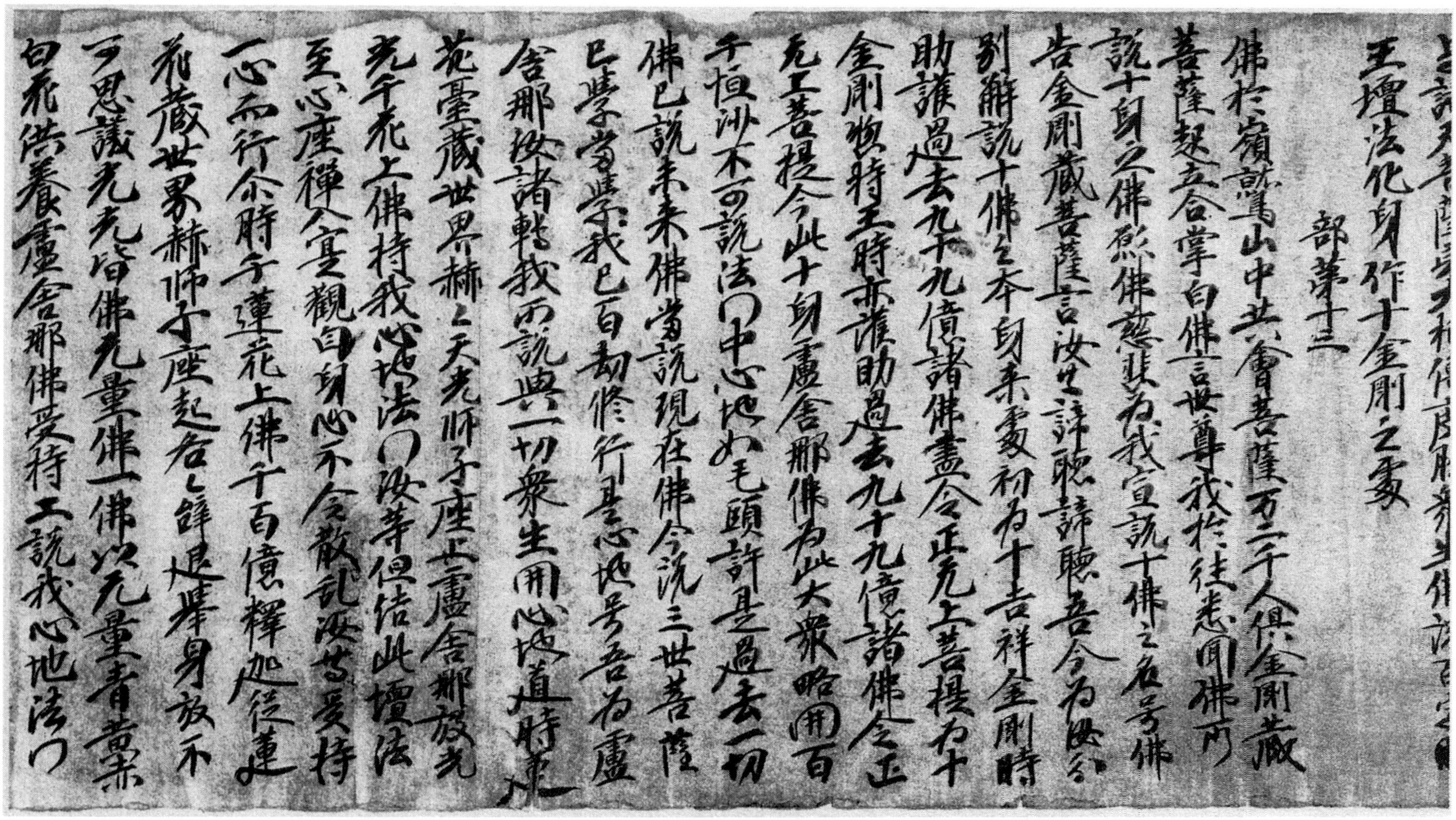

[illegible]
王壇法化身作十金剛之處
部第十三
佛於嶺鷲山中共會菩薩万二千人俱金剛藏
菩薩起立合掌白佛言世尊我於往昔聞佛所
說十身之佛然佛慈悲為我宣說十佛之名号佛
告金剛藏菩薩言汝等諦聽諦聽吾今為汝分
別解說十佛之本身來處初為十吉祥金剛時
助護過去九十九億諸佛盡令正无上菩提為十
金剛物持王時亦護助過去九十九億諸佛令正
无上菩提今此十身盧舍那佛為此大衆略開百
千恒沙不可說法門中心地如毛頭許是過去一切
佛已說未來佛當說現在佛今說三世菩薩
已學當學我已百劫修行是心地号吾為盧
舍那汝諸轉我所說與一切衆生開心地道時蓮
花臺藏世界赫赫天光師子座上盧舍那放光
光千花上佛持我心地法門汝等俱結此壇法
至心座禪入寔觀自身心不令散亂汝等受持
一心而行尒時千蓮花上佛千百億釋迦從蓮
花藏世界赫師子座起各各辭退舉身放不
可思議光光皆佛无量佛一佛以无量青黃赤
白花供養盧舍那佛受持上說我心地法門

BD02301 號背　金剛峻經金剛頂一切如來深妙秘密金剛界大三昧耶修行四十九種壇法經作用威儀法則，
大毗盧遮那佛金剛心地法門法界壇法儀則　（15–3）

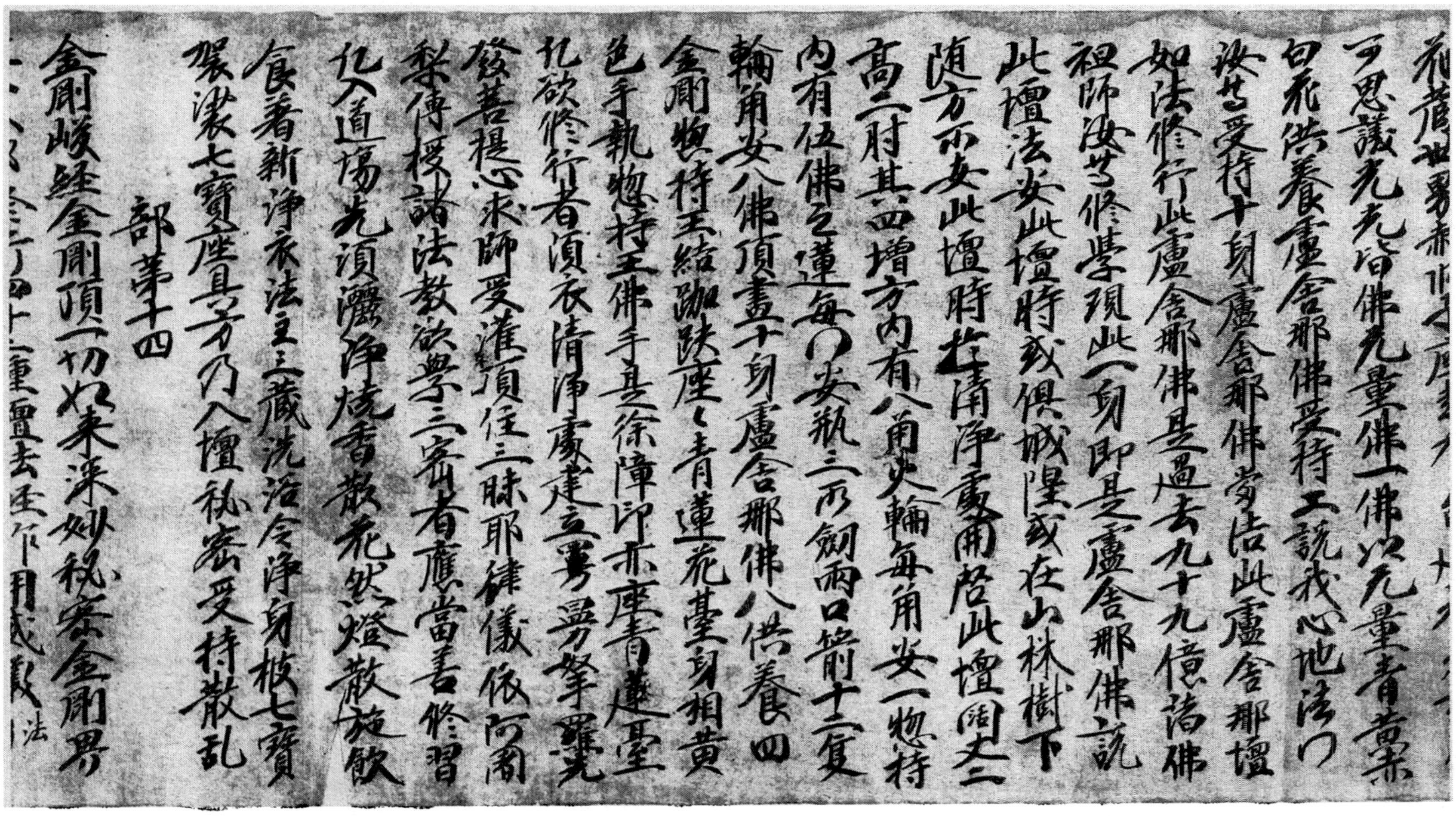

[illegible]
可思議光光皆佛无量佛一佛以无量青黃赤
白花供養盧舍那佛受持上說我心地法門
汝等受持十身盧舍那佛告此盧舍那壇
如法修行此盧舍那佛是過去九十九億諸佛
祖師汝等修學現此一身即是盧舍那佛說
此壇法安此壇時或俱城隍或在山林樹下
隨方所安此壇時於清淨處開啓此壇闊丈二
高二肘其四增方內有八葉火輪每角安一物持
內有伍佛之蓮每門安瓶二所劍兩口箭十二隻
輪角安八佛頂盡十身盧舍那佛八供養四
金剛物持王結跏趺座座青蓮花臺身相黃
色手執物持王佛手是除障印亦座青蓮臺
凡欲修行者須衣清淨處建立曼拏羅先
發菩提心求師受灌頂住三昧耶律儀依阿闍
梨傳授諸法教欲學三密者應當善修習
凡入道場先須灑淨燒香散花然燈散施飲
食著新淨衣法主三藏洗浴令淨身披七寶
袈裟七寶座具方乃入壇秘密受持散亂
部第十四
金剛峻經金剛頂一切如來深妙秘密金剛界
[illegible]

BD02301 號背　金剛峻經金剛頂一切如來深妙秘密金剛界大三昧耶修行四十九種壇法經作用威儀法則，
大毗盧遮那佛金剛心地法門法界壇法儀則　（15–4）

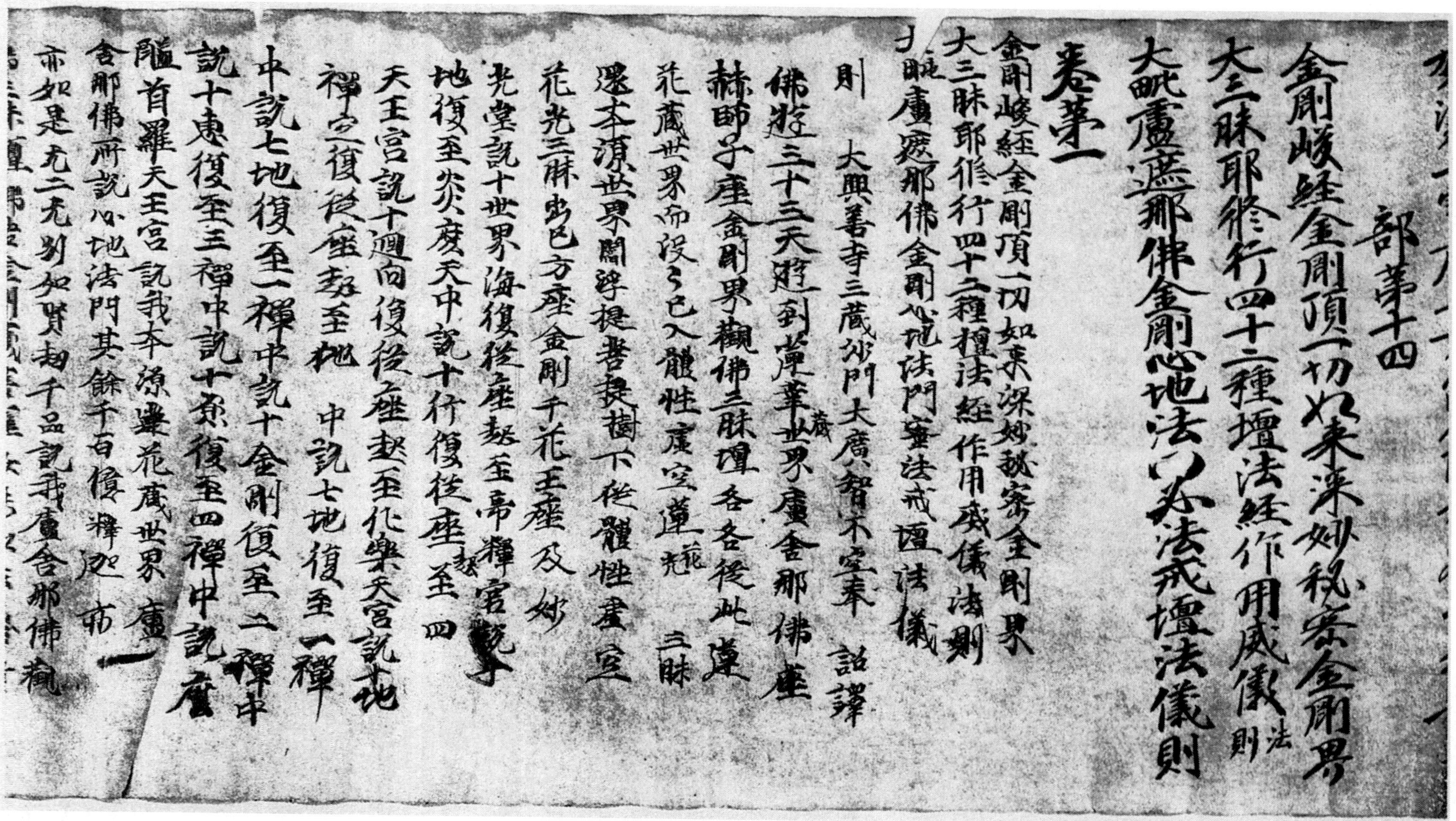

部第十四
金剛峻經金剛頂一切如來深妙秘密金剛界
大三昧耶修行四十二種壇法經作用威儀法則
大毗盧遮那佛金剛心地法門密法戒壇法儀則
卷第一
金剛峻經金剛頂一切如來深妙秘密金剛界
大三昧耶修行四十二種壇法經作用威儀法則
大毗盧遮那佛金剛心地法門密法戒壇法儀
則　大興善寺三藏沙門大廣智不空奉　詔譯
佛從三十三天降到蓮華藏世界盧舍那佛座
赫師子座金剛界觀佛三昧壇各各從此蓮
花藏世界而沒沒已入體性虛空蓮花三昧
還本源世界閻浮提菩提樹下從體性虛空
花光三昧出已方座金剛千花王座及妙
光堂說十世界海復從座起至帝釋宮說十
地復至炎摩天中說十行復從座起至四
天王宮說十迴向復從座起至化樂天宮說十地
禪定復從座起至地　中說七地復至一禪
中說七地復至一禪中說十金剛復至二禪中
說十忍復至三禪中說十願復至四禪中說摩
醯首羅天王宮說我本源蓮花藏世界盧
舍那佛所說心地法門其餘千百億釋迦亦
亦如是无二无別如賢劫千品說我盧舍那佛觀

BD02301 號背　金剛峻經金剛頂一切如來深妙秘密金剛界大三昧耶修行四十九種壇法經作用威儀法則，
大毗盧遮那佛金剛心地法門法界壇法儀則

(15–5)

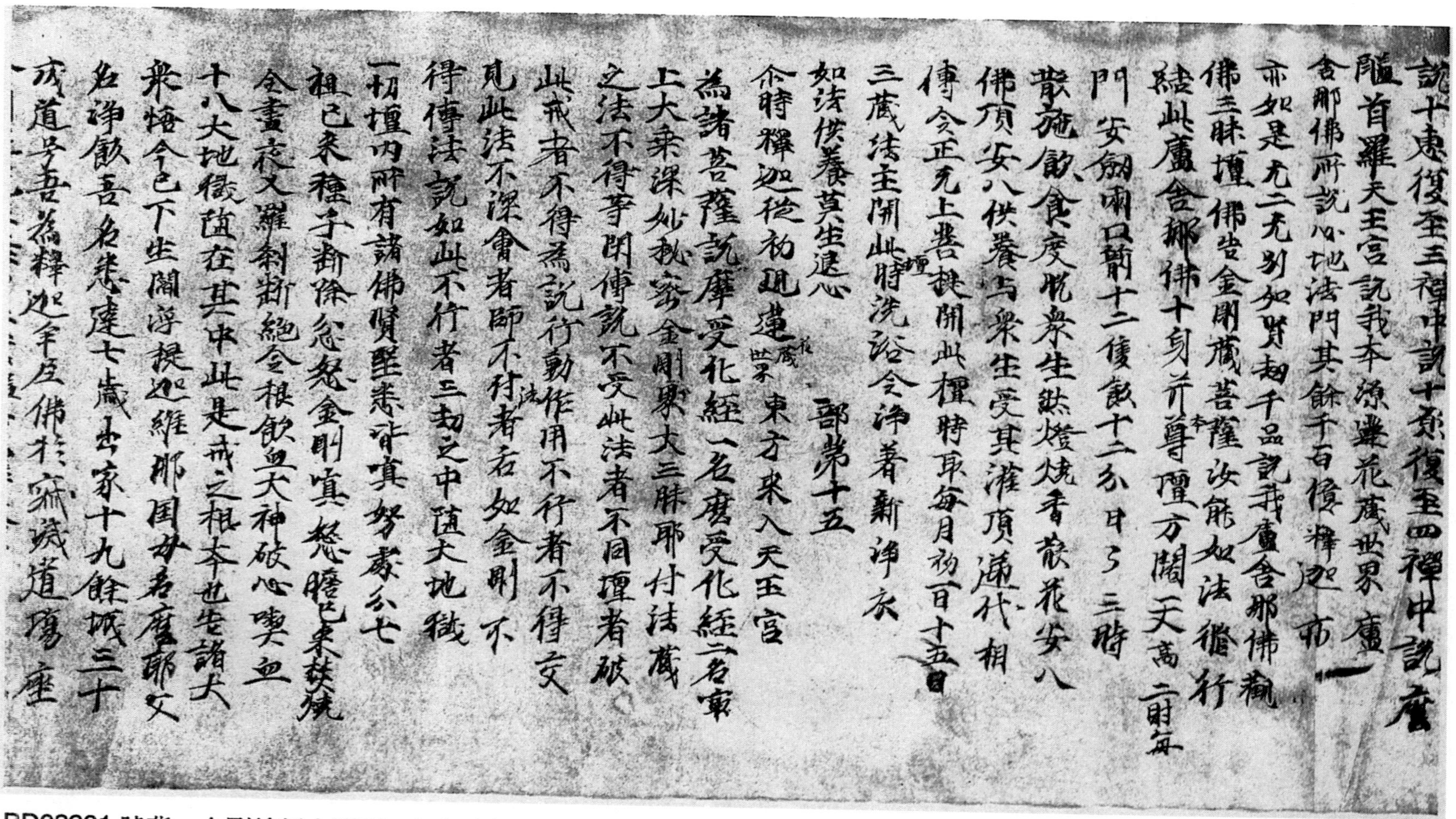

說十忍復至三禪中說十願復至四禪中說摩
醯首羅天王宮說我本源蓮花藏世界盧
舍那佛所說心地法門其餘千百億釋迦亦
亦如是无二无別如賢劫千品說我盧舍那佛觀
佛三昧壇佛告金剛藏菩薩汝能如法修行
結此盧舍那佛十身本尊壇方闊一丈高二尺每
門安劍兩口鞘十二條鏡十二分日ら三時
散施飲食度脫衆生然燈燒香散花安八
佛頂安八供養与衆生受其灌頂遞代相
傳令正无上菩提開此壇時取每月初一十五日
三藏法主開此壇時洗浴令淨著新淨衣
如法供養莫生退心　部第十五
爾時釋迦從初現蓮花藏世界東方來入天王宮
為諸菩薩說摩受化經一名摩受化經二名東
上大乘深妙秘密金剛界大三昧耶付法藏
之法不得等閑傳說不受此法者不同壇者破
此戒者不得為說行動作用不行者不得交
見此法不深會者師不付法者右如金剛不
得傳法說如山不行者三劫之中墮大地獄
一切壇內所有諸佛賢聖悉皆嗔努處分七
祖已來種子斷除忿怒金剛嗔怒瞻巳來焚燒
令盡衣叉羅剎斷絕命根飲血大神破心喫血
十八大地獄墮在其中此是戒之根本世告諸大
衆悟令巳下生閻浮提迦維那國母名摩耶父
名淨飯吾名悉達七歲出家十九踰城三十
成道号吾為釋迦牟尼佛於寂滅道場座

BD02301 號背　金剛峻經金剛頂一切如來深妙秘密金剛界大三昧耶修行四十九種壇法經作用威儀法則，
大毗盧遮那佛金剛心地法門法界壇法儀則

(15–6)

十八大劫住在[illegible]
衆悟今已下生閻浮提迦維那國母名摩耶父
名淨飯吾名悉達七歲出家十九餘城三十
成道号吾為釋迦牟尼佛於寂滅道場座
金剛花光王座乃至摩醯首羅天王宮其中
次第十住處所說時佛觀諸大梵天王網羅幢
因為說无量世界猶如網孔一一世界各各不
同別異无量佛教門亦復如是吾今來此世界
猶如網孔一一世界各各不同別異无量佛
教門亦復如是吾今來此世界八千反為此
娑婆世界座金剛花光王座乃至摩醯首羅
天王宮是中一切大衆 略開心地復從天王宮
下至閻浮提菩提樹下此地上一切衆生凡夫
癡闇之人說本盧舍那佛心地是一切本源
一切菩薩本源佛性種子一切衆生皆有佛性一
切意識色心是情是心如是皆入佛性戒中當
當常有因有故有當當常住法身出於世界是
法戒三世一切衆生頂戴受持吾今為此大衆
重說十无盡藏法門我今盧舍那
方坐蓮花臺 周匝千花上 復現千釋迦 一花百億國
一國一釋迦 各坐菩提樹 一時成佛道 如是千百億
盧舍那本身
佛告金剛藏菩薩此最上大乘過去九十九億
恒河沙佛盡登金剛界得正无上菩提汝等受持
四十二種最上大乘變化一切衆生此壇之法
[illegible]

BD02301 號背　金剛峻經金剛頂一切如來深妙秘密金剛界大三昧耶修行四十九種壇法經作用威儀法則，
大毗盧遮那佛金剛心地法門法界壇法儀則
（15–7）

[illegible]
恒河沙佛盡登金剛界得正无上菩提汝等受持
四十二種最上大乘變化一切衆生此壇之法
汝等至心受持真正无上菩提金剛頂一切如
來真實攝[illegible]最上大乘現證大教王經深妙秘
密金剛界梯於蓮花藏世界付与金剛藏菩
薩四十二種壇度化衆生先結五佛之壇闊丈二
高二肘或二丈四高三肘其壇方安門安雜二所
飾兩口釘十二橛飯十二盆每角燃四燈內
有五佛之座準地隨其方色開此壇時取正月
五月五日九月九日十八日開好淨處開壇
三藏法主洗浴令淨著新淨衣身被七寶袈
裟衣七寶坐具負壇僧四十二人散花六十人天人
莊嚴入王帝主日日三時手執香爐六時行道
礼佛懺悔發願至心受持无不成佛秘密受持
不得虛傳五佛四菩薩四金剛八供養淨地菩薩
白色淨戒菩薩青色懺悔菩薩赤色結界菩
薩淡色大慈金剛東門大悲金剛南門大喜金
剛西門大捨金剛北門　　部第十六
介時佛於忉利天宮為如說法時諸菩薩起立
合掌白佛言世尊我聞世尊開啓五佛之壇度
化衆生盡正无上菩提願發慈悲為我宣說開
啓五佛之壇變化我等令正无上菩提佛告諸大菩
薩善哉善吾今為汝分別解說五佛之壇是
過去九十九億諸佛遞代相傳非吾所說此
是深妙秘密最上大乘金剛界大三昧耶現

BD02301 號背　金剛峻經金剛頂一切如來深妙秘密金剛界大三昧耶修行四十九種壇法經作用威儀法則，
大毗盧遮那佛金剛心地法門法界壇法儀則
（15–8）

薩善哉善哉吾今為汝分別解說五佛之壇是
過去九十九億諸佛遞代相傳非吾所說此
是深妙秘密最上大乘金剛界大三昧耶現
證大教王物持經吾今為汝開啟度化天人令正
无上菩提乃至過去諸佛盡證金剛界得正无
上菩提吾今付汝至心受持無不成佛也安此
壇時闊二丈四或丈二高二肘四增方內有五佛
之蓮每門氣五箇劍兩口箭十二隻安門兩伴并
四角安惣持飯十二分開此壇時開清淨處用
好土香泥如法開啟安清戒菩薩青色淨地
菩薩白色懺悔菩薩赤色結界菩薩緑色八供
養四金剛東門大慈金剛南門大悲金剛西門
大喜金剛北門大舍金剛五佛東門阿閦佛白色
南門寶生佛青色西門阿弥陁佛赤色北門不空成就緑色
壇心是釋迦佛若是国王大臣婆羅門居士善男子
善女人欲求无上菩提恒請三藏阿闍梨傳受
教法六時行道礼佛懺悔發願燒香散花嚴
施飲食度化有情定正无上菩提入此壇時著
新淨衣食三白之食受此法是大壺寶受持不令
間斷至心受持大教王經无上菩提定無所失也

部第十七

尒時佛於薄伽梵在室羅筏城住誓多林給孤
獨園共會諸天菩薩万二千人俱諸天菩薩
起立合掌白佛言世尊我聞世尊五佛八菩
薩懺悔之壇願佛慈悲我為宣說我今受持

BD02301 號背　金剛峻經金剛頂一切如來深妙秘密金剛界大三昧耶修行四十九種壇法經作用威儀法則，
大毗盧遮那佛金剛心地法門法界壇法儀則

（15–9）

獨園共會諸天菩薩万二千人俱諸天菩薩
起立合掌白佛言世尊我聞世尊五佛八菩
薩懺悔之壇願佛慈悲我為宣說我今受持
億持不妄度化衆生佛告諸大菩薩讚言善
善哉吾為汝等分別解說五佛八菩薩之壇
非吾所說過去九十九億諸佛遞代相傳度
化衆生汝等受持物妄宣傳此是物持大教
王經功德盡驗教量不得妄令付汝至心
受持不令妄失當結此五佛八菩薩之壇闊
十二肘高二肘外四增方重是金剛界內一增員
亦是金剛界里有五佛之壇每門氣三箇并
道俱劍兩口箭十二隻安門兩伴并四角繖蓋
分日三三時發施求懺有情遇此懺悔之壇懇
令生天設有国王大臣婆羅門居士孝
善男子善女人所造罪業如山如嶽懇至道罪
飲食消食因音一切重罪自然消滅結此壇時恒
請教主三藏阿闍梨開啓壇時用淨土香泥
法如安致八菩薩八供養四金剛八菩薩者
淨戒菩薩青色懺悔菩薩白色淨地菩薩
赤色結界菩薩緑色播揵菩薩青色縺吒
菩薩緑色護界菩薩青色懺悔菩薩黃色
東門阿閦佛白色南門寶生佛青色西門阿
弥陁佛赤色北門毘盧佛緑色東門大慈金剛白色
南門大悲金剛青色西門大喜金剛赤色北門大舍金剛緑色
八供養尋常安致此是如意輪懺悔之聖衆急來如意
便得如意若有懺悔悉皆清淨身謝命終

BD02301 號背　金剛峻經金剛頂一切如來深妙秘密金剛界大三昧耶修行四十九種壇法經作用威儀法則，
大毗盧遮那佛金剛心地法門法界壇法儀則

（15–10）

南門大悲金剛青色西門大喜金剛赤色北門大舍金剛綠色
八供養尋常安致此是如意輪懺悔之聖衆並如意
便得如意若有懺悔悉皆請淨身謝命終
不墮惡趣若未无上菩提直取无上菩提開
此壇時三藏法主洗浴令淨著新淨衣身披
七寶袈裟七寶座具方乃入人王帝主日
三時手執香爐六時行道礼佛懺悔願求
如意悉皆滿足至心受持莫妄宣傳佛說懺悔
之壇　部第十八
尒時佛於王舍城金剛座共諸天菩薩万二
千人俱佛觀三昧護身壇法諸大菩薩起立
合掌白佛言世尊我聞世尊護身之壇唯願佛
慈悲為我宣說護身壇法我能受持不敢
妄失佛言汝等讚言善哉善哉帝聽帝聽
善思念之吾今為汝分別解說護身壇法非
吾所說是過去九十九億諸佛遞代相傳度
化衆生非吾所作佛告金剛菩薩吾今付汝
莫妄宣傳此八金剛四菩薩八供養五佛身
是過去九十九億諸佛皆是八金剛四菩薩
供養五佛護身結界登金剛位得正无上菩
提汝等受持莫令妄失興慈運悲度化衆生
當結此五佛八金剛四菩薩八供養護身之
壇結此壇時開清淨處用淨土香泥方闊
十二肘高二肘外兩壇方內一壇貢果三壇方內
伍佛蓮花貢物是金剛界內四供養瓶三个
劍兩口并道俱四角安八惣持外供養每門

BD02301 號背　金剛峻經金剛頂一切如來深妙秘密金剛界大三昧耶修行四十九種壇法經作用威儀法則，
大毗盧遮那佛金剛心地法門法界壇法儀則　（15–11）

十二肘高二肘外兩壇方內一壇貢果三壇方內
伍佛蓮花貢物是金剛界內四供養瓶三个
劍兩口并道俱四角安八惣持外供養每門
安瓶一所劍兩口并具箭十二隻安門兩畔并
四角飲十二分遞二壇蓮華中安偈座劍此壇
安了如法受持恒取正月一日三月一日五月一日
九月一日二月一日開此壇時恒請三藏法主如
開啓安五佛八金剛四菩薩八供養當揚盧
舍那佛黃色東門阿閦佛青色南門寶生佛
青色西門阿弥陀赤色北門得座佛綠色
淨戒菩薩青色懺悔白色結界菩薩
赤色惣持菩薩綠色東門大慈金剛黃色
南門大悲金剛青色西門大喜金剛赤色北門
大捨金剛綠色八供養尋常結界金剛黃色
護界金剛青色護身金剛赤色護法金剛
綠色應請三藏法主洗浴令淨身披七寶袈
裟七寶座具人王帝主手執香爐何諸聖
衆來入道場日三時礼佛懺悔燒香發願
六時行道持吾大教不得間斷從上諸佛護身
之法受持亦復如是汝等受持不令間斷此
法靈驗又能護國護仁及護自身若有天
魔外道狂口賊徒虎狼師子不能近身結此
護身之壇時吾大教王惣持王結座禪觀行
不為衆魔惱害安心修道直取无上菩提佛
說觀行三昧壇法　部第十九
尒時佛於伽維那園共會諸天菩薩万二千人

BD02301 號背　金剛峻經金剛頂一切如來深妙秘密金剛界大三昧耶修行四十九種壇法經作用威儀法則，
大毗盧遮那佛金剛心地法門法界壇法儀則　（15–12）

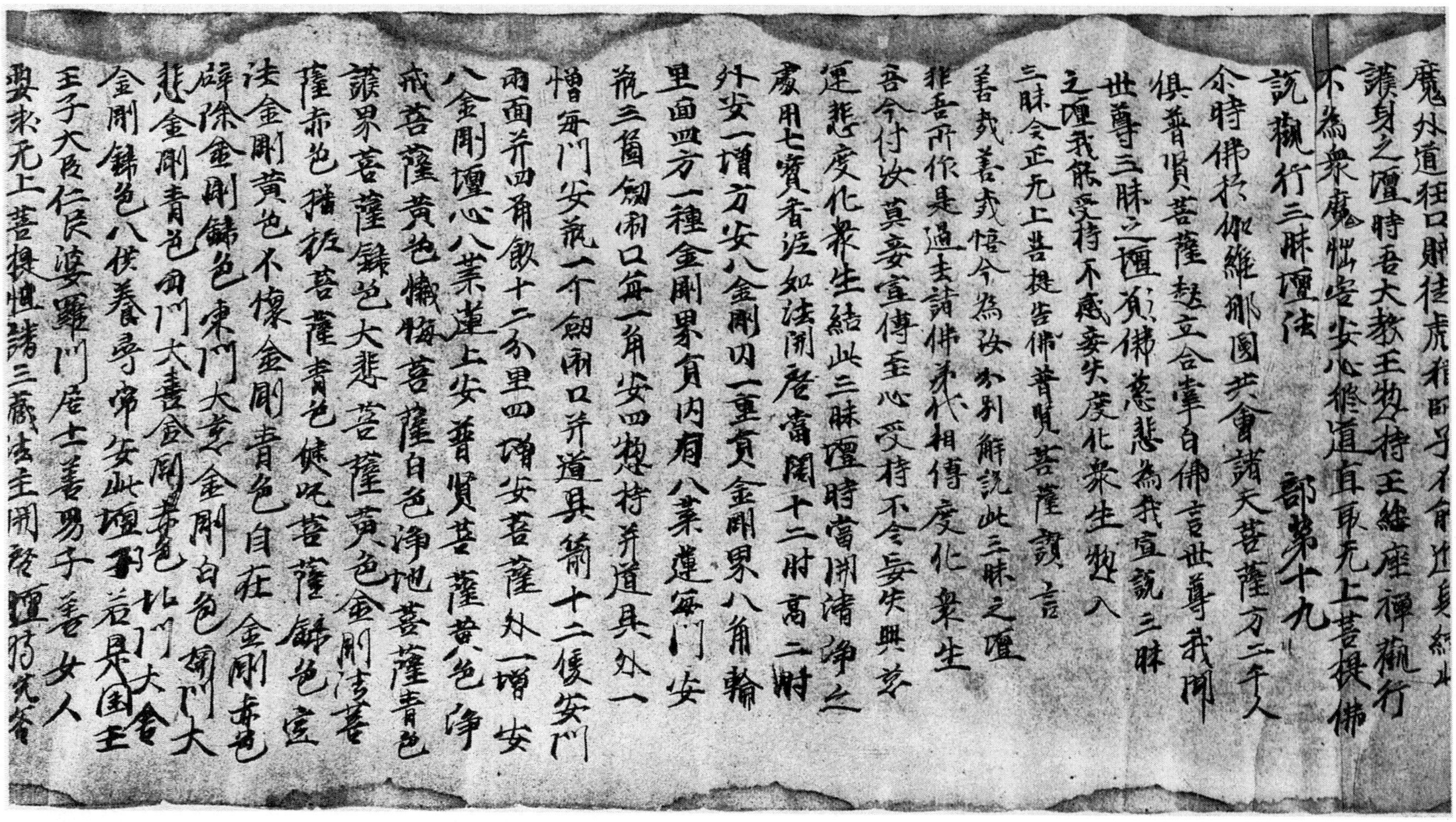
魔外道狂口賊徒虎狼師子不能近身
護身之壇時吾大教王物持王經座禪觀行
不為衆魔惱害安心修道直取无上菩提佛
說觀行三昧壇法　部第十九
尒時佛於毗盧遮那國共會諸天菩薩万二千人
俱普賢菩薩起立合掌白佛言世尊我聞
世尊三昧之壇頂禮佛慈悲為我宣說三昧
之壇我能受持不感妄失度化衆生物入
三昧令正无上菩提告佛普賢菩薩讚言
善哉善哉憶令為汝分別解說此三昧之壇
非吾所作是過去諸佛承代相傳度化衆生
吾今付汝莫妄宣傳至心受持不令妄失興茲
運悲度化衆生結此三昧壇時當開清淨之
處用七寶香泥如法開磨當開十二肘高二肘
外安一壇方安八金剛內一重頂金剛界八角輪
里面四方一種金剛界頂內有八葉蓮每門安
瓶三箇劍兩口每一角安四幡持并道具外一
幡每門安瓶一个劍兩口并道具箭十二隻安門
兩面并四角歛十二分里四壇安菩薩外一壇安
八金剛壇心八葉蓮上安普賢菩薩黃色淨
戒菩薩黃色懺悔菩薩白色淨地菩薩青色
護界菩薩錄色大悲菩薩黃色金剛法菩
薩赤色擂拔菩薩青色健吒菩薩錄色定
法金剛黃色不懷金剛青色自在金剛赤色
辟除金剛錄色東門大悲金剛白色南門大
悲金剛青色西門大喜金剛赤色北門大會
金剛錄色八供養亭常安此壇郡若是國王
王子大臣仁民婆羅門居士善男子善女人
要求无上菩提恒諸三藏法主開發壇時先啓

BD02301 號背　金剛峻經金剛頂一切如來深妙秘密金剛界大三昧耶修行四十九種壇法經作用威儀法則，
大毗盧遮那佛金剛心地法門法界壇法儀則　（15–13）

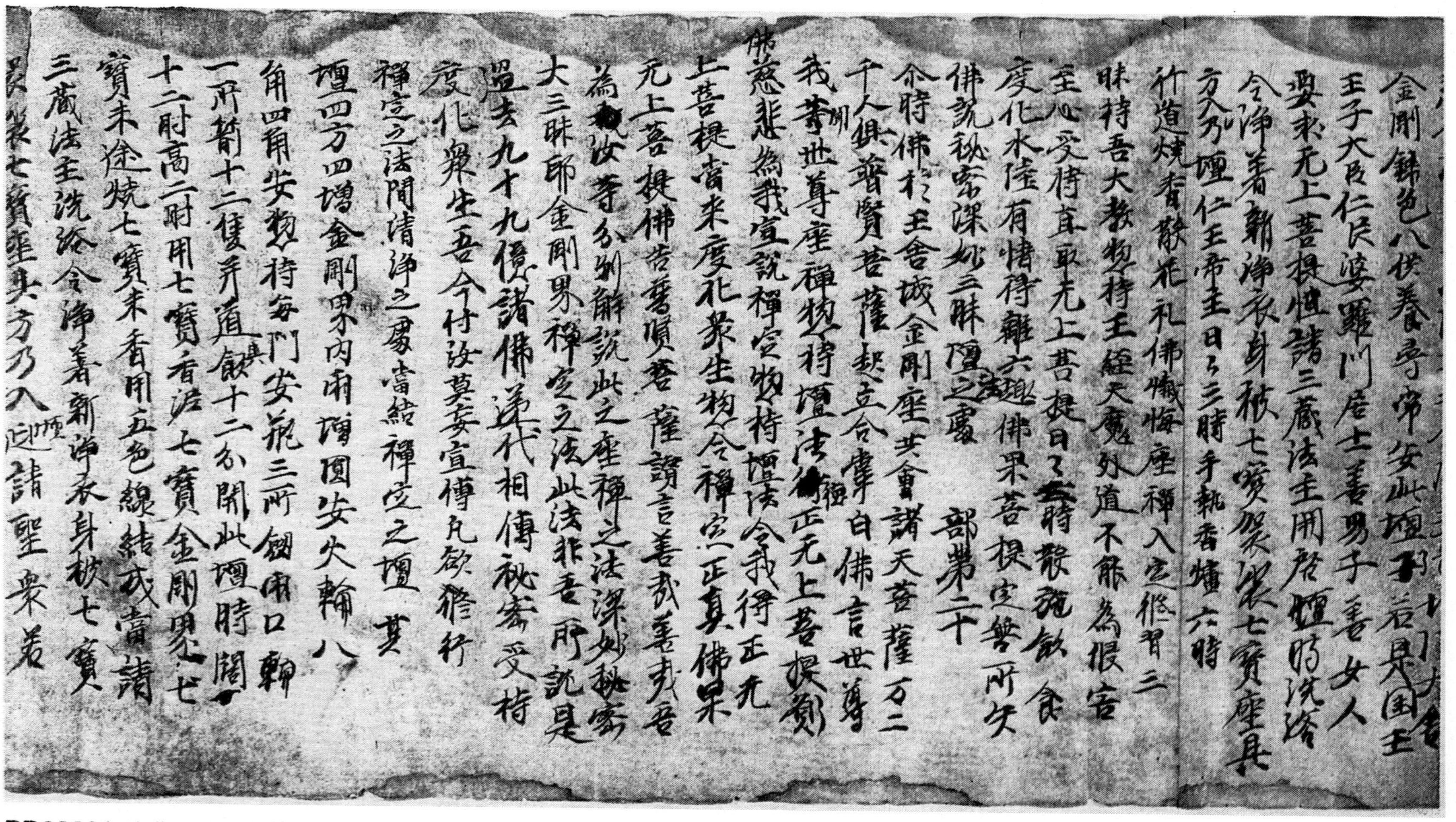
金剛錄色八供養亭常安此壇郡若是國王
王子大臣仁民婆羅門居士善男子善女人
要求无上菩提恒請三藏法主開啓壇時洗浴
令淨著新淨衣身被七寶袈裟七寶座具
方入乃壇仁王帝主日日三時手執香爐六時
行道燒香散花礼佛懺悔座禪入定修習三
昧持吾大教物持王經天魔外道不能為服害
至心受持直取无上菩提日日六時散施飲食
度化水陸有情得離六趣佛果菩提定無所欠
佛說秘密深妙三昧壇之處
尒時佛於王舍城金剛座共會諸天菩薩万二　部第二十
千人俱普賢菩薩起立合掌白佛言世尊
我聞世尊座禪物持壇法得正无上菩提頂礼
佛慈悲為我宣說禪定物持壇法令我得正无
上菩提當來度化衆生物令禪定正真佛果
无上菩提佛告普賢菩薩讚言善哉善哉吾
為汝等分別解說此之座禪之法深妙秘密
大三昧耶金剛界禪定之法此法非吾所說是
過去九十九億諸佛承代相傳秘密受持
度化衆生吾今付汝莫妄宣傳凡欲修行
禪定之法問清淨之處當結禪定之壇其
壇四方四增金剛界內兩增圓安火輪八
角四角安物持每門安瓶三所劍兩口輪
一所箭十二隻并道具歛十二分開此壇時闊
十二肘高二肘用七寶香泥七寶金剛界七
寶未塗燒七寶末香用五色線結戒當請
三藏法主洗浴令淨著新淨衣身披七寶
袈裟七寶座具方乃入壇請聖衆若

BD02301 號背　金剛峻經金剛頂一切如來深妙秘密金剛界大三昧耶修行四十九種壇法經作用威儀法則，
大毗盧遮那佛金剛心地法門法界壇法儀則　（15–14）

寶末塗燒七寶末香用五色線結成壇請
三藏法主洗浴令淨著新淨衣身披七寶
袈裟七寶座其方乃入壇延請聖衆若
是國王王子大臣官長婆羅門居士等善
男子善女人優婆塞優婆夷欲作行
座禪之法作正无上菩提先從師受四十八戒
受於灌頂手執香爐礼佛懺悔受持緣如縁
吾金剛界大三昧耶修持大教王成佛經此大
教王經從上過去九十九億諸佛地大相傳示
[illegible]

BD02301 號背　金剛峻經金剛頂一切如來深妙秘密金剛界大三昧耶修行四十九種壇法經作用威儀法則，
大毗盧遮那佛金剛心地法門法界壇法儀則　（15–15）

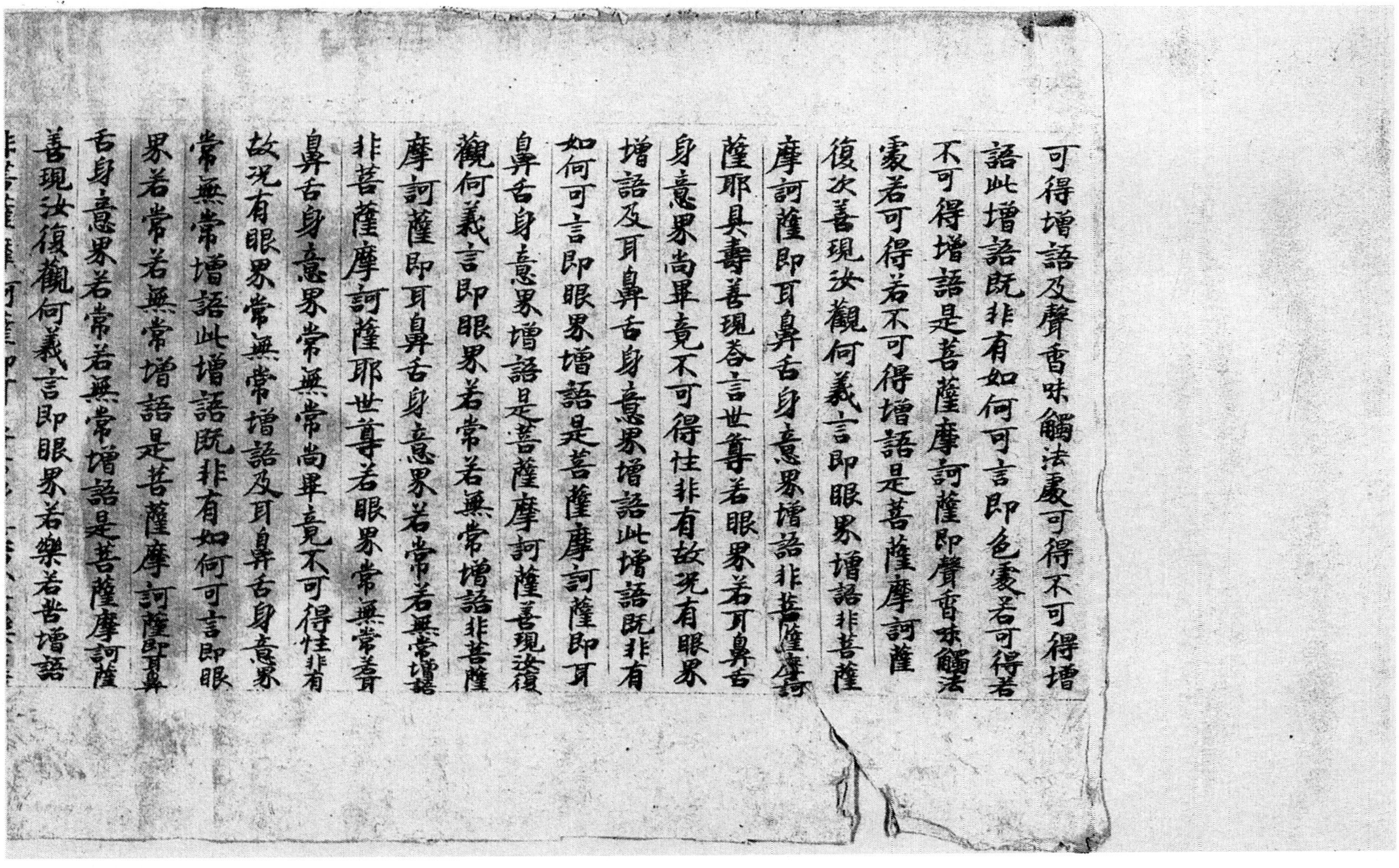

可得增語及聲香味觸法處可得不可得增
語此增語既非有如何可言即色處若可得若
不可得增語是菩薩摩訶薩即聲香味觸法
處若可得若不可得增語是菩薩摩訶薩
復次善現汝觀何義言即眼界增語非菩薩
摩訶薩即耳鼻舌身意界增語非菩薩摩訶
薩耶具壽善現荅言世尊若眼界若耳鼻舌
身意界尚畢竟不可得性非有故況有眼界
增語及耳鼻舌身意界增語此增語既非有
如何可言即眼界增語是菩薩摩訶薩即耳
鼻舌身意界增語是菩薩摩訶薩善現汝復
觀何義言即眼界若常若無常增語非菩薩
摩訶薩即耳鼻舌身意界若常若無常增語
非菩薩摩訶薩耶世尊若眼界常無常若
鼻舌身意界常無常尚畢竟不可得性非有
故況有眼界常無常增語及耳鼻舌身意界
常無常增語此增語既非有如何可言即眼
界若常若無常增語是菩薩摩訶薩即耳鼻
舌身意界若常若無常增語是菩薩摩訶薩
善現汝復觀何義言即眼界若樂若苦增語
非菩薩摩訶薩即[illegible]

BD02302 號　大般若波羅蜜多經卷二四　（2–1）

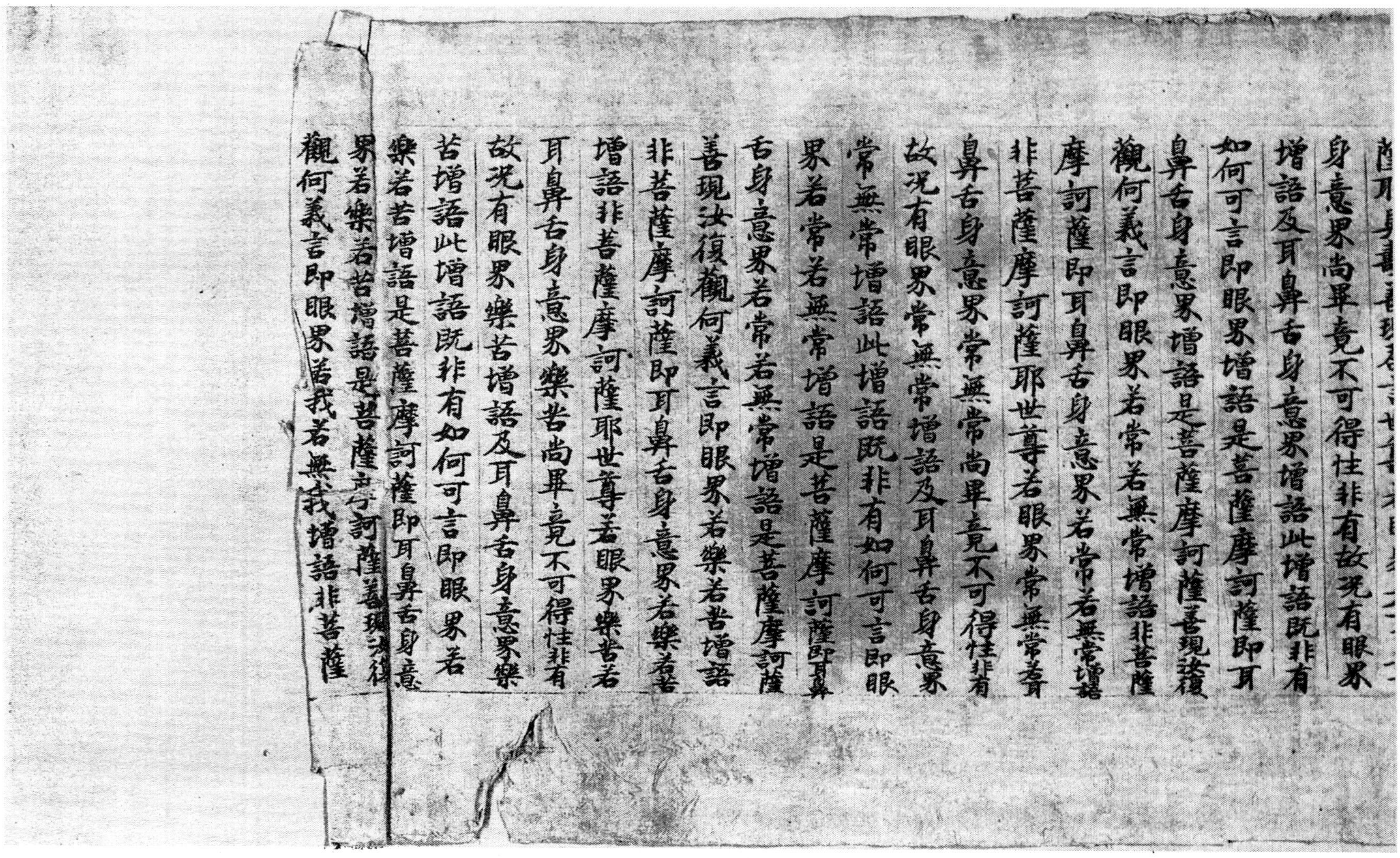
身意界尚畢竟不可得性非有故況有眼界
增語及耳鼻舌身意界增語此增語既非有
如何可言即眼界增語是菩薩摩訶薩即耳
鼻舌身意界增語是菩薩摩訶薩善現復
觀何義言即眼界若常若無常增語非菩薩
摩訶薩即耳鼻舌身意界若常若無常增語
非菩薩摩訶薩耶世尊若眼界常無常若
鼻舌身意界常無常尚畢竟不可得性非有
故況有眼界常無常增語及耳鼻舌身意界
常無常增語此增語既非有如何可言即眼
界若常若無常增語是菩薩摩訶薩即耳鼻
舌身意界若常若無常增語是菩薩摩訶薩
善現汝復觀何義言即眼界若樂若苦增語
非菩薩摩訶薩即耳鼻舌身意界若樂若苦
增語非菩薩摩訶薩耶世尊若眼界樂苦若
耳鼻舌身意界樂苦尚畢竟不可得性非有
故況有眼界樂苦增語及耳鼻舌身意界樂
苦增語此增語既非有如何可言即眼界若
樂若苦增語是菩薩摩訶薩即耳鼻舌身意
界若樂若苦增語是菩薩摩訶薩善現汝復
觀何義言即眼界若我若無我增語非菩薩

BD02302 號　大般若波羅蜜多經卷二四　　（2–2）

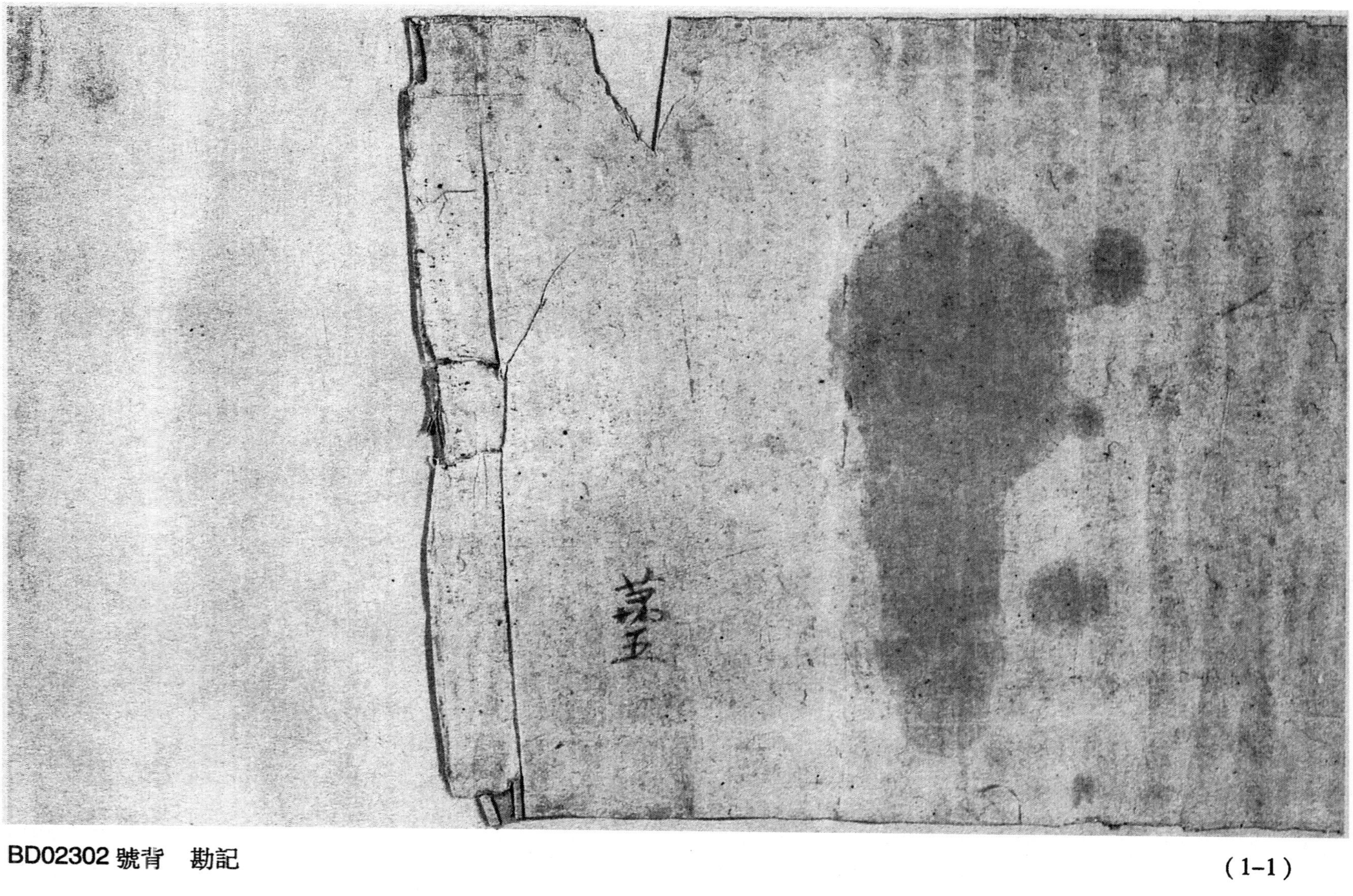

BD02302 號背　勘記　　（1–1）

過去生未來生未
若現在生現在生无住如佛所說比丘汝今
即時亦生亦老亦滅若以无生得受記者无
生即是正位於正位中亦无受記亦无得阿耨
多羅三藐三菩提云何弥勒受一生記乎
爲從如生得受記耶爲從如滅得受記耶若
以如生得受記者如无有生若以如滅得受記
者如无有滅一切衆生皆如也一切法亦如也
衆賢聖亦如也至於弥勒亦如也若弥勒得
受記者一切衆生亦應受記所以者何夫如
者不二不異若弥勒得阿耨多羅三藐三菩
提者一切衆生皆亦應得所以者何一切衆生
即菩提相若弥勒得滅度者一切衆生亦當
滅度所以者何諸佛知一切衆生畢竟寂滅即
涅槃相不復更滅是故弥勒无以此法誘諸
天子實无發阿耨多羅三藐三菩提心者亦
无退者弥勒當令此諸天子捨於分別菩提
之見所以者何菩提者不可以身得不可以

BD02303號　維摩詰所說經卷上　（7–1）

滅度所以者何諸佛知一切衆生畢竟寂滅即
涅槃相不復更滅是故弥勒无以此法誘諸
天子實无發阿耨多羅三藐三菩提心者亦
无退者弥勒當令此諸天子捨於分別菩提
之見所以者何菩提者不可以身得不可以
心得寂滅是菩提滅諸相故不觀是菩提
離諸緣故不行是菩提无憶念故斷是菩提
捨見故離是菩提離諸妄想故障是菩提障諸
願故不入是菩提无貪著故順是菩提順
於如故住是菩提住法性故至是菩提至實
際故不二是菩提離意法故等是菩提等虛
空故无爲是菩提无生住滅故智是菩提了
衆生心行故不會是菩提諸入不會故不合
是菩提離煩惱習故无處是菩提无形色
故假名是菩提名字空故如化是菩提无取捨
故无亂是菩提常自靜故善寂是菩提性
清淨故无取是菩提離攀緣故无異是菩
提諸法等故无比是菩提无可喻故微妙是菩提
諸法難知故世尊維摩詰說是法時二百天
子得无生法忍故我不任詣彼問疾
佛告光嚴童子汝行詣維摩詰問疾光嚴
佛言世尊我不堪任詣彼問疾所以者何憶
念我昔出毗耶離大城時維摩詰方入城我
即爲作禮而問言居士從何所來答我言吾
從道場來我問道場者何所是答曰直心是
道場无虛假故發行是道場能辦事故深心
是道場增益功德故菩提心是道場无錯
謬故布施是道場不望報故持戒是道場得願

BD02303號　維摩詰所說經卷上　（7–2）

吾從道場來我問道場者何所是答曰直心是道
場无虛假故發行是道場能辦事故深心
是道場增益功德故菩提心是道場无錯
謬故布施是道場不望報故持戒是道場得願
具故忍辱是道場於諸衆生心无閡故精進是
道場不懈怠故禪定是道場心調伏故智慧
是道場現見諸法故慈是道場等衆生故悲
是道場忍疲苦故喜是道場悅樂法故捨
道場憎愛斷故神通是道場成就六通故解
脫是道場能背捨故方便是道場教化衆
生故四攝是道場攝衆生故多聞是道場如聞
行故伏心是道場正觀諸法故卅七品是道
場捨有為法故諦是道場不誑世間故緣起
是道場无明乃至老死皆无盡故諸煩惱是
道場知如實故衆生是道場知无我故一切法
是道場知諸法空故降魔是道場不傾動故
三界是道場无所趣故師子吼是道場无所
畏故力无畏不共法是道場无諸過故三明
是道場无餘閡故一念知一切法是道場成就
一切智故如是善男子菩薩若應諸波羅
蜜教化衆生諸有所作舉足下足當知一切
皆從道場來住於佛法矣說是法時五百天人
皆發阿耨多羅三藐三菩提心故我不任詣
彼問疾
佛告持世菩薩汝行詣維摩詰問疾持世白佛
言世尊我不堪任詣彼問疾所以者何憶念我
昔住於靜室時魔波旬從万二千天女狀如
帝釋鼓樂絃歌來詣我所與其眷屬稽首

BD02303號　維摩詰所說經卷上

（7–3）

佛告持世菩薩汝行詣維摩詰問疾持世白佛
言世尊我不堪任詣彼問疾所以者何憶念我
昔住於靜室時魔波旬從万二千天女狀如
帝釋鼓樂絃歌來詣我所與其眷屬稽首
我足合掌恭敬於一面立我意謂是帝釋
而語之言善來憍尸迦雖福應有不當自恣
當觀五欲无常以求善本於身命財而脩堅
法即語我言正士受是万二千天女可備掃灑
我言憍尸迦无以此非法之物要我沙門釋
子此非我宜所言未訖時維摩詰來謂我言
非帝釋也是爲魔來嬈固汝耳即語魔言是
諸女等可以與我如我應受魔即驚懼念維摩
詰將无惱我欲隱形去而不能隱盡其神力
亦不得去即聞空中聲曰波旬以女與之乃
可得去魔以畏故俛仰而與尒時維摩詰語
諸女言魔以汝等與我今汝皆當發阿耨多
羅三藐三菩提心即隨所應而爲說法令發
道意復言汝等已發道意有法樂可以自娛
不應復樂五欲樂也天女即問何謂法樂答言
言樂常信佛樂欲聽法樂供養衆樂離五欲
樂觀五陰如怨賊樂觀四大如毒虵樂觀內
入如空聚樂隨護道意樂饒益衆生樂敬養
師樂廣行施樂堅持戒樂忍辱柔和樂勤集
善根樂禪定不亂樂離垢明慧樂廣菩提心
樂降伏衆魔樂斷諸煩惱樂淨佛國土樂成
就相好故脩諸功德樂嚴道場樂聞深法不
畏樂三脫門不樂非時樂近同學樂於非同

BD02303號　維摩詰所說經卷上

（7–4）

菩根樂禪定不亂樂離垢明慧樂廣菩提心
樂降伏衆魔樂斷諸煩惱樂淨佛國土樂成
就相好故脩諸功德樂嚴道場樂聞深法不
畏樂三脫門不樂非時樂近同學樂於非同
學中心无恚閡樂將護惡知識樂近善知識
樂心喜清淨樂脩无量道品之法是爲菩薩
法樂於是波旬告諸女言我欲與汝俱還天
宮諸女言以我等與此居士有法樂我等甚樂
不復樂欲樂也魔言居士可捨此女一切所
有施於彼者是爲菩薩維摩詰言我已捨矣
汝便將去令一切衆生得法願具足於是諸
女問維摩詰我等云何止於魔宮維摩詰言
諸姉有法門名无盡燈汝等當學无盡燈者
譬如一燈燃百千燈冥者皆明明終不盡如
是諸姉夫一菩薩開導百千衆生令發阿耨
多羅三藐三菩提心於其道意亦不滅盡隨
所說法而自增益一切善法是名无盡燈也汝
汝等雖住魔宮以是无盡燈令无數天子天女
發阿耨多羅三藐三菩提心者爲報佛恩
亦大饒益一切衆生尒時天女頭面禮維摩
詰足隨魔還宮忽然不現世尊維摩詰有如
是自在神力智慧辯才故我不任詣彼問疾
佛告長者子善得汝行詣維摩詰問疾善得白
佛言世尊我不堪任詣彼問疾所以者何憶念
我昔自於父舍設大施會供養一切沙門婆
羅門及諸外道貧窮下賤孤獨乞人期滿
七日時維摩詰來入會中謂我言長者子夫

我昔自於父舍設大施會供養一切沙門婆
羅門及諸外道貧窮下賤孤獨乞人期滿
七日時維摩詰來入會中謂我言長者子夫
大施會不當如汝所設當爲法施之會何用
是財施會爲我言居士何謂法施之會法施
會者无前无後一時供養一切衆生是名法
施之會何謂也謂以菩提起於慈心以救衆
生起大悲心以持正法起於喜心以攝智慧行
於捨心以攝慳貪起檀波羅蜜以化犯戒起
尸波羅蜜以无我法起羼提波羅蜜以離身
心相起毗梨耶波羅蜜以菩提相起禪波
羅蜜以一切智起般波羅蜜敎化衆生而
起於空不捨有爲法而起无相示現受生
而起无作護持正法起方便力以度衆生起
四攝法以敬事一切起除慢法於身命財起
三堅法於六念中起思念法於六和敬起質
直心正行善法起於淨命心淨歡喜起近賢
聖不憎惡人起調伏心以出家法起於深心
以如說行起於多聞以无諍法起空閑處趣向
佛慧起於宴坐解衆生縛起脩行地以具相
好及淨佛土起福德業知一切衆生心念如
應說法起於智業知一切法不取不捨入一相
門起於慧業斷一切煩惱一切障閡一切不善法
起一切善業以得一切智慧一切善法起於
一切助佛道法如是善男子是爲法施之會
若菩薩住是法施會者爲大施主亦爲一切
世間福田世尊維摩詰說是法時婆羅門

門起於慧業斷一十八州性一十八章隨一十八不善法
起一切善業以得一切智慧一切善法起於
一切助佛道法如是善男子是爲法施之會
若菩薩住是法施會者爲大施主亦爲一切
世間福田世尊維摩詰説是法時婆羅門
衆中二百人皆發阿耨多羅三藐三菩提
心我時心得清淨歎未曾有稽首禮維
摩詰足即解瓔珞價直百千以上之不肯
取我言居士願必納受隨意所與維摩詰乃
受瓔珞分作二分持一分施此會中一最下乞
人持一分奉彼難勝如來一切衆會皆見光
明國土難勝如來又見珠瓔在彼佛上變
成四柱寶臺四面嚴飾不相鄣蔽時維摩
現神變已作是言若施主等心施一最下乞
人猶如如來福田之相无所分別等于大悲
不求果報是則名曰具足法施城中一最下
人見是神力聞其所説皆發阿耨多羅三藐
三菩提心故我不任詣彼問疾如是諸菩薩
各各向佛説其本緣稱述維摩詰所言皆
是不任彼問疾

BD02303號　維摩詰所說經卷上

（7–7）

依此三身一切諸佛説无住處涅槃爲二身
故不住涅槃離於法身无有別佛何故二身
不住涅槃二身假名不實念念不滅不定住
故數數出現以不定故法身不爾是故二身
不住涅槃法身不二是故不住涅槃故依三
身説无住涅槃
善男子一切凡夫爲三相故有縛有障遠離
三身不至三身何者爲三一者遍計所執相
二者依他起相三者成就相如是諸相不能
解故不能滅故不能淨故是故不得至於三
身如是三相能解能滅能淨故是故諸佛
具足三身善男子諸凡夫人未能除遣此三心
故遠離三身不能得至何者爲三一者起事
心二者依根本心三者根本心依諸伏道起
事心盡依法斷道依根本心盡依最勝道
根本心盡起事心滅故得現化身依根本心滅
故得顯應身根本心滅故得至法身是故一
切如來具足三身
善男子一切諸佛於第一身與諸佛同事於
第二身與諸佛同意於第三身與諸佛同體
善男子是初佛身隨衆生意有多種故現種
種相是故説多第二佛身弟子一意故現一

BD02304號　金光明最勝王經卷二

（15–1）

故得顯應身相本心波故得生諸身具足故
切如来具足三身
善男子一切諸佛於第一身与諸佛同事於
第二身與諸佛同意於第三身與諸佛同體
善男子是初佛身隨衆生意有多種故現種
種相是故說多第二佛身第子一意故現一
相是故說一第三佛身過一切種相非執相
境界是故說名不一不二善男子是第一身
依於應身得顯現故是第二身依於法身得
顯現故是法身者是真實有无依處故善男
子如是三身以有義故而說於常以有義故說
於无常化身者恒轉法輪處處隨緣方便相
續不斷絶故是故說常非是本故具足大用
不顯現故說為无常應身者從无始来相
續不斷一切諸佛不共之法能攝持故衆生无
盡用亦无盡是故說常非是本故以具足用
不顯現故說為无常法身者非是行法无有
異相是根本故猶如虛空是故說常善男子
離無分別智更无勝智離法如无勝境界
是法如如慧如如是二種如如如不一不異
是故法身慧清淨故滅清淨故是二清淨是
故法身具足清淨
復次善男子分別三身有四種異有化身非應
身有應身非化身有化身亦應身有非化身
亦非應身何者化身非應身謂諸如来般涅
槃後以願自在故隨緣利益是名化身何者
應身非化身是地前身何者化身亦應身謂
住有餘涅槃之身何者非化身非應身謂是
法身善男子是法身者二无所有所顯現故

亦非應身何者化身非應身謂諸如来般涅
槃後以願自在故隨緣利益是名化身何者
應身非化身是地前身何者化身亦應身謂
住有餘涅槃之身何者非化身非應身謂是
法身善男子是法身者二无所有所顯現故
何者名為二無所有於此法身相及相處二
皆是無非有非无非一非異非數非非數非明
非闇如是如如智不見相及相處不見非有
非无不見非一非異不見非數非非數不見
非明非闇是故當知境界清淨智慧清淨不
可分別无有中間為滅道本故於此法身能
顯如来種種事業善男子是身因緣境界
處所果依於本難思議故若了此義是身即
是本乘是如来性是如来藏依於此身得發
初心修行地心而得顯現不退地心亦皆得現
一生補處心金剛之心如来之心而悉顯現无
量无邊如来妙法皆悉顯現依此法身不
可思議摩訶三昧而得顯現依此法身得現
一切大智是故二身依於三昧依於智慧而
得顯現如此法身依於自體說常說我依大
三昧故說於樂依於大智故說清淨是故如
来常住自在安樂清淨依大三昧一切禪定
首楞嚴等一切念處大法念等大慈大悲一
切陁羅尼一切神通一切自在一切平等攝受
如是佛法悉皆出現依此大智十力四无所
畏四无礙辯一百八十不共之法一切希有
不可思議法悉皆顯現譬如依如意寶珠无量
无邊種種珎寶悉皆得現如是依大三昧寶
依大智慧寶能出種種无量无邊諸佛妙法

如是佛法悉皆出現依此大智十力四无所
畏四无礙辯一百八十不共之法一切希有
不可思議法悉皆顯現譬如依如意寶珠无量
无邊種種珍寶悉皆得現如是依大三昧寶
依大智慧寶能出種種无量无邊諸佛妙法
善男子如是法身三昧智慧過一切相不著
於相不可分別非常非斷是名中道雖有
分別體无分別雖有三數而无三體不增不
減猶如夢幻亦无所執亦无能執法體如如
是解脫處過死王境越生死闇一切衆生不
能修行所不能至一切諸佛菩薩之所住處
善男子譬如有人願欲得金處處求覓遂得
金礦既得礦已即便碎之擇取精者爐中銷
錬得清淨金隨意迴轉作諸鐶釧種種嚴具
雖有諸用金性不改
復次善男子若善男子善女人求勝解脫修
行世善得見如來及弟子衆得親近已白佛
言世尊何者爲善何者不善何者正修得清
淨行諸佛如來及弟子衆見彼問時如是思
惟是善男子善女人欲求清淨欲聽正法即
便爲說令其開悟彼既聞已正念憶持發心
修行得精進力除嬾墮障滅一切罪於諸學
處離不尊重息掉悔心入於初地依初地心除
利有情障入二地於此地中除不逼惱障入於
三地於此地中除心軟淨障入於四地於此
地中除善方便障入於五地於此地中除見
真俗障入於六地於此地中除見行相
障入於七地於此地中除不見滅相障入於
八地於此地中除不見生相障入於九地

BD02304號　金光明最勝王經卷二

（15–4）

地中除善方便障入於五地於此地中除見
真俗障入於六地於此地中除見行相
障入於七地於此地中除不見滅相障入於
八地於此地中除不見生相障入於九地
於此地中除六通障入於十地於此地中除
所知障除根本心入如來地如來地者由三
淨故名極清淨云何爲三一者煩惱淨二者
苦淨三者相淨譬如真金鎔銷冶錬既燒打
已无復塵垢爲顯金性本清淨故金體清淨
非謂无金譬如濁水澄渟清淨无復滓穢爲
顯水性本清淨故非謂无水如是法身與煩
惱雜苦集除已无復餘習爲顯佛性本清淨
故非謂无體譬如虛空烟雲塵霧之所障蔽
若除屏已是空界淨非謂无空如是法身一
切衆苦悉皆盡故說爲清淨非謂无體譬如
有人於睡夢中見大河水漂泛其身運手動
足截流而渡得至彼岸由彼身心不懈退故
從夢覺已不見有水彼此岸別非謂无心生
死妄想既滅盡已是覺清淨非謂无覺如是
法界一切妄想不復生故說爲清淨非是謂
佛无其實體
復次善男子是法身者惑障清淨能現應身
業障清淨能現化身智障清淨能現法身譬
如依空出電依電出光如是依法身故能現
應身依應身故能現化身由性淨故能現法
身智慧清淨能現應身三昧清淨能現化
身此三清淨是法如如不異如如一味如如解脫
如如究竟如如是故諸佛體无有異善男子
若有若男子善女人說於如來是我大師若

BD02304號　金光明最勝王經卷二

（15–5）

身此三清淨是法如如不異如如一味如如解脫
如如究竟如如是故諸佛體无有異善男子
若有善男子善女人說於如來是我大師若
作如是決定信者此人即應深心解了如來
之身无有別異善男子以是義故於諸境界
不正思惟悉皆除斷即知彼法无有二相亦
无分別聖所脩行如如於彼无有二相正脩
行故如如是如是一切諸障悉皆除滅如如一切
障滅如如是如是法如如如如智得最清淨如
如法界正智清淨如是如是一切自在具足
攝受皆得成就一切諸障悉皆除滅一切諸
障得清淨故是名真如正智真實之相如
是見者是名聖見是則名為真實見佛何
以故如實得見法真如故是故諸佛悉能普
見一切如來何以故聲聞獨覺已出三界求真
實境不能知見如是聖人所不知見一切凡夫
皆生疑惑顛倒分別不能得度如兔浮海必
不能過所以者何力微劣故凡夫之人亦
復如是不能通達法如如故然諸如來無分
別心於一切法得大自在具足清淨深智慧
故是自境界不共他故是故諸佛如來於无
量无邊阿僧祇劫不惜身命難行苦行方
得此身最上无比不可思議過言說境是妙
寂靜離諸怖畏
善男子如是知見法真如者无生老死壽命
无限无有睡眠亦无飢渴心常在定无有散
動若於如來起諍論心是則不能見於如來
諸佛所說皆能利益有聽聞者无不解脫諸
惡禽獸惡人惡鬼不相逢值由聞法故果報

BD02304號　金光明最勝王經卷二　（15–6）

无限无有睡眠亦无飢渴心常在定无有散
動若於如來起諍論心是則不能見於如來
諸佛所說皆能利益有聽聞者无不解脫諸
惡禽獸惡人惡鬼不相逢值由聞法故果報
无盡然諸如來无无記事一切境界无欲知
心生死涅槃无有異想如來所說无不決定
諸佛如來四威儀中无非智攝一切諸法无
有不為慈悲所攝无有不為利益安樂諸衆
生者善男子若有善男子善女人於此金光
明經聽聞信解不墮地獄餓鬼傍生阿蘇羅
道常處人天不生下賤恒得親近諸佛如來
聽受正法常生諸佛清淨國土所以者何由
得聞此甚深法故是善男子善女人則為如
來已知已記當得不退阿耨多羅三藐三菩
提若善男子善女人於此甚深微妙之法一經
耳者當知是人不謗如來不毀正法不輕聖
衆一切衆生未種善根令得種故已種善根
令增長成熟故一切世界所有衆生皆勸脩
行六波羅蜜
尒時虛空藏菩薩梵釋四王諸天衆等即從
座起偏袒右肩合掌恭敬頂礼佛足白佛言
世尊若所在處講說如是金光明王微妙經
典於其國土有四種利益何者為四一者國王
軍衆强盛无諸怨敵離於疾病壽命延長吉
祥安樂正法興顯二者中宮妃后王子諸臣
和悅無諍離於諂侫王所愛重三者沙門婆
羅門及諸國人脩行正法无病安樂无枉死
者於諸福田悉皆脩立四者於三時中四大
調適常為諸天增加守護慈悲平等無傷

BD02304號　金光明最勝王經卷二　（15–7）

羅門及諸國人修行正法无病安樂无枉死
者於諸福田悉皆修立四者於三時中四大
調適常為諸天增加守護慈悲平等無傷
害心令諸衆生歸敬三寶皆願修習菩提之
行是為四種利益之事世尊我等亦常為弘
經故隨逐如是持經之人所在住處為作利
益佛言善哉善哉善男子如是如是汝等應
當勤心流布此妙經王則令正法久住於世
金光明最勝王經夢見懺悔品第四
尒時妙幢菩薩親於佛前聞妙法已歡喜踊
躍一心思惟還至本處於夜夢中見大金鼓
光明晃耀猶如日輪於此光中得見十方无量
諸佛於寶樹下坐瑠璃座无量百千大衆圍
繞而為說法見一婆羅門桴擊金鼓出大音
聲聲中演說微妙伽他明懺悔法妙幢聞已
皆悉憶持繫念而住至天曉已與无量百
千大衆圍繞持諸供具出王舍城詣鷲峯山
至世尊所礼佛足已布設香花右繞三帀退
坐一面合掌恭敬瞻仰尊顏白佛言世尊我
於夢中見婆羅門以手執桴擊妙金鼓出大
音聲聲中演說微妙伽他明懺悔法我皆憶
持唯願世尊降大慈悲聽我所說即於佛
前而說頌曰
我於昨夜中　夢見大金鼓　其形極姝妙　周遍有金光
猶如盛日輪　光明皆普曜　充滿十方界　咸見於諸佛
在於寶樹下　各處瑠璃座　无量百千衆　恭敬而圍繞
有一婆羅門　以桴擊金鼓　於其鼓聲內　說此妙伽他
金光明鼓出妙聲　遍至三千大千界
能滅三塗極重罪　及以人中諸苦厄

BD02304號　金光明最勝王經卷二

（15-8）

在於寶樹下　各處瑠璃座　无量百千衆　恭敬而圍繞
有一婆羅門　以桴擊金鼓　於其鼓聲內　說此妙伽他
金光明鼓出妙聲　遍至三千大千界
能滅三塗極重罪　及以人中諸苦厄
由此金鼓聲威力　永滅一切煩惱障
斷除怖畏令安隱　譬如自在牟尼尊
佛於生死大海中　積行修成一切智
能令衆生覺品具　究竟咸歸功德海
由此金鼓出妙聲　普令聞者獲梵響
證得无上菩提果　常轉清淨妙法輪
住壽不可思議劫　隨機說法利群生
能斷煩惱衆苦流　貪瞋癡等皆除滅
若有衆生處惡趣　大火猛焰周遍身
若得聞是如鼓音　即能離苦歸依佛
皆得成就宿命智　能憶過去百千生
悉皆正念牟尼尊　得聞如來甚深教
由聞金鼓勝妙音　常得親近於諸佛
悉能捨離諸惡業　純修清淨諸善品
一切天人有情類　慇重至誠祈願者
得聞金鼓妙音聲　能令所求皆滿足
衆生墮在无間獄　猛火炎熾苦焚身
无有救護處輪迴　聞者能令苦除滅
人天餓鬼傍生中　所有現受諸苦難
得聞金鼓發妙響　皆蒙離苦得解脫
現在十方界　常住兩足尊　願以大悲心　哀愍憶念我
衆生无歸依　亦无有救護　為如是等類　能作大歸依
我先所作罪　極重諸惡業　今對十力前　至心皆懺悔
我不信諸佛　亦不敬尊親　不務修衆善　常造諸惡業
或自恃尊高　種性及財位　盛年行放逸　常造諸惡業

BD02304號　金光明最勝王經卷二

（15-9）

衆生无歸依　亦无有救護　為如是等類　能作大歸依
我先所作罪　極重諸惡業　今對十方前　至心皆懺悔
我不信諸佛　亦不敬尊親　不務修衆善　常造諸惡業
或自恃尊高　種姓及財位　盛年行放逸　常造諸惡業
心恒起邪念　口陳於惡言　不見於過罪　常造諸惡業
恒作愚夫行　无明闇覆心　隨順不善友　常造諸惡業
或因諸戲樂　或復懷憂惱　為貪瞋所纏　故我造諸惡
親近不善人　及由慳嫉意　貧窮行諂誑　故我造諸惡
雖不樂衆過　由有怖畏故　及不得自在　故我造諸惡
或為躁動心　或因瞋恚恨　及以飢渴惱　故我造諸惡
由飲食衣服　及貪愛女人　煩惱火所燒　故我造諸惡
於佛法僧衆　不生恭敬心　作如是衆罪　我今悉懺悔
於獨覺菩薩　亦无恭敬心　作如是衆罪　我今悉懺悔
無知謗正法　不孝於父母　作如是衆罪　我今悉懺悔
由愚癡憍慢　及以貪瞋力　作如是衆罪　我今悉懺悔
我於十方界　供養无數佛　當願拔衆生　令離諸苦難
願一切有情　皆令住十地　福智圓滿已　成佛導群迷
我為諸衆生　苦行百千劫　以大智慧力　皆令出苦海
我為諸含識　演說甚深經　最勝金光明　能除諸惡業
若人百千劫　造諸極重罪　暫時能發露　衆惡盡消除
依此金光明　作如是懺悔　由斯能速盡　一切諸苦業
勝定百千種　不思議總持　根力覺道支　修習常无倦
我當至十地　具足珍寶處　圓滿佛功德　濟度生死流
我於諸佛海　甚深功德藏　妙智難思議　皆令得具足
唯願十方佛　觀察護念我　皆以大悲心　哀受我懺悔
我於多劫中　所造諸惡業　由斯生苦惱　哀愍願消除
我造諸惡業　常生憂怖心　於四威儀中　曾无歡樂想
諸佛具大悲　能除衆生怖　願受我懺悔　令得離憂苦
我有煩惱障　及以諸報業　願以大悲水　洗濯令清淨

BD02304號　金光明最勝王經卷二　（15-10）

我於多劫中　所造諸惡業　由斯生苦惱　哀愍願消除
我造諸惡業　常生憂怖心　於四威儀中　曾无歡樂想
諸佛具大悲　能除衆生怖　願受我懺悔　令得離憂苦
我有煩惱障　及以諸報業　願以大悲水　洗濯令清淨
我先作諸罪　及現造惡業　至心皆發露　咸願得蠲除
未來諸惡業　防護令不起　設令有違者　終不敢覆藏
身三語四種　意業復有三　繫縛諸有情　无始恒相續
由斯三種行　造作十惡業　如是衆多罪　我今皆懺悔
我造諸惡業　苦報當自受　今於諸佛前　至誠皆懺悔
於此贍部洲　及他方世界　所有諸善業　今我皆隨喜
願離十惡業　修行十善道　安住十地中　常見十方佛
我以身語意　所修福智業　願此以善根　速成无上慧
我今親對十方前　發露衆多苦難事
凡愚迷惑三有難　恒造極重惡業難
我所積集欲邪難　常起貪愛流轉難
於此世間耽著難　一切愚夫煩惱難
狂心散動顛倒難　及以親近惡友難
於生死中貪染難　瞋癡闇鈍造罪難
生八无暇惡處難　未曾積集功德難
我今皆於最勝前　懺悔无邊罪惡業
我今歸依諸善逝　我禮德海无上尊
如大金山照十方　唯願慈悲哀攝受
身色金光淨无垢　目如清淨紺瑠璃
吉祥威德名稱尊　大悲慧日除衆闇
佛日光明常普遍　善淨无垢離諸塵
牟尼月照極清涼　能除衆生煩惱熱
三十二相遍莊嚴　八十隨好皆圓滿
福德難思无與等　如日流光照世間
色如瑠璃淨无垢　猶如滿月處虛空

BD02304號　金光明最勝王經卷二　（15-11）

牟尼月照極清涼　能除衆生煩惱熱
三十二相遍莊嚴　八十隨好皆圓滿
福德難思无與等　如日流光照世間
色如瑠璃淨无垢　猶如滿月處虛空
妙頗梨網映金軀　種種光明以嚴飾
於生死苦瀑流内　老病憂愁水所漂
如是苦海難堪忍　佛日舒光令永竭
我今稽首一切智　三千世界希有尊
光明晃耀紫金身　種種妙好皆嚴飾
如大海水量難知　大地微塵不可數
如妙高山叵稱量　亦如虛空无有際
諸佛功德亦如是　一切有情不能知
於无量劫諦思惟　无有能知德海岸
盡此大地諸山岳　析如微塵能筭知
毛端滴海尚可量　佛之功德无能數
一切有情皆共讚　世尊名稱諸功德
清淨相好妙莊嚴　不可稱量知分齊
我之所有衆善業　願得速成无上尊
廣說正法利群生　悉令解脫於衆苦
降伏大力魔軍衆　當轉无上正法輪
久住劫數難思議　充足衆生甘露味
猶如過去諸最勝　六波羅蜜皆圓滿
滅諸貪欲及瞋癡　降伏煩惱除衆苦
願我常得宿命智　能憶過去百千生
亦常憶念牟尼尊　得聞諸佛甚深法
願我以斯諸善業　奉事无邊最勝尊
遠離一切不善因　恒得修行真妙法
一切世界諸衆生　悉皆離苦得安樂
所有諸根不具足　令彼身相皆圓滿

BD02304 號　金光明最勝王經卷二　（15–12）

願我以斯諸善業　奉事无邊最勝尊
遠離一切不善因　恒得修行真妙法
一切世界諸衆生　悉皆離苦得安樂
所有諸根不具足　令彼身相皆圓滿
若有衆生遭病苦　身形羸瘦无所依
咸令病苦得消除　諸根色力皆充滿
若犯王法當刑戮　衆苦逼迫生憂惱
彼受如斯極苦時　无有歸依能救護
若受鞭杖枷鎖繫　種種苦具切其身
無量百千憂惱時　逼迫身心無暫樂
皆令得免於繫縛　及以鞭杖苦楚事
將臨刑者得命全　衆苦皆令永除盡
若有衆生飢渴逼　令得種種殊勝味
盲者得視聾者聞　跛者能行瘂能語
貧窮衆生獲寶藏　倉庫盈溢无所乏
皆令得受上妙樂　无一衆生受苦惱
一切人天皆樂見　容儀溫雅甚端嚴
悉皆現受无量樂　受用豐饒福德具
隨彼衆生念伎樂　衆妙音聲皆現前
念水即現清涼池　金色蓮花泛其上
隨彼衆心所念　飲食衣服及牀敷
金銀珎寶妙瑠璃　瓔珞莊嚴皆具足
勿令衆生聞惡響　亦復不見有相違
所受容貌悉端嚴　各各慈心相愛樂
世間資生諸樂具　隨心念時皆滿足
所得珎財无悋惜　分布施與諸衆生
燒香末香及塗香　衆妙雜花非一色
每日三時從樹墮　隨心受用生歡喜

BD02304 號　金光明最勝王經卷二　（15–13）

所得珎財无悋惜　分布施與諸衆生
燒香末香及塗香　衆妙雜花非一色
每日三時從樹墮　隨心受用生歡喜
普願衆生咸供養　十方一切最勝尊
三乘清淨妙法門　菩薩獨覺聲聞衆
常願勿處於卑賤　不墮无暇八難中
生在有暇人中尊　恒得親承十方佛
願得常生富貴家　財寶倉庫皆盈滿
顔貌名稱无與等　壽命延長経劫數
悉願女人變爲男　勇健聰明多智慧
一切常行菩薩道　勤修六度到彼岸
常見十方无量佛　寶王樹下而安處
處妙琉璃師子座　恒得親承轉法輪
若於過去及現在　輪迴三有造諸業
能招可猒不善趣　願得消滅永无餘
一切衆生於有海　生死羂網堅牢縛
願以智劔爲斷除　離苦速證菩提處
衆生於此贍部内　或於他方世界中
所作種種勝福因　我今皆悉生隨喜
以此隨喜福德事　及身語意造衆善
願此勝業常增長　速證无上大菩提
所有礼讃佛功德　深心清淨无瑕穢
迴向發願福无邊　當超惡趣六十劫
若有男子及女人　婆羅門等諸勝族
合掌一心讃歎佛　生生常憶宿世事
諸根清淨身圓滿　殊勝功德皆成就
願於未來所生處　常得人天共瞻仰
非於一佛十佛所　修諸善根今得聞
百千佛所種善根　方得聞斯懺悔法

BD02304號　金光明最勝王經卷二　（15–14）

願此勝業常增長　速證无上大菩提
所有礼讃佛功德　深心清淨无瑕穢
迴向發願福无邊　當超惡趣六十劫
若有男子及女人　婆羅門等諸勝族
合掌一心讃歎佛　生生常憶宿世事
諸根清淨身圓滿　殊勝功德皆成就
願於未來所生處　常得人天共瞻仰
非於一佛十佛所　修諸善根今得聞
百千佛所種善根　方得聞斯懺悔法
爾時世尊聞此說已讃妙幢菩薩言善哉
善哉善男子如汝所夢金鼓出聲讃歎如來
真實功德并懺悔法若有聞者獲福甚多廣
利有情滅除罪障汝今應知此之勝業皆是
過去讃歎發願宿習因緣及由諸佛威力加
護此之因緣當爲汝說時諸大衆聞是法已
咸皆歡喜信受奉行

金光明最勝王經卷第二

礦古猛　鍊蓮見　谿苦雞　渟大丁　桴覆于　鎖蘇果

BD02304號　金光明最勝王經卷二　（15–15）

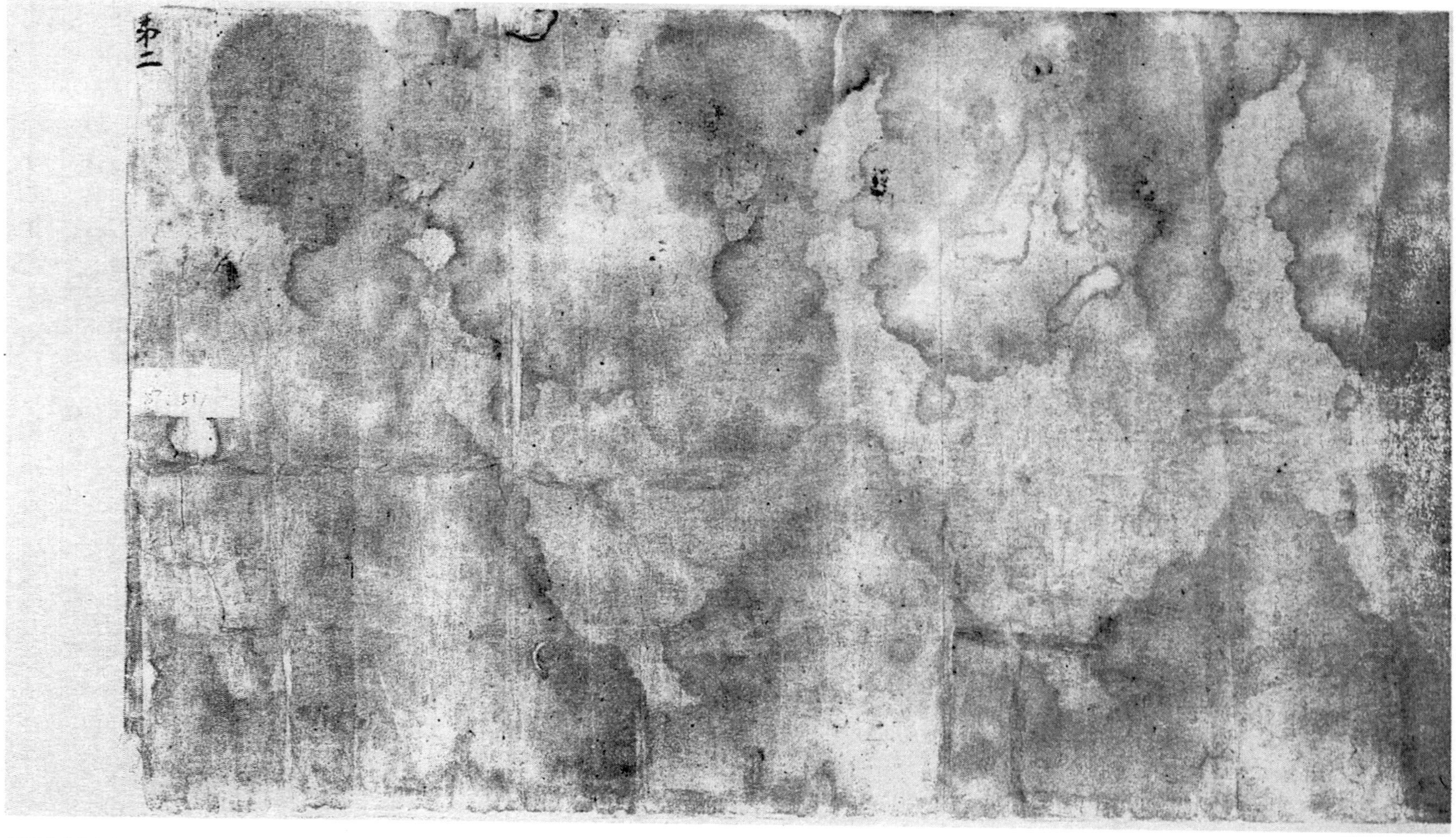

BD02304號背　勘記

（1–1）

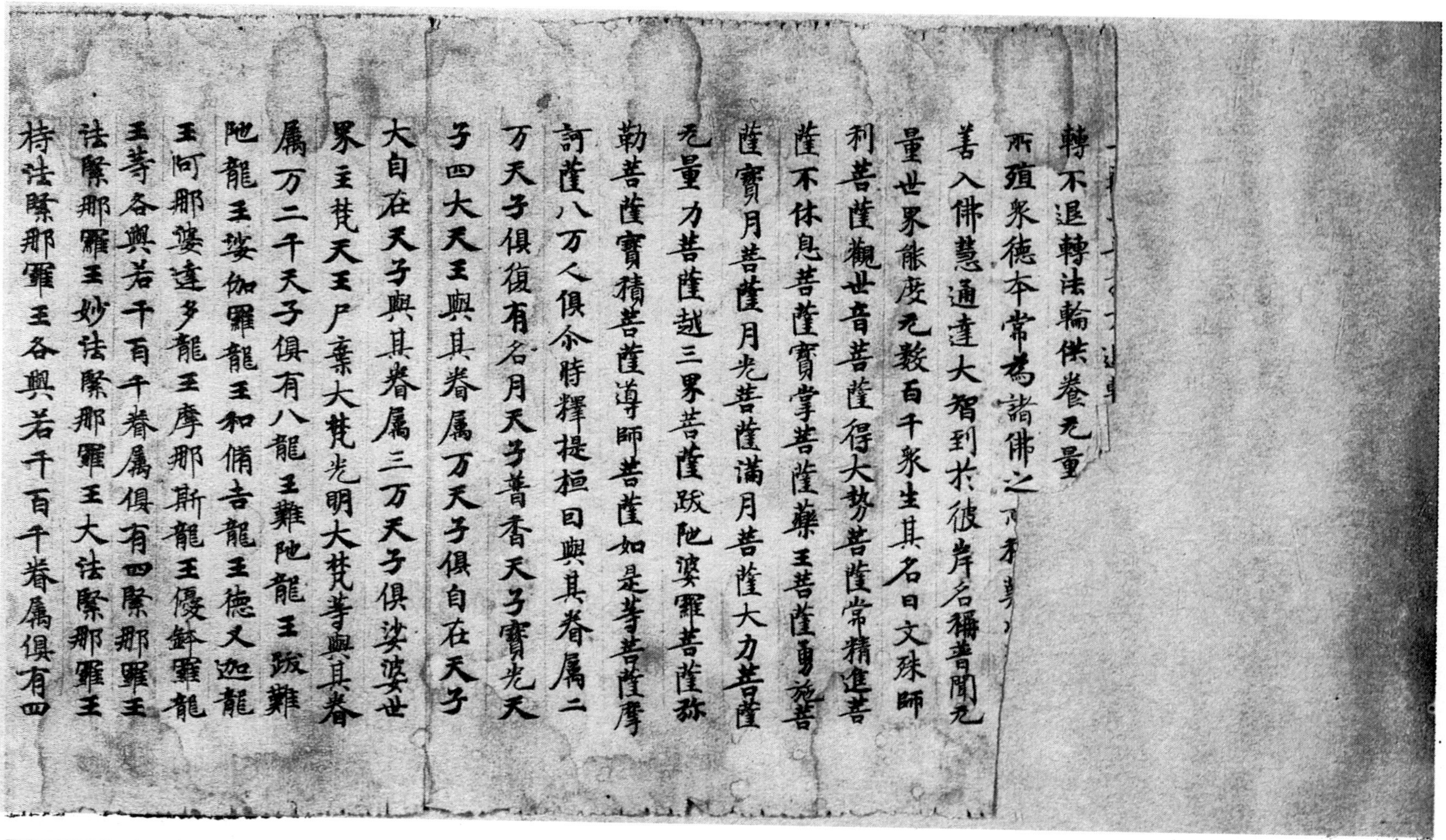

轉不退轉法輪供養无量
所殖衆德本常為諸佛之所稱歎
善入佛慧通達大智到於彼岸名稱普聞无
量世界能度无數百千衆生其名曰文殊師
利菩薩觀世音菩薩得大勢菩薩常精進菩
薩不休息菩薩寶掌菩薩藥王菩薩勇施菩
薩寶月菩薩月光菩薩滿月菩薩大力菩薩
无量力菩薩越三界菩薩跋陁婆羅菩薩弥
勒菩薩寶積菩薩導師菩薩如是等菩薩摩
訶薩八万人俱尒時釋提桓因與其眷屬二
万天子俱復有名月天子普香天子寶光天
子四大天王與其眷屬万天子俱自在天子
大自在天子與其眷屬三万天子俱娑婆世
界主梵天王尸棄大梵光明大梵等與其眷
屬万二千天子俱有八龍王難陁龍王跋難
陁龍王娑伽羅龍王和脩吉龍王德叉迦龍
王阿那婆達多龍王摩那斯龍王優鉢羅龍
王等各與若干百千眷屬俱有四緊那羅王
法緊那羅王妙法緊那羅王大法緊那羅王
持法緊那羅王各與若干百千眷屬俱有四

BD02305號　妙法蓮華經卷一

（22–1）

陀龍王娑伽羅龍王和脩吉龍王德叉迦龍
王阿那婆達多龍王摩那斯龍王優鉢羅龍
王等各與若干百千眷屬俱有四緊那羅王
法緊那羅王妙法緊那羅王大法緊那羅王
持法緊那羅王各與若干百千眷屬俱有四
乾闥婆王樂乾闥婆王樂音乾闥婆王美乾
闥婆王美音乾闥婆王各與若干百千眷屬
俱有四阿脩羅王婆稚阿脩羅王佉羅騫大
阿脩羅王毗摩質多羅阿脩羅王羅睺阿脩
羅王各與若干百千眷屬俱有四迦樓羅王
大威德迦樓羅王大身迦樓羅王大滿迦樓
羅王如意迦樓羅王各與若干百千眷屬俱
韋提希子阿闍世王與若干百千眷屬俱各
礼佛足退坐一面尒時世尊四衆圍遶供養
恭敬尊重讃歎為諸菩薩說大乘經名无量
義教菩薩法佛所護念佛說此經已結加趺
坐入於无量義處三昧身心不動是時天雨
曼陀羅華摩訶曼陀羅華曼殊沙華摩訶
曼殊沙華而散佛上及諸大衆普佛世界六
種震動尒時會中比丘比丘尼優婆塞優婆
夷天龍夜叉乾闥婆阿脩羅迦樓羅緊那羅
摩睺羅伽人非人及諸小王轉輪聖王是諸大
衆得未曾有歡喜合掌一心觀佛尒時佛放
眉間白毫相光照東方万八千世界靡不周
遍下至阿鼻地獄上至阿迦尼吒天於此世
界盡見彼土六趣衆生又見彼土現在諸佛
及聞諸佛所說經法并見彼諸比丘比丘尼

BD02305號　妙法蓮華經卷一　（22–2）

遍下至阿鼻地獄上至阿迦尼吒天於此世
界盡見彼土六趣衆生又見彼土現在諸佛
及聞諸佛所說經法并見彼諸比丘比丘尼
優婆塞優婆夷諸脩行得道者復見諸菩薩
摩訶薩種種因緣種種信解種種相貌行菩
薩道復見諸佛般涅槃者復見諸佛般涅槃
後以佛舍利起七寶塔尒時弥勒菩薩作是
念今者世尊現神變相以何因緣而有此瑞
今佛世尊入于三昧是不可思議現希有事
當以問誰誰能荅者復作此念是文殊師利法
王之子已曾親近供養過去无量諸佛必應
見此希有之相我今當問尒時比丘比丘尼
優婆塞優婆夷及諸天龍鬼神等咸作此
念是佛光明神通之相今當問誰尒時弥勒
菩薩欲自決疑又觀四衆比丘比丘尼優婆
塞優婆夷及諸天龍鬼神等衆會之心而問
文殊師利言以何因緣而有此瑞神通之相
放大光明照于東方万八千土悉見彼佛國
界莊嚴於是弥勒菩薩欲重宣此義以偈問
曰

文殊師利　導師何故　眉間白毫　大光普照
雨曼陀羅　曼殊沙華　栴檀香風　悅可衆心
以是因緣　地皆嚴淨　而此世界　六種震動
時四部衆　咸皆歡喜　身意快然　得未曾有
眉間光明　照于東方　万八千土　皆如金色
從阿鼻獄　上至有頂　諸世界中　六道衆生
生死所趣　善惡業緣　受報好醜　於此悉見

BD02305號　妙法蓮華經卷一　（22–3）

佛放眉間光明 照于東方 万八千土 皆如金色
從阿鼻獄 上至有頂 諸世界中 六道衆生
生死所趣 善惡業緣 受報好醜 於此悉見
又覩諸佛 聖主師子 演說經典 微妙第一
其聲清淨 出柔軟音 教諸菩薩 无數億万
梵音深妙 令人樂聞 各於世界 講說正法
種種因緣 以无量喻 照明佛法 開悟衆生
若人遭苦 猒老病死 為說涅槃 盡諸苦際
若人有福 曾供養佛 志求勝法 為說緣覺
若有佛子 脩種種行 求无上慧 為說淨道
文殊師利 我住於此 見聞若斯 及千億事
如是衆多 今當略說 我見彼土 恒沙菩薩
種種因緣 而求佛道 或有行施 金銀珊瑚
真珠摩尼 車𤦲馬瑙 金剛諸珎 奴婢車乘
寶飾輦轝 歡喜布施 迴向佛道 願得是乘
三界第一 諸佛所歎 或有菩薩 駟馬寶車
欄楯華蓋 軒飾布施 復見菩薩 身肉手足
及妻子施 求无上道 又見菩薩 頭目身體
欣樂施與 求佛智慧 文殊師利 我見諸王
往詣佛所 問无上道 便捨樂土 宮殿臣妾
剃除鬚髮 而被法服 或見菩薩 而作比丘
獨處閑靜 樂誦經典 又見菩薩 勇猛精進
入於深山 思惟佛道 又見離欲 常處空閑
深脩禪定 得五神通 又見菩薩 安禪合掌
以千万偈 讚諸法王 復見菩薩 智深志固
能問諸佛 聞悉受持 又見佛子 定慧具足
以无量喻 為衆講法 欣樂說法 化諸菩薩

BD02305 號　妙法蓮華經卷一

（22–4）

以千万偈 讚諸法王 復見菩薩 智深志固
能問諸佛 聞悉受持 又見佛子 定慧具足
以无量喻 為衆講法 欣樂說法 化諸菩薩
破魔兵衆 而擊法鼓 又見菩薩 寂然宴默
天龍恭敬 不以為喜 又見菩薩 處林放光
濟地獄苦 令入佛道 又見佛子 未甞睡眠
經行林中 懃求佛道 又見具戒 威儀无缺
淨如寶珠 以求佛道 又見佛子 住忍辱力
增上慢人 惡罵捶打 皆悉能忍 以求佛道
又見菩薩 離諸戲笑 及癡眷屬 親近智者
一心除亂 攝念山林 億千万歲 以求佛道
或見菩薩 餚饍飲食 百種湯藥 施佛及僧
名衣上服 價直千万 或无價衣 施佛及僧
千万億種 栴檀寶舍 衆妙臥具 施佛及僧
清淨園林 華菓茂盛 流泉浴池 施佛及僧
如是等施 種種微妙 歡喜无猒 求无上道
或有菩薩 說寂滅法 種種教詔 无數衆生
或見菩薩 觀諸法性 无有二相 猶如虛空
又見佛子 心无所著 以此妙慧 求无上道
文殊師利 又有菩薩 佛滅度後 供養舍利
又見佛子 造諸塔廟 无數恒沙 嚴飾國界
寶塔高妙 五千由旬 縱廣正等 二千由旬
一一塔廟 各千幢幡 珠交露幔 寶鈴和鳴
諸天龍神 人及非人 香華伎樂 常以供養
文殊師利 諸佛子等 為供舍利 嚴飾塔廟
國界自然 殊特妙好 如天樹王 其華開敷
佛放一光 我及衆會 見此國界 種種殊妙

BD02305 號　妙法蓮華經卷一

（22–5）

諸天龍神人及非人香華伎樂常以供養
文殊師利諸佛子等爲供舍利嚴飾塔廟
國界自然殊特妙好如天樹王其華開敷
佛放一光我及衆會見此國界種種殊妙
諸佛神力智慧希有放一淨光照无量國
我等見此得未曾有佛子文殊願決衆疑
四衆欣仰瞻仁及我世尊何故放斯光明
佛子時荅決疑令喜何所饒益演斯光明
佛坐道場所得妙法爲欲說此爲當授記
示諸佛土衆寶嚴淨及見諸佛此非小緣
文殊當知四衆龍神瞻察仁者爲說何等
尒時文殊師利語弥勒菩薩摩訶薩及諸大
士善男子等如我惟忖今佛世尊欲說大法
雨大法雨吹大法螺擊大法鼓演大法義諸
善男子我於過去諸佛曾見此瑞放斯光已
即說大法是故當知今佛現光亦復如是欲
令衆生咸得聞知一切世間難信之法故現
斯瑞諸善男子如過去无量无邊不可思議
阿僧祇劫尒時有佛号日月燈明如來應供
正遍知明行足善逝世間解无上士調御丈
夫天人師佛世尊演說正法初善中善後善
其義深遠其語巧妙純一无雜具足清白梵
行之相爲求聲聞者說應四諦法度生老病
死究竟涅槃爲求辟支佛者說應十二因緣
法爲諸菩薩說應六波羅蜜令得阿耨多羅
三藐三菩提成一切種智次復有佛亦名日

BD02305號　妙法蓮華經卷一　（22–6）

死究竟涅槃爲求辟支佛者說應十二因緣
法爲諸菩薩說應六波羅蜜令得阿耨多羅
三藐三菩提成一切種智次復有佛亦名日
月燈明次復有佛亦名日月燈明如是二万
佛皆同一字号日月燈明又同一姓姓頗羅
墮弥勒當知初佛後佛皆同一字名日月燈
明十号具足所可說法初中後善其最後佛
未出家時有八子一名有意二名善意三名
无量意四名寶意五名增意六名除疑意七
名響意八名法意是八王子威德自在各領
四天下是諸王子聞父出家得阿耨多羅三
藐三菩提悉捨王位亦隨出家發大乘意常
脩梵行皆爲法師已於千万佛所殖諸善本
是時日月燈明佛說大乘經名无量義教菩
薩法佛所護念說是經已即於大衆中結跏
趺坐入於无量義處三昧身心不動是時天
雨曼陁羅華摩訶曼陁羅華曼殊沙華摩訶
曼殊沙華而散佛上及諸大衆普佛世界六
種震動尒時會中比丘比丘尼優婆塞優婆
夷天龍夜叉乾闥婆阿脩羅迦樓羅緊那羅
摩睺羅伽人非人及諸小王轉輪聖王等是
諸大衆得未曾有歡喜合掌一心觀佛尒時
如來放眉間白豪相光照東方万八千佛土
靡不周遍如今所見是諸佛土弥勒當知尒
時會中有二十億菩薩樂欲聽法是諸菩薩
見此光明普照佛土得未曾有欲知此光所
爲因緣時有菩薩名曰妙光有八百弟子是

BD02305號　妙法蓮華經卷一　（22–7）

時會中有二十億菩薩樂欲聽法是諸菩薩
見此光明普照佛土得未曾有欲知此光所
為因緣時有菩薩名曰妙光有八百弟子是
時日月燈明佛從三昧起因妙光菩薩說大
乘經名妙法蓮華教菩薩法佛所護念六十
小劫不起于座時會聽者亦坐一處六十小
劫身心不動聽佛所說謂如食頃是時衆中
无有一人若身若心而生懈惓日月燈明佛
於六十小劫說是經已即於梵魔沙門婆羅
門及天人阿脩羅衆中而宣此言如來於今
日中夜當入无餘涅槃時有菩薩名曰德藏
日月燈明佛即授其記告諸比丘是德藏菩
薩次當作佛号曰淨身多陁阿伽度阿羅訶
三藐三佛陁佛授記已便於中夜入无餘涅
槃佛滅度後妙光菩薩持妙法蓮華經滿八
十小劫為人演說日月燈明佛八子皆師妙
光妙光教化令其堅固阿耨多羅三藐三菩
提是諸王子供養无量百千万億佛已皆成
佛道其最後成佛者名曰然燈八百弟子中
有一人号曰求名貪著利養雖復讀誦衆經
而不通利多所忘失故号求名是人亦以種
諸善根因緣故得值无量百千万億諸佛供
養恭敬尊重讚歎弥勒當知尒時妙光菩薩
豈異人乎我身是也求名菩薩汝身是也今
見此瑞與本无異是故惟忖今日如來當說
大乘經名妙法蓮華教菩薩法佛所護念尒
時文殊師利於大衆中欲重宣此義而說偈

BD02305號　妙法蓮華經卷一

（22–8）

見此瑞與本无異是故惟忖今日如來當說
大乘經名妙法蓮華教菩薩法佛所護念尒
時文殊師利於大衆中欲重宣此義而說偈
言
我念過去世　无量无數劫　有佛人中尊　号日月燈明
世尊演說法　度无量衆生　无數億菩薩　令入佛智慧
佛未出家時　所生八王子　見大聖出家　亦隨脩梵行
時佛說大乘　經名无量義　於諸大衆中　而為廣分別
佛說此經已　即於法座上　跏趺坐三昧　名无量義處
天雨曼陁華　天鼓自然鳴　諸天龍鬼神　供養人中尊
一切諸佛土　即時大震動　佛放眉間光　現諸希有事
此光照東方　万八千佛土　示一切衆生　生死業報處
有見諸佛土　以衆寶莊嚴　瑠璃頗梨色　斯由佛光照
及見諸天人　龍神夜叉衆　乾闥緊那羅　各供養其佛
又見諸如來　自然成佛道　身色如金山　端嚴甚微妙
如淨瑠璃中　內現真金像　世尊在大衆　敷演深法義
一一諸佛土　聲聞衆无數　因佛光所照　悉見彼大衆
或有諸比丘　在於山林中　精進持淨戒　猶如護明珠
又見諸菩薩　行施忍辱等　其數如恒沙　斯由佛光照
又見諸菩薩　深入諸禪定　身心寂不動　以求无上道
又見諸菩薩　知法寂滅相　各於其國土　說法求佛道
尒時四部衆　見日月燈佛　現大神通力　其心皆歡喜
各各自相問　是事何因緣　天人所奉尊　適從三昧起
讚妙光菩薩　汝為世間眼　一切所歸信　能奉持法藏
如我所說法　唯汝能證知　世尊既讚歎　令妙光歡喜
說是法華經　滿六十小劫　不起於此座　所說上妙法
是妙光法師　悉皆能受持　佛說是法華　令衆歡喜已

BD02305號　妙法蓮華經卷一

（22–9）

說是法華經　滿六十小劫　不起於此座　所說上妙法
是妙光法師　悉皆能受持　佛說是法華　令衆歡喜已
尋即於是日　告於天人衆　諸法實相義　已為汝等說
我今於中夜　當入於涅槃　汝一心精進　當離於放逸
諸佛甚難值　億劫時一遇　世尊諸子等　聞佛入涅槃
各各懷悲惱　佛滅一何速　聖主法之王　安慰无量衆
我若滅度時　汝等勿憂怖　是德藏菩薩　於无漏實相
心已得通達　其次當作佛　號曰為淨身　亦度无量衆
佛此夜滅度　如薪盡火滅　分布諸舍利　而起无量塔
比丘比丘尼　其數如恒沙　倍復加精進　以求无上道
是妙光法師　奉持佛法藏　八十小劫中　廣宣法華經
是諸八王子　妙光所開化　堅固无上道　當見无數佛
供養諸佛已　隨順行大道　相繼得成佛　轉次而授記
最後天中天　號曰燃燈佛　諸仙之導師　度脫无量衆
是妙光法師　時有一弟子　心常懷懈怠　貪著於名利
求名利无猒　多遊族姓家　棄捨所習誦　廢忘不通利
以是因緣故　號之為求名　亦行衆善業　得見无數佛
供養於諸佛　隨順行大道　具六波羅蜜　今見釋師子
其後當作佛　號名曰彌勒　廣度諸衆生　其數无有量
彼佛滅度後　懈怠者汝是　妙光法師者　今則我身是
我見燈明佛　本光瑞如此　以是知今佛　欲說法華經
今相如本瑞　是諸佛方便　今佛放光明　助發實相義
諸人今當知　合掌一心待　佛當雨法雨　充足求道者
諸求三乘人　若有疑悔者　佛當為除斷　令盡无有餘

妙法蓮華經方便品第二

尒時世尊從三昧安詳而起告舍利弗諸佛

BD02305號　妙法蓮華經卷一　（22–10）

諸求三乘人　若有疑悔者　佛當為除斷　令盡无有餘

妙法蓮華經方便品第二

尒時世尊從三昧安詳而起告舍利弗諸佛智慧甚深无量其智慧門難解難入一切聲聞辟支佛所不能知所以者何佛曾親近百千万億无數諸佛盡行諸佛无量道法勇猛精進名稱普聞成就甚深未曾有法隨宜所說意趣難解舍利弗吾從成佛已來種種因緣種種譬喻廣演言教无數方便引導衆生令離諸著所以者何如來方便知見波羅蜜皆已具足舍利弗如來知見廣大深遠无量无礙力无所畏禪定解脫三昧深入无際成就一切未曾有法舍利弗如來能種種分別巧說諸法言辭柔軟悅可衆心舍利弗取要言之无量无邊未曾有法佛悉成就止舍利弗不須復說所以者何佛所成就第一希有難解之法唯佛與佛乃能究盡諸法實相所謂諸法如是相如是性如是體如是力如是作如是因如是緣如是果如是報如是本末究竟等尒時世尊欲重宣此義而說偈言

世雄不可量　諸天及世人　一切衆生類　无能知佛者
佛力无所畏　解脫諸三昧　及佛諸餘法　无能測量者
本從无數佛　具足行諸道　甚深微妙法　難見難可了
於无量億劫　行此諸道已　道場得成果　我已悉知見
如是大果報　種種性相義　我及十方佛　乃能知是事
是法不可示　言辭相寂滅　諸餘衆生類　无有能得解
除諸菩薩衆　信力堅固者　諸佛弟子衆　曾供養諸佛

BD02305號　妙法蓮華經卷一　（22–11）

於无量億劫　行此諸道已　道場得成果　我已悉知見
如是大果報　種種性相義　我及十方佛　乃能知是事
是法不可示　言辭相寂滅　諸餘衆生類　无有能得解
除諸菩薩衆　信力堅固者　諸佛弟子衆　曾供養諸佛
一切漏已盡　住是最後身　如是諸人等　其力所不堪
假使滿世間　皆如舍利弗　盡思共度量　不能測佛智
正使滿十方　皆如舍利弗　及餘諸弟子　亦滿十方刹
盡思共度量　亦復不能知　辟支佛利智　无漏最後身
亦滿十方界　其數如竹林　斯等共一心　於億无量劫
欲思佛實智　莫能知少分　新發意菩薩　供養无數佛
了達諸義趣　又能善說法　如稻麻竹葦　充滿十方刹
一心以妙智　於恒河沙劫　咸皆共思量　不能知佛智
不退諸菩薩　其數如恒沙　一心共思求　亦復不能知
又告舍利弗　无漏不思議　甚深微妙法　我今已具得
唯我知是相　十方佛亦然　舍利弗當知　諸佛語无異
於佛所說法　當生大信力　世尊法久後　要當說真實
告諸聲聞衆　及求緣覺乘　我令脫苦縛　逮得涅槃者
佛以方便力　示以三乘教　衆生處處著　引之令得出
尒時大衆中有諸聲聞漏盡阿羅漢阿若憍
陳如等千二百人及發聲聞辟支佛心比丘
比丘尼優婆塞優婆夷各作是念今者世尊
何故慇懃稱歎方便而作是言佛所得法甚
深難解有所言說意趣難知一切聲聞辟支
佛所不能及佛說一解脫義我等亦得此法
到於涅槃而今不知是義所趣尒時舍利弗
知四衆心疑自亦未了而白佛言世尊何因

到於涅槃而今不知是義所趣尒時舍利弗
知四衆心疑自亦未了而白佛言世尊何因
何緣慇懃稱歎諸佛第一方便甚深微妙難
解之法我自昔來未曾從佛聞如是說今者
四衆咸皆有疑唯願世尊敷演斯事世尊何
故慇懃稱歎甚深微妙難解之法尒時舍
利弗欲重宣此義而說偈言
慧日大聖尊　久乃說是法　自說得如是　力无畏三昧
禪定解脫等　不可思議法　道場所得法　无能發問者
我意難可測　亦无能問者　无問而自說　稱歎所行道
智慧甚微妙　諸佛之所得　无漏諸羅漢　及求涅槃者
今皆墮疑網　佛何故說是　其求緣覺者　比丘比丘尼
諸天龍鬼神　及乾闥婆等　相視懷猶豫　瞻仰兩足尊
是事為云何　願佛為解說　於諸聲聞衆　佛說我第一
我今自於智　疑惑不能了　為是究竟法　為是所行道
佛口所生子　合掌瞻仰待　願出微妙音　時為如實說
諸天龍神等　其數如恒沙　求佛諸菩薩　大數有八万
又諸万億國　轉輪聖王至　合掌以敬心　欲聞具足道
尒時佛告舍利弗止止不須復說若說是事
一切世間諸天及人皆當驚疑舍利弗重白
佛言世尊唯願說之唯願說之所以者何是
會无數百千万億阿僧祇衆生曾見諸佛諸
根猛利智慧明了聞佛所說則能敬信尒時
舍利弗欲重宣此義而說偈言
法王无上尊　唯說願勿慮　是會无量衆　有能敬信者
佛復止舍利弗若說是事一切世間天人阿

舍利弗欲重宣此義而說偈言
法王无上尊　唯說願勿慮　是會无量衆　有能敬信者
佛復止舍利弗若說是事一切世間天人阿
脩羅皆當驚疑增上慢比丘將墜於大坑尒
時世尊重說偈言
止止不須說　我法妙難思　諸增上慢者　聞必不敬信
尒時舍利弗重白佛言世尊唯願說之唯願
說之今此會中如我等比百千万億世世已
曾從佛受化如此人等必能敬信長夜安隱
多所饒益尒時舍利弗欲重宣此義而說偈
言
无上兩足尊　願說第一法　我為佛長子　唯垂分別說
是會无量衆　能敬信此法　佛已曾世世　教化如是等
皆一心合掌　欲聽受佛語　我等千二百　及餘求佛者
願為此衆故　唯垂分別說　是等聞此法　則生大歡喜
尒時世尊告舍利弗汝已慇勤三請豈得不
說汝今諦聽善思念之吾當為汝分別解說
說此語時會中有比丘比丘尼優婆塞優婆
夷五千人等即從座起礼佛而退所以者何
此輩罪根深重及增上慢未得謂得未證謂
證有如此失是以不住世尊嘿然而不制止
尒時佛告舍利弗我今此衆无復枝葉純有
貞實舍利弗如是增上慢人退亦佳矣汝今
善聽當為汝說舍利弗言唯然世尊願樂欲
聞佛告舍利弗如是妙法諸佛如來時乃說
之如優曇鉢華時一現耳舍利弗汝等當信

BD02305號　妙法蓮華經卷一　（22–14）

善聽當為汝說舍利弗言唯然世尊願樂欲
聞佛告舍利弗如是妙法諸佛如來時乃說
之如優曇鉢華時一現耳舍利弗汝等當信
佛之所說言不虛妄舍利弗諸佛隨宜說法
意趣難解所以者何我以无數方便種種因
緣譬喻言辭演說諸法是法非思量分別之
所能解唯有諸佛乃能知之所以者何諸佛
世尊唯以一大事因緣故出現於世舍利弗
云何名諸佛世尊唯以一大事因緣故出現
於世諸佛世尊欲令衆生開佛知見使得清
淨故出現於世欲示衆生佛知見故出現於
世欲令衆生悟佛知見故出現於世欲令衆
生入佛知見道故出現於世舍利弗是為諸
佛以一大事因緣故出現於世佛告舍利弗
諸佛如來但教化菩薩諸有所作常為一事
唯以佛之知見示悟衆生舍利弗如來但以
一佛乘故為衆生說法无有餘乘若二若三
舍利弗一切十方諸佛法亦如是舍利弗過
去諸佛以无量无數方便種種因緣譬喻言
辭而為衆生演說諸法是法皆為一佛乘故
是諸衆生從諸佛聞法究竟皆得一切種智
舍利弗未來諸佛當出於世亦以无量无數
方便種種因緣譬喻言辭而為衆生演說諸
法是法皆為一佛乘故是諸衆生從佛聞法
究竟皆得一切種智舍利弗現在十方无量
百千万億佛土中諸佛世尊多所饒益安樂
衆生是諸佛亦以无量无數方便種種因緣

BD02305號　妙法蓮華經卷一　（22–15）

究竟皆得一切種智舍利弗現在十方无量
百千万億佛土中諸佛世尊多所饒益安樂
衆生是諸佛亦以无量无數方便種種因緣
譬喻言辭而為衆生演說諸法是法皆為一
佛乘故是諸衆生從佛聞法究竟皆得一切
種智舍利弗是諸佛但教化菩薩欲以佛之
知見示衆生故欲以佛之知見悟衆生故欲
令衆生入佛之知見故舍利弗我今亦復如
是知諸衆生有種種欲深心所著隨其本性
以種種因緣譬喻言辭方便力故而為說法
舍利弗如此皆為得一佛乘一切種智故舍
利弗十方世界中尚无二乘何況有三舍利
弗諸佛出於五濁惡世所謂劫濁煩惱濁衆
生濁見濁命濁如是舍利弗劫濁亂時衆生
垢重慳貪嫉妬成就諸不善根故諸佛以方
便力於一佛乘分別說三舍利弗若我弟子
自謂阿羅漢辟支佛者不聞不知諸佛如來
但教化菩薩事此非佛弟子非阿羅漢非辟
支佛又舍利弗是諸比丘比丘尼自謂已得
阿羅漢是審後身究竟涅槃便不復志求阿
耨多羅三藐三菩提當知此輩皆是增上慢
人所以者何若有比丘實得阿羅漢若不信
此法无有是處除佛滅度後現前无佛所以
者何佛滅度後如是等經受持讀誦解義者
是人難得若遇餘佛於此法中便得決了舍
利弗汝等當一心信解受持佛語諸佛如來

BD02305號　妙法蓮華經卷一　（22–16）

者何佛滅度後如是等經受持讀誦解義者
是人難得若遇餘佛於此法中便得決了舍
利弗汝等當一心信解受持佛語諸佛如來
言无虛妄无有餘乘唯一佛乘尒時世尊欲
重宣此義而說偈言
比丘比丘尼　有懷增上慢　優婆塞我慢　優婆夷不信
如是四衆等　其數有五千　不自見其過　於戒有缺漏
護惜其瑕疵　是小智已出　衆中之糟糠　佛威德故去
斯人尠福德　不堪受是法　此衆无枝葉　唯有諸貞實
舍利弗善聽　諸佛所得法　无量方便力　而為衆生說
衆生心所念　種種所行道　若干諸欲性　先世善惡業
佛悉知是已　以諸緣譬喻　言辭方便力　令一切歡喜
或說脩多羅　伽陁及本事　本生未曾有　亦說於因緣
譬喻并祇夜　優波提舍經　鈍根樂小法　貪著於生死
於諸无量佛　不行深妙道　衆苦所惱亂　為是說涅槃
我設是方便　令得入佛慧　未曾說汝等　當得成佛道
所以未曾說　說時未至故　今正是其時　決定說大乘
我此九部法　隨順衆生說　入大乘為本　以故說是經
有佛子心淨　柔軟亦利根　无量諸佛所　而行深妙道
為此諸佛子　說是大乘經　我記如是人　來世成佛道
以深心念佛　脩持淨戒故　此等聞得佛　大喜充遍身
佛知彼心行　故為說大乘　聲聞若菩薩　聞我所說法
乃至於一偈　皆成佛无疑　十方佛土中　唯有一乘法
无二亦无三　除佛方便說　但以假名字　引導於衆生
說佛智慧故　諸佛出於世　唯此一事實　餘二則非真
終不以小乘　濟度於衆生　佛自住大乘　如其所得法
定慧力莊嚴　以此度衆生　自證无上道　大乘平等法

BD02305號　妙法蓮華經卷一　（22–17）

无二亦无三　除佛方便說　但以假名字　引導於衆生
說佛智慧故　諸佛出於世　唯此一事實　餘二則非真
終不以小乘　濟度於衆生　佛自住大乘　如其所得法
定慧力莊嚴　以此度衆生　自證无上道　大乘平等法
若以小乘化　乃至於一人　我則墮慳貪　此事為不可
若人信歸佛　如來不欺誑　亦无貪嫉意　斷諸法中惡
故佛於十方　而獨无所畏　我以相嚴身　光明照世間
无量衆所尊　為說實相印　舍利弗當知　我本立誓願
欲令一切衆　如我等无異　如我昔所願　今者已滿足
化一切衆生　皆令入佛道　若我遇衆生　盡教以佛道
无智者錯亂　迷惑不受教　我知此衆生　未曾脩善本
堅著於五欲　癡愛故生惱　以諸欲因緣　墜墮三惡道
輪迴六趣中　備受諸苦毒　受胎之微形　世世常增長
薄德少福人　衆苦所逼迫　入邪見稠林　若有若无等
依止此諸見　具足六十二　深著虛妄法　堅受不可捨
我慢自矜高　諂曲心不實　於千万億劫　不聞佛名字
亦不聞正法　如是人難度　是故舍利弗　我為設方便
說諸盡苦道　示之以涅槃　我雖說涅槃　是亦非真滅
諸法從本來　常自寂滅相　佛子行道已　來世得作佛
我有方便力　開示三乘法　一切諸世尊　皆說一乘道
今此諸大衆　皆應除疑惑　諸佛語无異　唯一无二乘
過去无數劫　无量滅度佛　百千万億種　其數不可量
如是諸世尊　種種緣譬喻　无數方便力　演說諸法相
是諸世尊等　皆說一乘法　化无量衆生　令入於佛道
又諸大聖主　知一切世間　天人群生類　深心之所欲
更以異方便　助顯第一義　若有衆生類　值諸過去佛
若聞法布施　或持戒忍辱　精進禪智等　種種脩福德

BD02305號　妙法蓮華經卷一　（22-18）

又諸大聖主　知一切世間　天人群生類　深心之所欲
更以異方便　助顯第一義　若有衆生類　值諸過去佛
若聞法布施　或持戒忍辱　精進禪智等　種種脩福德
如是諸人等　皆已成佛道　諸佛滅度已　若人善軟心
如是諸衆生　皆已成佛道　諸佛滅度已　供養舍利者
起万億種塔　金銀及頗梨　車璩與馬瑙　玫瑰瑠璃珠
清淨廣嚴飾　莊校於諸塔　或有起石廟　栴檀及沉水
木蜜并餘材　塼瓦泥土等　若於曠野中　積土成佛廟
乃至童子戲　聚沙為佛塔　如是諸人等　皆已成佛道
若人為佛故　建立諸形像　刻雕成衆相　皆已成佛道
或以七寶成　鍮石赤白銅　白鑞及鉛錫　鐵木及與泥
或以膠漆布　嚴飾作佛像　如是諸人等　皆已成佛道
綵畫作佛像　百福莊嚴相　自作若使人　皆已成佛道
乃至童子戲　若草木及筆　或以指爪甲　而畫作佛像
如是諸人等　漸漸積功德　具足大悲心　皆已成佛道
但化諸菩薩　度脫无量衆　若人於塔廟　寶像及畫像
以華香幡蓋　敬心而供養　若使人作樂　擊鼓吹角貝
簫笛琴箜篌　琵琶鐃銅鈸　如是衆妙音　盡持以供養
或以歡喜心　歌唄頌佛德　乃至一小音　皆已成佛道
若人散亂心　乃至以一華　供養於畫像　漸見无數佛
或有人礼拜　或復但合掌　乃至舉一手　或復小低頭
以此供養像　漸見无量佛　自成无上道　廣度无數衆
入无餘涅槃　如薪盡火滅　若人散亂心　入於塔廟中
一稱南无佛　皆已成佛道　於諸過去佛　在世或滅後
若有聞是法　皆已成佛道　未來諸世尊　其數无有量
是諸如來等　亦方便說法　一切諸如來　以无量方便
度脫諸衆生　入佛无漏智　若有聞法者　无一不成佛

BD02305號　妙法蓮華經卷一　（22-19）

[illegible]

若有聞是法　皆已成佛道　未来諸世尊　其數无有量
是諸如来等　亦方便說法　一切諸如来　以无量方便
度脫諸衆生　入佛无漏智　若有聞法者　无一不成佛
諸佛本誓願　我所行佛道　普欲令衆生　亦同得此道
未来世諸佛　雖說百千億　无數諸法門　其實為一乘
諸佛两足尊　知法常无性　佛種從緣起　是故說一乘
是法住法位　世間相常住　於道場知已　導師方便說
天人所供養　現在十方佛　其數如恒沙　出現於世間
安隱衆生故　亦說如是法　知第一寂滅　以方便力故
雖示種種道　其實為佛乘　知衆生諸行　深心之所念
過去所習業　欲性精進力　及諸根利鈍　以種種因緣
譬喻亦言辭　隨應方便說　今我亦如是　安隱衆生故
以種種法門　宣示於佛道　我以智慧力　知衆生性欲
方便說諸法　皆令得歡喜　舍利弗當知　我以佛眼觀
見六道衆生　貧窮无福慧　入生死險道　相續苦不斷
深著於五欲　如犛牛愛尾　以貪愛自蔽　盲瞑无所見
不求大勢佛　及與斷苦法　深入諸邪見　以苦欲捨苦
為是衆生故　而起大悲心　我始坐道場　觀樹亦經行
於三七日中　思惟如是事　我所得智慧　微妙最第一
衆生諸根鈍　著樂癡所盲　如斯之等類　云何而可度
尒時諸梵王　及諸天帝釋　護世四天王　及大自在天
并餘諸天衆　眷屬百千万　恭敬合掌礼　請我轉法輪
我即自思惟　若但讚佛乘　衆生沒在苦　不能信是法
破法不信故　墜於三惡道　我寧不說法　疾入於涅槃
尋念過去佛　所行方便力　我今所得道　亦應說三乘
作是思惟時　十方佛皆現　梵音慰喻我　善哉釋迦文

BD02305號　妙法蓮華經卷一

(22–20)

[illegible]

并餘諸天衆　眷屬百千万　恭敬合掌礼　請我轉法輪
我即自思惟　若但讚佛乘　衆生沒在苦　不能信是法
破法不信故　墜於三惡道　我寧不說法　疾入於涅槃
尋念過去佛　所行方便力　我今所得道　亦應說三乘
作是思惟時　十方佛皆現　梵音慰喻我　善哉釋迦文
第一之導師　得是无上法　隨諸一切佛　而用方便力
我等亦皆得　最妙第一法　為諸衆生類　分別說三乘
少智樂小法　不自信作佛　是故以方便　分別說諸果
雖復說三乘　但為教菩薩　舍利弗當知　我聞聖師子
深淨微妙音　喜稱南无佛　復作如是念　我出濁惡世
如諸佛所說　我亦隨順行　思惟是事已　即趣波羅柰
諸法寂滅相　不可以言宣　以方便力故　為五比丘說
是名轉法輪　便有涅槃音　及以阿羅漢　法僧差別名
從久遠劫来　讚示涅槃法　生死苦永盡　我常如是說
舍利弗當知　我見佛子等　志求佛道者　无量千万億
咸以恭敬心　皆来至佛所　曾從諸佛聞　方便所說法
我即作是念　所以出於世　為說佛慧故　今正是其時
舍利弗當知　鈍根小智人　著相憍慢者　不能信是法
今我喜无畏　於諸菩薩中　正直捨方便　但說无上道
菩薩聞是法　疑網皆已除　千二百羅漢　悉亦當作佛
如三世諸佛　說法之儀式　我今亦如是　說无分別法
諸佛興出世　懸遠值遇難　正使出于世　說是法復難
无量无數劫　聞是法亦難　能聽是法者　斯人亦復難
譬如優曇華　一切皆愛樂　天人所希有　時時乃一出
聞法歡喜讚　乃至發一言　則為已供養　一切三世佛
是人甚希有　過於優曇華　汝等勿有疑　我為諸法王

BD02305號　妙法蓮華經卷一

(22–21)

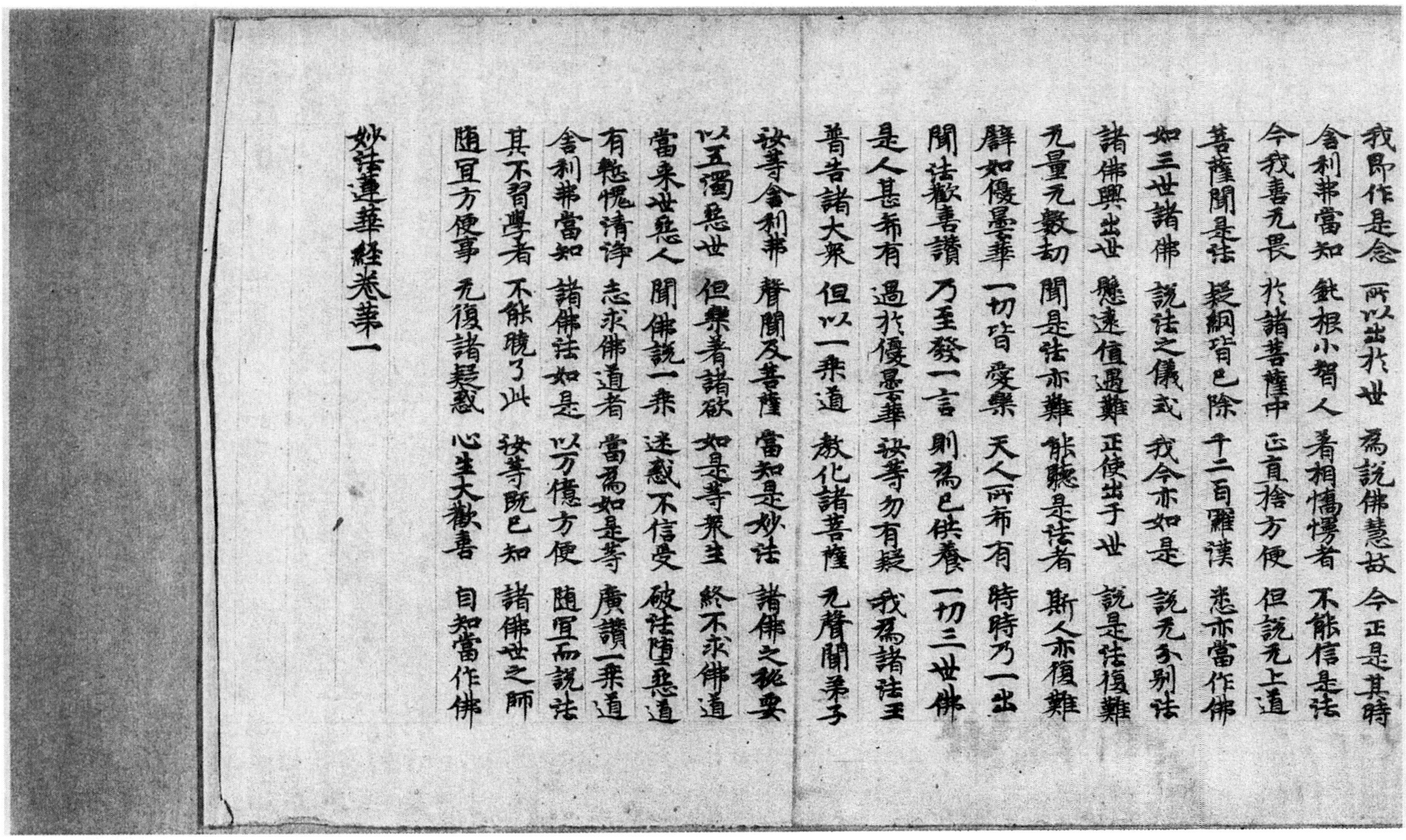

我即作是念　所以出於世　爲說佛慧故　今正是其時
舍利弗當知　鈍根小智人　著相憍慢者　不能信是法
今我喜无畏　於諸菩薩中　正直捨方便　但說无上道
菩薩聞是法　疑網皆已除　千二百羅漢　悉亦當作佛
如三世諸佛　說法之儀式　我今亦如是　說无分別法
諸佛興出世　懸遠值遇難　正使出于世　說是法復難
无量无數劫　聞是法亦難　能聽是法者　斯人亦復難
譬如優曇華　一切皆愛樂　天人所希有　時時乃一出
聞法歡喜讚　乃至發一言　則爲已供養　一切三世佛
是人甚希有　過於優曇華　汝等勿有疑　我爲諸法王
普告諸大衆　但以一乘道　教化諸菩薩　无聲聞弟子
汝等舍利弗　聲聞及菩薩　當知是妙法　諸佛之秘要
以五濁惡世　但樂著諸欲　如是等衆生　終不求佛道
當來世惡人　聞佛說一乘　迷惑不信受　破法墮惡道
有慚愧清淨　志求佛道者　當爲如是等　廣讚一乘道
舍利弗當知　諸佛法如是　以万億方便　隨宜而說法
其不習學者　不能曉了此　汝等既已知　諸佛世之師
隨宜方便事　无復諸疑惑　心生大歡喜　自知當作佛

妙法蓮華經卷第一

BD02305號　妙法蓮華經卷一　（22–22）

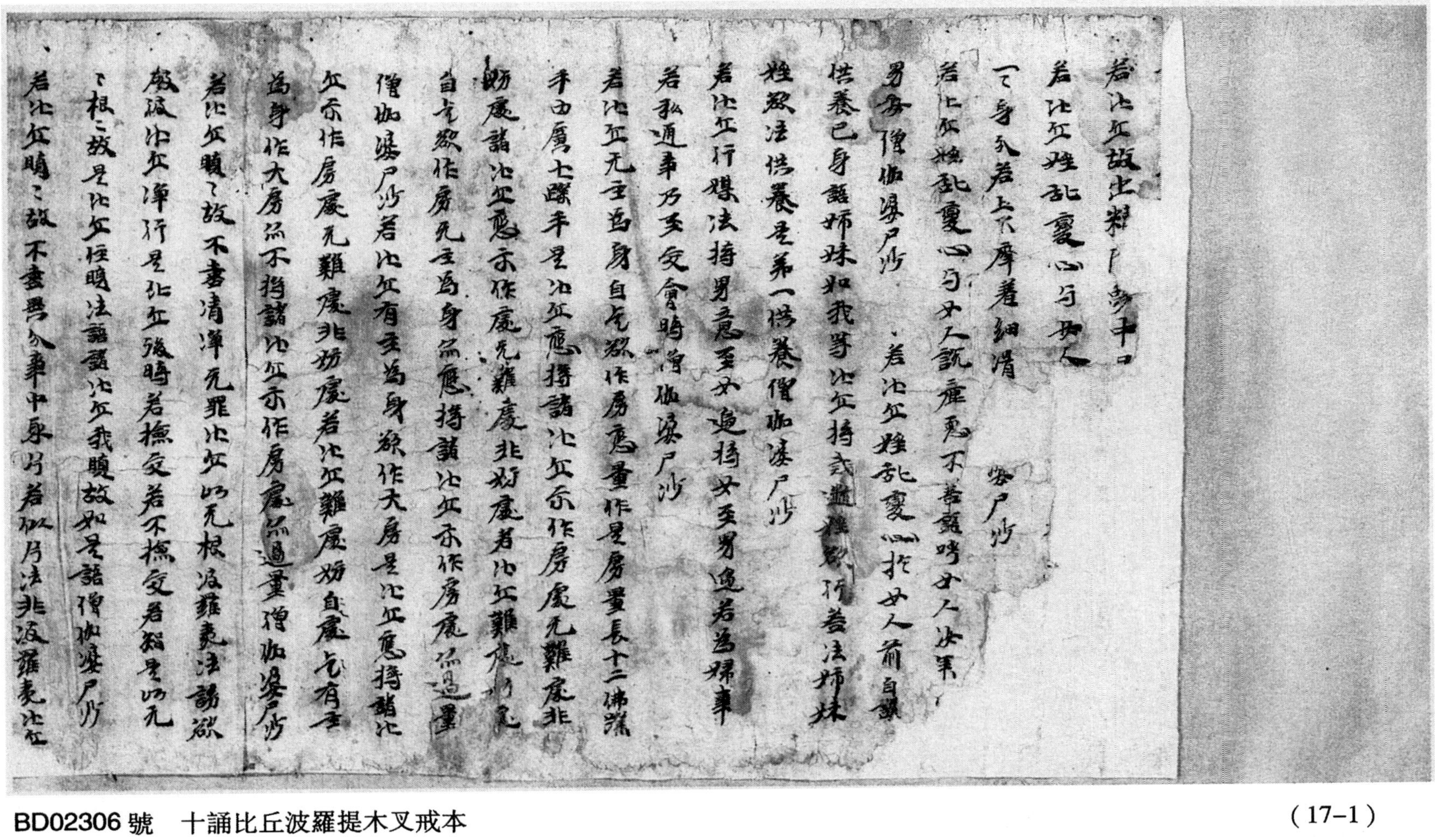

若比丘故出精尸沙十一
若比丘婬亂變心与女人
下身分若上下摩著細滑
若比丘婬亂變心与女人說麁惡不善婬欲女人汝果
婆尸沙
男女僧伽婆尸沙　若比丘婬亂變心於女人前自讚
供養已身語姊妹如我等比丘持戒斷婬行善法姊妹
婬欲法供養是第一供養僧伽婆尸沙
若比丘行媒法持男意至女邊持女意至男邊若爲婦事
若私通事乃至須臾頃僧伽婆尸沙
若比丘无主爲身自乞作房應量作是房量長十二佛磔
手內廣七磔手是比丘應將諸比丘示作房處无難處非
妨處諸比丘應示作處无難處非妨處若比丘難處妨處
自乞作房无主爲身不應將諸比丘亦作房處不過量
僧伽婆尸沙若比丘有主爲身欲作大房是比丘應將諸比
丘示作房處无難處非妨處若比丘難處妨處自處有主
爲身作大房不將諸比丘示作房處不過量僧伽婆尸沙
若比丘瞋〻故不喜清淨无罪比丘以无根波羅夷法謗欲
破彼比丘淨行是比丘後時若檢校若不檢校若知是以无
〻根〻故是比丘住瞋法語諸比丘我瞋故如是語僧伽婆尸沙
若比丘瞋〻故不喜異分事中取片若似片法非波羅夷比丘

BD02306號　十誦比丘波羅提木叉戒本　（17–1）

欲破彼比丘淨行是比丘後時若撿挍若不撿挍若知是以无
々根々故是比丘住瞋法語諸比丘我瞋故如是語僧伽婆尸沙
若比丘瞋々故不喜異分事中取片若似片法非波羅夷比丘
以波羅夷法謗欲破彼比丘淨行是比丘後時若撿挍若不撿挍
若知是異分事異分事中取片若似片法是比丘住瞋法語
諸比丘我瞋故如是語僧伽婆尸沙
若比丘為破和合僧故懃方便若受破緣事故共諍諸比丘
應諫是比丘大德莫為破和合僧故懃方便莫受破緣事
共諍大德當與僧同事何以故僧和合歡喜不諍一心一學
如水乳合安樂行大德捨是破僧因緣事諸比丘如是諫時若
堅持是事不捨諸比丘應第二第三諫捨是事故第二三諫
捨是事好若不捨僧伽婆尸沙
是為破和合僧故懃方便比丘有餘比丘輩同意別異語
若一若二若多是同意比丘語諸比丘大德是事莫諫是
比丘何以故是法語比丘善語比丘是比丘說法不說非法說
善不說非善是比丘知說非不知說是比丘所說皆是我等心
所欲是比丘欲忍可事我等亦欲忍可諸比丘應諫是同
意比丘大德莫作是語是法語比丘善語比丘是比丘說法不
說非說善不說非善是比丘知說非不知說是比丘所說皆是
我等心可欲是比丘欲忍可事我等亦欲忍可大德莫樂助
破僧事當樂助和合僧何故僧和合歡喜不諍一心一學如
水乳合安樂行諸大德當捨破僧同心別異語是同意比
丘諸比丘如是諫時若堅持是事不捨諸比丘應第二第三諫捨
第二三諫捨是事好若不捨僧伽婆尸沙

BD02306號　十誦比丘波羅提木叉戒本

（17–2）

水乳合安樂行諸大德當捨破僧同心別異語是同意比
丘諸比丘如是諫時若堅持是事不捨諸比丘應第二第三諫捨
第二三諫捨是事好若不捨僧伽婆尸沙
有諸比丘依止城若聚落住是諸比丘污他家行惡行污他家
亦見亦聞亦知行惡行諸比丘應諫諸比丘大德汝等污他家
行惡行污他家行惡行亦見亦聞亦知諸大德汝出去不應
是中住是諸比丘語諸比丘言大德諸比丘隨愛隨瞋隨怖隨癡
有如同罪比丘有驅者有不驅者諸比丘應諫語是諸比丘諸
大德莫作是語諸比丘隨愛隨瞋隨怖隨癡有如是同罪比丘
有驅者有不驅者何以故諸比丘不隨愛不隨瞋不隨怖不隨癡
大德汝等污他家行惡行污他家亦見亦聞亦知行惡行諸大
德捨是隨愛隨瞋隨怖隨癡語汝出去不應是中住是同意比丘
諸比丘如是諫時若堅持是事不捨諸比丘應第二三捨諫是事
故第二三諫捨是事好若不捨僧伽婆尸沙
有一比丘惡性難共語諸比丘如法如善說所犯波羅提木叉中事自
身作不可共語知是言諸大德莫語我若好若醜我亦不語諸大
德若好若醜諸大德不須諫我諸比丘應諫是比丘大德諸比丘
如法如善說所犯波羅提木叉中事汝莫自身作不可語汝身
當作可共語大德汝當為諸比丘說如法汝善諸比丘亦當
為大德說如法如善何以故諸佛眾得增長故所謂共說
共諫共罪中出故大德捨是自身作不可共語案是比丘
諸比丘如是諫時若堅持是事不捨諸比丘應第二第三諫
捨是事故第二三諫時捨是事好若不捨僧伽婆尸沙
諸大德已說十三僧伽婆尸沙法九初罪四乃至三諫諸罪中若比丘

BD02306號　十誦比丘波羅提木叉戒本

（17–3）

捨是事故乃至三諫時捨是事好若不捨僧伽婆尸沙
諸大德已說十三僧伽婆尸沙法九初罪四乃至三諫說罪中若比丘
犯一一罪知故覆藏隨覆藏時應強令行波利婆沙行波利婆
沙已是比丘應僧中六夜行摩那埵行摩那埵已次到阿浮呵那如
法作已諸比丘心喜二十比丘眾中出罪若少一人不滿二十眾出是比丘
罪是比丘罪不得出諸比丘亦可呵是法應爾今問諸大德是中
清淨不第二第三亦如是問是中清淨不諸大德是中清淨嘿然故
是事如是持
諸大德是二不定法半半月波羅提木叉中說
若比丘共一女人獨屏覆處可婬處坐可信優婆夷見是比丘三法
中若一一法說若波羅夷若僧伽婆尸沙若波逸提若比丘自言我坐
是處應三法中隨所說法治若波羅夷若僧伽婆尸沙若波逸提隨可
信優婆夷所說種種餘法治是比丘是初不定法
若比丘共一女人不屏覆處不可婬處坐是比丘与女人說麁惡婬語可信
優婆夷見是比丘二法中若一一法說若僧伽婆尸沙若波逸提若比丘自
言我坐是處應二法中隨所說法治若僧伽婆尸沙若波逸提隨可信優
婆夷所說種種餘法治是比丘是二不定法
諸大德已說二不定法今問諸大德是中清淨不第二第三亦問是中清
淨不諸大德是中清淨嘿然故是事如是持
諸大德是卅尼薩耆波夜提法半半月波羅提木叉中說
若比丘三衣具足訖迦絺那衣時長衣乃至十日應畜若過十日畜
尼薩耆波夜提 若比丘三衣具足訖迦絺那衣時三衣中若離
一一衣餘處宿尼薩耆波夜提除僧羯磨
若比丘三衣具足訖迦絺那衣時若得非時衣是比丘若須衣得自手

BD02306號 十誦比丘波羅提木叉戒本 （17–4）

尼薩耆波夜提 若比丘三衣具足訖迦絺那衣時三衣中若離
一一衣餘處宿尼薩耆波夜提除僧羯磨
若比丘三衣具足訖迦絺那衣時若得非時衣是比丘若須衣得自手
取物應疾作比丘衣若得足者好若不足知更有得處為滿足故
是比丘是衣乃至一月應畜若過畜尼薩耆波夜提
若比丘從非親理比丘尼邊取衣尼薩耆波夜提除貿易
若比丘使非親理比丘尼浣故衣若染若打尼薩耆波夜提
若比丘從非親理居士若居士婦乞衣若得是衣尼薩耆波夜提
若比丘奪衣失衣燒衣漂衣從非親理居士若居士婦乞衣若非親
理居士若居士婦自恣多与衣是比丘若須衣受乃至上下衣若過受尼薩耆
波夜提 若比丘非親理居士若居士婦為比丘辦衣價
念言我當如是如是衣價買如是衣与某甲比丘是中比丘
先不自恣為好衣故便作因緣到非親理居士若居士婦所作如是言
汝善哉辦如是如是衣價買如是衣与我為好故若得是衣尼薩耆波夜提
若比丘非親理居士若居士婦各各辦衣價念言我如是如是衣價買
如是衣与某甲比丘是中比丘先不自恣為好衣故便作因緣到非親
理居士若居士婦所作如是言汝等各各辦如是如是衣價買合作一衣
与我為好故若得是衣尼薩耆波夜提
若比丘若王若王臣若婆羅門若居士為比丘遣使送衣價是使
到是比丘所語是比丘言大德知不是衣價若王若王臣若婆羅
門若居士所遣大德受是衣價是比丘應語使如是言諸比丘法
不應受是衣價我等須衣時得清淨衣若須衣時得自手取物
應疾作比丘衣當是使語是比丘言大德有執事人常能為諸比丘
執事不須衣比丘應示使執事人若守僧坊人若優婆塞應語

BD02306號 十誦比丘波羅提木叉戒本 （17–5）

不應受是衣直我等須衣時得清淨衣若須衣時得當受取
應受作比丘衣若是使語是比丘言大德有執事人常能為諸比丘
執事不須衣比丘應示使執事人若守僧坊人若優婆塞應語
言如是人等常能為諸比丘執事不是使往執事人所語執事
人言善哉執事如是如是衣價買如是如是衣與某甲比丘是比丘
須衣時至當來當自衣是使若自勸喻若使人勸喻勸喻已還到
比丘所到白言大德所示執事人我勸喻作已大德須衣時往取
當與大德衣須衣比丘應到執事人所索作是言我須衣我須衣
第二第三亦如是索若得衣者好若不得第四第五極至第六
在執事前默然立得衣者好若不得為得衣故過是求若得
是衣尼薩耆波夜提若不得衣隨衣價來處若自去若遣使
去應如是語汝為某甲比丘送衣價是比丘把汝衣價竟不
得用汝自知物莫使失是事法爾 ·若比丘新憍耶衣作敷
具尼薩耆波夜提 ·若比丘純黑羺羊毛作新敷具尼薩耆波
耆夜提 ·若比丘欲作新敷具應用二分純黑羺羊毛第三
分白第四分下若比丘不用二分純黑羺羊毛第三白分第四分下
作新敷具者尼薩耆波夜提 ·若比丘欲作新敷具故敷具必應
滿六年畜若比丘六年中故敷具若捨若不捨更作新敷具尼薩
耆波逸提除僧羯磨 ·若比丘欲作新尼師檀故尼師檀四邊
各取一脩伽陀磔手為壞好色故若比丘不取故尼師檀四邊各一
脩伽陀磔手壞好色故更作新尼師檀敷具為好色故尼薩耆波逸提
若比丘行道中得羺羊毛若欲要是比丘應自手受乃至三由旬若无
代擔者尼薩耆波逸提 ·若比丘使非親里比丘尼浣染擘羺
羊毛尼薩耆波逸提 ·若比丘自手取金銀若使人取若教他取尼薩
耆波逸提 ·若比丘以金銀買種種物尼薩耆波逸提

BD02306號　十誦比丘波羅提木叉戒本

（17–6）

若比丘行道中得羺羊毛若欲要是比丘應自手受乃至三由旬若无
代擔者尼薩耆波逸提 ·若比丘使非親里比丘尼浣染擘羺
羊毛尼薩耆波逸提 ·若比丘自手取金銀若使人取若教他取尼薩
耆波逸提 ·若比丘以金銀買種種物尼薩耆波逸提
若比丘種種販賣尼薩耆波逸提 ·若比丘畜長鉢乃至十日應畜若過
畜尼薩耆波逸提 ·若比丘所用鉢不滿五綴更乞新鉢為好故尼
薩耆波逸提是應諸比丘眾中捨是比丘眾中最下鉢應與之如
是教汝比丘受是鉢乃至破是事法爾
·若比丘自乞縷使非親里織師織尼薩耆波逸提 ·若比丘非親里
居士居士婦使織師為比丘織作衣是比丘先不自恣為好衣故少
作因緣往到織師言汝知不此衣為我作汝好織令緻廣我當
當與汝少物乃至是比丘若自勸喻若使人勸喻勸喻已後時乃少物
乃至一食若一食直為得衣故若得是衣尼薩耆波逸提
·若比丘與他比丘衣後瞋恚忿心不喜若自奪若使人奪作如
是言比丘還我衣來不與汝尼薩耆波逸提是比丘應諸比丘前捨
是衣 ·若比丘十日未至自恣得急施衣是比丘若須衣得自手取物
乃至衣時應畜若過畜尼薩耆波逸提 ·夏三月過有閏未滿一月
若阿練若比丘在阿練住處住意有疑恐怖畏難若是比丘三衣中
若離一一衣著舍內若有因緣出界故離衣宿乃至六夜若過宿尼
薩耆波逸提 ·春一月殘比丘應求雨衣半月應畜若比丘春殘月
內求雨衣過半畜尼薩耆波逸提 ·若比丘知檀越許僧物自迴
向己尼薩耆波逸提 ·若比丘佛聽諸病比丘服四種含消藥穌油
蜜石蜜是藥病比丘殘宿乃至七日應服若過服尼薩耆波逸提
·諸大德已說卅尼薩耆波夜提法今問諸大德是中清淨不第二第三
亦如是問是中清淨不諸大德是中清淨默然故是事如是持

BD02306號　十誦比丘波羅提木叉戒本

（17–7）

竊石蜜是藥病比丘殘宿乃至七日應服若過服尼薩耆波逸提
諸大德已說卅尼薩耆波夜提法今問諸大德是中清淨不第二第三
亦如是問是中清淨不諸大德是中清淨默然故是事如是持
諸大德是九十波夜提法半〻月〻波羅提木叉中說
若比丘故妄語波夜提　若比丘毀訾語波夜提　若比丘兩舌鬪他比丘波
夜提　若比丘知僧如法斷事還更發起波夜提　若比丘為女人說
法過五六語波夜提除有知男子　若比丘以闡陁偈句教未受具
戒人波夜提　若比丘未受具戒人前自為身說過人法若知若見
自稱言我如是知如是見乃至實波夜提　若比丘知他比丘麁罪向
未受具戒人說波夜提除僧羯磨　若比丘先歡喜聽後如是說
諸比丘隨親厚迴僧物波夜提　若比丘說戒時作如是言何用說
是雜碎戒為半〻月〻波羅提木叉中說〻波羅提木叉故諸比丘心
生悔心惱心熱心憂愁心不樂生返戒心作是輕呵戒波夜提
若比丘斷眾草木波夜提　若比丘嫌罵波逸提　若比丘不隨問答惱
他比丘波逸提　若比丘僧臥具若坐牀若臥牀杻褥敷比若敷
若使人敷是中若坐若臥去時不自舉不教人舉波逸提
若比丘〻房舍中敷具若自敷若使人敷是中若坐若臥去時不自舉
不教人舉波逸提　若比丘〻房舍中瞋恚心不喜若自撓出若使人撓出
如是言出去滅去不應是中住是因緣故不異波逸提　若比丘〻房舍
中知諸比丘先安住敷臥具竟後來強以臥具若自敷若使人敷是念
若不樂者自當出去是因緣故不異波逸提　若比〻丘〻重閣上尖
脚坐牀若臥牀用力若坐若臥波逸提　若比丘知水有虫若自澆草土
若使人澆波逸提　若比丘欲大作房舍應從戶牖平地邊漸次
若二若三累令堅牢若過累波逸提　若比丘僧不差教比丘尼

若不樂者自當出去是因緣故不異波逸提　若比〻丘〻重閣上尖
脚坐牀若臥牀用力若坐若臥波逸提　若比丘知水有虫若自澆草土
若使人澆波逸提　若比丘欲大作房舍應從戶牖平地邊漸次
若二若三累令堅牢若過累波逸提　若比丘僧不差教比丘尼
波逸提　若比丘僧雖差教比丘尼乃至日沒時波逸提
若比丘如是言為供養故諸比丘教化比丘尼波逸提　若比丘〻尼
議共道行乃至一聚落波逸提除因〻緣〻者若多伴可行道有怖
畏處是名因緣　若比丘〻尼議共載船若上水若下水波逸提除直度
若比丘與非親里比丘尼衣波逸提　若比丘為非親里比丘尼作衣波逸提
若比丘共比丘尼獨屏覆處坐波逸提　若比丘共女人獨露處坐波逸提
若比丘知比丘尼讚歎因緣得食〻波逸提除先白衣時若因緣
若比丘數〻食波逸提除因〻緣〻者病時布施衣時是名因緣　若比
丘施一食處無病比丘應一食若過食波逸提　若諸比丘到白衣
家自恣多與若餅若麨諸比丘若須二若三鉢應受若過受波
逸提二三鉢取已出外應與餘比丘是事法爾　若比丘食竟
不受殘食法若食波逸提　若比丘知諸比丘食竟不受殘食法
慇懃自恣與飲食如是言比丘食為惱故作是念是比丘乃至少許
時惱是因緣故不異波逸提　若比丘別眾食波逸提除因〻緣〻者
病時作衣時施衣時行道時船上行時大會時沙門施食時是名因緣
若比丘非食時波逸提　若比丘殘宿食〻波逸提　若比丘不受飲食著
口中波逸提除水及羊枝　若諸家中如是美食乳酪生酥油魚
肉脯若比丘無病為身索波逸提
若比丘知水有虫取用波逸提　若比丘食家中臥處坐波逸提
若比丘食家中獨與一女人屏覆處坐波逸提　若比丘裸形外道若出
家男出家女自手與食波逸提　若比丘軍往觀波逸提除因緣若比丘

中脯　若比丘無病知是美食爲身索波夜提
若比丘知水有虫取用波夜提　若比丘食家中取處坐波夜提
若比丘食家中獨与一女人屏覆處坐波夜提　若比丘裸形外道若出
家男出家女自手与食波夜提　若比丘軍[發行]往觀波夜提除因緣　若比丘
有因緣到軍中乃至二宿應住若過宿波夜提　若比丘乃至二宿軍中住
觀軍發行主將幢麾軍陣合戰波夜提　若比丘瞋他比丘恚忿
不喜打波夜提　若比丘瞋他比丘恚忿不喜手搏波夜提　若比丘知他
比丘麁罪覆藏乃至一宿波夜提　若比丘語諸比丘大德共至諸家与
汝多美飲食是比丘不喜与彼比丘食如是言如出去共汝若坐若語
不樂我獨坐語樂以是因緣故作是念使是比丘乃至少許時惱是因緣
故不異波夜提　若比丘無病故露地自然火若草木牛屎掃若自燒若
使人燒波夜提　若比丘如法僧事与欲竟後嘖呵波夜提　若比丘共
未受戒人共房宿過二夜波夜提　若比丘作是言我知是知佛法義
行鄣道法不能鄣道是比丘諸比丘應如是教汝莫作是語
我如是知佛法義行鄣道法不能鄣道汝莫謗佛莫輕佛謗佛
不善佛不作是語佛種種因緣說鄣道法實能鄣道汝大德捨是
惡邪見是比丘諸比丘如是教時若堅是事堅持不捨諸比丘應
第二三教捨是事故第二三教時捨是事好若不捨波夜提
若比丘知僧是人如是語不如法悔不捨是惡邪見故擯若畜使共語房舍宿
若比丘有沙彌作如是言我如是知佛法義行諸欲不能鄣道是沙
彌諸比丘應如是教汝沙彌莫作是語我如是知佛法義行諸欲不能
鄣道汝莫謗佛莫輕佛謗佛不善佛不作是語佛種種因緣說行
諸欲實能鄣道汝沙彌捨是惡邪見是沙彌諸比丘如是教時
若堅是事堅持不捨諸比丘應第二三教捨是故第三教捨好

BD02306號　十誦比丘波羅提木叉戒本　（17–10）

諸欲實能鄣道汝沙彌捨是惡邪見是沙彌諸比丘如是教時
若堅是事堅持不捨諸比丘應第二三教捨是故第三教捨好
若不捨是沙彌諸比丘應如是語從今日汝沙彌不應言佛是我
師不應隨諸比丘後行諸餘沙彌得共比丘乃至二宿汝今無是
事出去癡人滅去莫是中住　若比丘知是驅沙彌若畜使共語一房舍
宿波夜提　若比丘若寶若名寶若自取若使人取若如是物波夜提
除僧房內住處內　若比丘若寶若名寶僧房內住處內如是生心是誰
有是主取去是事法爾　若比丘得新衣應三種壞色若青若泥
若木蘭若比丘三種壞色中不取一一色若青若泥若木蘭若比丘著新
衣者波夜提　若比丘半月內洗浴波夜提除時時因緣時者熱時春
殘一月半夏初一月是一月半名熱時除病時風時雨時作時行路時是
名因緣　若比丘故奪畜生命波夜提　若比丘故令他比丘悔作是念
令是比丘乃至少許時得惱是因緣故不異波夜提
若比丘指撫人波夜提　若比丘水中戲波夜提　若比丘与女人一房舍宿
波夜提　若比丘恐怖他比丘若自恐怖若使人恐怖乃至戲咲波夜提
若比丘藏他比丘衣鉢若戶鉤若蓋若革屣若針筒如是一一生活具若
自藏若使人藏乃至戲咲波夜提　若比丘与他比丘比丘尼式叉摩尼
沙彌沙彌尼衣輒還取用波夜提　若比丘以無根僧伽婆尸沙法謗比
比丘波夜提　若比丘与女人議共道行乃至到一聚落波夜提　若比丘
与賊衆議共道行乃至到一聚落波夜提　若比丘不滿廿年人与受具
戒波夜提是人不得戒諸比丘亦可呵是事法爾　若比丘自手掘地若
使人掘若指言掘是地波夜提　若比丘受四月自恣請過受者波夜提
除常自恣請除數數自恣請除獨自恣請　若比丘說波羅提木叉時
如是言我今未學是戒先當問諸比丘誦修多羅誦毗尼誦阿毗曇

BD02306號　十誦比丘波羅提木叉戒本　（17–11）

使人掘若指言掘是地波逸提　若比丘四月自恣請過受者波逸提
除常自恣請除數數自恣請除獨自恣請　若比丘說波羅提木叉時
如是言我今未學是戒先當問諸比丘誦修多羅誦毗尼誦阿毗曇
者波逸提　若比丘欲得法利者是波羅提木叉中應學亦應問諸比丘
誦修多羅誦毗尼誦阿毗曇者應如是言諸大德是語句何義是事
法尔　若比丘諸比丘鬪亂訟諍屏處嘿立聽作是念諸比丘所說
我當憶持波逸提　若比丘僧斷事時嘿然起去波逸提　若比丘輕
他比丘波逸提　若比丘飲酒波逸提　若比丘非時入聚落不白除善比丘
波逸提除因緣　若比丘請食食前食後行至餘家波逸提
除因緣　若比丘剎利帝王水澆頭種未曉未藏寶若門閫過過波逸提
若比丘說戒時如是言我今始知是法入波羅提木叉中半月半
月說波羅提木叉中說諸比丘知是比丘乃至若二若三說波羅提木叉
中坐何況多是比丘不以不知故得脫隨所犯罪如法治應呵令厭汝失
使汝失利汝不善汝說戒時不覓說戒不作是事實故是
不貴重不着心中不一心念不攝耳聽法從是事波逸提
若比丘若骨若牙若角作針筒波逸提　若比丘作坐牀臥牀足應
高八指除入梐若過作波逸提　若比丘自以兜羅綿若使人著
波逸提　若比丘欲雨衣應稱量是中量長六修伽陀搩手廣二修伽
陀搩手半若過作波逸提　若比丘欲作覆身衣應稱量是中量長
四修伽陀搩手廣二修伽陀搩手若過作波逸提
若比丘欲作尼師壇應稱量是中量長二修伽陀搩手廣一修伽陀
半搩手半若更增一搩手若過作波逸提　若比丘佛衣等量作若過
佛衣量波逸提　是中佛衣量長九修伽陀搩手廣六修伽陀搩手是
名佛衣量　諸大德已說九十波逸提法今問諸大德是中清淨不第二
三亦如是問　是中清淨默然故是事如是持

BD02306號　十誦比丘波羅提木叉戒本　（17–12）

半搩手半若更增一搩手若過作波逸提　若比丘佛衣等量作若過
佛衣量波逸提　是中佛衣量長九修伽陀搩手廣六修伽陀搩手是
名佛衣量　諸大德已說九十波逸提法今問諸大德是中清淨不第二
三亦如是問　是中清淨默然故是事如是持
諸大德是四波羅提提舍尼法半半月半波羅提木叉中說
若比丘無病白衣家中非親里比丘尼邊自手受飲食是比丘應諸比丘邊
悔過如是言諸大德我墮可呵法所不應作是可悔法我今悔是第一波羅提提舍尼法
有諸比丘白衣家請食是中一比丘尼立指示言與是比丘飯與是比丘羹諸
比丘應語是比丘尼小住姊妹待諸比丘食竟若比丘中乃至無一比丘能
語是比丘尼小住姊妹待諸比丘食竟是諸比丘應諸比丘邊出罪如
是言諸大德我墮可呵法所不應作是可出法我今出是第二波羅提提舍尼法
有諸學家僧作學家羯磨若比丘是學家中僧作學家羯磨先不
請後來自手受飲食是比丘應諸比丘邊出罪如是言諸大德我墮可呵
法所不應作是可出法我今出是第三波羅提提舍尼法
有僧坊阿練若住處住有疑怖畏處若比丘先知如是阿練住處有疑怖
畏處僧未作羯磨不請從外受飲食是比丘應諸
比丘出過罪如是言諸大德我墮可呵法所不應作是可出法我今出是第
四波羅提提舍尼法　諸大德已說四波羅提提舍尼法今問諸大德是中清淨不
第二第三亦如是問是中清淨不　諸大德是中清淨默然故是事如是持
諸大德是眾學法半半月月波羅提木叉中說
不高著內衣應當學　不下著內衣應當學　不參差著內衣應當學
不如斷頭著內衣應當學　不如多羅葉著內衣應當學　不如象鼻著內衣應當學
不如麨團著內衣應當學　不如細襵著內衣應當學　不如蒲頁著內衣應當學
不垂綖著內衣應當學　不細疏著內衣應當學　不滑著內衣應當學
不高披衣應當學　不下披衣應當學　不參差披衣應當學

BD02306號　十誦比丘波羅提木叉戒本　（17–13）

不如斷頭著內衣應當學　不如多羅葉著內衣應當學　不如……
不如麨團著內衣應當學　不如細襵著內衣應當學　不如象耳著內衣應當學
不上起著內衣應當學　不細疏著內衣應當學　不滑著內衣應當學
不高披衣應當學　不下披衣應當學　不參差披衣應當學
齊整披衣應當學　好覆身入白衣舍應當學　好覆身白衣舍坐應當學
善好入白衣舍應當學　善好白衣舍坐應當學　不眄視入白衣舍應當學
不眄視白衣舍坐應當學　不喧入白衣舍應當學　不喧白衣舍坐應當學
不自大入白衣舍應當學　不自大白衣舍坐應當學　小聲入白衣舍應當學
小聲白衣舍坐應當學　不胡跳入白衣舍應當學　不胡跳白衣舍坐應當學
不覆頭入白衣舍應當學　不覆頭白衣舍坐應當學　不搖頭入白衣舍應當學
不搖頭白衣舍坐應當學　不叉腰入白衣舍應當學　不叉腰白衣舍坐應當學
不現胸入白衣舍應當學　不現胸白衣舍坐應當學　不現腹入白衣舍應當學
不現腹白衣舍坐應當學　不反抄衣入白衣舍應當學　不反抄衣白衣舍坐應當學
不左右反抄衣入白衣舍應當學　不左右反抄衣白衣舍坐應當學
不敷衣抱入白衣舍應當學　不敷衣抱白衣舍坐應當學
不抱膝入白衣舍應當學　不抱膝白衣舍坐應當學
不抱肩入白衣舍應當學　不抱肩白衣舍坐應當學
不頭枕入白衣舍應當學　不枕頭白衣舍坐應當學
不搖身入白衣舍應當學　不搖身白衣舍坐應當學
不攜手入白衣舍應當學　不攜手白衣舍坐應當學
不躄行入白衣舍應當學　不躄行白衣舍坐應當學
不累腳入白衣舍應當學　不累腳白衣舍坐應當學
不掌扶頰白衣舍坐為白所嫌應當學
一心受食應當學　一心受羹應當學　不溢缽受食應當學
羹飯等食應當學　一心觀缽受食應當學　不缽中擇好食應當學

BD02306號　十誦比丘波羅提木叉戒本

（17–14）

不掌扶頰白衣舍坐為白所嫌應當學
一心受食應當學　一心受羹應當學　不溢缽受食應當學
羹飯等食應當學　一心觀缽受食應當學　不缽中擇好食應當學
不大揣飯食應當學　揣飯可口食應當學　不張口待食應當學
不含飯語應當學　不半揣食應當學　不齧食作聲應當學
不全吞食應當學　不吹咽食應當學　不吐舌食應當學
不喋食喋喋應當學　不舐手食應當學　不指抆缽食應當學
不棄飯食應當學　不振手食應當學　不污手受食器應當學
比丘不病不得為身索羹飯若美應當學　不得以飯覆羹更望得應當學
不得嫉心看比坐缽中應當學　一心觀缽食應當學　次第食應當學
不應以洗缽水棄白衣家內除白檀越應當學
騎乘人不應為說法除病應當學　人在前比丘在後不應為說法除病應當學
人在道中比丘在道外不應為說法除病應當學
人坐比丘立不應為說法除病應當學　人臥比丘坐不應為說法除病應當學
人覆頭不應為說法除病應當學　人裹頭不應為說法除病應當學
人叉腰不應為說法除病應當學　人現胸不應為說法除病應當學
人現腹不應為說法除病應當學　人反抄衣不應為說法除病應當學
人左右反抄衣不應為說法除病應當學　人敷衣抱不應為說法除病應當學
人著屐不應為說法除病應當學　人著革屣不應為說法除病應當學
人捉杖不應為說法除病應當學　人捉蓋不應為說法除病應當學
人捉五尺刀不應為說法除病應當學　人捉弓不應為說法除病應當學
人捉弓箭種種器杖不應為說法除病應當學　不應生草上大小便涕唾除病應當學
不應淨用水中大小便涕唾除病應當學　不應立大小便除病應當學
擲蟲人不得上過人樹因緣應當學

BD02306號　十誦比丘波羅提木叉戒本

（17–15）

人捉弓箭種〻器杖不應為說法除病應當學　不應生草上大小便涕唾除病應當學
不應淨用水中大小便涕唾除病應當學　不應立大小便除病應當學
樹過人不得上除大因緣應當學
諸大德已說眾學法今問諸大德是中清淨不第二第三亦如是問是
中清淨不諸大德是中清淨默然故是事如是持
諸大德是七滅諍法半〻月〻波羅提木叉中說
應與現前比尼人當與現前比尼　應與憶念比尼人當與憶念比尼
應與不癡比尼人當與不癡比尼　應與自言治人當與自言治
應與覓罪相人當與覓罪相　應與多覓罪人當與多覓罪
種〻諍中諍事起如草布地除滅應當學
諸大德已說七滅諍法今問諸大德是中清淨不第三亦如是問是中清淨
諸大德已說波羅提木叉序已說四波羅夷法已說十三僧伽婆尸沙法已說二不定法已說三十尼薩
耆波夜提法已說九十波夜提法已說四波羅提舍尼法已說眾學法已說七滅諍法
是事入佛經中半〻月〻波羅提木叉中說及餘隨道戒法是中諸大德一心歡
喜不諍一學如水乳合安樂行應當學
忍辱第一道涅槃佛稱最出家惱他人不名為沙門譬如明眼人能避嶮惡
道世有聰明人能遠離諸惡不惱不說過如戒所說行飯食知節量常
樂在閑處心淨樂精進是名諸佛教譬如蜂採花不壞色與香但取其味
去比丘出聚然不破壞他事不觀作不作但自觀身行諦視善不善
心莫放逸聖人善法當勤學如知是一心人心無憂愁一切惡莫作
當具足善法自淨其志意是則諸佛教護身為善哉能護口亦善護
意亦善哉護一切亦善比丘護一切便得離眾苦比丘守口意身不
犯眾惡是三業道淨得聖所得道若人撾罵不還報於嫌恨人　不報
於嫌人中心常淨見人作惡自不作七佛為世尊能救護世間是所說

BD02306號　十誦比丘波羅提木叉戒本　（17–16）

諸大德已說波羅提木叉序已說四波羅夷法已說十三僧伽婆尸沙法已說二不定法已說三十尼薩
耆波夜提法已說九十波夜提法已說四波羅提舍尼法已說眾學法已說七滅諍法
是事入佛經中半〻月〻波羅提木叉中說及餘隨道戒法是中諸大德一心歡
喜不諍一學如水乳合安樂行應當學
忍辱第一道涅槃佛稱最出家惱他人不名為沙門譬如明眼人能避嶮惡
道世有聰明人能遠離諸惡不惱不說過如戒所說行飯食知節量常
樂在閑處心淨樂精進是名諸佛教譬如蜂採花不壞色與香但取其味
去比丘出聚然不破壞他事不觀作不作但自觀身行諦視善不善
心莫放逸聖人善法當勤學如知是一心人心無憂愁一切惡莫作
當具足善法自淨其志意是則諸佛教護身為善哉能護口亦善護
意亦善哉護一切亦善比丘護一切便得離眾苦比丘守口意身不
犯眾惡是三業道淨得聖所得道若人撾罵不還報於嫌恨人　不報
於嫌人中心常淨見人作惡自不作七佛為世尊能救護世間是所說
經戒我以廣說竟諸佛及弟子恭敬是戒經已恭敬持戒人　丈
是能得无為道已說戒經竟僧一心得布薩

BD02306號　十誦比丘波羅提木叉戒本　（17–17）

見汝堪治甞故　　我生歡喜即入山
尒時大臣并及國師婆羅門等宣淨飯王如
是口勅所說之偈悉具委曲誤菩薩已復更別
以三種事意諫菩薩言大智聖子此是聖
子父王淨飯流淚鳴咽向我等勅慇切之語
是故聖子今聞父王如是苦勅堪應供養恭敬
父勅不得違逆聖子父王今以沒溺大深苦河
无人能拔出於智岸唯有聖子能作救護
堪拔彼苦猶如墮於最極深水唯大船師乃
能拔出如是如是聖子父王今以沒深大苦
惱海更无有人能拔出者唯子耳又復聖
子小嬰孩時增長養育唯憍曇弥兼其復
是聖子姨毋莫令孤窴使其命終令為憶念
於聖子故受大苦惱譬如㹀牛失犢子故悲
哭而鳴如是如是彼憍曇弥以眼不見於聖
子故悲苦鳴咽常恒啼哭是故聖子不應捨
離復以往昔養育之恩猶如彼牛愛戀其
子并及宮內婦女眷屬亦然受苦又迦毗羅城
內一切釋種男女人民大小為愛聖子心煎
逼故被苦惱火之所燒然是故聖子尒可還
家見於彼等譬如大地被焚燒時在上諸天
降大甘雨滅彼熱熱苦劇之火

內一切釋種男女人民大小為愛聖子心煎
逼故被苦惱火之所燒然是故聖子尒可還
家見於彼等譬如大地被焚燒時在上諸天
降大甘雨滅彼熱熱苦劇之火
尒時菩薩聞父王使如是語已少時思惟以
調身心口喘氣已報使人言我亦久知人父向
子皆有愛心我知我父淨飯大王向於我邊
極大憐念憶戀著心我今但以怖畏世間生
老病死自身見沒豈能救況欲求度脫故
捨離彼諸眷屬可誰復樂捨此之親愛可不
欲得恒相見也若世間中无愛別離誰不樂
世雖復久住共諸親聚會當別離是故我
今捨於一切愛愛親族及以父毋志求菩提若
汝所言因愛我故致令父王生大苦惱我聞
此言實不意者如是恩愛以者何譬如有人
於睡眠中夢見親愛聚集合會覺還別離
若是凡人不解方便心生苦惱此是无識愚
癡衆生若有智人能自思念親愛合會猶如
路行道上結伴相與共行隨逐近遠到所至
處各散還本以是事故々愛眷屬聚集有
離何須愁惱又前世時曾為眷屬捨至後此
此處眷屬捨至後世復世捨已復至復世如是
展轉更互相捨此諸眷屬愛戀之心從何處
來去至何處凡世世間人從初受胎至一切處
如是念念剎那時間悉皆有於死命男丞如
此何者是時非時今乃語我我子即今非是
入山求道時時何況在家受王位時若當間

展轉更互相捨此諸眷屬愛戀之心從何處
來去至何處凡世世間人從初受胎至一切處
如是念念剎那時間志皆有於死命男遂婦
此何者是時非時今乃語我我子即今非是
入山求道時時何況在家受五欲時若當問
我時非時者今當略之所以者何彼死命鬼於
一切時捕諸眾生无不捕時是故我今欲求
離彼生老病死以如是故无時非時
菩薩復言若當我父要子但來我必與子灌
頂王位我又必有大弘願心如是難事以能與
我可惜於道令我不脩但我不欲受此王位
親愛轉縛非解脫道辟如愚人不思美食
云何智人貪是世無其无智相愚癡之身大有
苦惱故乃能受此王位耳既居王位放逸自在
躭荒酒色不能捨離辟如金屋猛火熾然
辟如美饌和諸毒藥辟如華沼而在蛟龍
如是如是王位快樂意所娛樂諸患隨逐不
覺不知以是因緣我今不樂亦非是法而說
偈言
辟如金屋火熾盛　如食甘美毒藥和
如滿池華有蛟龍　王位受樂後大苦
尒時菩薩說是偈已復作是言以如是故往昔
諸王得王位已年少之時治化受樂後　至老
年厭離五欲棄捨宮殿便入山林凡人寧當
在於山林食草活命不居宮殿受五欲樂
如養黑虵後受其殃初受樂時不知患害後

年厭離五欲棄捨宮殿便入山林凡人寧當
在於山林食草活命不居宮殿受五欲樂
如養黑虵後受其殃初受樂時不知患害後
時瞋發遂便螫人寧捨居家入於山林莫捨
山林還入家居何以故為於先聖所識嫌故
我今既得生於善家應脩善法莫如癡人行
不善法自縱恣心既剃鬚髮著袈裟衣上住
山林脩道學問而彼於後捨袈裟衣不懷慚
愧是名无羞愚癡之人或為貪故或為瞋故
或為癡故或為異他如是反退我今不羨天
帝釋宮況復還欲入自己宅辟如有人已得
美食食訖已後吐棄此食棄之於地復欲還
噉可得以不如是如是若人捨彼五欲家家
或為諸緣還欲入亦復如是辟如有人以離
火宅還欲入來如是如是以見俗患捨白衣
形入山脩道迴還亦尒而說偈言
如人捨於火宅走　後時忽復更迴還
既見俗患離出家　從林還歸亦如是
尒時菩薩說此偈已告二使言汝等前稱
父王所說往昔諸王在家脩法得解脫者此
事不然何以故此之二事因緣相乖甚大懸遠
所以何者求解脫人其心寂定微妙之處乃
得居停若在宮中五欲情蕩出外治民須行
鞭撻瞋責罪罰於是心中求解脫者无有
是處若人意樂无為寂靜彼則不貪世間王位
設在位時應須捨離若樂王位其人心意不

鞭撻驅責罪罸於是心中求解脫者无有
是處若人意樂无為寂靜彼則不貪世間王位
設在位時應須捨離若樂王位其人心意不
能寂靜若樂寂定復貪世務此二相乖天地
懸遠譬如水火不得共居如是如是求解脫
法復著五欲終无是處是故今決定知彼往
昔諸王捨王位已然後乃得寂定之法若居
王位教化之時其智未成且覺用心治理
民耳不必專求解脫之法其事雖然彼等
諸王各隨其意或求解脫或受五欲我今不
然不覺彼等亦復不曾發如此心我今已斷
住家欲鏁得解脫不復貪著世間五欲豈
得還家、
時二使人聞於菩薩如是等說无滯著言尊
正決定至真之語更復詳共白菩薩言大聖
王子今者欲願求无上法此是真實非无道
理但如此行今未是時所以者何聖子父王
今受如是憂愁苦惱是故聖子違背此心非
是正法而說偈言
今求法藏寶是利　雖有正理未合時
父王愁毒切割心　孝德既乖是何道
尒時二使說此偈已重白聖子作如是言大
聖王子如我所見此意非是細觀法行於世
財利及以五欲非巧方便所以者何聖子今者
未曾見因云何求果現得果報而便捨背
方求未來大聖王子凡是世間一切書典各
谷皆自有於悉擅或有人言有未來世或有

方求未來大聖王子凡是世間一切書典各
各皆自有於悉擅或有人言有未來世或有
人言无未來世然此義中人多有疑是故聖
子以得果報現在且受若无來世何須精勤
求彼解脫
復有人言決定世間有善有惡未來世受以
是義故精勤脩行求解脫道是名為難若
使諸根決定破壞親愛別離怨憎聚會
境界相合自然捨離生老病死何假須作勤劬
方便當知此義无有實也又在胎時手足頭背腹
肚髮爪諸節支脉自然而成或復有人得成
身已還復破壞或有人言既破壞已還自然
成故先典中有如是語棘針頭尖是誰磨造
鳥獸色雜是誰畫之此義自然无人所作亦
復不可欲得即成世間諸物不得隨心即便
迴轉而有偈說
棘刺頭尖是誰磨　鳥獸雜色復誰畫
各隨其業展轉變　世間无有造作人
復有人言世間作者一切皆由自在天作若
自然者人亦何須勤劬作業可不是因流轉
自來及其去時還是彼因流轉去
復有人言以分別故則我相生故受於有有
盡亦然若受有時不假勤求自然而受若有
盡時自然而盡亦不假滅
復有人言世間欲受人身之時其父不負他
人之責則便得生生天生山一切悉然若此生

復有人言世間欲受人身之時其父不負他
人之債則便得生生天生仙一切悉然若此三
處不負債者此人不用勤劬而求自然而得
彼處解脫如是次第諸經典中各各悉檀
自說如是各得解脫其有智人精勤欲求勝
處之時必損其心是故我知聖子若欲求解
脫者依理依法應如是求解脫之路如古書
典悉檀所說若如是者必定當得无有疑也
聖子慈父淨飯大王為聖子故憂愛心苦當
得除愈聖子今者還宮之時意中若見宮殿
患猒此事亦復不須思惟何以故昔諸王仙
棄捨家已至山林中後迴向自家宮中言
彼王者各有名号所謂菴婆梨沙王（隋言盡空聲）捨
離家已在山林中諸臣百官閑諫曉喻左右
前後圍繞而還其羅摩王（隋言能書）既見大地被
諸惡人之所毀敗各各相奪遞相煞害心不
忍看從山出來如法權護又復往昔毗邪離
城有一大王名徒盧摩（隋言樹）亦從山林下來
本國護持世間往昔又有一梵仙王名婆
枳（居岐天）梨伍（隋言離言）又羅枳提婆王（隋言喜天）達摩耶
舍王（隋言法稱）諸如是等梵仙諸王无量无邊各
捨山林還來本宮綏撫大地是故聖子聞
此往昔諸王本事今若還宮无有患苦而說
偈言
如是名稱諸王等　各捨綵女入山林
後並棄山還本宮　聖子今迴有何過

偈言
如是名稱諸王等　各捨綵女入山林
後並棄山還本宮　聖子今迴有何過
尒時菩薩聞彼二使如是語已告彼大臣并
及國師婆羅門言有无之義疑與不疑我自
知耳但此二義所有真理隱之與顯我忍受
之其傳聞者既无因緣何由可信若有智
人應不依他虛說而行猶如盲人欲行道路
既无導者不見真實云何得行心自不決
若若非善彼盲癡人假令淨法心見不淨以无
智故我今寧發精進之心而雖未得甘從果報
長受苦惱實不忍在五欲淤泥迷沒沉溺為
於諸聖之所譏訶暫受快樂又汝等言往昔
已來虛空箭王及能作書並從山林還入家
者彼等諸王我不取於解脫法中用為證明
何以故彼等諸王以其所學盡神通故別更
无有苦行之法是故彼等迴反還宮汝等今
者莫作是心我當立誓假使日月墮落於地
此雪山王移離本所我若未得正法之寶貪
世事故以凡夫身還入本宮无有是處我今
寧入熾盛猛炎大熱火坑不得自利而還入
宮无有是處
尒時菩薩作是誓已從坐而起捨棄此林替
彼二人獨自而行時彼二使聞於菩薩如是
言已復見決定捨諸親族發如是願知必不
迴舉身自撲從地而起流淚滿面大聲而哭

尒時菩薩作是語已從坐而起捨棄此林背
彼二人獨自而行時彼二使聞於菩薩如是
言已復見決定捨諸親族發如是願知必不
迴舉身自撲從地而起流淚滿面大聲而哭
隨菩薩行欲近菩薩是時菩薩威德甚大
彼等人不能得逼猶如日光耀彼等目不能
覩見菩薩之身
尒時人仍復更重諮菩薩是言雅顧聖子
莫作如是剛鞕志意願定我等慇慕之心
我等愛心既未除斷不忍棄捨聖子而去彼
等二人愛菩薩故兼復重意伺淨飯王以是因
緣隨菩薩後東西而行或住或看或行或走時
彼二人更復別放四人隱身隨菩薩後左右
而行汝等人輩莫離聖子看至何處如是教
已時彼二人心中悉毒受大苦惱啼哭叫喚
各相問言我等今者云何至城見大王面大
王心情為聖子故大受苦惱我等此言云何
得奏若至王邊復作何語能解王心而有偈
說
彼等二使知聖子　決定不還至自宮
別遣四人逐後行　自迴見王云何說
佛本行集經問阿羅邏品第廿六
尒時菩薩捨其父王大臣使人并及國師婆
羅門時雨俱流淚既分別已漸漸前行安詳
而向毗舍離地未至彼城於其中路有一仙
人脩道之所名阿羅邏姓迦藍氏時彼仙人

BD02307號　佛本行集經卷二一　（17–9）

羅門時雨俱流淚既分別已漸漸前行安詳
而向毗舍離地未至彼城於其中路有一仙
人脩道之所名阿羅邏姓迦藍氏時彼仙人
有一弟子遙見菩薩向已而來見生大希
有之心從生未曾覩見斯事見已速疾走向
其師所坐之處至已向彼諸同學等摩那婆
邊大聲唱哭彼等姓名各各自言仁者跋伽
婆仁者孫多羅摩仁者設摩諸如是類摩那
婆等皆悉告言汝等今者可各喜歡心應
捨祭祀之法今此處所有遠方客大德仁來
應須迎接然此仁者已能猒離諸結煩惱欲
求最上至真解脫即是釋主淨飯王子諸相
端嚴猶如金柱身光明耀巍巍堂堂脩髀下
垂手過于膝足趺下蹈千輻之輪行步安詳
如牛王視圓光威德猶如日輪身若黃金衣
袈裟服我等福利最上之尊漸漸自來向我
等邊我等今者應須辦具隨力所有供養承
事切令尠少恭敬尊重頂戴奉迎尒時彼摩
那婆即以偈誦歎菩薩言
安詳善巧能行步　顧盼猶若大牛王
衆相滿足莊嚴身　一切諸毛皆上靡
足下圓輪具千輻　眉間宛轉妙白毫
脩髀洪直自在垂　此是人中大師子
尒時彼摩那婆口說此偈歎菩薩已重告彼
諸摩那婆言汝等一切諸摩那婆可共相
隨向衣師所諮白此事是時彼諸摩那婆等
[illegible]

BD02307號　佛本行集經卷二一　（17–10）

尒時彼摩耶婆口說此偈歎菩薩已重語彼
諸摩耶婆言汝等一切諸摩耶婆可共相
隨向於師所諮白此事是時彼諸摩耶婆等
即便相隨往詣其師阿羅邏邊到已委具諮
白於師如前等事言語既訖
尒時菩薩安詳而行忽然來至阿羅邏邊其
阿羅邏仙人遥見菩薩近來見已不覺大聲
告言善來聖子菩薩前至阿羅邏所二人對
面相共問訊少病少惱安隱已不相慰問訖
其阿羅邏請菩薩坐草鋪之上而有偈說
二人相見大喜歡　各各問訊少病惱
相對語言時未幾　清淨草坐即便鋪
尒時菩薩坐草鋪已其阿羅邏諦心觀察菩
薩之身上下觀已生大歡喜希有之事即對
菩薩以美音詞往來談說稱讚菩薩作如是
言仁者瞿曇我久承聞仁者丈夫能捨王位
踰城出家割絕親愛染識羅網譬如大象斷
牢鐵鎖或鞭皮繩頓絕之後自在走出隨心
所行如是如是仁者今日乃能猛心捨宮入
山於一切處知足少欲大有智惠仁者瞿曇
既得如是看之事世間富貴果報切能得已
能棄剃落山林此實難辨往昔諸王雖得
王位果報具足備受五欲至年老時與於世
子付屬王位灌頂為王於後方捨宮內而出
至於山林行求於道彼不為難亦非希有如
我所見仁者年少不受五欲捨是富貴切能

BD02307號　佛本行集經卷二一　（17–11）

子付屬王位灌頂為王於後方捨宮內而出
至於山林行求於道彼不為難亦非希有如
我所見仁者年少不受五欲捨是富貴切能
之事能辨是心求此求道既得如是不可思
議大聖王位最脫境界正盛年時能斂心意
不著諸欲志求解脫不被縛著不為諸根境
界所染能知有中一切諸患不被諸有之所
纏繞何以故往昔有王名曰頂生彼王已得
統四天下猶不知足騰上至彼卅三天得於
帝釋半座而坐以其內心不知足故五欲境
界便即失盡墮落於地
復有一王名鄉睺沙亦得王領於四天下還
復上至卅三天治化諸天猶尚不足亦失王
位墮落於地諸如是類羅摩王阤盧呼弥王阿
沙羅吒迦王等又多有諸轉輪聖王以得王
位不知足故皆失境界富貴王位悉皆滅
盡世間无人得境界已心知足者猶如大火
得薪熾盛其阿羅邏作是語已菩薩報言仁
者大仙我見世間如是已復觀一切猶如
芭蕉心內不牢後還破壞以得境界諂不知
足不求自利猒離欲事我知是已尋求正路
處處遊行猶如有人行於曠野失伴迷路心
或諸方不得導師以求導故處處遊行今我
亦然
尒時菩薩作是語已時阿羅邏更復諮白
於菩薩言仁者瞿曇我久見於大士心相

BD02307號　佛本行集經卷二一　（17–12）

尒時菩薩作是語已時阿羅邏更復語白
於菩薩言仁者瞿曇我久見於大士心相
仁於解脫堪作大器
尒時衆中有一摩那婆是阿羅邏仙人弟子
合掌白師歎於菩薩作如是言看有此人不
可思議能辨此心往昔諸王年少之時坐於
宮內當受五欲於後得年頭白老時各喚太
子付囑王位灌頂為王於後捨家而入山林
行行脩道而得王仙此者不然盛年少壯正
是快意受五欲時少病少惱氣力充足頭髮
烏黑身體柔耎勇猛具足无所乏少父王年
老不貪王位猒離世間不貪果報而能出家
入山求道
時阿羅邏白菩薩言仁者發心欲求何事欲
辨何道乃能發心來於此處菩薩報言尊
者大師我以見此世間衆生以為生老病死纏
縛不能自出今發如是精勤之心時阿羅邏復
作是言仁者瞿曇乃能生於如是惠眼發如
是想此義真實所以者何而說偈言
一切法勝唯有行　清淨寂定不過心
染著恩愛最怨家　諸有恐怖是老死
尒時阿藍說是語已而彼衆有有摩那婆是
阿羅邏仙人弟子白菩薩言仙者今捨親愛
眷屬皆而來此有何心意菩薩報言世界所
有集聚合會决有別離我知如是故發此意
欲求真

BD02307號　佛本行集經卷二一　（17-13）

阿羅邏仙人弟子白菩薩言仙者今捨親愛
眷屬皆而來此有何心意菩薩報言世界所
有集聚合會决有別離我知如是故發此意
欲求真
時阿羅邏仙人重更菩薩言仁者今以得
於解脫所以者何衆生所沒此泥難度世間
所縛此牢强繩仁者已能獨辨此心我當記
此解脫法門所謂愛心仁須遠離言愛心者
是世間中大惡毒龍於心水內居正停住失
一切利以如是故我今觀知世間之人非是
正行其能取於正行之法唯有智人遠離愛
染應須發心斷見有相住於无相
菩薩答言大仙尊者我受是語如尊所言荷
羅邏仙復問菩薩仁云何受菩薩報言世間
之人以住相縛其相縛者凡是父母生子養
育為立家故養育兒息有能增長成就我家
以是緣故父母養子若无因緣自許眷屬猶
不親近況復他人凡親近人會求利故而昵
於人終无虛覓阿羅邏仙復更讚言善哉仁
者仁今已知世間諸法瞿曇沙門乃尒明證
一切諸智
時彼衆有摩那婆亦是羅邏仙人弟子白
菩薩言仁者瞿曇仁今以得是最上乘何以
故能漸離於一切愛相即得世間諸无惱法
所者何我見世間少有人能不憐婦兒不
求財物不舉兩手哭於世間多見有人以不

BD02307號　佛本行集經卷二一　（17-14）

菩薩言仁者瞿曇仁今以得是最上藥何以
故能漸離於一切愛相即得世間諸无惱法
所者何我見世間少有人能不憐婦兒不
求財物不舉兩手哭於世間多見有人以不
少欲不知猒足愛惜資財常起貪心染著世
利家家盡皆舉手大哭而說偈言
世間罕見知足之人　少欲无求不受苦
所有哭泣恩愛者　多是貪著聚資財
時阿羅邏白菩薩言希有仁者瞿曇如是
廣大智惠是故仁今辯是勇猛制伏諸根不令
增長於諸欲染劫為所牽是時菩薩問於尊
者阿羅邏言大仙尊者諸根何故如是不定
欲降伏者方便云何唯願尊者為我解說其
阿羅邏仙人報言沙門大士凡人在世欲散
離生我今當為大士略說方便之相大士諦
聽而有偈說
大尊仙人阿羅邏　發遣菩薩神智心
於自己論悉檀中　分別要略而宣說
瞿曇大士凡欲除於諸根體相及根境界應
須如是思量分別何以故是諸根等一切境
界既分別知悉須捐捨乃至諸根境界之內
有諸愛染彼愛所染即能令著以此著故則
令衆生沉沒世間不能得出諸凡夫人受於
貪愛繫縛等苦一切皆由境界故得如是等
事大士當知何因緣尒而說偈言
山羊被煞因作聲　飛蛾投燈由火色

BD02307號　佛本行集經卷二一　（17-15）

令衆生沉沒世間不能得出諸凡夫人受於
貪愛繫縛等苦一切皆由境界故得如是等
事大士當知何因緣尒而說偈言
山羊被煞因作聲　飛蛾投燈由火色
水魚懸鉤為吞餌　世人趣死以境牽
尒時菩薩聞此偈已復更問言尊者今說調
伏諸根方便相貌共因緣生體性虛空誑惑
无實猶如火坑猶如夢幻如草上露我今心
想以如是知
時阿羅邏仙人復問菩薩大士仁何故言諸
境界內无利益想菩薩報言凡人欲依諸境
界住受果報者猶如有人造立屋舍欲蔽日
光或避風雨如人以渴故求於水又如人飢
故求覓食如人垢穢欲洗洛身如人露形求
衣覆體如人因乏故求乘騎欲得除寒故求
於暖欲得除熱故求於涼欲去疲勞故望林
鋪如是等事諸所求者皆為以苦來逼身故
所以推求如似病人為患重故方覓良醫世
間之人一切悉皆如是希望
時阿羅邏讚言瞿曇希有此心大德云何
於世間中能作如是速疾即生无常之想希
有希有能見真實大德利根聰敏易悟者能
如是明了見者是名真見若異見者是名誑惑
如仁所言為飢求食避藏風雨以此寒熱暫
易棄故世間人心即生樂想又復歎言仁者
瞿曇真是法橋任持器大我雖傳聞光觀弟

BD02307號　佛本行集經卷二一　（17-16）

於世間中能作如是速疾即生死常之想者
有希有能見真實大德利根聰敏易悟者難
如是明了見者是名真見若異見者是名誑惑
如仁所言為飢求食避藏風雨以此寒熱暫
易槃棄故世間人心即生樂想又復歎言仁者
瞿曇真是法橋任持器大我雖傳聞先觀弟
子堪受法不若能堪受然後為說種種諸論
如我所見仁者今日則不復然俯仰云為深仁
說
尒時菩薩羅邏仙如是語已大歡喜而
重問言尊者大仙今日未知我之孝心忽為
我作如是妙說我知是相雖未即益今以得
利所以者何辟如有人欲見於色而得光
明如人遠行須得善導如渡彼岸須得船
師尊者今日顯示我心亦復如是唯願尊者
更為我說尊者所知云何度脫生老病死

佛本行集經卷第廿一

BD02307號　佛本行集經卷二一

(17–17)

……法品第二之三　卷三
薩摩訶薩復白佛言世尊願
分別相心法門我及諸菩薩摩
訶薩通達能說所說二義疾得阿
菩提令一切眾生於二義中而得
心有四種言說分別相所謂相
……計著過惡言說无始妄想言
說大慧相言說者所謂執著自分別色相生
夢言說者謂夢先所經境界覺已憶念依
不實境生計著過惡言說者謂憶念怨讎
先所作業生无始妄想言說者以无始戲論妄執
習氣生是為四大慧復言世尊願更為說言
語分別所行之相何處何因云何而起佛言
大慧依頭胷喉鼻脣齶齒舌和合而起大慧
復言世尊言語分別為異不異佛言大慧非
異非不異何以故分別為因起言語故若異
者分別不應為因若不異者語言不應顯義
是故非異亦非不異大慧復言世尊為言語
是第一義為所說是第一義佛告大慧非言

BD02308號　大乘入楞伽經卷三

(26–1)

者分別不應爲因若不異者語言不應顯義
是故非異亦非不異大慧復言世尊爲言語
是第一義爲所說是第一義佛告大慧非言
語是亦非所說何以故第一義者是聖樂處
因言而入非即是言第一義者是聖智內自
證境非言語分別智境言語分別不能顯示
大慧言語者起滅動搖展轉因緣生若展轉
緣生於第一義不能顯示第一義者无自他
相言語有相不能顯示第一義者但唯自心
種種外相悉皆无有言語分別不能顯示是故
大慧應當遠離言語分別尒時世尊重說
頌曰
諸法无自性　亦復无言說　不見空空義　愚夫故流轉
一切法无性　離語言分別　諸有如夢化　非生死涅槃
如王及長者　爲令諸子喜　先示相似物　後賜真實者
我今亦復然　先說相似者　後乃爲其演　自證實際法
尒時大慧菩薩摩訶薩復白佛言世尊願爲
我說離一異俱不俱有无非有无常无常等
一切外道所不能行自證聖智所行境界遠
離妄計自相共相入於真實第一義境漸淨
諸地入如來位以无功用本願力故如如意
寶普現一切无邊境界一切諸法皆是自心
所見差別令我及餘諸菩薩等於如是等

諸地入如來位以无功用本願力故如如意
寶普現一切无邊境界一切諸法皆是自心
所見差別令我及餘諸菩薩等於如是等
法離妄計自性共相見速證阿耨多羅三藐
三菩提普令衆生具足圓滿一切功德佛言
大慧善哉善哉汝哀愍世間請我此義
多所利益多所安樂大慧凡夫无智不知心量
妄習爲因執着外物分別一異俱不俱有无
非有无常无常等一切自性大慧譬如群獸
爲渴所逼於熱時燄而生水想迷惑馳趣
不知非水愚癡凡夫亦復如是无始戲論分別
所熏三毒燒心樂色境界見生住滅取內外法
墮一異等執着之中大慧如乾闥婆城非城
非非城无智之人无始時來執着城種妄習
熏故而作城想外道亦尒以无始來妄習熏
故不能了達自心所現著一異等種種言說
大慧譬如有人夢見男女象馬車步城邑園
林種種嚴飾覺已憶念彼不實事大慧汝
意云何如是之人是黠慧不荅言不也大慧外
道亦尒惡見所噬不了唯心執着一異有无
等見大慧譬如畫像无高无下愚夫妄見作
高下想未來外道亦復如是惡見熏習妄
心增長執一異等自壞壞他於離有无无
生之論亦无爲[illegible]

等見大慧譬如畫像无高无下愚夫妄見作
高下想未來外道亦復如是惡見熏習妄
心增長執一異等自壞壞他於離有无无
生之論亦說為无此謗因果拔善根本應知
此人分別有无起自他見當墮地獄欲求勝
法宜速遠離大慧譬如翳目見有毛輪互
相謂言此事希有而此毛輪非有非无見不見
故外道亦尒惡見分別執著一異俱不俱等誹
謗正法自陷陷他大慧譬如火輪實非是輪
愚夫取著非諸智者外道亦尒惡見樂欲執
著一異俱不俱等一切法生大慧譬如水泡似
頗梨珠愚夫執實奔馳而取然彼水泡非珠
非非珠取不取故外道亦尒惡見分別習氣
所熏說非有為生壞於緣有復次大慧立
三種量已於聖智內證離二自性法起有性分
別大慧諸脩行者轉心意識離能所取住如
來地自證聖法於有及无不起於想大慧諸
脩行者若於境界起有无執則著我人衆生
壽者大慧一切諸法自相共相是化佛說非
法佛說大慧化佛說法但順愚夫所起之見
不為顯示自證聖智三昧樂境大慧譬如水
中有樹影現彼非影非非影非樹形非非樹
形外道亦尒諸見所熏不了自心於一異等而
生分別大慧譬如明鏡无有分別隨順衆現

不為顯示自證聖智三昧樂境大慧譬如水
中有樹影現彼非影非非影非樹形非非樹
形外道亦尒諸見所熏不了自心於一異等而
生分別大慧譬如明鏡无有分別隨順衆現
諸色像彼非像非非像而見像非像愚夫
分別而作像想外道亦尒於自心所現種種
形像而執一異俱不俱相大慧譬如谷響依
於風水人等音聲和合而起彼非有非无以
聞聲非聲故外道亦尒自心分別熏習力故
起於一異俱不俱見大慧譬如大地无草木
處日光照觸醎水波動彼非有非无以倒想
非想故愚癡凡夫亦復如是无始戲論惡習
所熏於聖智自證法性門中見生住滅一
異有无俱不俱性大慧譬如木人及以起屍
以毗舍闍機關力故動搖運轉云為不絕无智
之人取以為實愚癡凡夫亦復如是隨逐外
道起諸惡見著一異等虛妄言說是故大慧
當於聖智所證法中離生住滅一異有无俱
不俱等一切分別尒時世尊重說頌言
不識蘊有五　猶如水樹影　所見如幻夢　不應妄分別
三有如陽焰　幻夢及毛輪　若能如是觀　究竟得解脫
譬如熱時焰　動轉迷亂心　渴獸取為水　而實无水事
如是識種子　動轉見境界　如翳者所見　愚夫生執著
无始生死中　執著所緣覆　退捨令出離　如因楔出楔

如是識種子 動轉見境界 如毉者所見 愚夫生執著
无始生死中 執著所纏覆 退捨令出離 如因楔出楔
如呪機所作 浮雲夢電光 觀世恒如是 永斷三相續
此中无所有 如空中陽焰 如是知諸法 則為无所知
諸蘊如毛輪 於中妄分別 唯假施設名 求相不可得
如畫垂髮幻 夢乳闥婆城 火輪熱時焰 實无而見有
如是常无常 一異俱不俱 无始繫縛故 愚夫妄分別
明鏡水淨眼 摩尼妙寶珠 於中現色像 而實无所有
心識亦如是 普現衆色相 如夢空中焰 亦如石女兒
復次大慧諸佛說法離於四句謂離一異俱
不俱及有无等建立誹謗大慧諸佛說法
以諦緣起滅道解脫而為其首非與勝性自在
宿作自然時微塵等而共相應大慧諸佛說
法為淨惑智二種障故次第令住一百八句
无相法中而善分別諸乘地相猶商主善
導衆人
復次大慧有四種禪何等為四謂愚夫所行
禪觀察義禪攀緣真如禪諸如來清淨禪
大慧云何愚夫所行禪謂聲聞緣覺諸修行者知
人无我見自他身骨鎖相連皆是无常苦不
淨相如是觀察堅著不捨漸次增勝至无想
滅定是名愚夫所行禪云何觀察義禪謂
知自共相人无我已亦離外道自他俱作於法无
我諸地相義隨順觀察是名觀察義禪云

BD02308號　大乘入楞伽經卷三　（26–6）

滅定是名愚夫所行禪云何觀察義禪謂
知自共相人无我已亦離外道自他俱作於法无
我諸地相義隨順觀察是名觀察義禪云
何攀緣真如禪謂若分別无我有二是虛妄念
若如是實知彼念不起是名緣真如禪云何諸如
來禪謂入佛地住自證聖智三種樂為諸衆
生作不思議事是名諸如來禪爾時世尊重
說頌曰
愚夫所行禪 觀察義相禪 攀緣真如禪 如來清淨禪
修行者在定 觀見日月形 波頭摩深險 虛空火及畫
如是種種相 墮於外道法 亦墮於聲聞 辟支佛境界
捨離此一切 住於无所緣 是則能隨入 如如真實相
十方諸國土 所有无量佛 悉引光明手 而摩是人頂
爾時大慧菩薩摩訶薩復白佛言世尊諸佛
如來所說涅槃說何等法名為涅槃佛告大
慧一切識自性習氣藏識意意識見習轉
已我及諸佛說名涅槃即是諸法性空境界
復次大慧涅槃者自謂聖智所行境界遠離
斷常及以有无云何非常謂離自相共相諸
分別故云何非斷謂去來現在一切聖者自
謂智所行故復次大慧大般涅槃不壞不死
若死者應更受生若壞者應是有為是故
涅槃不壞不死諸修行者之所歸趣復次大慧

BD02308號　大乘入楞伽經卷三　（26–7）

謂智所行故復次大慧大槃涅槃不壞不死
若死者應更受生若壞者應是有爲是故
涅槃不壞不死諸脩行者之所歸趣復次大慧
无捨无得故非斷非常故不一不異故説名涅
槃復次大慧聲聞緣覺知自共相捨離憒閙
不生顛倒不起分別彼於其中生涅槃想復
次大慧有二種自性相何者爲二謂執著言
説自性相執著諸法自性執著言説自性
相者以无始戲論執著言説習氣故起執著
諸法自性相者以不覺自心所現故起復次
大慧諸佛有二種加持持諸菩薩令頂礼
佛足請問衆義云何爲二謂令入三昧及身現
其前手灌其頂大慧初地菩薩摩訶薩蒙
諸佛持力故入菩薩大乘光明定入已十方諸
佛普現其前身語加持如金剛藏及餘成就
如是功德相菩薩摩訶薩者是大慧此菩薩
摩訶薩蒙佛持力入三昧已於百千劫集諸
善根漸入諸地善能通達治所治相至法雲
地處大蓮花微妙宮殿坐於寶座同類菩
薩所共圍繞首戴寶冠身如黄金瞻蔔花色
如盛滿月放大光明十方諸佛舒蓮花手於
其座上而灌其頂如轉輪王太子受灌頂已
而得自在此諸菩薩亦復如是名爲二諸菩

如盛滿月放大光明十方諸佛舒蓮花手於
其座上而灌其頂如轉輪王太子受灌頂已
而得自在此諸菩薩亦復如是名爲二諸菩
薩摩訶薩爲二種持之所持故即能親見
一切諸佛異則不能復次大慧諸菩薩摩訶
薩入於三昧現通説法如是一切皆由諸佛
二種持力大慧若諸菩薩離佛加持能説法
則諸凡夫亦應能説大慧山林草樹城郭宮
殿及諸樂器如來至處以佛持力尚演法音
況有心者聾盲瘖瘂離苦解脱大慧如來持
力有如是等廣大作用大慧菩薩復白佛言
何故如來以其持力令諸菩薩入於三昧及
殊勝地中手灌其頂佛言大慧爲欲令其
遠離魔業諸煩惱故爲令不墮聲聞地故爲令
速入如來地故令所得法倍增長故是故諸
佛以加持力持諸菩薩大慧若不如是彼諸
菩薩便墮外道及以聲聞魔意之中則不能
得无上菩提是故如來以加持力攝諸菩薩
尒時世尊重説頌言
世尊清淨願　有大加持力　初地十地中　三昧及灌頂
尒時大慧菩薩摩訶薩復白佛言世尊佛説
緣起是由作起非自體起外道亦説勝性自
在時我微塵生於諸法今佛世尊但以異名
説作緣起非義有別世尊外道亦説以作者

緣起是由作起非自體起外道亦說勝性自
在時我微塵生於諸法今佛世尊但以異名
說作緣起非義有別世尊外道亦說以作者
故從无生有世尊亦說以因緣故一切諸法本
无生而生已歸滅如佛所說无明緣行乃至
老死此說无因非說有因世尊說言此有故
彼有若一時建立非次苐相待者其義不
成是故外道說勝非如來也何以故外道說
因不從緣生而有所生世尊所說果待於因
因復待因如是展轉成无窮過又此有故彼
有者則无有因佛言大慧我了諸法唯心所
現无能取所取說此有故彼有非是无因及因
緣過失大慧若不了諸法唯心所現計有能
取及以所取執著外境若有若无彼有是過
非我所說大慧菩薩復白佛言世尊有言說
故必有諸法若无諸法言依何起佛言大
慧雖无諸法亦有言說豈不現見龜毛兔角
石女兒等世人於中皆起言說大慧彼非有非
非有而有言說耳大慧如汝所說有言說故
有諸法者此論則壞大慧非一切佛土皆有
言說言說者假妄立身大慧或有佛土瞪視
顯法或現異相或復揚眉或動目精或示微
笑頻申謦欬憶念動搖以如是等而顯於
法大慧如不瞬世界妙香世界及普賢如來

言說言說者假妄立身大慧或有佛土瞪視
顯法或現異相或復揚眉或動目精或示微
笑頻申謦欬憶念動搖以如是等而顯於
法大慧如不瞬世界妙香世界及普賢如來
佛土之中但瞪視不瞬令諸菩薩獲无生
法忍及諸勝三昧大慧非由言說而有諸法
此世界中蠅蟻等蟲雖无言說成自事故尒
時世尊重說頌曰
如虛空兔角　及與石女兒　无而有言說　妄計法如是
因緣和合中　愚夫妄謂生　不能如實解　流轉於三有
尒時大慧菩薩摩訶薩復白佛言世尊所說
常聲依何處說佛言大慧依妄法說此諸妄
法聖人亦現然不顛倒大慧譬如陽焰火輪垂
髮乾闥婆城夢幻鏡像世无智者生顛倒解
有智不然然非不現大慧妄法現時无量差
別然非无常何以故離有无故云何離有
无一切愚夫種種解故如恒河水有見不見
餓鬼不見不可言有餘所見故不可言无聖
於妄法離顛倒見大慧妄法是常相不異故
非諸妄法有差別相以分別故而有別異是
故妄法其體是常大慧云何而得妄法真實
謂諸聖者於妄法中不起顛倒非顛倒覺若
於妄法有少分想則非聖智有少想者當知
則是愚夫戲論非聖言說大慧若分別妄法

謂諸聖者於妄法中不起顛倒非顛倒覺若
於妄法有少分想則非聖智有少想者當知
則是愚夫戲論非聖言說大慧若分別妄法
是倒非倒彼則成就二種種性謂聖種性凡
夫種性大慧聖種性者彼復三種謂聲聞緣
覺佛乘別故大慧云何愚夫分別妄法生聲
聞乘種性所謂計著自相共相大慧何謂復
有愚夫分別妄法成緣覺乘種性謂即執著
自共相時離於憒鬧大慧何謂智人分別妄
法而得成就佛乘種性所謂了達一切唯是自
心分別所見无有外法大慧有諸愚夫分別
妄法種種事物決定如是決定不異此則成
就生死乘性大慧彼妄法中種種事物非
即是物亦非非物大慧即彼妄法諸聖智者
心意意識諸惡習氣自性法轉依故即說此
妄名為真如是故真如離於心識我今明了
顯示此句離分別者悉離一切諸分別故大慧
菩薩白言世尊所說妄法為有為无佛言菩
薩白言世尊所說妄法為有為无佛言如
幻无執著相故若執著相體是有者應不
可轉則諸緣起應如外道說作者生大慧
言若諸妄法同於幻者此則當與餘妄作因佛
言大慧非諸幻事為妄惑因以幻不生諸過
惡故以諸幻事无分別故大慧夫幻事者從

BD02308號　大乘入楞伽經卷三

（26–12）

言若諸妄法同於幻者此則當與餘妄作因佛
言大慧非諸幻事為妄惑因以幻不生諸過
惡故以諸幻事无分別故大慧夫幻事者從
他明呪而得生起非自分別過習力起是故
幻事不生過惡大慧此妄惑法唯是愚夫心
所執著非諸聖者尒時世尊重說頌言
聖不見妄法　中間亦非實　以妄即真故　中間亦真實
若離於妄法　而有相生者　此還即是妄　如瞖未清淨
復次大慧見諸法非幻无有相似故說一切法
如幻大慧言世尊為依執著種種幻相言一
切法猶如幻耶為異依此執著顛倒相耶若
依執著種種幻相言一切法猶如幻者世尊
非一切法悉皆如幻何以故見種種色相不
无因故世尊都无有因令種種色相顯現如
幻是故世尊不可說言依於執著種種幻
相言一切法與幻相似佛言大慧不依執著
種種幻相言一切法如幻大慧以一切法不實
速滅如電故說如幻大慧譬如電光見已即
滅世間凡愚悉皆現見一切諸法依自分別
自共相現亦復如是以不能觀察无所有故而
妄計著種種色相尒時世尊重說頌曰
非幻无相似　亦非有諸法　不實速如電　如幻應當知
尒時大慧菩薩摩訶薩復白佛言世尊如佛

BD02308號　大乘入楞伽經卷三

（26–13）

妄計著種種色相尒時世尊重説頌曰
非幻无相似　亦非有諸法　不實速如電　如幻應當知
尒時大慧菩薩摩訶薩復白佛言世尊如佛
先説一切諸法皆悉无生又言如幻將非所説
前後相違佛言大慧无有相違何以故我了
於生即是无生唯是自心之所見故若有若
无一切外法見其无性本不生故大慧為
離外道因生義故我説諸法皆悉不生大慧
外道群聚共興惡見言從有无生一切法非
自執著分別為緣大慧我説諸法非有无生
故名无生大慧説諸法者為令弟子知依諸
業攝受生死遮其无有斷滅見故大慧説諸
法相猶如幻者令離諸法自性相故為諸凡
愚墮惡見欲不知諸法唯心所現為令遠離
執著因緣生起之相説一切法如幻如夢彼諸
愚夫執著惡見欺誑自他不能明見一切
諸法如實住處大慧見一切法如實處者
謂能了達唯心所現尒時世尊重説頌言
无作故无生　有法攝生死　了達如幻等　於相不分別
復次大慧我當説名句文身相諸菩薩摩訶
薩善觀此相了達其義疾得阿耨多羅三
藐三菩提復能開悟一切衆生大慧名身者
謂依事立名即是身是名名身句身者謂能
顯義決定究竟是名句身文身者謂由於此

BD02308 號　大乘入楞伽經卷三　（26–14）

藐三菩提復能開悟一切衆生大慧名身者
謂依事立名即是身是名名身句身者謂能
顯義決定究竟是名句身文身者謂由於此
能成名句是名文身復次大慧句身者謂句
事究竟名身者謂諸字名各各差別如從阿
字乃至呵字文身者謂長短高下復次句身
者如之跡如衢巷中人畜等跡名謂非色四
蘊以名説故文謂名之自相由文顯故是名
句文身此名句文身相汝應修學尒時世尊
重説頌曰
名身與句身　及字身差別　凡愚所計著　如象溺深泥
復次大慧未來世中有諸邪智惡思覺者離
如實法以見一異俱不俱相問諸智者彼即
答言此非正問謂色與无常為異為不異如
是涅槃諸行相所相依所依造所造見所見地
與微塵智與智者為異為不異如是等不
可記事次第而問世尊説此當止記答愚夫
无智非所能知佛欲令其離驚怖處不為記
説大慧不記説者欲令外道永得出離作者
見故大慧諸外道衆計有作者作如是説命
即是身命異身異如是等説名无記論大慧
外道癡惑説无記論非我教中大慧我教中
説離能所取不起分別云何可止大慧若有執
[illegible]

BD02308 號　大乘入楞伽經卷三　（26–15）

說名无記論大慧
外道癡惑說无記論非我教中大慧我教中
說離能所取不起分別云何可止大慧若有執
著能取所取不了唯是自心所見彼應可止大
慧諸佛如来以四種記論為衆生說法大
慧止記論者我別時說以根未熟且止說故
復次大慧何故一切法不生以離能作所作无
作者故何故一切法无自性以證智觀自相
共相不可得故何故一切法无来去以自共
相来无所從去无所至故何故一切法不滅
謂一切法无性相故不可得故何故一切法无
常謂諸相起无常性故何故一切法常謂
諸相起即是不起无所有故无常性常是
故我說一切法常尒時世尊重說頌曰
一向及反問　分別與置答　如是四種說　摧伏諸外道
數論與勝論　言有非有生　如是等諸說　一切皆无記
以智觀察時　體性不可得　以彼无可說　故說无自性
尒時大慧菩薩摩訶薩復白佛言世尊願為
我說諸須陁洹須陁洹行差別相我及諸菩
薩摩訶薩聞是義故於須陁洹斯陁含阿
那含阿羅漢方便相得善巧如是而為衆生
演說令其證得二无我法淨除二障於諸地
相漸次通達獲於如来不可思議智慧境界
如衆色摩尼普令衆生悉得饒益佛言諦聽

BD02308號　大乘入楞伽經卷三　（26–16）

演說令其證得二无我法淨除二障於諸地
相漸次通達獲於如来不可思議智慧境界
如衆色摩尼普令衆生悉得饒益佛言諦聽
當為汝說大慧言唯佛言大慧諸須陁洹須
陁洹果差別有三謂下中上大慧下者
有中極七反生中者三生五生上者
生而入涅槃大慧此三種人斷三種結謂身
疑戒禁取上上勝進得阿羅漢果大慧身
見有二種謂俱生及分別依緣起有妄計
性大慧譬如依止緣起性故種種妄計執着
性生彼法但是妄分別相非有非无非亦
有亦无凡夫愚癡而横執着猶如渴獸妄生
水想此分別身見无智慧故久遠相應見人无
我即時捨離大慧俱生身見以普觀察自
他之身受等四蘊无色相故色由大種而得生
故是諸大種互相因故色不集故如是觀已
明見有无即時捨離捨身見故貪則不生
是名見相大慧疑相者於所證法善現相故
及先二種身見分別斷故於諸法中疑不得
生亦不於餘生大師相為淨不淨是名疑相
大慧何故須陁洹不取戒禁謂以明見生處
苦相是故不取夫其取者謂諸凡愚於諸
有中貪著世尊樂苦行持戒願生於彼須陁

BD02308號　大乘入楞伽經卷三　（26–17）

生亦不於餘生大師相為淨不淨是名疑相
大慧何故須陁洹不取戒禁謂以明見生處
苦相是故不取夫其取者謂諸凡愚於諸
有中貪著世尊樂苦行持戒願生於彼須陁
洹人不取是相唯求所證最勝无漏无分別法
脩行戒品是名戒禁取相大慧須陁洹人捨
三結故離貪瞋癡大慧白言貪有多種捨何
等貪佛言大慧捨於女色纏綿貪欲見此現
樂生來苦苦又得三昧殊勝樂故是故捨彼
非涅槃貪大慧云何斯陁含果謂不了色相
起色分別一往來已善脩禪行盡苦邊際而
般涅槃是名斯陁含大慧云何阿那含果謂於
過未現在色相起有无見分別過惡隨眠不
起永捨諸結更不還了是名阿那含大慧阿
羅漢者謂諸禪三昧解脫力通悉已成就煩
惱諸苦分別永盡是名阿羅漢大慧言世尊
阿羅漢有三種謂一向趣寂退菩提願佛所
變化此說何者佛言大慧此說趣寂非是其
餘大慧餘二種人謂已曾發巧方便願及為
莊嚴諸佛衆會於彼亦生大慧於虛妄處說
種種法所謂證果禪者及禪皆性離故自
心所見得果相故大慧若須陁洹作如是念我
離諸結則有二過謂隨我見及諸結不斷復

種種法所謂證果禪者及禪皆性離故自
心所見得果相故大慧若須陁洹作如是念我
離諸結則有二過謂隨我見及諸結不斷復
次大慧若欲超過諸禪无量无色界者應離
自心所見諸相大慧想受滅三昧超自心所見
境者不然不離心故尒時世尊重說頌言
諸禪與无量　无色三摩提　及以想受滅　唯心不可得
預流一來果　不還阿羅漢　如是諸聖人　悉依心妄有
禪者禪所緣　斷惑見真諦　此皆是妄想　了知即解脫
復次大慧有二種覺智謂觀察智及取相分
別執著建立智觀察智者謂觀一切法離四
句不可得四句者謂一異俱不俱有非有常无
常等我以諸法離此四句是故說言一切法
離大慧如是觀法汝應修學云何取相分
別執著建立智謂於堅濕煖動諸大種性
取相執著虛妄分別以宗因喻而妄建立是
名取相分別執著建立智是名二種覺智相菩
薩摩訶薩知此智相即能通達人法无我
以无相智於解行地善巧觀察入於初地得
百三昧以勝三昧力見百佛百菩薩知前後際
各百劫事光明照曜百佛世界善能了知上
上地相以勝願力變現自在至法雲地而受
灌頂入於佛地十无盡願成就衆生種種應
現无有休息而恒安住自覺境界三昧勝樂

各百叙事光明照曜百佛世界善能了知上
上地相以勝願力變現自在至法雲地而受
灌頂入於佛地十无盡願成就衆生種種應
現无有休息而恒安住自覺境界三昧勝樂
復次大慧菩薩摩訶薩當善了知大種造
色云何了知大慧菩薩摩訶薩應如是觀彼
諸大種真實不生以諸三界但是分別唯心所
見无有外物如是觀時大種所造悉皆性
離超過四句无我我所住如實處成无生相大
慧彼諸大種云何造色大慧謂虛妄分別津
潤大種成內外水界炎盛大種成內外火界飄
動大種成內外風界色分段大種成內外地
界離於虛空由執着邪諦五蘊聚集大種
造色生大慧識者以執着種種言說境界
為因起故於餘趣中相續受生大慧地等造
色有大種因非四大種為大種因何以故謂若
有法有形者則是所作非无形者大慧此
大種造色相外道分別非是我說
復次大慧我今當說五蘊體相謂色受想行
識大慧色謂四大及所造色此各異相受等
非色大慧非色諸蘊猶如虛空无有四數
大慧譬如虛空超過數相然分別言此是虛
空非色諸蘊亦復如是離諸數相離有无
等四種句故數相者愚夫所說非諸聖者諸

大慧譬如虛空超過數相然分別言此是虛
空非色諸蘊亦復如是離諸數相離有无
等四種句故數相者愚夫所說非諸聖者諸
聖但說如幻所作唯假施設離異不異如夢如
像无別所有不了聖智所行境故見有諸蘊
分別現前是名諸蘊自性相大慧如是分別汝
應捨離捨離此已說寂靜法斷一切剎諸外
道見淨法无我入遠行地成就无量自在
三昧獲意生身如幻三昧力通自在皆悉具
足猶如大地普益羣生
復次大慧涅槃有四種何等為四謂諸法自
性无性涅槃種種相性无性涅槃覺自相
性无性涅槃斷諸蘊自共相流住涅槃大慧
此四涅槃是外道義非我所說大慧我所說
者分別尒燄識滅名為涅槃大慧言世尊豈
不建立八種識取佛言建立大慧言若建
立者云何但說意識滅非七識滅佛言大慧
以彼為因及所緣故七識得生大慧意識分
別境起執着時生諸習氣長養藏識由是
意俱我我所執思量隨轉无別體相藏識
為因為所緣故執着自心所現境界心聚生起
展轉為因大慧譬如海浪自心所現境界風吹
而有起滅是故意識滅時七識亦滅尒時世尊

意具我我所執思量隨轉无別體相藏識
為因為所緣故執著自心所現境界心聚生起
展轉為因大慧譬如海浪自心所現境界風吹
而有起滅是故意識滅時七識亦滅尒時世尊
重說頌曰
我不以自性　及以於作相　分別境識滅　如是說涅槃
意識為心因　心為意境界　因及所緣故　諸識依止生
如來瀑流盡　波浪則不起　如是意識滅　種種識不生
復次大慧我今當說妄計自性差別相令汝
及諸菩薩摩訶薩善知此義超諸妄想證
智境知外道法遠離能取所取分別於依他
起種種相中不更取著妄所計相大慧云何
妄計自性差別相所謂言說分別所說分別相
分別財分別自性分別因分別見分別理分
別生分別不生分別相屬分別縛解分別
大慧此是妄計自性差別相云何言說分別
謂執著種種美妙音詞是名言說分別云
何所說分別謂執有所說事是聖智所證境
依此起說是名所說分別云何相分別謂即於
彼所說事中如渴獸想分別執著堅濕煖
動等一切諸相是名相分別云何財分別謂
取著種種金銀等寶而起言說是名財分
別云何自性分別謂以惡見如是分別此自性決
定非餘是名自性分別云何因分別謂於因

BD02308號　大乘入楞伽經卷三　（26–22）

動等一切諸相是名相分別云何財分別謂
取著種種金銀等寶而起言說是名財分
別云何自性分別謂以惡見如是分別此自性決
定非餘是名自性分別云何因分別謂於因
緣分別有无以此因相而能生故自名因分
別云何見分別謂諸外道惡見執著有无
一異俱不俱等是名分別云何理分別謂
有執著我我所相而起言說是名理分別云
何生分別謂計諸法若有若无從緣而生是
名生分別云何不生分別謂計一切法本來不
生未有諸緣而先有體不從因起是名不生
分別云何相屬分別謂此與彼遞相繫屬如
針與線是名相屬分別云何縛解分別謂執
因能縛而有所縛如人以繩方便力故縛已
復解是名縛解分別大慧此是妄計性差
別相一切凡愚於中執著若有若无大慧於
緣起中執著種種妄計自性如依於幻見種種
種物凡愚分別見異於幻大慧幻與種種非
異非不異若異者應幻非種種因若一者幻
與種種因无差別然見差別是故非異非不
異大慧汝及諸菩薩摩訶薩於幻有无不應
生著尒時世尊重說頌曰
心為境所縛　覺想智隨轉　无相最勝處　平等智慧生
在妄計是有　於緣起則无　妄計迷惑取　緣起離分別

BD02308號　大乘入楞伽經卷三　（26–23）

大慧汝及諸菩薩摩訶薩於分別有无不應
生著尒時世尊重說頌曰
心為境所縛　覺想智隨轉　无相最勝處　平等智慧生
在妄計是有　於緣起則无　妄計迷惑取　緣起離分別
種種支分生　如幻不成就　雖現種種相　妄分別則无
彼相即是過　皆從心縛生　妄計者不了　分別緣起法
此諸妄計性　皆即是緣起　妄計有種種　緣起中分別
世俗第一義　第三无因生　妄計是世俗　斷則證境界
如脩觀行者　於一種種現　於彼无種種　妄計相如是
如目種種翳　妄想見衆色　彼无色非色　不了緣起然
如金離塵垢　如水離泥濁　如虛空无雲　妄想淨如是
无有妄計性　而有於緣起　建立及誹謗　斯由分別壞
若无妄計性　而有緣起者　无法而有法　有法從无生
依因於妄計　而得有緣起　相名常相隨　而生於妄計
以緣起依妄　究竟不成就　是時現清淨　名為第一義
妄計有十二　緣起有六種　自證真如境　彼无有差別
五法為真實　三自性亦尒　脩行者觀此　不起於真如
依於緣起相　妄計種種名　彼諸妄計相　皆因緣有起
智慧善觀察　无緣无妄計　真實中无物　云何起分別
圓成若是有　此則離有无　既已離有无　云何有二性
妄計有二性　二性是安立　分別見種種　清淨聖所行
妄計種種相　緣起中分別　若異此分別　則墮外道論
以諸妄見故　妄計於妄計　離此中二者　則為真實法
大慧菩薩摩訶薩復白佛言世尊唯願為說

BD02308號　大乘入楞伽經卷三

（26–24）

以諸妄見故　妄計於妄計　離此中二者　則為真實法
大慧菩薩摩訶薩復白佛言世尊唯願為說
自證聖智行相及一乘行相我及諸菩薩摩
訶薩得此善巧於佛法中不由他悟佛言諦
聽當為汝說大慧言唯佛言大慧菩薩摩訶
薩依諸聖教无有分別獨處閑靜觀察自覺
不由他悟離分別見上上昇進入如來地如是
脩行名自證聖智行相云何名一乘行相謂得
證知一乘道故云何名為知一乘道謂離能
取所取分別如實而住大慧此一乘道唯
除如來非外道二乘梵天王等之所能得大
慧白言此世尊何故說有三乘不說一乘佛
言大慧聲聞緣覺无自般涅槃法故我
說一乘以彼但依如來所說調伏遠離如是脩
行而得解脫非自所得又彼未能除滅智障
及業習氣未覺无我未名不思議變易死
是故我說以為三乘若彼能除一切過習覺
法无我是時乃離三昧所醉於无漏界而得
覺悟既覺悟已於出世上上无漏界中脩諸
功德普使滿足獲不思議自在法身尒時世
尊重說頌言
天乘及梵乘　聲聞緣覺乘　諸佛如來乘　諸乘我所說
乃至有心起　諸乘未究竟　彼心轉滅已　无乘及乘者

BD02308號　大乘入楞伽經卷三

（26–25）

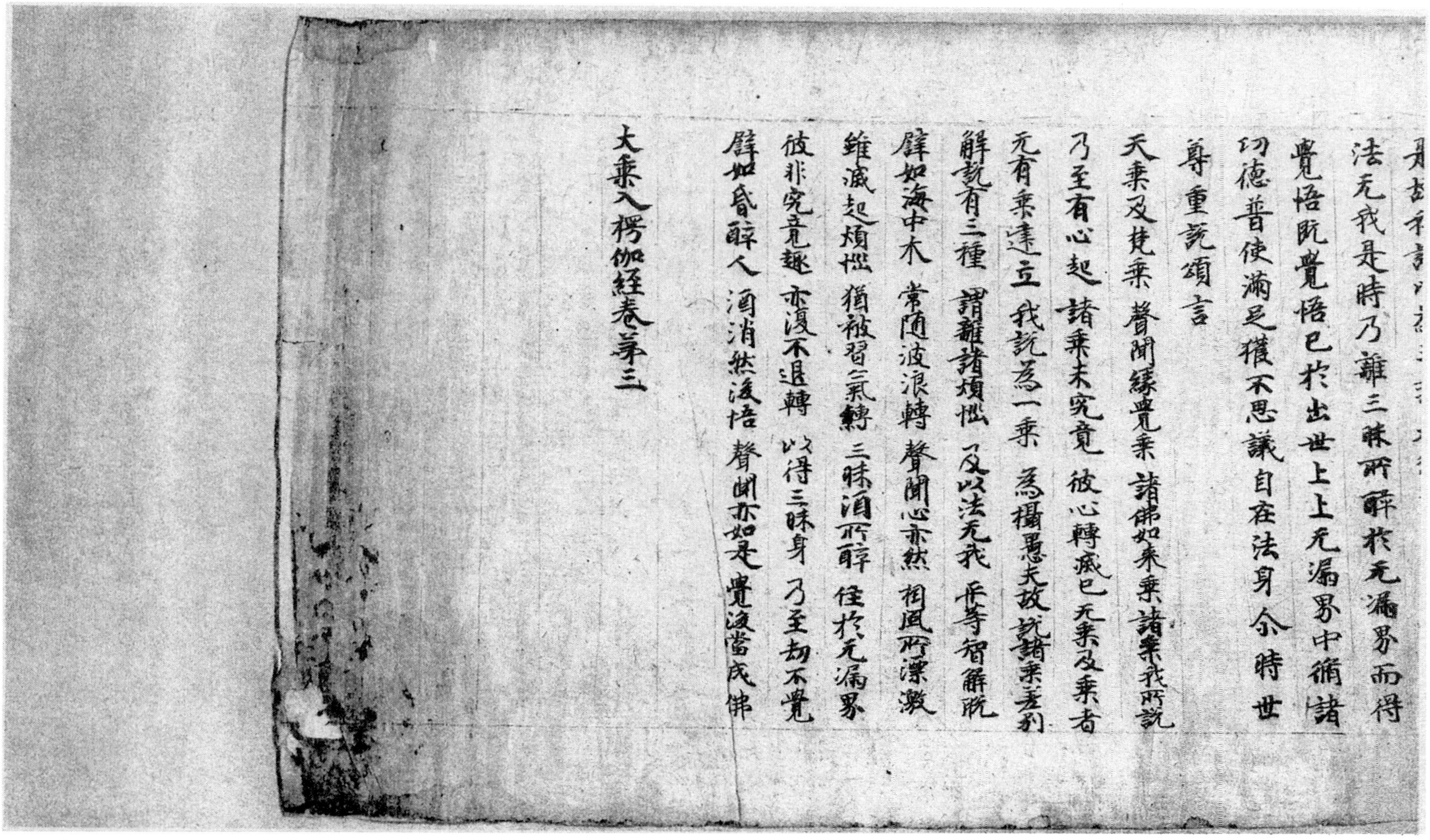

[illegible]
法无我是時乃離三昧所醉於无漏界而得
覺悟既覺悟已於出世上上无漏界中循諸
功德普使滿足獲不思議自在法身尒時世
尊重說頌言
天乘及梵乘 聲聞緣覺乘 諸佛如來乘 諸乘我所說
乃至有心起 諸乘未究竟 彼心轉滅已 无乘及乘者
无有乘建立 我說為一乘 為攝愚夫故 說諸乘差別
解脫有三種 謂離諸煩惱 及以法无我 平等智解脫
譬如海中木 常隨波浪轉 聲聞心亦然 相風所漂激
雖滅起煩惱 猶被習氣縛 三昧酒所醉 住於无漏界
彼非究竟趣 亦復不退轉 以得三昧身 乃至劫不覺
譬如昏醉人 酒消然後悟 聲聞亦如是 覺後當成佛
大乘入楞伽經卷第三

BD02308 號　大乘入楞伽經卷三　（26–26）

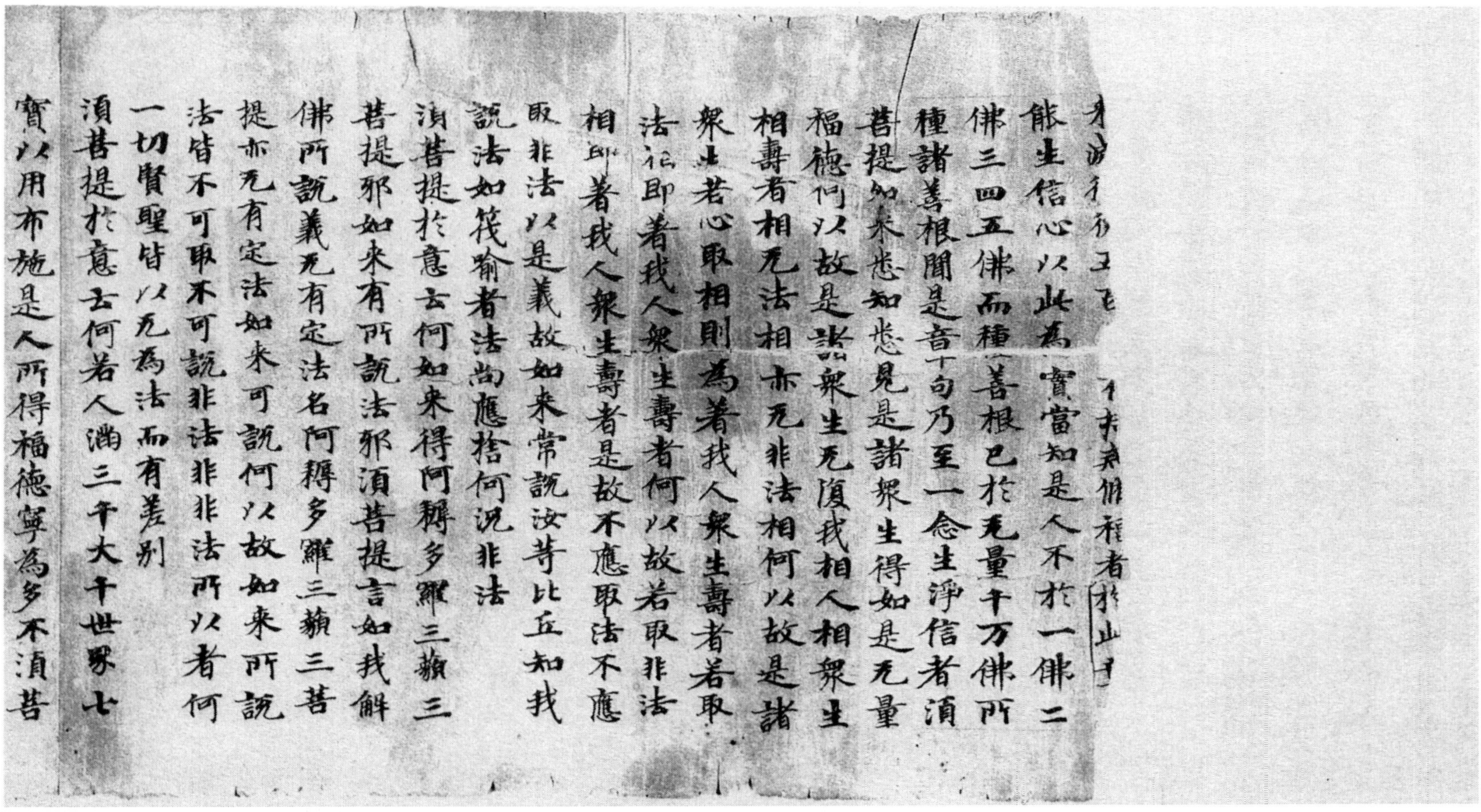

[illegible]有持戒修福者於此章
能生信心以此為實當知是人不於一佛二
佛三四五佛而種善根已於无量千万佛所
種諸善根聞是章句乃至一念生淨信者須
菩提如來悉知悉見是諸衆生得如是无量
福德何以故是諸衆生无復我相人相衆生
相壽者相无法相亦无非法相何以故是諸
衆生若心取相則為着我人衆生壽者若取
法相即着我人衆生壽者何以故若取非法
相即着我人衆生壽者是故不應取法不應
取非法以是義故如來常說汝等比丘知我
說法如筏喻者法尚應捨何況非法
須菩提於意云何如來得阿耨多羅三藐三
菩提耶如來有所說法耶須菩提言如我解
佛所說義无有定法名阿耨多羅三藐三菩
提亦无有定法如來可說何以故如來所說
法皆不可取不可說非法非非法所以者何
一切賢聖皆以无為法而有差別
須菩提於意云何若人滿三千大千世界七
寶以用布施是人所得福德寧為多不須菩

BD02309 號　金剛般若波羅蜜經　（13–1）

一切賢聖皆以无為法而有差別
須菩提於意云何若人滿三千大千世界七
寶以用布施是人所得福德寧為多不須菩
提言甚多世尊何以故是福德即非福德性
是故如來說福德多若復有人於此經中受
持乃至四句偈等為他人說其福勝彼何以
故須菩提一切諸佛及諸佛阿耨多羅三藐
三菩提法皆從此經出須菩提所謂佛法者
即非佛法
須菩提於意云何須陁洹能作是念我得須
陁洹果不須菩提言不也世尊何以故須陁
洹名為入流而无所入不入色聲香味觸法
是名須陁洹須菩提於意云何斯陁含能作
是念我得斯陁含果不須菩提言不也世尊
何以故斯陁含名一往來而實无往來是名
斯陁含須菩提於意云何阿那含能作是念
我得阿那含果不須菩提言不也世尊何以
故阿那含名為不來而實无來是故名阿那
含須菩提於意云何阿羅漢能作是念我得
阿羅漢道不須菩提言不也世尊何以故實
无有法名阿羅漢世尊若阿羅漢作是念我
得阿羅漢道即為著我人衆生壽者世尊佛
說我得无諍三昧人中最為第一是第一離
欲阿羅漢我不作是念我是離欲阿羅漢世
尊我若作是念我得阿羅漢道世尊則不說
須菩提是樂阿蘭那行者以須菩提實无所

BD02309號　金剛般若波羅蜜經　（13–2）

說我得无諍三昧人中最為第一是第一離
欲阿羅漢我不作是念我是離欲阿羅漢世
尊我若作是念我得阿羅漢道世尊則不說
須菩提是樂阿蘭那行者以須菩提實无所
行而名須菩提是樂阿蘭那行
佛告須菩提於意云何如來昔在然燈佛所
於法有所得不世尊如來在然燈佛所於法
實无所得須菩提於意云何菩薩莊嚴佛
土不不也世尊何以故莊嚴佛土者則非莊嚴
是名莊嚴是故須菩提諸菩薩摩訶薩應如
是生清淨心不應住色生心不應住聲香味
觸法生心應无所住而生其心須菩提譬如
有人身如須弥山王於意云何是身為大不
須菩提言甚大世尊何以故佛說非身是名
大身須菩提如恒河中所有沙數如是沙等
恒河於意云何是諸恒河沙寧為多不須菩
提言甚多世尊但諸恒河尚多无數何況其
沙須菩提我今實言告汝若有善男子善女
人以七寶滿尒所恒河沙數三千大千世界
以用布施得福多不須菩提言甚多世尊
佛告須菩提若善男子善女人於此經中乃
至受持四句偈等為他人說而此福德勝前
福德復次須菩提隨說是經乃至四句偈等
當知此處一切世間天人阿脩羅皆應供養
如佛塔廟何況有人盡能受持讀誦須菩提

BD02309號　金剛般若波羅蜜經　（13–3）

福德復次須菩提隨說是經乃至四句偈等
當知此處一切世間天人阿脩羅皆應供養
如佛塔廟何況有人盡能受持讀誦須菩提
當知是人成就最上第一希有之法若是經
典所在之處則為有佛若尊重弟子
尒時須菩提白佛言世尊當何名此經我等
云何奉持佛告須菩提是經名為金剛般若
波羅蜜以是名字汝當奉持所以者何須菩
提佛說般若波羅蜜則非般若波羅蜜須菩
提於意云何如來有所說法不須菩提白佛
言世尊如來无所說須菩提於意云何三千
大千世界所有微塵是為多不須菩提言甚
多世尊須菩提諸微塵如來說非微塵是名
微塵如來說世界非世界是名世界須菩提
於意云何可以三十二相見如來不不也世
尊何以故如來說三十二相即是非相是名
三十二相須菩提若有善男子善女人以恒
河沙等身命布施若復有人於此經中乃至
受持四句偈等為他人說其福甚多
尒時須菩提聞說是經深解義趣涕淚悲泣
而白佛言希有世尊佛說如是甚深經典我
從昔來所得慧眼未曾得聞如是之經世尊
若復有人得聞是經信心清淨則生實相當
知是人成就第一希有功德世尊是實相者
則是非相是故如來說名實相世尊我今得

BD02309號　金剛般若波羅蜜經　（13–4）

若復有人得聞是經信心清淨則生實相當
知是人成就第一希有功德世尊是實相者
則是非相是故如來說名實相世尊我今得
聞如是經典信解受持不足為難若當來世
後五百歲其有眾生得聞是經信解受持是
人則為第一希有何以故此人无我相人相
眾生相壽者相所以者何我相即是非相人
相眾生相壽者相即是非相何以故離一切
諸相則名諸佛佛告須菩提如是如是若復
有人得聞是經不驚不怖不畏當知是人甚
為希有何以故須菩提如來說第一波羅蜜
非第一波羅蜜是名第一波羅蜜
須菩提忍辱波羅蜜如來說非忍辱波羅蜜
何以故須菩提如我昔為歌利王割截身體
我於尒時无我相无人相无眾生相无壽者
相何以故我於往昔節節支解時若有我相
人相眾生相壽者相應生瞋恨須菩提又念
過去於五百世作忍辱仙人於尒所世无我
相无人相无眾生相无壽者相是故須菩提
菩薩應離一切相發阿耨多羅三藐三菩提
心不應住色生心不應住聲香味觸法生心
應生无所住心若心有住則為非住是故佛
說菩薩心不應住色布施須菩提菩薩為利
益一切眾生應如是布施如來說一切諸相
即是非相又說一切眾生則非眾生須菩提

BD02309號　金剛般若波羅蜜經　（13–5）

應生无所住心若心有住則為非住是故佛
說菩薩心不應住色布施須菩提菩薩為利
益一切衆生應如是布施如來說一切諸相
即是非相又說一切衆生則非衆生須菩提
如來是真語者實語者如語者不誑語者不
異語者須菩提如來所得法此法无實无虛
須菩提若菩薩心住於法而行布施如人入
闇則无所見若菩薩心不住法而行布施如
人有目日光明照見種種色須菩提當來之
世若有善男子善女人能於此經受持讀誦
則為如來以佛智慧悉知是人悉見是人皆
得成就无量无邊功德
須菩提若有善男子善女人初日分以恒河
沙等身布施中日分復以恒河沙等身布施
後日分亦以恒河沙等身布施如是无量百
千万億劫以身布施若復有人聞此經典信
心不逆其福勝彼何況書寫受持讀誦為人
解說須菩提以要言之是經有不可思議不
可稱量无邊功德如來為發大乘者說為發
最上乘者說若有人能受持讀誦廣為人說
如來悉知是人悉見是人皆得成就不可量不
可稱无有邊不可思議功德如是人等則為
荷擔如來阿耨多羅三藐三菩提何以故須
菩提若樂小法者著我見人見衆生見壽者
見則於此經不能聽受讀誦為人解說須菩
提在在處處若有此經一切世間天人阿脩

BD02309號　金剛般若波羅蜜經　（13–6）

荷擔如來阿耨多羅三藐三菩提何以故須
菩提若樂小法者著我見人見衆生見壽者
見則於此經不能聽受讀誦為人解說須菩
提在在處處若有此經一切世間天人阿脩
羅所應供養當知此處則為是塔皆應恭敬
作礼圍繞以諸華香而散其處
復次須菩提善男子善女人受持讀誦此經
若為人輕賤是人先世罪業應墮惡道以今
世人輕賤故先世罪業則為消滅當得阿耨
多羅三藐三菩提須菩提我念過去无量阿
僧祇劫於然燈佛前得值八百四千万億那
由他諸佛悉皆供養承事无空過者若復有
人於後末世能受持讀誦此經所得功德於
我所供養諸佛功德百分不及一千万億分
乃至筭數譬喻所不能及須菩提若善男子
善女人於後末世有受持讀誦此經所得功
德我若具說者或有人聞心則狂亂狐疑不
信須菩提當知是經義不可思議果報亦不
可思議
尒時須菩提白佛言世尊善男子善女人發
阿耨多羅三藐三菩提心云何應住云何降
伏其心佛告須菩提善男子善女人發阿耨
多羅三藐三菩提者當生如是心我應滅度
一切衆生滅度一切衆生已而无有一衆生
實滅度者何以故若菩薩有我相人相衆生
相壽者相則非菩薩所以者何須菩提實无

BD02309號　金剛般若波羅蜜經　（13–7）

[illegible]
一切衆生滅度一切衆生已而无有一衆生
實滅度者何以故若菩薩有我相人相衆生
相壽者相則非菩薩所以者何須菩提實无
有法發阿耨多羅三藐三菩提者須菩提於
意云何如來於然燈佛所有法得阿耨多羅
三藐三菩提不不也世尊如我解佛所說義
佛於然燈佛所无有法得阿耨多羅三藐三
菩提佛言如是如是須菩提實无有法如來
得阿耨多羅三藐三菩提須菩提若有法如
來得阿耨多羅三藐三菩提然燈佛則不與
我受記汝於來世當得作佛號釋迦牟尼以
實无有法得阿耨多羅三藐三菩提是故然
燈佛與我受記作是言汝於來世當得作佛
號釋迦牟尼何以故如來者即諸法如義若
有人言如來得阿耨多羅三藐三菩提須菩
提實无有法佛得阿耨多羅三藐三菩提須
菩提如來所得阿耨多羅三藐三菩提於是
中无實无虛是故如來說一切法皆是佛法
須菩提所言一切法者即非一切法是故名
一切法須菩提譬如人身長大須菩提言世
尊如來說人身長大則非大身是名大身須
菩提菩薩亦如是若作是言我當滅度无量
衆生則不名菩薩何以故須菩提實无有法
名為菩薩是故佛說一切法无我无人无衆
生无壽者須菩提若菩薩作是言我當莊嚴

衆生則不名菩薩何以故須菩提實无有法
名為菩薩是故佛說一切法无我无人无衆
生无壽者須菩提若菩薩作是言我當莊嚴
佛土是不名菩薩何以故如來說莊嚴佛土
者即非莊嚴是名莊嚴須菩提若菩薩通達
无我法者如來說名真是菩薩
須菩提於意云何如來有肉眼不如是世尊
如來有肉眼須菩提於意云何如來有天眼
不如是世尊如來有天眼須菩提於意云何
如來有慧眼不如是世尊如來有慧眼須菩
提於意云何如來有法眼不如是世尊如來
有法眼須菩提於意云何如來有佛眼不如
是世尊如來有佛眼須菩提於意云何恒河
中所有沙佛說是沙不如是世尊如來說是
沙須菩提於意云何如一恒河中所有沙有
如是等恒河是諸恒河所有沙數佛世界如
是寧為多不甚多世尊佛告須菩提尒所國
土中所有衆生若干種心如來悉知何以故
如來說諸心皆為非心是名為心所以者何
須菩提過去心不可得現在心不可得未來
心不可得須菩提於意云何若有人滿三千
大千世界七寶以用布施是人以是因緣得
福多不如是世尊此人以是因緣得福甚多
須菩提若福德有實如來不說得福德多以
福德无故如來說得福德多

福多不如是世尊此人以是因緣得福甚多
須菩提若福德有實如來不說得福德多以
福德无故如來說得福德多
須菩提於意云何佛可以具足色身見不不
也世尊如來不應以色身見何以故如來說
具足色身即非具足色身是名具足色身須
菩提於意云何如來可以具足諸相見不不
也世尊如來不應以具足諸相見何以故如
來說諸相具足即非具足是名諸相具足
須菩提汝勿謂如來作是念我當有所說法
莫作是念何以故若人言如來有所說法即
為謗佛不能解我所說故須菩提說法者无
法可說是名說法須菩提白佛言世尊佛得
阿耨多羅三藐三菩提為无所得耶如是如
是須菩提我於阿耨多羅三藐三菩提乃至
无有少法可得是名阿耨多羅三藐三菩提
復次須菩提是法平等无有高下是名阿耨
多羅三藐三菩提以无我无人无衆生无壽
者脩一切善法則得阿耨多羅三藐三菩提
須菩提所言善法者如來說非善法是名善
法須菩提若三千大千世界中所有諸須弥
山王如是等七寶聚有人持用布施若人以
此般若波羅蜜經乃至四句偈等受持讀誦
為他人說於前福德百分不及一百千万億
分乃至筭數譬喻所不能及

BD02309 號　金剛般若波羅蜜經　（13–10）

此般若波羅蜜經乃至四句偈等受持讀誦
為他人說於前福德百分不及一百千万億
分乃至筭數譬喻所不能及
須菩提於意云何汝等勿謂如來作是念我
當度衆生須菩提莫作是念何以故實无有
衆生如來度者若有衆生如來度者如來則
有我人衆生壽者須菩提如來說有我者則
非有我而凡夫之人以為有我須菩提凡夫
者如來說則非凡夫須菩提於意云何可以
三十二相觀如來不須菩提言如是如是以
三十二相觀如來佛言須菩提若以三十二
相觀如來者轉輪聖王則是如來須菩提白
佛言世尊如我解佛所說義不應以三十二
相觀如來尒時世尊而說偈言
若以色見我　以音聲求我　是人行耶道　不能見如來
須菩提汝若作是念如來不以具足相故得
阿耨多羅三藐三菩提須菩提莫作是念如
來不以具足相故得阿耨多羅三藐三菩提
須菩提汝若作是念發阿耨多羅三藐三菩
提者說諸法斷滅莫作是念何以故發阿耨
多羅三藐三菩提者於法不說斷滅相
須菩提若菩薩以滿恒河沙等世界七寶布
施若復有人知一切法无我得成於忍此菩
薩勝前菩薩所得功德須菩提以諸菩薩不
受福德故須菩提白佛言世尊云何菩薩不

BD02309 號　金剛般若波羅蜜經　（13–11）

須菩提若菩薩以滿恒河沙等世界七寶布
施若復有人知一切法无我得成於忍此菩
薩勝前菩薩所得功德須菩提以諸菩薩不
受福德故須菩提白佛言世尊云何菩薩不
受福德須菩提菩薩所作福德不應貪著是
故說不受福德須菩提若有人言如來若來
若去若坐若卧是人不解我所說義何以故
如來者无所從來亦无所去故名如來
須菩提若善男子善女人以三千大千世界
碎為微塵於意云何是微塵衆寧為多不甚
多世尊何以故若是微塵衆實有者佛則不
說是微塵衆所以者何佛說微塵衆則非微
塵衆是名微塵衆世尊如來所說三千大千
世界則非世界是名世界何以故若世界實
有者則是一合相如來說一合相則非一合
相是名一合相須菩提一合相者則是不可
說但凡夫之人貪著其事須菩提若人言佛
說我見人見衆生見壽者見須菩提於意云
何是人解我所說義不世尊是人不解如來
所說義何以故世尊說我見人見衆生見壽
者見即非我見人見衆生見壽者見是名我
見人見衆生見壽者見須菩提發阿耨多羅
三藐三菩提心者於一切法應如是知如是
見如是信解不生法相須菩提所言法相如
來說即非法相是名法相須菩提若有人以
滿无量阿僧祇世界七寶持用布施若有善

BD02309號　金剛般若波羅蜜經　（13–12）

見人見衆生見壽者見須菩提發阿耨多羅
三藐三菩提心者於一切法應如是知如是
見如是信解不生法相須菩提所言法相如
來說即非法相是名法相須菩提若有人以
滿无量阿僧祇世界七寶持用布施若有善
男子善女人發菩薩心者持於此經乃至四
句偈等受持讀誦為人演說其福勝彼云何
為人演說不取於相如如不動何以故
一切有為法　如夢幻泡影　如露亦如電　應作如是觀
佛說是經已長老須菩提及諸比丘比丘尼
優婆塞優婆夷一切世間天人阿脩羅聞佛
所說皆大歡喜信受奉持

金剛般若波羅蜜經

BD02309號　金剛般若波羅蜜經　（13–13）

座而坐
偏袒右肩右膝著
有世尊如來善護念
薩世尊善男子善
菩提心應云何住
哉須菩提如汝所
付囑諸菩薩汝
女人發阿耨多羅三
如是降伏其心唯然世尊願樂欲聞
佛告須菩提諸菩薩摩訶薩應如是降伏其
心所有一切衆生之類若卵生若胎生若濕
生若化生若有色若无色若有想若无想若
非有想若非无想我皆令入无餘涅槃而滅
度之如是滅度无量无數无邊衆生實无衆
生得滅度者何以故須菩提若菩薩有我相
人相衆生相壽者相即非菩薩
復次須菩提菩薩於法應无所住行於布施
所謂不住色布施不住聲香味觸法布施須
菩提菩薩應如是布施不住於相何以故若
菩薩不住相布施其福德不可思量須菩提
於意云何東方虛空可思量不不也世尊須

BD02310號　金剛般若波羅蜜經

（14–1）

於意云何東方虛空可思量不不也世尊須
菩提南西北方四維上下虛空可思量不不
也世尊須菩提菩薩无住相布施福德亦復
如是不可思量須菩提菩薩但應如所教住
須菩提於意云何可以身相見如來不不也
世尊不可以身相得見如來何以故如來所
說身相即非身相佛告須菩提凡所有相皆
是虛妄若見諸相非相則見如來
須菩提白佛言世尊頗有衆生得聞如是言
說章句生實信不佛告須菩提莫作是說如
來滅後後五百歲有持戒脩福者於此章句
能生信心以此為實當知是人不於一佛二
佛三四五佛而種善根已於无量千万佛所
種諸善根聞是章句乃至一念生淨信者須
菩提如來悉知悉見是諸衆生得如是无量
福德何以故是諸衆生无復我相人相衆生
相壽者相无法相亦无非法相何以故是諸衆
生若心取相則為著我人衆生壽者若取
法相即著我人衆生壽者何以故若取非法
相即著我人衆生壽者是故不應取法不應
取非法以是義故如來常說汝等比丘知我說
法如筏喻者法尚應捨何況非法
須菩提於意云何如來得阿耨多羅三藐
三菩提耶如來有所說法耶須菩提言如我
解佛所說義无有定法名阿耨多羅三藐三

BD02310號　金剛般若波羅蜜經

（14–2）

須菩提於意云何如来得阿耨多羅三藐
三菩提耶如来有所說法耶須菩提言如我
解佛所說義无有定法名阿耨多羅三藐三
菩提亦无有定法如来可說何以故如来所說
法皆不可取不可說非法非非法所以者何
一切賢聖皆以无為法而有差别
須菩提於意云何若人滿三千大世界七
寶以用布施是人所得福德寧為多不須
菩提言甚多世尊何以故是福德即非福德
性是故如来說福德多若復有人於此經中
受持乃至四句偈等為他人說其福勝彼何
以故須菩提一切諸佛及諸佛阿耨多羅三
藐三菩提法皆從此經出須菩提所謂佛法
者即非佛法
須菩提於意云何須陁洹能作是念我得須
陁洹果不須菩提言不也世尊何以故須陁
洹名為入流而无所入不入色聲香味觸法是
名須陁洹須菩提於意云何斯陁含能作是
念我得斯陁含果不須菩提言不也世尊
何以故斯陁含名一往来而實无往来是名
斯陁含須菩提於意云何阿那含能作是念
我得阿那含果不須菩提言不也世尊何以
故阿那含名為不来而實无来是故名阿那
含須菩提於意云何阿羅漢能作是念我得
阿羅漢道不須菩提言不也世尊何以故實
无有法名阿羅漢世尊若阿羅漢作是念我

BD02310號　金剛般若波羅蜜經　（14–3）

我得阿那含果不須菩提言不也世尊何以
故阿那含名為不来而實无来是故名阿那
含須菩提於意云何阿羅漢能作是念我得
阿羅漢道不須菩提言不也世尊何以故實
无有法名阿羅漢世尊若阿羅漢作是念我
得阿羅漢道即為著我人衆生壽者世尊佛
說我得无諍三昧人中最為第一是第一離
欲阿羅漢我不作是念我是離欲阿羅漢世
尊我若作是念我得阿羅漢道世尊則不說
須菩提是樂阿蘭那行者以須菩提實无所
行而名須菩提是樂阿蘭那行
佛告須菩提於意云何如来昔在然燈佛所
於法有所得不世尊如来在然燈佛所於法
實无所得須菩提於意云何菩薩莊嚴佛土
不不也世尊何以故莊嚴佛土者則非莊嚴
是名莊嚴是故須菩提諸菩薩摩訶薩應
如是生清淨心不應住色生心不應住聲香
味觸法生心應无所住而生其心須菩提譬如
有人身如須弥山王於意云何是身為大不
須菩提言甚大世尊何以故佛說非身是名大身
須菩提如恒河中所有沙數如是沙等恒河
於意云何是諸恒河沙寧為多不須菩提言
甚多世尊但諸恒河尚多无數何況其沙須
菩提我今實言告汝若有善男子善女人
以七寶滿爾所恒河沙數三千大千世界以用
布施得福多不須菩提言甚多世尊佛告須

BD02310號　金剛般若波羅蜜經　（14–4）

菩提我今實言告汝若有善男子善女人
以七寶滿尒所恒河沙數三千大千世界以用
布施得福多不須菩提言甚多世尊佛告須
菩提若善男子善女人於此經中乃至受持
四句偈等為他人說而此福德勝前福德
復次須菩提隨說是經乃至四句偈等當知
此處一切世間天人阿脩羅皆應供養如佛塔
廟何況有人盡能受持讀誦須菩提當知
是人成就最上第一希有之法若是經典所
在之處則為有佛若尊重弟子
尒時須菩提白佛言世尊當何名此經我等
云何奉持佛告須菩提是經名為金剛般若
波羅蜜以是名字汝當奉持所以者何須菩
提佛說般若波羅蜜則非般若波羅蜜須菩
提於意云何如來有所說法不須菩提白佛言
世尊如來无所說須菩提於意云何三千大
千世界所有微塵是為多不須菩提言甚
多世尊須菩提諸微塵如來說非微塵是名
微塵如來說世界非世界是名世界須菩提
於意云何可以三十二相見如來不不也世
尊不可以三十二相得見如來何以故如來
說三十二相即是非相是名三十二相
須菩提若有善男子善女人以恒河沙等身
命布施若復有人於此經中乃至受持四句
偈等為他人說其福甚多

須菩提若有善男子善女人以恒河沙等身
命布施若復有人於此經中乃至受持四句
偈等為他人說其福甚多
尒時須菩提聞說是經深解義趣涕淚悲泣
而白佛言希有世尊佛說如是甚深經典我
從昔來所得慧眼未曾得聞如是之經世尊
若復有人得聞是經信心清淨則生實相當
知是人成就第一希有功德世尊是實相者
則是非相是故如來說名實相世尊我今得
聞如是經典信解受持不足為難若當來
世後五百歲其有眾生得聞是經信解受持是
人則為第一希有何以故此人无我相人相眾生相壽
者相所以者何我相即是非相人相眾生相壽
者相即是非相何以故離一切諸相則名諸佛
佛告須菩提如是如是若復有人得聞是經不
驚不怖不畏當知是人甚為希有何以故須
菩提如來說第一波羅蜜非第一波羅蜜
是名第一波羅蜜
須菩提忍辱波羅蜜如來說非忍辱波羅蜜
何以故須菩提如我昔為歌利王割截身體
我於尒時无我相无人相无眾生相无壽者
相何以故我於往昔節節支解時若有我
相人相眾生相壽者相應生瞋恨須菩提又
念過去於五百世作忍辱仙人於尒所世无我
相无人相无眾生相无壽者相是故須菩提

念過去於五百世作忍辱仙人於尒所世无我
相无人相无衆生相无壽者相是故須菩提
菩薩應離一切相發阿耨多羅三藐三菩提心
不應住色生心不應住聲香味觸法生心應
生无所住心若心有住則爲非住是故佛說
菩薩心不應住色布施須菩提菩薩爲利
益一切衆生應如是布施如來說一切諸相
即是非相又說一切衆生則非衆生
須菩提如來是真語者實語者如語者不誑
語者不異語者須菩提如來所得法此法无實无虛
須菩提若菩薩心住於法而行布施如人入
闇則无所見若菩薩心不住法而行布施如
人有目日光明照見種種色
須菩提當來之世若有善男子善女人能於此
經受持讀誦則爲如來以佛智慧悉知是人
悉見是人皆得成就无量无邊功德
須菩提若有善男子善女人初日分以恒河
沙等身布施中日分復以恒河沙等身布施
後日分亦以恒河沙等身布施如是无量百
千万億劫以身布施若復有人聞此經典信
心不逆其福勝彼何況書冩受持讀誦爲人
解說
須菩提以要言之是經有不可思議不可稱
量无邊功德如來爲發大乘者說爲發最上
乘者說若有人能受持讀誦廣爲人說如來

須菩提以要言之是經有不可思議不可稱
量无邊功德如來爲發大乘者說爲發最上
乘者說若有人能受持讀誦廣爲人說如來
悉知是人悉見是人皆得成就不可量不可
稱无有邊不可思議功德如是人等則爲荷
擔如來阿耨多羅三藐三菩提何以故須菩
提若樂小法者著我見人見衆生見壽者見
則於此經不能聽受讀誦爲人解說須菩提
在在處處若有此經一切世間天人阿脩羅
所應供養當知此處則爲是塔皆應恭敬作
礼圍遶以諸華香而散其處
復次須菩提善男子善女人受持讀誦此經
若爲人輕賤是人先世罪業應墮惡道以今
世人輕賤故先世罪業則爲消滅當得阿耨
多羅三藐三菩提須菩提我念過去无量阿
僧祇劫於然燈佛前得值八百四千万億那
由他諸佛悉皆供養承事无空過者若復
有人於後末世能受持讀誦此經所得功德於
我所供養諸佛功德百分不及一千万億分
乃至筭數譬喻所不能及須菩提若善男子
善女人於後末世有受持讀誦此經所得功
德我若具說者或有人聞心則狂亂狐疑不
信須菩提當知是經義不可思議果報亦不可思議
尒時須菩提白佛言世尊善男子善女人發
阿耨多羅三藐三菩提心云何應住云何降

信須菩提當知是經義不可思議果報亦不可思議
尒時須菩提白佛言世尊善男子善女人發
阿耨多羅三藐三菩提心云何應住云何降
伏其心佛告須菩提善男子善女人發阿耨
多羅三藐三菩提者當生如是心我應滅度
一切衆生滅度一切衆生已而无有一衆生實
滅度者何以故若菩薩有我相人相衆生相
壽者相則非菩薩所以者何須菩提實无
有法發阿耨多羅三藐三菩提者
須菩提於意云何如來於然燈佛所有法得
阿耨多羅三藐三菩提不不也世尊如我解
佛所說義佛於然燈佛所无有法得阿耨多
羅三藐三菩提佛言如是如是須菩提實无
有法如來得阿耨多羅三藐三菩提須菩提
若有法如來得阿耨多羅三藐三菩提然燈
佛則不與我受記汝於來世當得作佛号釋
迦牟尼以實无有法得阿耨多羅三藐三菩
提是故然燈佛與我受記作是言汝於來世
當得作佛号釋迦牟尼何以故如來者即諸
法如義若有人言如來得阿耨多羅三藐三
菩提須菩提實无有法佛得阿耨多羅三藐
三菩提須菩提如來所得阿耨多羅三藐三
菩提於是中无實无虛是故如來說一切法
皆是佛法須菩提所言一切法者即非一切
法是故名一切法

BD02310號　金剛般若波羅蜜經　(14–9)

菩提於是中无實无虛是故如來說一切法
皆是佛法須菩提所言一切法者即非一切
法是故名一切法
須菩提譬如人身長大須菩提言世尊如來
說人身長大則爲非大身是名大身
須菩提菩薩亦如是若作是言我當滅度无
量衆生則不名菩薩何以故須菩提實无有
法名爲菩薩是故佛說一切法无我无人无
衆生无壽者須菩提若菩薩作是言我當
莊嚴佛土是不名菩薩何以故如來說莊嚴
佛土者即非莊嚴是名莊嚴須菩提若菩
薩通達无我法者如來說名真是菩薩
須菩提於意云何如來有肉眼不如是世尊
如來有肉眼須菩提於意云何如來有天眼
不如是世尊如來有天眼須菩提於意云何
如來有慧眼不如是世尊如來有慧眼須菩
提於意云何如來有法眼不如是世尊如來
有法眼須菩提於意云何如來有佛眼不如
是世尊如來有佛眼
須菩提於意云何恒河中所有沙佛說是沙
不如是世尊如來說是沙須菩提於意云何
如一恒河中所有沙有如是等恒河是諸恒
河所有沙數佛世界如是寧爲多不甚多世
尊佛告須菩提尒所國土中所有衆生若干
種心如來悉知何以故如來說諸心皆爲非

BD02310號　金剛般若波羅蜜經　(14–10)

如一恒河中所有沙有如是等恒河是諸恒
河所有沙數佛世界如是寧為多不甚多世
尊佛告須菩提尒所國土中所有衆生若干
種心如來悉知何以故如來說諸心皆為非
心是名為心所以者何須菩提過去心不可得
現在心不可得未來心不可得
須菩提於意云何若有人滿三千大千世界七
寶以用布施是人以是因緣得福多不如是
世尊此人以是因緣得福甚多須菩提若福
德有實如來不說得福德多以福德无故
如來說得福德多
須菩提於意云何佛可以具足色身見不不世
世尊如來不應以色身見何以故如來說具
足色身即非具足色身是名具足色身
須菩提於意云何如來可以具足諸相見不不
世世尊如來不應以具足諸相見何以故如來
說諸相具足即非具足是名諸相具足須
菩提汝勿謂如來作是念我當有所說法
莫作是念何以故若人言如來有所說法即
為謗佛不能解我所說故須菩提說法者无
法可說是名說法
須菩提白佛言世尊佛得阿耨多羅三藐三
菩提為无所得耶如是如是須菩提我於阿
耨多羅三藐三菩提乃至无有少法可得是
名阿耨多羅三藐三菩提

BD02310號　金剛般若波羅蜜經　（14–11）

菩提為无所得耶如是如是須菩提我於阿
耨多羅三藐三菩提乃至无有少法可得是
名阿耨多羅三藐三菩提
復次須菩提是法平等无有高下是名阿耨
多羅三藐三菩提以无我无人无衆生无壽
者脩一切善法則得阿耨多羅三藐三菩提
須菩提所言善法者如來說非善法是名善
法須菩提若三千大千世界中所有諸須彌山
王如是等七寶聚有人持用布施若人以此般
若波羅蜜經乃至四句偈等受持為他人
說於前福德百分不及一百千万億分乃至筭
數譬喻所不能及
須菩提於意云何汝等勿謂如來作是念我
當度衆生須菩提莫作是念何以故實无有
衆生如來度者若有衆生如來度者如來則
有我人衆生壽者須菩提如來說有我者則
非有我而凡夫之人以為有我須菩提凡夫
者如來說則非凡夫
須菩提於意云何可以卅二相觀如來不須
菩提言如是如是以卅二相觀如來佛言須菩
提若以卅二相觀如來者轉輪聖王則是如
來須菩提白佛言世尊如我解佛所說義不應
以卅二相觀如來尒時世尊而說偈言
若以色見我　以音聲求我　是人行邪道　不能見如來
須菩提汝若作是念如來不以具足相故得

BD02310號　金剛般若波羅蜜經　（14–12）

来須菩提白佛言世尊如我解佛所說義不應
以卅二相觀如来佘時世尊而說偈言
若以色見我　以音聲求我　是人行邪道　不能見如来
須菩提汝若作是念如来不以具足相故得
阿耨多羅三藐三菩提須菩提莫作是念如
来不以具足相故得阿耨多羅三藐三菩提
須菩提汝若作是念發阿耨多羅三藐三菩
提者說諸法斷滅相莫作是念何以故發阿耨
多羅三藐三菩提者於法不說斷滅相
須菩提若菩薩以滿恒河沙等世界七寶布施
若復有人知一切法无我得成於忍此菩
薩勝前菩薩所得功德須菩提以諸菩薩不受
福德故須菩提白佛言世尊云何菩薩不受福
德須菩提菩薩所作福德不應貪著是故說
不受福德
須菩提若有人言如来若来若去若坐若卧
是人不解我所說義何以故如来者无所從
来亦无所去故名如来
須菩提若善男子善女人以三千大千世界
碎為微塵於意云何是微塵衆寧為多不甚
多世尊何以故若是微塵衆實有者佛則不
說是微塵衆所以者何佛說微塵衆則非微
塵衆是名微塵衆世尊如来所說三千大千
世界則非世界是名世界何以故若世界實
有者則是一合相如来說一合相則非一合相

BD02310號　金剛般若波羅蜜經　（14–13）

世界則非世界是名世界何以故若世界實
有者則是一合相如来說一合相則非一合相
是名一合相須菩提一合相者則是不可說
但凡夫之人貪著其事須菩提若人言佛說
我見人見衆生見壽者見須菩提於意云何
是人解我所說義不世尊是人不解如来所
說義何以故世尊說我見人見衆生見壽者
見即非我見人見衆生見壽者見是名我見
人見衆生見壽者見須菩提發阿耨多羅三
藐三菩提心者於一切法應如是知如是見
如是信解不生法相須菩提所言法相者如
来說即非法相是名法相須菩提若有人以
滿无量阿僧祇世界七寶持用布施若有善
男子善女人發菩薩心者持於此經乃至四
句偈等受持讀誦為人演說其福勝彼云何
為人演說不取於相如如不動何以故
一切有為法　如夢幻泡影　如露亦如電　應作如是觀
佛說是經已長老須菩提及諸比丘比丘
尼優婆塞優婆夷一切世間天人阿脩羅聞
佛所說皆大歡喜信受奉行
金剛般若波羅蜜經

BD02310號　金剛般若波羅蜜經　（14–14）

著　録　凡　例

本目録採用條目式著録法。諸條目意義如下：

1.1　著録編號。用漢語拼音首字“BD”表示，意為“北京圖書館藏敦煌遺書”，簡稱“北敦號”。文獻寫在背面者，標註為“背”。一件遺書上抄有多個文獻者，用數字1、2、3等標示小號。一號中包括幾件遺書，且遺書形態各自獨立者，用字母A、B、C等區別。

1.2　著録分類號。本條記目録暫不分類，該項空缺。

1.3　著録文獻的名稱、卷本、卷次。

1.4　著録千字文編號。

1.5　著録縮微膠卷號。

2.1　著録遺書的總體數據。包括長度、寬度、紙數、正面抄寫總行數與每行字數、背面抄寫總行數與每行字數。如該遺書首尾有殘破，則對殘破部分單獨度量，用加號加在總長度上。凡屬這種情况，長度用括弧標註。

2.2　著録每紙數據。包括每紙長度及抄寫行數或界欄數。

2.3　著録遺書的外觀。包括：（1）裝幀形式。（2）首尾存況。（3）護首、軸、軸頭、天竿、縹帶，經名是書寫還是貼簽，有無經名號，扉頁、扉畫。（4）卷面殘破情況及其位置。（5）尾部情況。（6）有無附加物（蟲繭、油污、線繩及其他）。（7）有無裱補及其年代。（8）界欄。（9）修整。（10）其他需要交待的問題。

2.4　著録一件遺書抄寫多個文獻的情況。

3.1　著録文獻首部文字與對照本核對的結果。

3.2　著録文獻尾部文字與對照本核對的結果。

3.3　著録録文。

3.4　著録對文獻的説明。

4.1　著録文獻首題。

4.2　著録文獻尾題。

5　著録本文獻與對照本的不同之處。

6.1　著録本遺書首部可與另一遺書綴接的編號。

6.2　著録本遺書尾部可與另一遺書綴接的編號。

7.1　著録題記、題名、勘記等。

7.2　著録印章。

7.3　著録雜寫。

7.4　著録護首及扉頁的內容。

8　著録年代。

9.1　著録字體。如有武周新字、合體字、避諱字等，予以説明。

9.2　著録卷面二次加工的情況。包括句讀、點標、科分、間隔號、行間加行、行間加字、硃筆、墨塗、倒乙、刪除、兑廢等。

10　著録敦煌遺書發現後，近現代人所加內容，裝裱、題記、印章等。

11　備註。著録揭裱互見、圖版本出處及其他需要説明的問題。

上述諸條，有則著録，無則空缺。

為避文繁，上述著録中出現的各種參考、對照文獻，暫且不列版本説明。全目結束時，將統一編制本條記目録出現的各種參考書目。

本條記目録為農曆年份標註其公曆紀年時，未進行歲頭年末之換算，請讀者使用時注意自行换算。

條　記　目　錄

BD02255—BD02310

1.1　BD02255 號
1.3　相好經
1.4　闕 055
1.5　028:0245
2.1　94×25.8 厘米；2 紙；共 54 行，行約 17 字。
2.2　01：46.0，26；　02：48.0，28。
2.3　卷軸裝。首全尾脫。首尾兩端有破裂。有烏絲欄。已修整。
3.1　首全→《藏外佛教文獻》，3/第 405 頁第 16 行。
3.2　尾殘→《藏外佛教文獻》，3/第 408 頁第 12 行。
4.1　佛說觀佛三昧海經本行品第八（首）。
8　9～10 世紀。歸義軍時期寫本。
9.1　楷書。
11　圖版：《敦煌寶藏》，57/429A～430A。

1.1　BD02256 號
1.3　佛名經（十六卷本）卷一三
1.4　闕 056
1.5　063:0753
2.1　(32+1436.7)×30 厘米；31 紙；共 649 行，行 14 字。
2.2　01：19.5，09；　02：13+35，22；　03：48.5，22；
04：48.5，22；　05：48.8，22；　06：49.0，22；
07：49.0，22；　08：49.0，22；　09：49.0，22；
10：49.0，22；　11：49.0，22；　12：48.8，22；
13：48.8，22；　14：48.8，22；　15：48.8，22；
16：48.8，22；　17：48.9，22；　18：48.9，22；
19：49.0，22；　20：49.0，22；　21：48.9，22；
22：47.7，21；　23：47.5，21；　24：47.5，21；
25：47.3，21；　26：47.5，21；　27：47.5，21；
28：47.3，21；　29：47.2，21；　30：47.2，21；
31：46.5，11。
2.3　卷軸裝。首殘尾全。卷首中下部殘缺、殘破，第 3 紙上部殘裂。背有多處古代裱補。有烏絲欄。已修整。
3.1　首 15 行中下殘→《七寺古逸經典研究叢書》，3/第 638 頁第 12 行～第 639 頁第 25 行。
3.2　尾全→《七寺古逸經典研究叢書》，3/第 684 頁第 608 行。
4.2　佛名經卷第十三（尾）。
8　9～10 世紀。歸義軍時期寫本。
9.1　楷書。
11　圖版：《敦煌寶藏》，62/113A～130A。

1.1　BD02257 號
1.3　佛名經禮懺文（擬）
1.4　闕 057
1.5　064:0829
2.1　690.9×30.7 厘米；15 紙；共 383 行，行 19 字。
2.2　01：45.0，23；　02：45.3，24；　03：49.3，26；
04：49.5，27；　05：49.5，25；　06：49.3，27；
07：49.5，31；　08：45.5，25；　09：45.0，26；
10：48.5，27；　11：42.5，25；　12：43.0，25；
13：43.0，25；　14：43.0，25；　15：43.0，22。
2.3　卷軸裝。首脫尾缺。卷面有殘洞。有烏絲欄。
3.4　說明：
本文獻首尾均全。抄寫《佛名經（十六卷本）》的懺悔文。
5　與《佛名經》十六卷本對照，本文獻缺少各卷中歸命“十方佛名”的內容。
7.3　卷背有雜寫二處：一處作“夫欲禮懺□”；一處僅一字。另有“龍司，轉帖”四字，疑為龍興寺某執事司轉帖稿。
8　9～10 世紀。歸義軍時期寫本。
9.1　楷書。
9.2　有行間加行。有校加字。有刮改。
11　圖版：《敦煌寶藏》，62/587A～594B。

1.1　BD02258 號
1.3　梵網經盧舍那佛說菩薩心地戒品第十卷下
1.4　闕 058
1.5　143:6718

2.1　(3.5 +612.2) ×27.3 厘米；16 紙；正面 360 行，行 18 ~ 19 字。背面 9 行，行字不等。

2.2　01：3.5 +26.5，18；　02：38.2，23；　03：38.3，23；
04：38.0，23；　05：39.0，23；　06：39.3，23；
07：39.4，23；　08：39.0，23；　09：39.7，23；
10：39.3，23；　11：39.3，23；　12：39.5，23；
13：39.0，23；　14：39.5，23；　15：39.2，23；
16：39.0，20。

2.3　卷軸裝。首殘尾全。通卷殘破嚴重，脫斷爲兩截。背有古代裱補，裱補紙上殘存文獻。有烏絲欄。已修整。

2.4　本遺書包括 5 個文獻：（一）《梵網經盧舍那佛説菩薩心地戒品第十卷下》，360 行，抄寫在正面，今編為 BD02258 號。（二）《華嚴經護首經名簽》（擬），2 行，作爲裱補紙粘貼在背面，今編為 BD02258 號背 1。（三）《梵網經盧舍那佛說菩薩心地戒品第十卷下》，2 行，抄寫在背面古代裱補紙上，今編為 BD02258 號背 2。（四）《建隆元年哀子某延僧為母追念疏》（擬），4 行，抄寫在背面古代裱補紙上，今編為 BD02258 號背 3。（五）《為慈妣轉經疏》（擬），1 行，抄寫在背面古代裱補紙上，今編為 BD02258 號背 4。

3.1　首 2 行中殘→大正 1484，24/1005A9。

3.2　尾全→24/1010A21。

4.2　梵網經一卷（尾）。

8　7 ~ 8 世紀。唐寫本。

9.1　楷書。

11　從該件背揭下古代裱補紙共 2 塊，今編爲 BD16206 號。
圖版：《敦煌寶藏》，101/320A ~ 330B。

1.1　BD02258 號背 1

1.3　華嚴經護首經名簽（擬）

1.4　閏 058

1.5　143:6718

2.4　本遺書由 5 個文獻組成，本號為第 2 個，作爲裱補紙粘貼在背面，3 塊殘片，可綴接為 2 行。餘參見 BD02258 號之第 2 項、第 11 項。

3.4　說明：
卷背有古代裱補紙 2 塊殘片，為《華嚴經》護首經名簽。其中兩塊可以綴接。故實存經名簽兩個：
①“華嚴經卷第八十”，上有經名號。
②“華嚴經卷第‖七十五”，上有經名號。

8　7 ~ 8 世紀。唐寫本。

9.1　楷書。

1.1　BD02258 號背 2

1.3　梵網經盧舍那佛說菩薩心地戒品第十卷下

1.4　閏 058

1.5　143:6718

2.4　本遺書由 5 個文獻組成，本號為第 3 個，抄寫在背面古代裱補紙上，2 塊殘片，可綴接，2 行。餘參見 BD02258 號之第 2 項、第 11 項。

3.4　說明：
卷背有古代裱補紙 2 塊，為寫經殘片。經考定為《梵網經盧舍那佛說菩薩心地戒品第十》卷下，且可綴接。情況如下：
若佛子□自說出家在家菩薩‖比丘比丘尼/
罪過，教人說罪過。罪過因罪‖過緣罪過/
加框為殘缺字。行文與《大正藏》本略異，而與《思溪藏》、《普寧藏》、《嘉興藏》本同。可參見大正 1484，24/1004C13 ~ 14。

8　9 ~ 10 世紀。歸義軍時期寫本。

9.1　楷書。

1.1　BD02258 號背 3

1.3　建隆元年哀子某延僧爲母追念疏（擬）

1.4　閏 058

1.5　143:6718

2.4　本遺書由 5 個文獻組成，本號為第 4 個，抄寫在背面，4 行。餘參見 BD02258 號之第 2 項、第 11 項。

3.3　錄文：
乾元寺請何僧正和尚、氾判官、慶通，/
右今月十五日就弊居，奉爲故慈母娘子百晨（辰）追念，□…□/
依時早赴。謹疏。/
建［隆］元年四月十三日哀心弟子內親從都頭守壽昌縣令□…□。/
（錄文完）

3.4　說明：
年號“建”下脫落一字。由於該文獻為歸義軍時代寫本，故此應為“建隆”。

8　960 年，歸義軍時期寫本。

9.1　楷書。

1.1　BD02258 號背 4

1.3　為慈妣轉經疏（擬）

1.4　閏 058

1.5　143:6718

2.4　本遺書由 5 個文獻組成，本號為第 5 個，抄寫在背面古代裱補紙上，1 行。餘參見 BD02258 號之第 2 項、第 11 項。

3.3　錄文：
奉為慈妣轉念□□經一□…□/
（錄文完）

8　9 ~ 10 世紀。歸義軍時期寫本。

9.1　楷書。

1.1　BD02259 號

1.3　維摩詰所說經卷中

1.4 閏059
1.5 070:1057
2.1 (3+1071)×26厘米；22紙；共579行，行17字。
2.2 01：3+30.5，19； 02：49.0，27； 03：50.0，27；
04：50.0，27； 05：50.0，27； 06：50.0，27；
07：50.0，27； 08：50.0，27； 09：50.0，27；
10：50.0，27； 11：50.0，27； 12：48.0，26；
13：50.0，27； 14：50.0，27； 15：50.0，27；
16：50.0，27； 17：49.5，27； 18：49.5，27；
19：49.5，27； 20：49.5，27； 21：49.5，27；
22：46.0，21。
2.3 卷軸裝。首殘尾全。上下邊多有殘破，尾有蟲繭。背有古代裱補。有刻划欄。
3.1 首2行殘→大正475，14/544B4～5。
3.2 尾全→14/551C27。
4.2 維摩詰經卷中（尾）。
8 9～10世紀。歸義軍時期寫本。
9.1 楷書。
9.2 有刮改。有行間校加字。
11 圖版：《敦煌寶藏》，64/519A～534A。

1.1 BD02260號
1.3 妙法蓮華經卷三
1.4 閏060
1.5 105:4998
2.1 (19.8+989.2)×25.2厘米；21紙；共549行，行17字。
2.2 01：19.8+13.6，17； 02：51.0，28； 03：50.6，28；
04：50.9，28； 05：51.0，28； 06：50.9，28；
07：51.0，28； 08：50.8，28； 09：50.7，28；
10：50.4，28； 11：49.8，28； 12：50.0，28；
13：50.0，28； 14：50.0，28； 15：49.9，28；
16：50.0，28； 17：50.0，28； 18：49.8，28；
19：49.9，28； 20：47.7，27； 21：21.2，01。
2.3 卷軸裝。首殘尾全。經黄紙。卷首右下殘缺，上下有破裂；尾紙脱落。有燕尾。有烏絲欄。
3.1 首10行下殘→大正262，9/19A26～B7。
3.2 尾全→9/27B9。
4.2 妙法蓮華經卷第三（尾）。
8 7～8世紀。唐寫本。
9.1 楷書。
11 圖版：《敦煌寶藏》，87/599B～612B。

1.1 BD02261號
1.3 大般若波羅蜜多經卷三一七
1.4 閏061
1.5 084:2860
2.1 (3.3+753.6)×25.8厘米；17紙；共463行，行17字。
2.2 01：3.3+40.3，26； 02：45.5，28； 03：45.6，28；
04：45.5，28； 05：45.6，28； 06：45.7，28；
07：45.7，28； 08：45.6，28； 09：45.5，28；
10：45.5，28； 11：45.5，28； 12：45.6，28；
13：45.6，28； 14：45.4，28； 15：45.5，28；
16：45.3，28； 17：30.2，17。
2.3 卷軸裝。首殘尾全。卷首殘破，接縫處有開裂。首紙背有古代裱補。有烏絲欄。
3.1 首全→大正220，6/615B22。
3.2 尾全→6/620C18。
4.1 大般若波羅蜜多經卷第三百一十七，/初分趣智品第卌六之二，三藏法師玄奘奉詔譯/（首）。
4.2 大般若波羅蜜多經卷第三百一十七（尾）。
7.1 首紙背有勘記“卅二（本文獻所屬袟次），七（袟内卷次）”。
8 8～9世紀。吐蕃統治時期寫本。
9.1 楷書。
9.2 有硃、墨筆行間校加字。有刮改。
11 圖版：《敦煌寶藏》，75/261A～270B。

1.1 BD02262號
1.3 金光明最勝王經卷二
1.4 閏062
1.5 083:1521
2.1 549.6×26厘米；12紙；共300行，行17字。
2.2 01：49.5，28； 02：49.7，28； 03：49.7，28；
04：49.3，28； 05：49.4，28； 06：49.5，28；
07：49.6，28； 08：49.8，28； 09：49.1，28；
10：48.0，28； 11：38.5，20； 12：17.5，拖尾。
2.3 卷軸裝。首脱尾全。經黄紙。第8～9紙下部殘缺，卷尾殘破，卷尾上下有蟲繭。背有多處古代裱補，第6紙背古代裱補紙上殘存文字，粘向内，難以辨認。有燕尾。有烏絲欄。
3.1 首殘→大正665，16/409C6。
3.2 尾全→16/413C6。
4.2 金光明最勝王經卷第二（尾）。
5 尾附音釋。
7.3 背有雜寫，被塗去。
8 7～8世紀。唐寫本。
9.1 楷書。
9.2 有刮改。
11 圖版：《敦煌寶藏》，68/285A～292A。

1.1 BD02263號
1.3 佛名經（十六卷本）卷二
1.4 閏063
1.5 063:0605
2.1 528.6×31.5厘米；11紙；共236行，行19字。

2.2　01：48.5，23；　02：48.5，23；　03：48.2，23；
04：48.2，23；　05：48.2，23；　06：48.4，23；
07：48.4，23；　08：48.2，23；　09：48.0，23；
10：47.5，23；　11：46.5，06。
2.3　卷軸裝。首脱尾全。卷尾油污。背有多塊古代裱補。有燕尾。有烏絲欄。
3.1　首殘→《七寺古逸經典研究叢書》，3/第93頁第381行；
3.2　尾全→《七寺古逸經典研究叢書》，3/第113頁第646行。
5　與七寺本對照，尾有缺文，相當於3/第113頁第646行~第648行。
4.2　佛說佛名經卷第二（尾）。
8　9~10世紀。歸義軍時期寫本。
9.1　隸楷。
11　圖版：《敦煌寶藏》，60/297B~303A。

1.1　BD02264號
1.3　大般若波羅蜜多經卷三二二
1.4　閏064
1.5　084:2876
2.1　(2.8+536.3+3.3)×25.5厘米；14紙；共343行，行17字。
2.2　01：2.8+2.2，03；　02：44.0，28；　03：44.3，28；
04：44.1，28；　05：44.2，28；　06：44.3，28；
07：44.2，28；　08：44.3，28；　09：44.3，28；
10：44.3，28；　11：44.3，28；　12：44.2，28；
13：44.2，28；　14：3.4+3.3，04。
2.3　卷軸裝。首尾均殘。卷面有殘洞，上下邊有殘破，多黴斑，有鳥糞污漬。有烏絲欄。
3.1　首2行上下殘→大正220，6/644A3~4。
3.2　尾2行上殘→6/647C21~22。
6.1　首→BD01768號。
6.2　尾→BD08624號。
8　8~9世紀。吐蕃統治時期寫本。
9.1　楷書。
11　圖版：《敦煌寶藏》，75/318A~325A。

1.1　BD02265號
1.3　金剛般若波羅蜜經
1.4　閏065
1.5　094:3505
2.1　598.6×25厘米；13紙；共314行，行17字。
2.2　01：19.5，護首；　02：48.5，27；　03：50.0，28；
04：51.5，28；　05：51.5，28；　06：51.5，28；
07：51.7，28；　08：52.0，28；　09：51.7，28；
10：51.7，28；　11：51.5，28；　12：51.0，28；
13：16.5，07。
2.3　卷軸裝。首尾均全。經黄紙。有護首，有竹製天竿。接縫處有開裂，卷尾有蟲繭。背有古代裱補。有烏絲欄。已修整。
3.1　首全→大正235，8/748C17。
3.2　尾全→8/752C3。
4.1　金剛般若波羅蜜經（首）。
4.2　金剛般若波羅蜜經（尾）。
7.3　第3紙背有雜寫，有的被裱補紙所覆蓋，難以辨認。4行可見，錄文如下：
米/
汜保盈/
張文會/
孔僧奴/
（錄文完）
疑為某契約殘片。
8　7~8世紀。唐寫本。
9.1　楷書。
11　圖版：《敦煌寶藏》，78/344A~351B。

1.1　BD02266號
1.3　金剛仙論卷六
1.4　閏066
1.5　220:7311
2.1　(3+628.5)×26.2厘米；9紙；共374行，行17字。
2.2　01：3+64，42；　02：74.5，42；　03：79.0，48；
04：79.0，48；　05：79.0，48；　06：79.0，48；
07：78.5，48；　08：78.5，48；　09：17.0，02。
2.3　卷軸裝。首殘尾全。第7~9紙上部有缺損。尾有原軸，上端塗棕色漆，下軸頭已斷。有烏絲欄。
3.1　首2行上中殘→大正1512，25/839B25。
3.2　尾全→25/844A5。
4.2　金剛仙論卷第六（尾）。
8　7~8世紀。唐寫本。
9.1　楷書。
9.2　有刮改。
11　圖版：《敦煌寶藏》，105/431B~439B。

1.1　BD02267號1
1.3　無量壽宗要經
1.4　閏067
1.5　275:7989
2.1　(1.5+212)×31厘米；6紙；共136行，行30餘字。
2.2　01：01.5，01；　02：42.0，29；　03：42.5，29；
04：42.5，29；　05：42.5，29；　06：42.5，19。
2.3　卷軸裝。首殘尾全。上下邊有殘破，卷面有蟲繭，卷尾殘破，紙變色變脆。卷面脱落1殘片，可與第2紙下部綴接。有烏絲欄。
2.4　本遺書包括2個文獻：（一）《無量壽宗要經》，3行，今編為BD02267號1。（二）《無量壽宗要經》，133行，今編為

BD02267 號 2。
3.1 首行中上殘→大正 936，19/84C27。
3.2 尾全→19/84C29。
8 8～9 世紀。吐蕃統治時期寫本。
9.1 行楷。
11 圖版：《敦煌寶藏》，108/455B～458A。

1.1 BD02267 號 2
1.3 無量壽宗要經
1.4 閏 067
1.5 275:7989
2.4 本遺書由 2 個文獻組成，本號為第 2 個，133 行。餘參見 BD02267 號 1 之第 2 項、第 11 項。
3.1 首全→大正 936，19/82A3。
3.2 尾全→19/84C29。
4.1 大乘無量壽經（首）
4.2 佛說無量壽經一卷（尾）。
8 8～9 世紀。吐蕃統治時期寫本。
9.1 行楷。

1.1 BD02268 號
1.3 大乘稻竿經
1.4 閏 068
1.5 058:0462
2.1 388.8×27 厘米；9 紙；共 226 行，行 17 字。
2.2 01：47.0，27； 02：48.8，28； 03：48.5，28；
04：45.0，27； 05：45.2，27； 06：47.3，28；
07：42.2，25； 08：47.0，28； 09：17.8，08。
2.3 卷軸裝。首尾均全。前 2 紙有等距殘洞。背有古代裱補。有烏絲欄。
3.1 首 2 行上殘→大正 712，16/823B20～22。
3.2 尾全→16/826A27。
4.1 □…□乘稻芉經（首）
4.2 佛說大乘稻芉經一卷（尾）。
8 8～9 世紀。吐蕃統治時期寫本。
9.1 楷書。
9.2 有行間校加字、校加行。有硃墨筆校改。有刮改。有刪除號。
11 圖版：《敦煌寶藏》，59/251B～256B。

1.1 BD02269 號
1.3 金剛般若波羅蜜經
1.4 閏 069
1.5 094:3925
2.1 （2.5+374）×26 厘米；10 紙；共 252 行，行 17 字。
2.2 01：02.5，01； 02：44.5+2，28； 03：46.0，28；
04：47.0，28； 05：46.0，28； 06：46.5，28；
07：46.5，28； 08：47.0，28； 09：47.0，28；
10：46.0，27。
2.3 卷軸裝。首殘尾全。經黄紙。前 6 紙橫向殘裂嚴重，尾紙有豎裂。首紙脫落 2 塊小殘片，已綴接。第 1～6 紙背有古代裱補。有烏絲欄。已修整。
3.1 首 28 行下殘→大正 235，8/749B19～C19。
3.2 尾全→8/752C3。
4.2 金剛般若波羅蜜經（尾）。
8 7～8 世紀。唐寫本。
9.1 楷書。
11 圖版：《敦煌寶藏》，81/216A～221B。

1.1 BD02270 號 1
1.3 佛頂尊勝陀羅尼經（佛陀波利本）序
1.4 閏 070
1.5 229:7325
2.1 （18+377.6）×25.7 厘米；9 紙；共 231 行，行 17 字。
2.2 01：18+24.6，26； 02：28.5，17； 03：45.3，27；
04：46.5，28； 05：46.5，28； 06：46.5，28；
07：46.6，28； 08：46.6，28； 09：46.5，21。
2.3 卷軸裝。首殘尾全。經黄紙。首紙右下殘缺，脫落 1 塊殘片，可以綴接；卷面有等距離水漬，接縫處有開裂，卷背有鳥糞。有烏絲欄。
2.4 本遺書包括 2 個文獻：（一）《佛頂尊勝陀羅尼經（佛陀波利本）序》，43 行，今編為 BD02270 號 1。（二）《佛頂尊勝陀羅尼經（佛陀波利本）》，188 行，今編為 BD02270 號 2。
3.1 首 11 行下殘→大正 967，19/349B2～14。
3.2 尾全→19/349C19。
4.1 佛頂尊勝陀羅尼經，并序（首）。
8 7～8 世紀。唐寫本。
9.1 楷書。
11 圖版：《敦煌寶藏》，105/478A～483A。

1.1 BD02270 號 2
1.3 佛頂尊勝陀羅尼經（佛陀波利本）
1.4 閏 070
1.5 229:7325
2.4 本遺書由 2 個文獻組成，本號為第 2 個，188 行。餘參見 BD02270 號 1 之第 2 項、第 11 項。
3.1 首全→大正 967，19/349C23。
3.2 尾全→19/352A26。
4.1 佛頂尊勝陀羅尼經，罽賓沙門佛陀波利奉詔譯（首）。
4.2 佛頂尊勝陀羅尼經（尾）。
5 咒語與《大正藏》本不同，略相當於所附宋本，參見 19/352A27～B23。
8 7～8 世紀。唐寫本。
9.1 楷書。

1.1 BD02271 號
1.3 阿彌陀經
1.4 閏 071
1.5 014:0132
2.1 (6+245)×26.5 厘米;7 紙;共 107 行,行 17 字。
2.2 01:6+27,15; 02:40.0,19; 03:40.0,19;
04:40.0,18; 05:39.5,20; 06:37.5,16;
07:21.0,拖尾。
2.3 卷軸裝。首殘尾全。首紙有破裂,第 2 紙下有 1 殘洞。卷前部邊欄爲硬物刻畫,後部界欄爲折疊欄。拖尾染黄,紙質與前次各紙不同。已修整。
3.1 首 2 行上殘→大正 366,12/346C3。
3.2 尾全→12/348A29。
4.2 佛說阿彌陀經(尾)。
8 9~10 世紀。歸義軍時期寫本。
9.1 楷書。
11 圖版:《敦煌寶藏》,56/608A~611B。

1.1 BD02272 號
1.3 大般若波羅蜜多經卷一五六
1.4 閏 072
1.5 084:2409
2.1 (18+710.3)×26 厘米;16 紙;共 426 行,行 17 字。
2.2 01:18+26.5,26; 02:46.5,28; 03:46.7,28;
04:46.9,28; 05:46.7,28; 06:46.7,28;
07:46.8,28; 08:46.9,28; 09:46.8,28;
10:46.8,28; 11:46.8,28; 12:46.8,28;
13:46.7,28; 14:46.7,28; 15:46.5,28;
16:29.5,08。
2.3 卷軸裝。首尾均全。卷首右下殘缺,前 3 紙有破損及殘洞。尾有原軸,兩端塗紫紅色漆。有烏絲欄。已修整。
3.1 首 10 行下殘→大正 220,5/840C7~18。
3.2 尾全→5/845B28。
4.1 大般若波羅蜜多經卷第□…□,/初分校量功德品第卌之五,□…□/(首)
4.2 大般若波羅蜜多經卷第一百五十六(尾)。
7.1 卷首背有勘記"一百五十六"。
8 8~9 世紀。吐蕃統治時期寫本。
9.1 楷書。
9.2 有刮改。
11 圖版:《敦煌寶藏》,73/197B~206B。

1.1 BD02273 號
1.3 妙法蓮華經卷五
1.4 閏 073
1.5 105:5482
2.1 767.2×27.4 厘米;16 紙;共 427 行,行 17 字。
2.2 01:49.8,28; 02:49.6,28; 03:49.6,28;
04:49.6,28; 05:49.6,28; 06:49.5,28;
07:49.6,28; 08:49.5,28; 09:49.6,28;
10:49.5,28; 11:49.5,28; 12:49.5,28;
13:49.5,28; 14:49.5,28; 15:49.3,28;
16:24.0,07。
2.3 卷軸裝。首脱尾全。有烏絲欄。
3.1 首殘→大正 262,9/39C16。
3.2 尾全→9/46B14。
4.2 妙法蓮華經卷第五(尾)。
8 9~10 世紀。歸義軍時期寫本。
9.1 楷書。
9.2 有刮改。
11 圖版:《敦煌寶藏》,92/451B~462B。

1.1 BD02274 號
1.3 大般若波羅蜜多經卷二五二
1.4 閏 074
1.5 084:2667
2.1 56.7×27 厘米;2 紙;共 33 行,行 17 字。
2.2 01:45.5,28; 02:11.2,05。
2.3 卷軸裝。首脱尾全。有烏絲欄。
3.1 首殘→大正 220,6/278A15。
3.2 尾全→6/278B19。
4.2 大般若波羅蜜多經卷第二百五十二(尾)。
8 8~9 世紀。吐蕃統治時期寫本。
9.1 楷書。
9.2 有刮改。
11 圖版:《敦煌寶藏》,74/398B~399A。

1.1 BD02275 號
1.3 賢劫十方千五百佛名經卷上
1.4 閏 075
1.5 066:0834
2.1 951.4×25.6 厘米;20 紙;共 509 行,行 17 字。
2.2 01:8.5,護首; 02:48.8,27; 03:51.3,28;
04:51.3,28; 05:49.0,27; 06:51.3,28;
07:51.2,28; 08:51.2,28; 09:51.2,28;
10:51.2,28; 11:51.0,28; 12:51.2,28;
13:51.2,28; 14:51.0,28; 15:51.0,28;
16:51.0,28; 17:51.0,28; 18:51.0,28;
19:51.0,28; 20:27.0,07。
2.3 卷軸裝。首尾均全。經黄打紙。有護首。首尾上下方殘破,接縫處有開裂。背有古代裱補。有烏絲欄。
3.4 說明:
本文獻首尾均全。未為我國歷代大藏經所收。日本《大正藏》依據敦煌本收入該經殘卷,本號可補充其不足。

4.1　佛説十方千五百佛名經卷上（首）
4.2　佛説賢劫十方千五百佛名經卷上（尾）。
8　7～8世紀。唐寫本。
9.1　楷書。
11　圖版：《敦煌寶藏》，62/614B～627B。

1.1　BD02276號
1.3　涅槃經疏（擬）
1.4　閏076
1.5　120：6616
2.1　（457＋7.5）×29厘米；11紙；共280行，行20餘字。
2.2　01：42.5，26；　02：42.5，26；　03：42.5，26；
04：42.5，26；　05：42.5，26；　06：42.5，25；
07：42.5，25；　08：42.5，26；　09：42.5，25；
10：42.5，25；　11：32＋7.5，24。
2.3　卷軸装。首脱尾殘。通卷上下邊殘損，卷面有破裂殘缺及殘洞，有等距離水漬。有烏絲欄。已修整。
3.4　説明：
本文獻首殘，尾4行中上殘。所疏為南本《大般涅槃經》。未為歷代大藏經所收。
8　5～6世紀。南北朝寫本。
9.1　行楷。
11　圖版：《敦煌寶藏》，100/610A～615B。

1.1　BD02277號
1.3　大般若波羅蜜多經卷二五二
1.4　閏077
1.5　084：2663
2.1　749.5×27.1厘米；16紙；共446行，行17字。
2.2　01：47.0，26；　02：46.8，28；　03：47.0，28；
04：46.9，28；　05：46.8，28；　06：46.8，28；
07：46.8，28；　08：47.0，28；　09：46.8，28；
10：46.8，28；　11：46.8，28；　12：46.8，28；
13：46.9，28；　14：47.0，28；　15：46.7，28；
16：46.6，28。
2.3　卷軸装。首全尾脱。卷首下邊殘缺，接縫處有開裂。有烏絲欄。
3.1　首全→大正220，6/273A2。
3.2　尾殘→6/278A15。
4.1　大般若波羅蜜多經卷第二百五十二，/初分難信解品第卅四之七十一，三藏法師玄奘奉詔譯/（首）。
8　8～9世紀。吐蕃統治時期寫本。
9.1　楷書。
11　圖版：《敦煌寶藏》，74/375B～385A。

1.1　BD02278號
1.3　金光明最勝王經卷四
1.4　閏078
1.5　083：1653
2.1　（11＋650.7）×26.7厘米；15紙；共391行，行17字。
2.2　01：11＋20.5，19；　02：47.0，28；　03：47.0，28；
04：47.0，28；　05：47.1，28；　06：47.2，28；
07：47.0，28；　08：47.2，28；　09：47.2，28；
10：46.8，28；　11：47.0，28；　12：47.0，28；
13：47.0，28；　14：46.7，28；　15：19.0，08。
2.3　卷軸装。首殘尾全。卷首上下殘缺。有烏絲欄。已修整。
3.1　首7行上下殘→大正665，16/417C29～418A7。
3.2　尾全→16/422B21。
4.2　金光明經卷第四（尾）。
5　尾附音義。
8　8～9世紀。吐蕃統治時期寫本。
9.1　楷書。
11　圖版：《敦煌寶藏》，69/112B～120A。

1.1　BD02279號
1.3　大般若波羅蜜多經卷五九八
1.4　閏079
1.5　084：3409
2.1　398.4×26厘米；9紙；共242行，行17字。
2.2　01：45.0，28；　02：44.7，28；　03：44.6，28；
04：44.7，28；　05：44.7，28；　06：44.5，28；
07：44.8，28；　08：44.5，28；　09：40.9，18。
2.3　卷軸装。首脱尾全。有烏絲欄。
3.1　首殘→大正220，7/1096C16。
3.2　尾全→7/1099B28。
4.2　大般若波羅蜜多經卷第五百九十八（尾）。
6.1　首→BD02100號。
7.1　卷尾背面有勘記“六十袟（本文獻所屬袟次）、卷八（袟内卷次）”。
8　8～9世紀。吐蕃統治時期寫本。
9.1　楷書。
9.2　有行間校加字。有刮改。
11　圖版：《敦煌寶藏》，77/493B～498A。

1.1　BD02280號
1.3　妙法蓮華經卷七
1.4　閏080
1.5　105：6143
2.1　（1.5＋210）×26厘米；5紙；共96行，行17字。
2.2　01：1.5＋16.5，10；　02：48.5，28；　03：48.5，28；
04：48.5，28；　05：48.0，02。
2.3　卷軸装。首殘尾全。第4、5紙接縫處殘破嚴重。有烏絲欄。
3.1　首行上下殘→大正262，9/61A12～13。

3.2 尾全→9/62B1。
4.2 妙□蓮華經卷第七（尾）
8 8~9世紀。吐蕃統治時期寫本。
9.1 楷書。
11 圖版：《敦煌寶藏》，97/122B~124B。

1.1 BD02281號
1.3 妙法蓮華經卷二
1.4 閏081
1.5 105:4721
2.1 （7.1+989.3）×25.1厘米；22紙；共587行，行17~18字。
2.2 01：7.1+21.1，17； 02：46.7，28； 03：47.0，28；
04：47.0，28； 05：47.1，28； 06：47.2，28；
07：47.2，28； 08：47.2，28； 09：47.1，28；
10：47.1，28； 11：47.2，28； 12：47.3，28；
13：47.1，28； 14：47.3，28； 15：47.3，28；
16：47.3，28； 17：47.6，28； 18：47.6，28；
19：47.6，28； 20：47.6，28； 21：47.5，28；
22：23.2，10。
2.3 卷軸裝。首殘尾全。經黄紙。首紙下部殘損嚴重，接縫處有開裂，卷背多鳥糞。尾有原軸，下軸頭丟失，上端鑲蓮蓬形軸頭，嵌螺鈿花瓣。有烏絲欄。
3.1 首4行下殘→大正262，9/10C9~13。
3.2 尾全→9/19A12。
4.2 妙法蓮華經卷第二（尾）。
8 7~8世紀。唐寫本。
9.1 楷書。
9.2 有行間校加字。
11 圖版：《敦煌寶藏》，85/558A~571B。

1.1 BD02282號
1.3 大佛頂如來密因修證了義諸菩薩萬行首楞嚴經卷九
1.4 閏082
1.5 237:7422
2.1 （13.9+727.8+21.3）×25.5厘米；14紙；共443行，行17字。
2.2 01：13.9+58.7，40； 02：77.3，45； 03：77.5，44；
04：77.1，43； 05：77.1，45； 06：48.0，29；
07：47.3，29； 08：47.4，29； 09：47.3，29；
10：25.2，15； 11：48.4，30； 12：48.2，29；
13：48.3，28； 14：21.3，08。
2.3 卷軸裝。首殘尾全。卷首殘破嚴重，通卷有開裂、殘洞及黴爛。
3.1 首6行中下殘→大正945，19/146B28~C5。
3.2 尾全→19/151B16。
4.2 大佛頂萬行首楞嚴經卷第九（尾）。
8 9~10世紀。歸義軍時期寫本。
9.1 楷書。
11 圖版：《敦煌寶藏》，106/197A~207A。

1.1 BD02283號
1.3 金剛般若波羅蜜經
1.4 閏083
1.5 094:4131
2.1 （17.5+279.1）×27厘米；8紙；共172行，行17字。
2.2 01：17.5+18.5，22； 02：44.5，27； 03：23.1，14；
04：20.0，13； 05：44.5，27； 06：44.5，27；
07：44.5，27； 08：39.5，15。
2.3 卷軸裝。首殘尾全。卷首右下殘破，接縫處有開裂，卷尾有蟲繭及等距離蟲蛀殘洞。背有古代裱補。有燕尾。有烏絲欄。
3.1 首11行下殘→大正235，8/750B18~28。
3.2 尾全→8/752C2。
4.2 金剛般若經（尾）。
8 9~10世紀。歸義軍時期寫本。
9.1 楷書。
9.2 有硃筆校加字。
11 圖版：《敦煌寶藏》，82/191A~194B。

1.1 BD02284號1
1.3 絕觀論
1.4 閏084
1.5 331:8384
2.1 （13.5+253.7）×27.3厘米；6紙；共149行，行字不等。
2.2 01：13.5+18.7，16； 02：46.8，28； 03：47.2，28；
04：47.0，28； 05：47.2，28； 06：46.8，21。
2.3 卷軸裝。首殘尾全。尾有餘空。有烏絲欄。已修整。
2.4 本遺書包括3個文獻：（一）《絕觀論》，120行，今編為BD02284號1。（二）《因緣頌釋》（擬），17行，今編為BD02284號2。（三）《寂和尚說偈》，12行，今編為BD02284號3。
3.4 說明：
本文獻首殘尾全。未為歷代大藏經所收。有胡適、鈴木大拙、久野芳隆、柳田聖山等多種研究與錄校本發表。
4.2 觀行法爲有緣，無名上士集（尾）。
8 8~9世紀。吐蕃統治時期寫本。
9.1 楷書。
9.2 有硃筆校改及斷句。
11 圖版：《敦煌寶藏》，110/142A~145B。

1.1 BD02284號2
1.3 因緣頌釋（擬）
1.4 閏084
1.5 331:8384

2.4 本遺書由3個文獻組成，本號為第2個，17行。餘參見BD02284號1之第2項、第11項。
3.4 説明：
本文獻首尾均全。未為歷代大藏經所收。
4.1 沙門知嵩述（首）。
8 8~9世紀。吐蕃統治時期寫本。
9.1 楷書。
9.2 有硃筆斷句。有倒乙。

1.1 BD02284號3
1.3 寂和尚說偈
1.4 閏084
1.5 331:8384
2.4 本遺書由3個文獻組成，本號為第3個，12行。餘參見BD02284號1之第2項、第11項。
3.4 説明：
本文獻首尾均全。未為歷代大藏經所收。
4.1 寂和尚說偈（首）。
8 8~9世紀。吐蕃統治時期寫本。
9.1 楷書。
9.2 有硃筆斷句。有重文號。

1.1 BD02285號
1.3 大般若波羅蜜多經卷二四五
1.4 閏085
1.5 084:2644
2.1 48×26厘米；1紙；共28行，行17字。
2.3 卷軸裝。首尾均脫。卷面有殘洞。背面有古代裱補。有烏絲欄。
3.1 首殘→大正220，6/240A25。
3.2 尾殘→6/240B26。
7.1 卷背有勘記“勘了”。並有“二”、“廿四六”。
8 8~9世紀。吐蕃統治時期寫本。
9.1 楷書。
11 圖版：《敦煌寶藏》，74/327B~328A。

1.1 BD02286號
1.3 大般若波羅蜜多經卷一七六
1.4 閏086
1.5 084:2437
2.1 (8+32.8)×25.7厘米；2紙；共26行，行17字。
2.2 01：8+24.2，18；　02：8.6+4.7，08。
2.3 卷軸裝。首尾均殘。卷面有碎裂。有烏絲欄。
3.1 首4行下殘→大正220，5/945A13~17。
3.2 尾3行上殘→5/945B7~10。
7.1 卷首背有勘記“一百七十六”。
8 8~9世紀。吐蕃統治時期寫本。
9.1 楷書。
11 圖版：《敦煌寶藏》，73/322B。

1.1 BD02287號
1.3 大般若波羅蜜多經卷二八四
1.4 閏087
1.5 084:2773
2.1 95.2×26厘米；2紙；共56行，行17字。
2.2 01：47.5，28；　02：47.7，28。
2.3 卷軸裝。首尾均脫。首紙有破裂。有烏絲欄。
3.1 首殘→大正220，6/442C5。
3.2 尾殘→6/443B3。
8 8~9世紀。吐蕃統治時期寫本。
9.1 楷書。
11 圖版：《敦煌寶藏》，75/58B~59B。

1.1 BD02288號
1.3 大般若波羅蜜多經（兑廢稿）卷一九五
1.4 閏088
1.5 084:2490
2.1 47.3×27.7厘米；1紙；共26行，行17字。
2.3 卷軸裝。首尾均脫。尾有餘空。有烏絲欄。已修整。
3.1 首殘→大正220，5/1048A21。
3.2 尾缺→5/1048B16。
5 與《大正藏》本對照，本文獻重複抄寫一行，相當於大正5/1048B12~1048B13。
7.3 卷背有硃筆雜寫“卅”。
8 8~9世紀。吐蕃統治時期寫本。
9.1 楷書。上邊有一“兑”字。
11 圖版：《敦煌寶藏》，73/472B。

1.1 BD02289號
1.3 大般若波羅蜜多經卷一五六
1.4 閏089
1.5 084:2411
2.1 49.5×29.7厘米；1紙；共28行，行17字。
2.3 卷軸裝。首尾均脫。卷面有破裂。有烏絲欄。
3.1 首殘→大正220，5/845A22。
3.2 尾殘→5/845B21。
7.1 卷背有硃筆勘記“第六（袟内卷次）”。
8 8~9世紀。吐蕃統治時期寫本。
9.1 楷書。
11 圖版：《敦煌寶藏》，73/208。

1.1 BD02290號
1.3 大般若波羅蜜多經卷一一二
1.4 閏090

1.5　084:2301
2.1　49.4×26 厘米；1 紙；共 28 行，行 17 字。
2.3　卷軸裝。首尾均脫。卷面有火灼殘洞。有烏絲欄。
3.1　首殘→大正 220，5/620A1。
3.2　尾殘→5/620A29。
8　8～9 世紀。吐蕃統治時期寫本。
9.1　楷書。
11　圖版：《敦煌寶藏》，72/395。

1.1　BD02291 號
1.3　涅槃經疏（擬）
1.4　閏 091
1.5　120:6617
2.1　（5.5＋153＋1.5）×28.5 厘米；5 紙；共 113 行，行 20 餘字。
2.2　01：5.5＋25.5，22；　02：42.5，30；　03：42.5，30；　04：42.5，30；　05：01.5，01。
2.3　卷軸裝。首尾均殘。通卷下邊殘損破裂。有烏絲欄。已修整。
3.4　説明：
本文獻首 4 行中下殘，尾行中下殘。所疏為南本《大般涅槃經》。未為歷代大藏經所收。
8　5～6 世紀。南北朝寫本。
9.1　行楷。
9.2　有行間校加字。有重文、倒乙符號。
11　圖版：《敦煌寶藏》，100/616A～618A。

1.1　BD02292 號
1.3　大般若波羅蜜多經（兑廢稿）卷一九五
1.4　閏 092
1.5　081:2488
2.1　49.3×27.4 厘米；1 紙；共 26 行，行 17 字。
2.3　卷軸裝。首尾均脫。尾有餘空。有烏絲欄。
3.1　首殘→大正 220，5/1045A27。
3.2　尾缺→5/1045B24。
7.1　背面有硃書勘記“第七”。
8　8～9 世紀。吐蕃統治時期寫本。
9.1　楷書。上邊有一“兑”字。
11　圖版：《敦煌寶藏》，73/471。

1.1　BD02293 號
1.3　大般若波羅蜜多經（兑廢稿）卷四三一
1.4　閏 093
1.5　084:3118
2.1　49.4×29.5 厘米；1 紙；共 28 行，行 17 字。
2.3　卷軸裝。首尾均脫。有烏絲欄。
3.1　首殘→大正 220，7/170C6。
3.2　尾殘→7/171A6。
7.3　卷端背面有雜寫“一內五”、“五內五”、“第二”等字。
8　8～9 世紀。吐蕃統治時期寫本。
9.1　楷書。
9.2　首尾卷端上邊各有 1 個“兑”字。
11　圖版：《敦煌寶藏》，76/417B～418B。

1.1　BD02294 號
1.3　大般若波羅蜜多經（兑廢稿）卷二四四
1.4　閏 094
1.5　084:2641
2.1　（2＋46.4）×29.5 厘米；1 紙；共 28 行，行 17 字。
2.3　卷軸裝。首殘尾脫。有烏絲欄。
3.1　首行中殘→大正 220，6/230B5。
3.2　尾殘→6/230C3。
7.1　卷背有硃筆勘記“第八”。
7.3　上邊有一“剩”字。
8　8～9 世紀。吐蕃統治時期寫本。
9.1　楷書。上邊有一“兑”字。
11　圖版：《敦煌寶藏》，74/325B～326A。

1.1　BD02295 號
1.3　藥師瑠璃光如來本願功德經
1.4　閏 095
1.5　030:0285
2.1　385×25.5 厘米；9 紙；共 230 行，行 17 字。
2.2　01：44.0，27；　02：44.0，27；　03：44.0，27；　04：44.0，27；　05：44.0，27；　06：44.0，27；　07：40.0，24；　08：40.0，24；　09：41.0，20。
2.3　卷軸裝。首殘尾全。經黃打紙，砑光上蠟。前 3 紙有破裂殘損，自第 6 紙後部撕斷爲 2 截。第 2 紙背有古代裱補。有烏絲欄。已修整。
3.1　首殘→大正 450，14/405C6。
3.2　尾全→14/408B25。
4.2　藥師琉璃光如來本願功德經（尾）。
7.1　尾有題記：“龍興寺僧慈定受持記。”
8　7～8 世紀。唐寫本。
9.1　楷書。
9.2　有刮改。
11　圖版：《敦煌寶藏》，57/612B～618A。

1.1　BD02296 號
1.3　淨名經關中釋抄卷上
1.4　閏 096
1.5　079:1352
2.1　（8.8＋610.9）×31 厘米；14 紙；正面 404 行，行 35 字。背面 6 行，行字不等。

2.2 01：8.8+36.2，28； 02：39.5，24； 03：42.8，26；
04：44.0，29； 05：43.2，29； 06：45.7，31；
07：45.2，30； 08：45.2，30； 09：43.0，29；
10：45.3，30； 11：45.1，30； 12：45.5，30；
13：45.2，30； 14：45.0，28。
2.3 卷軸裝。首尾均全。卷面有多處破裂及殘洞。卷背多有古代裱補。有烏絲欄。已修整。
2.4 本遺書包括個文獻：（一）《淨名經關中釋抄卷上》，404行，抄寫在正面，今編為BD02296號。（二）《唱布歷》（擬），6行，抄寫在背面，今編為BD02296號背。
3.1 首5行上下殘→大正2778，85/508B29～C5。
3.2 尾全→85/518B14。
4.1 □□關中釋抄卷上（首）
4.2 淨名關中釋抄卷上（尾）。
8 9～10世紀。歸義軍時期寫本。
9.1 行楷。
9.2 有行間校加字、行間加行。有校改。有倒乙符號。有硃筆科分。
11 圖版：《敦煌寶藏》，67/87A～94B。

1.1 BD02296號背
1.3 唱布歷（擬）
1.4 閏096
1.5 079:1352
2.4 本遺書由2個文獻組成，本號為第2個，6行，抄寫在背面。餘參見BD02296號之第2項、第11項。
3.3 録文：
唱事（?）/
發三尺子布，一三尺/
李家念謂，計布一十六尺唱緣布人各知◇餘五寸/
王和尚、李闍黎、張闍黎、判官藏勝、陰闍黎、索寺主、石寺主、/
賴乞立、智定、福威、福惠、弘種（?）、法廷、寶受、/
沙彌慶福、和盈、季□。/
（録文完）
8 9～10世紀。歸義軍時期寫本。
9.1 楷書。

1.1 BD02297號
1.3 妙法蓮華經（十卷本）卷二
1.4 閏097
1.5 105:4939
2.1 （3.9+131.9）×26.2厘米；5紙；共78行，行16字（偈）。
2.2 01：3.9+6.1，5； 02：48.0，30； 03：48.5，30；
04：19.3，12； 05：10.0，01。
2.3 卷軸裝。首殘尾全。第2紙上下有破裂殘損。有烏絲欄。
3.1 首行中殘→大正262，9/15A28～29。
3.2 尾全→9/16B6。
4.2 妙法蓮華卷第二（尾）。
5 與《大正藏》本對照，分卷不同。本卷經文相當於卷二譬喻品第三中至末止。為十卷本。
7.1 尾題下有題記"一教（校）竟"。
8 5～6世紀。南北朝寫本。
9.1 隸書。
9.2 有行間校加字。
11 圖版：《敦煌寶藏》，87/266A～267B。

1.1 BD02298號1
1.3 瑜伽師地論手記卷三九
1.4 閏098
1.5 201:7205
2.1 711.9×29.2厘米；16紙；共451行，行字不等。
2.2 01：44.4，27； 02：44.6，27； 03：44.4，08；
04：44.4，38； 05：44.5，31； 06：44.6，35；
07：44.5，35； 08：44.4，35； 09：44.5，28；
10：44.7，27； 11：44.5，04； 12：44.6，35；
13：44.6，35； 14：44.7，36； 15：44.5，31；
16：44.0，19。
2.3 卷軸裝。首殘尾全。卷尾有數處破裂殘損。有烏絲欄。
2.4 本遺書包括3個文獻：（一）《瑜伽師地論手記卷三九》，62行，今編為BD02298號1。（二）《瑜珈師地論手記卷四〇》，233行，今編為BD02298號2。（三）《瑜伽師地論手記卷四一》，156行，今編為BD02298號3。
3.4 說明：
本文獻首殘尾全。未為歷代大藏經所收。可參見大正2801，85/888C21。
4.2 瑜伽論第卌九卷手記竟（尾）。
7.1 卷背各紙接縫處均有押縫簽名"沙門洪真本"。
8 9世紀。歸義軍時期寫本。
9.1 行書。
9.2 有行間加行。有硃筆科分。
11 圖版：《敦煌寶藏》，104/551A～559B。

1.1 BD02298號2
1.3 瑜伽師地論手記卷四〇
1.4 閏098
1.5 201:7205
2.4 本遺書由3個文獻組成，本號為第2個，233行。餘參見BD02298號1之第2項、第11項。
3.4 說明：
本文獻首尾均全。未為歷代大藏經所收。可參見大正2801，85/888C22～891C14。
4.1 瑜伽論卷第卌手初 釋戒波羅蜜品（首）

4.2　瑜伽論第卌卷手記畢（尾）。
7.1　卷背各紙接縫處均有押縫簽名“沙門洪真本”。
8　9世紀。歸義軍時期寫本。
9.1　行書。
9.2　有行間加行。有硃筆科分。

1.1　BD02298號3
1.3　瑜伽師地論手記卷四一
1.4　閏098
1.5　201:7205
2.4　本遺書由3個文獻組成，本號為第3個，156行。餘參見BD02298號1之第2項、第11項。
3.4　說明：
本文獻首尾均全。未為歷代大藏經所收。可參見大正2801，85/891C15～895C15。
4.1　瑜伽論卷手記第卌一初（首）
4.2　瑜伽論第卌一卷手記竟（尾）。
7.1　卷尾有硃筆題記：“戊寅年後正月廿二日說卌一卷手記竟。”卷背各紙接縫處有押縫簽名“沙門洪真本”。
8　858年。歸義軍時期寫本。
9.1　行書。
9.2　有行間加行。有硃筆科分。卷背有補充註釋文字。

1.1　BD02299號
1.3　四分比丘尼戒本
1.4　閏099
1.5　157:6944
2.1　（5+1247）×25.1厘米；27紙；共722行，行17字。
2.2　01：5+5，05；　02：47.0，28；　03：48.0，28；
04：48.0，28；　05：48.0，28；　06：48.0，28；
07：48.0，28；　08：48.0，28；　09：48.0，28；
10：42.0，24；　11：48.0，28；　12：48.5，28；
13：48.5，28；　14：48.0，28；　15：48.0，28；
16：48.0，28；　17：48.0，28；　18：48.0，28；
19：48.0，28；　20：48.0，28；　21：48.0，28；
22：48.0，28；　23：48.0，28；　24：48.0，28；
25：48.0，28；　26：48.0，28；　27：48.0，17。
2.3　卷軸裝。首殘尾全。第2、3紙下部破裂，接縫處有開裂。背有多處古代裱補。有烏絲欄。
3.1　首2行中殘→大正1431，22/1031B10～11。
3.2　尾全→22/1041A18。
4.2　四分尼戒本（尾）。
8　9～10世紀。歸義軍時期寫本。
9.1　楷書。
9.2　有倒乙符號。
11　圖版：《敦煌寶藏》，103/1A～18A。

1.1　BD02300號
1.3　淨名經關中釋抄卷下
1.4　閏100
1.5　079:1357
2.1　324.5×29.2厘米；7紙；共250行，行30字。
2.2　01：46.6，36；　02：46.3，36；　03：46.4，36；
04：46.4，36；　05：46.3，36；　06：46.2，36；
07：46.3，34。
2.3　卷軸裝。首脫尾全。卷面有殘破。有烏絲欄。
3.1　首殘→大正2778，85/529B10。
3.2　尾全→85/535A23。
4.2　淨名經關中抄卷下（尾）。
6.1　首→BD02102號。
8　8～9世紀。吐蕃統治時期寫本。
9.1　行楷。有合體字“涅槃”、“菩薩”。
9.2　有硃筆科分。有重文符號。
11　圖版：《敦煌寶藏》，67/122A～125B。

1.1　BD02301號
1.3　金光明經卷二
1.4　餘001
1.5　081:1388
2.1　（21+563.9+13）×25.5厘米；14紙；正面353行，行17字。背面310行，行17字。
2.2　01：21+8.3，18；　02：45.5，28；　03：45.0，28；
04：45.2，28；　05：45.5，28；　06：45.3，28；
07：45.3，28；　08：45.3，28；　09：45.3，28；
10：45.2，28；　11：45.2，28；　12：45.0，28；
13：44.8，27；　14：13.0，拖尾。
2.3　卷軸裝。首尾均殘。卷面脫落3殘片，可綴接；卷面油污，尾有蟲繭。有烏絲欄。
2.4　本遺書包括2個文獻：（一）《金光明經卷二》，抄寫在正面，353行，今編為BD02301號。（二）《金剛峻經金剛頂一切如來深妙秘密金剛界大三昧耶修行四十二種壇法經作用威儀法則，大毗盧遮那佛金剛心地法門法界壇法儀則》，抄寫在背面，310行，今編為BD02301號背。
3.1　首13行上中殘→大正663，16/342A1～15。
3.2　尾全→16/346B9。
4.2　金光明經卷第二（尾）。
5　首行前粘貼一小殘片，有“敷已”二字。
8　8～9世紀。吐蕃統治時期寫本。
9.1　楷書。
9.2　有行間校加字。
11　圖版：《敦煌寶藏》，67/301A～315B。

1.1　BD02301號背
1.3　金剛峻經金剛頂一切如來深妙秘密金剛界大三昧耶修行四

十九種壇法經作用威儀法則，大毗盧遮那佛金剛心地法門法界壇法儀則
1.4　餘 001
1.5　081:1388
2.4　本遺書由 2 個文獻組成，本號為第 2 個，抄寫在背面，310 行。餘參見 BD02301 號之第 2 項、第 11 項。
3.4　説明：
本文獻未為歷代大藏經所收。可參見伯 3913 號、斯 4487 號。與 BD02074 號、BD02431 號背均為同一文獻，但行文有差異。
4.1　金剛峻經金剛頂一切如來深妙秘密金剛界大三昧耶修行四十二種壇法經作用威儀法則，大毗盧遮那佛金剛心地法門密法戒壇法儀（首）。
7.3　卷尾有三行雜寫，文字倒寫。
8　9～10 世紀。歸義軍時期寫本。
9.1　行書。
9.2　有行間校加字。

1.1　BD02302 號
1.3　大般若波羅蜜多經卷二四
1.4　餘 002
1.5　084:2071
2.1　48×29.5 厘米；1 紙；共 28 行，行 17 字。
2.3　卷軸裝。首尾均脱。卷下邊有破裂。有烏絲欄。
3.1　首殘→大正 220，5/135C2。
3.2　尾殘→5/136A1。
7.1　背面有硃筆勘記“第五”。
8　8～9 世紀。吐蕃統治時期寫本。
9.1　楷書。
11　圖版：《敦煌寶藏》，71/568。

1.1　BD02303 號
1.3　維摩詰所説經卷上
1.4　餘 003
1.5　070:1038
2.1　（5+247.5）×27 厘米；7 紙；共 177 行，行 17 字。
2.2　01：5+7，07；　02：42.5，26；　03：43.0，26；
04：43.0，26；　05：43.0，26；　06：43.0，26；
07：26.0，14。
2.3　卷軸裝。首殘尾全。第 1、2 紙上下邊有破裂。有烏絲欄。
3.1　首 3 行中下殘→大正 475，14/542B3～6。
3.2　尾全→14/544A18。
8　7～8 世紀。唐寫本。
9.1　楷書。
11　圖版：《敦煌寶藏》，64/436B～440A。

1.1　BD02304 號
1.3　金光明最勝王經卷二
1.4　餘 004
1.5　083:1517
2.1　562.7×26 厘米；13 紙；共 354 行，行 17 字。
2.2　01：44.4，28；　02：44.3，28；　03：44.3，28；
04：44.3，28；　05：44.0，28；　06：44.0，28；
07：44.0，28；　08：44.0，28；　09：44.0，28；
10：43.8，28；　11：44.0，28；　12：43.8，28；
13：33.8，18。
2.3　卷軸裝。首脱尾全。有燕尾。背有多處古代裱補。有烏絲欄。已修整。
3.1　首殘→大正 665，16/409A4。
3.2　尾全→16/413C6。
4.2　金光明最勝王經卷第二（尾）。
5　尾附音釋。
7.1　卷首背面有勘記“第二”。
8　8～9 世紀。吐蕃統治時期寫本。
9.1　楷書。
9.2　有刮改。
11　圖版：《敦煌寶藏》，68/260A～267A。

1.1　BD02305 號
1.3　妙法蓮華經卷一
1.4　餘 005
1.5　105:4507
2.1　（3.8+849.8）×26.7 厘米；19 紙；共 497 行，行 17 字。
2.2　01：3.8+18.9，13；　02：47.5，28；　03：47.5，28；
04：47.5，28；　05：47.6，28；　06：47.5，28；
07：47.7，28；　08：47.7，28；　09：48.0，28；
10：47.8，28；　11：47.7，28；　12：48.0，28；
13：48.0，28；　14：47.9，28；　15：47.6，28；
16：47.8，28；　17：47.7，28；　18：47.7，28；
19：19.7，08。
2.3　卷軸裝。首殘尾全。紙未入潢。有烏絲欄。
3.1　首 3 行下殘→大正 262，9/2A4～6。
3.2　尾全→9/10B21。
4.2　妙法蓮華經卷第一（尾）。
8　7～8 世紀。唐寫本。
9.1　楷書。
11　圖版：《敦煌寶藏》，83/519B～532A。

1.1　BD02306 號
1.3　十誦比丘波羅提木叉戒本
1.4　餘 006
1.5　198:7151
2.1　（9+601.5+13）×25 厘米；18 紙；共 340 行，行 27 字。
2.2　01：9+19，16；　02：36.5，20；　03：36.5，20；

04：36.5，20；　05：37.0，20；　06：37.0，20；
07：37.0，20；　08：37.0，20；　09：37.0，20；
10：36.5，20；　11：36.5，20；　12：36.5，20；
13：36.5，20；　14：36.5，20；　15：36.5，20；
16：36.5，20；　17：32.5，18；　18：13.0，06。
2.3　卷軸裝。首尾均殘。卷面多殘破，尾紙破損嚴重。已修整。
3.1　首5行中下殘→大正1436，23/471B1～6。
3.2　尾6行上下殘→23/479A5。
5　與《大正藏》本對照，文字略有不同。其中一段文字，本卷只抄偈頌，無經文，參見大正1436，23/478B22～475A5。
8　5～6世紀。南北朝寫本。
9.1　隸書。
9.2　有行間校加字、重文符號。有墨筆點標。
11　圖版：《敦煌寶藏》，104/327A～335B。

1.1　BD02307號
1.3　佛本行集經卷二一
1.4　餘007
1.5　130:6639
2.1　655.7×28厘米；14紙；共376行，行17字。
2.2　01：48.4，28；　02：48.4，28；　03：48.4，28；
04：48.3，28；　05：48.0，28；　06：48.0，28；
07：48.4，28；　08：48.2，28；　09：48.3，28；
10：48.2，28；　11：48.4，28；　12：48.0，28；
13：48.2，28；　14：28.5，12。
2.3　卷軸裝。首脫尾全。接縫處有開裂，第10、11紙脫斷爲兩截。有烏絲欄。
3.1　首殘→大正190，3/749B5。
3.2　尾全→3/753C8。
4.2　佛本行集經卷第廿一（尾）。
8　9～10世紀。歸義軍時期寫本。
9.1　楷書。
9.2　有倒乙。
11　圖版：《敦煌寶藏》，101/36A～44B。

1.1　BD02308號
1.3　大乘入楞伽經卷三
1.4　餘008
1.5　038:0348
2.1　(3.3+978.2)×26.2厘米；20紙；共513行，行17字。
2.2　01：3.3+34.5，25；　02：50.0，26；　03：50.0，26；
04：50.0，26；　05：49.8，26；　06：50.0，26；
07：50.0，26；　08：50.0，26；　09：50.2，26；
10：50.0，26；　11：49.5，26；　12：49.8，26；
13：49.7，26；　14：49.5，26；　15：49.5，26；
16：49.7，26；　17：49.5，26；　18：49.5，26；
19：49.5，26；　20：47.5，20。
2.3　卷軸裝。首殘尾全。卷首右上殘缺，卷中下部有破損，卷尾有蟲繭。有烏絲欄。已修整。
3.1　首7行上殘→大正672，16/600B21～27。
3.2　尾全→16/607B15。
4.1　□…□［集一切］法品第二之三，卷三（首）。
4.2　大乘入楞伽經卷第三（尾）。
8　9～10世紀。歸義軍時期寫本。
9.1　楷書。
9.2　有刮改。
11　圖版：《敦煌寶藏》，58/245A～258B。

1.1　BD02309號
1.3　金剛般若波羅蜜經
1.4　餘009
1.5　094:3733
2.1　492.8×25.3厘米；11紙；共270行，行17字。
2.2　01：33.0，19；　02：49.5，28；　03：49.5，28；
04：49.5，28；　05：49.5，28；　06：49.5，28；
07：49.5，28；　08：49.5，28；　09：49.5，28；
10：49.5，27；　11：14.3，拖尾。
2.3　卷軸裝。首殘尾全。經黄打紙。接縫處有開裂。尾紙與前紙紙質不同，係後補。背有古代裱補。有烏絲欄。
3.1　首殘→大正235，8/749A28～29。
3.2　尾全→8/752C3。
4.2　金剛般若波羅蜜經（尾）。
8　7～8世紀。唐寫本。
9.1　楷書。
11　圖版：《敦煌寶藏》，80/78A～84B。

1.1　BD02310號
1.3　金剛般若波羅蜜經
1.4　餘010
1.5　094:3600
2.1　(13.5+534.8)×25.5厘米；12紙；共304行，行17字。
2.2　01：13.5+21.1，20；　02：50.0，28；　03：50.2，28；
04：50.1，28；　05：50.0，28；　06：50.2，28；
07：50.1，28；　08：50.0，28；　09：50.0，28；
10：49.8，28；　11：49.8，28；　12：13.5，04。
2.3　卷軸裝。首殘尾全。經黄紙。卷首脫落一殘片，已綴接；首紙污損嚴重，卷尾有蟲繭。有烏絲欄。已修整。
3.1　首9行下殘→大正235，8/748C24～749A6。
3.2　尾全→8/752C3。
4.2　金剛般若波羅蜜經（尾）。
8　7～8世紀。唐寫本。
9.1　楷書。
11　圖版：《敦煌寶藏》，79/72A～79A。

新舊編號對照表

一、千字文號與北敦號、縮微膠卷號對照表

千字文號	北敦號	縮微膠卷號
閏 055	BD02255 號	028：0245
閏 056	BD02256 號	063：0753
閏 057	BD02257 號	064：0829
閏 058	BD02258 號	143：6718
閏 058	BD02258 號背 1	143：6718
閏 058	BD02258 號背 2	143：6718
閏 058	BD02258 號背 3	143：6718
閏 058	BD02258 號背 4	143：6718
閏 059	BD02259 號	070：1057
閏 060	BD02260 號	105：4998
閏 061	BD02261 號	084：2860
閏 062	BD02262 號	083：1521
閏 063	BD02263 號	063：0605
閏 064	BD02264 號	084：2876
閏 065	BD02265 號	094：3505
閏 066	BD02266 號	220：7311
閏 067	BD02267 號 1	275：7989
閏 067	BD02267 號 2	275：7989
閏 068	BD02268 號	058：0462
閏 069	BD02269 號	094：3925
閏 070	BD02270 號 1	229：7325
閏 070	BD02270 號 2	229：7325
閏 071	BD02271 號	014：0132
閏 072	BD02272 號	084：2409
閏 073	BD02273 號	105：5482
閏 074	BD02274 號	084：2667
閏 075	BD02275 號	066：0834
閏 076	BD02276 號	120：6616
閏 077	BD02277 號	084：2663
閏 078	BD02278 號	083：1653
閏 079	BD02279 號	084：3409
閏 080	BD02280 號	105：6143
閏 081	BD02281 號	105：4721
閏 082	BD02282 號	237：7422
閏 083	BD02283 號	094：4131
閏 084	BD02284 號 1	331：8384
閏 084	BD02284 號 2	331：8384
閏 084	BD02284 號 3	331：8384
閏 085	BD02285 號	084：2644
閏 086	BD02286 號	084：2437
閏 087	BD02287 號	084：2773
閏 088	BD02288 號	084：2490
閏 089	BD02289 號	084：2411
閏 090	BD02290 號	084：2301
閏 091	BD02291 號	120：6617
閏 092	BD02292 號	081：2488
閏 093	BD02293 號	084：3118
閏 094	BD02294 號	084：2641
閏 095	BD02295 號	030：0285
閏 096	BD02296 號	079：1352
閏 096	BD02296 號背	079：1352
閏 097	BD02297 號	105：4939
閏 098	BD02298 號 1	201：7205
閏 098	BD02298 號 2	201：7205
閏 098	BD02298 號 3	201：7205
閏 099	BD02299 號	157：6944
閏 100	BD02300 號	079：1357
餘 001	BD02301 號	081：1388
餘 001	BD02301 號背	081：1388
餘 002	BD02302 號	084：2071
餘 003	BD02303 號	070：1038
餘 004	BD02304 號	083：1517
餘 005	BD02305 號	105：4507
餘 006	BD02306 號	198：7151
餘 007	BD02307 號	130：6639
餘 008	BD02308 號	038：0348
餘 009	BD02309 號	094：3733
餘 010	BD02310 號	094：3600

二、縮微膠卷號與北敦號、千字文號對照表

縮微膠卷號	北敦號	千字文號
014：0132	BD02271 號	閏 071
028：0245	BD02255 號	閏 055
030：0285	BD02295 號	閏 095
038：0348	BD02308 號	餘 008
058：0462	BD02268 號	閏 068
063：0605	BD02263 號	閏 063
063：0753	BD02256 號	閏 056
064：0829	BD02257 號	閏 057
066：0834	BD02275 號	閏 075
070：1038	BD02303 號	餘 003
070：1057	BD02259 號	閏 059
079：1352	BD02296 號	閏 096
079：1352	BD02296 號背	閏 096
079：1357	BD02300 號	閏 100
081：1388	BD02301 號	餘 001
081：1388	BD02301 號背	餘 001
081：2488	BD02292 號	閏 092
083：1517	BD02304 號	餘 004
083：1521	BD02262 號	閏 062
083：1653	BD02278 號	閏 078
084：2071	BD02302 號	餘 002
084：2301	BD02290 號	閏 090
084：2409	BD02272 號	閏 072
084：2411	BD02289 號	閏 089
084：2437	BD02286 號	閏 086
084：2490	BD02288 號	閏 088
084：2641	BD02294 號	閏 094
084：2644	BD02285 號	閏 085
084：2663	BD02277 號	閏 077
084：2667	BD02274 號	閏 074
084：2773	BD02287 號	閏 087
084：2860	BD02261 號	閏 061
084：2876	BD02264 號	閏 064
084：3118	BD02293 號	閏 093
084：3409	BD02279 號	閏 079
094：3505	BD02265 號	閏 065
094：3600	BD02310 號	餘 010
094：3733	BD02309 號	餘 009
094：4131	BD02283 號	閏 083
105：4507	BD02305 號	餘 005
105：4721	BD02281 號	閏 081
105：4939	BD02297 號	閏 097
105：4998	BD02260 號	閏 060
105：5482	BD02273 號	閏 073
105：6143	BD02280 號	閏 080
120：6616	BD02276 號	閏 076
120：6617	BD02291 號	閏 091
130：6639	BD02307 號	餘 007
143：6718	BD02258 號	閏 058
143：6718	BD02258 號背 1	閏 058
143：6718	BD02258 號背 2	閏 058
143：6718	BD02258 號背 3	閏 058
143：6718	BD02258 號背 4	閏 058
157：6944	BD02299 號	閏 099
198：7151	BD02306 號	餘 006
201：7205	BD02298 號 1	閏 098
201：7205	BD02298 號 2	閏 098
201：7205	BD02298 號 3	閏 098
220：7311	BD02266 號	閏 066
229：7325	BD02270 號 1	閏 070
229：7325	BD02270 號 2	閏 070
237：7422	BD02282 號	閏 082
275：7989	BD02267 號 1	閏 067
275：7989	BD02267 號 2	閏 067
331：8384	BD02284 號 1	閏 084
331：8384	BD02284 號 2	閏 084
331：8384	BD02284 號 3	閏 084
094：3925	BD02269 號	閏 069